1 MONTH OF
FREE
READING

at

www.ForgottenBooks.com

By purchasing this book you are eligible for one month membership to ForgottenBooks.com, giving you unlimited access to our entire collection of over 1,000,000 titles via our web site and mobile apps.

To claim your free month visit: www.forgottenbooks.com/free1221838

ISBN 978-0-428-46260-4
PIBN 11221838

JAHRESBERICHT

ÜBER DIE

ERSCHEINUNGEN AUF DEM GEBIETE

DER

GERMANISCHEN PHILOLOGIE

HERAUSGEGEBEN

VON DER

GESELLSCHAFT FÜR DEUTSCHE PHILOLOGIE

IN BERLIN

SIEBZEHNTER JAHRGANG

1895.

DRESDEN UND LEIPZIG

VERLAG VON CARL REISSNER

1896.

Inhalt.

Redaktion: Prof. Dr. E. HENRICI. Berlin, Sebastianstrasse 26.

Redaktion: Prof. Dr. H. HERZOG, Halle, Reumontsgasse 62.

I. Allgemeine lexikographie.

Wörterbücher. 1. Grimms Wörterbuch. 4. bd., 2. hälfte, 11. lief., sp. 4073—4264 *gesetz* bis *gestüm.* bearb. von R. Hildebrandt und K. Kant. 1895.

9. bd., 2. lief., sp. 193—384 *schinden* bis *schlagen,* 3. lief., sp. 385—576 *schlagen* bis *schleier,* 1894; 4. lief., sp. 577—768 *schleier* bis *schloss,* 5. lief., sp. 769—960 *schloss* bis *schmecke,* 1895, bearb. unter leitung von Moritz Heyne.

12. bd., 6. lief., sp. 961—1152 *verpetschierung* bis *verschrecken,* bearb. von R. Wülcker.

2. M. Heyne, Deutsches wörterbuch, 6. hlbd. (schluss). Leipzig, Hirzel. 3. bd., VIII u. sp. 593—1464. — vgl. jsb. 1894, 4, 4.

kurze anzeige des letzten halbbandes. Lit. cbl. 1895 (52) 1878.

3. H. Paul, Deutsches wörterbuch. Erste lieferung (A—gebühr). Halle, Niemeyer 1896. 160 s. 2 m.

das werk, das 4—5 lieferungen umfassen soll, wendet sich, nach der ankündigung, an alle gebildeten, die das bedürfnis empfinden über ihre muttersprache nachzudenken. es schliesst etymologische erklärungen und fremdwörter aus, giebt aber bei deutschen wörtern die mhd. und ahd. form und bei lehnwörtern die ursprüngliche form des wortes in der sprache, der es entstammt. die absicht des vfs. ist es, hauptsächlich solche ausdrücke zu erklären, die in der klassischen litteraturperiode oder früher begegnen, jetzt aber ausser gebrauch sind, sowie solche verwendungen der wörter, in denen die ursprüngliche bedeutung schwer oder gar nicht mehr erkennbar ist. die lieferung ist überaus reichhaltig, das werk wird sich in schul- und privatbibliotheken schnell einbürgern.

4. Frdr. Mann, Kurzes wörterbuch der deutschen sprache. unter beiziehung der gebräuchlichsten fremdwörter mit angabe der

abstammung und abwandlung bearbeitet. 4. aufl. Langensalza,
Beyer und söhne. VIII, 332 s. 2,50 m.

das knappe werk, das seit 1881 jetzt zum viertenmale auf-
gelegt ist, beweist, wie gross und allgemein das interesse für zuverlässige und kurze lexikalische belehrung ist. zusammensetzungen
und rein mundartliche ausdrücke sind im allgemeinen ausgeschlossen, ebenso ist die anzahl der fremdwörter beschränkt. die
einzelnen artikel enthalten eine angabe der alt- und mittelhochdeutschen form des wortes, bei fremdwörtern die angabe des ur-
sprungswortes; ferner eine kurze definition der grundbedeutung und
eine aufzählung der wichtigsten abgeleiteten bedeutungen. vollständigkeit ist weder hierbei noch bei der aufzählung der ableitungen und zusammensetzungen angestrebt; der vf. hat meist
das bedürfnis der schule und die orthographischen regeln im auge.

5. F. Tetzner, Deutsches wörterbuch. Leipzig, Reclam. —
vgl. jsb. 1894, 1, 6. — angez. von Rich. Müller, Österr. litztg.
1895 (19) 598—599.

6. W. v. Gutzeit, Wörterschatz der deutschen sprache Livlands. — vgl. jsb. 1894, 17, 4.

7. Friedr. Kluge, Etymologisches wörterbuch. 5. aufl. —
vgl. jsb. 1894, 1, 9.

angez. von J. Franck, Anz. f. d. altert. 21 (4) 297—313, der
zwar die brauchbarkeit, wissenschaftlichkeit und fortschreitende er-
neuerung hervorhebt, aber auch eine grosse anzahl einzelheiten bespricht, in denen er entweder grundsätzlich vom vf. abweicht, oder
versehen, zum teil schon ältere und öfters bemängelte, anmerkt. —
von Fr. Kauffmann, Archiv für nord. filol. 11 (2). — Lit. cbl.
1895 (29) 1019 'nützliches und verdienstliches werk, zuverlässiger
ratgeber.'

8. K. Riedel, Kurzes deutsches wurzel- und stammwörter-
buch mit vergleichung der sanskrit- und der wichtigsten europäischen sprachen nebst den gebräuchlichsten fremd- und lehnwörtern, eigen-, tier- und pflanzennamen. gymn.-progr. 1894.

Wortkunde. 9. Schlessing, Deutscher wortschatz. — vgl.
abt. 4, 44.

10. A. Braun, Deutscher sprachschatz. beiträge zum unterricht in der deutschen sprache. Cassel, Weber und Weidemeyer.
III, 87 s.

soll drei bis vier zwanglose hefte umfassen, die dem (volks-
schul-)lehrer das wissenswerte aus grösseren wissenschaftlichen
werken zugänglich machen. das kapitel 1 handelt über erbwort,
lehnwort, fremdwort, 2 enthält worterklärungen, 3 handelt über die

verschiedenen bedeutungen eines wortes, 4 über die bedeutung und sprachliche verwertung der benennungen der körperteile. — der vf. benutzt gute werke.

11. H. Dunger, Die bereicherung des wortschatzes unserer muttersprache. Wissensch. beihefte zur zs. d. allg. d. sprachr. 1895 (9).

12. Herm. Schrader, Der bilderschmuck der deutschen sprache. — vgl. abt. 4, 23a.

Wortforschung. 13. F. Haberland, Krieg im frieden, eine etymologische plauderei über unsere militärische terminologie. 2 teile, beilagen zum jahresbericht des realprogymnasiums zu Lüdenscheid über das schuljahr 1894/1895. progr. no. 378. Lüdenscheid, W. Crone. 1894 u. 1895. 50 u. 43 s.

eine zusammenstellung zahlreicher älterer und einiger neuerer ausdrücke aus dem kriegswesen, mit angabe ihrer herkunft oder versuch einer deutung.

14. L. Wiener, The judaeo-german element in the german language. Americ. journ. of phil. 15, 329—347.

15. H. K. Lenz, Jüdische eindringlinge im wörter- und citatenschatz der deutschen sprache. allen sprachreinigern gewidmet. Münster, A. Russel. 28 s. 0,60 m.

wie schon der titel vermuten lässt, verfolgt der aufsatz nicht sprachwissenschaftliche, sondern praktische zwecke. die zusammenstellung jüdischer wörter bietet nichts neues, ist auch weder vollständig noch zuverlässig; die der citate ist ganz wertlos; dass übrigens ein hinweis auf die 'jüdischen eindringlinge' in unserm wortschatz nicht überflüssig ist, mag anerkannt werden.

16. H. Haupt und Edw. Schröder, *Artisen* und *arthave.* Zs. f. d. phil. 28 (3) 421.

17. O. Behaghel, Mhd. *erbeit.* Beitr. z. gesch. d. d. spr. 20 (¹/₂) 344.

weist in übereinstimmung mit Sievers (abt. 13) darauf hin, dass *ei* in *arbeit, oheim, ameisc* umlaut wirke. Sievers trägt in der anmerkung noch *gänster* nach.

18. John Meier, *Schawelle, schabelle.* Beitr. z. gesch. d. d. spr. 20 (3) 574 f.

denkt für die bedeutung 'unruhiges, übermütiges mädchen' an entlehnung aus dem zigeunerischen *tschawalle* 'kinder'.

19. Heinrich Menges, Rost. Zs. f. d. d. unterr. 9, 773 f.

erklärt den ausdruck 'hölzerner rost' (vgl. zs. 8, 130) durch

1*

hinweis auf die *hultzinen gerüste*, worauf nach Closeners chronik
- die juden verbrannt wurden.

20. E. Nestle, Degen. Zs. f. d. d. unterr. 9, 710.

giebt einen beleg für die bedeutung 'held' aus Johannes
Freinsheims tugendspielgel vom jahre 1639, dessen vf. sich bereits
seinerseits auf Otfried bezieht.

21. R. Sprenger, *Beiten* = borgen. Zs. f. d. d. unterr.
9, 771 f.

22. J. Bernhardt, Sich zauen. Zs. f. d. d. unterr. 9, 149 f.

weist im bergischen 'sich tauen' und 'tauen' nach, das er mit
mhd. *zouwen*, ahd. *zawên* zu got. *taujan* stellt. — vgl. jsb.
1894, 1, 22.

23. E. Speck, Zu *zannen*. Zs. f. d. d. unterr. 8 (12) 854 f.
nachtrag zu den jsb. 1894, 1, 22 verzeichneten notiz Sprengers.

24. Heinrich Menges, *Zannen*. Zs. f. d. d. unterr. 9, 853 f.
— vgl. jsb. 1894, 1, 22.

weist das wort aus dem Oberelsass nach; es bedeutet 'zornig
das gesicht verziehen' und wird erklärt als 'die zähne weisen'.

25. A. Landau, 'Waser'. — vgl. abt. 4, 28.

26. John Meier, Mit dem judenspiess rennen. Beitr. z. gesch.
d. d. spr. 20 (3) 578 f.

weist auf den studentenausdruck *spiess* = sechser und das
griechische ὀβολός, ὀβελός hin und deutet die redensart als ein
wortspiel für 'wucher treiben', da die juden vom recht des waffen-
tragens ausgeschlossen waren.

27. N. A. Schröder, Nochmals zu dem ausdruck „Schau
haben". Zs. f. d. d. unterr. 8 (11) 775 f.

28. W. Kohlschmidt, Zu „einen korb geben". Zs. f. d.
d. unterr. 9, 773.

weist auf holländisch: door de mande vallen hin, als bestätigung
für die von Hildebrand Zs. f. d. d. unterr. 5, 123 gegebene erklärung der deutschen redensart.

29. O. Glöde, Stein und bein klagen. Zs. f. d. d. unterr.
9, 774—776. (vgl. jsb. 1894, 1, 22.) hält seine frühere erklärung
aufrecht.

30. Zs. f. d. spr. 9, 32. D. Sanders, *bethätigen*. 64 *haber-
bock, habergeiss.* 77 *unnützlichkeit.* 99 zusammensetzungen von
tragen. 106 *störkalb.* 165 *es geht mir nicht zusammen.* 183 *schwänse.*
229 *kakelnest.* 232 *erübrigen, klägerisch, beklagtisch.* 353 *steuer-
zäh.* 355 *vergaffen.* 367 *binsenwahrheit, Türkis.* — 72 K. Schrader,
Radau   Felix Hartmann.

II. Namenkunde.

Personennamen. 1. E. Adamek, D. rätsel uns. schülernamen. — vgl. jsb. 1894, 2, 1. rec. von Ad. Socin, Litbl. 1895, 10, 337 f.

2. K. Haack, Zur namenforschung. Zs. f. d. d. unterr. 9, 549—552; erklärt die unterschiede der ober- und niederdeutschen betonung der aus andern sprachen herübergenommenen namen, wie sie Mackel konstatiert hat (jsb. 1894, 2, 8), physiologisch.

3. R. Hildebrand, Namen mit und ohne bedeutung. Zs. f. d. d. unterr. 9, 305—309; er fordert, dass ein personenname eine klare, kräftige, sichere bedeutung habe und untersucht, wann die bis zur romantik reichende umwandlung der namen „zu blossen atrappen mit schönem schein" beginnt und woher sie stammt.

4. Imme, Unsere vornamen. Rhein.-westfäl. ztg. v. 3. II. 1895.

5. Imme, Unsere altdeutschen personennamen. Rhein.-westfäl. ztg. v. 12. V. 1895.

6. G. Kossinna, Der ursprung des germanennamens. P.-Br. beitr. 20, 258—301; er giebt 1. eine genaue übersetzung des 2. kap. der germania und untersucht 2. ob bei dieser übersetzung die geschichtlichen voraussetzungen, die uns die germanische altertumskunde an die hand giebt, sich auf ungekünstelte weise mit den nachrichten des altertums zu einer befriedigenden gesamtauffassung vereinigen lassen. die eigentliche deutung behält der vf. einem späteren 3. kap. vor. — vgl. abt. 7, 14.

7. G. Leue, Das „wort" germania. Zs. f. d. d. unterr. 9, 447—453; er hält germani und germania für rein lateinische worte, aufgebracht von händlern und soldaten, denen die ähnlichkeit der germanen so gross erschien, dass sie sie für leibliche brüder hielten und demgemäss benannten.

8. H. Menges, Zur betonung und verkürzung der namen. Zs. f. d. d. unterr. 9, 414—419; er bestätigt Mackels ansicht (jsb. 1894, 2, 8), dass in Süddeutschland das germanische betonungsprinzip besonders bei fremden namen kräftig entwickelt ist. Dass bei verkürzungen dennoch meistens der zweite bestandteil geblieben ist, erklärt er damit, dass bei lautem rufen allgemein die letzte silbe eines wortes stärker betont wird.

8a. Dove, Das älteste zeugnis für den namen deutsch. Sitzungsberichte der philol.-hist. klasse d. kgl. bayr. akad. 1895 (2).

9. Rud. Much, Die deutung der germanischen völkernamen. P.-Br. beitr. 20, 1—19; er fordert die untersuchung derselben auf grund einer genauen und reinlichen analyse ihrer grammatischen form und polemisiert dann gegen die deutungsversuche der germanischen völkernamen von Hirt (beitr. 18, 511), die er nur für schutt hält, der weggeräumt werden muss.

10. Rud. Much, Germanische völkernamen. Zs. f. d. altert. 39, 20—52; er untersucht mit gewohnter gründlichkeit und umsicht 32 völkernamen, die nicht alle den Germanen zugehören.

11. E. Nestle, Familiennamen auf *lin*. Zs. f. d. d. unterr. 9, 558/559.

12. J. Neubauer, Über egerländer tauf- und heiligennamen, Mitt. d. ver. f. gesch. d. Deutschen in Böhmen. 33, 1 ff.

13. W. Reeb, Germanische namen auf rheinischen inschriften. Progr. d. gymnas. zu Mainz. 48 s. 4⁰; der germane hat auch im ausland seinen deutschen namen beibehalten.

14. H. Schuchardt, Sind unsere personennamen übersetzbar? Graz, selbstverlag. 0,50 m. 11 s.

15. Fr. Spalter, Bemerkungen zu Mackels aufsatz über namenforschung. Zs. f. d. d. unterr. 9, 486—489.
er bestreitet Mackels behauptung.

16. Br. Stehle, Vornamenstudien. Zs. f. d. d. unterr. 9, 68—71; er möchte mit zwei alten chronisten die fremden namen Johannes u. a. zum teil auf den politischen zusammenhang mit Italien unter den Staufern zurückführen.

17. W. Tobler-Meyer, Deutsche familiennamen s. jsb. 1894, 2, 11; rec. von Ad. Socin, Litbl. 1895, 1, 6—8, Lit. cbl. 1895, 1372.

18. K. Weinhold, Zur süddeutschen namenkunde. Zs. d. ver. f. volksk. 5. heft 1.

19. Aug. Zimmermann, Zu dem aufsatz von E. Mackel. Zs. f. d. d. unterr. 9, 552 f.

Ortsnamen. 20. E. Brandis, Berg-namen des Thüringerwaldes. s. jsb. 1893, 2, 16, rec. von R. Müller, Österr. litbl. 4, 732.

20a. J. J. Egli, Nomina geographica. vgl. jsb. 1893, 2, 23; rec. von R. Müller, Österr. litbl. 3, 19 f.

20b. K. Erbe, Betrachtungen über die zu städtenamen gehörigen ableitungen auf er und isch. Süddeutsche bl. f. höh. unterrichtsanstalten 3. heft 7.

21. W. Hammer, Ortsnamen der provinz Brandenburg. 2. teil. progr. der 9. realschule zu Berlin; Berlin, Gärtner. 30 s. Kreise Angermünde, Prenzlau, Templin, Ruppin. — 1. teil. vgl. jsb. 1894, 2, 18, rec. von R. Müller, Österr. litbl. 4, 731/732.

21a. J. L. Brandstetter, Die namen Bilstein und Pilatus. Festschr. z. eröffng. d. n. kantonschulgebäudes zu Luzern.

21b. F. Bresch, Die Münsterthäler ortsnamen. Jahrb. f. gesch. u. s. w. Elsass-Lothringens IX.

21c. R. Müller, Beiträge zur altkärntnischen namenkunde. Carinthia 83, 1.

Kärnten, Karnburg, Krapfeld, Klagenfurt.

22. J. J. Hoffmann, Schapbach und seine bewohner: 1. ortsnamen, 2. flurnamen, 3. familien- und taufnamen. Alemannia 23, 1—6.

23. G. Jakob, Das wendische Rügen in seinen ortsnamen dargestellt. Balt. studien 44.

23a. A. Kübler, Die suffixhaltigen roman. flurnamen Graubündens I. rec. v. Meyer, Lübke, Litbl. 16, 238—240.

24. J. Schmidkontz, Ortsnamenkunde u. ortsnamenforschung im dienste der sprachwissenschaft und geschichte. I. untersuchung über deutsche ortsnamen im anschluss an die deutung des namens Kissingen. Halle, Niemeier 1895. X, 93. mit aufwendung eines umständlichen, gelehrten apparates gelangt er zur deutung: Kissingen = häuser bei den brunnen, quellen.

25. Chr. Schneller, Beiträge zur ortsnamenkunde Tirols I. — vgl. jsb. 1893, 2, 29; rec. von v. Grienberger, Anz. f. d. a. 21, 11—16, welcher nicht so viel namen auf roman. wurzeln zurückführen möchte. — II. rec. v. Widmann, Zs. f. realschulw. 20, 4. Litbl. 1895, 1090.

27. J. Tarneller, Die hofnamen des burggrafenamtes in Tirol. (fortsetzung). Progr. des gymn. zu Meran. — vgl. jsb. 1893, 8, 35; 1894, 8, 124.

28. Fr. Umlauft, Namenbuch der stadt Wien; die namen der strassen und gassen, plätze und höfe, vorstädte und vororte im alten und neuen Wien, erklärt. VI, 206. Wien, Hartleben. 3,60 m.

29. P. Vogt, Die ortsnamen auf -scheid und -auel (ohl);

ein beitrag zur geschichte der fränkischen wanderungen und siedelungen. — vgl. abt. 7, 19.

Sonstige namen. 30. A. Emmerig, Erklärung der gebräuchlichsten fremden pflanzennamen. ein nachschlagebuch. Donauwörth, L. Auer 1894. 147 s. 1 m.

30a. J. Gielhoff, Die tiernamen im volksmunde. National-zeitung vom 3. März 1895.

31. O. Glöde, Tiernamen im volksmunde und in der dichtung: der sperlingsname. Zs. f. d. d. unterr. 9, 217.

32. K. Goehrlich, Der teufelsname in der organischen natur. Wissenschaftl. beil. z. Leipziger ztg. no. 71.

33. F. Höfer, Die volksnamen der vögel in Niederösterreich. Wien, Hernals, Fr. Matzner. 23 s. — vgl. auch abt. 5, 23.

34. F. Kluge, Die deutschen namen der wochentage, sprachgeschichtlich erläutert I. Wissenschaftl. beihefte zur zs. d. allg. d. sprachver. (1895) 8, 89—98.

35. G. Lugge, Niederdeutsche pflanzennamen. Korrespondenzblatt d. ver. f. nd. sprachforsch. 18, heft 1.

36. W. Schwartz, Die volkstümlichen namen für Kröte, Frosch und Regenwurm in Norddeutschland nach ihren landschaftlichen Gruppierungen. Zs. d. ver. f. volksk. 5, heft 3.

37. Über die bedeutung der erdkundlichen namen. Köln. ztg. vom 19. mai 1895.

38. J. E. Wülfing, Giergasse, Gierbrucke. Zs. d. allg. d. sprachver. 1895, 241—243. Ölgötze, Ölkopf. ebd. 125—129.

Karl Wersche.

III. Allgemeine und vergleichende grammatik, metrik.

Phonetik. 1. E. Sievers, Grundzüge der phonetik. vierte aufl. Leipzig 1893. — vgl. jsb. 1894, 3, 2. — angez. von W. Vietor, Anz. f. idg. sprachk. 5 (1) 11—15, der namentlich Sievers' abneigung gegen experimentalphonetik zu bekämpfen bemüht ist.

2. P. Passy, Étude sur les changements phonétiques. Paris, Didot 1890. — vgl. jsb. 1893, 3, 4. — weiter angez. von W. Vietor, Anz. f. d. idg. sprachk. 4, 6—11, der in anlehnung an Passys aufstellungen selbst eine gruppierung der einflüsse vornimmt, durch die lautwandel veranlasst wird.

3. J. Baudouin de Courtenay, Versuch einer theorie
phonetischer alternationen. ein kapitel aus der psychophonetik.
Strassburg, Trübner. V, 124 s. 4 m.

stand in anz. d. akad. wissensch. in Krakau 1894, april in
polnischer sprache. — angez. von W. V(ietor), Lit. cbl. 1895
(50) 1796 f., der die eigentümliche anschauungsweise des vfs. kurz
darlegt.

4. O. Bremer, Deutsche phonetik. Leipzig 1893. — vgl.
jsb. 1894, 3, 3. — angez. von A. Heusler, Anz. f. d. altert.
21 ($^1/_2$) 17 ff., der die methode der forschung lobt und den resultaten, die von der bisherigen darstellung der deutschen laute
vielfach abweichen, im allgemeinen zustimmt, aber die lektüre des
buches erst bei fortgeschrittenem studium empfiehlt. — von
H. Pipping, Zs. f. d. phil. 28 (3) 375—377, der die selbständigkeit von Bremers untersuchungen und sein ungewöhnlich feines
gehör rühmt, indes ebenfalls das studium des werkes vorzugsweise
dem fachmann empfiehlt. — von E. Hoffmann-Krayer, Litbl.
1895 (4) 145 f. 'wissenschaftlich selbständige, höchst beachtenswerte leistung.' — von E. S(ievers), Lit. cbl. 1894 (47) 1701 f.
lobt die originalität der auffassung, die anordnungsweise und besonders die ausführungen über die verschiebung und abwickelung
der artikulationen und empfiehlt das studium des werkes aufs
wärmste. — von J. Seemüller, Litztg. 1895 (3) 76 f., der die
verwendbarkeit zur ersten einführung in die phonetik bezweifelt,
aber auf die zahlreichen neuen untersuchungen und auf die Bremer
eigentümliche betonung der wichtigen rolle des ohres in der
phonetik hinweist und den wissenschaftlichen gewinn dieser untersuchungen sehr hoch anschlägt. — vgl. auch A. Holder, Alemannia 22 (3) 282—285.

5. W. Vietor, Elemente der phonetik des Deutschen, Englischen und Französischen. 3. aufl., 2. hälfte. — schluss des jsb.
1894, 3, 4 angezeigten werkes. Leipzig, Reisland. XII u. s. 161—388
mit einer tafel. 4 m.

6. W. Vietor, Die aussprache des schriftdeutschen mit dem
wörterverzeichnis für die deutsche rechtschreibung zum gebrauch
in den preussischen schulen in phonetischer umschrift, sowie phone-
tischen texten. 3. aufl. der schrift 'Die aussprache des wörterver-
zeichnisses für die deutsche rechtschreibung in den preussischen
schulen.' Leipzig, Reisland. VIII, 101 s. mit 3 fig. 1,60 m.
angez. Zs. f. d. österr. gymn. 46, 10 M. H. Jellinek.

7. Hoppe, Tysk ljud-och uttals lära. — angez. Die neueren
sprachen 2 ($^9/_{10}$) von Osterberg.

8. H. Pipping, Zur lehre von den vokalklängen. neue untersuchungen mit Hensen's sprachzeichner. Zs. f. biologie 31, 524—583. auch als separatabdr. München 1884.

9. H. Pipping, Über die theorie der vokale. Aus den Acta societatis scientiarum Finnicae. XX, 2. 68 s. 4° und 6 tafeln. Helsingfors 1894.

10. R. Meringer und Karl Mayer, Versprechen und ver- lesen. eine psychologisch-linguistische studie. Stuttgart, Göschen. XIV, 204 s. 4,50 m.

die vf. geben zuerst zahlreiche beispiele für vertauschungen, vor- und nachkläge, kontaminationen und substitutionen, sowie über sprechfehler bei *r* und *l*, und daraus sucht Meringer am schluss einige thatsachen der sprachgeschichte, namentlich die silben- dissimilation zu erklären. trotz des reichen materials von sprech- fehlern vermisst man sehr die heranziehung nichtdeutscher sprachen, besonders der slavischen und des neugriechischen, in denen die auffälligsten, dem deutschen ganz fremden vertauschungen überaus häufig sind.

Bibliographie. 11. K. Breul, A handy bibliographical guide to the study of the german language and litterature for the use of students and teachers of german. London, Hachette and co. XI, 133 s. — vgl. jsb. 1894, 21, 6. — angez. The academy 1210.

Allgemeines. 12. Max Müller, Die wissenschaft der sprache. Leipzig, Engelmann 1892. — vgl. jsb. 1894, 3, 11. — angez. von R. Meringer, Zs. f. d. österr. gymn. 45 ($^8/_9$). W. Streitberg, Anz. f. idg. sprachk. 5 (1) 8—10. (schliesst sich an die gleich- zeitig besprochene schrift von Whitney an. — vgl. jsb. 1892, 3, 25.)

13. F. Max Müller, Three lectures of the science of lan- guage, with a supplement: my predecessors. Chicago 1893. II u. 112 s. 3,20 m.

14. G. v. d. Gabelentz, Die sprachwissenschaft. Berlin 1893. — vgl. jsb. 1894, 3. — angez. von R. Meringer, Zs. f. d. österr. gymn. 45 ($^8/_9$).

15. A. Rosenstein, Das leben der sprache. Hamburg 1893. — vgl. jsb. 1894, 2, 30. — angez. Litztg. 1895 (31) 969 von F. Hartmann.

16. R. Patzig, Über die entstehung der sprache. progr. d. realschule zu Glauchau. no. 577. Glauchau, Dulce. 24 s.

obwohl der vf., der der frage vom naturwissenschaftlichen standpunkte aus beizukommen sucht, mit bedenklichen begriffen wie generatio aequivoca, und Abelschem gegensinn arbeitet und die litteratur der frage nur recht unvollkommen zu kennen scheint,

so sind seine ausführungen doch gehaltvoll und verdienen beachtung. in mehreren punkten trifft er ganz überraschend mit
Jespersen (vgl. no. 22) zusammen; die quelle der sprache sucht er
aber ausschliesslich in der schallnachahmung.

17. Gumplowicz, Sprachwissenschaft und sociologie. Die
aula, 1 (23).

18. H. C. Hermann, Das künstlerische in der sprache.
N. jahrb. f. phil. u. päd. 152 (7).

19. H. Gaidoz, L'étymologie populaire et le folklore. Mélusine. VII. heft 4, 5, 6, 10. weitere beiträge. - vgl. jsb. 1894, 3, 37.

20. A. C. graf v. d. Schulenburg, Über die verschiedenheiten des menschlichen sprachbaues. eine studie über das werk
des James Byrne 'Principles of the structure of language'. Leipzig,
Harrassowitz. 20 s. 1,20 m.

21. H. Schuchardt, Weltsprache und weltsprachen. Strassburg 1894. — vgl. jsb. 1894, 3, 41. — angez. von F. Hartmann,
Litztg. 1895 (29) 909.

22. O. Jespersen, Progress in language with special reference to English. London, Swan Sonnenschein & co. New York,
Macmillan & co. 1894. XIV, 380 s. 7,50 m.

der vf. bezeichnet dies werk als eine übersetzung, in gewissem
sinne, seiner studien über englische casus (vgl. jsb. 1894, 16, 88)
betont aber auch selbst, dass die zahlreichen zusätze und änderungen
es zu einem ganz neuen werk machen, zumal auch wertvolle teile
des früheren werkes fehlen. mit einem gewissen eigensinn betont
J. seine anschauung, in dem verfall der flexion der indogermanischen
sprachen überall einen fortschritt der sprache zu grösserer bieg-
samkeit, eine erhöhung ihrer verwendbarkeit als ausdrucksmittel
für die denkthätigkeit zu sehen. er bekämpft die ältere, übrigens
doch schon längst nicht mehr allgemeingültige ansicht, die den
verfall der sprachlichen form als einen rückschritt auf dem wege
der entwickelung aus einsilbigen zu agglutinierenden und flektierenden sprachen beklagte, auf allen punkten; er zeigt, wie eines-
teils die einsilbigkeit und flexionslosigkeit des Chinesischen nicht ursprünglich, wie anderseits die gesetze der flexion und kongruenz
in den klassischen sprachen und die eigenartigen der kongruenz-
lehre entsprechenden gesetze der Bantusprachen ein schwerer und
unnützer ballast für diese sprachen sind, und entwickelt daraus
mit bewunderungswürdiger schärfe und konsequenz ein system der
beurteilung der sprachgeschichte, das endlich in einem höchst lesens-
werten aufsatz über die entstehung der sprache gipfelt. wenn auch
nur wenige dem vf. in seiner anschauung folgen werden, dass

nicht einzelworte, sondern den Wagnerschen leitmotiven ähnliche, lange, einen verwickelten gedankeninhalt tragende satz-
artige gebilde als ursprung der sprache anzusehen sind, so sind
seine ausführungen doch höchst beachtenswert und enthalten
namentlich in dem punkte, dass die sprachen stets vom speziellsten
zum allgemeinen, vom verwickelten zum einfacheren fortschreiten,
einen zweifellos richtigen und in den bisherigen untersuchungen
nicht hinreichend beachteten kern. — vgl. jsb. 1894, 3, 26; 16, 87.
— angez. von V. Henry, Revue critique 1894 (52). — von
F. Holthausen, Lit. cbl. 1895 (34) 1209 f. (stimmt mit Sweet
in der beurteilung des buches überein, der darin die originellste
und anregendste untersuchung der letzten zeit über englische
grammatik sieht.)

23. H. Logemann, Taalvervol of taalontwikkeling? Taal en
letteren 5 (5).

24. Fr. Kluge, Sprachreinheit und sprachreinigung, geschichtlich betrachtet. Zs. d. allg. d. spr. 9, $^{10}/_{12}$.

25. O. Behaghel, Sprachgebrauch und sprachrichtigkeit.
vortrag, gehalten im freien deutschen hochstift in Frankfurt a. M.
Wissenschaftliche beihefte zur Zs. d allg. d. sprachv. 1894 (6) 16—30.

26. A. Noreen, Spridda studier — populära uppsatser. Stockholm, Geber. 2,75 kr.
enthält u. a. die aufsätze Om tavtologie (vgl. jsb. 1894, 3, 32)
und Om språkriktighet (vgl. jsb. 1893, 3, 49).

27. R. Hildebrand, Zur logik des sprachgeistes. Zs. f. d.
d. unterr. 8 (10) 684—692. - vgl. jsb. 1894, 4, 32. — H. behandelt unter 11 die präsentisch-aktive bedeutung der perfect-
participia wie 'bediente', unter 12 den bedeutungsübergang in
'jetzt', 'alleweil', unter 13 den 'vorsichtigen konjunktiv'.

28. Gartner, Das gebiet der sprachgesetzgebung — vgl.
abt. 4, 21.

29. K. Mewes, Einführung in das wesen der grammatik
und in die lehre von den partikeln der deutschen sprache. Magdeburg, Heinrichshofen. IX, 108 s. 1,80 m.
die dem fürsten Bismarck zu seinem achtzigsten geburtstage
gewidmete schrift zerfällt in einen allgemeinen teil, der begriff und
aufgabe der grammatik, einteilung, hilfswissenschaften und methoden
behandelt, und einen besondern, der die aufgabe einer darstellung
der partikeln der deutschen sprache abgrenzen und nach ihrem
werte charakterisieren soll der vf. spricht viel von sprachwissenschaft, allgemeiner und philosophischer grammatik, bietet aber in

seinen sehr breiten ausführungen nichts neues; die hauptwerke der modernen forschung für seinen gegenstand, Ries, Was ist syntax? und Delbrück, Idg. syntax, sind ihm unbekannt, von Erdmann, Miklosich ganz zu geschweigen. seine anordnung der redeteile, die ja praktisch verwendbar ist, würde vermutlich ebenfalls anders ausgefallen sein, wenn er auf Kerns grammatische untersuchungen eingegangen wäre.

30. A. Meillet, Les lois du langage. Revue internationale de sociologie 1893, 311—321; 1894, 860—870.

der erste artikel behandelt die lautgesetze, der zweite die analogie.

31. A. Ludwig, Über den begriff „lautgesetz". — Sitzungsberichte d. k. böhm. gesellsch. d. wiss. Prag, F. Rivnáč in komm. 54 s. 0,80 m.

32. A. Wallensköld, Zur klärung der lautgesetze. — Festschrift für A. Tobler. s. 289—305; auch sonderdruck.

33. E. Fay, Agglutination and adaptation I. The american journal of philology. I. 15 (4) 409—442, II. 16 (1) 1—27.

Semasiologie. 34. O. Hey, Die semasiologie, rückblick und ausblick. Archiv f. lat. lex. 9, 193—230.

gruppierung der ursachen des bedeutungswandels.

35. W. L. von Helten, Over de factoren van de begripswijzigingen der woorden. rectoratsrede. Groningen, Wolters 1894. 22 s.

der vf. wendet sich gegen die von A. Darmsteter vertretene ansicht, das bei der entwickelung der bedeutungen neben der metapher auch synekdoche und metonymie eine rolle spielen; er beschränkt vielmehr in anlehnung an Pauls principien den bedeutungswandel auf die beiden formen: 'spezialisierung' und 'übertragung auf das räumlich, zeitlich und kausal verknüpfte' und teilt genauer, unter betonung, dass andere bedeutungsübergänge nicht vorkommen, so ein: 1. restriktive übertragung (= spezialisierung), 2. komparative (= metapher), 2. notale (vom kennzeichen auf das gekennzeichnete), 4. kausale (vom ursprünglichen auf das daraus abgeleitete).

36. K. Brugmann, Die ausdrücke für den begriff der totalität in den indogermanischen sprachen. eine semasiologisch-etymologische untersuchung. (sonderabdruck aus dem renuntiationsprogramm der philosophischen fakultät der universität Leipzig für 1893—1894.) Leipzig, A. Edelmann.

Brugmann untersucht die geschichte der bedeutungsentwickelung bei ausdrücken, die 'jeder, alle, ganz, gesamt' bedeuten, und sucht, da gemeinsame wörter in den idg. sprachen nur in geringer zahl vorhanden sind, aus der filiation der begriffsentwickelung anhaltspunkte für die etymologische deutung der vielfach dunklen wörter zu gewinnen. für das germanische entfällt dabei zwar manche interessante semasiologische und syntaktische beobachtung, doch ist die etymologische ausbeute gering. Möllers deutung von 'ganz' (vgl. jsb. 1893, 1, 21) lehnt B. ab, ohne seinerseits mehr als mögliche anknüpfungspunkte für eine andere zu bieten. — angez. Wschr. f. kl. phil. 1895 (21) 578 f. von Chr. Bartholomae, 'interessante studie'. — von G(ustav) M(eye)r, Lit. cbl. 1895 (13) 457 (lobt die sauberkeit der methode und die bedeutung als vorbild für semasiologische untersuchungen). — selbstanz. Anz. f. idg. sprachk. 5 (1) 17—19, mit dem nachtrag, dass Osthoff eine etymologie Potts für nhd. *ganz* (= ahd. *ga-mez*) wieder aufnimmt.

37. K. Nyrop, Et afsnit af ordenes liv. Festskrift til Vilh. Thomsen, s. 31—58.
behandelt sprachbildungen wie 'silbernes hufeisen', 'rote druckerschwärze'.

38. John Ries, Was ist syntax? Marburg 1893. — vgl. jsb. 1894. 3, 93. — angez. Litbl. 1894 (11) 353—355 von O. Behaghel. (stimmt nicht in allen punkten zu, nennt indes das buch eine ungemein anregende arbeit, der er zahlreiche nachdenkliche leser wünscht.) — von Ellinger, Engl. studien 20 (3). — von F. Hartmann, Litztg. 1895 (29) 906—909.

Syntax. 39. A. Marty, Über subjektlose sätze und das verhältnis der grammatik zur logik und psychologie. Vierteljahrsschr. f. wissensch. phil. 18 (3) 19 (1).

40. E. G. O. Müller, Der streit über das wesen des satzes. Zs. f. d. d. unterr. 9, 181—187.
der vf. kommt nach einer kurzen vorführung der wichtigsten definitionen zu der folgenden 'satz ist ein selbständiges wortgebilde'; den einfachen haupt- oder nebensatz nennt er 'ursatz' und definiert 'ursatz ist ein satz, der nur eine aussage enthält'.

Sprachverwandtschaft. 41. D. G. Brinton, On the physiological correlations of certain linguistic radicals. Am. Or. Soc. proceedings, New Haven 1894, march, 133 f. warnt vor übereilter vergleichung ähnlicher lautgruppen mit ähnlicher bedeutung in unverwandten sprachen.

42. R. de la Grasserie. De la parenté entre la langue égyptienne. les langues sémitiques, et les langues indo-européennes d'après les travaux de M. Carl Abel. Études de grammaire comparée. Louvain, Ictas 1894. 92 s. — S.-A. aus le Muséon. — Leipzig. W. Friedrich. 2 m.

43. A. Uppenkamp, Beiträge zur semitisch-indogermanischen sprachvergleichung. progr. d. kgl. gymn. zu Düsseldorf. no. 448. 23 s.
der vf. hat zwar mit seinen früheren versuchen semitisch-indogermanischer sprachvergleichung wenig anklang gefunden (vgl. jsb. 1891, 3, 55), fährt indes fort in derselben weise wie früher zu etymologisieren, unter nichtachtung der ergebnisse und methode vergleichender sprachforschung auf beiden verglichenen gebieten.

44. H. Schuchardt. Baskisch und germanisch. (Zu beitr. 19, 326 und 237—329.) P.-Br. beitr. 19 (3) 537—544.
behandelt erneut bask. landa. das höchstens durch vermittelung des romanischen aus dem deutschen entlehnt sein könne, sowie deutsch bai. das im bask. selbst lehnwort aus Bajae sei, und bakeljau. vgl. dazu no. 116.

45. F. v. Löher, Das Kanarierbuch. geschichte und gesittung der Germanen auf den kanarischen inseln. aus dem nachlasse herausgegeben. München. J. Schweitzer. (IV). 663 s. 8 m.
in der Zs. f. d. phil. 38 2, 287 mit der bemerkung aufgeführt, dass die hypothese des vfs., die Guandschen seien abkömmlinge der Vandalen. für philologisch gebildete leser einer widerlegung nicht bedürfe.

46. M. Bréal, On the canons of etymological investigation. Transactions of the americ. philol. assoss. 1893, bd. 24, s. 17—28.

47. A. Fick, Vergleichendes wörterbuch II. Göttingen 1894. — vgl. jsb. 1894, 3, 46. — angez. von W. Prellwitz, Wschr. f. kl. phil. 1894 (34) 313 f. 'fördert auch die erkenntnis der nicht keltischen sprachen erheblich'.

48. W. Prellwitz. Etymologisches wörterbuch der griechischen sprache. Göttingen. Vandenhoeck und Ruprecht 1892. — vgl. jsb. 1893, 3, 88. — weiter angez. von K. Brugmann. Anz. f. idg. sprachk. 4, 27—31. B. bekämpft einige etymologien, legt seine abweichende ansicht über die behandlung der lautgesetze dar und weist auf eine grössere reihe von versehen hin.

49. M. May. Beiträge zur stammkunde der deutschen sprache. Leipzig 1894. — vgl. jsb. 1894, 3, 44. — weiter angez. von F. Franck. Anz. f. d. altert. 21 (1,2) s. 139 ff. der den deutschen

sprachverein für nicht so ganz unschuldig hält an dem 'mach-
werk' des 'anmassenden proletariers, der sich den berufenen vor-
drängt'. — von C. Pauli, N. phil. rdsch. 1895 (10) 156 (abfällig).
— von Willy Scheel, Litztg. 1895 (35) 1098 f. — von F. Detter,
Zs. f. d. österr. gymn. 45, 1113.

50.   C. C. Uhlenbeck, Waar werd de indog. stammtaal gesproken? Tijdschrift voor nederl. taal en letterk. 14 (1).

51.   L. Boltz, Linguistische beiträge zur frage nach der urheimat der Arioeuropäer. Darmstadt, Brill. 32 s.   80 pf.

Vergleichende grammatik. 52. K. Brugmann, Grundriss. Strassburg, Trübner. — vgl. jsb. 1894, 3, 42. — angez. von H. Ziemer,
Zs. f. d. gymnasialw. 1894 ($^2/_3$) 145. — von der englischen ausgabe sind der schlussband und die indices in der übersetzung von
R. S. Conway und W. H. D. Rouse im gleichen verlage erschienen. XX, 613, IX, 250 s.   20 u. 8,50 m.

53.   M. Bréal, Grammaire comparée des langues indo-germaniques. Journal des savants, I mai, II juli, III august 1895.
beurteilung von Brugmann-Delbrücks grundriss.

54.   J. Clark, Manual of linguistics. Edinburgh, Thin 1893.
LXIX, 318 s.   7,50 m.
   angez. von H. Hirt, Anz. f. idg. sprachk. 5 (1) 15 f., dem-
zufolge der vf. auf einem veralteten standpunkte steht.

55.   P. Giles, A short manual of comparative philology for
classical students. London, Macmillan and co., and New York 1895.
XXXIX, 544 s.   10 m.
   das buch behandelt im ersten teile die fragen: was ist philologie, was ist eine idg. sprache, wie unterscheiden sich idg.
sprachen von andern? es giebt einen abriss der grundsätze
moderner sprachforschung, der phonetik, der accentlehre, endlich
eine darstellung des unterschiedes zwischen der englischen sprache
und den klassischen, sowie den andern germanischen sprachen.
der zweite teil behandelt die lautlehre des griechischen und lateinischen, der dritte formenlehre, wortbildung und syntax. wenn
auch das motto 'μῦθος δ', ὃς μὲν νῦν ὑγιής, εἰρημένος ἔστω' bei
der unbedingten abhängigkeit des vfs. von Brugmanns grundriss
nicht ganz unbedenklich ist, so verdient doch die äusserst fleissige
und reichhaltige arbeit volle anerkennung. ein ähnliches werk zur
einführung in die sprachwissenschaft wäre dem deutschen studenten
dringend zu wünschen. — angez. von W. Streitberg, Lit. cbl.
1895 (47) 1688 'erfreuliche erscheinung der englischen sprach-

wissenschaftlichen litteratur'. — von P. Kretschmer, Litztg.
1895 (43) 1352 f. 'löst die bescheidene aufgabe mit geschick und
sachkenntnis'.

56. Brugmann und Streitberg, Indogermanische forschungen bd. 4. Strassburg 1894. — angez. Revue critique 1894
(50) von V. Henry.

57. F. Bechtel, Die hauptprobleme der indogermanischen
lautlehre seit Schleicher. Göttingen 1892. — vgl. jsb. 1893, 3, 49.
— ferner angez. von P. v. Bradke, Litbl. 1894 (10) 321—326.
v. B. lobt die unparteilichkeit und genauigkeit der kritik, vermisst
aber eine ausreichende betonung der grossen strömungen in der
gesamtrichtung der sprachwissenschaft, die oft die hauptveran-
lassungen gewesen seien, dass richtig erkanntes nicht schon früher
zur anerkennung kam. eingehend bekämpft er die von Bechtel
vertretene ansicht vom vorhandensein dreier gutturalreihen.

58. H. Hirt, Der indogermanische accent. ein handbuch.
Strassburg, Trübner. XXIII, 354 s. 9 m.
ein umfangreiches werk, das grossen dank verdiente, wenn es
auf allen gebieten der idg. forschung gleichmässig und sicher
orientierte. dass dies nicht der fall ist, liegt zum grossen teil in
der schwierigkeit des gegenstandes, im mangel an ausreichenden
vorarbeiten, in der unmöglichkeit, dass ein einzelner die zahllosen
schattierungen der accentuation scharf unterscheide oder gar sich
aus den darstellungen anderer davon genaue vorstellungen mache.
zum teil aber liegt der ungleiche wert des buches für die einzelnen
forschungsgebiete auch an der darstellungsweise und der methode
des vfs. die absicht, den unterschied von stoss- und schleifton ins
indogermanische zurückzuverfolgen, zwingt ihn namentlich dem
litauischen, lettischen und den südslavischen dialekten eingehende
darstellung zu teil werden zu lassen; auf diesen gebieten stellte ihm
Leskien seine beobachtungen zur verfügung, und hier liegt, trotz
vieler unklarheiten und offenbaren versehen, der hauptwert des
buches. auf den übrigen gebieten, speziell auf dem des germanischen, bringt der vf. wenig neues, sondern beschränkt sich durchaus auf die angabe des erforschten und auf die hervorhebung der
lücken unserer kenntnis. seine schlüsse auf die natur und die
stellung des idg. accents bedürfen an den meisten punkten noch
der bestätigung. — angez. von W. St(reitberg), Lit. cbl. 1895
(40) 1444 f. 'wenn auch das gesamtbild notwendigerweise noch
fragmentarisch ausfallen musste, so ist es dem vf. doch geglückt,
durch manche feine einzelbeobachtung unsere kenntnis aufs voll-
kommenste zu erweitern'. — von F. Kluge, Litbl. 1895 (10)

329—334. dieser weist darauf hin, dass H. zwar über slavische betonung viel und wichtiges, über germanische indes wenig mit- teile und methodisch sehr bedenklich verfahre. über Verner sei Hirt nirgend hinausgekommen, ja seine geringschätzung des Verner- schen gesetzes, das er durch gewagte annahme von analogie- bildungen oft umgehe, seine art und weise, den thatsachen seinen theorien zu liebe gewalt zu thun, wirke stark enttäuschend. interessant sind die zusammenstellungen Kluges über die betonung des vokativs bei Otfrid — von C. C. Uhlenbeck, Museum 3 (8); von A. Meillet, Revue crit. 1895 (39).

59. W. Streitberg, Accentfragen. Idg. forsch. 5 (3) 231—250.

entgegnet in fünf abschnitten — die entdeckung der idg. accent- qualitäten, Michels' gesetz, das wesen der idg. accentqualitäten, die stellung des worttons und die accentqualität, Möllers dehnungs- hypothese — auf Möllers beurteilung seiner schrift 'zur germa- nischen sprachgeschichte'. — vgl. jsb. 1894, 3, 83.

60. E. Hoffmann-Krayer, Zum accent und sprachrhythmus. Zs. f. d. d. unterr. 8 (11) 757—763.

knüpft an den jsb. 1894, 3, 131 verzeichneten aufsatz Hilde- brands an und behandelt einige betonungsausgleichungen und be- tonungsverschiebungen.

61. W. Streitberg, Ein ablautproblem der ursprache. Trans- action of the Americ. philol. assoc. 1893, bd. 24, s. 29—49.

über die entstehung der längen in den leichten vokalreihen. alle dehnstufigen kategorien lassen sich durch das prinzip des morenersatzes erklären. eine erweiterte fassung bietet die fgd. no.

62. W. Streitberg, Die entstehung der dehnstufe. — vgl. jsb. 1894, 3, 53. — angez. Class. review 9 (2) 115—125 von P. Giles, 'höchst wichtig'.

63. Johannes Schmidt, Kritik der sonantentheorie. eine sprachwissenschaftliche untersuchung. Weimar, Böhlau. IV, 195 s. 5 m.

der vf. bekämpft in neun abschnitten die auf grund von Brug- manns aufsatz über nasalis sonans (1876) für die idg. ursprache von vielen forschern angenommenen silbebildenden *n, m, l, r.* die wichtigsten ergebnisse der an neuen aufschlüssen überaus reichen schrift sind 1. der nachweis, dass der indische r-vokal sich erst im sonderleben des indischen entwickelt hat, 2. dass die euro- päischen sprachen keine spur eines sonantischen *r. l* aufweisen, 3. dass vokalloser nasal zwischen zwei konsonanten nicht wie ein vokal,

sondern wie ein konsonant wirkte, 4. dass *ne, me* im tieftone
nirgend mit tieftonigem *en, em* zusammenfielen, 5. dass *mn* hinter konsonanten in allen idg. sprachen je nach der betonung zu *m* oder *n*
wurden. die beiden letzten kapitel behandeln die lautverbindungen
wie *rr, ll* und die langen sonanten, deren vorhandensein in der ursprache der vf. leugnet. — angez. von K. Brugmann, Lit. cbl.
1895 (48) 1723 - 1727, der die argumente Schmidts zu entkräften
sucht und auf einige formen hinweist, die die sonantentheorie
stützen. B. betont, dass der gegensatz der anschauungen unwesentlich sei; hält er auch an seiner auffassung fest, so giebt er
doch zu, dass auch die von J. S. geforderten formen als formen
langsameren sprechens der ursprache angehört haben können.
auch hinsichtlich der langen sonanten und der infigierung der
nasale in gewissen präsensklassen hält B. seine abweichende meinung aufrecht.

64. C. C. Uhlenbeck, Zur gutturalfrage. P.-Br. beitr. 20 ($^1/_2$)
323—325.
widerlegung der von Hillebrandt behaupteten vertretung idg.
gutturale durch labiale und dentale im altindischen.

65. R. Thurneysen, Zur indogermanischen komparativ-
bildung. Zs. f. vergl. sprachf. 33 (4) 551—559.
nimmt schon für die ursprache eine erweiterung des kom-
parativsuffixes *-iōs-, -ies-, -is-* durch nasal an und setzt got.
sūtizan- = ἡδίον-; die germ. komparative mit *ō* seien aus den
formen mit *-iōs-* nach lautgesetzlichem schwunde des *j* durch kontamination mit denen auf *-izan-* entstanden. schliesslich versucht
Th. noch das suffix mit den *-s-*stämmen in verbindung zu bringen.

66. W. Streitberg, Zum zahlwort. Idg. forsch. 5 (5)
372—375.
schliesst sich Joh. Schmidts ansicht an, dass im idg. für die dekaden von 20—60 zwei bildungen bestanden haben, nämlich:
1. feminine abstracta, zusammensetzungen aus dem stamme der
einer mit der dekade, 2. zusammenrückungen aus dem neutralen
plural der einer mit einer neutralen bezeichnung der dekaden;
Brugmann hielt die erste für abgeleitet aus der zweiten.

67. H. Hirt, Über die mit *-m-* und *-bh-* gebildeten kasus-
suffixe. Idg. forsch. 5 (3) 251—256.
Hirt konstruiert zwei suffixe, *-mo* und *-bhi* im plur. *-mos* und
-bhis, aus denen *-mi* und *-bhos* durch kontamination entstanden seien.

68. E. Lidén, Vermischtes zur wortkunde und grammatik.
Beitr. z. k. d. idg. spr. 21 (2).

2*

Idg. syntax. 69. K. Brugmann und B. Delbrück, Indogerm. Syntax I. Strassburg 1893. — vgl. jsb. 1894, 3, 70. — angez. von Speyer, Museum 2 (8). — von A. Dyroff, Blätter f. bayr. gymn. 1894 (4) 209. 'von wunderbarer sachkenntnis, erstaunlichem wissen und feinem urteil'.

70. Ed. Hermann, Gab es im indogermanischen nebensätze? ein beitrag zur vergleichenden syntax. Jenenser diss. 61 s. = Zs. f. vgl. spr. 33 (4) 481—535.

kap. 1. der nebensatz und seine kennzeichen. 2. kennzeichnung der nebensätze durch ein besondres wort. 3. personen-, modus-, tempusverschiebung. 4 satzaccent des satzes, tempo, dauer der satzpause und satzstellung (einfachste form der hypothaxe). 5. die stellung des verbums zum subjekt und den übrigen satzteilen. 6. satzaccent und komposition des verbums. — die umsichtige und anregende untersuchung ergiebt ein durchaus negatives resultat.

71. J. Kvičala, Badání v oboru skladby jazykuo indoevropských. (Untersuchungen auf dem gebiete der syntax der indoeuropäischen sprachen.) I. Abt. d. böhm. akad., klasse III, 1. Prag, Řivnáč 1894. VIII u. 272 s.

s. 189—264. auszug in deutscher sprache. behandelt bedeutungsentwickelung und gebrauch der pronomina.

72. J. Kvičala, Beiträge zur lehre vom dativ. České museum filol. 1 (1) 16 ff. in čechischer sprache.

73. W. Braune, Zur lehre von der deutschen wortstellung. Forschungen zur deutschen philologie. — vgl. jsb. 1894, 21, 27.

untersucht die entwickelung des unterschiedes von haupt- und nebensatzstellung in den altgermanischen dialekten. kurzes referat. Litztg. 1895 (52) 1650.

Deutsche grammatik. 74. W. Wilmanns, Deutsche grammatik. Strassburg, Trübner. — vgl. jsb. 1894, 3, 77. — angez. Mod. lang. notes 10 (1) von Voss, Zs. f. d. realschulw. 19, 606 von G. Burghauser.

die 2. abt., wortbildung, 1. hälfte, 352 s. Strsssburg, Trübner 1896. 6,50 m.

75. Fr. Kauffmann, Deutsche grammatik. kurzgefasste laut- und formenlehre des Gotischen, Alt-, Mittel- und Neuhochdeutschen. zugleich 9. gänzlich umgearbeitete auflage der deutschen grammatik I. von A. F. C. Vilmar. Marburg, Elwert. 1,60 m.

76. O. Brenner, Grundzüge der geschichtlichen grammatik der deutschen sprache, zugleich erläuterungen zu meiner mhd. grammatik und zur mhd. verslehre. mit einem anhang: sprachproben. München, Lindauer. VIII, 113 s. 2,40 m.

77. H. Lichtenberger, Histoire de la langue allemande. Paris, A. Laisney. XIV, 479 s. 7,50 fr., 6 m.

eine sehr empfehlenswerte historische grammatik der deutschen sprache; klar, knapp, mit eingehender sachkenntnis geschrieben und ganz auf den dem gegenstand noch fremd gegenüberstehenden anfänger zugeschnitten. L. verzichtet, mit recht, in seinem handbuch auf eigne förderung der forschung und beschränkt sich durchaus auf darstellung der allgemein gültigen anschauungen; diese aber versteht er in eigenartiger weise zu entwickeln und derartig zu sichten, dass das eingehende historische verständnis nicht durch einzelheiten unnötig getrübt wird. hervorhebung verdient die voraufgeschickte zusammenhängende geschichte der sprache. es versteht sich, dass der vf. immer die kenntnis des nhd. im auge hat. — angez. Museum 3 (4) von Symons. — von H. Paul, Lit. cbl. 1895 (14) 499. kurze angabe der einteilung des stoffes und der absicht des vfs. das werk wird auch deutschen studenten empfohlen. — von Willy Scheel, Litztg. 1895 (44) 1384—1386 (ausführliche inhaltsangabe, die ebenfalls mit einer empfehlung für den deutschen studenten schliesst).

78. O. Weise, Unsere muttersprache, ihr werden und ihr wesen. Leipzig, B. G. Teubner. IX, 252 s. 2,40 m.

die schrift, durch ein preisausschreiben des allgemeinen deutschen sprachvereins veranlasst, jedoch nur mit einer ehrengabe bedacht, enthält eine kurze geschichte der deutschen sprache und berichtet sodann in vielseitiger weise, unter verwendung umfassender kenntnisse und ausgedehnter belesenheit über allerhand eigenheiten und sprachgesetze des nhd. zwar stösst man auf schritt und tritt auf äusserungen, die entweder ausreichende beherrschung der älteren sprachperioden und litteraturen vermissen lassen oder als arge ketzereien gelten müssen, doch ist das buch durch die wärme, mit der es geschrieben ist, wohl für den zweck, ·dem es dienen soll geeignet; vielleicht dienen auch grade die bedenklichsten abschnitte, die oft recht phrasenhaften und verschwommenen vergleiche mit dem französischen und mit den klassischen sprachen dazu, zum studium des deutschen anzuregen. — die erste auflage war nach fünf Monaten vergriffen. — angez. Lit. cbl. 1895 (28) 987; übersicht über den inhalt des buches; der beurteiler stimmt im allgemeinen zu, lobt die vergleiche mit dem lateinischen und griechischen, bemerkt aber auch mancherlei irrtümer und unklar-

heiten. — ähnlich Willy Scheel, Litztg. 1895 (26) 811—813, der
zwar in das uneingeschränkte lob der tagespresse nicht einstimmt,
aber das buch dennoch für den zweck, dem es dienen will,
empfiehlt. — vgl. abt. 4, 49.

79. W. Bruckner, Die sprache der Langobarden. — Quellen
und forschungen. Strassburg, Trübner. XVI, 338 s. 8 m.

der vf. behandelt in seiner ebenso ausführlichen als gründlichen
darstellung zuerst die quellen unserer kenntnis der langobardischen
sprache und sucht deren stellung unter den westgermanischen
dialekten zu bestimmen; trotz der wichtigen sprachlichen berührungen mit dem ahd. weist er sie der anglofriesischen gruppe
zu. die 160 s. umfassende grammatik belegt alle wichtigen erscheinungen der lautlehre und wenigstens einige thatsachen der
flexion mit den erhaltenen beispielen und nimmt dabei allenthalben
rücksicht auf die eigentümlichkeiten der bald unter deutschem,
bald unter romanischem einflusse stehenden überlieferung. das
wörterbuch endlich ordnet den gesamten sprachschatz in solcher
weise, dass nicht nur die auffindung jsdes belegs möglich, sondern
in den meisten fällen auch das alter der belegten formen sofort
ersichtlich wird. die arbeit verspricht daher sowohl für germanische als für romanische sprachforschung reiche ausbeute. —
angez. von F. Kluge, Litbl. 1895 (12) 399 f. 'sehr gründliche
und gediegene arbeit'.

80. W. Streitberg, Urgermanische grammatik. einführung
in das vergleichende studium der altgermanischen dialekte = Sammlung von elementarbüchern der altgermanischen dialekte, hrsg von
W. Streitberg 1. Heidelberg, Winter. XX, 372 s. 8 m.

der erste band eines neuen unternehmens, das elementar-
bücher des gotischen, altisländischen, altenglischen, altsächsischen,
alt- und mittelhochdeutschen mit grammatik, syntax, lesestücken
und wörterbuch umfassen soll. Streitberg verfährt in seiner urgermanischen grammatik ganz elementar, so dass seine einleitung
auch der einführung in das vergleichende sprachstudium überhaupt
mit vorteil zu grunde gelegt werden kann. sehr übersichtlich ist
die anlage des buches, das namentlich auch die chronologie der
einzelnen ur- und gemeingermanischen erscheinungen eingehend
berücksichtigt. dabei begegnet man auf schritt und tritt eigenen.
vielfach wertvollen neuen forschungsergebnissen des vfs., leider
aber auch der für den anfänger jedenfalls nur verwirrenden und
zunächst doch noch sehr unsicheren theorie der verschiedenen behandlung gestossener und geschleifter vokale. in der die ergebnisse
der untersuchungen zunächst noch wenig zustimmung, selbst bei
seinem eifrigen mitforscher Hirt gefunden haben.

81. A. Noreen, Abriss der urgermanischen lautlehre. Strassburg 1894. — vgl. jsb. 1894, 3, 78. 12, 73. — angez. von G. Ehrismann, LitbL 1895 (7) 217—220. der ausführlich die anschauung bekämpft, dass geschlossenes *ē* im urgermanischen auf *ei* zurückzuführen sei, und seine eigne ansicht, derzufolge es aus *iē* entstanden ist, begründet. neu ist noch die erklärung von ahd. *ie* in *wiege, stiege, krieg* aus *i* mit eigentümlichem, durch folgendes *ʒ* modifiziertem *a*-umlaut. — auch sonst bietet die besprechung lehrreiche hinweise und winke. — von H. Hirt, Archiv f. nord. filol. 12 (1). — von F. Detter, Österr. litbl. 1895 (23) 724 f., der die praktische verwendbarkeit rühmt, der anordnung und auffassung der ablautsreihen jedoch nicht zustimmt und auch sonst eine konservative behandlung des ältesten sprachmaterials empfiehlt. — Zs. f. österr. gymn. 45, 1099 von R. Meringer.

82. C. Brenner, Zur ausgleichung des silbengewichtes. Idg. forsch. 5 (4) 345—347.

83. W. van Helten, Grammatisches.
XXX. 'Got. *awēþi* und wgm. *i* der endung aus *ē* vor *i* der folgesilbe' weist auf die entsprechung von got. *-ēþi* und ahd. *-ĭdi* in *juhhĭdi* u. a. hin als parallelismus zu der von ihm in no. XVIII (vgl. jsb. 1893, 3, 76) vorgetragenen ansicht vom übergang eines *ō* der endung in *û* vor *u* der folgesilbe. XXXI. 'Zur behandlung von **aw²j* und **iw²j* im wgm.' während ersteres nach no. XXVI (vgl. jsb. 1893, 3, 76) ahd. *ouw*, ags. über **auj* zu *ōj* wurde, geht *iwj* über **iwwj* in *iuwj* über. XXXII. 'Die wgm. formen von got. *saiwala*' setzt für ahd. *sēla* neben *sēula* doppelte stammformen an, wozu ahd. *hirat* neben ags. *hiwrǣ'den* eine parallele bietet. XXXIII. 'Zur westgerm. erweichung der alten im inlaut stehenden stimmlosen spiranten' untersucht die frage, ob der übergang von *þ, f, s* in *ð, ƀ, ʒ* vor oder nach dem ausfall des mittelvokals in as. *wisda* ags. *cyðde* awfries. *kette* eingetreten sei. XXXVI. 'Gab es wgm. reflexe von got. *-ans, -ins, -uns* des acc. pl.?' verneint die frage. XXXIX. 'Die wgm. casus obliqui des ungeschlechtlichen pronomens und das possessiv für die 2. pl.' erklärt die got. und anformen aus einem stamme **eswe-* die wgm. aus **ewe-*. XL. 'Zur flexion des verbum substantivum' erklärt die pluralformen des ind. praes. nicht aus hypothetischem **izunþi* sondern auf grund von ai. *smas, stha,* gr. εἰμές ἐστέ.

84. M. H. Jellinek, Zur lehre von den langen endsilben. Zs. f. d. altert. 39 (¹/₂) 125—151. dazu berichtigung Anz. 21 (3) 296.

Jellinek nimmt stellung zu den darlegungen Hirts und Streitbergs über die einwirkung des akuts und des cirkumflexes auf die gestaltung der germanischen endsilbenvokale. seine sehr umsichtige behandlung der frage fördert einzelne sichere resultate; wichtig ist namentlich die beachtung des unterschieds in den schicksalen von idg. *ā* und *ō*, übrigens führt die untersuchung fast überall zur bekämpfung der Hirtschen aufstellungen und zur wiederherstellung der Mahlowschen ergebnisse, die durch die unterscheidung akuierter und cirkumflektierter längen wesentlich vereinfacht werden. Mahlows lange zeit verworfene ansicht, dass vorgerm. *ō* got. *e* wurde, wird wieder in ihr recht eingesetzt, zunächst in der form: idg. *ō* wird got. in endsilben *ē* vor eintritt der vokalapokope und synkope.

85. Fr. Lorenz, Zu den germanischen auslautgesetzen. Idg. forsch. 5 (5) 380—387.

sucht gegen Hirt (vgl. jsb. 1894, 3, 93) nachzuweisen, dass gestossen betonter langer endsilbenvokal vor -*s* nicht verkürzt werde. die endung -*ēs* zwingt daher zu genauerem eingehen auf die -*ē*- konjugation.

86. O. Brenner, Zum deutschen vokalismus. 1. zur geschichte der diphthonges *ai*. P.-Br. beitr. 19 (3) 472—486.

verfolgt die entwickelung des germ. *ai* in den bayrisch-österr. ma. einerseits zu *oa*, *á*, anderseits, wie er meint in unbetonten silben unmittelbar zu *á*. die zahlreichen ahd. *ė̄*, *œ̄* für *ei*, *ai* werden ansprechend als *i*-umlaut erklärt.

87. O. Brenner, Zum deutschen vokalismus. (2. Umlaut des *iu*. — 3. Der umlaut der praeteritopraesentia. — 4. Die aussprache des *ė̄*.) P.-Br. beitr. d. d. spr. 20 (¹/₂) 80—87.

2. weist aus der ostfränkischen mundart und aus der Nibelungenhs. C. erneut den umlaut von *iu*, der *ü* oder *u* geschrieben wird, nach (vgl. jsb. 1889, 1, 7; 14, 9) und stellt fest, dass er vor *r* und *w* fehlt. 3. erklärt *wir künnen, müezen, mügen* u. s. w. als umgelautet durch das nachgesetzte (enklitische) pronomen. 4. behandelt den mundartlichen übergang von *ė̈* in *ȫ*.

88. F. Vogt, Geschichte des schwachen *e*. Forschungen zur deutschen philologie. — vgl. jsb. 1894 (21) 27. — angez. Litztg. 1895 (52) 1651.

89. P. Regnaud, Quelques remarques critiques sur la loi de Verner. Paris, Leroux 1893. 1 fr.

90. Wiener, German loanwords and the second sound shifting. Mod. lang. notes 10 (1).

91. Th. v. Grienberger. Zwischenvokaliges *h* in germanischen und keltischen namen der Römerzeit. P.-Br. beitr. 19 (3) 527—537.

behandelt den *Hercules Magusanus* den *Deus Requaliuahanus* die *Nahanarvali*, die *Baduhenna*, die *Vahalis* und einige weniger wichtige keltische namen unter dem gesichtspunkte, dass *h* parasitisch und daher etymologisch wertlos sei.

92. F. Kluge, Lateinisches *h* im germanischen. In: H. Osthoff zum 14. august 1894. ein Freiburger festgruss zum 25 jährigen doktorjubiläum.

lat. *h* schwand in der ältesten schicht der lehnwörter, war also stumm. darnach kann germ. 'haben' nicht aus *habere* entlehnt sein.

93. C. C. Uhlenbeck, Neue belege von *p* aus *b* im anlaut. P.-Br. beitr. 20 (¹/₂) 325—328.

behandelt ahd. *phoso*, mhd. *pfūsen*; nl. *peul*, *puilen* deutsch *beule*; nl. *pronken*, *bronken*, gr. βολβός ai. *barkara*.

94. E. Sievers, Über germanische nominalbildungen auf *-aja-*, *-ēja-*. Sitzungsber. d. kgl. sächs. ges. d. wiss. 1894, 129—152.

behandelt stämme wie an. *Gimir*, *Glasir*, *Hymir*, bei denen die entwickelung *-aiaz,·-aiz*, *-ēR*, *-ir* angenommen wird. *Ingvaeones* setzt ein suffix *-ējon-* voraus, die matronennamen auf *-ēhae* werden mit den lit. bildungen auf *-ejas*, *-ejis* in verbindung gebracht.

95. F. A. Wood, On the origin of *ī* and *ū* in aorist-presents in germanic. Mod. lang. notes 10 (2).

96. F. A. Wood, The reduplicating verbs in Germanic. Germanic studies, edited by the department of Germanic language and litterature II.

97. Fr. Lorentz, Über das schwache präteritum des germanischen. Leipzig, Köhler. — vgl. jsb. 1894, 3, 87. — angez. von Fr. Kauffmann, Litbl. 1895 (4) 113 f. der der Lorentzschen erklärung nicht zustimmt, vielmehr als bewiesen annimmt, dass das schwache präteritum ein dentalaorist ist. die vorgeschlagene erklärung der pluralformation durch die gleichung von **nasidēð: nasidēðum = lailot: lailotum* ist unannehmbar, weil der dental von *nasidēð* längst abgefallen war bevor der von *lailot* in den auslaut trat. vgl. Grundriss s. 360. — von M. H. Jellinek, Zs. f. d. österr. gymn. (7).

98. W. Streitberg, Perfective und imperfective aktionsart im germanischen. — vgl. jsb. 1889, 3, 142. — angez. von Roedder, Mod. lang. notes 10 (2).

99. Recha, Zur frage über den ursprung der perfektierenden funktion der verbalpräfixe. - vgl. jsb. 1893, 3, 62. — angez. von Roedder, Mod. lang. notes 10 (2).

100. R. Wustmann, Verba perfectiva, namentlich in Heliand. angez. von V. E. Mourek, Anz. f. d. altert. 21 (3) 195—204. dieser giebt, was sehr dankenswert ist, eine darstellung der gegenseitigen beziehungen von momentanen, durativen, perfectiven und imperfectiven verben im slavischen und über den einfluss der verbalpräfixe auf die veränderung der aktionsart. Wustmanns ausführungen stimmt er im allgemeinen zu, macht aber auf die schwächen seiner deduktionen und namentlich auf die mangelnde überzeugungskraft seiner beispiele aufmerksam, indem er vorlegung des gesamten materials, nicht bloss eines beliebig gewählten teils daraus verlangt. er selbst bleibt bei seiner bekannten ansicht, dass die germanischen sprachen in der entwickelung der aktionsarten auf halbem wege stehen geblieben seien. — angez. von Roedder, Mod. lang. notes 10 (2). — ferner Lit. cbl. 1895 (11) 378 kurz notiert. — von H. Gallée, Museum 3 (8). — von W. Streitberg, Anz. f. idg. sprachk. 5 (1) 78—83, der die eigenartigkeit und den wert der schrift anerkennt und die gelegenheit benutzt einige gegen seine eignen untersuchungen über perfektive und imperfektiven verben im gotischen — vgl. no. 98. — erhobenen einwände zurückzuweisen. ein nachtrag dazu noch Anz. f. idg. sprachk. 5 (²/₃) 284 f.

101. Hauschild, Die verbindung finiter und infiniter verbalformen desselben stammes. Berichte des Fr. d. Hochstifts N. F. IX, 2.

Etymologien. 102. J. W. Nagl, Deutsche lehnwörter im Czechischen. — Wien, Gilhofer und Ranschburg III, 51 s. 0,60 m. (In: Stieböck, Alt Wien).

103. Th. Aufrecht, Germanisch *guþ*. Beitr. z. kunde d. idg. spr. 20 (³/₄).
wird zu wzl. *ghu* 'giessen' gestellt.

104. F. Bechtel, ῥόθος. Beitr. z. kunde d. indogerm. spr. 20 (³/₄).
gehört nicht zu ahd. *stredan*.

105. M. Bréal, 1. L'allemand *schliessen* — lat. excludere. 2. Allemand *schürzen* — lat. excurtiare. Mem. d. l. soc. de ling. 9 (1).

106. K. Brugmann, Ahd. *sibun* und *aband*. Idg. forsch. 5 (5) 376—379.

nimmt an, dass das ursprüngliche *pt* in diesen wörtern durch dissimilation vor dem *t* der folgenden silbe (bei *sibun* im ordinal-zahlwort) vereinfacht sei; daher *septun* in der lex salica. bei got. *ahtuda* fehle eine gleiche dissimilation, weil das wort überhaupt jung und erst nach dem wirken des dissimilationsgesetzes gebildet sei.

107. K. Brugmann, Nhd. *koth*. Idg. forsch. 5 (5) 375 f. gegen die zusammenstellung mit ai. *gūtha* (Hildebrand, Kluge). B. vergleicht lit. *gė́da* 'schande' poln. *žadić się* abominari; ae. *cwéd*, mnl. *qwaet* 'böse'. ob der name der Quaden dazu gehöre, lässt er unbestimmt.

108. J. W. Bruinier, Silber. Korresp.-bl. d. d. anthr. ges. 1895 (5).
nimmt an, dass das silber auf zwei verschiedenen wegen zu den Indogermanen gelangt sei, einem südlichen (ai. *rajatam*, ab. *erezatem*, ἄργυρος, *argentum*) und einem nördlichen über Sibirien, und hier stamme sl. *srebro* preuss. *sirablan*, lit. *sidābras*, got. *silubr* aus jap. *siro* weiss, das mit **bhr* 'metall' (vgl. *ferrum*) zusammengesetzt sei.

109. J. W. Bruinier, Etymologien. Zs. f. vgl. sprachf. 34 (3) 344—382.
behandelt I. *agelster*, dessen germanische entsprechungen aus allen dialekten mit grossem fleiss und ausserordentlicher belesenheit zusammengetragen werden, 1. ags. *aʒu*, 2. mlat. *agazia*, 3. deutsch *atzele*, 4. as. *agastria*, 5. ahd. *agalstra*, 6. ahd. *algerist*, 7. ahd. *alstra*, 8. nnd. *schare*, 9. deutsch *hatz*, 10. mndd. *hegester*, 11. schwed.-norw. *skata*, 12 schweiz *hätzler*, 13. preuss. *spach-heister*, 14. niederhss. *kaeje*, 15. henneb. *kän*, 16. schwäb. *kägersch*, 17. pressb. *alsterkâdl*, 18. flandr. *ver Ave*, 19. schwäb. *nagelhex*. II. *massliebchen*. III. *katze, matz*.

110. H. Collitz, Two modern german etymologies. Publications of the mod. lang ass. of America 10 (3) 295—305.
behandelt '*schnörkel* und *schmarotzen*.'

111. G. Ehrismann, Etymologien II. Beitr. z. gesch. d. d. spr. 20 (¹/₂) 46—66.
behandelt unter '1. *stüren, stören* und ihre sippe', ags. *styrian*, deutsch *stüren*, ahd. *stôren, sturz, stürzen*, an. *storms*, ahd. *sturm*, dial. *sturgel, sturl*, deutsch *stören, storgen, störzen*, mhd. *gaffel-stirne*, engl. *to start*, obd. *sterz, starz*, nd. *strutt*, engl. *to strut*, deutsch *strotzen*, sowie ableitungen der wz. *qer* drehen. — unter '2. *schulter*' werden eine reihe von namen der glieder zusammen-

gestellt; darunter ahd. *hlancha*, mhd. *geliune*, ahd. *gileih*, ags. *sceonca*, ahd. *scina*, mhd. *schine*, ags. *sciæ*. 3. behandelt got. ahd. *scuft*, an. *skopt*, mhd. *schopf* 'schopf, haupthaar', 4. nhd. *schelle*, 5. engl. *scall*, grind, 6. schweiz. *helm*, 7. ahd. *stiura*, 8. ahd. *swirôn*, mlat. *adhramire*, 9. mhd. *dopfe*, *topfvn*, 10. ahd. *topf*, kreisel, 11. ahd. *dola* röhre, 12. ags. *dolz* wunde, 13. obd. *dollfuss* und verwandtes, 14. deutsch *schnurren*, 15. ags. *sceolu* schar, 16. md. *hâl* trocken, 17. mnl. *sporkel* februar.

112. F. Holthausen, Got. *ahaks* — lat. *accipiter*. Idg. forsch. 5 (3) 274.

acu-piter, taubenstösser, sei an *accipio* angelehnt, got. *ahaks* weise dasselbe suffix wie habicht, kranich u. s. w. auf.

113. H. Osthoff, Etymologica II. (fortsetzung von Beitr. 13, 395 ff.) P.-Br. beitr. 20 ($^1/_2$) 89—98.

16. got. *frasts* bespricht ältere deutungen und schlägt vor das wort entweder an ai. *strī*, lat. *satio*, got. *manaseps*, oder an lat. *prosāpia* anzuknüpfen. 17. got. *fraiw* stellt dies wort zur wz. *i* gehn.

114. H. Osthoff, Air. *uan*, ags. *éanian*: griech. ἀμνός. Idg. forsch. 5 (4) 324—328.

éanian 'lammen', engl. *to ean*, ndl. *oonen* setze grundform germ. *aunó* aus *ag²hnó* voraus.

115. O. Schrader, Linguistisch-historisches. In: Symbola doctorum Jenensis gymnasii in honorem gymnasii Isenacensis collecta edidit G. Richter. particula posterior. Progr. d. Jenaer gymn. ostern 1895. no. 700. s. 57—59. Jena, Neuenhahn in komm. 4⁰. 2,50 m.

1. 'got. *ahaks* 'taube' in der Lex Salica' schlägt vor für *acfulla*, *hacfalla* der mallb. glosse *ahacfalla* taubenfalle zu lesen. 2. 'ein altpreussischer name des wiesels' erklärt preuss. *mosuco* 'wiesel' als ableitung von *moazo* 'mutterschwester' und deutet daraus deutsch *mösch*, einen namen für geringes pelzwerk.

116. H. Schuchardt, *Bakeljauw*. Beitr. z. gesch. d. d. spr. 20 ($^1/_2$) 344.

begründet im gegensatz zu Uhlenbeck die ansicht, dass *bakeljauw* durch romanische vermittelung aus dem baskischen ins holländische eingedrungen sei.

117. R. Thurneysen, Wurzel *kagh-* 'umfassen'. In: Fr. Kluge und R. Thurneysen: Hermann Osthoff zum 14. august 1894. ein Freiburger festgrus zum fünfundzwanzigjährigen doktorjubiläum 8 s. 4⁰.

mhd. *hac*, deutsch *hegen* werden zu gr. κόχλος schneckenhaus, abg. *koža* haut, kymr. *caf*, *cael* gestellt.

118. C. C. Uhlenbeck, Etymologisches. P.-Br. beitr 19 (3) 517—526.

1. bask. *alof*, 2. russ. *bostrok* werden als lehnworte gedeutet, 3. ahd. *flëhtan* mit aksl. *pleta*, 4. ahd. *gerta* mit aksl. *žrŭdĭ* verbunden, 5. nl. *kavalje* als 'lehnwort aus sp. *cabaña* gedeutet, 6. russ. *konopátitĭ*, 7. apr. *rīkis* behandeln wieder lehnwörter in ihrem lautverhältnis zu den germanischen ursprungsdialekten, 8. got. *waggs* wird mit apr. *wangus* verbunden und von ahd. *wanga* getrennt, 9. got. *weitwōþs* mit apr. *waidewut* verglichen, 10. got. *wisan* 'es gut haben' mit *wisan* wohnen verbunden. — vgl. no. 120.

119. C. C. Uhlenbeck, Etymologisches. P.-Br. beitr. 20 (¹/₂) 37—46.

1. stellt ahd. *bāgan*, air. *bāgim* zu ai. *bāhate*, 2. sucht in aksl. *brŭlogŭ*, russ. *berlogŭ* verwandtschaft mit ahd. *bëro*, bär, 3. stellt nslov. *hrup* zu got. *hropjan*, 4. handelt über *kardamomen* und *galgant*, 5. sucht *malz* als lehnwort aus slav. *mlato* zu erklären, 6. handelt über die entlehnung von *orkan* aus dem karaibischen oder baskischen, 7. knüpft nl. *scheur* an lit. *kiáuras*, ai. *coráyati*, 8. sucht *silber* als slav. lehnwort zu deuten und an den flussnamen Σίβρος, Σίμβρος anzuknüpfen.

120. C. C. Uhlenbeck, Miscellen. P.-Br. beitr. 20 (¹/₂) 328 f. bespricht ahd. *festi*, ahd. *mēh* 'möwe', ahd. *strīt*, aksl. *strŭvo* (lehnwort zu *sterben*) und trägt zu no. 118 nach, dass die vergleichung von *waidewut* mit *weitwōþs* schon älter ist.

121. C. C. Uhlenbeck, Etymologisches. P.-Br. beitr. 20 (3) 563 f.

1. got. *bauþs* wird zu air. *bodar*, ai. *badhira* 'taub' gestellt, 2. got. *bleiþs* mit ai. *mrityati* 'zerfallen' verglichen, 3. ahd. *salo* auf russ. *solovój* 'isabellfarben' bezogen.

Metrik. 122. R. Westphal, Allgemeine metrik. Berlin 1892. — vgl. jsb. 1894, 3, 120. — weiter angez. von F. Saran, Anz. f. idg. sprachk. 5 (1) 19—28; eingehende besprechung der Westphalschen theorien; zum schluss wird der gedanke einer vergleichenden idg. metrik erwogen. — von R. Meringer, Zs. f. d. österr. gymn. 44 (⁸/₉).

123. Revue de métrique et de versification. — angez. von A. Heusler, Archiv f. d. st. d. n. spr. 94 (²/₃).

124. F. Wulff, Om rytm och rytmicitet i värs. **Forhandl.**
paa d. 4. nord. filologmøde. Kjøbenhavn 1893, 164—192.

125. G. L. Raymond, Rhythm and harmony in poetry **and**
music. London, Putnam and sons. 7,5 m.

126. A. Heusler, Über germanischen versbau. Berlin 1894.
— vgl. jsb. 1894, 3, 123. — angez. von R. Kögel, Anz. f. d. altert.
21 (4) 318—322. K. lobt die ruhige sachliche polemik und **die**
reichen kenntnisse, er stimmt den ausführungen über die unterscheidung von sprech- und singvers zu, nicht aber der zweitakt-
theorie. er selbst entwickelt auf der grundlage viertaktiger **verse**
seine ansicht über nicht verwirklichte hebungen in B- und D-**versen**
mit dem ausgang ◡× (◡x̌), nach Sievers verkürzte C-, D-typen. **auf**
Heuslers seite stellt er sich auch in der Lióðaháttfrage, sowie **in**
der beurteilung der entstehung des altgermanischen verses, **doch**
macht er gegen H.s ansicht von der bedeutung der alliteration
für die entwickelung des altdeutschen verses eine reihe von **ein**-
wänden.

127. O. Brenner, Schwebende betonung. **Zs. f. d. phil.**
27 (4) 563 f.
erhebt einspruch gegen eine unklare wiedergabe seiner **an**-
sicht auf seite 410 und wiederholt seine vergleichung deutscher **be**-
tonungen (verliesén den *vrâgéte — ságeté*) mit dem griechischen
δῶρόν τι εἶχέ πως, λόγος τίς ἐστι.

128. H. Bohm, Zur deutschen metrik II. — vgl. abt. 4, 73.

129. K. Fuhr, Die metrik des westgermanischen allitterationsverses. Marburg, Elwert 1892. — vgl. jsb. 1894, 3, 124. — **angez.**
von F. Saran, Anz. f. idg. sprachk. 5 (1) 85—91, der Fuhrs theorie,
die alliterationsverse taktierend zu lesen ablehnt und dabei besonders auf die nhd. beispiele, mit denen F. seine ansicht **zu**
stützen suchte, eingeht.

130. M. Kaluza, Der altenglische vers I. II. — von Luick
Anglia, Beibl. IV, 294, Trautmann, ebenda V, 131.
angez. von Andreas Heusler, Anz. f. d. altert. 21 (4) 313—318.
H. erkennt zwar an, dass eine anzahl von höchst beachtenswerthen
beobachtungen in beiden abhandlungen enthalten sind, lehnt indessen die lesungen Kaluzas und seine eigentümliche auffassung
der Lachmannschen vierhebungstheorie ab. — von F. Saran, Zs.
f. d. phil. 27 (4) 539—543, der auf die unverträglichkeit von Kaluzas
ansichten mit denen Lachmanns hinweist und zu einer ziemlich
schroffen verurteilung seiner untersuchungen kommt. — von H(er-
mann) H(ir)t Lit. cbl. 1895 (36) 1288 f., der methode und resultate

ablehnt und an andrer stelle ausführlicher auf K. zurückzukommen verspricht.

131. Fr. Graf, Die metrik der sogenannten Caedmonschen dichtungen mit berücksichtigung der verfasserfrage = Studien zum germanischen allitterationsvers, hrsg. von Max Kaluza. heft 3. Weimar, E. Felber. VIII u. 109 s. 4 m.

vgl. jsb. 1894, 16, 137.

132. O. Brenner, Zur verteilung der reimstäbe in der allitterierenden langzeile. Beitr. z. gesch. d. d. spr. 19 (3) 462—466.

sucht nachzuweisen, dass der eintritt einer sinnespause nach dem ersten halbverse und ihr fehlen am ende des zweiten auf die stellung der stäbe einfluss hat; im ersten falle werde bei einfacher allitteration der stabreim auf der zweiten hebung (Sieversscher zählung) vermieden, im zweiten sei doppelallitteration oder auch gekreuzte verhältnismässig häufig im Beówulf. zum schluss deutet B. an, dass er das zweite kompositionsglied dem ersten gegenüber für unselbständiger halte, als es die Sieverssche messung (in den D-versen) fordert.

133. O. Behaghel, Allitterierende doppelkonsonanz im Heliand. Zt. f. d. phil. 27 (4) 563.

lehnt R. M. Meyers annahme, dass doppelkonsonanz als durch svarabhaktische vokale getrennt angesehen werden könne, wo sie mit einfacher reime, durch den hinweis ab, dass dann der irrationale vokal den ton gehabt haben müsste.

134. Richard Meyer, Zur allitterierenden doppelkonsonanz im Heliand. Zs. f. d. phil. 28 (1) 142.

hält seine beobachtungen durch Behaghels einwände (vgl. no. 133) nicht für widerlegt.

135. P. Eickhoff, Der ursprung des romanisch-germanischen elf- und zehnsilbers (der fünffüssigen Jamben) aus dem von Horaz in Od. 1-3. eingeführten worttonbau des Sapphischen verses. Wandsbeck, selbstverlag. IV, 76 s. 2,25 m.

angez. Lit. cbl. 1895 (37) 1329 f. der recensent steht der hypothese zweifelhaft gegenüber, weist aber auf die beobachtungen des vfs. über die melodien der englischen und romanischen zehnsilber hin und empfiehlt die schrift der beachtung der metriker.

Felix Hartmann.

IV. Neuhochdeutsch.

Fremdwörter. 1. R. Fleischer, Über die verwendung von fremdwörtern im deutschen. Zs. f. d. spr. 9, 134—141. (abdruck aus der deutschen revue 20.)

standpunkt des allg. d. sprachvereins.

2. D. Sanders, In bezug auf fremdwörter. Zs. f. d. spr. 9, 141—142.

gegen einige neuere künstlerausdrücke.

3. E. Muellenbach, Fremdwörter und kernwörter bei Musäus. Zs. d. allg. d. sprachver. 1895, 9—14.

weist bemerkenswerten geringen gebrauch von fremdwörtern und neigung zu alten kerndeutschen, zum teil auch dichterisch selbst gebildeten wörtern nach.

4. M. Stier, Bericht über die verdeutschung von strassennamen. Zs. d. allg. d. sprachver. 1895, 31—35. — vgl. 253—255.

stellt die erfolge der vereinsbestrebungen auf diesem gebiete zusammen. s. jsb. 1894, 4, 64.

5. G. A. Saalfeld, Überflüssige fremdwörter im verwaltungsdienste. Zs. d. allg. d. sprachver. 1895, 46—47.

hinweis auf das verzeichnis solcher wörter vom bezirkspräsidenten frh. v. Hammerstein in Metz.

6. O. March, Die verdeutschung von fremdwörtern im bühnenwesen. vortrag.

mitteilungen daraus Zs. d. allg. d. sprachver. 1895, 49—52.

7. E. Witting, Zur geschichte der fremdwörter in der deutschen musik. Zs. d. allg. d. sprachver. 1895, 219—225.

7a. G. Funk, Kleines fremdwörterbuch für schule und haus. Leipzig, Schmidt u. Günther. VII, 118 s. 0,75 m.

8. W. Idel, Die verdeutschung der fremdwörter in unsern jugend- und volksschriften. Zs. d. allg. d. sprachver. 1895, 141—143, 164—170.

nachweise und vorschläge.

8a. Heyses kleines fremdwörterbuch, ein auszug aus Heyses grossem fremdwörterbuch in der bearbeitung von O. Lyon. VIII, 448 s. 12°. Hannover, Hahn. 1,80 m. geb.

8b. W. Bartholomaeus, Verdeutschungswörterbuch, unter mitwirkung von K. Schmelzer bearb. u. hrsg. Bielefeld, Helmich. VIII, 210 s. geb. 4 m.

Mann, Kurzes wörterbuch. — vgl. abt. 3, 4.

9. A. Demmin, Verdeutschungs-wörterbuch. nach buchstabenfolge geordnetes verzeichnis der im staats-, amts-, kammer-, rechts-, wehr- (militär-), kunst-, gewerbe-, handels- und zeitungswesen unnötig angewendeten fremdwörter; auch zugabe einer grossen anzahl von meist damit gebildeten und teilweise· undeutschen veröffentlichungen entnommenen aufsätzen mit nebenstehenden übersetzungen. Wiesbaden, R. Bechthold & co. IV, 289 s. 3 m.

10. F. W. Eitzen, Fremdwörter der handelssprache, verdeutscht und erläutert, zur ergänzung seiner mehrsprachigen wörterbücher für kaufleute. Leipzig, Hessel 1894. 55 u. 176 s.
lobend angez. Zs. d. allg. d. sprachver. 1895, 16 von H. Dunger.

11. A. Brocks, Lehnwörter, erbwörter, fremdwörter. vortrag. Neue westpreuss. mitteilungen vom 16. nov. 1894.

12. Verdeutschungsbücher d. allg. d. sprachver. VI. Das berg- und hüttenwesen. verdeutschung der im bergbau, in der hüttenkunde, der markscheidekunst und im knappschaftswesen gebräuchlichen entbehrlichen fremdwörter. Berlin, verlag d. allg. d. sprachv. 20 s.

Grammatik. 13. O. Brenner, Grundzüge der geschichtlichen grammatik der deutschen sprache. — vgl. abt. 3, 76.

14. G. Amsel, Häufigkeit deutscher wörter. Zs. d. allg. d. sprachver. 1895, 47—49.
mitteilungen aus den ergebnissen der häufigkeitsuntersuchungen (s. jsb. 1894, 4, 51).

15. R. Meyer, Einführung in das ältere nhd. u. s. w. Leipzig 1894. — vgl. jsb. 1894, 4, 12. — angez. Lit. cbl. 1895, 540—541 (W. B.) Zs. f. öst. gymn. 10, heft 9 von M. H. Jellinek.

16. H. Schrader, Ungrammatische schönheiten der sprache. Zs. f. d. spr. 9, 361—363.
hinweis auf Luthers und Goethes freie beziehung eines adjektivs auf mehrere substantive verschiedenen geschlechts oder numerus (*alles leid und schmerzen*), ausserdem auf altertümliche formen wie *geloffen, billt* und dichterische neubildungen.

17. Mewes, Einführung in das wesen der grammatik. — vgl. abt. 3, 29.

17a. D. Sanders, Leitfaden zur grundlage der deutschen grammatik. die grammatischen grundbegriffe, die redeteile im

allgemeinen und die pronomina im besonderen. 2. aufl. Weimar,
Felber. 157 s. 1,80 m.

18. K. Tomanetz, Studien zur syntax in Grillparzers prosa.
Progr. Wien. 29 s.

19. C. Müller-Fraureuth, Die deutsche grammatik des
Laurentius Albertus (ältere deutsche grammatiken in neudrucken,
hrsg. v. J. Meier. III). Strassburg, Trübner. XXXIV, 159 s.
   vf. hält Laurentius Albertus und Klinger für eine person. er
benutzte hauptsächlich Melanchthons latein. grammatik in der von
J. Camerarius vermehrten ausgabe; daher auch anlehnungen an
Priscian, den Camerarius benutzte. — angez. Zs. f. d. unterr. 9,
569—570 von O. Lyon.

20. P. Merkes, Der nhd. infinitiv als teil einer um-
schriebenen zeitform. histor.-gramm. betrachtungen. diss. Göttingen,
Vandenhoeck u. Ruprecht. 128 s. 3,20 m.

20a. P. Merkes, Beiträge zur lehre vom gebrauch des infinitivs im nhd. auf historischer grundlage. 1. teil. Leipzig, Robolsky. 171 s. 3 m.
   no. 20 bildet den in no. 20a genannten ersten teil der 'beiträge
zur lehre' u. s. w. mit einigen erweiterungen. der zweite teil soll
vom infinitiv als selbständigem satzteil handeln. der vorliegende
erste teil ist eine sehr gründliche, klar und interessant geschriebene
untersuchung von vielseitigster anregung. der erste abschnitt
handelt vom infinitiv als mittel der futurbildung (1—30), der
zweite vom infinitiv als participersatz (*ich habe* schreiben *können*).
vf. widerlegt die ansicht, dass hier ein augmentloses particip vorliege und erklärt es als eine art von assimilation oder syntaktischem
ausgleich. er verfolgt das auftreten der verbindung geschichtlich
und betrachtet sie in allen ihren verzweigungen, in direkter und
indirekter rede, in haupt- und nebensätzen. ebenso stellt er fest,
welche verben diesen ersatz für das particip bei sich haben können
und findet als solche ausser den modalen hilfszeitwörtern nur
sehen, hören, helfen, heissen, brauchen. das geschieht in eingehender geschichtlicher betrachtung des sprachgebrauchs aller in betracht
kommender und von andern grammatiken aufgeführter verben. von
interesse ist endlich eine übersichtliche zusammenstellung der lehren
von 25 grammatiken über diesen punkt. zum schluss fasst vf. seine ansichten in 12 thesen zusammen. das quellenmaterial des vfs. (verzeichnis
s. 93—103) ist allerdings zum teil minderwertig; vor allem hätte
er die bei Reclam erscheinenden übersetzungen ausländischer schriftsteller beiseite lassen sollen. — im zweiten teil bringt er hoffent-

lich auch eine inhaltsübersicht nebst register, die der erste teil
sehr vermissen lässt.

21. Th. Gartner, Das gebiet der sprachgesetzgebung.
Wissensch. beitr. d. allg. d. sprachver. VIII, s. 116—118.
bezeichnet als gebiet der sprachgesetzgebung nur die ernste
prosa und sieht dadurch viele streitigkeiten über erlaubte und un-
erlaubte formen, z. b. über die pluralform *jungens, mädels*, die
Kluge gegen Wustmann verteidigte, erledigt.

22. Die deutsche grammatik des J. Clajus. hrsg. von
Fr. Weidling, Strassburg, Trübner.
s. jsb. 1894, 4, 17. — angez. Zs. f. österr. gymn. 46 heft 10,
von M. H. Jellinek.

23. W. Borchardt, Die sprichwörtlichen redensarten. hrsg.
von Wustmann. Leipzig, Brockhaus. 5. aufl. — vgl. abt. 10,
445 und jsb. 1895, 4, 29. — empfehlend angez. Lit. cbl. 1895 (1)
28—29. Zs. d. allg. d. sprachver. 1895, 147 von K. Menge.

23a. H. Schrader, Der bilderschmuck der deutschen sprache
in tausenden volkstümlicher redensarten. nach ursprung und bedeutung erklärt. 4. vermehrte und verbesserte auflage. Weimar,
Felber. XX, 543 s. 6 m.
das beste unter den büchern dieser art (vgl. no. 23 u. jsb.
1894, 4, 29. 30, wo die 1894 erschienene 2. auflage nicht verzeichnet ist) nachdem zwölf Jahre zwischen der 1. und 2. auflage
verstrichen waren, folgen jetzt die auflagen schnell hintereinander.
die anordnung ist die begriffliche, nicht alphabetische, die erklärung
betont mehr das kulturgeschichtliche als das sprachliche.

24. W. Vietor, Wie ist die aussprache des deutschen zu
lehren? — vgl. jsb. 1894, 3, 5. — empfehlend angez. Zs. f. d.
unterr. 9, 636—637 von H. Schuller; die durchführung der vorschläge (einheitliche aussprache nach der bühne) wird bezweifelt.

25. H. Nehry, Die aussprache des deutschen und die schule.
Die mädchenschule 8, 4.

26. D. Sanders, Misstrauen. Zs. f. d. spr. 9, 17—18.
betonung, flexion und konstruktion kurz zusammengefasst.

27. G. Boetticher, Zum Lutherliede „Ein feste Burg".
Zs. f. d. unterr. 8, 770—773.
vgl. jsb. 1893, 4, 28. bestreitet Bechsteins erklärung *er hilft
uns frei* = *er hilft uns los* und sieht die adverbiale bedeutung
(= *unbekümmert, in machtfülle*) aus innern und äussern gründen,

3*

besonders auch auf grund des sprachgebrauchs als die allein
mögliche an. ausserdem wird *kein dank dazu haben* erklärt als
wider ihren willen.

28. A. Landau, Über *waser* und *waserlei.* Zs. f. d. unterr.
8, 852, ergänzt die ausführungen Reichels Zs. f. d. unterr. 6, 131
(s. jsb. 1892, 4, 15), durch nachweis eines selbständig gebrauchten
pronomens *waser, wase, wases* (= was für ein) bei Ölinger.

29. Fr. Branky, *welche* und *welches* in Tiecks Don Quijote-
übersetzung. Zs. f. d unterr. 9, 768—770.

giebt belege zu dem gebrauch von *welche* und *welches* im
sinne einer unbestimmten menge, als ergänzung zu dem aufsatze
Zs. f. d. unterr. 8, 115 ff. s. jsb. 1894, 4, 38.

30. C. Müller, Der bediente. Zs. f. d. unterr. 9, 221—222.
vgl. Zs. 8, 685 ff. jsb. 1894, 4, 32.

tritt für die aktive bedeutung des wortes ein.

31. C. Müller, Da wären wir endlich. Zs. f. d. unterr. 9,
152. — vgl. Zs. 8, 691 ff. jsb. 1894, 4, 32.

bestreitet, dass darin eine verstärkung des indikativs liege, vielmehr
eine wirkung des rückblicks auf gehabte mühe und anstrengung.

32. E. Götzinger, Das verb *lassen* bei Luther und Goethe.
Zs. f. d. unterr. 9, 169—181.

verf. will zeigen, dass das wort lassen durch Luther zum
typischen ausdruck des abhängigkeitsgefühls des menschen von
gott und durch Goethe zu dem des menschen vom menschen gemacht sei. der aufsatz beruht zum grössten teile auf unrichtigen
voraussetzungen, ist methodisch ganz unzulänglich und bedeutet nur
einen einfall.

33. L. Ipsen, Zur syntax der vergleichungssätze. Zs. f. d.
spr. 9, 258—268.

behandelt die scheinbaren ellipsen der vergleichungssätze
1. nach komparativen, 2. nach *ander* und *anders,* 3. nach *so, ebenso*
und ähnlichen wörtern mit vielen beispielen.

34. Fr. van Hoffs, Über vergleichungssätze der nichtwirk-
lichkeit bei dichtern. Wissensch. beitr. d. allg. d. sprachver.
VIII (s. 118—119).

vgl. jsb. 1894, 4, 23. nachweis des (unrichtigen) gebrauchs
des indikativs in solchen sätzen bei Prutz und Lenau. er ist stets
durch den reim veranlasst, ebenso der conj. praes. statt praet.

35. D. Sanders, Besitzanzeigende fürwörter der 3. person.
Zs. f. d. spr. 9, 268—270.

behandelt zweifelhafte beziehungen des possessivpronomens
3. person bei Schiller.

36. D. Sanders, Ordnungszahlen von brüchen. Zs. f. d. spr. 9, 271—273.

anregung der frage, ob z. b. viertehalb*te*, dreieinhalb*te* u. s. w. klasse zu lesen sei.

37. E. Frey, Die temporalkonjunktionen der deutschen sprache in der übergangszeit vom mhd. zum nhd. u. s. w.

siehe jsb. 1894, 4, 13. — angez. Litbl. 1895, 301—302 von H. Reis. vermisst wird die vergleichende beziehung zum nhd.

38. O. Mensing, Niederdeutsches *dede* = hd. *thät* im bedingungssatze. Zs. f. d. phil. 27, 533—534.

nachweis der form (vgl. jsb. 1892, 4, 30. Zs. f. d. phil. 23, 41. 293. 24, 41. 43. 201. 504.) im Wolfenbütteler Esop um die wende des 14. jahrhs.

39. D. Sanders behandelt in der Zs. f. d. spr. u. a. folgendes: etwas über den grünen klee loben, heran- oder hinantreten 8. heft 7). als = wie, fluchen c. gen., antreten c. acc., vernehmen c. acc. u. inf., einzahl oder mehrzahl des verbs bei ideellem plur. des subjekts, vorliebe im plural, zur abwandlung hauptwörtlicher eigenschaftswörter, (9, 1) — buntes allerlei aus Österreich; Austriacismen (9, 2 u. 5), eingehen und reinfallen, deklination der attributiven adjektive, infinitiv mit zu (9, 2), zusammensetzungen von tragen, beherrscht = sich beherrschend, der oder die dispens (9, 3) sich selbst ins angesicht schauen, auf gleich! die gnade haben, firnissen, firnistag, schräge oder steile schrift (9, 5), erharten und erhärten (9, 8), erschöpflich und die endungen bar und lich, gegenüber c. gen. (9, 9) — dazu zahlreiche 'beim lesen aufgeschriebene bemerkungen' zu sprachgebrauch und grammatik und sprachliche bemerkungen zu romanen und novellen von Heiberg, Heyse, Amyntor, Marby, Gurlitt, Pressentin-Rauter, Spielhagen, Eötvös, Schulte von Brühl, Skowronnek, Freytag, P. Lindau, E. Franzos, Wildenbruch, L. Schücking, zu Schwabs gedicht Der gefangene, W. Jordans Geharnischten sonetten, Schillers 'wunderseltsamen historia', seinem aufsatz über die Räuber, seiner übersetzung 'merkwürdiges beispiel einer weiblichen rache', und zu R. Lenzens schrift 'anmerkungen übers theater' u. s. w.

Schriftsprache. 40. Th. v. Sosnosky, Der sprachwart u. s. w. Breslau, Trewendt 1894.

s. jsb. 1894, 4, 27. — angez. Lit. cbl. 1894, 1539. 'das einzige gute an diesem buche ist die sammlung von proben schlechten stils aus der modernen erzählungslitteratur'. die grobe unwissenheit des vfs. wird gebührend gekennzeichnet.

41. Th. **Matthias**, Sprachleben und sprachschäden. **Leipzig**, Richter 1892.

s. jsb. 1893, 4, 17. — angez. Österr. litbl. 1895, 119—120 von Wl. empfehlend mit einigen ausstellungen.

41a. Fr. **Kluge**, Zu den sprachdummheiten. **Zs. d. allgem. d. sprachver.** 1895, 21—31.

gegen Wustmanns verurteilung des plural—s (jungens u. dgl.) mit geschichtlichen nachweisen.

42. G. **Bomscheuer**, Deutsch. eine sammlung von falschen ausdrücken, die in der deutschen sprache vorkommen. **Bonn**, Haustein. XV, 194 s. 2 m.

42a. K. **Prahl**, Noch einmal zur papiernen sprache. **Zs. f. d. unterr.** 9, 849—850.

gegen **Wasserziehers** bemerkungen Zs. 8, 476 ff. (vgl. jsb. 1894, 4, 47) über professer u. s. w. auf grund des naturalistischen dramas.

43. A. **Brunner**, Schlecht deutsch. eine lustige und lehrreiche kritik unserer nhd. mundunarten. Wien u. Leipzig, J. Eisenstein u. co. 207 s. 1,70 m.

seine eigentümlichkeit den bekannten büchern von Wustmann, Matthias, Andresen u. a. gegenüber sucht der vf. darin, dass er die 'sprachdummheiten' humoristisch behandelt. unter 'mundunarten' versteht er eben die üblichen nachlässigkeiten und fehler, nicht etwa mundartliches in der verkehrsprache. er behandelt den stoff in folgenden abschnitten: konvenienzsprache, mängel im begriff, kurz und gut (unnötige längen des ausdrucks), eile mit weile (falsche verkürzungen), allzugewissenhaft (pedantereien), modesprache, ausländerei (fremdwörter, Gallicismen, Latinismen), wohlklang, schwanken im ausdruck. vf. ergänzt seine vorgänger besonders in den letzten beiden abschnitten; sein standpunkt ist massvoll, er verspottet gelegentlich die pedanterie auf diesem gebiete, aber er ist selbst auch nicht ganz frei von ihr.

M. **Lenz**, Jüdische eindringlinge. — vgl. abt. 1, 15.

44. A. **Schlessing**, Deutscher wortschatz oder der passende ausdruck. 2. verbesserte und vermehrte auflage. Stuttgart, **Neff** 1894. 456 s.

vgl. jsb. 1894, 1, 11. 4, 25. anerkennend angez. Litbl. 1895, 118—119 von O. Behaghel: 'Es sammelt den deutschen sprachschatz unter 1000 begrifflichen kategorien, derart, dass z. b. unter *gefrässigkeit'* erst die synonyma dieses abstraktums, dann *fresser* und verwandtes (schwelger, prasser u. a.), *gefrässig sein* (schwelgen, schlemmen u. s. w.) *gefrässig* und ähnliche adjectiva verzeichnet werden. die kategorien selber sind systematisch, nicht alphabetisch geordnet.' darauf folgt jedoch auch ein alphabetisches wörterverzeichnis mit der nummer der kategorie, in der das betreffende wort zu finden ist. das eigentümliche des buches besteht also darin, dass es nur den wortschatz, begrifflich geordnet, verzeichnet, ohne erläuterungen, und daher auf geringem umfange erschöpfend sein kann.

45. A. Genthe, Deutsches slang. Strassburg, Trübner 1892.
s. jsb. 1892, 4, 38. — anerkennend angez. Litbl. 1895, 118 von O. Behaghel.

46. Th. Uhle, Die entwicklung der deutschen sprache bis auf Luther in den grundzügen. ein abriss für laien. Zs. d. allg. d. sprachver. 1895, 234—241.
'für laien' ganz anregend und verständlich geschrieben. die vorhandenen fehler und ungenauigkeiten fallen für diesen zweck nicht erheblich ins gewicht.

47. D. Sanders, Joh. Elias Schlegel. Zs. f. d. spr. 9, 325—328.
sprachliche bemerkungen zur geschichte der schriftsprache auf grund der prosaischen schriften Schlegels in Seufferts Litteraturdenkmälern des 18. jahrhs.

48. H. Lichtenberger, Histoire de la langue allemande. vgl. abt. 3, 77.

49. C. Weise, Unsere muttersprache. — vgl. abt. 3, 78.
angez. Zs. f. d. unterr. 9, 430 von O. Lyon, ferner Lit. cbl. 1895, 987: 'im ersten teile giebt er eine kurze entwicklungsgeschichte der deutschen sprache, im zweiten schildert er das wesen unserer sprache und ihre beziehung auf die stammesart (ober- und niederd.), auf standesunterschiede (mundart und schriftspr.), auf die kulturverhältnisse Deutschlands (wortschatz und stil) und behandelt sodann im einzelnen lautwandel, wortbiegung, wortbildung, wortschatz, geschlecht, wort, bedeutung und satzlehre.' die germanistischen kenntnisse des vfs. reichen jedoch, wie gezeigt wird, für seine aufgabe nicht aus. noch näher begründet dies H. Wunderlich in der Zs. d. allg. d. sprachver. 1895, 245—247, wo er jedoch auch die bedeutung des buches für einen grossen leserkreis anerkennt. er verweist dort weiter auf seine wissenschaftliche besprechung des buches in den indogermanischen forschungen.

50. **Fr. Kluge**, Deutsche studentensprache. **Strassburg, Trübner.**

s. jsb. 1894, 4, 52c. — empfehlend angez. Lit. cbl. **1895,** 987—989.

52. **H. Wunderlich**, Unsere umgangsprache. **Weimar, Felber 1894.**

s. jsb. 1894, 4, 42. — angez. Lit. cbl. 1895, 1091—1092 **als** wertvolle vorarbeit. Litbl. 1895, 334—337 von O. **Behaghel** ebenfalls empfehlend.

52a. **H. Wunderlich**, Der deutsche satzbau. — **vgl jsb.** 1894, 4, 43. — angez. von R. **Löhner**, Zs. f. d. österr. gymn. 45, 237.

53. **K. Bruns**, Gerichtsdeutsch und ähnliches. **Zs. d. allg.** d. sprachver. 1895, 25—29, 41—46, 121—125. besprechung und ergänzung der schrift von Daubenspeck (jsb. 1894, 4, 52).

53a. **H. Nehry**, Der oder die Tiber, der oder die Rhone? — auch etwas von deutschen schiffen. Zs f. d. unterr. 9, 188—190.

stellt den schwankenden sprachgebrauch fest und tritt für das femininum in beiden fällen ein, ebenso für schiffbezeichnungen wie *die Baden, die Hohenzollern.*

53b. **D. Sanders**, Der oder die Eisack. Zs. f. d. spr. 9, 355. für das maskulinum. das femininum erklärt aus falscher analogie zu *ache.*

54. **H. Dunger** handelt über die wörter *beleg, belege* oder *belag, beläge, unverfroren, diakonisse* oder *diakonissin,* und über falsche beziehung des absoluten particips. Zs. d. allg. d. sprachver. 1895, 53—55.

55. **O. Streicher**, *Laut eines in händen habenden briefes.* Zs. d. allg. d. sprachver. 1895, 144—145.

kurze geschichtliche beleuchtung dieser verbindung.

56. **G. Schmidt**, Clavigo u. s. w. Gotha, Perthes 1893.

s. jsb. 1894, 4, 54. — angez. von R. M. **Meyer**, Anz. f. d. altert. 21, 151—153. frische und unbefangene behandlung wird anerkannt, aber gründlichkeit vermisst.

57. **O. Hoffmann**, Der wortschatz des jungen Herder. **ein** lexikalischer versuch. progr. des Kölln. gymn. [no. 59]. Berlin, Gaertner. 25 s.

vf. will dem immer dringender werdenden bedürfnis gegenüber, specialwörterbücher unsrer grossen klassiker zu besitzen, die das werden unsrer modernen litteratursprache erkennen lassen, einen anfang mit Herder machen. seine vorarbeiten haben aus

2313 druckseiten von Herders werken, ausschliesslich der Rigaer periode angehörend, 20 000 zettel ergeben. unberücksichtigt blieben die flexionslosen redeteile, falls sie nicht vom heutigen sprachgebrauch abwichen, alle übrigen wurden gebucht, aber nur diejenigen gezählt, die Herder eigentümlich waren. eine probe der verarbeitung dieses stoffes giebt vf. nun aus den buchstaben M und S. wörter, die bei Grimm gar nicht oder unzureichend behandelt sind, sind besonders gekennzeichnet; schon diese wenigen seiten weisen wesentliche ergänzungen auf. das ganze handwörterbuch veranschlagt vf. auf etwa 40 bogen.

58. R. Hodermann, Universitätsvorlesungen in deutscher sprache. Christian Thomasius, seine vorgänger und nachfolger. Wissensch. beih. d. allg. d. sprachver. VIII (s. 99—115).

interessante übersicht über die entwicklung des deutschen als unterrichtssprache an universitäten mit besonderer würdigung der verdienste des Thomasius.

Rechtschreibung und Zeichensetzung. 59. Gemss, Die schulorthographie vom jahre 1880 und die deutsche presse in der gegenwart. Berlin, Weidmann. 14 s. 0,40 m.

vf. zeigt durch eine zusammenstellung der verschiedenen gebiete der presse, dass nur die politischen tageszeitungen in der annahme der schulorthographie sich noch zurückhalten. thatsächlich ist sie von der unterhaltungs- und wissenschaftlichen litteratur, sowie von den grössten verlagsbuchhandlungen fast durchweg angenommen.

60. R. Jordan, Deutsche rechtschreibung vor 300 jahren. Zs. f. d. unterr. 9, 708—710.

weist auf die Synopsis grammaticae tam Germanicae quam Latinae et Graecae in usum juventutis scholasticae conscripta, aus welcher er die regeln über deutsche rechtschreibung mitteilt.

61. W. Swoboda, Phonetische randbemerkungen zu unseren regeln und wörterverzeichnis für die deutsche rechtschreibung. Zs. f. d. realschw. 20, 6.

62. D. Sanders, Rechtschreibung und stil. Zs. f. d. spr. 9, 363—366.

über Gemss' schrift von den erfolgen der Puttkamerschen anordnung (s. no. 59) und Foss' vorschlägen im Allgemeinen deutschen sprachverein, den stil gleichfalls durch ministerielle verfügungen zu regeln. die von Gemss festgestellte zerfahrenheit erkennt der vf. mit genugthuung an, die vorschläge, den stil betreffend, verwirft er mit recht.

62a. Orthographisches wörterbuch nebst den wichtigsten regeln der deutschen rechtschreibung nach den vom k. k. ministerium für unterricht festgestellten grundsätzen, hrsg. vom Lehrerhausverein Wien. Wien, Sigl. XII, 147 s. 1,20 m.

63. P. Tesch, Die lehre vom gebrauch der grossen anfangsbuchstaben in den anweisungen für die nhd. rechtschreibung. eine quellenstudie. Neuwied u. Leipzig 1890. 109 s.

angez. Zs. f. d. unterr. 9, 780—782 von C. Franke; als quellenmässige darstellung der geschichte der majuskeln empfohlen.

64. G. A. Saalfeld, Katechismus der deutschen rechtschreibung. Leipzig, Weber. 318 s.

ausführlich behandelt in einem besondern artikel von D. Sanders Zs. f. d. spr. 9, 332—340, der einige mitteilungen über die orthographische konferenz macht, den vermutlich unüberwindlichen widerspruch zwischen schul- und reichsorthographie feststellt, jedem schriftsteller die berechtigung zu einer eignen orthographie giebt und dann auf einige ungenauigkeiten des buches hinweist.

65. W. Vilmar, Ein beitrag zur geschichte der deutschen interpunktion. Zs. f. d. unterr. 9, 210—213.

teilt eine abhandlung des schwäbischen ritters Dietrich von Pleningen (1450—1520) über die interpunktion mit, die er in seiner übersetzung des Panegyricus Trajani angewendet hat. dieselbe ist Glöde und Bieling noch nicht bekannt gewesen. zum schluss folgt eine vergleichung mit den interpunktionsregeln der zeitgenossen.

66. M. Stöber, Regeln über die satzzeichen, verbunden mit aufgaben. Cöthen, Dünnhaupt.

angez. Zs. f. d. unterr. 9, 497—498 von R. Fricke mit manchen ausstellungen.

Schrift. 67. Bause, Wie kann unsere schrift vereinfacht und vervollkommnet werden? — vgl. jsb. 1894, 4, 66. — angez. Reform 18 no. 9.

68. In der Zeitschrift 'Reform', hrsg. von Spieser, finden sich artikel über lateinschrift in 18, 11. 12. 19, 7. 8, ebenda handelt Bause über die schriftfrage.

Unterricht. 69. Fr. Blatz, Nhd. grammatik mit berücksichtigung der historischen entwicklung der deutschen sprache. 3. völlig neubearbeitete auflage in 2 bänden. 1. band einleitung. lautlehre, wortlehre. Karlsruhe, Lang. 856 s. kompl. 12 m.

s. jsb. 1880 no. 1362. während das werk früher nur elementar-
lehrern dienen sollte, hat vf. diese 3. aufl. zu einem 'umfassenden,
jedem gebildeten deutschen leicht zugänglichen handbuch der
deutschen sprache umgestaltet, das also auch akademischen bedürfnissen von nichtgermanisten und auch den anfangsstudien der
germanisten ein ausreichendes hilfsmittel bieten soll. eine einleitung (1—51) giebt eine übersicht über die sprachgeschichte,
arten der sprachen überhaupt, indogermanische, germanische und
endlich die deutsche sprache und litteratur insbesondere. dann
folgt in diesem 2. bande die lautlehre und wortlehre. die heranziehung der alten sprache geschieht bei allen erscheinungen grundsätzlich und eingehend, überall die neuesten forschungen verwertend
und der 1. aufl. gegenüber mit bedeutend erweiterter und ver-
tiefter sachkenntnis.

70. R. Hildebrand, Vom deutschen sprachunterricht in der
schule u. s. w. 5. aufl. Leipzig, Klinkhardt. VIII,| 279 s. 3 m.
s. jsb. 1890, 4, 35a.

71. Zur methodik des unterrichts erschienen: H. Vockeradt,
Praktische ratschläge für die anfertigung des deutschen aufsatzes.
progr. des gymnasiums in Recklinghausen [no. 366]. P. Wetzel,
Zur behandlung deutscher gedichte in unteren und mittleren
klassen höherer lehranstalten. progr. des Lessing-gymnasiums in
Berlin [no. 62]. F. Koehler, Zum deutschen unterricht in den
mittleren klassen. progr. des gymnasiums in Neisse [no. 199].
Beyrich, Die behandlung des deutschen aufsatzes in den oberen
klassen der realschule. progr. der realschule zu Görlitz [no. 230].
Fr. Koch, Lehrplan für den deutschen unterricht. 3. teil. progr.
des königl. progymnasiums zu St. Wendel [no. 476]. Th. Bind-
seil, Lehrplan für den deutschen unterricht. progr. des gymnasiums in Seehausen i. d. A. [no. 255]. A. Baur, Über die deutschen vorträge in Prima. progr. des gymnasiums in Büdingen
[no. 652.].

Metrik. 72. K. Helm, Zur rhythmik der kurzen reimpaare
des 16. jahrhs. diss. Karlsruhe, Braun. 103 s. 2 m.

73. H. Bohm, Zur deutschen metrik II. über den rhythmus
des gesprochenen und des gesungenen verses. progr. der 2. realschule in Berlin [no. 113]. Berlin, Gärtner. 28 s. 4°. 1 m.

vgl. jsb. 1890, 4, 42. weist die unzulässigkeit der übertragung
des gesungenen rhythmus auf den gesprochenen nach, unter ausführlicher erörterung der verschiedenheit der taktlängen in beiden
arten von versen und deren ursachen, sowie der häufigen wider-

sprüche zwischen beiden. vf. legt das hauptgewicht **auf die an-**
regung der hierher gehörigen fragen.

74. O. Flohr, Geschichte des knittelverses u. s. w. **Berlin,**
Vogt 1893.

s. jsb. 1894, 4, 76. — angez. Anz. f. d. altert. 21, 100—104
von A. Köster, der das vom vf. zusammengebrachte **material,**
sowie einzelne ausführungen lobt, aber bedauert, dass das **material**
nur chronologisch vorgeführt, nicht mit historischem blick **gesichtet**
sei. er kommt zu wesentlich andern ergebnissen: nicht **eine fort-**
laufende, sondern eine von Sachs bis Goethe unterbrochene **ent-**
wicklung sei zu erkennen. — Litbl. 1895, 116—117 von A. **Leitz-**
mann (anerkennend).

75. J. Minor, Nhd. metrik. Strassburg, Trübner 1893.

s. jsb. 1894, 4, 72. ausführlich behandelt im Anz. f. d. **altert.**
21, 169—194 von A. Heusler. die grundanschauungen **Minors**
werden eingehend dargelegt und geprüft, aber rec. lehnt **sie fast**
alle ab, besonders den gegensatz von rhythmik und metrik, vom **ge-**
sprochenen und gesungenen verse, von dem wesentlichen **unter-**
schiede zwischen versen mit regelmässigem wechsel von **hebung**
und senkung und den unregelmässigeren versmassen, vom **ver-**
hältnis des deutschen verses zum antiken, von der **verurteilung**
der neueren sogenannten nationalen auffassung der metrik **und**
der hinneigung zu antikisierender theorie; ferner Zs. f. d. phil. **28,**
248—254 von H. Wunderlich, in manchen punkten mit **Heusler**
übereinstimmend, aber Minor viel näher stehend. Litbl. **1895,**
296—301 von O. Brenner, der ebenfalls die zu geringe **würdigung**
der nationalen versformen tadelt und sich in vielem einzelnen mit **M.**
auseinandersetzt, aber die grundlegende bedeutung des **buches**
durchaus anerkennt.

76. A. Heusler, Über germanischen versbau. — vgl. **abt.**
3, 126.

Bötticher.

V. Deutsche mundartenforschung.

(ausser niederdeutsch.)

Allgemeines. 1. Mentz, Bibliographie. — s. jsb. 1894, 5, 1. — angez. Modern lang. notes 1895, 119—120 (Bierwirth).

2. F. Wrede, Berichte über G. Wenkers sprachatlas des deutschen reichs. Anz. f. d. altert. 21, 260—296. 22, 92—117.
vgl. jsb. 1894, 5, 2. betr. die wörter: 48) wachsen. 49) ochsen. 50) korb. 51) seife. 52) zwölf. 53) alte. 54) kalte. 55) bleib. 56) fliegen. 57) kleider. 58) trinken. — (22, 92 ff.). 59) wie. 60) nein, süddeutsch. 61) gebrochen. 62) hoch. 63) feuer. 64) bauen. 65) weisse. 66) gut. 67) gute.

3. O. Bremer, Beiträge zur geographie der deutschen mundarten in form einer kritik von Wenkers sprachatlas des deutschen reichs. mit 11 karten im text. (= Sammlung kurzer grammatiken dtsch. ma. bd. 3.) Leipzig, Breitkopf & Härtel. XVI, 266 s. 5 m.
Br. hatte im vorworte zu bd. 1 seiner sammlung ausgesprochen, dass die Wenkerschen linien zum grossen teil nicht zuverlässig seien. er begründet jetzt diese behauptung, indem er die drei für den atlas in Stralsund angefertigten formulare und elf von ihm genauer studierte Wenkersche karten heranzieht, in denen er zahlreiche irrige ansetzungen findet. fehlerquellen der karten seien: das nicht durchweg zuverlässige material, mangelhafte rechtschreibung der formulare, falsche methode bei ziehung der grenzlinien. ausser acht seien auch die fälle geblieben, in denen doppelformen eines in fluss befindlichen lautwandels vorkommen. — angez. Lit. cbl. 1896 no. 3; Ndd. korr.-bl. 18, 46; Mundarten 1, 71 (Nagl); Zs. d. ver. f. volkskde. 6, 226 (R. M. Meyer).

4. Der sprachatlas des deutschen reichs. dichtung und wahrheit. I. G. Wenker: herrn Bremers kritik des sprachatlas. II. F. Wrede: über richtige interpretation der sprachatlaskarten. Marburg, Elwert. 52 s. 1 m.
s. 1—30 legt Wenker dar, dass zahlreiche thatsächliche angaben Bremers über die im atlas gezogenen grenzlinien unwahr seien und sich nur aus einem ungenauen studium desselben erklären lassen, ferner dass eine reihe von einwänden Bremers sich nur auf hypothesen desselben über wanderung von lauteigentümlichkeiten u. a. stützen, ohne dass diesen annahmen die wirklichkeit entspreche. — s. 33 ff. Wredes vortrag auf der Kölner

philologenversammlung, in dem ausgeführt wird, dass die abweichende bezeichnung derselben mundartlichen laute, die sich bei den verschiedenen verfassern der formulare finde, sehr lehrreich für die genauere phonetische bestimmung sei. — anzeigen wie bei voriger nummer, Bremers entgegnung in den Beiträgen z. gesch. d. d. spr. 21, 27—97.

[4a. Langhans, Deutscher kolonialatlas. Gotha, Justus Perthes. blatt no. 4: Das deutsche land. übersicht der verbreitung der Deutschen und ihrer geistigen kultur, sowie der vereine zur förderung deutscher interessen im in- und auslande. massstab 1 : 3 700 000. — verbreitung der Deutschen nach kreisartigen verwaltungsbezirken; durch besondere farben sind dargestellt die bezirke mit 95 − 100 %, 70—95 %, 30—70 %, 5—30 %, 1 − 5 %, unter 1 % deutschsprechenden. angegeben ist auch die friesisch-ndd., ndd.-md. und md.-oberdt. sprachgrenze. — nebenkarten: Die überseeische auswanderung aus den deutschen bundesstaaten 1891; Der sächsische industriebezirk; Die deutsche Herrnhuter kolonie Christiansfeld; Die deutsche arbeiter-kolonie Kupfermühle; Die ehemaligen deutschen heidekolonien in Schleswig (mit südgrenze der dänischen sprache mitte des 18. jahrhs., ende des 19. jahrhs. und des geschlossenen dänischen sprachgebietes); Die deutschen Mennoniten-siedelungen im Elsass bei Schirmeck und bei Burg-Breusch; Deutsche siedelungen in Lothringen: Novéant, Deutsch-Elfringen, Gr. Moyeuvre; Die deutsche auswanderung 1891 über die häfen Hamburg, Bremen, andere deutsche häfen, Antwerpen, Rotterdam, Amsterdam, Hâvre und Bordeaux; Die züge der Salzburger kolonisten nach Ostpreussen im jahre 1732; Die deutsche kolonisation in Litauen im jahre 1736; Die thätigkeit der ansiedelungs-kommission für die provinzen Westpreussen und Posen 1886—1892; Die von der ansiedelungs-kommission erworbenen güter bei Rynsk; Die neu angelegten deutschen dörfer Bismarckfelde und Michelsdorf.]   [Otto Bremer.]

Schweiz. 5. Schweizerisches idiotikon. wörterbuch der schweizerdeutschen sprache. gesammelt auf veranstaltung der Antiquarischen gesellschaft in Zürich ... (heft 29. 30 =) bd. 3. bearb. von Fr. Staub, L. Tobler, R. Schoch, A. Bachmann und H. Bruppacher. sp. 1249—1574 und 2 bl. Frauenfeld, J. Huber. à heft 2 m.

der nun abgeschlossene 3. bd. des auch für die altdeutsche lexikographie wichtigen Werkes bietet die mit J. K. L. beginnenden stämme. — angez. Zs. d. ver. f. volkskde. 5, 338; 6, 226 (Weinhold); Central-organ f. d. int. d. real-schulwesens 1895, s. 177, 692 f. (L. Freytag).

6. J. Zimmerli, Die deutsch-französische sprachgrenze in der Schweiz. teil II: die sprachgrenze im Mittellande, in den Freiburger, Waadtländer und Berner Alpen. nebst 14 lauttabellen und 2 karten. Basel, Georg. VII, 164 s. 4,80 m.

Elsass. 7. Ch. Schmidt, Wörterbuch der Strassburger mundart. aus dem nachlasse. mit porträt des vf., seiner biographie und einem verzeichnisse seiner werke. Strassburg, Heitz. XX, 123 s. 7,50 m.

8. Lienhart, Mundart des Zornthales. — vgl. jsb. 1893, 5, 15. — angez. Anzeiger f. idg. spr. 4, 70 f. (F. Kauffmann.)

Schwaben. Württemberg. 9. Herm. Fischer, Geographie der schwäbischen mundart. mit einem atlas von 28 (farb.) karten (in quer gross-folio mit 5 bl. erklärungen, in mappe). Tübingen, Laupp. VIII, 90 s. fol. 20 m.

ohne zweifel die hervorragendste erscheinung des jahres auf dem gebiete der dialektforschung und in jeder beziehung eine musterleistung. seit langen jahren vorbereitet beruht sie im wesentlichen auf den 1500 antworten, die auf 3000 an die pfarrer Württembergs und seiner nächsten nachbarschaft versandte fragebogen eingingen. die auskunft erstreckte sich auf die sprachform von 190 wörtern und einige besondere fragen. die ergebnisse sind unter anwendung von grenzlinien für die einzeln spracherscheinungen kartographiert, wobei im gegensatz zu Wenkers verfahren die rein orthographischen variationen nicht zum ausdruck gebracht sind. ein textband erläutert die arbeit und die bei den einzelnen lauten gewonnenen ergebnisse, ausserdem enthält er mancherlei bemerkungen von allgemeiner sprachlicher bedeutung. — angez. Lit. cbl. 1895, no. 39; Mundarten 1, s. 69—71 (Nagl).

10. K. Bohnenberger, Zur geschichte der schwäbischen ma. — vgl. jsb. 1893, 5, 6. — angez. v. F. Kauffmann, Zs. f. d. phil. 28, 540—543.

11. K. Bohnenberger, Zur frage nach der ausgleichung des silbengewichts. Zs. f. d. phil. 28, 515—524.

gegen Brenner, vgl. jsb. 1894, 5, 26, mit besonderem bezug auf die schwäbische mundart. eingegangen wird dabei auf die schwäbische diphthongierung, deren älteste belege aus dem 13. jahrh. sind. es müssen ahd. ī ū schon vor der vollendung der apocope (12. jahrh.) geschleiften ton gehabt und dadurch sich von den neu entstandenen längen mit gestossenem accent unterschieden haben.

12. K. Bohnenberger, Mhd. ā im schwäbisch-alemannischen. Paul-Braune, Beiträge 20, 535—553.

13. Ludw. Bauer, Die schwäbische mundart in der schule. Nürnberg, Korn. 12 s. 0,20 m.

14. Seb. Sailers [geb. 1714] sämtliche schriften in schwäbischer mundart. 4. aufl. mit wörterbuch und einleitung von K. D. Hassler. illustriert von Heyberger. Ulm, Ebner (1894). XVI, 271 s. 1,50 m.

neudruck der Ulmer ausgabe von 1842. s. 258 ff. wörterbuch der weniger verständlichen wörter. die einleitung handelt über das leben des dichters, der im oberamt Riedlingen pfarrer war. seine dichtungen sind nur in abweichenden ungenauen abschriften erhalten. — angez. Alemannia 23, 96 (A. Holder).

15. Wagner, Mundart von Reutlingen. — vgl. jsb. 1894, 5, 24. — Anz f. idg. spr. 4, 75—77 (Kauffmann).

Bayern. Österreich. 16. Bayerns mundarten. Beiträge zur deutschen sprach- und volkskunde. hrsg. von O. Brenner und A. Hartmann. bd. 2, heft 3 (= s. 305—464 nebst bandtitel). München, Kaiser. 4 m.

darin s. 305 ff. Baumberger dialektgedichte [v. j. 1759. 1770] mitgeteilt von Hartmann. — s. 313 ff. A. Fuckel, Zur dialektgrenze am Thüringer wald [nebst abdruck eines Schmalkalder dialektgedichts von c. 1700]. — s. 317 ff. C. Franke, Unterschiede des ostfränk.-oberpfälz. und obersächs. dialektes (schluss). — s. 344 ff. Gradl, Mundarten Westböhmens (schluss). — s. 384 ff. Ein altes italien.-deutsches sprachbuch, hrsg. v. Brenner (nach hss., von denen zwei 1423 und 1424 anscheinend in Nürnberg geschrieben sind). — s. 445 ff. Himmelstoss, Aus dem bayerischen wald (schluss). — s. 452 f. Hartmann, Zu den Regensburger fastnachtspielen. (die zeitschrift erscheint wegen ungenügenden absatzes leider nicht weiter). — anz. von 2, h. 1: Blätter f. d. gymn.-schulw. 30, 110—114. F Jacobi). — angez. von 2, h. 2: Zs. d. ver. f. volkskde. 5, 464 (Weinhold).

17. Brenner, Zur ausgleichung des silbengewichtes. Idg. forsch. 5, 345—347.

nachträgliches zu jsb. 1894, 5, 26.

18. O. Brenner, Ein altes italienisch-deutsches sprachbuch. ein beitrag zur mundartenkunde des 15. jahrh. sep.-abdr. aus Bayerns mundarten. München, Kaiser. 64 s. 1,60 m. [vgl. oben no. 16].

19. L. Hörmann, Bibliographisch-kritische beiträge zur österreichischen dialektlitteratur. Wien, Pierson. 1 m.

betr. Lindemayr, Stelzhamer, Kaltenbrunner, Schosser, Radnitzky, Misson u. s. w. anhang: wie das volk dichtet.

20. J. W. Nagl, Über den gegensatz zwischen stadt- und landdialekt in unsern alpenländern. Zs. f. österr. volkskde. 1, h. 2.

21. W. Nagl, Der vokalismus unserer mundart historisch beleuchtet. Blätter d. ver. f. landeskde. von Niederösterreich. N. F. 24 (1890) 131—161. 25, 104—123. 263—278. 27, 128—141. 28, 421—454. 29 (1895), 157—172.

betr. das a der niederösterr. mundart in zwa 'zwei', trad 'getreide'. I. a = ahd. ei. II. a = mhd. e. und oe. III. a = mhd. ou, öu, u, î.

22. W. Nagl, Der vokalismus in der bayer.-österr. mundart historisch beleuchtet. 1. kapitel. das hohe A. Wien, komm. bei C. Fromme. IV, 125 s. fl. 1.

buchausgabe der vorigen nummer.

23. Franz Höfer, Volksnamen der tiere in Niederösterreich. Blätter d. ver. f. landeskde. von Niederösterreich. N. F. 26, 76—82. — vgl. auch abt. 2, 33.

24. Alt-Wien, Monatsschrift für Wiener art und sprache. jahrg. 34. Wien.

darin (3) Stieböck, Die sprachgesetze des dialekts; Nagl, Unsere namen für die wochentage. — (4) Haiderl pupaiderl (mundartliche form für Eia popeia); Bacciocco, Eija popeja, das älteste deutsche wiegenlied (vgl. abt. 10, 384). Mareta, Proben eines wörterbuchs der österr. volkssprache.

25. Gradl, Die dialekte der Deutschen [in Böhmen] in: Die österr.-ung. monarchie in wort und bild. Böhmen. s. 604—618.

26. Jos. Schiepek, Untersuchungen über den satzbau der Egerländer mundart I. progr. d. staats-obergymn. zu Saaz (Böhmen). 42 s.

behandelt den unentwickelten satz (interjektionen, verbalellipsen) und die formen des verbums. in den anmerkungen vergleichende hinweise auf andere dialekte und die umgangssprache.

27. A. John, Das Egerland und seine dialektdichtung. Litterarisches jahrbuch, hrsg. von John 4, 12—33.

betr. drei zeitgenössische dichter. feuilletonistisch.

28. J. Neubronner, Zur Egerländer wortforschung. Zs. f. österr. volkskde. 1, s. 225—234.

rec. von Nagl, Mundarten 1, 73—75.

29. K. W. Dalla Torre, Die volkstümlichen pflanzennamen in Tirol und Vorarlberg. Innsbruck, Edlinger 1896. 76 s. 1 m. — vgl. abt. 10, 300.

30. Hauffen, Die deutsche sprachinsel Gottschee. — vgl. abt. 10, 336.

Ungarn. 31. Andreas Scheiner, Die mundart der Siebenbürger Sachsen. Forschgn. z. d. landes- u. volkskde. 9 (2) 129—194.
übersicht der geschichte und litteratur der siebenbürgischen mundartforschung. historische darstellung des vokalismus und konsonantismus nach westgermanischem schema. s. 185 ff. einiges zur formenlehre.

32. A. Schullerus, Die vorgeschichte des siebenbürgischdeutschen wörterbuchs. progr. d. theol.-pädag. seminars in Hermannstadt. 44 s. 4⁰.
die sage, dass durch die vom Hameler rattenfänger entführten kinder Siebenbürgen besiedelt sei, wurde zum ersten anlass, dass die deutschen gelehrten ihre aufmerksamkeit der siebenbürgischen ma. zuwandten. die ersten vorarbeiten zu einem wörterbuche stehen unter dem einfluss von Leibniz. der bahnbrecher einer neuen und systematischen sammlung war J. K. Schuller, dessen arbeit Haltrich fortsetzte, von dem 1877 J. Wolff († 1893) das gesammelte material übernahm. aus den von diesen hinterlassenen sammlungen wird das wörterbuch herzustellen sein.

33. J. Jacobi, Magyarische lehnworte im Siebenbürgischsächsischen. progr. Schässburg.

Rheinland. 34. J. Franck, Mundart und volksüberlieferung. Rheinische geschichtsblätter 1, h. 1.

35. Baldes, Die Birkenfelder mundart. ein beitrag zur kenntnis des Südmittelfränkischen. I. die lautlehre. A. der vokalismus. progr. (1895 no. 691) d. gymn. zu Birkenfeld. 29 s. 4.
mittelfränkische ma. kurze lautphysiologische beschreibung der vokale und erklärung einiger lautübergänge. die einzelnen vokale werden nach mhd. schema abgehandelt.

36. Ons Hemecht. (Zeitschrift für landes- und volkskunde von Luxemburg). h. 1. Litteratur der luxemburger ma.

37. F. Hönig, Sprichwörter und redensarten in kölnischer mundart. Köln, Neubner. IV, 166 s. 2 m.

38. B. Schmidt, Siegerländer mundart. — vgl. jsb. 1894, 5, 46. — angez. v. Franck, Anz. f. d. a. 22, 172—176.

Thüringen. Sachsen. 39. L. Hertel, Die sprache (Thüringens). in: F. Regel, Thüringen. ein geographisches handbuch. teil 2. Jena, G. Fischer. s. 613—656.

litteraturübersicht. grenzen der mundart. untermundarten und ihre unterscheidungsmerkmale. tabelle mit 47 worten in 17 orts-mundarten. sprachproben aus über 30 orten.

40. L. Hertel, Thüringer sprachschatz. sammlung mund-artlicher ausdrücke aus Thüringen nebst einleitung, sprachkarte und sprachproben. Weimar, Böhlaus nachfolger. VII, 268 s. 4 m.

die in der einleitung gegebene litteraturübersicht und die aus-führungen über die mundart decken sich im wesentlichen mit der vorigen nummer. s. 57 ff. alphabetisches idiotikon.

41. Edinh. Reichardt, Ernst Koch und Th. Storch, Die Wasunger mundart. (= Schriften d. ver. f. meining. gesch. heft 17.) Meiningen, v. Eye. VIII, 156 s. lex.-8. 4 m.

42. Schöppe. Naumburgs ma. — vgl. jsb. 1894, 5, 49. — angez. von Nagl, Österr. litbl. 1895 no. 17, s. 536.

Schlesien. 43. P. Drechsler, Wencel Scherffer und die sprache der Schlesier. ein beitrag zur geschichte der deutschen sprache (= Germanistische abhandlungen hrsg. v. Vogt, XI). Bres-lau, Koebner. VIII, 282 s.

rein mundartliches findet sich in Scherffers (* 1534, † 1597) dichtungen nur wenig, doch ist seine sprache so sehr durch die schlesische ma. beeinflusst, dass sie dem vf. ermöglichte, die laut-verhältnisse des schlesischen im vergleich zum mhd. übersichtlich und klar zur darstellung zu bringen und beiträge zur schlesischen wortbildung und formenlehre zu gewinnen. der hauptteil der fleissigen arbeit (von s. 69 ab) ist jedoch dem wortschatz gewidmet.

44. W. Nehring, Slavische niederschläge im schlesischen deutsch. Mittlgn. d. schles. ges. f. volkskde. heft 1, no. 2.

Ostpreussen. 45. Joh. Stuhrmann, Das mitteldeutsche in Ostpreussen I. mit 1 karte. progr. (1895, no. 26) d. gymn. zu Deutsch-Krone. 25 s. 4.

erörterung, ob der ausdruck käslausch für die ndd. ma. in Ost-preussen sich durch herkunft der ersten ndd. ansiedler aus Mecklen-burg und den Mecklenburger ortsnamen Käselow erkläre. fest-stellung des md. gebietes (an der Passarge) und seiner grenzen.

W. Seelmann.

VI. Litteraturgeschichte.

1. R. Kögel, Geschichte der deutschen litteratur I. Strassburg, Trübner. — s. jsb. 1894, 6, 4. ausführlich und gänzlich ablehnend besprochen Litbl. 1895, 42—49 von Fr. Kaufmann, Zs. f. österr. gymn. 1896, 306—350 von C. Kraus, der das buch ganz ausführlich schritt für schritt durchgeht und dem vf. fast bei jedem einzelnen punkte mit ausgezeichneter sachkenntnis entgegentritt. das schlussurteil lautet: es steht zu befürchten, dass die verwirrung, die das buch in weiteren kreisen anrichten dürfte, grösser sein wird, als der nutzen, den es den fachgenossen bringt. — Gött. gel. anz. 1895, 3. — gelobt Lit. cbl. 1895, 340—342.

2. M. Koch, Gesch. d. d. litt. 2. aufl. Stuttgart, Göschen. geschenkausgabe 3 m.
s. jsb. 1893, 6, 8. die hier beispielsweise angeführten fehler sind in der 2. aufl. verbessert, über Wolfram ist vf. freilich immer noch nicht klar. — angez. Österr. litbl. 1895, 757.

3. R. Wolkan, Gesch. d. d. litt. in Böhmen. Prag 1894.
s. jsb. 1894, 6, 5. 15, 4 und unten abt. 15, 3. — angez. Lit. cbl. 1895, 1053—1054 von K. Burdach, der neben allgemeiner und eingehender würdigung des werkes einige nachträge giebt und das buch als treffliches material und gute vorstudien warm empfiehlt; es leiste das, was bei dem gegenwärtigen stande der forschung zu leisten war. Zs. f. österr. gymn. 46 (10) 906—915 von A. Hauffen.

4. O. Weddigen, Geschichte der deutschen volksdichtung seit dem ausgange des mittelalters bis auf die gegenwart, in ihren grundzügen dargestellt. 2. aufl. Wiesbaden, Lützenkirchen. X, 248 s. 5 m. — vgl. abt. 10, 310.

4a. R. König, Deutsche litteraturgeschichte. 25. auflage. jubiläumsausgabe. 2 bde. VIII, 446 s. V, 546 s. Bielefeld, Velhagen und Klasing. geb. 20 m.

5. W. Golther, Gesch. d. d. litt. I. (Kürschner 163, 1.)
s. jsb. 1893, 6, 4. — angez. Alemannia 22, 281—282 von A. Holder, empfehlend.

6. P. Norrenberg, Allgemeine litteraturgeschichte. 2. aufl. in vollständiger neubearbeitung von K. Macke. 1. bd. Münster, Russell. LXVIII, 459 s. 5 m.
nach der anzeige Österr. litbl. 1895, 757 die 'einzige auf katholischem boden stehende allgemeine litteraturgeschichte.'

7. W. Wackernagel, Gesch. d. d. litt. 2. aufl. 1. bd. besorgt, 2. bd. neu bearbeitet und zu ende geführt von Ernst Martin. Basel, Schwabe 1879—1894. 501 und 710 s. 20 m.

das langsame erscheinen der neubearbeitung hat es mit sich gebracht, dass der 1. bd., der 1879 erschien und bis 1500 reicht, die nach diesem jahre erschienenen arbeiten nicht mehr hat aufnehmen können. (vgl. über ihn jsb. 1879, no. 123) schon hier war bei seinem erscheinen ein nachtrag der litteratur von 11 spalten nötig gewesen. der dringende wunsch jetzt mit der vollendung des ganzen abermals einen nachtrag zu erhalten, ist freilich nicht abzuweisen, ist aber gewiss auch schwer zu befriedigen. es bleibt also nur die hoffnung auf eine baldige 3. aufl. des 1. bds. auch der 2. bd. hat eine geschichte von 10 jahren und bedarf für das 16. und 17. jahrh., die 1885 und 1889 vollendet wurden, mannigfacher ergänzung. auf die bedeutung des werkes ist im jsb. fortlaufend hingewiesen worden. — angez. v. Lambel, Zs. f. d. österr. gymn. 1895, 3.

8. C. Vilmar, Gesch. d. d. nationallitteratur. 24. aufl. XVI, 746 s. 7 m. mit einem anhange (s. 491—665) von A. Stern, Die deutsche nationallitteratur vom tode Goethes bis zur gegenwart, als sonderausgabe 3. neu bearbeitete und vermehrte aufl. Marburg, Elwert. XII, 180 s. 1,50 m.

s. jsb. 1886 no. 204. — angez. Österr. litbl. 1895, 631 von F. Schnürer. Stern hat die bekannte einrichtung der von Gödeke besorgten früheren aufl. (bis zur 21.) auch in der 24. aufl. nicht geändert und nur wenige ergänzungen zu den anmerkungen gegeben, die mit einem sternchen bezeichnet sind. seine fortführung des werkes bis zur gegenwart gewinnt immer mehr anerkennung, so dass sie gleichzeitig als sonderausgabe in 3. aufl. erscheint.

9. K. Goedeke, Grundriss. Dresden, Ehlermann. 6. bd., s. 1—112.

10. W. Ernst, Litterarische charakterbilder. ein buch für die deutsche familie. mit zehn bildnissen. Hamburg, Kloss. 317 s. enthält nur moderne dichter (nach Schiller).

11. W. Creizenach, Geschichte des neueren dramas I. Halle, Niemeyer 1893.

s. jsb. 1894, 6, 25. — angez. Österr. litbl. 1895, 213—216 von Minor: 'Das gross angelegte werk von Creizenach ist die beste gesamtdarstellung des mittelalterlichen dramas, die wir besitzen; es füllt schon jetzt eine klaffende lücke in unsrer litteraturgeschichte aus'. M. hätte nur eine beschränkung auf das deutsche drama gewünscht.

12. G. Könneke, Bilderatlas. 2. aufl. Marburg, Elwert 1895.

s. jsb. 1894, 6, 34. lief. 1—5. — angez. Österr. litbl. 1895, 282 von F. Schnürer mit uneingeschränkter anerkennung. Zs. f. d. österr. gymn. 46, 4.

J. Kelle, Die deutsche dichtung unter den fränkischen kaisern. — vgl. abt. 13, 2.

13. Litteraturgeschichten und litteraturgeschichtliche hilfsmittel für den schulgebrauch:

H. Kluge, Gesch. d. d. nationallitteratur. 27. verbesserte aufl. Altenburg, Bonde 1896. VIII, 259 s. 2 m. — die neueste wissenschaftliche litteratur ist sorgfältig berücksichtigt. Ders., Auswahl deutscher gedichte. 5. verbesserte und vermehrte aufl. ebd. 1893. VIII, 624 s. 3 m. — angez. Österr. litbl. 1895, 374—375 von F. Schnürer, mit zahlreichen verbesserungen. G. Brugier, Abriss d. d. litt. Freiburg, Herder. X, 286 s. 2,20 m. B. Hüppe, Gesch. d. d. nationallitteratur. 4. aufl. besorgt von A. Franzem, Paderborn, Schöningh. VIII, 283 s. 2 m., beide auf katholischem standpunkte. G. Zeyneck, Deutsche litteraturgeschichte. 6. aufl. Graz, Leuschner. IV, 358 s. 2,80 m. F. Kummer und K. Stejskal, Einführung in die gesch. d. d. litt. 2. aufl., verbessert und vermehrt. VIII, 270 s. 2 m. (s. jsb. 1893, 6, 9.) Bötticher und Kinzel, Geschichte der deutschen litteratur u. s. w. empfehlend angez. Zs. f. d. unterr. 9, 223—224 von F. Hartmann, Österr. litbl. 1895, 599—601. Bötticher und Kinzel, Denkmäler u. s. w. II, 1 Walther v. d. Vogelweide und des minnesangs frühling. 4. auflage. Halle, Waisenhaus. VIII, 115 s. kart. 1,05 m. I, 2 Kudrun. 2. aufl. 126 s. kart. 1,05 m. G. Klee, Grundzüge d. d. litteraturg. Dresden, Bondi. IV, 180 s. 1,50 m., geb. 2 m. warmer, nationaler ton. lobend angez. Zs. f. d. unterr. 9, 782 von O. Lyon, Litbl. 16, 393 von A. Leitzmann. — W. Mardner, Litteraturgeschichte für höhere mädchenschulen. Mainz, Kirchheim. III, 235 s. 2,20 m. O. König, Geschichte der deutschen litteratur für höhere mädchenschulen. Leipzig 1892. 2. auflage. — angez. Zs. f. d. unterr. 9, 860—862 von O. Franke. — K. Heilmann, Geschichte der deutschen nationallitteratur nebst einem abriss der deutschen poetik. ein hilfsbuch für schule und haus. 2. auflage. Breslau, Hirt. 150 s. 1,60 m. brauchbar, doch auch mit den gewöhnlichen fehlern behaftet, z. b. Ulfilas, erste deutsche bibel. grössere vollständigkeit und genauigkeit in der anführung der schulausgaben wünschenswert. A. Hentschel und K. Linke, Illustrierte deutsche litteraturkunde in bildern und skizzen für schule und haus. Leipzig, Peters. 3. aufl. VIII, 261 s. die bilder sind (bis auf einige porträts) ziemlich wertlos, der text beschränkt sich auf kurze lebensschilderungen ziemlich oberflächlicher art, die dichtungen werden nur beiläufig erwähnt. der inhalt der bedeutendsten dichtungen des ma.'s wird angegeben, im übrigen aber ist die behandlung des ma.'s ganz unzulänglich. K. Hoffbauer, Kurzer abriss d. d. litteraturgeschichte. 3 auflage. Frankfurt a/O., Hornecker u. co. III, 46 s. 1,20 m. C. A. Krüger, Deutsche litteraturkunde in charakterbildern und abrissen, für den unterricht bearbeitet. 4. aufl. Danzig, Axt. 117 s. mit 29 abbildungen. 0,75 m.

Bötticher.

VII. Altertumskunde.

Geschichtslitteratur. 1. Jahresberichte der geschichtswissenschaft, hrsg. von J. Jastrow. 16. jahrg. 1893. Berlin, R. Gärtner. XVIII, 141; 455; 508 und 301 s. 30 m.

nicht geliefert. kurze anz. Hist. zs. 75, 158 f. (lobenswert, aber zu sehr anschwellend); Österr. litbl. 4 (20) 626 und Lit. cbl. 1895 (32) 1117 f.

2. W. Heyd, Bibliographie der württembergischen geschichte. 1. bd. Stuttgart, Kohlhammer. XIX, 346 s. 3 m.

empfehlende anz. Lit. cbl. 1895 (12) 405 f. — die zuverlässigkeit des werkes lobt Th. Schott, Hist. zs. 76, 129—132.

3. O. Leibius, Württembergische geschichtslitteratur vom jahr 1893. Württembergische vierteljahrshefte 3, 463—482.

4. A. Poelchau, Die livländische geschichtslitteratur im jahre 1893. Riga, N. Kymmel. 111 s. 12º. 1 m.

Arier, Germanen. 5. H. Hirt, Die heimat der Indogermanen. Idg. forsch. 1, 464—484.

angez. von Hoernes, Jahrb. f. geschichtsw. 15, 149.

6. R. v. Jhering, Vorgeschichte der Indoeuropäer. — vgl. jsb. 1894, 7, 4. — das werk ist auch in französischer übersetzung erschienen: Les Indo-Européens avant l'histoire. Oeuvre posthume de R. von Jhering, trad. de l'all. par O. de Meulenaere. Paris, Maresq. IX, 453 s. — angez. Lit. cbl. 1895 (2) 43 f. und von

O. Schrader, Litztg. 1895 (6) 174—182 (der grundgedanke und
der plan des werkes sind bedeutend, doch ziehen sich tief einschneidende irrtümer durch dieses hindurch). — ferner angez.
Beil. no. 2 zur Allgem. ztg. 1895 und von Streitberg, Hist.
jahrb. 16. — nach der anz. von B. Delbrück, Hist. zs. 74, 453—458
ist an dem werke nur die schönheit der darstellung, der schwung
der gestaltenden phantasie und die grossartigkeit des planes zu
loben.

7. F. Seiler, Die heimat der Indogermanen (Sammlung gemeinnütziger vorträge no. 210). Hamburg, verlagsanstalt 1894. 36 s.

8. S. Reinach, L'Origine des Aryens. — vgl. jsb. 1894, 7,
12. — angez. von Hoernes, Jahrb. f. geschichtsw. 15, 2.

9. S. Kollmann, Les races humaines de l'Europe et la
question arienne. — vgl. jsb. 1894, 7, 13. — angez. von Hoernes,
Jahrb. f. geschichtsw. 15, 2.

10. Schwerdtfeger, Die heimat der Homanen. Cruttinnen,
selbstverlag. 25 s. 1 m.
Homanen nennt der vf., ein forstmann, die vorzeitlichen ahnen
der indogermanischen rasse. 'warum aber der neue name, da doch
ältere namen bereits im überfluss vorhanden sind? gerade deshalb
wird es auf einen namen mehr nicht ankommen; und schon dieser
reichtum verrät, dass die einzelnen namen sich nicht recht eignen
wollen'. weshalb nun der vf. unsere urahnen Homanen nennt, ver-
gisst er zu sagen. ähnliche wunderlichkeiten finden sich in dem
buch auch sonst noch. die urheimat der 'Homanen' scheint der
vf. in Vorderasien zu suchen, ihre europäische heimat sieht er in
den ungarischen tiefebenen und den marschländern der Nordseeküste, weil nur hier genügendes weideland vorhanden war. bei
dem versuch, die Slaven als uralte bewohner Mitteleuropas zu erweisen, gerät er in die fallstricke Schafaryks und spricht ihm
gleichungen, wie Sueben (Suaven) = Sława (Slaven) u. a. kritik-
los nach.

11. G. Nicolucci, Gli Aryi e le origini europee. — vgl. jsb.
1894, 7, 10. — angez. von Hoernes, Jahrb. f. geschichtsw. 15, 3.

Boltz, Linguistische beiträge zur frage nach der urheimat der
Arioeuropäer. — vgl. abt. 3, 51.

12. K. Penka, Die heimat der Germanen. — vgl. jsb. 1894,
7, 16. — zustimmende anz. von L. Wilser, Globus 64, 217.

13. L. Wilser, Stammbaum und ausbreitung der Germanen. Bonn, Hanstein. X, 59 s. mit 1 stammbaum im text. 1,20 m.

der aufsatz ist durch erweiterung der beiden 7, 23 und 7, 28 genannten abhandlungen entstanden. Wilser sieht in Skandinavien die heimat der durch die eiszeit von der dunkelhaarigen rasse geschiedenen Europäer. von den Sveo-Goten leitet er folgende zweige ab: 1. Cymbri, Belgae, Galli, Celtae. 2. Kimbern, Teutonen, Dänen und Jüten, Friesen. 3. Franken, Hessen. 4. Sachsen. 5. Alemannen, Thüringen, Schwaben. 6. Lugier-Baiovaren. 7. Burgunden, Wandalen, Goten. 8. Wenden mit den abzweigungen Litauer, Getae einerseits und Slaven andererseits. die herkunft aller dieser zweige von der skandinavischen halbinsel sucht er im einzelnen zu verfolgen.

14. G. Kossinna, Der ursprung des Germanennamens. Paul-Braune, beitr. 20, 258—301.

vgl. abt. 2, 6. — Kossinna übersetzt die zu grunde liegende Tacitusstelle: 'übrigens sei der name Germanien jung und erst in neuerer zeit von ausserhalb beigelegt, da ja bekanntermassen die ersten überschreiter des Rheins, die die Gallier vertrieben hätten und jetzt Tungern hiessen, damals Germanen geheissen hätten; und zwar sei dieser name, der nur ein völkerschaftsname, kein volksname war, so nach und nach zu der umfassenderen bedeutung eines volksnamens gelangt; doch nur in der weise, dass die gesamtheit anfangs nach dem sieger [den Tungern] infolge banger scheu, später auch an und für sich mit dem überkommenen namen Germanen genannt wurde'. nach ihm wurde das gebiet zwischen Seine und Rhein seit etwa 300 v. Chr. von Germanen besetzt. im westlichen teile dieses gebietes entstand der name Germanen für eine oder mehrere völkerschaften. kaum vor mitte des 2. jahrh. ging die völkerschaft (oder völkergruppe) auf linksrheinisches gebiet über. von hier aus wurde der name Germanen im laufe der nächsten jahrzehnte auf die gesamtheit des rechtsrheinischen muttervolks übertragen.

Vorgeschichtliches. Altertümer. vgl. no. 104 fg.

Stämme. 15. G. Zippel, Die heimat der Kimbern. — vgl. jsb. 1893, 7, 29. — angez. von M. C. P. Schmidt, Wochenschr. f. klass. phil. 11 (24) 655 ff. (die arbeit geht methodisch sicher und ruhig vor und hat solide grundlagen.)

16. O. Pniower, Über die herkunft der Kimbern und Teutonen. Voss. ztg. 1894, sonntagsbeil. 18 f.

R. Much, Germanische völkernamen. Zs. f. d. altert. 39, 20—52. — vgl. abt. 2, 10.

17. L. Laistner, Germanische völkernamen. — vgl. jsb.
1894, 2, 7. — angez. von H. Hirt, Litbl. f. germ. u. rom. phil.
16, 105 ff.

18. G. Holz, Beiträge zur deutschen altertumskunde I.
Über die germanische völkertafel des Ptolemäus. Halle, Niemeyer
1894. 78 s. 2 m.

19. P. Vogt, Die ortsnamen auf -scheid und -auel (ohl).
progr. (no. 465) des gymn. zu Neuwied. 63 s.
vf. sucht zunächst zu erweisen, dass die namen auf scheid und
auel (ohl) den Ampsivariern eigentümlich sind, und dann aus der
verteilung der namen die wanderungen der Ampsivarier festzustellen.

20. F. Jacobi, Quellen zur geschichte der Chauken und
Friesen in der Römerzeit. progr. (no. 306) des Wilhelms-gymn.
zu Emden. 9 s. 4⁰.
alle wichtigen auf Chauken und Friesen bezüglichen quellenstellen werden in deutscher übersetzung abgedruckt.

21. H. Kirchmayr, Der altdeutsche volksstamm der Quaden.
— vgl. jsb. 1893, 7, 37. — angez. Österr. litbl. 4 (22) 690 f. (ein
nationales werk im grossen stil).

22. R. Much, Die herkunft der Quaden. Paul-Braune, beitr.
20, 20—34.
die Quaden waren nach Much die nachkommen der Sueben
Cäsars; sie zumeist hatten auch die Marka besiedelt, und die ansiedler unterschieden sich von dem stammvolk durch den namen
Markomannen.

23. L. Wilser, Der Frankenstamm. Rhein. geschichtsbl.
1, 105—123. — bildet einen teil von no. 7, 13.

24. A. Minjon, Thiot Frankôno. Rhein. geschichtsbl. 1,
73—85.

25. A. Schiber, Die fränkischen und alemannischen siedlungen in Gallien.
vgl. jsb. 1894, 7, 42. — angez. Korrbl. d. ver. f. siebenb.
landeskde. 18 (4) 59 f., Zs. f. gesch. d. Oberrh. 9, 327; Rev. crit.
38, 10; Zs. f. rom. phil. 18, 440—448 von Gröber, Jahrb. d. ges.
f. lothr. gesch. 5, 234; Ann. de l'Est 8, 446. — die anz. Lit. cbl.
1895 (33) 1159 f. rühmt die mit grossem fleiss und scharfsinn ge-
führte untersuchung. — nach der kurzen anz. von F. Wrede,
Hist. zs. 74 947 f. ist das buch trefflich und auch in den teilen
lesenswert, gegen die sich einwände erheben lassen.

26. J. Winkler, Germanische plaatsnamen in Frankrijk. Gent, A. Siffer 1894.

referierende anz. von R. Andree, Globus 65, 330 f.

27. K. Schütz, Die inneren politischen und wirtschaftlichen verhältnisse der Westgermanen, insbesondere der Westsueben, in der urzeit. progr. (no. 616) des grossherzogl. progymn. zu Donaueschingen. 20 s. 4⁰.

den ausdruck Westsueben gebraucht Schütz in bezug auf Tac. Germ. 43: dirimit scinditque Suebiam continuum montium iugum (nämlich die Sudeten). zwischen den West- und Ostsueben nimmt er ethnographische unterschiede an.

28. L. Wilser, Schwaben und Alemannen. Alemannia 23, 50—74. nachträge 191.

die abhandlung bildet einen teil des unter no. 7, 13 genannten werkes. Wilser sieht in den Alemannen die Semnonen, in den Schwaben einen stamm, der später (von der Elbe durch das Semnonenland und durch Thüringen an die Donau?) nach Süddeutschland wanderte und zu anfang des 5. jahrhs. in das land zwischen Schwarzwald und Lech einrückte. in den Bayern sieht er Lugier und findet in ihnen das bindeglied zwischen Schwaben und Goten.

29. A. Malzacher, Geschichte der Alemannen bis zum abgang des herzogtums Schwaben. 1. bd. [bis 917]. a. u. d. t. Alemanniens heldensaal und ehrentempel I. Stuttgart, Metzler. X, 159 s. 2 m.

der vf. will gegenüber der üblichen verspottung der Schwaben und der verächtlichen anwendung ihres namens in diesem buch auf die glänzenden seiten ihrer geschichte hinweisen. leider ist er der aufgabe, über die geschichte der Schwaben ein allgemein interessierendes werk in klarer und verständlicher sprache zu schreiben, nicht gewachsen. mag man auch darüber fortsehen, dass er zum teil die in seinem stoffe liegenden schwierigkeiten nur umgeht, indem er z. b. die Sueven einfach als die vorfahren der Alemannen auffasst, ohne sich auf erschöpfende beweise einzulassen oder die sprachliche seite der sache in betracht zu ziehen, oder mag man ihm einzelne geschichtliche oder etymologische irrtümer zu gute halten, so lässt sich doch von der forderung nicht absehen, dass das buch zum mindesten leserlich geschrieben sein muss. dies ist nicht der fall; der satzbau erschwert das verständnis oder macht es zum teil unmöglich. aus vielen beispielen eines, das freilich zu den schlimmsten gehört, unter beibehaltung der originalen interpunktion (s. 44): 'aber schon hatten, als die höflinge des

Constantins absicht, einen mitregenten zu nehmen erfahren, sich
bemüht, durch schmeicheleien ihm solches auszureden, dass er
trotz der mancherlei, dem staate drohenden gefahren leicht im
stande sei, das staatsruder allein zu lenken und selbst furcht ein-
flössten, die ihm sogar für die behauptung des thrones gegen jenen
bedenken erregten'.

30. W. Busch, Chlodwigs Alemannenschlacht. 2. teil. progr.
(no. 455) des gymn. v. München-Gladbach. 25 s. 4⁰.

der vf. behandelt die weiteren schicksale der Alemannen nach
der schlacht und unter der fränkischen herrschaft; in einem anhang bespricht er das königtum bei den Alemannen.

31. Th. v. Grienberger, Ermanariks völker. Zs. f. d. altert.
39, 154—184.

vf. weicht in bezug auf das bei Jordanes sich findende verzeichnis der völker des Ermanarik in lesung und erklärung erheblich von Müllenhoff ab und begründet seine abweichenden ansichten.

32. F. Bangert, Die Sachsengrenze im gebiet der Trave. —
vgl. jsb. 1893, 7, 34. — zustimmend äussert sich R. Hansen,
Globus 64. 178 f.

33. Fr. Schuller, Einwanderung der Sachsen nach Siebenbürgen. aus einem cyklus von vorlesungen über die siebenbürgisch-
sächsische Geschichte. Hermannstadt, G. A. Seraphin. 18 s. 0,40 m.

34. L. von Heinemann, Geschichte der Normannen in
Unteritalien und Sicilien bis zum aussterben des normannischen
königshauses. 1. bd. Leipzig, Pfeffer 1894. V, 403 s. 6,50 m.

dass das vorliegende buch eine lücke ausfüllt, ist ebenso anzuerkennen, wie dass es eine tüchtige, wissenschaftlich wertvolle leistung
ist. was es bietet, ist indessen zunächst nur eine politische geschichte, und es steht erst noch zu erwarten, dass diese im weiteren
verlaufe des werkes zu einer vollständigen geschichte vervollständigt wird. was uns an den Germanen, die unter fremden
völkern eine neue heimat gefunden haben, besonders interessiert,
ist vor allem, in welchem masse sie ihre germanische eigenart bewahrt haben und inwiefern oder durch welche besonderen ursachen diese verloren worden ist, welche eigentümlichen mischungen
aus germanischem und fremdem wesen sich ergeben und wie weit
das erstere in ihnen wenigstens in spuren noch zu erkennen ist.
dies alles fehlt in dem 1. bande und wird hoffentlich dann von
dem vf. in den kreis seiner betrachtung gezogen werden, wenn er
zur politischen geschichte das kulturgeschichtliche hinzufügt. eine
karte und ein register wären freilich schon im 1. bande gut zu ge-
brauchen gewesen.

Deutsche geschichte. 35. K. Lamprecht, Deutsche geschichte. 5. bd., 2. hälfte. 1. und 2. aufl. XV und s. 359—768. Berlin, R. Gärtner. 6 m. — 1. bd., 2. aufl. XXIII, 364 s. 6. m. — 2. bd., 2. aufl. XV, 397 s. 6 m. — 3. bd., 2. aufl. XV, 420 s. 6 m.

der vf. führt in der 2. hälfte des 5. bds. sein werk vom beginn der reformation bis zum westfälischen frieden. auch hier bemüht er sich, wie in den früheren bänden, nicht so wohl wichtige, aber ohne inneren zusammenhang sich darbietende thatsachen festzustellen, als vielmehr ganze richtungen und zeitströmungen sorgfältig zu erforschen und durch aufdeckung ihrer quellen zu begründen, ihren inneren zusammenhang aufzuzeigen und so ein in den wesentlichsten punkten richtiges, dabei klar und sicher gezeichnetes bild der geistigen, wirtschaftlichen und staatlichen entwickelung des deutschen volkes zu geben. sein werk bildet in der angewendeten methode den schärfsten gegensatz gegen das an thatsachen überreiche, aber in bezug auf die ursachen und die tieferen zusammenhänge den leser im stich lassende buch von Janssen. wie sicher der vf. gearbeitet hat, zeigt sich darin, dass es in den neuen auflagen der ersten bände nur ganz kleiner änderungen bedurft hat, welche zumeist stilistischer art sind. auch für den vorliegenden 5. bd. wird, falls eine neue auflage, wie zu erwarten, erforderlich werden sollte, nur an wenigen stellen (u. a. für einige kleinere flüchtigkeitsfehler) eine änderung nötig sein. — nach der anz. von W. Schultze, Bl. f. litt. unterh. 1895 (4) 51 ff. ist das buch der erste versuch einer wissenschaftlichen darstellung unserer nationalen vergangenheit, der diesen namen wirklich verdient; nur das 15. buch enttäuscht. — kurze, lobende anz. von band 4. und band 5., 1 von G., Das hum. gymn. 6, 189. — ferner angez. Acad. rev. 1 no. 1. — bd. 4 wurde besprochen Lit. cbl. 1894 (50) 1796 f. ('schon jetzt lässt sich erkennen, das L.s werk von befruchtendem einfluss auf jede künftige behandlung der deutschen geschichte sein wird'). — der 1.—3. bd. wurden angez. Österr. litbl. 4 (2) 49 ff. (auf einzelne besonders anziehende teile und einzelne kleine mängel des vom christlichen standpunkt aus nicht völlig zu lobenden werkes wird hingewiesen).

36. Th. Lindner, Geschichte des deutschen volkes. 2 bde. Stuttgart, J. G. Cotta nachf. XII, 342 und X, 388 s. 10 m.

nicht geliefert. Ed. Heyck, Hist. zs. 76, 103—109 tadelt die 'seichte, hastige, von halben und ganzen unrichtigkeiten und von gelegenheiten zu missverständnissen wimmelnde darbietung'. dagegen ist das buch nach der anz. Lit. cbl. 1895 (34) 1198 f. auch von den fachgenossen zu beachten. — ferner angez. von Froboese, N. jahrb. f. philos. u. pädag. 151—152, no. 10 und 11.

37. S. Widmann, Geschichte des deutschen volkes. XII,
920 s. 8 m.

vgl. jsb. 1894, 7, 77. — angez. Katholik 74 (2) 276 und von
Stich, Bl. f. d. bayr. gymnasialschulw. 31 no. 6. die objektivität
des werkes rühmt die anz. von Stühlen, Centralorgan 24, 41; dagegen findet die anz. Hist. pol. bl. 115, 159 f. das werk noch
zu sehr preussisch gefärbt.

38. Bibliothek deutscher geschichte, hrsg. von v. Zwiedineck-
Südenhorst. Stuttgart, J. G. Cotta nachf. in lief. zu 1 m. und
in abteil. zu 4 m.

nicht geliefert. — vgl. jsb. 1894, 7, 76. — von den ferner erschienenen teilen sind zu erwähnen: W. Schultze, Deutsche geschichte von der urzeit bis zu den Karolingern. 9. und 10. lief.
2. bd., 161—320. — die anz. des 1. bds. von G. Kaufmann,
Litztg. 1894 (18) 1518 f. bezeichnet denselben als eine tüchtige,
auf gründlicher arbeit beruhende leistung. — ferner angez. D. rundschau 81, 159 und Lit. cbl. 1895 (23) 813 f.: (Gutsches arbeit
überschreitet zu sehr die grenzen einer geschichte des deutschen
volkes. der schwerpunkt liegt für den fachmann in dem beitrage
Schultzes). — E. Mühlbacher, Deutsche geschichte unter den
Karolingern. VI, 672 s. mit 1 stammtaf. u. 1 karte. 8 m. —
V. von Kraus, Deutsche geschichte im ausgange des mittelalters
[1438—1519]. 5. lief., s. 321—400. 1 m. — M. Ritter, Deutsche
geschichte im zeitalter der gegenreformation und des dreissigjährigen krieges. 14. lief. 2. bd., X und s. 401—482. — der
nunmehr vollständig vorliegende 2. bd. wurde angez. Lit. cbl. 1895
(45) 1612 f. (die geschickte verarbeitung einer fülle eigener
forschung und die freiheit von aller konfessionellen einseitigkeit
werden anerkannt). — von den sonst erschienenen teilen wurde
besprochen der 2. bd. des Lindnerschen werkes Litztg. 1894 (45)
1420 ff. (auf gründlichen historischen studien beruhend; in edler,
populärer sprache geschrieben. — nach der anz. von Haller, Hist.
zs. 74, 292—295 kommt u. a. die darstellung der territorial-
geschichte zu kurz; das kapitel 'die allgemeinen zustände' könne
selbst bescheidenen ansprüchen nicht genügen. — nach L. Viereck,
Mitt. a. d. hist. litt. 22, 416 f. ist in dem Lindnerschen werke die
zeit Karls IV. zu kurz gekommen.

39. Br. Gebhardt, Handbuch der deutschen geschichte. —
vgl. jsb. 1894, 7, 75. — nach der anz. Hist. zs. 73, 314 ist
in dem brauchbaren werke die ungleichheit der darstellung zu bedauern.

40. F. Bornhak, Unser vaterland. geschichte des deutschen volkes von den ältesten zeiten bis zur gegenwart. mit

ill. von P. Geh. Berlin, Bruer u. comp. III, IX, 726 s. mit
6 karten. geb. 12 m.

41. Johs. Meyer, Bilder aus der geschichte des deutschen
volkes. Gera, Th. Hoffmann. 1. bd.: deutsche stammesgeschichte.
deutsche kaisergeschichte. 606 s. mit abb. 5 m. 2. bd.: deutsche
fürsten- und ländergeschichte. deutsche reformationsgeschichte.
564 s. 4,50 m.

trotz des anklanges im titel an Freytags Bilder aus der
deutschen vergangenheit lässt sich doch das vorliegende buch
mit jenem klassischen werk in keiner weise vergleichen; es
ist nicht eine selbständige leistung, sondern ein sammelwerk, das
die verschiedenartigsten aufsätze enthält. nach dem vorwort soll
es ein lesebuch der geschichte sein, 'das, auf vollständigkeit ver-
zichtend, nur bei den geschichtlichen höhepunkten verweilt, diese
aber durch möglichst eingehende, in sich abgeschlossene, farben-
frische darstellungen dem leser lebendig und plastisch vor augen
führt.' es soll, indem es in erster reihe das geistige leben berücksichtigt, wohl hauptsächlich dem geschichtslehrer zur vorbereitung dienen; doch darf es auch der jugend in die hände gegeben werden, wenngleich in rücksicht auf diese einige stellen
besser gestrichen worden wären. in den ersten abschnitten sind die
urbewohner Deutschlands nach Pflugk-Harttung, die einwanderung
der Germanen nach Arnold, die ersten berührungen mit den Römern
nach Mommsen, land und volk nach Dahn, namen und stämme,
leben und sitte nach Kaufmann, kriegführung und bewaffnung nach
Biedermann, die feldwirtschaft nach Nitzsch, handel und gewerbe
nach Arnold, familie, hundertschaft und volk nach Lamprecht, die
rechtspflege nach Kaufmann geschildert. diese beispiele mögen genügen, um die anlage des buches zu kennzeichnen. bei einzelnen
persönlichkeiten wird ausführlicher verweilt; so z. b. sind Karl
d. gr. und Luther sehr eingehend geschildert. daraus, das der vf.
zum teil werke, die schon ein halbes jahrhundert alt sind, herangezogen hat, ergeben sich manche bedenken; doch hat er ein mittel gefunden, um in einem solchen falle auf die etwa abweichenden ergebnisse neuerer forschungen hinzuweisen; er thut dies nämlich in
besonderen exkursen oder anmerkungen am ende des 1. bds. und
hat von diesem mittel z. b. in bezug auf die fragen nach der urheimat der Germanen, dem orte der Varusschlacht u. a. gebrauch
gemacht. diese erläuterungen vermisst man freilich an manchen
punkten, wo sie unentbehrlich oder wenigstens sehr wünschenswert erscheinen; so z. b. zu dem aufsatz über die entstehung der
ratsverfassung in den städten, oder im 2. bde., dem solche exkurse
ganz fehlen, zu dem abschnitt über die feme, welche durch
Lindners untersuchungen doch in ein ganz neues licht gerückt

worden ist. von einer reihe kleiner ausstellungen ist hier des beschränkten raumes wegen abzusehen; sie sind übrigens nicht schwerwiegender natur, und das buch darf im ganzen als zweckentsprechend angesehen werden.

Einzelne zeitalter. 42. J. Schneider, Die alten heer- und handelswege der Germanen, Römer und Franken im deutschen reiche. nach örtlichen untersuchungen dargestellt. 10. heft. Frankfurt a. M., Jäger in komm. 22 s. mit 1 kartentaf. 2 m. inh.: Das römische strassennetz in dem mittleren teile der Rheinprovinz und die römischen itinerarien. nicht geliefert. — vgl. jsb. 1891, 7, 16.

43. G. Zippel, Deutsche völkerbewegungen in der Römerzeit. progr. (no. 7) des Friedr.-koll. in Königsberg i. Pr. 35 s. indem der vf. zunächst die linksrheinischen Germanen behandelt, nimmt er vor den zügen der Kimbern und des Ariovist zwei wanderungen von Germanen nach Gallien an, um 300 (die Nervier) und um 250. er untersucht dann die wohnsitze und wanderungen der rechtsrheinischen stämme, der nordwestlichen völker, der Sueben, die er für die zeit nach Drusus mit den Markomannen identificiert, und der Goten.

44. W. Wattenbach, Geschichtsquellen. 6. aufl. — vgl. jsb. 1894, 7, 83. — auf einige lücken und versehen weist hin die anz. Hist. polit. bl. 113, 234 ff.

45. Dahlmann und Waitz, Quellenkunde der deutschen geschichte, hrsg. von E. Steindorff. — vgl. jsb. 1894, 7, 82. — angez. Korrbl. d. westd. zs. 13, 107 und (referierend) von W. Bröcking, Mitt. a. d. hist. litt. 23, 42 f. — die grundsätze, nach denen die neue auflage veranstaltet worden ist, werden gebilligt Lit. cbl. 1894 (49) 1758. — die anz. von Varrentrapp, Hist. zs. 74, 278 ff. lobt die sorgfalt der arbeit und spricht einzelne wünsche aus. — die sonst sehr lobende anz. von D. Schäfer N. korrbl. f. d. realsch. Württ. 1 (12) 560 ff. wünscht eine knappere gestaltung des buches, nötigenfalls durch fortlassung der quellen.

46. Die geschichtschreiber der deutschen vorzeit. Leipzig, Dyk. 2. gesamtausgabe. — vgl. jsb. 1894, 7, 85. — nicht geliefert. — 57. bd. Die chronik des bischofs Otto von Freising. 6. und 7. buch, übers. von H. Kohl. XXVII, 131 s. 2 m. — 58. bd. Die chronik des Otto von St. Blasien. übers. von H. Kohl. XI, 120 s. 1,80 m. — 59. bd. Thaten Friedrichs von bischof Otto von Freising. übers. von H. Kohl. XIII, 206 s. 2,80 m. — 60. bd. Rahewins fortsetzung der Thaten Friedrichs von bischof Otto von Freising. übers. von H. Kohl. XIX, 249 s. 3,60 m. —

61. bd. Die jahrbücher von Pöhlde. nach der ausgabe der Mon. Germ. übers. von Ed. Winkelmann. 2. aufl., neu bearb. von W. Wattenbach. X, 124 s. 1,80 m. — 62. bd. Die chronik von Stederburg. nach der ausgabe der Mon. Germ. übers. von Ed. Winkelmann. 2. aufl., überarb. von W. Wattenbach. VII, 88 s. 1,20 m. — 63. bd. Die jahrbücher von Magdeburg (chronographus Saxo). nach der ausgabe der Mon. Germ. übers. von Ed. Winkelmann. 2. aufl., neu bearb. von W. Wattenbach. IX, 128 s. 1,80 m. — angez. von E. H., Theol. litbl. 17 (3) 35 f. — 64. bd. Leben des hl. Norbert, · erzbischofs von Magdeburg. nebst der lebensbeschreibung des grafen Gottfried von Kappenberg und auszügen aus verwandten quellen. nach der ausgabe der Mon. Germ. übers. von G. Hertel. mit einem nachtrag von W. Wattenbach. XII. 196 s. 2,80 m. — 65 bd. Des dekans Cosmas chronik von Böhmen. nach der ausgabe der Mon. Germ. übers. von G. Grandaur. 2. ausgabe mit einem nachtrag zur einleitung von W. Wattenbach. XII, 246 s. 3,40 m. — 66. bd. Die fortsetzungen des Cosmas von Prag. nach der ausgabe der Mon. Germ. übers. von G. Grandaur. XVI, 238 s. 3,20 m. — 67. bd. Die jahrbücher von Vincenz und Gerlach. übers. von G. Grandaur. XI, 170 s. 2,40 m. — 68. bd. Eine alte genealogie der Welfen und des mönchs von Weingarten geschichte der Welfen mit den fortsetzungen und einem anhang aus Berthold von Zwiefalten. übers. von G. Grandaur. IX, 80 s. 1,20 m.

47. Monumenta Germaniae historica. epistolarum tomi II pars 2 et tomus IV. — II 2: Gregorii papae registrum epistolarum. tomi II pars 2. libri X—XIV cum appendicibus. ed. L. M. Hartmann. (s. 233—464. 4⁰.) 8 m. — IV: Epistolae Karolini aevi. tom. II. rec. E. Dümmler. VIII, 639 s. 4⁰. 21 m. — angez. Lit. cbl. 1895 (46) 1647. — vgl. jsb. 1894, 7, 87—89.

Monumenta Germaniae historica. neue quart-ausgabe. Berlin, Weidmann. Auctorum antiquissimorum tomi XIII pars 1: Chronica minora saec. IV., V., VI, VII., ed. Th. Mommsen. vol. III fasc. 1. 222 s. 8 m. pars 2: vol. III, fasc. 2. s. 223—354. 8 m. — vgl. jsb. 1894, 7, 88.

48. Lamperti opera, ed. O. Holder-Egger. — vgl. jsb. 1895, 7, 90. — J. Dieffenbacher, Litztg. 1895 (1) 12 ff. nennt die arbeit in textkritischer hinsicht musterhaft, ist dagegen mit der auffassung Lamperts und mit manchen sonstigen einzelheiten nicht einverstanden. — inhaltlich und formell als eine musterleistung bezeichnet Hist. zs. 75, 498 ff.

49. E. F. Henderson, A history of Germany in the middle
ages. London, Bell. XXIV, 437 s. 7 sh. 6 d. — angez. Westminst.
Rev. 142, 348.

50. H. Martin, Charlemagne et l'empire carlovingien. Paris,
Jouvet 1893. 256 s.

51. G. Meyer von Knonau, Jahrbücher des deutschen
reiches unter Heinrich IV. und Heinrich V. — vgl. jsb. 1894, 7,
100. — angez. Lit. cbl. 1895 (32) 1119 ff. (gediegen, nur etwas umfangreich) und von C. Rodenberg, Litztg. 1895 (44) 1387—1390 (eine
hervorragende leistung, die sich namentlich durch eine richtige beurteilung Lamberts von Hersfeld auszeichnet). — referierende anz.
von G. Matthaei, Mitt. a. d. hist. litt. 22, 399—408. — die anz.
von G. Buchholz, Hist. zs. 75, 495—498 hält die widerlegung
vieler wertloser schriften für überflüssig und störend.

52. W. von Giesebrecht, Geschichte der deutschen kaiserzeit. 6. (schluss-)band: Die letzten zeiten kaiser Friedrich des
rotbarts. hrsg. und fortges. von B. von Simson. Leipzig,
Duncker und Humblot. XIII, 814 s. 16,40 m. — nicht geliefert.

53. W. v. Sommerfeld, Die beziehungen zwischen den
Deutschen und den pommerschen Slaven bis zur mitte des 12. jahrh.
Berliner diss. 45 s.

54. Ge. Juritsch, Geschichte der Babenberger und ihrer
länder [976—1246]. — vgl. jsb. 1894, 7, 101. — die anz. Lit. cbl.
1895 (6) 183 f. bedauert den rein annalistischen charakter des
buches, das manche bemerkenswerten ergebnisse und hypothesen
enthält. — in der anz. von M. Doeberl, Hist. jahrb. 16, 817 ff.
werden einzelheiten angefochten, auch vermisst der ref. ein zusammenhängendes bild der inneren verhältnisse.

55. Ottokars österreichische reimchronik, hrsg. von J. Seemüller.
vgl. jsb. 1894, 7, 136. 14, 71. — die anz. von J. Loserth, Hist.
zs. 74, 282—292, welche die sorgfalt und den wert der arbeit hervorhebt, geht auf mehrere einzelheiten näher ein. — referierende anz.
von F. Ilwof, Mitt. a. d. hist. litt. 22, 152—157.

56. J. Kempf, Geschichte des deutschen reiches während
des grossen interregnums.
vgl. jsb. 1894, 7, 104. — K. Schellhass, Litztg. 1895 (4)
108 ff. bespricht einzelnes aus der schrift, welche nur eine
geschichte des deutschen königtums biete, genauer. — die lobende
anz. von L. A., Rev. des quest. hist. 29, 331 erhebt nur an der

bibliographischen übersicht einige ausstellungen. — ferner angez.
von H. Grauert, Gött. gel. anz. 1894, 613—631 (trotz der beschränkung auf die darstellung der politischen verhältnisse sehr
anerkennenswert); von Chroust, Hist. zs. 75, 108 f. (mit reifem
urteil ist das wesentliche hervorgehoben); N. arch. f. ält. d. geschichtsf. 19, 715; Riv. stor. 11, 259 von Cipolla, Nord und süd
69, 410.

57. A. Bachmann, Deutsche reichsgeschichte im zeitalter
Friedrichs III. und Max' I. 2. bd.

vgl. jsb. 1894, 7, 108. — nach der anz. Lit. cbl. 1895 (1) 6
bietet das werk keine deutsche reichsgeschichte, da die berücksichtigung der deutschen staatengeschichte zu sehr überwiegt. —
ähnlich die anz. von V. Bayer, Gött. gel. anz. 1894, 971—981,
wo auch sonst an der darstellung im allgemeinen wie im einzelnen
manche ausstellungen erhoben werden. — ferner angez. Korrbl. d.
westd. zs. 13, 111; das. 164—167 von Diemar; Mitt. d. ver. f. gesch.
d. Deutschen in Böhmen 33, litt. beil. 17—21; von Mkgf., Hist.
zs. 75, 503 ff. (den heutigen stand der forschung feststellend und
darüber hinaus weiterführend).

58. Joh. Janssen, Geschichte des deutschen volkes seit dem
ausgang des mittelalters. 8. bd.: kulturzustände des deutschen
volkes seit dem ausgang des mittelalters bis zum beginn des
dreissigjährigen krieges. ergänzt und hrsg. von L. Pastor. 1.—12.
aufl. Freiburg i. Br., Herder. LV, 719 s. 7 m.

vgl. jsb. 1894, 7, 111. — die von Pastor an einzelnen stellen
hinzugesetzten, seine eigene arbeit angebenden zeichen lassen erkennen, dass in dem vorliegenden teile alles wesentlich noch das werk
Janssens ist. die darstellung zeigt auch in diesem bande das bestreben, die allmähliche verschlechterung aller verhältnisse zu erweisen, und zwar u. a. auf dem gebiet des handels und der
kapitalwirtschaft durch den zunehmenden wucher, im gewerbe durch
die entartung des zunftwesens, im bauernstande durch vermehrung
der bedrückungen, der jagdlust der herren und den daraus entstehenden wildschaden, im hofleben wie im leben des adels und auch
der bürger durch schlemmerei und prunksucht, in der armenpflege
durch einziehung der milden stiftungen. Janssen sucht besonders
nachzuweisen, dass in jener periode eine allgemeine sittlich-religiöse
verwilderung eingetreten war, welche sich u. a. in der zunahme
der verbrechen und im hexenumwesen zeigte. die belesenheit, mit
der alles das einzeln ausgeführt worden ist, ist eine erstaunliche;
doch vermisst man auch in diesem bande die aufklärung über die
tiefer liegenden ursachen der verwilderung, da es dem vf. nur in
den wenigsten fällen gelingt, die reformation dafür verantwortlich

5*

zu machen, vielmehr ausdrücklich erwähnt wird (u. a. s. 359), dass
einfachheit der sitten, das ordnungsgemässe gleichgewicht der
stände, rechtsinn und schlichte frömmigkeit schon gegen ende des
m. a. vielfach aus dem deutschen volksleben gewichen waren, ein
steigender luxus sich geltend machte und religiosität und sittlichkeit in
starkem niedergange begriffen waren. ebenso wie die aufdeckung
der gründe der allgemeinen schäden vermisst man auch den hinweis
auf die schliesslich doch in jedem verfall sich regenden keime einer
besseren zukunft.—angez. Lit. cbl. 1895 (13) 445 f. (die grundquelle aller
Janssenschen irrtümer ist in einem mangel an wissenschaftlicher schulung und geistiger befähigung zu suchen). dagegen werden in der
anz. des 7. und 8. bandes Hist. polit. bl. 115, 774—785 und
832—839 die fortschritte der forschung und die unparteilichkeit
des 'grössten und deutschesten' geschichtsschreibers gerühmt. — der
6. band wurde besprochen von Steinhausen, Zs. f. kulturgesch. 2
no. 1. — referierende anz. des 5. bandes von M. Schmitz, Mitt.
a. d. hist. litt. 22, 50 f.

Einzelne landschaften. 59. Forschungen zur deutschen landes-
und volkskunde, hrsg. von A. Kirchhoff. Stuttgart, J. Engelhorn.
vgl. jsb. 1894, 7, 112. — nicht geliefert. — 8, 5: J. Zemmrich,
Verbreitung und bewegung der Deutschen in der französischen Schweiz.
s. 366—405 mit 1 farb. karte. 3,80 m. — 8, 6: H. Witte, Das
deutsche sprachgebiet Lothringens und seine wandelungen von der
feststellung der sprachgrenze bis zum ausgang des 16. jahrhs. III, 129 s.
mit 1 karte. 6,50 m. — 9, 1: Teutsch, Die art der ansiedelung
der Siebenbürger Sachsen. Fr. Schuller, Volksstatistik der
Siebenbürger Sachsen. 55 s. mit 1 karte. 4,80 m. — angez.
Lit. cbl. 1895 (45) 1615 f. — 9, 2: O. Wittstock, Volkstümliches
der Siebenbürger Sachsen. A. Scheiner, Die mundart der Siebenbürger Sachsen. mit 2 lichtdruckbildern. 138 s. 6,50 m. vgl.
abt. 5, 31.

K. Weller, Die ansiedelungsgeschichte des württembergischen
Frankens. Vierteljahrshefte f. landesgesch. 3. — vgl. abt. 8, 107.

60. M. Schwann, Illustrierte geschichte von Bayern. 2. (titel-)
auflage. Stuttgart, süddeutsches verlagsinst. 1. lief. 1. bd. s. 1—32.
0,40 m. — vgl. jsb. 1894, 7, 115.

61. F. L. Baumann, Geschichte des Allgäus. Kempten,
Kösel. 729 s. mit abb. und 1 farb. tat. in 33 lief. à 1,20 m.
nicht geliefert. — angez. Hist. polit. bl. 115, 515—525 (verdient ein volksbuch in des wortes bestem sinne zu werden).

62. C. Mehlis, Studien zur ältesten geschichte der Rhein-

lande. progr. des kön. humanist. gymn. zu Neustadt a. d. H.
35 s. mit 2 taf.

von den drei abteilungen behandelt die erste die ältesten
handelsverbindungen, die hauptbenutzungszeit der ringwälle und
ihre letzte benutzung, die zweite die wichtigeren funderergebnisse
von der 'heidenburg' bei Kreimbach in den jahren 1893 und 1894,
die dritte eine bisher unbekannte runeninschrift aus dem Rheinlande.

63. Westfälisches urkundenbuch. 4. bd.: die urkunden des
bistums Paderborn vom jahre 1201—1300, bearbeitet von Roger
Wilmanns und Heinr. Finke nebst register u. s. w. von
H. Hoogeweg. Münster, Regensburg (B. Theissing) 1877 (1874)—
1894. 45,75 m.

nicht geliefert. — angez. von F. Philippi, Litztg. 1894 (52)
1648 ff. (kleine besserungsvorschläge werden gemacht).

64. F. Philippi, Osnabrücker urkundenbuch. — vgl. jsb.
1894, 7, 120. — angez. von Kehr, Hist. zs. 73, 506 ff. (das werk
ist nicht nur wegen der sorgfalt und diplomatischen treue des
textes zu loben, sondern es versucht auch mit erfolg die schwierigsten fragen zulösen).

65. F. Runge, Osnabrücker geschichtsquellen. — vgl. jsb.
1894, 7, 119. 17, 40 und unten abt. 8, 67. — angez. Lit. cbl.
1894 (43) 1558 f. (die fleissige arbeit lohnt nicht die mühe).

66. R. Nehlsen, Dithmarscher geschichte nach quellen und
urkunden. mit 1 vollbild, 1 karte des alten Dithmarschen und
1 wappentafel. Hamburg, verlagsanstalt. XLVI, 639 s. 5 m. —
nicht geliefert.

67. W. Raabe, Mecklenburgisches urkundenbuch. — vgl.
jsb. 1894, 7, 123. — angez. Litztg. 1894 (45) 1424—1427 von
K. Koppmann (an den nachweisungen und dem text werden
einige kleine ausstellungen gemacht).

68. W. Raabe, Mecklenburgische vaterlandskunde. 2. aufl.
19.—28. (schluss-)lief. Wismar, Hinstorff. à 1 m. — nicht geliefert.
vgl. jsb. 1894, 7, 123.

69. A. Gloy, Der gang der Germanisation in Ost-Holstein.
mit einer übersichtskarte über die ehemaligen Slavendörfer und
12 dorfplänen. Kiel, Lipsius und Tischer. 44 s. 1,20 m. — nicht
geliefert.

H. Bonk, Die städte und burgen in Altpreussen. — vgl.
abt. 8, 20.

70. F. H. Kupfer, Norwegen und seine besiedelung. progr. (no. 556) des gymn. zu Schneeberg. 31 s. 4⁰.

der vf. verwirft die hypothese von Skandinavien als dem mutterschoss der germanischen völker und nimmt an, dass nach den Finnen Kelten das südliche Skandinavien inne hatten und dass im 3. jahrh. v. Chr. die Germanen einwanderten.

71. G. Lindström, Anteckninger om Gotlands Medeltid. 2 bde. Stockholm, Norstedt u. söhne 1892 und o. j. (1895). 112 und VIII, 531 s. mit 29 abbild.

angez. von K.-L., Lit. cbl. 1895 (51) 1820 ff. (für wissenschaftliche und populäre zwecke brauchbar).

72. E. Seraphim, Geschichte Liv-, Est- und Kurlands von der aufsegelung des landes bis zur einverleibung in das russische reich. eine populäre darstellung. mit 6 bildern, 1 karte und einem personen- und sachregister. 1. bd.: die zeit bis zum untergang livländischer selbständigkeit. Reval, F. Kluge. VIII, 425 s. 6,50 m. — 2. bd., 1. abt. Die provinzialgeschichte bis zur unterwerfung unter Russland. Kurland unter den herzögen. VI, 720 s.

von den beiden erschienenen bänden muss hier der erste übergangen werden, weil der verleger nur den zweiten eingesandt hat. dieser ist das werk der beiden brüder Ernst und August Seraphim, die, mit der geschichte ihres vaterlandes gründlich vertraut, eine auf genauen forschungen beruhende, dabei leicht lesbare und wegen des bisherigen mangels an brauchbaren geschichtswerken dankenswerte darstellung geboten haben.

73. P. Reichardt, Versuch einer geschichte der meissnischen lande in den ältesten zeiten. progr. (no. 560) des realgymn. zu Annaberg. 28 s. 4⁰.

indem der vf., der seine untersuchungen etwa bis zum jahre 800 führt, die bisherigen forschungen 'sichtend und ordnend zusammenfasst', sucht er namentlich das vorhandensein germanischer überreste unter den Slaven zu bestreiten.

74. E. Hawelka, Die deutsche besiedelung und die namen des Braunauer ländchens. Globus 65, 67 ff.

die besiedelung erfolgte von Glatz her um 1200.

75. B. Bretholz, Geschichte Mährens. 1. bd., 2 abt. [bis 1197]. Brünn, C. Winiker in komm. XIII—XVIII u. s. 121—360. 3,60 m.

nicht geliefert. — vgl. jsb. 1894, 7, 133. — kurz angez. Lit. cbl. 1895 (49) 1752.

76. G. Strakosch-Grassmann, Geschichte der .Deutschen in Österreich-Ungarn. 1. bd. 12 m. — vgl. jsb. 1894, 7, 135. — die anz. Lit. cbl. 1895 (22) 781 f. bedauert in dem fleissigen buche die weitschweifigkeit der darstellung.

77. K. v. Hauser, Kärntens Karolingerzeit von Karl d. gr. bis Heinrich I. [788—918], neu aus quellen bearbeitet. Klagenfurt, F. v. Kleinmayr in komm. 65 s. mit 1 titelbild, 1 stammtafel und 1 farb. karte. 1,20 m. — nicht geliefert.

78. K. Dändliker, Geschichte der Schweiz. in 3 bdn. 3. bd. 2. aufl. Zürich, F. Schulthess. X, 855 s. 12,40 m. — nicht geliefert. — vgl. jsb. 1892, 7, 120.

79. W. Oechsli, Quellenbuch zur Schweizergeschichte. neue folge. — vgl. jsb. 1894, 7, 140. — angez. von M(eyer) v. K(nonau), Hist. zs. 74, 316 f. (die vortreffliche auswahl erweckt verlangen nach dem erscheinen des schlussbandes).

80. P. C. Planta, Geschichte von Graubünden. vgl. jsb. 1894, 7, 141. — angez. von —ch—, Lit. cbl. 1894 (45) 1621 f. (volkstümlich, aber für den forscher ohne wert).

Städte. 81. Monumenta Wormatensia. hrsg. von H. Boos. — vgl. jsb. 1894, 7, 146. — referierende anz. Lit. cbl. 1894 (46) 1660 f. und von G. Liebe, Mitt. a. d. hist. litt. 22, 171 ff., der den wert der arbeit betont. — die anz. von Wanbald, Hist. zs. 75, 293 ff. vermisst die Historia veridica per cives Wormatienses desolati cenobii Kirsgarten.

82. F. v. Weech, Karlsruhe. 1.—7. lief. Karlsruhe, Macklot. à 1 m. — nicht geliefert.

83. H. Hess, Zur geschichte der stadt Ems. I. die vorrömische, die römische und die merowingische zeit. Ems, R. Sommer. 54 s. gr. 4⁰. mit 1 plan. 1 m. — nicht geliefert.

84. H. Averdunk, Geschichte der stadt Duisburg bis zur endgültigen vereinigung mit dem hause Hohenzollern. 2. abt. Duisburg, Ewich. IV u. s. 341—776 mit 1 karte. 5 m. (vollst. 10 m.). — nicht geliefert.

85. Ilgen, Übersicht über die städte des bistums Paderborn im mittelalter. die gründung des städtchens Schwarey [1344]. Aus Westfalens vergangenheit s. 81—109.

86. W. v. Bippen, Geschichte der stadt Bremen. 4. lief. Bremen, C. E. Müller. 2. bd., s. 1—128. 1,20 m. — nicht geliefert. — vgl. jsb. 1894, 7, 153. — die anz. von D. Schäfer,

Hist. zs. 73, 103 ff. bezeichnet das werk als die erste **kritische**, wissenschaftliche darstellung, welche die geschichte Bremens überhaupt erfahren hat.

87. M. Hoffmann, Geschichte der freien und hansestadt Lübeck. — vgl. jsb. 1893, 7, 104 und 8, 28. — die anz. von G. Liebe, Hist. zs. 73, 105 rühmt die beherrschung und gewandte verwendung des materials, bedauert dagegen die zu geringe berücksichtigung der kultur- und wirtschaftsgeschichte.

. 88. Quellen zur geschichte der stadt Hof, hrsg. von Chr. Meyer. — vgl. jsb. 1894, 7, 145. — kurz angez. Lit. cbl. 1894 (45) 1622.

89. J. P. Priem, Geschichte von Nürnberg. 2. **auflage** 19.— 31. lief. Nürnberg, Raw. — nicht geliefert. — **vgl. jsb.** 1894, 7, 143.

90. L. Rösel, Alt-Nürnberg, geschichte der deutschen stadt im zusammenhang der deutschen reichs- und volksgeschichte. mit einem titelbild und einem historischen plan der stadt. 1. **hälfte.** Nürnberg, F. Korn. 320 s. 3,50 m. — nicht geliefert.

91. Die chroniken der deutschen städte vom 14. **bis ins** 16. jahrh. Leipzig, S. Hirzel. 23. bd.: Die chroniken der **schwä**bischen städte. Augsburg. 4. bd. VIII, XLVIII, 546 s. 16 m.
nicht geliefert. — vgl. jsb. 1894, 7, 142. — kurz angez. **Lit.** cbl. 1895 (22) 782.
24. bd. Die chroniken der westfälischen und niederrheinischen städte. 3. bd. Soest und Duisburg. CLXXIV, 283 s. 12 m.

92. G. Trautenberger, Die chronik der landeshauptstadt Brünn. 2. bd., 2. und 3. drittel, und 3. bd., 1. drittel. (**Leipzig,** A. Schulze). 3. bd., s. 81—243. à 4,40 m.
vgl. jsb. 1894, 7, 160. — die chronik wird in den bisher erschienenen teilen des 3. bds. bis zum jahre 1699 geführt. **auch** der 3. bd. enthält vieles kulturgeschichtlich wertvolle und **lässt** die besondere veröffentlichung mancher Brünner geschichtsquellen als wünschenswert erscheinen.

Römer (auswahl). 93. Ch. Kingsley, Römer und Germanen. Göttingen. Vandenhoeck u. Ruprecht. XVI, 296 s.
der titel passt nicht ganz und trifft wenigstens für einen der aufsätze, welche unter ihm vereinigt sind, 'die grenzen **exakter** wissenschaft in der geschichte', nicht zu. das buch enthält vorlesungen, die Kingsley an der universität Cambridge gehalten **hat** und die nicht bestimmt sind, geschichte zu lehren, sondern, **wie** Max Müller im vorwort bemerkt, in erster reihe die gedanken **des**

dichters, sittenpredigers, staatsmannes, theologen und vor allem des freundes und ratgebers junger männer zum ausdruck bringen.

94. A. Riese, Das rheinische Germanien. — vgl. jsb. 1893, 7, 110. — angez. von G. Wissowa, Hist. zs. 75, 289 f. (ein glücklicher gedanke in recht befriedigender ausführung).

95. O. Kemmer, Arminius. — vgl. jsb. 1894, 7, 163. — kurz angez. von K. Kralik, Österr. litbl. 4 (23) 721.

96. Edm. Meyer, Schlacht im Teutoburger walde. — vgl. jsb. 1894, 7, 165. — angez. von E. Ritterling, Litztg. 1895 (43) 1358—1362 (beherrschung der litteratur und der quellen und sorgfältige erwägung aller in betracht kommenden möglichkeiten sind zu loben; doch ist das buch von versehen nicht frei). — ferner angez. Jahrb. d. v. v. altertumsfr. im Rheinl. no. 95.

97. Knoke, Die römischen moorbrücken. — vgl. abt. 7, 169.

98. R. Wünsch, De Taciti Germaniae codicibus germanicis. — vgl. jsb. 1894, 7, 177. — referierende anz. Wochenschr. f. klass. phil. 12 (4) 99 f.

99. J. Holub, Unter den erhaltenen handschriften der Germania des Tacitus ist die Stuttgarter handschrift die beste. progr. des stadtgymn. in Weidenau. 2. teil. 1894. 32 s. — 3. teil. 1895. 34 s.

100. Germania. erklärt von K. Tücking. 8. aufl. Paderborn, Schöningh. 91 s. 0,60 m.
die vergleichung der einzelnen auflagen der Tückingschen Germania zeigt ausser einer neubearbeitung der einleitung überall eine sorgfältige durchsicht des textes und der anmerkungen. die verlegung der letzteren, welche ursprünglich unter dem texte standen, hinter denselben bietet dem herausgeber die möglichkeit, sie dem inhalt der einzelnen kapitel entsprechend mit überschriften zu versehen und dadurch zur übersichtlichkeit des gesamtinhaltes erheblich beizutragen. — angez. von Bender, Württemb. korrbl. 1 (9) 417 f. einige ausstellungen werden erhoben, u. a. über die erklärung der wörter Germanen und barditus.

101. Cornelii Taciti de Germania. ed. by H. Furneaux. — vgl. jsb. 1894, 7, 175. — angez. von F. T. Richards, Academy 46, 395.

102. Germania. prefazione e note di Giov. Garino. ed. 2. Augustae Taurinorum, ex off. Salesiana. XLIX, 106 s.

103. Th. Schauffler, Althochdeutsche glossen zur Germania des Tacitus. Südd. blätter 2, 16.

Vorgeschichtliche archäologie.

Allgemeines. 104. M. Hörnes, Urgeschichte der menschheit. mit 48 abb. Stuttgart, G. J. Göschen. (sammlung 42). 156 s. 0,80 m.

das gewandt geschriebene büchlein geht auf germanische vor-geschichte so gut wie gar nicht ein (s. 62. 68. 72). die kulturelle stellung der Germanen in der vorzeit, angeblich auf einer linie mit den Slawen und im gegensatz zu den West- und Südeuropäern (Griechen, Illyrier, Italiker, Kelten) ist durchaus falsch beurteilt.

105. Prähistorische blätter. unter mitwirkung von forschern und freunden der prähistorischen wissenschaft. hrsg. von Julius Naue in München. VI. jahrg. 98 s., XX taf. — VII. jahrg. 98 s., XI taf. München, Selbstverlag. 8°.

auf diese von einem trefflichen forscher geleitete gediegene zeitschrift, die auch für die norddeutsch-germanischen gebiete vieles bringt, sei hier besonders hingewiesen.

106. Centralblatt für anthropologie, ethnologie und urge-schichte. hrsg. von G. Buschan. Breslau, J. U. Kern. **jahrg. 1.** in 4 heften, jedes zu 6 bogen. 12 m.

bringt möglichst rasch kurze berichte über die neuen wissen-schaftlichen erscheinungen, namentlich auch die zeitschriftenlitte-ratur der weitverzweigten gebiete, daneben eine bibliographia. wir wünschen dem verdienstlichen unternehmen ein glückliches gedeihen.

107. R. Wackernagel, Über altertümersammlungen. fest-rede, gehalten bei der eröffnung des historischen museums, Basel am 21. april 1894. Jsb. d. ver. f. d. histor. museum und erhaltung Baslerischer altertümer. jahr 1893. Basel 1894. s. 25—35.

108. Merkbuch, altertümer aufzugraben und aufzubewahren. eine anleitung für das verfahren bei aufgrabungen, sowie zum con-servieren vor- und frühgeschichtlicher altertümer. hrsg. auf ver-anlassung des herrn ministers der geistlichen, unterrichts- und medizinal-angelegenheiten. 2. wesentlich verbesserte aufl. Berlin, Mittler u. sohn 1894. 99 s. und 8 steindrucktafeln.

eine anzeige dieses durch die beigabe der zeichnungen von 268 fundstücken jetzt noch wertvoller gewordenen büchleins von Albert Voss hat J. Szombathy geliefert: Mitt. d. anthropol. ges. in Wien 25, 186 f.

109. Führer durch das museum für völkerkunde. hrsg. von der generalverwaltung. 6. aufl. Berlin, Spemann. 92 s. 0,50 m.

darin s. 9—44: die sammlung vaterländischer und anderer
vorgeschichtlicher altertümer.

110. G. Kossinna, Über die vorgeschichtliche ausbreitung
der Germanen in Deutschland. Korresp.-bl. d. d. ges. f. anthropol.
26, 109—112.

von den mittleren Donaugegenden, der indogermanischen urheimat, aus haben sich die Germanen nordwestwärts an das süd-
westende der Ostsee gezogen. in der jüngern neolithischen zeit
wird ihr gebiet durch die grenze des sogenannten Westbaltikums
mit seinen besonderen formen der megalithgräber und des bern-
steinschmuckes gegenüber dem Ostbaltikum umschlossen. die
Oder ist in der jüngsten steinzeit (bis zum 17. jahrh. v. Chr.) die
ostgrenze der Germanen, die damals Mecklenburg, Schleswig-Holstein, Dänemark und die provinzen von Götarike bewohnten. die
süd- und westgrenze lernen wir erst durch die spezifisch nordische
bronzekultur kennen. In der älteren bronzezeit (1400—1000) wird
die ausdehnung der Germanen durch eine linie von Stettin nach
Berlin und weiter nach Celle, Soltau, Buxtehude, Elbmündung bezeichnet, in der jüngern bronzezeit (1000—600) durch eine linie
von Rügenwalde längs dem meridian bis zur Netze, dann diese
und die Warthe abwärts bis Küstrin, von hier nach Halle a. S.
und nun am nordfuss des Harzes vorbei nach der Aller, diese abwärts bis zur Weser, dann von Bremen über Oldenburg nach
Emden. in der jüngsten bronzezeit (600—300) breiten sich die
Germanen westlich bis an die Leine, südlich bis an die Unstrut,
östlich bis an die untere Weichsel, südöstlich bis nach Oberschlesien aus. in der (mittleren) La Tène-zeit (300—100 v. Chr.)
gewinnen sie das gebiet zwischen Leine, Rhein und Main, in der
jüngsten La Tène-zeit (seit 100 v. Chr.) den grössten teil Süd-
deutschlands. — diese ethnographischen grenzlinien waren massgebend für die ausdehnung, in der die archäologische litteratur in
diesem jahresbericht berücksichtigung fand.

111. G. Kossinna, Über die deutsche altertumskunde und
die vorgeschichtliche archäologie. Verhandlungen der 43. versammlung deutscher philologen in Köln vom 24.—28. september 1895.
s. 126—129.

nachdem an dem besondern beispiel der ausbreitung der
germanischen stämme die unschätzbare hilfe, ja führerschaft der
vorgeschichtlichen archäologie in fragen der altertumskunde erwiesen worden war, kam es in diesem vortrage, der hier nur in
knapper skizze vorliegt, darauf an, in grossen zügen den wert der
archäologie für alle gebiete der germanistischen realfächer darzu-
legen, wobei der zerrbilder, die leute wie Seeck von der germa-

'nischen kultur ebenso kenntnislos als gehässig entworfen, gebührend gedacht wird. berührt werden die gebiete: kleidung und
tracht, metallreichtum, waffen, reit- und fahrkunst, wagenbau,
schiffahrt, religiöser kult, grabgebräuche, keramik, handel, wirt-
schaftsleben, ackerbau, nahrung, wohnung, stellung zur süd- und
westeuropäischen kultur.

112. G. Buschan, Vorgeschichtliche botanik der kultur- und
nutzpflanzen der alten welt auf grund prähistorischer funde. Breslau,
J. U. Kern (Max Müller). XII, 268 s.

die funde von sichergestellter herkunft bezeugen, dass weizen,
gerste, hirse im nördlichen Mitteleuropa entweder bereits in der
stein- oder wenigstens in der bronzezeit auftreten, in letzterer auch
bohnen, erbsen und linsen, wogegen hafer und roggen archäologisch
sich erst in nachchristlicher zeit nachweisen lassen. — angez. von
L. Wittmack, Geograph. zs. 2, 59 f.; von L. Krause, Globus
68, 80.

113. E. Lemke, Küche der urzeit. Brandenburgia. Monatsbl.
3, 245—258.

populärer vortrag, der seinen stoff aus allen perioden der vorzeit Europas zusammenträgt.

114. L. Lindenschmit (sohn), Die altertümer unserer heidnischen vorzeit. nach den in den öffentlichen und privatsammlungen befindlichen originalen zusammengestellt und herausgegeben
von dem römisch-germanischen centralmuseum in Mainz. Mainz,
von Zabern. bd. IV, heft 9. taf. 49—54; heft 10, taf. 55—60
mit 2 und 3 bogen text.

das werk wird in bewährter weise fortgeführt, indem besonders kostbare funde in farbendruck technisch vollendet wiedergegeben werden, wobei nur leider das Germanische gegenüber dem
Römischen zu sehr zurücktritt. taf. 49. waffen aus eisen mit gold-
einlage (kurzschwert des 4. jahrhs. v. Chr. aus Oberbayern, speer-
spitze aus Schlesien, hammeraxt aus Posen). taf. 50. bemalte gefässe aus Schlesien (5. jahrh. vor Chr.). taf. 51. bronze- und eisen-
gürtelhaken von besonderer form (La Tène-zeit). taf. 52. römische
eisendolche mit emaillierung und tauschierung (Köln, Westfalen,
Mainz). taf. 53. armringe, zierbeschläge, gürtelschnallen aus reihen-
gräbern der Merowinger zeit (Schierstein, Andernach, Bonn, Traun-
stein, Dillingen). taf. 55. etruskische bronzehelme (Italien, Mann-
heim, Pisa) des 5.—4. jahrh. v. Chr. taf. 56. römisches kriegsgerät
(eisenhelm von Mainz, bronzehelm von Köln, maske von Weissenburg a. S., bronzesignalhorn aus dem Main). taf. 57. grabfund
aus einem römischen friedhof in Köln, eisenschwert mit elfenbein-

griff und silbernem ortband, silbergürtelschnalle, bronzearmbrust-
fibel mit zwiebelknöpfen, also 4. jahrh. n. Chr.). taf. 58. bronzegefässe aus merowingischer zeit (kannen, becken, henkelkrüge).
taf. 59. glasgefässe aus fränkischen gräbern, darunter eines in
kuhhornform und eines mit ausgebildetem fuss, letzteres bis jetzt
einzig in seiner art. taf. 60. eisenschwerter des 9. und 10. jahrhs.
(Buxtehude, Mainz).

115. M. May, Der anteil der Keltgermanen an der europäischen bildung im altertum. vortrag, gehalten in der hauptversammlung d. ver. f. gesch. u. altertumsk. zu Frankfurt a. M. am
24. jan. 1895. Frankfurt a. M., gebr. Fey.

'wie die lateinische und die griechische sprache nur kelt-
germanische mundarten sind, so ist auch die ganze griechische und
römische bildung nur fortsetzung der voraufgegangenen allgemeinen, keltgermanischen bildung oder vielmehr ein teil derselben.'
kommentar überflüssig.

116. R. Virchow, Die Keltenfrage in Deutschland. Korrbl.
d. d. ges. f. anthrop. 26, 130—132.

ausgehend von der durch Bertrand und Reinach in ihrem buche
über die Kelten an der Donau und am Po geäusserten meinung,
dass die oberitalischen Kelten eine uralte, lange vor dem Gallier-
einfall in Italien über die Alpen gedrungene kolonie der Donau-
kelten in Süddeutschland und Österreich wären, was durch die
den Nord- wie den Südkelten gemeinsame (Hallstatt-)kultur erwiesen werden soll, kommt Virchow auf die Kelten in Hessen zu
sprechen, deren einstige anwesenheit noch heute die funde von
sogenannten regenbogenschüsselchen, d. h. kleinen runden, dicken
goldenen, seltener bronzenen, mit symbolen bedeckten hohlmünzen bezeugen. über die chronologie dieser münzen giebt Virchow gar
nichts genaueres, über ihre lokale verbreitung unrichtiges an. auch
die dunklere komplexion der hessischen bevölkerung kann man
nicht mit Virchow auf die bekanntlich hellfarbig gewesenen Kelten,
sondern nur auf den starken prozentsatz einer den Kelten noch
vorausgegangenen dunkelfarbigen urbevölkerung zurückführen.

E. Hahn, Heilige wagen. — vgl. abt. 10, 47.

117. O. Montelius, Zur ältesten geschichte des wohnhauses
in Europa, speziell im norden. Archiv f. anthropol. 23, 451—465.

die urform des nordeuropäischen hauses ist das runde konische
zelt, woraus 2. das zeltförmige holzgebäude, endlich 3. das gebäude mit konischem dach auf runder, senkrechter wand entsteht:
so das indogermanische haus, nicht viereckig. 4. aus dem rund
wird ein oval und ein rechteck mit walmdach, so auf Öland und

Gotland in den ersten jahrhunderten unserer zeitrechnung, ferner
auf Island und Grönland in der Wikingerzeit. 5. viereckiges haus mit
halbwalmdach. 6. mit giebeldach. vor dem eingang entstand die
vorhalle: mit zimmerdecke, weil ohne herd und rauchloch; später
mit erhöhtem stockwerk; endlich je eine vorhalle auf beiden schmal-
seiten. — rauchöfen in Schweden erst seit dem 11. jahrh., rauch-
fänge und schornsteine sogar erst einige jahrhunderte später, mörtel
und ziegelsteine seit dem 12. jahrh.

118. J. Mestorf, Beitrag zur hausforschung. Globus 67,
232—234.

gewisse in holsteinischen wohngruben der völkerwanderungszeit gefundene schwere, runde thondeckel mit verzierter oberfläche
und knauf, sowie flacher unterseite hält M. für verschlussdeckel
der dachspitzenöffnung der über den gruben errichteten, dann
freilich sehr kleinen und ärmlichen wohnhütte, wofür die allerdings
um ein jahrtausend älteren hausurnen von Polleben, Klus,
Tochheim mit ihren deckel- und knaufartigen bekrönungen zu
sprechen scheinen.

119. O. Montelius, Den nordiska jernålderns kronologi I.
Svenska fornminnesföreningens tidskrift 9, 155—214.

grundlegende arbeit, in der nach bekannter und bewährter
methode auf grund von nur ganz gesicherten, umfangreichen grabfunden die einteilung des germanischen eisenalters, zunächst für
die 3 vorrömischen perioden 1 (500—300 v. Chr.), 2 (300—150
v. Chr.) und 3 (150 v. Chr. bis Chr. geb.), sowie für die erste
römische periode (— 200 v. Chr.) mit der eben nur Montelius
eigenen meisterschaft festgelegt wird.

120. S. Söderberg, Die tierornamentik der völkerwanderungszeit. mit textabb. und taf. XI—XX. Prähistor. blätter 6,
67—75. 83—87.

S. weist nach, dass die tiere des merowingischen stiles nicht,
wie Soph. Müller will, schöpfungen germanischer phantasie waren,
sondern barbarisierungen (schlangentier, tier mit rückwärts ge-
bogenem kopfe) römischer vorbilder (löwe, greif) darstellen, wie es
schon Hildebrand angenommen hatte. — über eine ausführliche
behandlung des stoffes durch denselben vf. vgl. jsb. 1893, 12, 22.

Einzelne landschaften. 121. O. Montelius, De förhistoriska
perioderna i Skandinavien. K. vitterhets, historie och antiqvitets akademiens Manadsblad 1893 (1895), 1—16 und pl. 1—20.

für jede der von Montelius aufgestellten 20 perioden der nordischen vorgeschichte eine tafel mit einer auswahl der wichtigsten
leittypen.

122. O. Montelius, Les temps préhistoriques en Suède et dans les autres pays scandinaves. ouvrage traduit par Salomon Reinach. avec 1 carte, 20 planches contenant 120 figures et 427 figures dans le texte. Paris, E. Leroux. VI, 352 s.

nicht geliefert. das kleine buch von 1873, das 1874 eine erste französische, 1885 eine deutsche, 1888 eine englische übersetzung erfahren hat, tritt hier in völlig neuem gewande auf, als ein archäologisches prachtwerk ersten ranges. dass der text auf der höhe der wissenschaft steht, ist bei Montelius selbstverständlich. die beigegebenen tafeln sind dieselben, welche die abhandlung 'De förhistoriska perioderna i Skandinavien' bringt.

123. O. Montelius, Findet man in Schweden überreste von einem kupferalter? Archiv f. anthrop. 23, 425—449.

deutsche bearbeitung der jsb. 1894, 263 erwähnten grundlegenden abhandlung. — die reste des zu beginn des 2. jahrtausends v. Chr. einsetzenden kupferalters, fast durchweg undurchbohrte axtklingen, finden sich nur in den südlichsten provinzen, Schonen, Halland, Bohuslän und auf Öland. teilweise ist import aus Österreich-Ungarn nachweisbar. die äxte, deren typen noch völlig den steinzeitlichen gleichen, bestehen aus reinem kupfer, je mehr sie sich aber von letzterem entfernen und den bronzezeitlichen typen nahekommen, desto stärker wird der zusatz von zinnteilen, zuerst 0,5 bis 3, dann 3 bis 7, endlich bis 10 %, letzteres in der blütezeit des älteren bronzealters.

124. R. Sernander, Om några arkeologiska torfmossefynd. Antiqvarisk tidskr. för Sverige 16, 2, 1—35.

125. W. Schürer von Waldheim, Några hittils ej beaktade uppländska stensaksfynd. Upplands fornm. fören. tidskr. bd. III, heft 16, 36—37 (1894).

betrifft die in Gotland seit urzeiten zum wurfspiel gebrauchten flachen steinscheiben, die dort auch in gräbern des ersten eisenalters gefunden werden.

126. R. Arpi, Meddelanden från Uppsala universitets museum för nordiska fornsaker. I. Uppsala fornm. fören. tidskr. (1894) bd. III, heft 16, 91—96.

schiefersachen des sogenannten arktischen steinalters haben sich in Uppland 11 gefunden, davon 9 speerspitzen, 1 pfeilspitze, 1 messer.

127. Th. Lindblom, Komplettering af i föregående häften af Upplands fornm. tidskrift förekommande uppgifter om fornfynd i Lena. Upplands fornm. fören. tidskr. (1894) bd. III, heft 16, 81—82.

128. H. Stolpe, Om Vendelfyndet. Uppsala fornm. fören.
tidskr. (1894) bd. III, heft 16, 97—110.

allgemeines über die beschaffenheit der gräber zu Vendel im
nördlichen Uppland, genaueres über die ausgrabungen des jahres
1893. die meisten gräber enthalten 10 m lange boote, in denen
die toten mit ihren waffen und geräten, pferden und haustieren
(darunter ein jagdfalke) beigesetzt sind. prachtstücke sind ein ver-
goldetes bronzezaumzeug mit email, ein schwert mit vergoldeter
bronzescheide und zwei helme, von denen einer eine bronzeplatte
mit getriebenen figuren aufweist: ein mit helm, schild und speer
gewappneter reiter, den zwei vögel umkreisen, kämpft gegen eine
schlange. Stolpe denkt an Odin nebst Hugin und Munin. die
gräber reichen vom 7. bis ende des 10. jahrhs.

129. Aarsberetning for 1893 fra foreningen til norske fortidsmindesmerkers bevaring. Kristiania 1894 (1895). 194 und XIX s.

zuwachslisten der museen in Kristiania, Bergen, Trondhjem,
Tromsö, Stavanger, Arendal. — zum ersten male sind in Norwegen
die der beginnenden römischen zeit angehörigen thongefässe mit
mäanderornamenten gefunden; auch die in Norwegen so seltenen sachen
der vorrömischen eisenzeit erfahren bereicherung. aus dem bronzealter sind zahlreiche gräberfunde gemacht worden, darunter einer
aus sehr früher zeit mit noch unverbrannter leiche, fibel und dolch;
ferner zum ersten male ein schwertgürtelhaken.

130. S. Müller, Vor oldtid. en populer fremstilling af
Danmarks arkæologi. lever. 5—9. s. 197—432. Kjøbenhavn,
Philipsen.

nicht geliefert. — die darstellung wird in diesen 5 lief. vom
beginn der bronzezeit bis zum beginn der eisenzeit geführt. —
angez. von A. Lissauer, Zs. f. ethnol. 27, 112.

131. S. Müller, Ordning af Danmarks oldsager. système
préhistorique du Danemark, résumé en français. II. jernalderen.
afbildningerne tegnede og chemityperede af M. Petersen. Kjøbenhavn, Reitzel. 104 s., XLII taf. 4⁰.

nicht geliefert.

132. W. H. Finn, Auszug aus S. Müllers jsb. 1893 über
den vorgeschichtlichen teil der dänischen sammlung im nationalmuseum zu Kopenhagen. Verh. d. berl. ges. f. anthopol. 27,
565—568.

die steinaltersammlung vermehrte sich 1893 um fast 1700
stück; auf Bornholm wurden viel wohnplätze der steinzeit untersucht und zum ersten male funde aus der älteren steinzeit ge-

macht; auf Jütland untersuchte man 50 einzelgräber unter niedrigen erdhügeln vom ende der steinzeit; bemerkenswert ein votivfund von 46 lanzenspitzen in einem moor. in die abteilung der bronzezeit, die sich um 300 stück vermehrte, darunter viel goldsachen und eine der höchst seltenen grossen votiv- oder kommandobronzeäxte, gelangte der vielleicht grösste fund aus dem nordischen bronzealter, 65 stück, aus Skjelskör auf Seeland. das eisenalter weist einen zuwachs von 500 stück auf, zum grössten teil von Jütland; aus Fünen kamen moorfunde des 4.—5. jahrhs.

133. W. Splieth, Zwei grabhügel bei Schleswig. Mitt. d. anthropol. ver. in Schleswig-Holstein. heft 8, 13—30.

die untersuchung zweier grabhügel bei Schuby unweit Schleswig war insofern bedeutungsvoll, als die an einen derselben, den Dronninghöi, sich knüpfende sage (vgl. Müllenhoff, Sagen s. 19), er berge das grab eines enthaupteten kriegers, ihre bestätigung fand; denn neben zwei anderen steinzeitgräbern fand man ein drittes unter einem aus kopfgrossen geröllen aufgeschütteten, flachen steinhaufen, das drei unberührte skelette beherbergte, darunter eines, dessen schädel zu den füssen lag. auch der zweite hügel enthielt derartige runde oder ovale flache steinhaufengräber, von denen die unteren steinzeitlich waren, das oberste aber bereits bronzebeigaben enthielt. wir haben in dieser gräberart also eine der übergangsformen aus der stein- zur bronzezeit zu erkennen. die gewöhnliche ist bekanntlich die vom hügel bedeckte rechteckige steinkammer.

134. K. Hagen, Holsteinische hängegefässfunde der sammlung vorgeschichtlicher altertümer zu Hamburg. mit 6 abb. und 4 taf. Aus dem jahrb. der hamburg. wissensch. anstalten XII. Hamburg 1895. 17 s. 1,50 m.

publikation zweier wichtiger bronzefunde, von Kronshagen bei Kiel und von Oldesloe, jener mit 3 hängegefässen nebst einem deckel, 2 halsringen, 7 manchettenförmigen offenen armbändern, ein sog. diadem, dieses mit 2 hängegefässen nebst einem deckel. die allgemeinen ausführungen über diese gattung hochvollendeter nordischer industrieerzeugnisse stehen nicht ganz auf der höhe der forschung.

135. J. Callsen, Die Danewirke (mit 1 karte). Die heimat 5, 89—95.

C. lässt den wall erst um 800 von könig Gottfrid errichtet werden, während er doch sicher jahrhunderte älter ist.

136. J. Mestorf, Die hacksilberfunde im museum vaterländischer altertümer zu Kiel. Mitt. d. anthropol. ver. in Schleswig-Holstein. heft 8, 1—12.

die in die zeit vom ende des 9. bis zum ende des 11. jahrhs.
fallenden funde von hacksilber, d. h. zu kleingeld zerschnittenen
arabischen, später auch deutschen und anderen abendländischen
münzen und byzantinisch-orientalischem, später auch einheimisch-
slavischem silberschmuck, dehnen sich nordwärts über Skandinavien,
westwärts aber kaum bis zur Elbe aus und erscheinen in Schleswig-Holstein namentlich im umkreise der alten handelsstädte Schleswig (funde von Aalkjärgaard, Friedrichstadt, Rantrum) und Oldenburg, dem slavischen Stargard (funde von Farve, Waterneversdorf,
Heiligenhafen, Krinkberg, Heringsdorf, Ernsthausen).

137. R. Beltz, Die sammlung vaterländischer altertümer in
Schwerin. Nachr. üb. d. altertumsf. 6, 17—22 = Prähistor. blätt.
7, 8—10. 28—31.

darstellung des zuwachses der letzten jahre. aus der steinzeit
ragen die funde aus einem unberührten ganggrabe bei Blengow hervor,
steingeräte und urnen. ebendort ein hügelgrab, das unter einer stein-
setzung einen eichensarg barg, in welchem eine leiche mit reichem,
auch goldenem schmuck aus der älteren bronzezeit lag (goldfibel,
goldring, bronzeschwert, wollengewand, wollengürtel, bronzedoppel-
knopf, thongefäss). den übergang von der jüngeren bronze- in die
eisenzeit stellen dar die Gersdorfer urne (mit einem vasenring)
und das urnenfeld von Zweedorf. — endlich reiche funde aus
wohn- und grabplätzen der wendischen zeit, für die die chronologischen anhaltspunkte sich auch stetig mehren.

138. R. Beltz, Grossherzogliches museum in Schwerin.
Nachr. f. d. altertumsf. 6, 93—96 = Prähistor. blätt. 7, 59—62.
75—77.

unter den neuen erwerbungen ragt ein goldener sogenannter
'eidring' (offener goldring mit schalenförmigen enden) hervor; derartige ringe gehören in die 2. hälfte der jüngeren bronzezeit
(7.—6. jahrh.) und kommen von der Elbe ostwärts bis Lands-
berg a. d. Warthe und Danzig, nordwärts noch in Südschweden
vor. an zahl haben sich die früher in Mecklenburg fast unbekannten La Tène-urnenfelder am meisten vermehrt. auch die urnen-
felder der völkerwanderungszeit (5. jahrh.), des endes der germanischen zeit in Mecklenburg, haben sich um eines in Granzin vermehrt, das wie alle anderen dieser periode im südwesten des
landes liegt.

139. Ph. Wegener und R. Tietzen, Bericht über den
urnenfriedhof bei Bülstringen (reg.-bez. Magdeburg). Verhandl. d.
Berlin. ges. f. anthropol. 27, 121—148.

ein grosses urnenfeld der ältesten La Tène-zeit (trotzdem der
vf. eine der fibeln fälschlich in die jüngste La Tène-zeit setzt),
aus dem etwa 130 gefässe gerettet worden. jede leichenurne barg
ein beigefäss; waffen kamen gar nicht vor, wohl aber mannigfacher
schmuck (fibeln, ringe, ösenringe, ohrringe mit glasperlen, armringe, gürtelbeschläge, nadeln, kettenschmuck an blechen und
ringen) und geräte (angelhaken, halbmondförmige messer, gürtelhaken, pincetten). das gräberfeld gehört also dem 4., nicht dem
1. jahrh. v. Chr. an, wie Wegener will.

140. Hirt (Jerichow), Metallgeräte von den bronze- und von
den La Tène-feldern des I. Jerichowschen kreises, provinz Sachsen
(fig. 1—27). Nachr. üb. d. altertumsf. 6, 77—80.
     funde aus Schermen, Hohenwarthe, Leitzkau, jetzt im museum
zu Burg; wichtig mehrere La Tène-fibeln vom ältesten typus.

141. Hirt (Jerichow), Die bronzeohrringe aus urnen von den
La Tène-urnenfeldern im Magdeburgischen. Nachr. f. d. altertumsf.
6, 87—90.
     die art der herstellung dieser 'segelförmigen', für die La Tène-
zeit charakteristischen ohrringe und ihre formen, dreieckig, länglich
viereckig, oben abgerundet oder eirund, mit strich- und punktver-
zierungen, mit gehängen, werden besprochen, daneben recht überflüssige, laienhafte anzweiflungen der bezeugung bestimmter kultur-
und zeit-perioden durch die ihnen eigenen typen geäussert.

142. H. Begemann, Mitteilungen über das Zietensche museum. Progr. d. gymn. Neuruppin   28 s. u. 3 taf. 4".
     fortsetzung zu dem 'verzeichnis der vorgeschichtlichen alter-
tümer' vgl. jsb. 1892, 7, 37. — hervorzuheben namentlich ein
kommandostab aus der ältesten bronzezeit und die nachträglichen
abbildungen eines bronzewagens, eines antennenschwertes, einer
paukenfibel.

143. Schmidt, Steinzeitfund auf der feldmark Münklitz,
kreis Westhavelland. Verhandl. d. Berlin. ges. f. anthropol. 27, 557 f.
     3 steinzeitgräber neben einem zerstörten, grossen bronzezeit-
gräberfeld, bemerkenswert, weil rechts der Elbe in der Mark erst
sehr wenige gräber aus der steinzeit bekannt sind.

144. H. Jentsch, Germanisch und Slavisch in der vorgeschichtlichen keramik des östlichen Deutschland. mit abb. Globus
68, 21—26.
     giebt eine charakteristik der beiden in burgwällen und
wohnplätzen Ostdeutschlands vielfach gemeinsam, d. h. übereinander auftretenden typen von thongefässen, des sogenannten

6*

vorslavischen oder Lausitzer (etwa 800—300 v. Chr.), der durch
die fehlenden typen der La Tène-, römischen und völkerwanderungszeit von dem andern, dem slavischen getrennt wird, und des
slavischen typus (seit 600 nach Chr.).

145. K. Altrichter, Archäologische untersuchungen in Brunn,
kreis Ruppin. Verhandl. d. Berlin. ges. f. anthropol. 27, 558—565.

146. A. Lissauer, Das gräberfeld am Haideberg bei Dahnsdorf, kreis Zauche-Belzig, und 'glockenförmige' gräber insbesondere. Verhandl. d. Berl. anthropolog. ges. 27, 97 - 118.

das gräberfeld enthielt 16 gräber fast ohne metallbeigaben,
aber mit 59 thongefässen (so viel blieben erhalten) vom jüngsten
Lausitzer typus (4. jahrh. v. Chr.) als töpfen mit und ohne henkel, ober-
tassen, schalen, terrinen, tellern, schüsseln, näpfen, doppelkonischen
urnen, näpfchen und endlich grossen, hohen gefässen, die wie glocken
über die ossuarien gestülpt waren und über denen wieder (auch eine
eigentümlichkeit) statt der etwaigen steinpackung vielmehr eine
grosse scherbenumwallung. glockenförmige gräber kommen in Brandenburg selten, häufiger rechts der Weichsel, in Westpreussen
und Polen, vor.

147. E. Krause, Hügelgräber und flachgräberfeld bei Lüsse,
kreis Zauche-Belzig. Nachr. üb. d. altertumsf. 6, 1—9.

sechs hügel bargen gräber mit einer grossen anzahl von thongefässen des jüngeren Lausitzer typus.

148 A. Götze, Hügelgräber bei Seddin, kreis West-Prieg-
nitz (zweite mitteilung). Nachr. üb. d. altertumsf. 6, 74—77.

bei einer urne fanden sich ein rasiermesser und eine pincette
nordischen stiles (jüngere bronzezeit), sowie ein südliches import-
stück, ein geschweiftes messer, dessen heimat in der Westschweiz
liegt und das in Mitteldeutschland selten (Schonon und Klein-
Rössen in provinz Sachsen, Pawelau in Schlesien), in der West-
priegnitz, sowie in Mecklenburg je zweimal, in Skandinavien gar
nicht vorkommt.

149. Grunow, Gräberfeld von Mühlenbeck bei Berlin. Brandenburgia 3, 243—245.

150. H. Jentsch, Das gräberfeld bei Sadersdorf, kreis
Guben, und andere Niederlausitzer fundstellen der La Tène- und
der provinzialrömischen zeit. Niederlausitzer mitt. 4, 1—142. —
auch in sonderausgabe.

eine nach jeder richtung hin musterhafte bearbeitung des
grossen, 68 teils urnengräber, teils brandgruben enthaltenden

gräberfeldes aus der zeit von 200 [wir meinen eher noch 300]
v. Chr. bis 300 n. Chr., wie sie in dieser allseitigkeit eben nur der
beste kenner der Lausitzer vorgeschichte geben konnte. an den
peinlichst genauen fundbericht über jedes einzelne grab schliessen
sich zusammenfassende betrachtungen der einzelnen gattungen von
fundgegenständen und weitausholende vergleichungen nicht nur mit
den übrigen gleichzeitigen gräberfeldern der Lausitz, worunter für
die La Tène-zeit Guben, Schlagsdorf und Haaso, für die römische
Reichersdorf und Lieberitz hervorragen, sondern auch mit denen
von ganz Ostdeutschland. für die Niederlausitz ist ein übergang
von den gräberfeldern des sogenannten Lausitzer typus (jüngste
bronzezeit) in die La Tène-zeit nicht festzustellen, wohl aber hängt
letztere mit der römischen zeit aufs engste zusammen. Jentsch
nimmt daher mit beginn der La Tène-zeit bevölkerungswechsel an
(einzug der Germanen?). die kultur- und handelsbeziehungen
weisen in der ganzen zeit durchaus auf den nordosten (Ostgermanen).

151. R. Buchholz, Ostgermanische gräberfunde von Goscar,
kreis Crossen. Nachr. üb. d. altertumsf. 6, 14—15.
mehr als 100 thongefässe vom älteren Lausitzer typus, daneben
aus bronze nur ein messer, eine pincette, zwei nadeln.

152. A. Götze, Depotfund von Kleinmantel, kreis Königsberg (Neumark). Nachr. üb. d. altertumsf. 6, 9—10.
6 flachkelte, cylinderspiralen, gehänge von 5 ringen, 5 spiral-
ringe aus der älteren bronzezeit.

153. E. Friedel und E. Bahrfeld, Die brandenburgischen
hacksilberfunde. Brandenburgia, Monatsbl. d. ges. f. heimatsk. d.
provinz Brandenburg 4, 14 – 19.
der grosse hacksilberfund von der Leissower mühle bei
Göritz a. O. enthält 2100 g hacksilber, 1900 g schmuck und
6000 g münzen. der schmuck besteht aus hals- und armringen,
schläfen-, finger-, ohrringen, gürtelschliessen, filigran, drahtgeflechten,
tierköpfen, reitern u. a.; die münzen gehen von Domitian bis auf
könig Heinrich II. († 1014). der fund mag zwischen 1011 und
1015 vergraben worden sein. — weiter werden noch die silberfunde
von Tempelhof, kreis Soldin, von Niederlandin, kreis Angermünde,
und Sonnewalde, kreis Luckau, besprochen.

154. E. Friedel, Ein neuer hacksilberfund aus der Odergegend. Verhandl. d. Berlin. ges. f. anthropol. 27, 141—145.
der fund wurde 1894 in der gegend der Leissower mühle bei
Frankfurt a. O. gemacht, lag in einem etwa um 1100 hergestellten
wendischen thongefäss und ist bei einem gesamtgewicht des silbers

von 21 pfund der grösste derartige in Deutschland gehobene **schatz-fund** (aufbewahrt im Märkischen provinzialmuseum).

155. H. Schumann, Zwei depotfunde von 'steinpflügen' aus der umgebung des Randowthales (Pommern). **Verhandl. d. Berlin. ges. f. anthropol. 27, 328—332.**

durchlochte etwa $^1/_2$ m lange steinkeile dienten wohl in der weise zum pflügen, dass ein mann an einem durch das konische bohrloch gesteckten baume zog, ein anderer das mit der spitze schräg nach unten stehende steingerät gegen die erde drückte.

156. A. Stubenrauch, Pommersche goldringe aus der bronze-zeit. Monatsbl. d. ges. f. pomm. gesch. u. alt. 1895, 44—46.

157. A. Voss, Gesichtsurnen von Schwartow, kreis Lauen-burg in Pommern. Nachr. f. d. altertumsf. 6, 81—86.

mehrere gesichtsurnen neuerworben, deren äussere gestalt samt ihren zeichnerischen ornamenten (schulterhöhe, gürtel, gürtel-tasche, nadeln, pferd) gedeutet werden.

158. Conwentz, XV. amtlicher bericht über die verwaltung des westpreussischen provinzialmuseums für das jahr 1894. Danzig. 5. vorgeschichtliche sammlung s. 21 ff.

bemerkenswert ist der fund eines 178 g schweren bronze-klumpens; namentlich aber eine grosse anzahl gesichtsurnen, darunter eine mit einem eisenring um den hals, andere mit figürlicher dar-stellung des ringhalskragens, von nadeln oder eines doppelbespannten vierräderigen wagens (Lindebuden). ein stück zinn in einer urne, beigaben aus mit zinn zusammengelötetem bronzedraht sind wichtige belegstücke einheimischer bronzetechnik. wichtig ist endlich ein skelettgräberfeld aus der römischen zeit bei Pelplin, von dem vor-läufig 16 gräber aufgedeckt wurden.

159. O. Helm, Chemische untersuchung westpreussischer vor-geschichtlicher bronzen und kupferlegierungen, insbesondere des antimongehaltes derselben. Zs. f. ethnol. 27, 1—17.

da die westpreussischen bronzen einen stärkeren antimongehalt aufweisen als alle anderwärts untersuchten vorgeschichtlichen bronzen mit ausnahme derer von Ungarn, wo zugleich wie in Siebenbürgen antimonerze vielerorts vorkommen, so meint H., dass das material zu den westpreussischen kupferlegierungen der vorzeit aus Ungarn bezogen wurde. allein seine beweisführung ist keines-wegs schlagend, denn er hat als laie in der archäologie die grossen chronologischen unterschiede in den bronzen gar nicht beachtet, ebensowenig, dass bei früheren chemischen untersuchungen die spuren von antimon wahrscheinlich übersehen wurden.

160. O. Helm, Chemische untersuchung vorgeschichtlicher metall-legierungen aus Siebenbürgen und Westpreussen. Verhandl. d. Berlin. ges. f. anthropol. 27, 762—768.

auch hier zeigt sich völlige unkenntnis der archäologischen chronologie, wodurch die arbeit fast wertlos wird, wenigstens für die zwecke ihres vfs.

161. Heydeck, Das gräberfeld von Daumen und ein rückblick auf den anfang einer deutsch-nationalen kunst. mit 19 taf. Sitzungsber. d. altertumsges. Prussia 19, 41—80.

dieses in der nähe von Wartenburg, kreis Allenstein, belegene gräberfeld des 5. jahrh. n. Chr. wurde in ausgezeichneter weise ausgebeutet und behandelt; es ergab 350 beisetzungen in urnen oder in kesselförmigen brandgruben, deren inhalt im einzelnen vorgeführt und mit reichen, trefflichen zeichnungen dargestellt wird. ganz abzulehnen sind jedoch die vergleichend-archäologischen ausführungen des hierin offenbar nicht geschulten vfs., sowohl über den ursprung der merowingischen, von ihm als 'gotisch' bezeichneten fibelform, als über einen teil der thongefässe, die er mit den mehr als ein jahrtausend älteren hausurnen vergleicht, als auch endlich über die anfänge der deutsch-nationalen kunst.

162. Legowski, Vorgeschichtliche gräber in Stempuchowo, provinz Posen. Nachr. üb. d. altertumsf. 6, 69—72.

163. Heinemann, Hacksilberfunde (schmuck und münzen orientalischer herkunft) von Wengierski, kreis Schroda, und Murtschin, kreis Znin. Zs. histor. ges. Posen 10, 303—304.

164. L. Feyerabend, Königswartha subterranea (forts. und schluss). Jahreshefte d. ges. f. anthropol. u. urgeschichte d. Oberlausitz. heft 4, 239—258.

dies gräberfeld von Königswartha, zum älteren Lausitzer typus gehörig, zeichnet sich wie gewöhnlich durch grossen reichtum und schönheit der thongefässe (262 stück), ebenso aber durch fast völligen mangel an metallbeigaben aus.

165. H. Seger, Ein schlesischer begräbnisplatz des 3. jahrhs. n. Chr. bei Köben an der Oder. Schlesiens vorzeit 6, 179—186.

während sonst in Schlesien zur kaiserzeit fast nur einzelgräber gefunden worden, haben wir hier einen platz mit wenigstens 4 gräbern vom ende des 3. jahrhs. n. Chr. (leichenbrand). an beigaben enthielten sie eiserne lanzenspitzen, messer, nadeln, scheren, schlüssel, schildbuckel, schildhandhaben, gürtelschnallen, feuerstahle, eiserne und bronzene fibeln.

166. C. Struckmann, Über die jagd- und haustiere der urbewohner Niedersachsens. Zs. d. ver. f. Niedersachsen 1895, 92—109.
hauptsächlich der steinzeit, namentlich der neolithischen gewidmet. S. nimmt für die zähmung der haustiere folgende reihenfolge an: hund, ren; pferd; rind, schwein; schaf, ziege.

167. G. Wolf, Vorgeschichtliche befestigungen und römer-
spuren im nordwestlichen Deutschland (Wittekindsburg, kastell
Aliso, bohlenwege u. s. w.). Korresp.-bl. des gesamtver. 1895,
15—25.

168. Atlas vorgeschichtlicher befestigungen in Niedersachsen.
originalaufnahmen und ortsuntersuchungen im auftrage des historischen vereins für Niedersachsen mit unterstützung des kgl. preuss.
ministeriums d. geistl., unterr. u. medicinal-ang. u. des hann. pro-
vinziallandtags bearbeitet von dr. Carl Schuchhardt. heft IV.
Hannover, Hahn 1894. 40 s., bl. XXIV—XXXI, eine karte.
fol. 5 m.
    während der frühere, nur militärisch geschulte bearbeiter,
v. Oppermann, mehr phantasievoll als geschichtlich-kritisch aus der
gesamtheit der am nordwestdeutschen gebirgsrande, von der Ems
bis zur Ocker befindlichen befestigungen sich eine vorgeschichtliche
wehrlinie konstruierte, ist S. vielmehr bemüht, den anteil der verschiedenen jahrhunderte bei jeder einzelnen verschanzung genau
festzustellen, und will, um eine sichere grundlage für die chronologie zu schaffen, auch die mittelalterlichen befestigungen in den
atlas aufnehmen, somit eine vollständige beschreibung der altsächsischen befestigungen geben, die der klassisch geschulte archäo-
loge natürlich lateinisch als *corpus munitionum Saxoniae* (I) bezeichnen muss. Im vorliegenden hefte werden die landwehrreste
und die burgen an der südgrenze Niedersachsens, von der Diemel
im westen über die Fulda, Werra (Münden), Leine gegen Worbis
und dann am Südharze hin dargestellt. gelegentliche berührung der
bei den ausgrabungen gewonnenen funde vorgeschichtlicher metallsachen zeigen, dass S. der vaterländischen archäologie fremd gegen-
übersteht.

169. F. Knoke, Die römischen moorbrücken in Deutschland.
mit 4 karten, 5 taf. und 5 abb. in holzschnitt. Berlin, R. Gärtner.
136 s. 5 m.
    die einleitung klärt über die technische seite der frage auf
und stellt als bedingung für römischen ursprung dieser holzwege
fest, dass auf 2—3 parallel laufenden längsschwellen dachpfannen-
artig übereinander gelegte querbohlen von etwa 3 m länge ruhen,
die an den enden mit runden oder eckig behauenen holzpflöcken
tief im erdboden festgenagelt sind; überall weist die holzbearbeitung

nur anwendung der axt und des meissels, nie die der säge auf.
solche moorbrücken weist der vf. an 8 stellen nach, von denen er 3
(Lintlage, Brägel, Sassenberg) selbst untersucht hat: westlich der
Ems in Drenthe, östlich der Ems bei Lathen, zwischen unterer
Ems und Weser in Oldenburg, zwischen Weser und Elbe (Geeste-
münde—Stade), bei Mellinghusen (Julingen) zwischen Hunte und
Weser, zwischen Damme und Hunteburg, in der Lintlage bei Diepholz, von Mehrholz nach Brägel (letztere 3 zwischen Hunte und
Hase); ausserdem südlich des Osning zwischen Iburg und Sassenberg. es ist anzuerkennen, dass der vf. hier über von Altens
ergebnisse erheblich hinausgekommen ist. die geschichtlichen folgerungen jedoch, die hieran geknüpft werden, zeigen, dass der vf.
ähnlich wie in seinen 'kriegszügen der Germanicus' überall mit
vorgefassten meinungen an die dinge herantritt und sich noch immer
nicht zu strenger selbstkritik erzogen hat. es ist zunächst abzulehnen, dass jene bohlwege durchweg römische neuschöpfungen für
einen einmaligen zweck gewesen sind, vielmehr zeigen die funde in
den mooren, dass sie sowohl vor als auch nach den Römerkriegen
dem verkehr der bewohner gedient haben müssen. dass nun vollends
gerade die moorbrücken zwischen Mehrholz und Brägel die pontes
longi des Domitius und Caecina gewesen sein müssen, hat der vf.
jetzt um nicht zwingender dargethan, als früher, ganz zu schweigen
von der Iburg-hypothese für die Varusschlacht. Germanicus soll
jetzt die Ems bis Warendorf aufwärts marschiert sein, dann nordwärts nach Iburg (Teutoburger schlachtfeld), endlich nach Barenau
(schlacht), von hier zurück über Diepholz und Barnstorf an die
untere Ems, Caecina aber von Diepholz über die pontes longi
(Mehrholz—Brägel) ebendorthin. die notwendigkeit dieses herum-
marschierens steht wohl nur für den vf. fest. ernstlich zu rügen
ist die völlig laienhafte benutzung der ausgrabungsfunde, wie
s. 117, wo ein feuersteinkeil (!), also mindestens aus dem
2. jahrtausend v. Chr., ein bronzekelt, eine bronzelanzenspitze, dies
beides spätestens aus dem 5.—6. jahrh. v. Chr., zum beweise dafür
herhalten müssen, dass die Römer an den vermeintlichen pontes
longi mit den Germanen schwere kämpfe gehabt haben. die bei
Barnstorf gefundenen römischen bronzegefässe, die K. gleichfalls herbei-
zieht, haben nichts mit diesen kämpfen zu thun; ein blick auf die abbildungen des fundberichtes lehrt, dass sie frühestens der zeit um 200 n.
Chr. angehören. K. ist so unvorsichtig, da, wo er auf besonders
schwachen füssen steht, seine oder eines andern kennerschaft auszu-
spielen, wie s. 120 und 81 anm., wo von seinem 'nachweise' die rede ist,
dass Teutoburg das 'gebirge an der Düte' (älter Thuite) ist, eine erklärung, deren richtigkeit ich trotz Hildebrand leugne. statt in
einem vorworte die 'ungewöhnliche', die 'ausschlaggebende bedeutung'

seines buches dem leser wiederholt zu gemüte zu führen, hätte K.
gegen letzteren höflicher gehandelt, wenn er ein verzeichnis des inhaltes, der karten, tafeln und textabbildungen beigegeben hätte.

170. O. Rautert, Germanische funde und ein germanisches
gräberfeld in Düsseldorf. Separatabdr. aus no. 2 der rheinischen
geschichtsblätter. mit einer tafel. Düsseldorf, L. Kinet 1894.
11 s. 0,60 m.

bei der Golzheimer heide ein kleines urnengräberfeld von kaum
20 gräbern angeblich aus augustischer zeit, mit geringen beigaben
von thongefässen, fast gar keinen metallsachen. R. schreibt es den
Sigambri zu.

171. C. Rademacher, Die germanischen begräbnisstätten
zwischen Sieg und Wupper. Nachr. üb. d. altertumsf. 6, 22—28.

172. K. Koenen, Gefässkunde der vorrömischen, römischen
und fränkischen zeit in den Rheinlanden. mit 590 abb. Bonn,
P. Hanstein. IV, 154 s. 21 taf. 6 m.

eine zusammenfassende darstellung der vorgeschichtlichen keramik, dieses ebenso wichtigen, als gegenüber den metallaltertümern
ungebührlich vernachlässigten gebietes archäologischer forschung,
gehört zu den dringendsten bedürfnissen der wissenschaft. dass K.
diese lücke auch nur für die Rheinlande ausfüllt, kann man leider
nicht sagen, wenigstens nicht für die vorchristliche zeit, wo der vf.
in ermangelung genügenden materiales oder genügender materialsammlung immer wieder zu allgemeinen kulturschilderungen ab-
schweift, die aber nur zu sehr zeigen, dass K. wohl die technik
des ausgrabens beherrschen mag, sicher aber nicht der mann für
umfassende wissenschaftliche forschung und darstellung in vorgeschichtlicher archäologie ist. brauchbar erscheint nur die fast die
hälfte des buches füllende behandlung der römischen zeit der Rheinprovinz. der mangel jeglichen verzeichnisses der abbildungen ist
um so störender, als letzteren selbst auch die unterschriften fehlen.
— angez. von M. Hoernes, Mitt. d. anthropol. ges. in Wien 25,
85 (ungünstig).

173. O. Dahm, Römische geschütze. hierzu 25 textabb.
Annal. d. ver. f. Nassauische altertumsk. 27, 215—222.

deutung einiger im herbst 1894 im Limeskastell Arzbach-Augst
bei Ems ausgegrabener eisengeräte und beschlagteile auf bestimmte
römische geschütze. mehr für die römische altertumskunde wichtig.

174. F. Regel, Thüringen. ein geographisches handbuch.
teil II. buch 2. Die bewohner. Jena, G. Fischer. s. 381—840.

von der mit A. Götze's führender beihilfe trefflich durchge-
führten übersicht über die vorgeschichtlichen verhältnisse (s. 383—524),

die sich besonders auch durch sehr reichliche litteraturangaben auszeichnet, kommt für uns nur die zweite hälfte, von der La Tène-
periode ab (s. 456 ff.), in betracht. das 20. kapitel (s. 483—496)
umfasst die sogenannte römische provinzialzeit (soll heissen: provin-
zialrömische zeit) bis 350 n. Chr. und die Zeit der völkerwanderung
bis 531 n. Chr.; das 21. kapitel (496—504) die zeit vom untergang
des königreichs bis zum tode Burchards (531—903 n. Chr.); das
22. kapitel (s. 505—524) die Slaven in der zeit der Merowinger
und Karolinger. es giebt gegenwärtig kein werk, in dem man sich
annähernd so gut wie bei Regel über thüringische prähistorie orien-
tieren kann.

175. G. Jacob, Die Gleichberge bei Römhild im herzogtum
Meiningen und ihre vorgeschichtliche bedeutung. 2. aufl. mit
vielen abbildungen und einer übersichtskarte der rundsicht vom
kleinen Gleichberg. Hildburghausen, F. W. Gadow & sohn.
98 s. 1 m.
nicht geliefert. — ein allseitiger führer durch diese namentlich
in der La Tène-zeit wichtige, keltische station, deren bewohner um
Chr. geb. von Germanen vertrieben worden sein müssen.

176. K. Köstler, Handbuch der gebiets- und ortskunde des
königreichs Bayern. I. abschnitt. urgeschichte und Römerherrschaft
bis zum auftreten der Bajoarier. mit einer karte. München, J. Lindauer. XVI, 152 s. 4⁰.
keine darstellung, sondern ein nachschlagewerk, das in 2 teile
zerfällt. der erste, die gebietskunde, behandelt in synchronistischen
tabellen die perioden: urgeschichte (steinzeit), keltisch-etruskische
(bronze-, Hallstatt-, La Tène-zeit), römische (mit der veralteten karte
von Spruner), römisch-germanische zeit, woran sich 7 beilagen
schliessen über römisches heerwesen, verfassungsgeschichte, grenz-
völker, Römerorte, Römerstrassen, grenzwall und die ersten Merowinger. der 2. teil giebt denselben stoff in alphabetischer reihenfolge nach den namen der einzelnen orte und zwar zunächst für die
beiden kreise Ober- und Niederbayern, denen die andern 6 später
folgen sollen. leider strotzt das werk von fehlern; und wenn auch
solche kompilationen, sie mögen noch so mangelhaft sein, immer
einen gewissen nutzen bringen, so hat das zulässige mass von un-
kritik doch auch hier seine grenzen. — angez. Mitt. der anthropol.
ges. in Wien 25, 184; Lit. cbl. 1896, 151; Prähistor. blätt. 7, 49 f.

177. R. Lehmann-Nitsche, Über die langen knochen der
südbayrischen reihengräberbevölkerung. Beitr. z. anthropol. und
urgesch. Bayerns. 11, 205—296 (auch als sonderdruck. 92 s.).

diese allseitig als trefflich gerühmte, zum grössten teile nur
für den anthropologen verständliche untersuchung gründet sich in
der hauptsache auf das osteologische material von 140 gräbern des
etwa 350 gräber umfassenden Allacher gräberfeldes, das höchst
wahrscheinlich von den ersten ansiedlern bayrischen stammes angelegt worden. ergänzungsweise wurden noch die reste aus im
ganzen 55 gräbern der reihengräberfelder zu Dillingen, Fischen,
Gundelfingen, Memmigen und Schretzheim hinzugezogen und unter
der bezeichnung 'Schwaben und Alemannen' jenen echten Bayern
gegenübergestellt. die nach den Manouvrierschen tabellen berechnete körpergrösse ergab für die urbayerischen männer ein mittel
von 1,68 m, für frauen ein solches von 1,54 m.

178. R. Lehmann-Nitsche, Die körpergrösse der südbayerischen reihengräberbevölkerung. Prähistor. blätt. 7, 72—75.

179. R. Lehmann-Nitsche, Ein beitrag zur prähistorischen
chirurgie. Langenbecks Arch. f. klin. chir. 51, 910—918.

bei seiner untersuchung der langen knochen der südbayerischen
reihengräberbevölkerung stiess der vf. auf eine anzahl pathologischer
fälle, knochenverletzungen und knochenerkrankungen, namentlich bei
den gräberfeldern von Allach, Dillingen, Memmingen, die einen ausgezeichneten heilungsprozess aufweisen und nach des vfs. ansicht von
äusserst geschickten altgermanischen chirurgen behandelt sein
müssen.

180. Fundberichte aus Schwaben, umfassend die vorgeschichtlichen, römischen und merowingischen altertümer, herausgegeben
vom Württembergischen anthropologischen verein unter der leitung
von G. Sixt. Stuttgart, E. Schweizerbart. jahrg. II. 1894. 48 s.
III. 1895. 72 s.

zum grösseren teile fällt der inhalt dieser fundchronik aus
Schwaben, (Württemberg, Hohenzollern, Baden, Bodensee) ausserhalb der germanischen zeit, doch ist auch die merowingische zeit
stark vertreten. von zusammenhängenden darstellungen ist nur die
abhandlung über 'die grabfunde von Pfahlheim' (bei Ellwangen)
von K. Kurtz zu nennen (II, 25—32), die von reichen, jetzt meist
in Berlin und Nürnberg befindlichen merowingischen grabfunden
(wohl des 7. jahrhs.) kunde giebt.

181. H. von Hölder, Untersuchungen über die skelettfunde
in den vorrömischen hügelgräbern Württembergs und Hohenzollerns.
Fundberichte aus Schwaben. jahrg. 2. ergänzungsheft. Stuttgart,
E. Schweizerbart. 71 s.

wir erwähnen hier ausnahmsweise diese nicht zur germanischen
vorgeschichte gehörige abhandlung, weil ihr vf., der verehrungs-

würdige veteran und leider auch gesinnungsgenosse von Holtzmann
und Lindenschmit, durch den nachweis der völligen übereinstimmung
der skelette der vorrömischen zeit, d. h. Hallstatt- und La Tène-
periode mit jenen der alemannischen reihengräber auch erwiesen
haben will, dass in Württemberg von jeher die stämme gesessen
haben, die wir durch die Römer als Kelten, Sueben, Markommen
kennen lernen. Kelten sind also ein germanischer stamm. — solche
ansichten sind natürlich zurückzuweisen. dass der ungemischte
keltische typus in vorchristlicher zeit mit dem germanischen nahezu
übereinstimmte (wie übrigens auch der slavische und der lettische),
war ja längst bekannt.

182. K. Th. Zingeler, Archäologische übersichtskarte von
Hohenzollern. mit angabe der vorhistorischen, römischen und ale-
mannisch-fränkischen überreste unter zugrundelegung der von dem
kgl. steuerinspektor F. X. Schuh 1892/93 gezeichneten übersichtskarte der hohenzollernschen lande im masstab 1 : 100 000, 68 × 71
cm (litt. anst. v. D. Walch in Ulm). Sigmaringen, selbstverlag des
vfs. 3 m.

angez. Prähistor. blätt. 7, 13—15.

183. M. Much und L. H. Fischer, Vor- und frühgeschichtliche altertümer aus Österreich-Ungarn. im auftrage d. h. ministeriums f. kultus und unterr. hrsg. von der k. k. central-kommission
für kunst- und historische denkmale. farbendrucktafel von 85 : 55 cm
bildfläche mit beigefügter figurenerklärung und einer übersicht über
die vor- und frühgeschichtliche kulturentwicklung. Wien, Ed. Hölzel
1894. 4 s. 4⁰.

nach dem muster der prähistorischen wandtafel für Süddeutschland von Tröltsch hat altmeister Much in verbessertem und um-
fassenderem masse für Österreich gesorgt. die typen der steinzeit
(paläolithisch und neolithisch), bronzezeit, Hallstatt- und La Tène-
periode, römische kaiserzeit und frühes mittelalter umfassen eine
auswahl von nicht weniger als 186 gegenständen, von Fischer
meisterhaft gezeichnet. Muchs text giebt eine knappe übersicht
über die dargestellten fundgruppen und einige 'verhaltungsmass-
regeln'. — angez. von J. Szombathy, Mitt. d. anthropol. ges. in
Wien 25, 185 f.

184. Nagy Géza, Fund aus der zeit der völkerwanderung
am Budapester wettrennplatze. Arch. értesitö 1895, 125—129.

185. F. Reichlen, Archéologie fribourgeoise. IIIᵉ livr. période post-romaine. Fribourg (Suisse), Libr. de l'université.

behandelt die alamannisch-burgundische zeit und zwar zuerst
die gräber, den schmuck, waffen und münzen, sowie die geschichte,

niederlassungen und religionen der Burgunden und Alemannen, sodann die einzelnen fundorte des kantons Freiburg.

186. C. Künne, Langobardische altertümer [in Süditalien].
Verhandl. d. Berlin. ges. f. anthropol. 27, 335.
befinden sich im museo delle terme zu Sorrent.

187. Braun, Langobardische elfenbeinpyxis im germanischen
museum. Mitt. a. d. germ. nationalmuseum 1895, 81—88.

188. Ch. H. Read, On excavations in a cimetery of South
Saxons on High Down, Sussex. mit einer taf. Archaeologia LIV.
p. 2, 369—382.
32 gräber wurden ausgebeutet und zeigten die üblichen beigaben der Merowinger zeit an fibeln, gürtelschnallen, glasbechern,
thongerät, angonen, auch eine kostbare glasschale. das gräberfeld
gehört der frühesten angelsächsischen zeit, dem 6. jahrh., an.

189. R. Virchow, Bearbeiteter bernstein von Glasinać (Bos-
nien). Verhandl. d. Berlin. ges. f. anthropol. 27, 299.
nach den untersuchungen des Danziger chemikers Helm liegt
in dieser steinzeitlichen station der Balkanhalbinsel wirklicher
succinit (mit 6,2 % bernsteinsäure) vor. das rohmaterial der bern-
steinschmucksachen muss also von der deutschen küste stammen.

190. Fr. Weber, Zur vor- und frühgeschichte des Lechrains.
mit einer karte des Lechrains. Zs. d. hist. ver. f. Schwaben und
Neuburg 22, 1—56.

---

191. M. Much, Die kupferzeit in Europa. — vgl. jsb. 1893,
7, 15. — angez. von Hoernes, Jsb. f. geschichtsw. 15, 4; von
A. Arcelin, Polybibl. 70, 349 f.

192. J. Naue, Die bronzezeit in Oberbayern. — vgl. jsb.
1894, 7, 24. — angez. von A. Lissauer, Globus 65, 149 f. (von
keinem forscher fernerhin zu entbehren).

193. L. Wilser, Neue beiträge zur kenntnis der bronzezeit.
Globus 64, 98.

194. E. v. Aufsess, Die Wogastisburg. ein beitrag zur urgeschichte Frankens. Arch. f. gesch. v. Oberfranken 19 (1) 1—10.

195. F. Barthélémy, Les sépultures franques de Cosnes.
Journ. de la soc. arch. lorraine 41, 90—94.

196. A. de Behault de Dornon, Étude sur les sépultures
franques de l'arrondissement de Mons. Ann. du Cercle arch. de
Mons 23, 282—287.

197. Ziegler, Die Frankengräber von Nettersheim. Rhein. geschichtsbl. 1, 193—198.

198. A. Götze, Die merowingischen altertümer Thüringens. Verhandl. d. berl. ges. f. anthropol. 1894, 49—56.

199. H. Söhnel, Die burgwälle Schlesiens nach dem gegenwärtigen stande der forschung. Schles. vorz. 6, 89—106.

200. d'Arbois de Jubainville, Les premiers habitants de l'Europe.

vgl. jsb. 1894, 7, 14. — angez. von E. Ernault, Bull. crit. 15, 186—194; von A. Bertrand, Rev. arch. 1894, 271—274; von L. D., Rev. de phil. anc. 18, 176 ff., ferner Sat. Rev. 1895, 132 f.

no. 104—190 Kossinna.   Bohm.

VIII. Kulturgeschichte.

1. Anzeiger des germanischen nationalmuseums. Nürnberg, verlagseigentum des germanischen museums.

no. 6 (november und dezember 1894). — 1. chronik (stiftungen, beiträge, zuwachs der sammlungen u. s. w.). 2. mitteilungen H. Bösch bringt einen aufsatz über 'das hänseln der fuhrleute in Nürnberg', eine weit verbreitete sitte, der sich alle unterwerfen mussten, die zum erstenmale die stadt besuchten. mit 4—8 mass wein gewöhnlich lösten sie sich los. über die dabei beobachteten bräuche und zeremonien geben zwei hänselordnungen aus den jahren 1811 und 1825 aufschluss, in die auch die namen der gehänselten eingetragen wurden, sie sind hier abgedruckt. — das selbstbildnis des goldschmiedes Nikolaus Weiler. — H. Bösch 'landwirtschaftliche beschäftigungen im 15. jahrh. 3 tafeln: figur 1 zeigt einen bauern, der getreide aussäet, figur 2 drei landleute, die eifrig mit dem umgraben eines weinberges beschäftigt sind und figur 3 zwei männer beim holzfällen. katalog der holzstöcke.

1895. no. 1 (januar und februar). 1. chronik (in der bekannten weise). 2. mitteilungen. Erasmus Kamyn oder Erasmus Kosler. beschäftigt sich mit den blättern, die Kamyn, einer Posener goldschmiedefamilie entstammend, gestochen haben soll. — Dürer. kleine mitteilungen. die aufschriften auf der rückseite der bildnisse Karls des grossen und Sigismunds. die kurzen dichtungen des malers werden wiedergegeben. dann wird über das Behaim'sche wappen gehandelt.

no. 2 (märz und april). handelt über eine langobardische elfenbeinpyxis im germanischen museum. II und spricht über einen
lobspruch auf das kammmacherhandwerk von Thomas Grillenmair
und Wilhelm Weber, den schluss macht Schäfer mit der 'ober-
schwäbischen bildschnitzerschule am Bodensee'.

no. 3 (mai und juni). 'ein brief Sebastian Schertlins von
Burtenbach an kaiser Karl V.' — 'krönung kaiser Friedrich III.
durch den papst Nikolaus V.', mit einer lichtdrucktafel nach einem
gemälde im germanischen museum. — 'stadtpläne und prospekte
vom 15. bis zum 18. jahrh.' — 'ein porträt H. L. Schäuffeleins im
germanischen museum'.

no. 4 (juli und august). bringt einen artikel 'zur Dürerforschung
im 17. jahrh.', ferner 'deutsche grabdenkmale' und einen artikel über
einen frühmittelalterlichen elfenbeinkamm im germanischen museum.

no. 5 (september und oktober). 1. 'zur geschichte der chirurgie'; 2. 'über ein Holzschuher'schen grabteppich vom jahre 1495'
und 3. 'eine Nürnberger stadtansicht aus dem anfange des
16. jahrhs.'

2. Zeitschrift für kulturgeschichte, hrsg. von G. Steinhausen,
neue (4.) folge der zeitschrift für deutsche kulturgeschichte. Berlin,
Felber 1895. — vgl. jsb. 1894, 8, 1. — die lieferungen sind in
diesem jahre der redaktion nicht zugegangen.

3. Grupp, Kulturgeschichte. — vgl. jsb. 1894, 8, 5. — angez.
im Histor. jahrb. 15, 179.

4. J. Nikel, Allgemeine kulturgeschichte. im grundriss dargestellt. (Wissenschaftliche handbibliothek. dritte reihe. lehr-
und handbücher verschiedener wissenschaften. II.) Paderborn, Ferdinand Schöningh. XVI, 505 s. 6 m.

das werk ist von katholischem standpunkte aus geschrieben,
indessen im allgemeinen in leidenschaftslosem tone gehalten; eine
ausnahme macht der abschnitt über Luther. der wissenschaftliche
wert des werkes ist äusserst gering. vgl. Litztg. 1895 (16) 495.

5. G. Hirth, Kulturgeschichtliches bilderbuch. 2. auflage.
1.—4. lief. München, Hirth. à 2,40 m.

6. J. v. Falke, Aus alter und neuer zeit. neue studien zu
kultur und kunst. 2. aufl. Berlin, Allgemeiner verein für deutsche
litteratur. VII, 339 s. 5 m.

7. F. G. Schultheiss, Geschichte des deutschen national-
gefühls. — vgl. jsb. 1894, 8, 12. dazu kommt eine eingehende besprechung von Martens, Mitt. d. hist. litt. 23, 49.

8. Georg Steinhausen, Der wandel deutschen gefühlslebens seit dem mittelalter. eine Jenaer rosenvorlesung. Hamburg, verlagsanstalt und druckerei. 43 s. 0,80 m.

9. Fr. Jecklin, Kultur und kunstgeschichtliches aus den Churer ratsakten. Anz. f. schweiz. alt. 1894, 311 ff., 343 ff.

handelt über in Chur beschäftigte kunsthandwerker: den maler Rutenzwig von Basel, die steinmetzen Klain von Freienstadt, Bilgeri von Feldkirch, den bildhauer Rust von Ravensburg.

10. O. Henne am Rhyn, Geschichte des rittertums. (Illustrierte bibliothek der kunst- und kulturgeschichte.) Leipzig, Friesenhahn o. j. (1893). 248 s.

behandelt in zwei hauptabteilungen das weltliche und geistliche rittertum. die ritterburgen, das leben der ritter, ihre kriegerische und dichterische thätigkeit werden geschildert. von den geistlichen orden erfahren templer, johanniter und deutscher orden eine ausführliche darstellung (s. 190—232). ungefähr 200 textillustrationen sind dem werke beigegeben. — das werk wird günstig besprochen, Litztg. 1895 (9) 269.

11. Eberhard Windeckes denkwürdigkeiten zur geschichte des zeitalters kaiser Sigmunds. hrsg. von dr. W. Altmann. Berlin 1893. — vgl. jsb. 1894, 7, 107. dem vf. ist es geglückt, in das chaos der zerstreuten aufzeichnungen, erzählungen und berichte des Windecke zur geschichte Sigmunds licht zu bringen. trotz der wertvollen beiträge, die Droysen, Lorenz und Reifferscheid schon geliefert hatten, war doch so gut wie alles zu thun. zu dem zwecke musste er die höchst nachlässigen abschriften benutzen, da die originalhs. verloren gegangen ist. die einleitung bespricht die hsr.liche überlieferung und die litteratur und charakterisiert den autor und sein werk, das ein 'anschauliches bild von dem treiben in Sigmunds umgebung' liefert. es ist auch lobend anzuerkennen, dass eine ganze reihe von registern den wert des werkes erhöht. — vgl. Hist. zs. 37, 491.

Landschaften. 12. O. Wendler, Geschichte Rügens von der ältesten zeit bis auf die gegenwart. Bergen auf Rügen, F. Becker. 159 s. 1,50 m.

13. M. Toeppen, Beiträge zur geschichte des Weichseldeltas. (Abhandlungen zur landeskunde der provinz Westpreussen, heft 8.) Danzig, Bertling in komm., 1894, VIII, 129 s. 4⁰. nebst karte. 6 m.

der erste abschnitt giebt die aufzählung der quellen und karten, der zweite schildert die gewässer des Weichseldeltas im anfange der deutschordensherrschaft in Preussen, der dritte beschäftigt sich mit den dammbauten, besonders an den beiden ufern der Nogat, während der vierte eine chronik der historisch beglaubigten dammbrücke bringt. die politischen und administrativen wandlungen des Marienburger werders bis 1650 schildert der fünfte abschnitt, der sechste bespricht den Drausensee, der letzte die nehrung und die tiefe, d. h. die verbindungen des haffes mit der Ostsee. zwei register beschliessen das treffliche buch. — vgl. Litztg. 1895 (7) 211.

14.   O. Kähler, Die grafschaften Oldenburg und Delmenhorst in der ersten hälfte des 15. jahrhs. Marburger diss. 1894.

die fehden der Oldenburger grafen, die erst unter graf Dietrich, dem stammvater des dänischen königshauses, zum abschluss gelangen, werden erzählt. allgemeines interesse dürfte der zweite teil beanspruchen, der in einer darlegung der gräflichen einkünfte aus grund- und landesherrlichen gefällen einen nicht unwichtigen beitrag zur deutschen wirtschaftsgeschichte bildet. — die dissertation giebt viel neues material aus archiven.

15.   J. Teusch, Zur geschichte der schwäbischen und elsässischen reichs-landvogteien im 13. jahrh. II. jahresber. d. gymn. an Aposteln zu Köln. Köln, Bachem 1893. 4⁰. 17 s.

es werden die namen der landvögte festgestellt und betrachtungen über ihre kompetenzen angeknüpft.

16.   P. v. Stälin, Über die entwicklung des württembergischen staatsgebietes. Lit. beilage des staatsanzeigers für Württemberg 1894, 1; 33.

17.   J. Kröger, Niederlothringen im 12. jahrh. progr. d. oberrealschule zu Elberfeld. Elberfeld, Martini und Grüttefien. 60 s. 4⁰.

von dem inhalt kommt das meiste für das französische Lothringen in betracht.

18.   J. Becker, Die landvögte des Elsasses und ihre wirksamkeit v. Heinrich VII. 1308 bis zur verpfändung der reichslandvogtei an den Kurfürsten der Rheinfalz 1408. Strassburger diss. Strassburg, Müller, Herrmann u. co. VIII, 40 s. 4⁰.

angez. von Wiegand, Zs. f. gesch. d. Oberrheins n. f. 9, 731.

19.   V. Hasenöhrl, Deutschlands südöstliche marken im 10., 11. und 12. jahrh. Wien, F. Tempsky in komm. 144 s. mit 6 karten. 4,40 m. (aus 'Archiv f. österr. gesch.').

Städte.   20.   H. Bonk, Die städte und burgen in Altpreussen (ordensgründungen) in ihrer beziehung zur bodengestaltung. mit 44 altpreussischen städteplänen aus dem anfang des 19. jahrh.

(auf 11 taf.) [Altpreuss. monatsschrift 31, 320 f.] Königsberg. F. Beyer. 146 s. 4 m.

21. Warschauer, Stadtbuch von Posen. — vgl. abt. 9, 82.

22. H. Markgraf, Der Breslauer ring und seine bedeutung für die stadt. mitteilungen aus dem stadtarchiv und der stadtbibliothek zu Breslau. mit einem plane des ringes im anfange des 19. jahrhs. Breslau, E. Morgenstern 1894. 92 s. 1,50 m.
bei bearbeitung des materials, das sich in den unter seiner leitung stehenden instituten findet, geht der vf. von der neugründung der deutschen stadt aus, nachdem die alte slavische siedelung ein raub tatarischer zerstörungswut geworden war. den mittelpunkt derselben bildete der ring mit seinen verschiedenartigen bauwerken, deren schicksale bis in die neueste zeit hinein verfolgt werden. vgl. Litztg. 1895 (1) 14.

23. R. Ehrenberg, Hamburg und England im zeitalter der königin Elisabeth. Jena, G. Fischer. VIII, 362 s. 7,50 m.

24. P. Hasse, Kaiser Friedrich I. freibrief für Lübeck vom 19. september 1188. mit 2 tafeln. Lübeck, lichtdruck und verlag von Ernesto Tesdorpf 1893. 19 s. 4⁰. 5 m.
günstig besprochen Litztg. 1895 (9) 270.

25. G. Hoffmann, Geschichte der stadt Kattowitz. im auftrage des magistrats bearbeitet. Kattowitz, G. Siwinna. IV, 183 s. geb. 6 m.

26. Ludwig Schmidt, Urkundenbuch der stadt Grimma und des klosters Nimbschen. Leipzig, Giesecke und Devrient. XXIV, 439 s. mit 2 lichtdrucktafeln. 24 m.
(codex diplomaticus Saxoniae regiae. im auftrage der königl. sächs. staatsregierung. hrsg. von Otto Posse und Hubert Ermisch. II. hauptteil. 15. bd. gr. 4.)

27. Hölscher, Kurzer überblick über die geschichte der abtei und stadt Herford. (mit statistischen und historischen erläuterungen und kleinem führer; festschrift zum 19. westfälischen städtetag am 21. und 22. juni 1895.) Herford, H. Wolff. 36 s. mit ansicht und farbigem stadtplan. gr. 16. 0,75 m.

28. E. Otto, Die bevölkerung der stadt Butzbach in der Wetterau während des mittelalters. — vgl. jsb. 1894, 8, 33. — günstig bespr. Litztg. 1895 (5) 146.

29. H. Meissner, Die stadt Gera und das fürstliche haus Reuss j. l. eine chronologische zusammenstellung der in der ge-

schichte derselben vorgekommenen wichtigsten ereignisse. **Gera,**
K. Bauch. VII, 776 s. geb. 9 m.

30. Chr. Meyer, Quellen zur geschichte der stadt Hof. —
vgl. abt. 7, 88.

31. J. Nover, Das alte und das neue Worms in schrift und
bild. mit 2 kunstbeilagen und zahlreichen illustrationen. **Worms,**
H. Fischer. VIII, 183 s. geb. 2,50 m.

32. F. W. Strauss, Geschichte der stadt München-Gladbach
von den ältesten zeiten bis zur gegenwart. in kurzen umrissen **darge-**
stellt. München-Gladbach, F. W. Strauss. VI, 99 s. mit **einer an-**
sicht. 1 m.

33. W. Brüll, Chronik der stadt Düren. (mit **12 holz-**
schnitten und einem plan). Düren, L. Vetter u. co. **V, 237 s.**
geb. 3,50 m.

34. Beiträge zur geschichte vornehmlich Kölns und der **Rhein-**
lande. zum achtzigsten geburtstage Gustav von Medissens, **darge-**
bracht von dem archiv der stadt Köln. Köln, **M. Du Mont-Schau-**
berg. 8 m.
    was der jubilar zur hebung der wirtschaftlichen **entwicklung**
seiner heimatprovinz gethan, was man seinem verständnis **für die**
ziele und aufgaben der geschichte verdankt: die durchführung **der**
aufgabe, die kultur der rheinlande in ihrer wunderbaren **mannig-**
faltigkeit zu entschliessen, soll diese sinnige ehrung ausdrücken. —
    1. Stein, deutsche stadtschreiber im mittelalter. zieht **auch**
die litteratur zur niederländischen geschichte heran. — 2. **Geering,**
über städtische wirtschaftsbilanzen. beschäftigt sich mit der **jüngsten**
zeit. — 3. Lamprecht giebt einen besseren neudruck des **schon**
von Ennen herausgegebenen gerichtsbuches der schöffen des **hoch-**
gerichts Erpel. — 4. Lörsch giebt als ergänzung zu dem 1883 erschienenen verzeichnis rheinischer weistümer eine übersicht über **die**
im Kölner stadtarchiv befindlichen rechtsquellen. — 5. **Gothein,**
rheinische zollkongresse und handelsprojekte am ende des 17. **jahrhs.**
— 6. Höniger, älteste urkunde der Kölner Richerzeche. **weist**
die entstehungszeit des undatierten schriftstückes als in die **jahre**
1178 bis 1182/83 fallend nach und unternimmt zum ersten **male**
den versuch, das durch die beendigten register erschlossene **thatsachen-**
und namenmaterial der schreinskarten für die ältere Kölner **sozial-**
geschichte zu verwerten. — 7. Lau bringt einen aufsatz über **das**
'schöffenkollegium des hochgerichts zu Köln bis zum jahre **1396'.**
unter den schöffen im engeren sinne werden die schöffenamtleute
von den amtierenden unterschieden. hinsichtlich der **besetzung**

durch bestimmte familien ergiebt sich ihm das resultat, dass 'fast alle bekannteren familien einmal im besitz von schöffenstühlen gewesen seien'. — 8. Kelleter bietet äusserst scharfsinnige und ergebnisreiche bemerkungen 'zur geschichte des Kölner stadtpfarrsystems'. — 9. Diemars aufsatz betitelt sich 'Johann Vrunt von Köln als protonotar' (1442 bis 1448). die übrigen sind in kulturgeschichtlicher hinsicht weniger von bedeutung.

35. E. R. Daenell, Die Kölner konföderation vom jahre 1367 und die schonischen pfandschaften (Leipziger studien aus dem gebiet der geschichte, heft 1). Leipzig, Duncker u. Humblot 1894. XIII, 174 s.

vf. liefert, auf die quellen zurückgehend, ein klares, seine vorgänger verbesserndes bild von den verwicklungen dieser periode, die zum ersten male im zusammenhange gewürdigt werden. — vgl. Litztg. 1895 (3) 81.

36. J. Maurer, Geschichte der landesfürstlichen stadt Hainburg. zu ihrem 1000jährigen jubiläum, zumeist nach ungedruckten quellen verfasst. Wien, selbstverlag. 582 s. 2,50 m.

bietet viel kulturgeschichtliches material und ist sehr anerkennend besprochen im Österr. Litbl. 1894, 521 von Helfert.

37. Th. Ludwig, Die Konstanzer geschichtschreibung bis zum 18. jahrh. Strassburger diss. Trübner. VIII, 271 s.

eine sehr bedeutende leistung. die entwickelung der historiographie über stadt und bischöfe von Konstanz, quellenkritisch bearbeitet, wird hier in ihrem vollen umfange vorgeführt: von der bürgerlichen durch die humanistische bis in die anfänge der modernen zeit in der weise, dass die einzelnen werke und ihre verfasser kritisiert werden. die arbeit unternimmt es auch, verloren gegangene stücke zu rekonstruieren; so insbesondere die um 1390 verfasste chronik des Johann Stetter. dieser abschnitt ist eigentlich der wichtigste der ganzen arbeit, denn er deckt manche ungenauigkeiten und manches kritisch unhaltbare in den arbeiten neuerer herausgeber (Ruppert, Konstanzer chroniken) auf.

38. A. Mays u. K. Christ, Neues archiv der stadt Heidelberg und rheinischen pfalz. bd. I und II. Heidelberg, Weiss, 1890 und 1894.

der erste band enthält mehr biographische und antiquarische notizen; der zweite lehrreiche auseinandersetzungen über die bürgerliche verfassung der stadt, über die münzverhältnisse, die masse und gewichte, die flösserei, fischerei und den holzhandel. interessant und wichtig sind auch die vielen beigegebenen anmerkungen; das

ganze ist eine sehr dankenswerte publikation. — vgl. Litztg. 1895
(16) 498.

39. A. Kaufmann, Die entstehung der stadt Mülhausen und
ihre entwicklung zur reichsstadt. progr. d. gymn. zu Mülhausen im
Elsass. Mülhausen, Wenz u. Peters. 45 s.
angez. von Wiegand, Zs. f. gesch. des Oberrheins, n. f. 9, 733.
die sorgfältige arbeit sucht licht zu verbreiten über die dunklen anfänge der stadt, die vermutlich dem kloster St. Stephan zu Strassburg und später wohl dem Strassburger bischof unterstand. nachdem sie noch durch die staufische zeit hindurchgegangen war, erfolgte 1293 ihre entwicklung zur reichsstadt. F. Hirsch, Mitt.
a. d. hist. litt. 23, 9.

40. A. Bühler, Salzburg und seine fürsten. ein rundgang
durch die stadt und ihre geschichte. 2. aufl. Reichenhall, H. Bühler.
V, 288 s. geb. 3,50 m.

41. F. V. Zillner, Die salzburgischen marktflecken. eine
geschichtliche studie. (Mitt. zur gesch. des Salzburger landes
34, 153.)
die schrift handelt nicht nur über zahl und lage der marktflecken, sondern auch über die orts- und zeitumstände, aus denen sie
hervorgingen; über ihre grösse, obrigkeit, bürgerschaft, über gewerbe und handel und schliesslich auch über die marktsiegel.

42. Umlauft, Namenbuch der stadt Wien. — vgl. abt. 2, 28.

43. St. v. Buchwald, Geschichte des hafenkastells von Triest
und des domes von St. Just. mit 4 abb. und einem plan des hafenkastells. Linz, städtebilder-verlag. 40 s. 0,70 m.

Familien. 44. M. Schmitz, Die grafen und fürsten von Hohenzollern. von den ältesten zeiten bis auf die gegenwart. Sigmaringen,
Liehner. VI, 110 s. 1,60 m.

45. Fr. Volger, Die dynastengeschlechter Hohenzollern und
Wettin, ihre abstammung und ihre stellung in der deutschen ge-
schichte bis zum ende des 13. jahrh. Altenburg, O. Bonde.
V, 178 s. 1,50 m.

46. O. Vater, Die sächsischen herrscher, ihre familien und
verwandten. Rudolstadt, selbstverlag. 47 s. mit 5 stammtafeln.
4°. kart. 5 m.

47. L. Conrady, Die geschichte des hauses Nassau von den
ältesten zeiten bis zum ersten träger des namens Nassau. Annalen
des ver. f. gesch. Nassaus 26.

48. Th. Schön, Ein beitrag zur genealogie des fürstenhauses Württemberg. Deutscher herold 25, 101.

teilt genauere daten über das todesdatum des sohnes grafs Ludwig I. Andreas, der dritten gattin des grafen Ulrich des vielgeliebten und die genaueren daten des todes der gattin graf Eberhard des greiners und der herzogin Sophie von Lothringen mit.

49. J. Kindler von Knobloch, Oberbadisches geschlechterbuch, hrsg. von der badischen historischen kommission. 1. bd, lief. 1 und 2. Heidelberg, Winter. 80 u. 80 s.

ein nicht ganz mit wissenschaftlicher methode und gründlich gearbeitetes werk, doch im einzelnen recht brauchbar. — vgl. Litztg. 1895 (22) 689.

50. H. Witte, Genealogische untersuchung zur geschichte Lothringens und des Westrich. (jahrbuch d. ges. f. lothring. gesch. 1893 [5, II], 26.)

den ursprung und zusammenhang von herrengeschlechtern im Westrich, d. h. in dem landstrich zwischen Mosel, Saar, Nahe und Lauter, auch für die karolingische zeit, ferner die elsässische abstammung der herzöge von Lothringen festzustellen, setzt sich die arbeit zum ziel. die verbindung der Karolinger mit den Etichonen durch Lothars gemahlin steht fest. die Matfriede im Bliesgau sind gleichfalls verwandt und spielen namentlich in den westfränkischen kämpfen eine rolle.

51. W. v. Holleben, Geschichte der familie von Holleben. Gotha, F. A. Perthes. V, 191 und 16 s. mit wappen im text, 1 farbendruck und 2 karten. 8 m.

52. R. v. Loebell, Zur geschichte der familie von Loebell (v. Leubell gen. v. Loebell). aus urkunden und handschriften ermittelt und zusammengestellt. mit einer wappenabbildung in farbendruck und einer stammtafel. Berlin, E. S. Mittler und sohn. 41 s. 2,75 m.

das werkchen soll eine vorarbeit für eine umfassende darstellung sein und ist günstig besprochen durch v. Zepelin, Litztg. 1895 (21) 656.

53. Wolf von Tümpling, Geschichte des geschlechts von Tümpling. II. band: bis zur gegenwart. mit urkunden-anhang, bildnissen, anderen kunstbeilagen, gefechtsplänen, facsimiles, stamm- und ahnentafeln, siegel- und handschriftentafeln und einem stammbaum. Weimar, Böhlau 1892. VIII, 784 s. u. 137 s. urkunden.

angez. und günstig besprochen durch von Zepelin, Litztg. 1895 (1) 20.

54. Th. Schön, Die Reutlinger patrizier- und bürgerge-
schlechter bis zur reformation. Reutlinger geschichtsbl. 5, 12; 30;
45; 69; 84; 100.

55. E. Gr. von Fugger, Die Seinsheim und ihre zeit. eine
familien- und kulturgeschichte von 1155—1890. München, Piloty
1893. VII, 263 s. 4⁰.

angez. Monatsschr. d. hist. ver. f. Oberbayern 1894, 31. die
beigegebenen kulturgeschichtlich interessanten abbildungen der
schlösser, grabmäler, porträts und medaillen des geschlechts gestalten das buch zu einem prachtwerk.

Buch- und schriftwesen. 56. Ch. Schmidt, Répertoire bibliographique strasbourgeois jusque vers 1530. 5. Mathias Hupfuff
1492—1520. 6. M. Flach père 1477—1500. 7. M. Flach fils
1501—1525. Strassburg. Heitz 1893. 4⁰. III, 46 s.; VIII, 43 s.
12 m.

angez. Lit. cbl. 1894, 1540; eine tadelnde rec. Zs. f. gesch. d.
Oberrheins n. f. 9, 343.

57. K. Steiff, Philipp Uhlhart. Allg. d. biogr. 39, 186 f.
K. Steiff, Hans Varnier. ebd. 39, 499 f. K. Steiff, Johann
Veldener. ebd. 39, 571—573. K. Steiff, Reynier Velpius. ebd.
39, 573 f. Ant. Mayer, Vietor. ebd. 39, 686 f.

58. A. Thürlings, Der musikdruck mit beweglichen metall-
typen im 16. jahrh. und die musikdrucke des Mathias Apiarius in
Strassburg und Bern. Leipzig. Breitkopf & Härtel 1892. 32 s.
behandelt die zeit um 1520.

59. Pfau, Das gotische steinmetzzeichen. (Beiträge zur kunstgeschichte, n. f. 22). Leipzig, Seemann.

60. A. Klemm, Die unterhütte zu Konstanz, ihr buch und
ihre zeichen. mit 3 taf. steinmetzzeichen. Zs. f. gesch. d. Oberrheins, n. f. 9, 193.
giebt die nachrichten aus zwei in Strassburg befindlichen
hsren., die als das Konstanzer hüttenbuch bezeichnet werden
(1515—1864).

61. C. Wutke, 'Besuchbriefe' (fürstliche höflichkeitsschreiben)
aus dem 16. jahrh. Mitt. z. gesch. d. Salzburger landes 34, 276.
drei solcher schreiben aus dem Breslauer stadtarchiv werden
mitgeteilt vom erzbischof Hans Jakob von Salzburg 1567—1569 an
den herzog Georg II. von Liegnitz-Brieg gerichtet.

62. P. Heitz, Die Zürcher büchermarken bis zum anfang
des 17. jahrh. hrsg. durch die stiftung von Schuyder von Warten-
see. Zürich, Fäsi u. Beer. fol.

vgl. jsb. 1893, 8, 76, wo die Elsässischen büchermarken besprochen werden. — auch diese arbeit lässt nichts zu wünschen übrig. sie bringt im ganzen 39 zeichen, die allerdings nicht durchgehend rein buchhändlerischer natur sind. da unter anderem auch marken vorhanden sind, die von Holbein herrühren, so darf die sammlung auch auf kunsthistorisches interesse im engeren sinne anspruch erheben. — vgl. Litztg. 1895 (14) 427.

63. P. Heitz und Chr. Bernoulli, Basler büchermarken bis zum anfang des 17. jahrhs. Strassburg, Heitz. 40 m.

64. Fr. Hubert, Vergerios publizistische thätigkeit. — vgl. jsb. 1894, 8, 98. — eingehend besprochen Hist. zs. 37, 496.

Chronisten und urkunden. 65. O. Blümcke, Berichte und akten der hansischen gesandtschaft nach Moskau im jahre 1603. Halle, buchhandlung des waisenhauses 1894. XIII, XXIV und 255 s.

als siebenter band der vom hansischen geschichtsverein herausgegebenen 'hansischen geschichtsquellen'. die Stralsunder relation, das diarium der Lübecker, Zacharias Meyers einnahme- und ausgabebuch, die Stralsundische reisekostenberechnung sind grossenteils neu und bisher unbekannt. — die gesandtschaft selber ist ein kulturhistorisch wichtiger beitrag zur geschichte des norddeutschen städtewesens im 17. jahrh. — auch in methodischer hinsicht wird die arbeit günstig besprochen von Th. Schiemann, Litztg. 1895 (2) 48.

66. Landtagsakten von Jülich und Berg: 1400—1610. hrsg. von G. v. Below. 1. bd. 1400—1562. Düsseldorf, L. Voss. XVI, 824 s.

kap. 1 orientiert über das quellenmaterial, kap. 2 ort und zeit der landtage, kap. 3 die allgemeine stellung der landstände und das umfangreiche kap. 4 handelt von den kompetenzen der landstände. günstig rec. Litztg. 1895 (39) 1227.

67. F. Runge, Die niederdeutsche bischofschronik. — vgl. abt. 7, 65. enthält viel kulturgeschichtlich wichtiges.

68. H. Reimer, Hessisches urkundenbuch. 2. abteilung. urkundenbuch zur geschichte der herren von Hanau und der ehemaligen provinz Hanau. 3. bd. 1350—1375. Leipzig, Hirzel. 24 m.

69. Fr. Dürr, Heilbronner chronik. Heilbronn, E. Salzer. 1. lief. VII, s. 1—48 mit einer farbigen und einer schwarzen taf. lief. 0,50 m.

70. A. v. Jaksch, Die Gurker geschichtsquellen 864—1232. im auftrage der direktion des geschichtsvereins für Kärnten zum 100. geburtstage Gottliebs freiherrn von Ankershofen und zum

50 jährigen jubelfest des vereins hrsg. im anhange 20 siegelbilder.
XXIII, 432 s. (Monumenta historica ducatus Carinthiae. 1. bd.).
Klagenfurt, v. Kleinmayr in komm. 20,40 m.

71. Die chroniken der deutschen städte vom 14. bis 16. jahrh.
auf veranlassung sr. maj. des königs von Bayern hrsg. durch die
historische kommission bei der kgl. akademie der wissenschaften.
24. bd. Die chroniken der westfälischen und niederrheinischen
städte. 3. bd. Soest und Duisburg. Leipzig, Hirzel. CLXXIV,
283 s. 12 m.

72. Basler chroniken, hrsg. von der historischen und antiquarischen gesellschaft in Basel. 5. bd. bearb. von A. Bernoulli.
Leipzig, S. Hirzel. VI, 606 s. 16 m.

73. K. Albrecht, Rappoltsteinisches urkundenbuch. 759 bis
1500. quellen zur geschichte der ehemaligen herrschaft Rappolt-
stein im Elsass. 3. bd. 1409—1442. Colmar, Barth. VIII,
657 s. 4⁰.

Gewerbe und zunft. 74. A. Mell, Die sogenannten schützen-
lehen und schützenhöfe in Steiermark. Mitt. d. hist. ver. f. Steiermark 42, 146.
seit der mitte des 12. jahrh. nachweisbar standen die 'sagittarii'
im dienste der landesherren und einiger bedeutenderer ministerialen.
sie hatten geringe dienstlehen, wofür sie persönliche kriegsfolge
leisten mussten, besonders gegen die Ungarn. von 'schützenhöfen'
wird gesprochen bis ans ende des 16. jahrh.

75. M. Radlkofer, Beschreibung des büchsenschiessens im
jahre 1555 zu Passau durch den Augsburger pritschenmeister Lienhart Flexel. Verhandl. d. hist. ver. f. Niederbayern 29, 129.

76. E. Hausser, Das bergbaugebiet von Markirch. mit
karte. jsb. der realschule zu Markirch. Markirch, Cellarius 1893.
19 s. 4⁰.
giebt eine kurze geschichte des Markircher bergbaues.

77. W. Schmid, Eine goldschmiedeschule in Regensburg um
das jahr 1000. mit 3 taf. Münchener diss., 1893. 46 s.

78. L. Faust, Une ancienne verrerie lorraine. Rev. eccl. de
Metz 5, 53; 102; 151.

79. L. Beck, Geschichte des eisens in technischer und kulturgeschichtlicher beziehung. 2. abt. das 16. und 17. jahrh. Braunschweig F. Vieweg und sohn, 8. (schluss-)lieferung. XII und
s. 1233—1332. 3 m. — vgl. jsb. 1894, 8, 247, wo teil 1 angezeigt ist.

80. K. O. Harz, Die seidenzucht in Bayern (I. periode). Forschungen zur kultur- und litteraturgeschichte Bayerns 2, 30.

81. F. Anderegg, Die entwicklung der milchwirtschaft mit besonderer berücksichtigung derjenigen der Schweiz. Zs. f. Schweizer statistik 33, 229. [auch sep. Zürich, Orell, Füssli. 207 s. 4 fr.].

bietet wenig neues, obgleich in den publikationen der historischen vereine, namentlich der Innerschweiz, über die landwirtschaftlichen verhältnisse viel zu finden gewesen wäre.

Gottesdienst und kirche. 82. C. Mirbt, Quellen zur geschichte des papsttums. Freiburg i. B., J. C. B. Mohr. 4 m.

83. L. König, Die päpstliche kammer unter Clemens V. und Johann XXII. ein beitrag zur geschichte des päpstlichen finanzwesens von Avignon. Wien, Mayer u. co. 1894. VI, 87 s.

der vf. ist dem papsttume freundlich gesinnt. er behandelt 1. einnahmen, 2. ausgaben. zu den ersteren gehören reservationen, konfirmationen, translationen, servitia communia, servitia secreta, palliengelder, gaben bei der visitatio, taxen für ballen und briefe, intercalarfrüchte, zehnten, beisteuer zum unterhalt der legaten; die letzteren erfolgen für den päpstlichen hofhalt, das dienstpersonal, wohlthätige zwecke, mission u. s. w., ferner auch für werke der kunst, neuanschaffungen auf diesem gebiete, für hebung der wissenschaften, für bekämpfung der wirren in Italien. — vgl. Lit. cbl. 1894 (43) 1557.

84. J. Clausen, Papst Honorius III. (1219—1227). eine monographie. Bonn, P. Hauptmann. VIII, 413 s. 5 m.

85. F. A. K. Krauss, Im kerker vor und nach Christus. schatten und licht aus dem profanen und kirchlichen kultur- und rechtsleben vergangener zeiten. in drei büchern. Freiburg i. B. und Leipzig, J. C. B. Mohr (Paul Siebeck). IX, 380 s. 7 m.

diese studie zur geschichte des gefängniswesens kommt nach der rec. von K. Löschhorn, Litztg. 1895 (40) 1265 zu folgenden resultaten: 1. in der alten kirche herrschte der grundsatz der entziehung von kirchlichen rechten vor. — 2. das spätere kirchliche strafwesen mit seinen zwangs- und schreckmitteln lässt sich nicht rechtfertigen, am allerwenigsten mit bezug auf das evangelium. — 3. von der kirche eingeführte kerker- und todesstrafen sind unbedingt als eine traurige verirrung des kirchlichen strafrechts zu bezeichnen. — 4. besonders anzuerkennen sind die schon in frühen zeiten von behörden und einzelnen ausgehenden forderungen der milde und humanität gegen die gefangenen.

86. F. X. Kraus, Die christlichen inschriften der rheinlande. 2. teil: die christlichen inschriften von der mitte des 8. bis zur

mitte des 13. jahrh. 2. abt.: die inschriften der erzbistümer Trier
und Köln. — vgl. jsb. 1894, 8, 83. Theol. litztg. 1895 (9) 37
wird das werk sehr lobend besprochen von G. Ficker.

87. Bahlmann, Deutschlands katholische katechismen. —
vgl. jsb. 1894, 8, 84. Cbl. f. bibl.-wesen 12, 42 f. 'eine bibliographische arbeit der man grosse belesenheit und übersichtlichkeit
nicht wird absprechen können'. die arbeit wird als sehr brauchbares hilfsbuch empfohlen für studien, die in dieses gebiet ein-
schlagen. Lit. cbl. 1894 (46) 1657.

88. W. Moll, Die vorreformatorische kirchengeschichte der
Niederlande. deutsch bearb. nebst 1. einer polemik gegen die im
ersten bande der Janssen'schen geschichte des deutschen volkes
enthaltenen kirchengeschichtlichen irrtümer und 2. einer abhandlung über die bedeutung kirchengeschichtlicher bildung für das
geistliche amt von P. Zuppke. Leipzig, Barth. XLV, 342 und
770 s. 18 m.

89. J. Loserth, Beiträge zur geschichte der husitischen bewegung. (aus 'Archiv für österr. geschichte'.) V. bd.: gleichzeitige
berichte und aktenstücke zur ausbreitung des wiclifismus in Böhmen
und Mähren von 1410—1419. gesammelt und mit kritischen und
erläuternden anmerkungen hrsg. Wien, F. Tempsky in komm.
92 s. 1,80 m.

90. Uhlmann, König Sigmunds geleit für Hus. — vgl. abt.
9, 51. die arbeit enthält auch für die kulturgesch. interessantes.

91. P. Jacobs, Geschichte der pfarreien im gebiete des ehemaligen stiftes Werden a. d. Ruhr. 2. teil. — vgl. jsb. 1893, 8,
105. 1894, 8, 111. — fernere anzeigen Lit. handweiser 1894 (6),
welche günstig gehalten ist. Lit. rundsch für das kathol. Deutschland 1894, 333. Beitr. z. gesch. d. niederrheins 8, 236, welche
gleichfalls anerkennend gehalten ist.

92. O. Rieder, Kirchengeschichtliches in den zeitschriften
der historischen vereine in Bayern. Beitr. f. bayr. kirchengeschichte 1, 41.

93. G. Hager, Die bayerischen cistercienserkirchen des mittelalters. Monatsschr. d. hist. ver. f. Oberbayern 1893, 73.

94. Th. Kolde, Beiträge zur bayerischen kirchengeschichte.
1. bd. Erlangen, Junge. 4 m.

95. A. Hirschmann, Die heilige Sola. Ingolstadt, Gang-
hofer 1894. 84 s. 4⁰.
festschrift zur 1100 jährigen feier des todestages des heiligen.
durch ihr äusseres, wie durch den gediegenen inhalt gleich ausge-

zeichnet. in 3 abschnitten handelt vf. über der heiligen lebens-
beschreiber Ermanrich und dessen meist mündliche quellen, über
die wenigen feststehenden thatsachen und über das grab in
Solnhofen.

96. C. F. Arnold, Caesarius von Arelate und und die gallische
kirche seiner zeit. Leipzig, Hinrichs 1894. XII, 607 s. 16 m.
bietet weit mehr als eine blosse biographie des Caesarius; es
werden fast alle seiten des kirchlichen lebens besprochen; so
werden die sittlichen, religiösen und kirchlichen zustände Galliens,
der streit zwischen Arles und Vienne, die beziehungen des papsttums zur gallischen kirche, die konzilien, das klosterleben u. a.
behandelt. vgl. Lit. cbl. 1894, 1723. Bulletin critique 1895, no. 1.
Wochenschr. f. klass. phil. 12, 3. Dahn, Augsburger allg. ztg.
no. 11.

97. Nicoladoni, Johannes Bünderlin. — vgl. abt. 15, 30.

98. K. Krebs, Beiträge und urkunden zur deutschen geschichte im zeitalter der reformation. Leipzig, Rossberg. 1. bd.:
Haugold von Einsiedel auf Gnandstein, der erste Lutheraner seines
geschlechts. VIII, 129 s. 3 m.

Handel und verkehr. 99. R. Mayr, Lehrbuch der handelsgeschichte, auf grundlage der wirtschafts- und sozialgeschichte.
mit einem bibliographischen anhange. Wien, Alfred Hölder 1894.
VIII, 351 s. 3,60 m.
er zerlegt den ganzen stoff in vier hauptabschnitte: das medi-
terran-zeitalter (= altertum), das altweltliche kontinental-zeitalter
(= mittelalter), das indoatlantische zeitalter (=neuzeit), das pano-
ceanische transkontinental-zeitalter (= neueste zeit) und diese zerfallen wieder in acht kapitel oder 44 paragraphen, von denen uns
besonders die italienisch-hansische und die spanisch-portugiesische
epoche interessieren. die darstellung ist nach den besten quellen
gegeben und zeugt von geschick; ein bibliographischer anhang
giebt die litteratur. — vgl. Litztg. 1895 (16) 495.

100. Th. Sommerlad, Die rheinzölle im mittelalter. Halle a. S.,
C. A. Kämmerer u. co. VIII, 175 s. 3 m. — vgl. jsb. 1894, 8, 186.
Korrbl. der westdeutschen zs. 1894, 3, 46.

101. C. Mollwo, Die ältesten Lübecker zollrollen. Lübeck
1894, 98 s.
dem vf. darf die anerkennung, seinen spröden stoff gründlich
zu beherrschen und seine ansichten, wenn sie auch nicht überall
zustimmung finden werden, 'klar zu entwickeln, nicht versagt
werden'. so die rec. in Litztg. 1895 (24) 748.

102. V. Hantzsch, Deutsche reisende des 16. jahrh. Leipzig,
Duncker u. Humblot. III, VII, 140 s. 3,20 m. (Leipziger studien
aus dem gebiete der geschichte. hrsg. von K. Lamprecht und
E. Marcks. 1. bd., 4. heft.)

103. W. Götz, Bayerns donauschiffahrt im 16., 17. und
18. jahrh. Bayerland. V, 189; 200.

104. F. Ebner, Ein Regensburger kaufmännisches hauptbuch aus den jahren 1383—1407. Verhandl. d. hist. ver. d. Oberpfalz 45, 131.
von der kaufmannsfamilie Runtinger in Regensburg geführt
giebt dieses hauptbuch die bezugsquellen, verkehrswege, absatz-
gebiete und mannigfache handelsgebräuche an.

105. M. Forderreuther, Die Augsburger kaufmannschaft
in den bayerischen herzogtümern während der ersten hälfte des
15. jahrh. Bayerland 4, 171; 187; 201; 210; 224; 274; 285.

106. W. Buck, Der deutsche handel in Nowgorod bis zur
mitte des 14. jahrh. progr. St. Petersburg, Hoenniger. 90 s. 3 m.

107. K. Weller, Die ansiedelungsgeschichte des württembergischen Frankens rechts vom Neckar. Stuttgart, Kohlhammer.
(Württembergische vierteljahrshefte für landesgeschichte 1894.
3, 1—3, s. 1—94).
giebt eine sorgfältige, auf gründlicher forschung ruhende darstellung der ganzen ansiedlungsgeschichte jenes landstriches von
der urzeit ab, indem er ausser den wechselnden bevölkerungs-
schichten namentlich den formen der besiedelung und des anbaus
seine aufmerksamkeit zuwendet. — angez. Korrbl. f. siebenbg.
landeskde. 18 (4) 59—61.

Haus. 108. O. Pieper, Burgenkunde. forschungen über ge-
samtes bauwesen und geschichte der burgen innerhalb des deutschen sprachgebietes. München, Th. Ackermann. XV, 830 s.
mit abb. 28 m.

109. A. Schmelzer, Die Massenburg. beiträge zur geschichte
der burg und herrschaft auf dem Massenberge und deren besitzer
mit rücksicht der beziehungen derselben zur stadt Leoben. progr.
des landsgymn. zu Leoben. 96 s.

110. S. Leyfert, Notizen zur geschichte steirischer burgen.
Mitt. d. hist. ver. f. Steiermark 42, 229.

111. P. J. Wichner, Zwei burgen und drei edelsitze in der
oberen Steiermark. 1. teil. Mitt. d. hist. ver. f. Steiermark 42, 158.

112. H. Zeller-Weidmüller, Zürcherische burgen. Mitt. d. ant. ges. zu Zürich 23, 6, 295. [auch separat. Zürich, Fäsi. 48 s. 4,50 fr.

angez. Zs. f. gesch. d. Oberrheins 48, 732. beschreibt in alphabetischer reihenfolge (A—L) die einschlägigen burgen. ein guter gedanke des vfs. war es entschieden, die nachrichten über nicht nachweisbare burgstellen durch den druck von den wirklich beglaubigten zu unterscheiden.

113. K. Schumacher, Kastell Osterburken. [aus 'Der obergerm.-raet. limes des Römerreiches'.] Heidelberg, O. Petters. 44 s. mit fig. und 7 taf. 4⁰. 6 m.

114. K. Schaube, Ein Regensburger haus des 14. jahrhs. Verhandl. d. hist. ver. d. Oberpfalz 46, 1.

115. A. Schricker, Bemalte hausfassaden. Strassburg und seine bauten no. 123, 8. Strassburg, Trübner.

116. St. Schulte, Über den ländlichen hausbau in Baden. Zs. f. gesch. d. Oberrheins, n. f. 9, 712.

117. B. Kossmann, Die bauernhäuser im badischen Schwarzwald. Berlin, Ernst u. sohn. gr. 2. 26 s. mit 5 kupfertaf. und 108 holzschnitten.

118. J. Buck, Das bauernhaus im Allgäu. Allgäuer geschichtsfreund 1893 (6) 8.

Krieg. 119. V. Löwe, Die organisation und verwaltung der Wallensteinischen heere. Freiburg i. B. und Leipzig, J. C. B. Mohr (Paul Siebeck). 99 s.

'die schrift bringt viel neues, zum teil mit genauer zahlen- und namenangabe. bei der darstellung der organisation der Wallensteinischen heere werden auch krankenpflege und seelsorge nicht vergessen. besonders bemerkenswert erscheint der abschnitt, der von der verpflegung handelt, wo wir auch neue angaben über die besoldung erhalten, ferner die bemerkungen über die offiziere der verschiedenen grade', so sagt Lorentzen in seiner recension Litztg. 1895 (35) 1108.

Kunst. 120. P. Clemen, Die kunstdenkmäler der Rheinprovinz. I.—III. bd. Düsseldorf, Schwann 1891—1894. XIV und 421; 368; 301. — vgl. jsb. 1894, 8, 157; 1893, 8, 152; 1892, 8, 150 und die sehr lobende rec. von F. X. Kraus, Litztg. 1895 (9) 273.

121. A. Ludorff, Die bau- und kunstdenkmäler von Westfalen. hrsg. vom provinzialverbande der provinz Westfalen. Münster

und Paderborn, F. W. Schöningh in komm. V. Der kreis Dortmund-land. mit geschichtlichen einl. von E. Roese. V, 83 s. mit 3 karten und 218 abb. auf 37 lichtdruck- und 3 clichétaf., sowie im text. 4⁰. geb. 5,80 m. — VI. der kreis Hörde. mit geschichtlichen einl. von E. Roese. II, 59 s. und 3 s. mit 2 karten und 172 abb. auf 32 lichtdruck- und 9 clichétaf., sowie im text. 4⁰. geb. 6 m.

123. Die kunstdenkmale des königreichs Bayern vom 11. bis zum ende des 18. jahrh. 1. bd.: die kunstdenkmale des regierungsbezirks Oberbayern. bearb. von G. v. Bezold und B. Riehl. lief. 1—9. 480 s. München, Jos. Albert 1892.

angez. Hist. jahrb. 15, 240. — die neun auf staatskosten herausgegebenen lieferungen, die das grosse material zu inventarisieren zum ziele haben, entsprechen in den zeichnerischen und photographischen aufnahmen den erwartungen, nicht aber immer in dem geschichtlichen text.

124. K. Plath, Die königspfalzen der Merowinger und Karolinger. vgl. 1894, 8, 123. die identificierung von Dispargum mit Duisburg wird abgelehnt Hist. zs. 74, 349. — referierende anz. von H. Hahn, Mitt. a. d. hist. litt. 22, 137 f.

125. K. Plath, Merowingische und karolingische bauthätigkeit. Deutsche rundschau 20, heft 5, 225.

erklärt manche ausdrücke der einschlägigen lateinischen litteratur, berichtet über bauzeit, kosten, handwerkergruppen, stoffverwendung u. s. w. und spricht über seine absicht, 150 fränkische pfalzen, von denen er Dispargum (Duisburg) bereits behandelt hat, festzustellen.

126. B. Riehl, Die bayerische kleinplastik der frühromanischen periode mit 2 bilderbeilagen. Forsch. zur kultur- und litteraturgesch. Bayerns II, 1.

127. O. Winckelmann, Die profanbauten des mittelalters und der renaissance. mit beiträgen von Th. Schmitz. (Strassburg und seine bauten no. 123, 7). Strassburg, Trübner.

giebt eine genaue schilderung des mittelalterlichen bauwesens und bringt genaueres über den erbauer des Friedrichbaues des Heidelberger schlosses.

128. C. Th. Pohlig, Die romanische baukunst in Regensburg. mit einem anhange. der neubau des kgl. neuen gymnasiums zu Regensburg. progr. des neuen kgl. gymnasiums zu Regensburg. 1894/95. Regensburg 1895, H. Bauhof in komm. IV, 48 s.

129. E. Polaczek, Der übergangsstil im Elsass. ein beitrag zur baugeschichte des mittelalters. Strassburg i. E., Heitz. (Stud. f. kunstgesch. I, 4). VI, 108 s. 3 m.

zeichnet sich aus durch den warmen, fesselnden stil, in welchem die dissertation geschrieben ist. im Elsass hat es trotz aller einwirkungen einen sogenannten übergangsstil nicht gegeben. zu bemerken seien aber gewisse verschiedenheiten zwischen Ober- und Unterelsass.

130. K. Schäfer, Die baukunst des 16. jahrhs. in Freiburg i. Br. Zs. f. gesch. d. Oberrheins, n. f. 9, 665.

erörtert die entwicklung der architektur in der renaissance und sucht den einzelnen, zum teil noch wenig, oder überhaupt noch nicht hinsichtlich ihrer schöpfer und entstehungszeit recht gewürdigten werken dieser zeit ihren wert zuzuweisen. eine ausnahme unter allen diesen machen die schöpfungen Böringers (1577—1590) insofern, als er, der erbauer des lettners und der grabkapelle im münster, die blüte der renaissance für Freiburg bezeichnet und seine gotik im stile und in vornehmer reinheit der formen dem besten kaum nachsteht.

131. Claus, Zur kunst- und baugeschichte der klöster. 1. die kunstdenkmäler der rheinprovinz. Stud. und mitt. aus dem Benediktiner- und Cistercienserorden 1894, 646.

132. N. Müller, Über das deutsch-evangelische kirchengebäude im jahrhundert der reformation. vortrag, gehalten auf dem ersten kongress für den kirchenbau des protestantismus zu Berlin am 24. mai 1894. Leipzig, A. Deichertsche verlagsbuchhandlung, nachf. (G. Böhme). 30 s. 0,60 m.

eine vorstudie zu des vfs. demnächst erscheinender umfangreicher schrift: 'Luthers anschauungen vom kirchengebäude und der deutsch-evangelische kirchenbau des 16. jahrh.' günstig rec. Litztg. 1895 (16) 501.

133. H. Schiller, Geschichte der Allgäuer kunst. III. das chorgestühl in der St. Martinskirche zu Memmingen. Allg. geschichtsfreund 1893 (6) 1; 17; 33; 49; 65; 81; 97; 121.

schildert ein nahezu unbekanntes kunstwerk, das den ganzen formenschatz gotischer architektur und ornamentik in sich vereinigt und in wort und bild herrliche religiöse gedanken vorführt.

134. K. Rhoen, Zur geschichte der älteren baudenkmäler von Kornelimünster. mit einer taf. Aachen, Cremer. 22 s. 1 m. Zs. des Aachener gesch.-ver. 16, 112.

beschäftigt sich mit den zu späteren bauten verwendeten resten aus merowingischer zeit.

135. K. Schäfer, Die älteste bauperiode des münsters zu Freiburg i. Br. Heidelberger diss. Freiburg i. Br., Lorentz und Waetzel. 44 s.

vf. sucht aufzuhellen, wie die ursprünglich romanische anlage des Freiburger münsters dem frühgotischen um- und weiterbau angepasst wurde.

136. C. Drexler, Das stift Klosterneuburg. eine kunsthistorische skizze. Wien, Norbertus-druckerei. 276 s. 8,50 m.

137. G. Hager, Kloster Fulda und die romanische baukunst Mittelfrankens. Allg. kunstchronik, 1893.

138. Schnütgen, Köln, Clarenaltar. Korrbl. der westd. zs. 13, 119.

nach der mitteilung im jsb. von Jastrow 1894, II, 242 ist Schn. der vfs.; er beschreibt den von den gebrüder Boisserée der St. Johanniskapelle des domes gestifteten altar, der ein muster in plastik und malerei ist.

139. Ph. prinz Hohenlohe-Schillingsfürst, Die romanischen fresken zu Pürgg in Steiermark. Mitt. d. k. k. centralkommission zur erforschung der denkmale n. f. 20, 17.

140. E. Meyer-Altona, Die skulpturen des Strassburger münsters. 1. die älteren skulpturen bis 1789. mit 35 abb. (Studien zur deutschen kunstgeschichte 2). Strassburg, Heitz. 80 s. 3 m.

mit dieser beschreibung soll die vorarbeit zu einer vergleichenden bearbeitung des stils der skulpturen gegeben werden. vgl. Zs. f. gesch. d. Oberrh., n. f. 9, 735.

141. G. Wolfram, Die reiterstatuette Karls des grossen. (mit abb.) Zs. f. bildende kunst, n. f. 5, 153. bespr. in Bibl. de l'école des chartes 55, 426. — er weist nach, dass wir es mit einem werke des beginnenden 16. jahrh. zu thun haben.

142. H. N. Godfray, inscription carolingienne à St. Laurent de Jersey. Caen, Delesques; Paris, Picard. 5 s.

mit nur geringen anhaltspunkten wird die inschrift dem 9. oder 10. jahrh. zugewiesen. sie ist auf einem säulenstumpf in St. Laurent zu Jersey gefunden worden. vgl. Bulletin monumental sér. 6, tome 9 (vol. 59), 164.

143. O. Weber, Albrecht Dürer. — vgl. abt. 15, 38.

144. Lange und Fuhse, Dürers schriftlicher nachlass. — vgl. abt. 15, 39.

145. H. Knackfuss, Künstler-monographieen. 5. bd. Dürer. mit 127 abb. von gemälden, holzschnitten und handzeichnungen. 2. aufl. Bielefeld, Velhagen und Klasing. 136 s. 0,80 m.

146. A. Winterlin, Württembergische künstler in lebens-bildern. Stuttgart, deutsche verlagsanstalt. III, 498 s. 5 m.

angez. und günstig bespr. Schwäb. chronik 1894, 2098; Staatsanz. f. Württemberg 1894, 1649; Blätter des schwäb. Alb-vereins 1894, 234.

147. H. Weber, Der kirchengesang im fürstbistum Bam-berg. ein beitrag zur geschichte des kirchengesanges in Ostfranken. Vereinsschrift der Görres-gesellschaft, 1893; 2. Köln, Bachem. 64 s.

schildert den einfluss, welchen die reformation auf den latei-nischen und deutschen kirchengesang übte. vgl. hist jahrb. 15, 211.

148. Adolf Sandberger, Beiträge zur geschichte der bayri-schen hofkapelle unter Orlando di Lasso. in 3 büchern. 1. buch. mit 4 abb. Leipzig, Breitkopf & Härtel 1894. XIV, 119 s. 3 m.

die arbeit ist der anfang zu einer biographie des künstlers. die rec. im Lit. cbl. 1894 (45) 1637 nennt das erste kapitel, das die bayerische hofkapelle in der zeit vor dem eintritte des Lasso behandelt, ein 'kleines bravourstück der quellenkunde'. auch sonst wird das werk sehr gelobt.

Münzen. 149. Numismatisch-sphragistischer anzeiger, zeitung für münz-, siegel- und wappenkunde. hrsg. von F. Tewes in Hannover. (organ des münzforschervereins zu Hannover). 26. jahr-gang. 1895.

no. 1. handelt zunächst über einen Hildesheimer doppelten silbergroschen von 1611 aus der münze zu Peine. — M. Bahr-feldt giebt darauf 'archivalische lesefrüchte', die er dem von Döbner herausgegebenen urkundenbuch der stadt Hildesheim entnommen hat. er macht den leser mit einem münzmeister zu Osen bekannt für die jahre 1428—1440 und vermutet darin die stadt Osnabrück. — ein interessanter halber bayerischer guldenthaler von 1571. — ein münzfund von Scharringhausen, kreis Sulingen, mit in Bremen gegengestempelten doppelschillingen. — das 'beiblatt no. 1'. dient dem münzenverkehr und vermittelt angebot und nachfrage. — no. 2. $^1/_4$ und $^1/_2$ thaler. — eine unedierte goldene medaille — münzfund von Scharringhausen (fortsetzung). — 'beiblatt no. 2'. — no. 3. widmet dem verstorbenen altmeister der münzforschung Hermann Grote einen nachruf, spricht sodann über die münzstätten der Arnsteiner und Falkensteiner brakteaten, handelt weiter über die münzen herzog Philipps I. von Braunschweig-Grubenhagen (1485—1494—1551), giebt dann den schluss des münzfundes zu

Scharringhausen und bespricht zuletzt die auf die 500jährige jubelfeier der vereinigung Ritzebüttel mit Hamburg geprägte denk-
münze. — no. 4. bringt den schluss zu 'münzen Philipps I. von
Braunschweig-Grubenhagen', beschreibt einen 'unbeschriebenen Salzburger viertelthaler' und eine Erfurter ratsmedaille nebst ortsthaler.
'beiblatt no. 4'. — no. 5. bespricht einen Osteröder hohlpfennig
und neue münzfunde. — no. 6. zwei münzen des grafen von Limburg in Westfalen und eine Magdeburger münzordination (1494).
— no. 7. zwei münzen des grafen von Limburg in Westfalen
(schluss). — entwurf eines münzvergleichs der städte Bremen,
Goslar, Braunschweig, Einbeck, Göttingen, Hildesheim und Hannover.
— münzfunde. — no. 8. der 2 stempel des groschens des Verder
domkapitels von 1620, eine münzordnung vom ende des 15. jahrhs.,
münzfunde. — no. 9. ein fraglicher kippergroschen von Sachsen-
Lauenburg. ein doppelter silbergroschen Christian Wilhelms von
Magdeburg 1610. — viertelthalerklippe der stadt Lüneburg von
1606. — münzfunde. — no. 10. die kupfernen Verder swaren
Philipp Sigismunds von 1621. — goldguldenfund zu Oppenheim:
auf dem Zuckerberg westlich der Katharinenkirche wurden in
einem keller 158 goldgulden gefunden. ein teil des schatzes ist
an eine öffentliche sammlung und mehrere private sammler über-
gegangen, anderes noch in händen der herren Schlichting und
Maurer, Oppenheim am Rhein. — das 'muntzregister' der stadt-
Hannoverschen münze vom jahre 1627. — no. 11. unedierter
halber reichsort von Sachsen-Lauenburg. — zu Burgwindheim in
Oberfranken gefunden; ein reichsort = vierschillingstück. — ein
unbekannter Mariengroschen ohne jahr von Regenstein. — 'muntzregister' der stadt-Hannoverschen münze von 1627 (fortsetzung). —
münzfunde. — no. 12. ein escalins-fund in Mittelfranken.

was den wert dieser zeitschrift betrifft, so ist auch der vorliegende jahrgang dadurch ausgezeichnet, dass die einzelnen artikel strengen anforderungen an wissenschaftliche methode genügen.
— unerquicklich ist der teilweise darin zum austrag kommende
privatstreit zwischen Meyer und Menadier.

150. J. Menadier, Deutsche münzen. gesammelte aufsätze
zur geschichte des deutschen münzwesens. III. bd. mit zahlreichen abb. im text. Berlin, A. Weyl.

151. J. Cahn, Münz- und geldgeschichte der stadt Strassburg im mittelalter. Strassburg, K. J. Trübner. VIII, 176 s. mit
einer taf. 4 m.

152. P. Bordeaux, Les monnaies de Trèves pendant la
période carolingienne (suite et fin). Revue belge de numismatique 50, 5.

aus einer prägstätte sind 35 verschiedene münzen vereint, die bei der jedesmaligen bezeichnung des herrschers genau bestimmt werden.

153. J. Menadier, Trierer pfennig Karls des grossen. Berl. münzbl. 1893, 1307.

Politik. 154. J. Priesack, Die reichspolitik des erzbischofs Balduin von Trier. — vgl. jsb. 1894, 8, 180. — rec. Westd. zs. 13, 405.

155. E. Joachim, Die politik des letzten hochmeisters in Preussen Albrecht von Brandenburg. 3. teil 1521—1525. (Publikationen aus den kgl. preussischen staatsarchiven, 61. bd.) Leipzig, S. Hirzel. V, 456 s. 14 m.

vgl. jsb. 1894, 8, 181, wo die früheren abt. angez. sind. — an umfang erheblich bedeutender als die beiden ersten bände ist der schlussband diesen sehr schnell gefolgt. s. 1—136 giebt eine eingehende darstellung des gegenstandes, von da bis s. 408 folgen in 236 die bezüglichen aktenstücke, die meistens dem Königsberger archive entstammen. — sehr günstig rec. von Perlbach, Litztg. 1895 (35) 1105.

156. G. Ludewig, Die politik Nürnbergs im zeitalter der reformation (1520—1534). — vgl. jsb. 1894, 8, 182. im allgemeinen anerkennende recensionen Theol. litztg. 18, 619; Württemb. vierteljahrsh. 2, 331; Mitt. a. d. hist. lit. 22, 198.

157. O. Heinemann, Beiträge zur diplomatik der älteren bischöfe in Hildesheim (1130—1246). Marburg, N. G. Elwerts verlag. X, 175 s. 4,50 m.

Schule und bildung. 158. B. Kaisser, Geschichte des volksschulwesens in Württemberg. Stuttgart, Rothsche buchhandlung. 5,50 m. — angez. Staatsanz. f. Württemberg 1894, 2001.

159. Steusloff, Eine lateinische schulordnung des rektors Froböse aus dem jahre 1585 nebst übersetzung. progr. des gymn. Herford 1894. 5 s.

160. Radlkofer, Heupold. — vgl abt. 15, 63.

Soziales. 161. B. Schönlank, Soziale kämpfe vor dreihundert jahren. Altnürnbergische studien. Leipzig, Duncker u. Humblot 1894. XII, 212 s.

vf. führt seine studien zur Nürnberger gewerbegeschichte in diesem werke weiter und schildert die organisation der gesellenverbände, ihre entwickelung, das verhalten des rates ihnen gegenüber, sowie die verschiedenen gegen sie erlassenen polizeiord-

nungen. vgl. die anerkennende rec. Litztg. 1895 (38) 1206;
Allgem. ztg. 1895, beilage no. 168.

162. J. Josenhans, Tübinger studenten aus d. Steinlach
vor der reformation. Reutlinger geschichtsbl. 5, 23.

163. S. Back, R. Meïr ben Baruch aus Rothenburg. sein
leben und wirken, seine schicksale und schriften. gedenkschrift
zur sechshundertsten jahreswende seines todes. erster band: leben,
wirken und schicksale. Frankfurt a. M., J. Kaufmann. 112 s.

für die geschichte des judentums von eigentlicher bedeutung,
soll die arbeit hier nur deswegen genannt werden, weil sie immerhin schätzenswerte einzelheiten als beiträge zur kulturgeschichte
des deutschen mittelalters bietet. nahezu wie eine fabel klingt das
schicksal seiner 'leiche'. nachdem kaiser Rudolf die juden arg be-
drängt hatte, wird Meïr, ein geschätzter und geachteter lehrer, be-
rater und geistiger führer seiner stammesgenossen, am fluchtversuch
gehindert und ins gefängnis geworfen, wo er nach siebenjähriger
haft stirbt; und danach soll seine leiche vierzehn jahre nach seinem
tode von der regierung zurückgehalten worden sein, weil man eine
auslösung erwartete. — vgl. Litztg. 1895 (15) 466.

164. Th. Schön, Geschichte der juden in Reutlingen, Reutlinger geschichtsblätter 5, 36; 59.

165. G. Gide, Fischlin le juif de Schweighausen. étude de
mœurs mulhousiennes au 16me siècle. Bulletin hist. de Mulhouse
1892—1894 (17) 72.

eine belletristisch gehaltene erzählung, die sich anf akten-
mässiges material gründet, das teilweise in den noten gegeben wird.

166. Seb. Englert, Der Mässinger bauernhaufe und die haltung der bedrohten fürsten. beitrag zur geschichte des bauern-
krieges 1525. Eichstätt. Würzburg, A. Stuber in komm. III,
XVI, 46 s. 1,20 m.

167. Becker, Der mittelalterliche minnedienst in Deutschland. — vgl. abt. 14.

168. A. Diemand, Das ceremoniell der kaiserkrönungen.
vgl. abt. 9, 36.

169. Hans Prutz, Rechnungen über Heinrich von Derbys
Preussenfahrten 1390—1391 und 1392. (Publikationen des vereins
für die geschichte der provinzen Ost- und Westpreussen.) Leipzig,
Duncker u. Humblot 1893. CIV, 226 s. 6 m.

günstig rec. von Perlbach, Litztg. 1895 (19) 588.

Trachten. 170. Fr. Hottenroth, Handbuch der deutschen tracht. lief. 11 bis schluss. Stuttgart, C. Weiss. lief. 2 m. — nicht geliefert. — vgl. jsb. 1894, 8, 219; 1893, 8, 197; wo die früher erschienenen lief. recensiert sind.

Universitäten. 171. E. Friedländer, Ältere universitäts-matrikeln. — vgl. jsb. 1894, 8, 223. — W. Stieda, Litztg. 1895 (29) 904. bespricht den zweiten band und spendet ihm dasselbe lob, das der erste verdient. die personen- und ortsregister sind nicht nur sehr reich an wertvollem material, sondern auch kultur-geschichtlich von tieferem interesse. — vgl. Lit. cbl. 1894 (44) 1590. Luschin v. Ebengreuth, Hist. zs. 74, 295—298.

172. E. Hammerle. Beitrag zur geschichte der ehemaligen Benediktiner-universität in Salzburg. Stud. und mitt. aus dem Benediktiner- und Cistercienser-orden 15, 70.

Wappen und siegel. 173. M. Bach, Die wappensammlung der königlichen öffentlichen bibliothek in Stuttgart. Deutscher herold 25, 69.

174. E. Tagliabue, Le insegne de Svizzeri al principio del secolo 16. (Arch. héraldiques et sigillographiques 1894, 216). teilt mit, dass ein Italiener Alberto de Vignate zwischen 1496 und 1519 die wappen von Schweizer orden zeichnete und beschrieb: eine dem heraldiker willkommene arbeit.

Wirtschaft. 175. F. Rachfahl, Die organisation der gesamt-staatsverwaltung Schlesiens vor dem dreissigjährigen kriege. (Staats- und sozialwissenschaftliche forschungen. hrsg. v. Schmoller 13, 1.) Leipzig, Duncker u. Humblot 1894. XII, 482 s.

aus langjährigen studien in Breslauer archiven erwachsen, giebt das werk auch manches kulturgeschichtlich wichtige bei besprechung der einrichtung der landes- und gerichts-, sowie der finanzbehörden. der mangel eines registers ist zu bedauern. — vgl. Litztg. 1895 (24) 753.

176. P. R. Kötzschke, Das unternehmertum in der ost-deutschen kolonisation des mittelalters. Leipziger diss. Chemnitz 1894. 74 s.

einer anregung Lamprechts verdankt das werk sein entstehen. — vf. sagt, dass in dem masse, wie die kolonisation von west nach ost vorschreitet die entwicklung der unternehmungsformen so zu unterscheiden ist, dass in den westlichen gegenden die unmittel-bare initiative der landesherren, in den östlichen das 'lokutions-system' vorherrscht. er unterscheidet so drei kolonisationsformen: selbständige gemeinden werden ohne mittelspersonen angesetzt, die

gründung erfolgt durch unternehmer, die in den neuen **dörfern** erb-
schulzen werden, die 'lokution' tritt ein, d. h. ritterliche **herren** erhalten grössere gebiete zur kolonisation. ähnlich, wie in **Mecklen-**
burg, Holstein, Pommern sind die unternehmungen in **Schlesien,**
sowie in Ost- und Westpreussen zu beurteilen. — vgl. **Litztg.**
1895 (29) 915.

177. F. Danneil, Geschichte des magdeburg. **bauernstandes.**
1. teil. heft 1—11. Halle, Kämmerer u. co. heft 0,50 **m.**

178. A. Tille, Die bäuerliche wirtschaftsverfassung **des**
Vintschgaues vornehmlich in der zweiten hälfte des **mittelalters.**
Innsbruck, Wagner. VII, 280 s. 4,80 m.

179. A. Wapf, Das wirtschaftswesen der stadt **Luzern in**
alter und neuer zeit. durchgesehen und neu herausgegeben **von**
E. Guyer-Freuler. Zürich, Orell Füssli. 62 s.

aus feuilletonartikeln einer Luzerner zeitung **hervorgegangen,**
erhebt das schriftchen keinerlei anspruch auf wissenschaftlichen
wert, giebt aber sehr wertvolle einblicke in das **wirtshaus- und**
gasthofswesen früherer zeiten. — vgl. Litztg. 1895 (41) 1301.

180. E. Gothein, Die deutschen kreditverhältnisse **und der**
30 jährige krieg. — Ein Neu: Nützlich und Lustigs Colloquium
von etlichen Reichstags-Puncten. insonderheit die **Reformation der**
Zöllen Zinszahlung und verbesserung der Matricul **antreffend.**
Colloquenten seyn Doctor, Edelmann, Burger, Baur. **Leipzig,**
Duncker u. Humblot 1893. XCVII, 107 s. 3,20 m.

die vorliegende schrift ist der interessensphäre der **gläubiger,**
d. h. des städtischen bürgertums, dem arg verschuldeten **stande der**
edelleute und bauern gegenüber, entstanden. der **bürgermeister zu**
Überlingen, einer damals nicht unbedeutenden reichsstadt, **hat sie**
verfasst. im allgemeinen ist man zu einem kompromiss **der**
beiden parteien gelangt, was aber von Brandenburg gesagt **wird,**
scheint im einzelnen doch nicht immer zutreffend. — vgl. Lit. cbl.
1894 (43) 1562.

181. J. G. Christiani, Über die waldarbeiterverhältnisse
auf dem badischen Schwarzwald in vergangenheit und **gegenwart.**
Heidelberger diss. Karlsruhe, Gutsch. IV, 127 s. mit **einer**
graph. taf.

die entwicklungsgeschichte der Schwarzwälder waldarbeit **wird**
hier gegeben: wie war die art der besiedlung innerhalb der **grossen**
waldgebiete, welche entwicklung haben die arbeiterverhältnisse erfahren, in welchen richtungen hat sich die fortentwicklung in **die**
neuere zeit hinein bewegt; alle diese fragen werden sachlich **und**
klar erörtert.   Paul Mann.

IX. Recht.

1. Juristischer litteraturbericht 1884—1894. (ergänzungsband zum Cbl. f. rechtswissenschaft.) 1. heft: L. R. v. Salis und H. Sommer, Rechtsphilosophie, vergleichende rechtswissenschaft, deutsche rechtsgeschichte und geschichte der rechtswissenschaft. 40 s. 1,20 m. — vgl. auch no. 64.

---

2. Dargun, Mutterrecht. — vgl. jsb. 1894, 9, 1. Smith, Polit. Science Quart. 8, 572—575.

3. K. von Amira, Recht. Pauls Grundriss d. germ. phil. 2, 2, 35—200.

4. R. Hübner, Jacob Grimm und das deutsche recht. mit einem anhang ungedruckter briefe an Jac. Grimm. Göttingen, Dieterich. VIII, 187 s. 3 m.
nicht geliefert. — kurz angez. Lit. cbl. 1895 (16) 573 und von Wieruszowski, Bll. f. lit. unterhaltung 1895, 27.

5. J. Jellinghaus, Die rechtsaufzeichnungen in niederdeutscher sprache. Jahrb. d. ver. f. niederd. sprachf. 18, 71—78.

---

6. S. R. Steinmetz, Eine neue theorie über die entstehung des gottesurteils. Globus 65, 105 ff.
behandelt die ansicht Ferreros, dass die gottesurteile aus einer art wetten entstanden und dass die einseitigen ordale aus den zweiseitigen hervorgegangen seien. — vgl. auch no. 24.

7. G. Tobler, Tierprozesse in der Schweiz. Bern, Jent 1893. 32 s.
angez. Zs. f. schweiz. strafr. 7, 163.

8. Inventare des Frankfurter stadtarchivs. bd. IV, eingel. von R. Jung. Frankfurt a. M., Völcker. 269 s. 3,50 m.
nicht geliefert. — hier ist zu erwähnen der abschnitt s. 72—85, in dem es sich um die acht und aberacht handelt.

9. O. v. Zallinger, Das verfahren gegen die landschädlichen leute in Süddeutschland. ein beitrag zur mittelalterlich-deutschen strafrechtsgeschichte. Innsbruck, Wagner. VII, 261 s. 6 m.
nicht geliefert. — referierende anz. Lit. cbl. 1895 (46) 1653 f.

10. K. Burchard, Die hegung der deutschen gerichte im
mittelalter. — vgl. jsb. 1893, 9, 16. — angez. von A. B. Schmidt,
Hist. z. 74, 95 f. (wertvoll durch seine gründlichkeit).

––––––––––

11. H. Siegel, Deutsche rechtsgeschichte. ein lehrbuch.
3. aufl. Berlin, F. Vahlen. XIV, 593 s. 11 m.

vgl. 1890, 9, 10. das werk Siegels hat die probe der praktischen brauchbarkeit bestanden; das zeigt die vorliegende 3. aufl.
eine vergleichung dieser mit der zweiten lässt überall eine sorgsame durchsicht des buches erkennen. teils neu hinzugekommen,
teils aus kürzeren andeutungen zu einer eingehenderen darstellung
umgearbeitet sind die §§ 190, 191 und 196; namentlich hat Siegel
auf grund seiner eigenen untersuchungen das rügeverfahren auf
den jahrdingen hier neu behandelt. in anderen fällen ist, was
früher nur einen einzigen abschnitt bildete, bei genauerer behandlung in mehrere teile zerlegt worden; so sind aus dem früheren
§ 151 zwei paragraphen geworden. überhaupt zeigt sich überall
das bestreben, den wortlaut noch klarer und deutlicher zu gestalten, und zu diesem zwecke ist die darstellung meist etwas ausführlicher geworden. andererseits merkt man den einfluss neuerer
untersuchungen, wenn der vf., wie z. b. da, wo er über die be-
sonderungen der Germanen in stämme und völkerschaften spricht,
sich vorsichtiger ausdrückt als früher. die neuere litteratur ist
sorgfältig nachgetragen und berücksichtigt worden; selten findet
man hier eine lücke, wie z. b. die nichterwähnung der schrift
Seeligers über die kapitularien der Karolinger auffällt. manche
änderungen sind im wesentlichen stilistischer art; in dieser hinsicht
ist dem vf. für eine neue auflage noch die beseitigung einiger
schiefen oder missverständlichen ausdrücke so, (s. 133) 'die schrift
wurde noch während des krieges verfasst, gelangte aber erst 1646
zur veröffentlichung' oder s. 'selten vertraut' für in 'ungewöhnlichem
grade vertraut' zu empfehlen. alles in allem lässt sich sagen, dass
das buch in der neuen auflage an brauchbarkeit noch gewonnen hat.

12. J. F. v. Schulte, Lehrbuch der deutschen reichs- und
rechtsgeschichte. 6. aufl. — vgl. jsb. 1894, 9, 13. — angez. Zs.
f. d. ges. strafrechtsw. 14, 224—227.

13. Frommhold, Deutsche rechtsgeschichte. — vgl. jsb.
1894, 9, 12. — die anz. Lit. cbl. 1895 (2) 57 f. sieht die an-
einanderreihung der einzelnen fragmente als wertlos an und tadelt die
unvollständigkeit der litteraturnachweise. — v. Sartori-Montecroce, Österr. litbl. 4 (1) 21 f. hält einzelne abweichungen von
der synchronistischen methode nicht für praktisch. — terner angez.

Arch. f. bürg. recht 9, 407; Cbl. f. rechtsw. 14, 90. — kurz angez.
von G. v. Below, Hist. zs. 74, 555 f. (wegen der quellenstellen
auch dem historiker zu empfehlen).

14. G. Waitz, Deutsche verfassungsgeschichte. 5. bd. 2. aufl.
— vgl. jsb. 1894, 9, 15. — angez. von Kehr, Anz. f. d. a. 22,
1—5 (die methodisch sichere, zuverlässige arbeit von Waitz bildet
ein heilsames gegengewicht gegen die neuerdings üblichen kombinationen und konstruktionen. aus dem mangel einer umfassenden
verarbeitung des urkundenstoffes sind allerdings einige fehler entstanden.) — nach der anz. von G. v. Below, Hist. zs. 74, 93 ff.
hätte die neue auflage in keine bessern hände gelegt werden können.
— vgl. auch no. 58—60 u. 63.

15. W. Altmann und E. Bernheim, Ausgewählte urkunden. 2. aufl. Berlin, R. Gärtner. X, 405 s. 6,60 m.
vgl. jsb. 1893, 9, 11. — die neue auflage der bewährten ur-
kundensammlung darf um so mehr als erwünscht bezeichnet werden,
als diese hier noch unzweifelhafte verbesserungen erfahren hat.
die zahl der abgedruckten urkunden ist ungefähr verdoppelt worden;
die sammlung umfasst jetzt 174 nummern. nur 4 stücke der alten
auflage sind fortgefallen; dagegen sind viele der wichtigsten rechts-
urkunden neu hinzugefügt worden. als einige beispiele mögen von
den neu hinzugefügten stücken genannt werden die urkunden, betreffend das reichsvikariat des pfalzgrafen, die festlegung der erz-
kanzlerwürde für Deutschland (1298) und Italien (1310), die ein-
setzungen von reichsvikaren (1310, 1346, 1394), den Binger kurverein, die an den papst gerichteten anzeigen über die wahl Friedrichs I,
Ottos IV., Philipps von Schwaben, Heinrichs VII., das schreiben
Innocenz III. über die streitige königswahl, das kapitulare gegen
freiheitsbestrebungen der sklaven, urkunden über kolonistenrecht,
standeserhöhungen u. v. a. schon diese kleine auswahl lässt erkennen, wieviel der ersten ausgabe immerhin noch gefehlt und wie das
werk in der neuen auflage gewonnen hat. mit recht haben die
herausgeber denjenigen gebieten der rechtsgeschichte ihr besonderes
augenmerk zugewendet, welche in der neueren zeit im vorder-
grunde der erörterung stehen; so sind allein 16 urkunden neu hinzugekommen, die sich auf stadtrecht und stadtverfassungen beziehen.
einer ergänzung bedarf das buch freilich noch insofern, als die
litteraturweise zu den einzelnen urkunden weggelassen worden sind,
die herausgeber verweisen hier auf die 2. auflage von R. Schröders
rechtsgeschichte (1894), welche überall in ausreichender weise die
neueste litteratur verzeichnet. — angez. Lit. cbl. 1895 (49) 1758 f.

(in der neuen auflage noch brauchbarer als bisher). — vgl. auch
no. 61 und 62.

---

16. Untersuchungen zur deutschen staats- und rechtsgeschichte.
hrsg. von Gierke. Breslau, Koebner. — nicht geliefert. — vgl.
jsb. 1894, 9, 9. — 49. heft. A. Schultze, Die langobardische
treuhand und ihre umbildung zur testamentsvollstreckung. XII.
233 s. 7,50 m. — referierende anz. von O. H. Geffcken, Cbl. f.
rechtsw. 15, 99 ff. von früheren aufsätzen wurden angezeigt:
40. heft (R. Weyl, Beziehungen des papsttums zum fränkischen
staats- und kirchenrecht) von Heimberger, Krit. vierteljschr. f.
gesetzgeb. 17, 277—284; Arch. f. kathol. kirchenr. 70, 171—174:
Theol. litztg. 19, 273. — 42. heft (R. Hübner, Der immobiliar-
prozess der fränkischen zeit) von E. Schwind, Gött. gel. anz.
1894, 431—439 (der grosse wert der arbeit wird dadurch etwas
beeinträchtigt, dass der vf. das hauptgewicht der darstellung zu
sehr auf die einzelnen teile und nicht auf deren zusammenhang
gelegt hat). — 43. heft (E. Wetzel, Das zollrecht der deutschen
könige) von W. Altmann, Mitt. a. d. hist. litt. 22, 157 ff. (referierend); und Korrbl. d. westd. zs. 13, 55. — 44. heft (Fr. Schäfer.
Wirtschaftsgeschichte der reichsstadt Überlingen) von W. Naudé,
Mitt. a. d. hist. litt. 22, 209 f.

---

17. E. Heyck, Die staatsverfassung der Cherusker. N. Heidelberger jahrb. 5, 131—181.
Heyck geht nicht von der Germania aus, sondern sucht aus
den von den Cheruskern berichteten thatsachen ein gesamtbild zu
gewinnen er findet bei den Cheruskern eine πολυκοιρανία, deren
träger ihren anspruch aus ihrem geburtsstande herleiten. der
ausserordentliche vorzug ihrer familie im volke wird trotz miss-
licher umstände aufrecht erhalten. diese familie hat ein legitimes
recht. nicht die einzelne person, sondern ihre sippe leitet das volk
und die übrigen sippen. die mitglieder jener stirps regia besitzen
kein staatsrechtlich oder geographisch umschriebenes amt und sind,
was sie persönlich zu sein vermögen; alle aber bleiben abhängig
von volksgunst und parteianhang. keines einzelnen stellung entwickelt aus sich dauer und anerkanntes vorrecht: nur ihrer sippe
vorrecht ist festgewurzelt. Armin erliegt, als er an die stelle der
herrschaft seiner sippe die eigene, persönliche setzen will. Italicus
wird als das einzig noch vorhandene mitglied der sippe zur herrschaft berufen.

18. Leges Visigothorum antiquiores. ed. K. Zeumer. — vgl. jsb. 1894, 9, 19. als eine mustergiltige arbeit bezeichnet von F. Dahn, Hist. zs. 75, 106 ff.

19. F. Patetta, Sui frammenti di diritto germano della collezione Gaudenziana e della lectio legum. Arch. giurid. 53, 3—40.

20. K. Lehmann, Consuetudines feudorum I. — vgl. jsb. 1894, 9, 23. — nach der anz. von V. Krause, Litztg. 1895 (5) 144 f. bezeichnet die ausgabe zwar einen grossen fortschritt, bietet aber noch keine feste kritische grundlage für den text.

21. Ph. Heck, Die altfriesische gerichtsverfassung. — vgl. jsb. 1894, 9, 24 und 18, 6. — angez. Lit. cbl. 1895 (4) 125 (gegenüber der irrigen darstellung Richthofens ist nun der einheitliche charakter der friesischen gerichtsorganisation erwiesen).

22. H. Horten, Die personalexekution in geschichte und dogma. Wien, Manz. 1. abt.: ausserdeutsche grundlagen. 1. buch: Die personalexekution bei den Franken. VI, 224 s. 6 m. — 2. buch: Die personalexekution in Italien. 1. abschnitt: Italienische rechtsgrundlagen. VIII, 188 s. 5,60 m.
werke wie das vorliegende sind für die genauere kenntnis des deutschen rechtes im prinzip mit freuden zu begrüssen. die besonderung der Germanen in verschiedene stämme und völkerschaften und die räumliche trennung derselben von einander lassen es von vornherein als ein interessantes problem erscheinen, an einzelfragen zu zeigen, wieweit sich ein gemeinsamer germanischer grundgedanke erkennen und in seinen umwandlungen verfolgen, wie sich ferner dessen allmähliche umgestaltung aus fremden, namentlich nichtgermanischen einflüssen erklären lässt. nur aus der genauen behandlung vieler einzelnen rechtsprobleme kann man allmählich einen weiteren überblick über die eigentümliche fortentwickelung der germanischen rechte gewinnen. zu einem solchen bau hat Horten in seiner erstlingsarbeit einige bausteine zusammengetragen. den begriff der personalexekution, den er, da dieser auf seiner eigenen terminologie beruht, genauer zu erklären hat, verfolgt er zunächst in der lex Salica, dann in der lex Ribuariorum, ferner in der von den kapitularien schon beeinflussten, aber auch auf sie wieder einwirkenden lex Gundobada, endlich in den kapitularien selbst. mehr als im ersten buche handelt es sich im zweiten um die einwirkung nichtgermanischer einflüsse. in diesem 'die italienischen rechtsgrundlagen' behandelnden buche ist es von besonderem interesse, bei den ausserhalb Deutschlands heimisch gewordenen Germanen die einwirkung ausländischer einflüsse auf die

germanische eigenart und, bei allmählichem überwiegen jener einflüsse, die vereinzelt zurückgebliebenen spuren germanischen wesens
in den neu übernommenen anschauungen zu verfolgen. so unternimmt der vf. es denn namentlich, die seinen gegenstand behandelnden bestimmungen in dem Langobarden- und in dem
ostgotischen recht aufzuweisen. das erstere charakterisiert er als
ein germanisches recht mit römischem einschlag, das letztere als
ein römisches recht mit germanischem einschlag. gegenüber der
hypothese, welche annimmt, das das römische recht bei den Ost-
goten zu voller geltung gelangt sei, sucht er nachzuweisen, wie
sich die römischen rechtsvorstellungen am germanischen geist gebrochen haben und wie das, was aufgenommen worden war, vom
römischen recht oft nichts als die blendende form besass, die zur
aufnahme angelockt hatte, während in die form germanischer geist
eingezogen war. indem Horten in diesem sinn auch das römische
vulgärrecht untersucht, worunter er die form versteht, in der sich
das römische recht, durch germanisch-rechtliche einflüsse verändert,
bei den Römern erhielt, und die entwickelung dieses vulgärrechtes
auch bis zu den ersten anfängen zurückverfolgt, findet er diese
germanischen grundlagen namentlich in der Lex Visigotorum, die
schon eine eigentümliche mischung römischen und germanischen
rechts zeigt. — angez. von S(artori)-M(ontecroce), Österr. litbl.
4 (6) 189 f.

23. R. Hübner, Gerichtsurkunden der fränkischen zeit. —
vgl. jsb. 1894, 9, 34. — die anz. von Kehr, Hist. zs. 73, 75—81
erhebt ausstellungen namentlich gegen das 2. heft, doch wird der
wert des werkes anerkannt.

24. O. Opet, Hatten die Franken ein ordal des flammenbegriffs? Mitt. d. inst. f. österr. geschichtsf. 15, 479—482.

25. W. Sickel, Beiträge zur deutschen verfassungsgeschichte
des mittelalters. I. zur organisation der grafschaft im fränkischen
reiche. Mitt. d. inst. f. österr. geschichtsf., ergänzungsband 3,
451—585. inhalt: A. allgemeine entwickelung. B. einzelne ämter.

26. F. von Thudichum, Sala. Salagau. Lex salica. Tübingen,
Heckenhauer in komm. VI, 82 s. 3 m. — nicht geliefert.

27. P. Errera, Les Waréchaix. étude de droit foncier ancien. Brüssel, Vromant. 35 s.

28. F. Dahn, Die könige der Germanen. das wesen des
ältesten königtums der germanischen stämme und seine geschichte
bis zur auflösung des karolingischen reiches. nach den quellen

dargestellt. 7. bd., 3. abt. Leipzig, Breitkopf & Härtel. VI, 581 s. mit einer stammtaf. 15 m. — vgl. jsb. 1894, 9, 16.

in dem breit angelegten werke Dahns wird in einem dritten starken bande nunmehr endlich die behandlung des merowingischen zeitalters zu ende geführt. der stoff gliedert sich zunächst in die abschnitte: gerichtshoheit, verwaltungshoheit, finanzhoheit, kirchenhoheit, gebietshoheit, vertretungshoheit; dann wird in einem besonderen teile die gesamteigenart des merowingischen staats- und königtums behandelt. die ausführlichkeit des werkes erklärt sich zum teil aus dem streben, bei vollständiger behandlung des gegenstandes klar und verständlich zu sein, zum teil aus der fortwährenden berücksichtigung der von Waitz, Sohm, Brunner u. a. aufgestellten ansichten. der prägnanz und schönheit des ausdruckes kommt diese ausführlichkeit nicht gerade zu gute; doch ist es zu billigen, dass Dahn in erster reihe auf gründliche erörterung des gegenstandes gesehen hat. freilich würde die klarheit des inhaltes noch bei weitem gewonnen haben, wenn bei Dahns perioden nicht 'leider die Lachesis schliefe'. sätze von 20—30 reihen (z. b. s. 60, 110, 125, 243, 329) sind nicht gerade selten; statt der punkte müssen zahllose semikola aushelfen, und die häufigen parenthesen, in die zum teil wieder andere parenthesen hineingesetzt werden, machen oft selbst kurze sätze sehr unübersichtlich (z. b. s. 333). bei dem werte des inhalts sind diese mängel des ausdrucks um so bedauerlicher. vielfach begegnen auch überflüssige neubildungen oder seltene wörter wie zweifelig, belehrsam, gütevoll, bereinigen, oder wendungen wie 'söhneloser tod'. an mehreren stellen spricht Dahn vom 'verchristenen' und der 'verchristenung des staates'. sollte nicht eine 'verdeutschenung' derartiger fehlerhafter ausdrücke möglich sein? — referierende anz. der 1. und 2. abt. des 7. bds. von $\Gamma\lambda$. Lit. cbl. 1895 (2) 45 und das. (52) 1863 (vf. hat die aufgabe gelöst, das fränkische staatsrecht im Merowingerreiche systematisch darzustellen und dabei doch das genetische element zu seinem recht kommen zu lassen). — ferner angez. von Weyl, Allg. ztg. 1894 no. 211.

29. H. Brunner, Forschungen zur geschichte des deutschen und französischen rechtes. — vgl. jsb. 1894, 9, 14. — angez. Allg. ztg. 1894 no. 101; ferner Engl. hist. Rev. 9, 593 von Maitland.

30. L. Huberti, Gottesfrieden und landfrieden. — vgl. jsb. 1894, 9, 33. — nach der anz. von G. von Below, Hist. zs. 73, 82 f. kann das werk allenfalls mit kritischer reserve wegen des darin aufgehäuften materials zu rate gezogen werden.

31. M. C. Glasson, Histoire du droit et des institutions de
la France. T. III. Epoque franque. Paris, J. Pichon 1889. XIX,
704 s.

lobende anz. von X., Rev. des quest. histor. 29, 308 f.

32. K. Gareis, Die landgüterordnung kaiser Karls des
grossen (Capitulare de villis vel cartis imperii). text-ausg. mit einl.
und anm. hrsg. Berlin, J. Guttentag. 68 s. 2 m.

über die zeit der entstehung und den vf. des capitulare de
villis hat Gareis in den Germanistischen abhandlungen zum 70. geburtstage K. v. Maurers (vgl. jsb. 1893, 9, 6) gehandelt. hier bietet
er den text mit erklärenden anmerkungen, deren wert noch durch
die eingehende analyse der anordnung des stoffes erhöht wird. in
der einleitung weist er auch auf die finanzielle und besonders auf
die grosse sozialpolitische bedeutung der landgüterordnung hin.

33. G. Seeliger, Die kapitularien der Karolinger. — vgl.
jsb. 1894, 9, 31. — V. Krause, Hist. zs. 73, 81 f. stimmt der
ansicht des vf. über die capitularia missorum unbedingt zu.
R. Hübner, Gött. gel. anz. 1894, 757—769 bezweifelt, dass die
herrschenden ansichten durch Seeliger abgethan seien, und wünscht,
dass der vf. seine untersuchungen auf weiterer grundlage weiter-
führe. — referierende anz. von H. Hahn, Mitt. a. d. hist. litt.
22, 35 f.

34. A. Weber, Der centenar nach den karolingischen kapitularien. Leipzig, Veit u. comp. 66 s. 1,80 m. — nicht geliefert.

35. L. Werner, Gründung und verwaltung der reichsmarken
unter Karl dem grossen und Otto dem grossen. 1. teil. Das
markensystem Karls des grossen. progr. (no. 752) des gymn. und
der realsch. zu Bremerhaven. 86 s.

im gegensatz zu den herrschenden ansichten nimmt der vf. an,
dass die markenpolitik Karls des grossen einen defensiven charakter
getragen habe. demgemäss umfassten die karolingischen marken
nur auf reichsgrund und -boden gelegene landstriche, die als dämme
und grenzwälle (limites) gegen feindliche einfälle dienten. dagegen
erhielten zur zeit Ottos des grossen die marken gegen osten hin
offene grenzen, an denen die unterwerfung der benachbarten volks-
stämme allmähliche fortschritte machte, indem die eroberten gebiete durch kastelle dem reich gesichert wurden. seine markenpolitik ist daher eine offensive. in der vorliegenden untersuchung
behandelt Werner die gründung und die verwaltung der karolingischen marken. besondere abschnitte des letzten, die verwaltung
darstellenden abschnittes sind: die besiedelung der marken, die

grafen (grenzgrafen) der mark, der markgraf und der heerbann der mark.

36. **Diemand,** Das ceremoniell der kaiserkrönungen. — vgl. jsb. 1894, 8, 214. — kurz angez. von **Volkmar,** Mitt. a. d. hist. litt. 23, 54. — referierende anz. von F. **Kurze,** Litztg. 1894 (47) 1486 ff. — die anz. Lit. cbl. 1895 (31) 1078 f. sieht in der abhandlung nur einen beitrag zur lösung, noch nicht die lösung selbst. — einen fortschritt bedeutend nach der kurzen anz. Hist. zs. 73, 549. — ferner angez. Korrbl. d. westd. zs. 13, 27.

37. Consiliatio Cnuti, hrsg. von F. **Liebermann.** — vgl. jsb. 1894, 9, 42. — die anz. von M. **Schmitz,** Mitt. a. d. hist. litt. 22, 36 f. lobt die sorgfalt der ausgabe, die erläuternden bemerkungen und die geschichtlichen hinweise. — kurz angez. Hist. zs. 74, 351.

38. **M. Spiess,** Die deutsche reichsregierung unter Heinrich IV. [1056—1072]. progr. d. gymn. z. heil. kreuz in Dresden 1894. 26 s. — zustimmende anz. von **Löschhorn,** Mitt. a. d. hist. litt. 23, 10 ff.

39. **G. Blondel,** La politique de l'empereur Frédéric II. — vgl. jsb. 1894, 9, 46. — angez. von F. **Philippi,** Gött. gel. anz. 1894, 536—544 (die arbeit gewährt selbst dem deutschen gelehrten eine sehr willkommene übersicht über die geistesarbeit auf diesem gebiet); von v. **Below,** Hist. zs. 73, 83 (das werk, dessen thema sehr glücklich gewählt ist, giebt einen guten überblick und eine auf selbständigen studien beruhende zusammenfassende darstellung); von **Küntzel,** Jahrb. f. gesetzgeb. 18, 607—614; von **Fournier,** Nouv. rev. hist. d. droit 18, 416—419; von dems. Bull. crit. 15, 2—6; von **Siegel,** Mitt. d. inst. f. österr. geschichtsf. 15, 377—380; von **Saleilles,** Rev. hist. 54, 149—152; von **Gandy,** Étud. relig. d. l. comp. d. Jés., suppl. 1893, 516—519; ferner Polybibl. 70, 449.

40. F. **Liebermann,** Über die leges Anglorum. — vgl. jsb. 1894, 9, 41. — angez. von **Bémont,** Rev. crit. 28 no. 41—42 und von R. **W.,** Lit. cbl. 1895 (23) 824 f. (lobend). — kurz angez. Hist. zs. 74, 351. — den wert der 'reichsten und wichtigsten sammlung von rechtsdenkmälern des 12. jahrhs.' hebt hervor die anz. Mitt. a. d. hist. litt. 22, 415 f.

41. H. G. **Gengler,** Beitrage zur rechtsgeschichte Bayerns. 4. heft. — nicht geliefert. — vgl. jsb. 1894, 9, 44. — empfehlende anz. des 3. bandes von A. B. **Schmidt,** Hist. zs. 73, 510 f., und

von Soergel, Österr. litbl. 4 (22) 701 (G.s beiträge sind die denkbar beste materialiensammlung).

42. G. Rotermund, Der sachsenspiegel (landrecht). übersetzung nebst einer kurzen untersuchung über das alter desselben. Hermannsburg, missionsanstalt. XVI, 134 s. 1 m.

in dem einleitenden teile, in welchem der vf. durch eine kurze zusammenstellung der gründe das jahr 1227 als entstehungsjahr des Sachsenspiegels wahrscheinlich zu machen sucht, ist ihm ein versehen durchgeschlüpft. er sagt: 'unter den hauptbestandteilen Sachsens ist III 62 die grafschaft Holstein nicht genannt. Holstein war 1202—1227 dänisch und kam erst im juli 1227 wieder an Sachsen. darnach würde die abfassung nicht vor 1227 liegen'. es muss natürlich heissen: 'darnach würde die abfassung vor dem juli 1227 liegen'. es ergiebt sich somit nach den ausführungen des vf. die zeit von 1224 (1225?)—1227 als zeit der entstehung des Sachsenspiegels. — der übersetzung, welche angemessen ist, liegen die ausgaben von Weiske und Homeyer sowie eine lateinische übersetzung zu grunde.

43. Der Sachsenspiegel, nach der ältesten Leipziger handschrift hrsg. von Jul. Weiske. neu bearb. von R. Hildebrand. 7. aufl. XV, 202 s. Leipzig, O. R. Reisland. 3 m.
nicht geliefert. — angez. Zs. f. d. unterr. 9 no. 8.

44. F. Frensdorff, Beiträge zur geschichte und erklärung der deutschen rechtsbücher. II. Sachsenspiegel II 66 ff. und der landfriede. III. die übrigen vom frieden handelnden stellen des Sachsenspiegels. Nachr. d. kön. ges. d. wiss. in Gött. 1894, 36—103. — vgl. jsb. 1889, 9, 32. — vgl. auch no. 81.

45. R. Kirchhöfer, Zur entstehung des kurkollegiums. — vgl. jsb. 1894, 9, 37. – angez. Jahrb. f. nationalökon. 62, 769; von Chroust, Hist. zs. 73, 324 (der vf. ist seiner schweren aufgabe in keiner weise gewachsen); von G. Blondel, Rev. hist. 56, 134; von W. Altmann, Mitt. a. d. hist. litt. 22, 165 f. (gediegen).

46. Th. Lindner, Die deutschen königswahlen. — vgl. jsb. 1894, 9, 36. — angez. von Chroust, Hist. zs. 73, 318—323 (die arbeit ist ebenso weit von einer endgültigen lösung der frage entfernt wie die früheren; sie hat aber das verdienst, eine wichtige frage der verfassungsgeschichte wieder zur erörterung gestellt zu haben); ferner von W. Altmann, Mitt. a. d. hist. litt. 22, 159—165 (die negativen ergebnisse sind befriedigender als die positiven); und Cbl. f. rechtsw. 13, 249.

47. G. Seeliger, Neue forschungen über die entstehung des kurkollegs. Mitt. d. inst. f. österr. geschichtsf. 16, 44—96.

vf. widerspricht der ansicht Lindners, er (L.) habe der frage nach der entstehung des kurkollegs eine neue und endgültige lösung gegeben. er sucht Lindners annahmen im einzelnen als unrichtig zu erweisen und spricht seine eigene ansicht dahin aus: im 13. jahrh. seien zwei stufen der entwickelung zu unterscheiden, zunächst eine beschränkung der wahlberechtigten auf die reichs-fürsten, dann eine unterscheidung in der wahlberechtigung der fürsten. denjenigen, welchen (vielleicht schon aus früherer zeit) ein ehrenrecht bei der feierlichen wahl zugestanden habe, sei ein besseres und schliesslich das alleinige recht der wahl zugesprochen worden.

48. M. G. Schmidt, Die staatsrechtliche anwendung der goldenen bulle bis zum tode kaiser Sigmunds. Hall. diss. 53 s.

nach der kurzen anz. D. zs. f. geschichtsw. 12, *158 polemisiert vf. im sinne Lindners gegen Weizsäckers 'pfalzgraf als richter' und teilt auch Lindners auffassung des kurvereins gegen Heuer.

49. Deutsche reichstagsakten, hrsg. von A. Kluckhohn. — vgl. jsb. 1894, 9, 55. — auf die grosse wichtigkeit der publikation weist hin und spricht einige besondere wünsche aus H. Ulmann, Litztg. 1895 (16) 495—498.

50. K. Lamprecht, Die stufen der deutschen verfassungs-entwicklung vom 14.—18. jahrhundert. In: Kleine beiträge zur ge-schichte. festschr. zum 2. deutschen historikertage s. 165—176.

51. P. Uhlmann, König Sigmunds geleit für Hus. — vgl. jsb. 1894, 9, 54. — angez. Lit. cbl. 1894 (47) 1691 f. (die arbeit krankt an einem methodischen fehler und an der weitschweifigkeit des ausdrucks). — referierende anz. von W. Altmann, Mitt. a. d. hist. litt. 22, 418 f.

52. E. Brandenburg, Der Binger kurverein in seiner ver-fassungsgeschichtlichen bedeutung. D. zs. f. geschichtsw. 11, 63—89.

53. Drenthsche Rechtsbronnen, uit de 14e, 15e en 17e eeuwen. uitgegeven door S. Gratania. — vgl. jsb. 1894, 9, 57. die anz. von H. Brunner, Litztg. 1895 (13) 405 f. weist u. a. auf die be-deutung hin, welche das landrecht von 1412 für das angebliche Rheingauer landrecht besitzt, das Bodmann 1819 mitgeteilt hat.

54. O. Rieder, Nachschrift zu den totschlagssühnen im hochstift Eichstätt. Sammelbl. d. hist. ver. Eichstätt 8, 1—30. — vgl. jsb. 1894, 9, 56.

55. W. Plattner, Die entstehung des freistaates der drei bünde und sein verhältnis zur alten eidgenossenschaft. ein beitrag zur staats- und rechtsgeschichte des kantons Graubünden. Davos, H. Richter. VII, 327 s. 3,50 m.

das buch stellt im ersten teil dar, wie die dem bistum Chur und der abtei Chur verliehene immunität mit ihren vogteien und vogtlehen den engern staatsrechtlichen verband Oberrhätiens bildete. als dieser sich aufgelöst hatte und der druck des hauses Habsburg die notwendigkeit einer centralen gewalt noch fühlbarer machte, andererseits aber die siege bei Morgarten und Sempach das streben nach einer freiheitlichen gestaltung des öffentlichen lebens hervorriefen, suchte das volk von Churrhätien in zweihundertjährigen kämpfen eine geeignete staatsrechtliche form zu gewinnen. es bildeten sich die bünde im oberen teil und der graue bund, ferner der gotteshausbund und der bund der zehn gerichte, die bald unter einander einen engeren bund bildeten und ausserdem in ein zunächst etwas lockeres verhältnis zur alten eidgenossenschaft traten. wie dies im einzelnen geschah, wird in fasslicher, auf einen weiteren leserkreis berechneter form dargestellt.

56. Joller, Die Fryheiten des loblichen zenden Brygs. Blätt. f. Wallis. gesch. 4, 303—311.

57. W. Dührsen, Loweneuburgischer peinlicher process und urgicht des daselbst gefänglich sitzenden amtsschreibers von Bergersdorf [1603]. Arch. d. ver. f. gesch. d. herzogt. Lauenburg 4 (2) 27.

---

58. Alf. Huber, Österreichische reichsgeschichte. — vgl. jsb. 1894, 9, 59. — lobende anz. Lit. cbl. 1895 (5) 152 f.; ferner von Helfert, Österr. litbl. 4 (2) 61 f., von T., Korrbl. d. ver. f. siebenb. landesk. 18 (5) 77 (ein sicherer wegweiser auf vielverschlungenen pfaden).

59. A. Luschin v. Ebengreuth, Österreichische reichsgeschichte. (geschichte der staatsbildung, der rechtsquellen und des öffentlichen rechts.) ein lehrbuch. Bamberg, C. C. Buchner. 1. teil [die zeit vor 1526]. 1. hälfte. 160 s. 3,20 m. 2. hälfte IV und s. 161—324. 3,20 m.

nicht geliefert. — kurz angez. Lit. cbl. 1895 (23) 816 f.

60. E. Werunsky, Österreichische reichs- und rechtsgeschichte. ein lehr- und handbuch. 1. lief. Wien, Manz. VII u. s. 1—80. 1,60 m.

zu errichten; hieraus entwickelte sich die marktpolizei und die gerichtsbarkeit über marktfriedensbrüche. endlich wurde mit dem markt die gerichtsbarkeit über den marktort überhaupt verliehen. indessen war den kaufleuten und mit ihnen allen bürgern neben der verleihung des burgfriedens die ausübung ihres kaufmännischen gewohnheitsrechtes bestätigt worden, das eine gewisse handels- und gewerbegerichtsbarkeit enthielt. dieses gewohnheitsrecht wirkte befruchtend auf die ähnlichen befugnisse ein, welche die ortsgemeinde, in der kaufleute sich niedergelassen hatten, schon besass. einwanderung von seiten der landbevölkerung führte zu neuen grundbesitzverhältnissen; es wurde eingeführt, dass man in der stadt ein gewisses mass von grundbesitz gegen zins und frei von hofrechtlichen lasten erwerben konnte und dass der besitz eines solchen grundstückes das bürgerrecht verlieh. unter den neuen wirtschaftlichen aufgaben und der politischen rolle, die den bürgern wirtschaftliche selbständigkeit und ihre eigenschaft als mitbehüter einer burg zu spielen erlaubte, kam es zur ausbildung einer regelrechten behörde, welche die gemeinde vertrat, die leitung der städtischen angelegenheiten mehr und mehr in die hand nahm und den stadtherrn immer mehr bei seite drängte, womit fast die völlige selbständigkeit vieler städte begründet war. — angez. von G. v. B(elow), Lit. cbl. 1895 (47) 1677—1680 (als eine wertvolle bereicherung der verfassungsgeschichtlichen litteratur zu empfehlen).

68. F. Philippi, Zur verfassungsgeschichte der westfälischen bischofsstädte. — vgl. jsb. 1894, 9, 76. — das werk wird sehr gelobt und als beachtenswert empfohlen von G. Blondel, Rev. hist. 60, 159—162. — K. Schaube, Gött. gel.-anz. 1894, 554—564 widerspricht in vielen einzelnen punkten; u. a. findet er in der zweiten hälfte von weichbild das in unbill, unbilde enthaltene bilde = recht. — kurz angez. von G. v. Below, Hist. zs. 74, 170 f. (durchweg interessant und lehrreich, wenn auch nicht überall beweiskräftig). — ferner angez. Korrbl. d. westd. zs. 13, 50.

69. A. Knieke, Die einwanderung in den westfälischen städten. — vgl. jsb. 1894, 9, 77. — angez. von F. Philippi, Gött. gel. anz. 1894, 388—391 (gelobt, doch werden in bezug auf die auffassung des hörigkeitsverhältnisses, die rechtlichen voraussetzungen des bürgerrechts und die unfreien bürger ausstellungen erhoben). — ferner angez. von Krumbholtz, Zs. f. social- und wirtschaftsgesch. 3 no. 1.

70. Oberrheinische stadtrechte, hrsg. von der bad. hist. kommission. Heidelberg, Winter. 1. abt.: Fränkische rechte. 1. heft: Wertheim, Freudenburg und Kenbrunn. bearb. von

X. Mythologie und volkskunde.

Mythologie.

1. M. Buchner, Die religionen der heiden. Allg. ztg. 1895, beil. no. 276. 277.
ursprung der primitiven religionen. Buddhismus. auf antike und germanische mythologie wird nicht eingegangen.

2. Th. Achelis, Mythologie und völkerkunde. Allg. ztg. 1895, beil. no. 256.
hebt im anschluss an Kohlers Ursprung der Melusinensage die bedeutung des totemismus (im gegensatz zu der allgemeinen zurückführung auf naturerscheinungen) für die sagen- und märchenbildung hervor.

3. Fr. Sander, La mythologie du nord. — vgl. jsb. 1892, 10, 31; 1894, 10, 24. — rec. A. Heusler, Gött. gel. anz. 1895 (4).

4. Fr. Sander, Rigveda und Edda. — vgl. jsb. 1894, 10, 25; 12, 140. — rec. Fr. Kauffmann, Anz. f. d. a. 22, 82: 'das buch ist in jeder hinsicht wertlos'.

5. G. A. Schierenberg, Die götter der Germanen. — vgl. jsb. 1894, 10, 23. — ablehnend bespr. von Fr. Kauffmann, Anz. f. d. a. 22, 82.

6. W. Golther, Handbuch der germanischen mythologie. Leipzig, Hirzel. XII, 668 s. 12 m.
die einleitung s. 1—66 behandelt die geschichte der germanischen mythologie sowie die quellen, der erste abschnitt s. 72—191 die gestalten des volksaberglaubens (die niedere mythologie), der zweite den götterglauben s. 192—500, der dritte 'von der weltschöpfung und vom weltende' s. 501—543, der vierte die gottesdienstlichen formen s. 544—660. das handbuch, nicht ausschliesslich für fachleute bestimmt, ist die 'ausführung' des 'entwurfes', die sein büchlein 'Götterglaube und göttersagen der Germanen' [jsb. 1894, 10, 6] geboten hatte, und will 'möglichst vollständig und übersichtlich die göttersage darstellen, und zwar in richtiger auslegung und, wenn nötig, in ergänzung der mangelhaften überlieferung'. es wird entwickelungsgeschichte angestrebt, aber 'mythendeutung, überhaupt hinausgreifen über die zeit der denkmäler möglichst vermieden'. in vielen einzelheiten mit E. H. Meyers darstellung sich berührend, im aufbau und in einzelnen quellen-

belegen durch Mogks grundriss beeinflusst, löst das werk vorzüglich durch die geschmackvolle verbindung von erzählung (nach
Uhland) und kritischer darstellung seine aufgabe. reiche anmerkungen führen den gegenwärtigen stand der verhandlungen in
den einzelfragen vor, gewöhnlich dem pro et contra ein non liquet
entgegensetzend. in der auffassung der entwicklungsgeschichte der
mythen steht Golther bekanntlich dem Buggeschen standpunkt nahe
(vgl. besonders den abschnitt über weltschöpfung und weltende),
sucht aber überall die selbstdichtende fortbildung aus 'fremder anregung' dem germanischen (nordischen) altertum zu wahren. das
schön ausgestattete werk kann mit recht den anspruch darauf erheben, das seiner bestimmung nach ihm verwandte Simrocksche
handbuch, dessen zeit jedenfalls abgelaufen ist, zu ersetzen. es
zeigt aber zugleich, dass das schwergewicht der mythenforschung noch
immer auf der darstellung der speziell nordischen verhältnisse ruht;
und je schärfer der späte, nur auf christlichem boden erklärbare
ursprung der mehrzahl der göttersagen betont wird, desto dringender erhebt sich die frage, ob wir es denn hier mit einer darstellung
der germanischen mythologie oder nicht vielmehr der altnordischen
litteraturgeschichte zu thun haben. die kluft zwischen nordischer
und deutscher mythologie tritt auch hier handgreiflich zu tage. —
rec. H. G(aidoz), Mélusine 8 (2) 45 f. Lit. cbl. 1896, 747 f. eingehend von O. Jiriczek, Zs. d. ver. f. volksk. 6 (2) 218—223.

7. K. Zangemeister, Zur germanischen mythologie. Neue
Heidelberger jahrb. 5 (1) 46—60.
die votivsteine der equites singulares in Rom (reiterkorps seit
Trajan, überwiegend aus germanischen stämmen des Rhein- und
Donaugebietes rekrutiert) zeigen übereinstimmend nach der kapitolinischen trias [Jupiter, Juno, Minerva] die offenbar germanische
trias Mars, Hercules, Mercur, hinter denen sich Tîu, Thunar,
Wôdan bergen. jedem gott der germanischen trias ist im ganzen
übereinstimmend eine göttin zugesellt: zu Herkules Fortuna, zu
Mars Victoria, zu Mercurius Felicitas, auf deren deutung vf. nicht
eingeht. dementsprechend sind auch hinter den folgenden, auf den
votivsteinen wiederkehrenden namen germanische gottheiten zu
suchen: Salus, Fatae, Campestres; Silvanus, Apollo, Diana; Epona,
Matres, Suleviae. auch auf den sogenannten viergöttersteinen
findet sich neben den drei kapitolinischen gottheiten die germanische
trias, wobei auf einigen steinen auch einzeln die aus den votivsteinen der equites singulares bekannten weiblichen gottheiten
wiederkehren. zum schlusse eine vermutung über die Jupiter-
säulen, deren zweiter typus (ein reiter) als der hauptgott der germanischen trias, Wodan, erklärt wird.

8. E. H. Meyer, Germanische mythologie. — vgl. jsb. 1891,
10, 3. 1892, 10, 25. 1894, 10, 5. — weiter bespr. v. Fr. Kauffmann, Zs. f. d. phil. 28 (2) 245—248.

9. G. Wanner, Deutsche götter und helden, nebst der sage
von Parzival. 2. aufl. Hannover, Helwing 1893. 138 s.

das buch, für praktische schulzwecke bestimmt, ist zuerst 1885
erschienen. die neue auflage lässt die auswahl unverändert: 7 erzählungen aus der göttersage, 6 aus der heldensage (Siegfried,
Walther und Hildegund, Dietrich von Bern, Gudrun, Parzival, Karl
d. gr.). die darstellung ist einfach, klar und schliesst sich eng an
die quellen an. auf namenerklärung und mythendeutung hat der
vf. mit recht verzichtet. das buch wird in der hand der schüler
zweifellos gute dienste thun.

10. B. Saubert, Germanische welt- und gottanschauung in
märchen, sagen, festgebräuchen und liedern, eine zum verständnis
der märchen u. s. w. gebotene erläuterung. Hannover, Helwing.
285 s. 3 m.

1. welt- und gottanschauung. 2. götterbilder. 3. göttinnen.
4. götterfeste. 5. göttermythus in den märchen und volkssagen
[märchen, sagen, göttermythus in der pflanzenwelt, in liedern und
gedichten]. den sauberen, ja vornehmen ausstattung des buches entspricht leider der innere wert nicht. die einleitenden darlegungen
aus der germanischen mythologie sind auszüge aus Simrocks handbuch, dessen bequeme gleichungen hier und da noch übertrumpft
werden ['die Oder erinnert an Odhr, Odhin, Odin', der berg 'Altvater' in Schlesien an den 'beinamen Odins Altvater'; die pflanze
baldrian an Balder u. s. w.]. über die forschungen der neueren
zeit [die übereinstimmung in der wocheneinteilung und benennung
der tage ist einer der vielen beweise für die stammverwandtschaft
der Germanen und Chaldäer!], ja sogar über den niemals geleugneten
unterschied zwischen deutscher und nordischer mythologie geht vf.
stillschweigend hinweg; aber auch von der wanderung der märchen
hat er keine kenntnis, er führt sie samt und sonders direkt auf
altgermanische mythen zurück. noch bedenklicher ist die in
manchen märchen [so am auffallendsten s. 123 Aschenbrödel] vorgenommene zustutzung oder moralisierende erweiterung und umdichtung der märchen. am ansprechendsten sind noch die ausführungen über die festbräuche, hübsch das schlusskapitel über die
mythische grundlage einiger moderner kunstgedichte. bei ernsterer
beschäftigung mit den einschlägigen forschungen hätte der vf.,
dem ein gutes gefühl für die naturgrundlagen der mythen nicht
abzusprechen ist, gewiss ein brauchbareres buch liefern können.

11. Fr. Sander, Das Nibelungenlied Siegfried der schlangentöter. Hagen von Tronje. eine mythologische und historische
untersuchung. Berlin, Friedländer. 124 s. 4,60 m.

abgelehnt von (E. Mo)gk, Lit. cbl. 1896, 198; ferner von
R. M. Meyer, Litztg. 1895 (38) 1196 f.

12. F. Vogt, Hunne. Mitt. d. ver. f. schles. volksk.
1 (4) 45.

sieht in einem schlesischen spruche, worin der tod mit 'hunne'
bezeichnet ist, eine bestätigung der annahme von Th. Siebs (Zs.
f. d. phil. 24, 145 f.), über ahd. Henno Wôdan-Mercurius. — vgl.
jsb. 1891, 10, 37.

13. F. Vogt, Der tod im schlesischen kinderliede und die
interjektion hunne. ebd. 2 (2) 26 f.

nimmt seine oben ausgesprochene ansicht zurück und erklärt
auf grund von kinderliedern vom todaustragen hunne als weiterbildung der interjektion hu! wie hu ei! hullei! hunnei!

14. H. Schliep, Mythologisches. Ons Hémecht 1 (12)
349—351.

kündigt eine abhandlung an, in welcher er zwei himmelswege
(Wodansstrassen) in Luxemburg nachweisen will.

15. G. Jakob, Zwei Wodanssagen. in: Die ortsnamen des
herzogtums Meiningen. Hildburghausen 1894, s. 48 f.

sage von einem einäugigen fuhrmann, die auf Wodan gedeutet wird.

16. O. Knoop, Wode und das wodelbier. Blätt. f. pomm.
volksk. 3 (2) 17—21.

Wode in der sage vom wilden jäger ist vielleicht von 'woi-
wode' abzuleiten. wodelbier ist nicht erntebier für Wodan, sondern =
weddelbier, schmaus als ersatz (wedde) für die erntearbeit. — ebd.
s. 38 f. weddelbier hat mit der ernte nichts zu thun = vertragsbier.

17. O. Knoop, Wodelbier und weddelbier. Am urquell 6 (2)
49—51.

hält an seiner anschauung fest, dass der ausdruck wodelbier
wahrscheinlich gar nicht volkstümlich sei, jedenfalls aber mit Wodan
nichts zu thun habe.

18. O. Knoop, Jiggeljaggel und der pommersche Hackelberg. Blätt. f. pomm. volksk. 3 (7) 101—105. (8) 118—122.

die von A. Kuhn und Wolf in Jiggeljaggel gesuchte mythologische beziehung (zu Hackelberg) ist nicht vorhanden. das wort
bedeutet, wie gickelgackel 'hin und her wackelnd'.

19. Grienberger, Merseburger zaubersprüche. — vgl. abt. 13, 5.

20. Magnusson, Odins horse. — vgl. abt. 12, 162. 163.

21. G. Trimpe, Nachklänge der germanischen götterlehre. Mitt. d. ver. f. gesch. u. altertk. d. Harzgaues 1895, heft 3 u. 4.

22. H. Jellinghaus, St. Bernhards parabel und Hermods bitte für Balder. Am urquell 6 (2) 53 f.
aus den predigten Bernhards eine stelle über die erlösung der menschheit, die wohl in der allgemeinen stimmung, nicht aber in den entscheidenden punkten mit dem Baldermythus ähnlichkeiten zeigt.

23. Sauer, Mahabhárata und Wate. — vgl. jsb. 1893, 10, 8. 1894, 10, 18. — ablehnend rec. von Fr. Kauffmann, Anz. f. d. a. 21, 256 f.

24. J. Winkler, De hel in Friesland. eene naamkundige bijdrage. Friesche volksalmanak 1894. — vgl. jsb. 1894, 18, 9.
germ. hölle in Friesland aus ortsnamen nachgewiesen. [O. Bremer].

25. O. Warnatsch, Beiträge zur germanischen mythologie, nebst anhang: nordische sagen auf dem gymnasium. progr. d. gymn. Beuthen O. S. 20 s. 4°. — vgl. abt. 12, 159.
1. Loki-Logi-Prometheus. 2. Odin Widrir-Wunderer. W. beschränkt sich auf die zusammenstellung der schon von Grimm, Weinhold u. a. angedeuteten gleichungen in der Loki- und Prometheussage, ohne bezüglich der auffassung der unleugbaren verwandtschaft (ob alte urgemeinschaft, ob neue übertragung) eine entscheidung zu treffen. die einzelnen züge, bestrafung (erdbeben), befreiung [das geheimnis, dessen mitteilung die erlösung bringt. W. macht hier mit recht auf das Odinsgeheimnis aufmerksam], feuerraub [Fimafeng und sein genosse sind hypostasen des feuergottes, der sich hier selbst bekämpft, wie Loki sein 'urbild Logi'], narthex-mistilteinn [beides die verkörperung des blitzes] sind knapp und sicher zusammengestellt; der störende ausblick auf anderweitige erklärungen und deutungen vermieden. das verdienst der abhandlung besteht jedenfalls darin. auf das hier thatsächlich vorliegende mythengeschichtliche problem wieder nachdrücklich hingewiesen zu haben, welches z. b. in Golthers handbuch kaum angedeutet erscheint. auf die vulkanische natur Lokis hat jüngst F. Vogt [vgl. unten no. 26] hingewiesen. — der 'wunderer' im mhd spruch von könig Etzel. schon früher mit den sagen von der wilden jagd in zusammenhang gebracht, ist verderbt aus 'winderer' (aus einem vorausgesetzten *winden, wind

erregen) als bezeichnung Wodans — an. Viðrir. — im anhang
sehr verständige ausführungen über auswahl und verwendung nordischer sagen im gymnasialunterricht.

26. F. Vogt, Dornröschen-Thalia. aus: Beiträge zur volkskunde (1896) s. 195—237.

nach kurzer übersicht über die von R. Spiller (vgl. jsb. 1893, 10, 7) gebotene entwicklung, hinweis auf die bisher noch nicht verwendeten antiken und neueren unteritalischen quellen. hier ist Dornröschen Θάλεια, die vor der eifersüchtigen Hera im innern der erde geborgene geliebte des Zeus = die sprossende, die im winterlichen todesschlaf geborgene vegetation. V. findet darin die bestätigung seiner ansicht, dass die nordische Brünhildensage als vegetations- und jahreszeitmythus aufzufassen sei. den nordischen und griechischen mythen der Dornröschentraditionen liegt 'vermutlich ein stücklein indogermanischer gemeinschaft zu grunde', die märchenhaften fassungen aber sind von volk zu volk gewandert, wobei in diesem fall als ausgangspunkt Süditalien anzusehen ist. die abhandlung ist zugleich ein sehr wertvoller beitrag auch zur vergleïchenden märchenkunde, indem hier die entstehung eines weithin (auch nach Indien) verbreiteten märchens direkt aus dem antiken mythus nachgewiesen wird. — H. G(aidoz) giebt Mélusine 8 (2) 48 einige kleine nachträge aus Irland und Chios. ohne die letzten konsequenzen zu teilen, erkennt er die auffassung Vogts als 'très ingénieuse et très habilement présentée' an.

27. Much, Ulls schiff. — vgl. abt. 12, 161.

28. A. E. Schönbach, Der windadler Heinrichs von Veldeke. Festschrift für Franz v. Krones (Graz 1895) s. 67—77.

zeigt, dass der 'dem vil suezen winde' winkende ar Heinrichs von Veldek (MF³ s. 66) nicht, wie seit Grimms Mythologie öfter angenommen wurde, mit dem eddischen hraesvelgr (vafthr. 37) zu identificieren sei, sondern der legende des heiligen Servatius angehöre, dessen fest, 13. mai, die zeit des übergangs von frühling zum sommer bezeichnet.

29. O. Warnatsch, Sif. aus: Beitr. z. volksk. (1896) s. 239—245.

zu got. sifan ἀγαλλιᾶσθαι, εἰφραίνεσθαι, got. *sifja, an. sifja erfreuen. also Sif = die frohmachende, erfreuende, in name und bedeutung in gleichem verhältnis zu Thor, wie Frigg zu Odin. mit der verdrängung Thors durch Odin musste natürlich auch sie zurücktreten.

30. Fr. Kauffmann, Mythologische zeugnisse aus römischen inschriften. 6. dea Garmangabis. Paul-Braune, Beitr. 20, 526—534.

gegen die deutung von Grienbergers (jsb. 1893, 10, 15) **als**
'bereit liegenden reichtum besitzende', oder 'aus der **immer bereiten**
fülle der reichtümer spendende göttin' erklärt. epitheton **der göttin**
Nerthus.

31. A. Kock, Die göttin Nerthus und der gott Niǫrþr. **Zs.**
f. d. phil. 28 (3) 289—294.

32. A. Haas, De Hertha gifft gras, un füllt schünen un
fuss. Bl. f. pomm. volksk. 3 (1) 1—4.
der spruch ist nicht alt, sondern im anschluss **an bekannte**
bauernregeln gefälscht, also kein beweis für den Herthakult.

33. O. Bugge, Mindre bidrag til nordisk mythologi. — vgl.
abt. 12, 109.

34. K. Olbrich, Der Jungfernsee bei Breslau. **ein mytho-**
logischer streifzug. Beiträge z. volksk. (1896) s. 119—130.
drei jungfrauen werden, weil sie statt zur kirche zu **gehn tanzen.**
vom blitz erschlagen. der tanzplatz wird zum see. **nach einer andern**
sage entsteht der see aus dem blut dreier jungfrauen, **die der vater**
aus zorn über ihre sündige tanzlust niedergestochen **hat. zu grunde**
liegt eine nixensage, wonach die zu spät heimkehrende **nixe ihr**
leben lassen muss. vater = wassermann. die heutigen **sagen-**
fassungen sind treffende beispiele für die **christianisierung und**
modernisierung alter heidnischer sagen.

35. Fr. Vogt, Über schlesischen volksglauben. **Mitt. d.**
schles. gesch. f. volksk. 1 (1) 4—15.
auf grund der erhebungen der kreissynoden, vornehmlich **über**
reste des vorchristlichen geister- und dämonenglaubens.

36. O. Jiriczek, Seelenglauben und namengebung. **ebd.**
1 (3) 30—35.
macht des namens über die seele. über unholde erlangt **man**
gewalt, wenn man ihren namen weiss. tote können in **neuer ge-**
stalt wieder zu leben gelangen, wenn man neugeborenen **kindern**
ihren namen giebt.

37. O. Mothes, Ein heidnischer opferstein. **Korrbl. des**
gesamtver. d. d. geschichtsver. 44 (5) 57 f.
über einen wahrscheinlich aus heidnischer zeit **stammenden**
opferstein im Vogtlande.

38. L. Schermann, Die sterne im indogermanischen **seelen-**
glauben. Am urquell 6 (1) 5—9.

39. K. Weinhold, Die widderprozession von Virgen und Prägratten nach Lavant im Pusterthal. Zs. d. ver. f. volksk. 5, 205—208.

ein widder als opfer für erlösung von einer seuche. W. führt den brauch auf vorchristliche widderopfer zurück.

40. K. Weinhold, Beitrag zur nixenkunde auf grund schlesischer sagen. ebd. 5, 121—133.

41. L. Fränkel, Feen- und nixenfang und Polyphems überlistung. ebd. 5, 264—274.

42. Jensen, Ägir in der Sylter sage. Globus 68 (13).

43. K. Rehorn, Der mythus von Ögir. Bericht d. freien d. hochstiftes 1895 (2).

44. Wilken Der Fenriswolf. — vgl. abt. 12, 160.

45. Č. Zíbrt, Indiculus superstitionum et paganiarum. dessen bedeutung für allgemeine kulturgeschichte und für das studium kultureller überlebsel in der heutigen volksüberlieferung mit besonderer rücksicht auf böhmische volkskunde. Prag 1894. (Abhandl. d. böhm. akad. d. wiss. I. kl. jahrg. 3, no. 2.) 174 s.

rec. A. Brückner, Zs. d. ver. f. volksk. 5, 115 f. G. S., Archivio delle tradiz. popolari 14, 142 f.

46. G. M. Godden, Bekleidete götterbilder. Zs. d. ver. f. volksk. 5, 100 f.

anfrage nach beispielen der opferung von gewändern oder bedeckungen der götterbilder.

47. E. Hahn, Heilige wagen. Verhandl. d. Berliner ges. f. anthropol. 27, 342—347.

erklärt mit beziehung auf die germanische mythologie die oft vorfindlichen kleinen wagen in den museen Deutschlands und Italiens als interessante beweise eines prähistorischen ackerbaues und eines kultes der ackerbaugöttin. die rätselhaften figuren darauf sind als rinder und gänse (schwäne) anzusehen.

48. Joh. Sepp, Religionsgeschichte von Oberbayern in der heidenzeit, periode der reformation und epoche der klosteraufhebung. München, Lit. inst. dr. Huttler. V, 309 s. 5 m.

rec. v. H—n Haupt, Lit. cbl. 1895 (12) 401—403. Bossert, Theol. litztg. 1895 (16) 419—421.

49. A. Hillebrandt, Die beziehungen des brahmanismus zur indischen volksreligion. Mitt. d. schles. ges. f. volksk. 1 (4) 37—45.

über das altindische ritual mit heranziehung von parallelen aus dem germanischen volksbrauche.

10*

50. A. Weber, Vedische beiträge. 4. das achtzehnte buch der Atharvasamhitâ (sprüche zum totenritual). Sitzungsber. d. Berlin. akad. 1895, 815—866.

giebt auf s. 817 f. eine kurze übersicht über die in den behandelten sprüchen enthaltenen vorstellungen über den aufenthalt der seele kurz nach dem tode, über ihr bestreben in das jenseits zu gelangen, hindernisse und förderung dabei.

51. A. Eggers, Der arische (indoiranische) gott Mitra. eine sprach- und religionsgeschichtl. studie. diss. Dorpat. 75 s.

52. H. Oldenberg, Die religion des Veda. Berlin, Hertz 1894. IX, 620 s. 11 m.

rec. von H—y, Lit. cbl. 1895, 164—166.

Sagenkunde.

53. J. J. Hoffmann, Altgermanische sagen, den badischen lehrerkonferenzen und verehrten mitarbeitern der 'Badischen landes- und schulgeschichte' gewidmet. Bonndorf, J. A. Binders nachfolger 1891. 88 s.

ein sonderbares gemisch von allerlei sagenbrocken, einzelnen poetischen bearbeitungen; dazu ausführungen über wirklich existierende zwerg- und riesenhafte menschen; mythologische erläuterungen aus Pierers·konversationslexikon u. s. w. als sagensammlung völlig unbrauchbar, als schulbuch geradezu verwirrend und schädlich.

54. J. Nover, Deutsche sagen in ihrer entstehung, fortbildung und poetischen gestaltung. I. bd. Faust. Till Eulenspiegel. Der ewige jude. Wilhelm Tell. Giessen, Roth. IX, 374 s. 2,50 m.

rec. v. A. Bgr. im Lit. cbl. 1895, 1051 f. [nicht selbständig und nicht aus dem vollen geschöpft.]

der II. bd. ebd. 1896. X, 238; 102 und 54 s. mit 3 bildern. 2,50 m. enthält: Nibelungensage, Gral, Parzival, Lohengrin.

55. A. Puls, Über einige quellen der gedichte von A. Kopisch. Zs. f. d. d. u. 9, 191—210.

weist als quellen der gedichte von A. Kopisch die sagensammlungen der brüder Grimm, von Kuhn (Märkische sagen) und Müllenhoff nach und erörtert an einzelnen beispielen die art der quellenbenutzung und dichterischen fortbildung.

56. R. Sprenger, Parallelen zum Glück von Edenhall. Am urquell 6 (1) 41 f. 153—158. (9/10) 191 f. — vgl. jsb. 1894, 10, 67.

57. H. Schurtz, Volkssage und volkslied. Allg. ztg. 1895,
beil. no. 200.
allgemeine bemerkungen zur charakteristik derselben.

Heldensage. 58. E. Sievers, Béowulf und Saxo. Berichte d.
kgl. sächs. ges. d. wiss. 1895 (1. 2). — vgl. abt. 16.

59. C. Voretzsch, Die franz. heldensage. — vgl. jsb. 1894,
10, 42. — rec. von P. Rajna, Litbl. 16, 197—199. S. Singer,
Anz. f. d. alt. 22, 233 f.

60. C. Wolfskehl, Germanische werbungssagen. — vgl. jsb.
1893, 10, 6; 1894, 10, 37. — ferner angez. von E. Mogk, Zs. f.
d. phil. 28, 127. E. H. Meyer, Anz. f. d. a. 22, 83 f. (abwartend);
L. Fränkel, Litbl. 1895, 361—363.

61. O. L. Jiriczek, Deutsche heldensage. — vgl. jsb. 1894,
10, 28. — rec. F. Khull, Zs. f. d. österr. gymn. 46, 1138;
A. Richter, Päd. jsb. 1894, 264.

62. G. Binz, Zeugnisse zur germanischen sage in England.
Paul-Braune, Beiträge 20, 141—223.
1. anglofriesische, 2. hoch- u. ndd. 3. Burgunden u. Nibelungen,
4. langobardische, 5. gotische, 6. verschiedene kleinere sagen. vf.
kommt zum ergebnis, dass der altenglische besitz an germanischen
sagen im wesentlichen aus stoffen besteht, welche noch in der
kontinentalen zeit der Angelsachsen ihre epische ausbildung erfahren hatten, aus ndd. oder bei den Germanen um die Ostsee
heimischen mythen, aus historischen heldensagen der germanischen
stämme an der Ost- und Nordsee, aus den älteren sagen der Goten.
die übersiedlung nach England scheint den abschluss für die eigentliche epische produktion zu bilden. von den bedeutendsten epischen
cyklen Deutschlands, der Siegfried-, Nibelungen- und der Dietrichsage
finden sich bei den Angelsachsen nur kümmerliche spuren.

63. E. Engelmann, Nordland-sagen. nordisch-germanische
lieder und mären für das deutsche haus bearbeitet. mit vielen
bildern nach zeichnungen von G. Closs, C. Häberlin, Th. Hoffmann,
R. E. Kepler u. a. Stuttgart, P. Neff. 343 s. 7 m.

64. F. Ohlenschlager, Der burgfriede von Dürkheim. Mitt.
d. hist. ver. d. Pfalz 19, 113—128.
urkunde von 1360. die darin vorkommende bezeichnung
'Brûnoldes stuol' wird als mit der Nibelungensage nicht zusammenhängend erwiesen. die früher damit verbundene bezeichnung 'Brun-
holdisbette' hat vf. in der umgebung nicht gefunden.

65. P. Passler, Zur geschichte der Heimesage. progr. d.
gymn. Horn (Niederösterreich), 1893. 48 s.

nach einer zusammenfassenden darstellung der tirolischen Heime-
sagen und einem überblick über die tirolischen quellen konstruiert
P. aus den einzelangaben der verschiedenen lokalsagen einen Heime-
mythus. der kampf zwischen Heime und Thursus, den er mit
Wittich identifiziert, stellt den mörderischen kampf des hochwassers
gegen den wald dar. Heime ▬ der wassergeist, deshalb so tückisch
und gewaltthätig; Thursus-Wittich ▬ waldgeist, deshalb gutmütig,
wie der baum 'der keine eignung besitzt, sich zu wehren, sondern
allen angriffen nur passiven widerstand entgegensetzen kann'. in
der deutschen heldensage treten auch Heime und Thursus-Wittich
in den Ermanrich- und Dietrichsagenkreis ein (nach Müllenhoff),
während in Tirol durch die verflechtung Heimes in die Slaven-
kämpfe die verknüpfung mit der Amelungensage nicht zu stande
kam. das bewahrte ihn aber in der tirolischen sage, wo er allein
der drachen- und riesentöter blieb, vor der ausgestaltung der deutschen heldensage zum tückischen verräter. 'unter mönchischem
einfluss' wurde Heime endlich in die Wiltener gründungssage
hineinverflochten. 'ein herber mythus bildet den ausgangspunkt
der entwicklung; mit einer erbaulichen legende schliesst sie ab'. —
rec. von J. Seemüller, Anz. f. d. a. 21, 332—337. S. beanstandet
(mit recht) die unkritische verwertung der angeblich volksmässigen
tirolischen überlieferungen, deren abhängigkeitsverhältnis von einander nicht geprüft werden, und hält diese quellen nicht für ausreichend um eine selbständige entwicklung der Heimesage auf tiro-
lischem boden folgern zu können.

66. J. Seemüller, Die Wiltener gründungssage. (Sep.-abdr.
aus Ferdinandeums-zs. 39.) Innsbruck, Wagner. 142 s.

eingehende quellenuntersuchung der Haymo- und Wiltener sage.
es gab eine Wiltener, an die Sillschlucht gebundene lokalsage von
einem goldhütenden Drachen. Haymo, ursprünglich der sage nicht
angehörig, tritt an die stelle des Sill-drachen-töters. das Tyrsus-
motiv, einer andern lokalsage angehörend, tritt erst im 16. jahrh.
hinzu; auch hier tritt Haymo an die stelle des siegers, und dadurch
ist zugleich das motiv zur klostergründung, die busse, gegeben.
dass Haymo, dessen grabmal im kloster gezeigt wurde, der Heime
der deutschen heldensage sei, wird demnach nur durch die namens-
identität und durch die übermenschliche grösse gestützt. im übrigen
gehört der ganze sagenstoff der (fortwährend unter litterarischem
einfluss stehenden) lokalsage an, und alle folgerungen für die heldensage, so besonders die neuesten von Passler, sind grundlos. — See-
müllers untersuchung ist besonders auch dadurch lehrreich, dass sie

die stete wechselwirkung zwischen litterarischer fixierung und lebendiger volkstradition nachweist. im anhang sind die quellen abgedruckt.

67. A. Fécamp, La poème de Gudrun. — vgl. jsb. 1894, 14,
54. H. Fischer, Litbl. 1895 (9) 302—305 wirft den ausführungen
über die mythische grundlage der sage veralteten standpunkt vor.
F. habe auch nur die litteratur bis 1881 verarbeitet. — ferner rec.
Lichtenberger, Revue critique 1895 (10). Parmentier, Zs. f.
vergl. litt. gesch. n. f. 8 (3) 269. 70. Revue pol. et litt. 1894, 5.

Amleth. 69. O. L. Jiriczek, Die Amlethsage auf Island. in:
Beiträge z. volksk. (1896) s. 59—108.

giebt kapitelweise in deutscher übersetzung einen ausführlichen
auszug aus der dem 17. jahrh. angehörigen Ambalessaga [3 papierhandschriften in Kopenhagen: saga af Amloda edur Ambales]. die
vergleichung mit der darstellung bei Saxo ergiebt eine reihe von
abweichungen, die es wahrscheinlich machen, dass der sagaschreiber
als quelle die aus Saxo geflossene volkstradition benutzt, zu den
nebenepisoden aber märchenmotive verwertet habe.

Apollonius. 70. S. Singer, Apollonius von Tyrus. untersuchungen über das fortleben des antiken romans in späteren zeiten.
Halle, Niemeyer. VI, 228 s. 6 m.

nicht geliefert.

St. Christoph. 71. A. Richter, Der deutsche St. Christoph.
I. die vorgeschichte der Christophlegende. Berliner diss. 61 s.

Ernst. 72. A. Fuckel, Der Ernestus des Odo von Magdeburg
und sein verhältnis zu den übrigen älteren bearbeitungen der sage vom
herzog Ernst. Marburger diss. Marburg, buchdruckerei Fr. Sömme-
ring. 86 s.

im ersten teil nach kurzer kritik der überlieferten personal-
notizen [Odo v. Magdeburg dichtet um 1206 für erzbischof Albrecht v. Käfernburg], feststellung der litterarischen vorbilder, ausser
den antiken besonders Gualtherus' de Castellione mit seiner Alexan-
dreis [im nachtrag s. 85 eine ansprechende vermutung Schröders
über den kulturhistorischen zusammenhang]; der 2. teil stellt das
verhältnis dieser lateinisch-antikisierenden bearbeitung [E] zu den
deutschen bearbeitungen fest. die vorlage von E muss deutsch gewesen sein, doch ist es keine der bekannten bearbeitungen, sondern
vf. macht wahrscheinlich, dass E zusammen mit der ihm nahe-
stehenden älteren mhd. bearbeitung (B bei Bartsch) auf eine
aus der fassung der niederdeutschen bruchstücke abgeleitete redak-

tion zurückgeht. für die entwicklung der sage bietet **E** nichts neues.

Ewiger jude. 73. W. Lehr, Zur litteratur des 'ewigen juden'. Egyetemes philologiai közlöny 19, 636—639.

über ein in der Pressburger evangelischen lyceumsbibliothek vorfindliches exemplar der ersten ausgabe (1689) der **dissertatio historica de Judaeo non-mortali** des Martinus Schmied.

74. C. Rosenkranz, Die Ahasverus-sage. Pädagog. blätter von G. Schöppa 23, 454—480.

übersicht über die bearbeitung der Ahasverussage in der modernen dichtung.

Faust. vgl. abt. 15: Faustbuch.

75. K. Biedermann, Die Faustsage nach ihrer kulturgeschichtlichen bedeutung. Zs. f. kulturgesch. 2 (1).

Griseldis. 76. Wannenmacher, Die Griseldissage auf der iberischen halbinsel. — vgl. jsb. 1894, 10, 52. — rec. A. L. **Stiefel**, Litbl. 1895, 415—417.

Hameler rattenfänger. 77. F. Jostes, Der rattenfänger von Hameln. ein beitrag zur sagenkunde. nebst mitteilungen über einen gefälschten rattenfänger-roman. Bonn, Hanstein. 52 s. 1 m.

ausgehend von der ältesten datierten erwähnung auf einem thorsteine, die in das jahr 1259 (schlacht bei Sedemünde) zurückführt, sucht J. in der bildlichen darstellung des auszuges zu dieser schlacht im kirchenfenster der stiftskirche (nach älteren angaben 'junge kerls mit spiessen') den ausgangspunkt der sagenbildung. verknüpft damit ist als der erste teil der sage eine der oft vorkommenden tiermalediktionen und verschmolzen eine tanzwutsage. die verse auf einem 1622 (neu) gedruckten fliegenden blatt sind wahrscheinlich die quelle für die darstellung in der Hamelschen reimchronik und bei Rollenhagen gewesen. — bespr. von A. **Schullerus**, Korrbl. d. ver. f. siebenb. landesk. 19 (6) 73—75.

78. A. Schullerus, Zur litteratur der Hameler rattenfängersage. Korrbl. d. ver. f. siebenb. landesk. 18 (6) 81—84; (7) 89—93.

einige angaben über die siebenbürgische rattenfängerlitteratur des 17. jahrh., namentlich auszüge aus der dissertation des **Mart.** Bertleff (Exodus Hamelensis, Thorn 1687). ein nachtrag dazu ebd. 19 (5) 63 f. über die dissertation von Nikolaus Nierenberger (Wittenberg 1671).

Holländer. 79. G. Heinrich, A bolygó Hollandi (der fliegende
Holländer). Budapesti szemle 86, 1—17.

giebt eine gute übersicht über die entwicklung der sage, sowie
über moderne dichterische bearbeitungen derselben.

Kaisersage. 80. Fr. Kampers, Kaiserprophetieen und kaisersagen im mittelalter. ein beitrag zur geschichte der deutschen kaiseridee. München, dr. H. Lüneburg. 262 s. [Historische abhandlungen
hrsg. von Heigel u. Grauert, 8. heft].

im ersten teil, 'sagen und prophetieen von einem Messiaskaiser
der endzeit', ein überblick über die entwicklung der Messiasidee bei
den juden, übergang durch die sibyllinischen bücher zu den Römern
(Augustus, Nero als zukunftskaiser) und zu den Germanen. das
verhältnis zwischen sibyllinischer weissagung und nordischer escha-
tologie wird auf grund sekundärer quellen flüchtig gestreift; legenden von Karl dem grossen, Muspilli als verschmelzung christlicher
und heidnischer ideen; die geistlichen lehrgedichte des 11. und 12.
jahrh., das Tegernseeer spiel vom Antichrist, 'eine nationale prophetie
inmitten trüber erwartungen, ein denkmal der universellen politik
kaiser Friedrich I.' der zweite teil: 'das fortleben der prophetieen
und die entwickelung der sage vom wiederkehrenden, bergentrückten
kaiser'. 'fremde sagenstoffe der verschiedensten art befruchten einen
mythologischen, nationalen keim, den gedanken des fortlebens von
göttern und seelen in den bergen'. die joachimistischen prophe-
zeiungen Italiens, getragen durch die national-religiöse sektierer-
bewegung in Schwäbisch-Hall verdichten sich in Thüringen zur sage
der wiederkunft Friedrichs II. dazu kommen mythologische erinnerungen und orientalische ausschmückungen (aufhängen des
schildes ▬ symbol der besitzergreifung des heiligen grabes; dürrer
baum ═ arabische sage von Mohamed, lokalisierung an den stätten
ehemaligen Wodankultes); dazu spielt die Artussage und französische
kaiser Karlprophetie hinein. im 13. u. 14. jahrh. ist die weissagung eine
gewichtige waffe in den kämpfen der päpstlichen und kaiserlichen
politik, dazu der nahenden reformation. massgebend für die weitere
fortbildung hier der traktat des Telesphorus (1386). in Thüringen
geschieht der letzte schritt der nationalisierung der sage durch
vertauschung Friedrichs II. mit Friedrich Barbarossa. ansätze dazu
in J. Enikels weltchronik. 1. exkurs: die tiburtinische sibylle des
mittelalters. 2. die schrift des Telesphorus. das buch ist auf
ausserordentlich reichem quellenmateriale aufgebaut, deshalb für den
mit den weitverzweigten beziehungen der mittelalterlichen politik
nicht vertrauten schwer zu lesen, erweckt aber auch in ihm die
empfindung sicherer begründung. ob übrigens aus der die gelehrten
und politischen kreise erregenden weissagung mehr als die grund-

züge und die hauptgestalten sich zur volkssage vereinfacht haben,
ist dem ref. fraglich geblieben. der 'dürre baum' z. b. als bild der
in undenkbare zukunft verlegten erwartung ist ein weitverbreitetes
heimisches motiv.

81. Raydt, Die deutsche kaisersage. Deutsch-evang. blätt.
16, 73—91.

82. J. Häussner, Die Kyffhäusersage. Allg. ztg. 1895, beil.
no. 108.
zusammenfassende übersicht der neueren forschungen im anschluss an die arbeiten von Grauert und Kampers.

83. J. Schrammen, Die deutsche kaisersage, entstehung
und entwicklung derselben und ihre erfüllung durch Wilhelm den
Hohenzollern. (— Geheimnisvolles und merkwürdiges aus der geschichte der Hohenzollern heft 3.) 2. aufl. Köln, A. Ahn. 63 s.
eine gute populäre übersicht der sagenentwickelung nach Voigt,
Häussner u. a.

Karlssage. 84. A. Pauls, Der ring der Fastrada. Zs. d. Aachener
geschichtsver. 17, 1—73.
giebt zunächst eine übersicht über die fassungen und dichterischen bearbeitungen der zum sagenkreise Karls d. gr. gehörenden
Fastradasage (Karl d. gr. will sich von der leiche seiner gemahlin
nicht trennen, bis nicht durch wegnahme eines ringes in ihrem haar der
zauber gebrochen wird). verknüpft damit ist die sage vom gerechten
richterspruch Karls zu gunsten der schlange. P. deutet die sage
mythologisch, indem er den ersten teil zu den alten heimkehr-
sagen stellt, im zweiten teil hinter Karl d. gr. und seinem verhältnis zu Fastrada Thor und Sif findet.

85. Schmitt, Eine sage von Karl d. gr. Zs. f. d. d. unterr.
9, 770 f. (aus dem Sachsenkrieg).

Magelone. 86. Die schöne Magelone, aus dem franz. übersetzt
von Veit Warbeck 1527. nach der originalhandschrift hrsg. von
J. Bolte.
vgl. unten abt. 15: Warbeck.

Melusine. 87. J. Kohler, Der ursprung der Melusinensage,
eine ethnologische untersuchung. Leipzig, Pfeiffer. VI, 66 s.
rec. L. Fränkel, Zs. d. ver. f. volksk. 5, 463 f. und im
Lit. cbl. 1895 (44) 1598 f. — vgl. auch Achelis oben 10, 2.

Perseus. 88. E. S. Hartland, The legend of Perseus, a study
of tradition in story custom and belief. vol. I: the superstitional

birth. II: the life-token. London, D. Nutt 1894. XXXIV, 228 s. VIII, 445 s.

rec. von K. W(einhold), Zs. d. ver. f. volksk. 5, 110 f. 6, 103. H. verfolgt in diesem bande das motiv der übernatürlichen geburt durch die überlieferungen aller völker. die lebenszeichen in sitte und sage, zauberei, heilige quellen und bäume, blutbrüderschaft u. s. w. 'das buch ist für den volksforscher von grosser wichtigkeit'. — absprechend rec. von Al. T(ille), Lit. cbl. 1895, 663; F. S. K(rauss), Am urquell 6, 104.

Pilatus. 89. G. Nordmeyer, Pontius Pilatus in der sage. Allg. ztg. 1895, beil. no. 92.

verfolgt die entwicklung der Pilatuslegende, in grossen zügen die litterarischen fixierungen des mittelalters kennzeichnend und länger bei den lokalisierungen des gegenwärtigen volksglaubens (Schweiz, Italien) verweilend.

Siebenschläfer. Silvester. 90. V. Ryssel, Syrische quellen abendländischer erzählungsstoffe. 3. der Pariser text der siebenschläferlegende. Archiv f. d. stud. d. neueren spr. 94 (4) 369—388. — dasselbe 4. die Silvesterlegende. ebd. 95 (1) 1—54.

Tannhäuser. 91. K. Amersbach, Zur Tannhäusersage. a) zur etymologie vom Venusberg. b) zu dem 'Thanauses' des Aventin. c) über die heimat des minnesängers Tannhauser. Alemannia 23 (1) 74—83. — vgl. abt. 14. 123.

92. R. Hamerling, Über die deutsche Venus-Tannhäusersage. Westermanns monatshefte 1895 (oktober) 53—62.

kurze sagenübersicht und inhalt der eigenen dichtung: 'Venus im exil'.

Ortssagen. 93. W. Forster, Die schönsten sagen und märchen der inseln Usedom und Wollin. nach alten chroniken bearb. und hrsg. Swinemünde, Dehne. 89 s.

6 sagen (Vineta, entstehung des Golmbergs, heckenthaler, Störtebeck, baumfriedhof bei Misdroy, jungfrau vom Jordansee), ansprechend novellistisch verarbeitet, ohne angabe der quellen. — rec. von H(aas), Blätt. f. pomm. volksk. 3 (8) 128.

94. O. Knoop, Blocksberge in Pommern. Blätt. f. pomm. volksk. 3 (1) 4 f.

95. O. Knoop, Neue volkssagen aus Pommern. Blätt. f. pomm. volksk. 3 (1) 12—14. (2) 30—32. (3) 37—40. (6) 81—83. (8) 125 f. (9) 142—144. (10) 158—160. (12) 177—179.

17 glockensagen. verwünschte schlösser. steine und berge.

96. O. Knoop, Sagen und erzählungen aus der provinz Posen. — vgl. jsb. 1894, 10, 92. — rec. A. de C(ock), Volkskunde 8, 54; ferner im Korrbl. d. gesver. d. deutsch. geschichtsver. 43 (8) 92. H. G(aidoz), Mélusine 7 (2) 47.

97. H. Kanker, Pommersche geschlechtssagen. Blätt. f. pomm. volksk. 3 (4) 49 f. (11) 172—174.

98. J. Ullrich, Volkssagen aus dem Neutitscheiner schulbezirke. Neutitschein, R. Hosch 1893. 24 s. 12°. 0,24 m.

99. C. P. Hansen, Sagen und erzählungen der Sylter Friesen. mit beschreibung und karte der insel Sylt. 3. aufl. bearb. v. Chr. Jensen. Garding, H. Lühr & Dirks. VII, 243 s. 3 m.

100. H. F. Feilberg, Die sage von dem begräbnis könig Erik Ejegods von Dänemark auf Cypern. Zs. d. ver. f. volksk. 5, 239—246.

101. H. Toball, Ostpreussische sagen und schwänke. gedichte. 2. bd. Königsberg, Hartung. 94 s. 1 m.

102. W. Schwartz, Sagen und alte geschichten der Mark Brandenburg. aus dem munde des volkes gesammelt und wiedererzählt. 3. vermehrte aufl. Berlin, Besser. XI, 211 s. 2 m.

103. F. Eichberg, Mark Brandenburg in sage und lied. ein kranz heimatlicher gedichte. Berlin, F. Fontane 1894. 191 s. rec. Korrbl. d. ges.-ver. d. d. gesch.-ver. 43 (6) 84. poetische bearbeitungen vornehmlich auf grund der sagensammlung von W. Schwartz.

104. Th. Voges, Sagen aus dem lande Braunschweig gesammelt. mit einer karte. Braunschweig, B. Goeritz. XV, 300 s. 4 m.
'meist durch vermittlung von schullehrern gesammelt. reiche und zuverlässige nachträge zu den bestehenden sagensammlungen'. — bespr. im Braunschweigischen magazin 1 (2) 16. von Al. T(ille). Lit. cbl. 1895, 541 f. K. Weinhold, Zs. d. ver. f. volksk. 5, 334.

105. W. Schwarz, 25 bedeutsame sagen aus dem grossherzogtum Baden. zur belebung des heimatskundlichen unterrichtes in schule und haus. Bonndorf, J. A. Binders nachf. 1890. 74 s.
die absicht des büchleins ist im titel schon ausgedrückt: eine kleine auswahl (24 no.) zu pädagogischen zwecken. die auswahl ist insoweit geschickt, als die verschiedenen typen der sagenpoesie dabei vertreten sind. die erzählung der sagen selbst ist abgebrochen und gedrängt, mehr inhaltsangabe als wiedergabe der volkstümlichen darstellung. die reichen anmerkungen geben hie und

da pädagogische winke; die sagengeschichtlichen und -deutenden bemerkungen sind zum mindesten überflüssig.

106. K. Hessel, Sagen und geschichten des Nahethals.
Kreuznach, F. Harrach 1894. IV, 60 s. 0,50 m.

107. A. Siefert, Die sage von Walther von Hohengeroldseck
und Diepold von Lützelhardt. Lahr, J. H. Geiger. 30 s.

aus anlass der wiederherstellung der ruine Hohengeroldseck.
abgedruckt sind 3 versionen, aus einem 'Geroltzeckschen chronik-
buch', aus der 'Himmelsbachschen chronik' und aus der weit aus-
gesponnenen und ausgeschmückten darstellung des Augustinermönchs
B. Lögler von Seelbach (18. jahrh.). der grundzug der sage ist,
dass ein herr von Geroldseck in einem kerker schmachtet, endlich
befreit, aber tot geglaubt zu hause von frau und vier söhnen nicht
erkannt wird. beigegeben sind hübsche abbildungen der burgruine
und des altarbildes 'Madonna von Hohengeroldseck'.

108. J. Priem, Nürnberger sagen und geschichten. 3. aufl.
Nürnberg, E. Sebald. VIII, 256 s.

die erste aufl. ist 1869, die zweite 1876 erschienen. nach der
angabe des herausgebers aus handschriftlichen chroniken und malefiz-
büchern, aus älteren und neueren darstellungen sowie aus mündlicher überlieferung geschöpft. die einzelquellen sind leider nicht
immer angegeben, die sagen selbst nicht in ihrer ursprünglichen
fassung gelassen, sondern verarbeitet, aber nicht ohne ausschmückende
zusätze. die sammlung enthält 37 nummern, von denen mehrere
varianten der bekannten dombausagen sind, andere an stadt-
lokalitäten, geschichtliche ereignisse u. s. w. anknüpfen. als volks-
lektüre zweifellos sehr anregend und brauchbar, für die wissenschaftliche volkskundeforschung nur mittelbar oder in den mit
quellenangabe versehenen stücken von nutzen. am weitesten gehend
die ausschmückung in der Wallensteinsage: der studiosus von Altdorf
s. 188—213.

109. Barbeck, 'Als Nürnberg freie reichsstadt war'. geschichten, sagen und legenden aus Nürnbergs vergangenen tagen.
neu hrsg. Nürnberg, Heerdegen-Barbeck. V, 352 s. 3 m.

110. K. A. Reiser, Sagen, gebräuche und sprichwörter des
Allgäus. Kempten, J. Kösel. heft 1—5. (s. 1—320). à 1 m.

das grossangelegte, auf 10—12 lieferungen berechnete sammelwerk verdient lob und warme anerkennung. die sagen sind vom
herausgeber selbst aus dem volksmunde geschöpft oder genau bezeichneten quellen entnommen. jedem einzelnen stück ist die ortsangabe beigefügt, so dass das werk den stempel der vertrauens-

mitgeteilten sagen fehlen. doch geht eben die tendenz des buches
zweifellos auch nicht in dieser richtung; als unterhaltungsbuch wird
es denen, die auch volkstümliche stoffe in modernerer form zu ge-
niessen wünschen, gute dienste thun.

113. H. Haupt, Zur sagengeschichte des Oberrheins und der
Schweiz. Zs. f. gesch. d. Oberrheins 10 (3) 472—476.

114. A. Bergmann, Der goldne wagen von Belchensee (eine
Marfeldsage). Jahrb. f. gesch. Elsass-Lothr. 11, 18.

115. F. Bastian, Die goldenen eierschalen von Hugstein.
ebd. 11, 75 f.

117. C. Spielmann, Sagen und geschichten aus dem Nassauer
lande. für schule und haus. Wiesbaden, gebr. Petmecky. VII,
160 s. 1,50 m.

118. A. Pattberg, (Volkssagen aus Baden). Neue Heidelberger jahrbücher 6, 100—104.
erneuter abdruck aus alten jahrgängen der Badischen wochenschrift durch R. Steig. s. 104—122 ebenso mitteilungen über
badische volksfeste und volkslieder.

119. O. Heilig, Zwei historische sagen aus Waibstadt bei
Heidelberg. Am urquell 6 (9/10) 183. ('Brunnenwaible', 'Der
unheimliche knecht').

120. C. Häcker, Thüringer sagenschatz. 1. bd. Leipzig,
O. Gottwald. 157 s. 0,80 m.

121. Drechsler, Sagen vom wassermann aus der gegend von
Katscher. Mitt. d. schles. ges. f. volksk. 1 (1) 15. (2) 26 f.

122. Drechsler, Alp- und geistersagen aus der gegend von
Leobschütz (Katscher). ebd. 1 (4) 46.

123. K. Meyer, Sagen vom Hohenspiegel bei Nordhausen.
Aus der heimat, sonntagsbeil. d. Nordhäus. kuriers 1895, no. 3 u. 4.

124. C. Reineck, Die sage von der doppelehe eines grafen
von Gleichen. (Samml. wissensch. vortr. heft 138.) Hamburg,
Verl.-anst. a.-g. 42 s.

125. A. Dietrich, Friedrich der freidige. ruhmesblätter
und sagenklänge aus Thüringen. Dresden u. Leipzig, E. Pierson
1892. 141 s.

126. F. Danz, Sagenkranz. 100 sagen aus der oberherrschaft
des fürstentums Schwarzburg-Rudolstadt. Rudolstadt, Müller. 176 s.

127. Th. Schön, Die toten von Lustnau. Reutlinger geschichtsblätter 6 (1).

128. [Pascheles], Sippurim. sammlung jüdischer volkssagen, erzählungen, mythen, chroniken, denkwürdigkeiten und biographien berühmter juden alter jahrhunderte, besonders des mittelalters. 1. und 2. bändchen. (Jüdische universalbibliothek no. 8, 11—12. 20, 25—26.) Prag, J. B. Brandeis. 76 u. 158, 93 u. 164 s.

das grosse fünfbändige jüdische sagenwerk erscheint hier in billiger volksausgabe. weitere hefte sollen nachfolgen. da dem ref. das original nicht bekannt ist, kann er nicht beurteilen, ' wie weit die bearbeitung geht. einige erzählungen sind jedenfalls bedeutend novellistisch bearbeitet. das sagenwerk selbst ist für die volkskunde wertvoll, da ja bekanntlich die jüdisch-rabbinische überlieferung auch auf die deutsche sagengeschichte einfluss gehabt hat. aus den vorliegenden vier ersten bändchen heben wir hervor (1) Feigenbaum als zeuge [des mordes], (2) Moises ben Maimon; sagen der Prager juden; Bildad. (3) Der wunderbare baumeister.

129. P. Regell, Etymologische sagen aus dem Riesengebirge. aus: Beitr. z. volksk. (1896) s. 131—151.

sehr anschauliche beispiele von etymologischen sagenbildungen aus bergmännischen namen und bezeichnungen. Aus dem 'esel' (blinder schacht) wird die sage vom goldnen esel, aus 'vater' (neu aufgedecktes erzlager) die von den 'altvätern'.

130. A. Paudler, Marienstern und Morgenstern. Mitt. d. nordböhm. exkurs.-clubs 19 (1) 49—52.

etymologische gründungssage des klosters Marienstern. Morgenstern ━ Mergen-(Marien)stern.

131. A. Paudler, Sage und hypnotismus. ebd. 18, 17—21.

132. A. Paudler, Das liebe brot. ebd. 18, 76—80. brauch, aberglaube und sage.

133. M. Klapper, Lotzfranz und Krieschekarl. ebd. 18, 21—26. hexen und zaubrer.

134. F. Hantschel, Zur glockenkunde. ebd. 18, 38—44. enthält auch glockensagen.

135. A. Paudler, Hahn und halm. Mitt. d. nordböhm. excurs.-clubs 18 (2) 200 f.

über die verbreitung der zaubersage vom hahn, der im schnabel einen als balken angesehenen strohhalm trägt.

136. A. Paudler, Anf dem heiligen berg. ebd. 18 (3) 221—226.

über wallfahrten und wallfahrtssagen vom heiligen berg bis
Przibram in Böhmen. vgl. auch 320: irrlichtersagen.

137. K. Gander, Niederlausitzer volkssagen. vgl. jsb. 1894, 10,
89. — rec. H(aas), Blätt. f. pomm. volksk. 3 (4) 64. Krauss, Am
urquell 6 (1) 47 f. K. Weinhold, Zs. d. ver. f. volksk. 5, 222 f.

138. Nehring, Über die steinaltertümer auf dem Zobten.
Mitt. d. schles. ges. f. volksk. 2 (3) 39—42.

steinfiguren aus der romanischen periode (12. jahrh. bauthätigkeit des Magnaten Peter Wlast), wahrscheinlich zur ausschmückung einer kirche benutzt, später als grenzsteine verschleppt
und verstümmelt. die volksphantasie knüpft daran eine reihe er-
klärender sagen.

139. Arndt und Hillebrandt, Entstehung der pilze und
morcheln. ebd. 2, 42.

variante zu: Petrus als bratendieb.

140. O. Wilpert, Sagen aus Leobschütz. ebd. 2 (4) 66 f.

141. H. Weichelt, Hannoverische geschichten und sagen.
Norden, D. Soltau. 4 bde. IV, 248 s.; IV, 240; IV, 240; VII, 239.
je 1,50 m.

eine neue (titel)ausgabe des 1878 erschienenen werkes. das
vorwort zum 1. bde. (von Karl Seifert) ist fortgeblieben. der 4. bd.
nun vervollständigt. die sammlung ist reich (400 no.) und wird für
den schulunterricht gute dienste leisten. geschichtliche sagen
wechseln mit ortssagen ab, doch überwiegen die letzteren, die allerdings den bekannten sagensammlungen von Kuhn-Schwartz, Pröhle,
Harrys, Müller-Schambach, Seifert u. s. w. entnommen sind, also
wissenschaftlich nichts neues bieten. der (neue) 4. bd., 16.—20.
buch, enthält fast durchgängig sagen und geschichtliche anekdoten,
von denen die mit H. Weichelt bezeichneten vielleicht direkt dem
volksmund entnommen sind.

142. J. W. Holczabek und A. Winter, Sagen und geschichten der stadt Wien. nach den besten quellen bearbeitet.
1. bändchen. 3. durchgesehene aufl. mit abb. Wien, C. Gräser.
IV, 112 s.

das büchlein, hübsch ausgestattet, mit guten, den lokalen
hintergrund illustrierenden abbildungen, enthält in drei abschnitten:
1. domsagen, 2. sagen und geschichten, 3. die Türkennot; im ganzen
35 sagen und sagenhafte erzählungen, die zunächst wohl zum schulunterricht und zur jugendlektüre bestimmt sind, insoweit aber auch
sagwissenschaftlichen wert besitzen, als hier auch lokalisierungen
allgemeiner sagenmotive begegnen. so Paracelsus (s. 42), das rote

mandl (Faust) s. 47. die s. 34—38 enthaltene erzählung vom gevatter tod, schon dadurch interessant, dass sie an die historische
persönlichkeit eines Wiener rektors (dr. Urssenbeck ca. 1482) an-
knüpft, macht den vater und nicht das patenkind zum berühmten arzt.

143. R. Waizer, Volkssagen aus Kärnten. Carinthia 85 (5 ·
151 f.

144. A. Dörler, Sagen aus Innsbrucks umgebung mit besonderer berücksichtigung des Zillerthals. gesammelt und herausgegeben. Innsbruck, Wagner. XV, 151 s. 1,80 m.

145. Fr. E . . . l, Sagen aus dem Waldviertel. Waldviertler
kalender 1895.
sage von der schneckenjungfrau. vom schatz in der ruine
Dobra am Kamp.

146. G. Calliano, Niederösterreichische volkssagen. Niederösterreichischer landesfreund 1894, no. 1. 4.

147. H. Mose, Aus der Waldmark. sagen und geschichten
aus dem Rax-, Semmering-, Schneeberg- und Wechselgebiete.
2. verb. aufl. mit 4 ill. Pottschach 1894, selbstverlag. VI, 86 s.
148. Kg, Etwas über markt- und Rolandssäulen (auch ge-
richtssäulen genannt). Niederösterreichischer landesfreund 1894, 4.

Märchen. 149. Brüder Grimm, Kinder- und hausmärchen.
vollständige ausgabe. Leipzig, Reclam. 3 bde. [Universalbibliothek
3191—3193; 3194—3196; 3446—3450.] 384; 400; 408 s. 0,60;
0,60; 1 m.
das unternehmen, die selten gewordene gesamtausgabe der
Grimmschen märchen durch eine billige ausgabe weiten kreisen zugänglich zu machen, ist gewiss sehr dankenswert. warum aber der
3. bd. nach der zweiten und nicht nach der vollständigeren dritten
ausgabe (1856) nachgedruckt worden ist, ist nicht erfindlich. — rec.
von A. Richter, Päd. jsb. 1894, 281 f.

150. A. Wünsche, Ein Grimmsches märchen und seine quelle.
Leipziger ztg. 1895, wiss. beil. no. 134.

150a. A. Wünsche, Der sagenkreis vom geprellten teufel im
zusammenhang mit dem christlichen dogma von der versöhnung der
ersten jahrhunderte und dem altgermanischen götterglauben. Nord
und süd 18 (1).

151. R. Köhler, Aufsätze über märchen und volkslieder. —
vgl. jsb. 1894, 10, 118. — rec. A. Hauffen, Euphorion 2 (3) 643 f.

Laistner, Anz. f. d. altert. 22, 1 f.   A. Schullerus, Litbl. 1896
(3) 73—75.   L. Fränkel, Zs. f. vgl. litgesch. 9, 251—269.

152.   Th. Vernaleken, Kinder- und hausmärchen, dem volke
treu nacherzählt. 3. aufl. mit 6 farbendruckbildern nach originalen
von M. Ledeli. Wien u. Leipzig, W. Braumüller 1896. VIII, 300 s.
2,40 fl.

der im jahre 1891 erschienenen 2. aufl. folgt hier die 3., die
nur als ein erneuter abdruck der früheren erscheint. äussere ausstattung, hübsche farbenbilder sind auch hier zu rühmen. der
innere wert, der durch die reichhaltigkeit der sammlung (61 no.),
durch die abgrenzung auf das gebiet der mittleren Donauländer,
durch die volkstümliche darstellung [mehrere märchen in der betreffenden dorfmundart] bedingt ist, hat schon von früher her verdiente anerkennung gefunden. für die märchenforschung ist das
buch unentbehrlich.

153.   Scholz, Das märchen. herausgegeben für schule und
haus. ausgabe für eltern und lehrer. Neisse, J. Gravenner. VI,
143 s. 1,25 m. — dasselbe für kinder. IV, 113 s. mit 4 farb.
bildern. 1,20 m.

154.   B. Lázár, Das Fortunatusmärchen. Ungar. revue 15,
461—477. 692—716.

deutsche bearbeitung einer Budapester dissertation. behandelt
das Fortunatusmärchen in seiner litterarischen verwertung von Hans
Sachs bis Uhland. vorher über eine ungarische übersetzung des
volksbuches (1651) und eine poetische bearbeitung des 16. jahrh.
— vgl. auch jsb. 1892, 15, 147. — kurz bespr. von A. Schullerus,
Korrbl. f. siebenb. landeskde. 18 (11) 142.

155.   A. Schlossar, Zur märchen- und sagenkunde. Blätt.
f. litt. unterh. 1895 (14 u. 15).

155a.   Leop. Schmidt, Zur geschichte der märchenoper.
Rostocker diss. Halle, Hendel. 93 s.

betrachtet gegen 100 italienische, französische und deutsche
opern aus der zeit 1750—1893, die ihren stoff aus den volksmärchen (Straparola, Basile, Perrault, d'Aulnoy, Grimm, 1001 nacht)
oder kunstmärchen (Wieland, Musäus) entlehnen. die auf gründlichen musikhistorischen forschungen beruhende und übersichtlich
nach stoffgruppen angeordnete arbeit bietet auch für die geschichte
der märchenmotive wertvolles material.

156.   G. Amalfi, Zwei orientalische episoden in Voltaires
Zadig. Zs. d. ver. f. volksk. 5, 71—80.

die zweite ist die legende vom engel und dem einsiedler, die erste die erzählung von den drei mönchen von Colmar. vgl. unten no. 157 und 159.

156a. G. Amalfi, Eine novellette des Vottiero in litterarischen und volkstümlichen fassungen. ebd. 5, 289—293. (die geschichte von der eigensinnigen frau.)

157. O. Rohde, Die erzählung vom einsiedler und dem engel in ihrer geschichtlichen entwicklung. ein beitrag zur exempel-litteratur. dissert. Rostock 1894. 62 s.

eine fleissige zusammenstellung, die auch das von G. Paris (L'ange et l'ermite 1880) zusammengebrachte, zum teil schwer zu-gängliche material verwertet. auffallend ist, dass R. die version bei Hans Sachs unberücksichtigt gelassen hat, durch den die er-zählung volksgut geworden ist. über umwandlung des stoffes zum (magyarischen) volksmärchen vgl. jsb. 1892, 10, 189. — ver-zeichnet schon jsb. 1894, 16, 214. L. Fränkel, Engl. studien 20, 110—116. Glöde, Archiv f. d. st. d. n. spr. 93, 161—164.

158. L. Fränkel, Nochmals zur legende vom einsiedler und engel. Engl. stud. 21 (1) 186—188.

159. S. Fränkel, Die tugendhafte und kluge witwe. in: Beiträge z. volksk. (1896) s. 37—49.

zu dem abenteuer von den 'drei mönchen in Colmar'. eine arabische fassung des motivs in al Gáhiz's buch der schönheiten und der gegensätze. eine tugendhafte witwe, die vor verschiedenen richtern ihr recht fordert, von diesen aber mit liebesanträgen be-stürmt wird, lockt und sperrt dieselben in die drei fächer eines kastens, sodass dieser für sie zeugnis ablegt. die arabische erzählung wird auf indischen ursprung zurückgeführt.

160. Fr. Pfaff, Märchen aus Lobenfeld. aus der Festschrift zur 50 jährigen doktorjubelfeier Karl Weinholds. Strassburg, Trübner 1896, s. 62—83.

der jude im dorn. der schäfer. die kluge kohlenbrenners-tochter. Hinkel und kätzel. der geissenhirt. die drei hirsche.

161. F. Schuller, Aus dem märchen- und sagenschatz der Siebenbürger Sachsen. Wien, K. Gräser. VI, 120 s. 1 m.

auswahl aus den bekannten sammlungen von Haltrich und Müller.

162. F. Asmus, W. Koglin, B. Kay, Pommersche mär-chen. Blätt. f. pomm. volksk. 3 (1) 5—7. (2) 21—23. (4) 50—52. (6) 84—87.

1. Hans der drachentöter. 2. Klughans und Dummhans. 3. der dumme Hans. 4. Dummhans.

163. **Kühnau**, Schlesische märchen und sagen. Mitt. d. schles. ges. f. volksk. 2 (8) 102—108.
märchen vom gevatter tod. hexen- und alpsagen.

164. **F. Mallebrein**, Mären und märlein aus Baden, dem Murgthale und umgebung. erweiterte und vermehrte aufl. Baden-Baden, F. Spiess 1896. IV, 266 s. 4 m.

165. **W. Kroll**, Griechische märchen. (auszug aus einem vortrag.) Mitt. d. schles. ges. f. volksk. 2 (2) 18—22.
märchenmotive aus den antiken dichtungen, zum nachweise, dass es im abendland märchen gegeben habe lange vor den buddhistischen sammlungen. zur vergleichung werden auch deutsche märchen herangezogen.

166. **St. Prato**, Sonne, mond und sterne als schönheitssymbole in volksmärchen und liedern. Zs. d. ver. f. volksk. 5, 363—383.

167. **K. Klemm**, Sunâbai Dschai. ein Aschenbrödel märchen. ebd. 5, 390—396.

Legenden. 168. **M. Baltzer**, Über die Eisenacher dominikanerlegende. Mitt. d. inst. f. österr. gesch. ergänzungsband 4, 123—132.

169. **P. Mitzschke**, Die legende von der gründung des klosters Posa (Bosau). Mitt. d. gesch. u. altert.-ges. des Osterlandes 10, 457—461.
erscheinung der jungfrau Maria als erste veranlassung der klosterstiftung.

170. **J. Felsmann**, Legende des heiligen Georg von Ungern. [magyarisch.] Egyetemes philologiai közlöny 19 (6. 7) 439—459.
aus einer im ungarischen nationalmuseum befindlichen papierhandschrift v. j. 1489 werden die kapitelüberschriften und inhaltsauszüge einer Georgslegende mitgeteilt. diese höllenfahrt des ritters Georg gehört zum St. Patrik-legendenkreis und ruht auf lateinischer vorlage. von deutschen bearbeitungen erwähnt F. handschriften in der vatikanischen bibliothek und in Melk.

171. **K. Weinhold**, Vom heiligen Ulrich. Zs. d. ver. f. volksk. 5, 416—424.

172. **B. Sepp**, Zur Quirinuslegende. Monatsschr. d. hist. ver. von Oberbayern 5 (2) 29—32.
über die älteste form in einem codex des Passauer stiftes St. Nikolaus (cod. lat. 16106 der Münchner hof- u. staatsbibliothek).

Tiermärchen. 173. G. Paris, Le roman de Renard. (extrait du Journal des savants.) Paris, E. Bouillon. 72 s. 4°.

rec. A. de C(ock), Volkskunde 8 (4) 87—90. schliesst sich im grossen ganzen an Sudre an, neben der schriftlichen litteratur auch die volksüberlieferung als quelle des Renard annehmend.

174. L. Sudre, Les sources du roman de Renard. — vgl. jsb. 1894, 10, 137. — rec. J. W. Muller, Taal en letteren 5 (3); Museum 3 (2). ferner von A. de C(ock), Volkskunde 8, 87—90.

175. C. Voretzsch, Jakob Grimms deutsche tiersage und die moderne forschung. Preussische jahrbücher 80 (juni).

176. M. Ewert, Über die fabel: der rabe und der fuchs. — vgl. jsb. 1893, 10, 101. — ausführliche anzeige von O. Glöde, Litbl. 1895, 132—134.

177. K. Reissenberger, Zum armenischen märchen 'der fuchs und der sperling'. Progr. d. oberrealsch. Bielitz. s. 1—9.

behandelt als nachtrag zur einleitung der ausgabe von 'Des hundes nôt' (vgl. jsb. 1893, 10, 104) eine armenische variante (Bukowina; bei Wlislocki no. 8), für die er übertragung von den Siebenbürger Sachsen annimmt.

178. W. Koglin, Fuchs und krebs. Blätt. f. pomm. volksk. 3 (5) 65 f.

179. F. Grabowsky, Swinegel und hase auf den Molukken. Globus 67 (24).

Volkskunde.

Allgemeines. 180. Zeitschrift des vereins für volkskunde. im auftrag des vereins herausgegeben von K. Weinhold. 5. jahrg. heft 1—4. Berlin, A. Asher & comp.

180a. Am Urquell. Monatshefte für volkskunde. hrsg. von Fr. S. Krauss. 5. jahrg. no. 1—12. Hamburg, C. Kramer.

181. Blätter f. pommersche volkskunde. hrsg. v. O. Knoop und A. Haas. 3. jahrg. no. 1—12. Stettin, Joh. Burmeister.

182. Mitteilungen der schlesischen ges. f. volkskunde. hrsg. von F. Vogt und O. Jiriczek. bd. I. (heft 1—2). Breslau, selbstverlag der gesellschaft 1896.

183. Mitteilungen und umfragen zur bayerischen volkskunde. (red. von O. Brenner). 1. jahrg. 1895. no. 1—4 (je 4 s. fol.).

enthält ausser den einzeln verzeichneten aufsätzen noch berichte über einläufe und mitgliederzahl des vereins für bayerische volkskunde und mundartforschung, anregungen, umfragen. aufsätze: der verein für bayerische volkskunde und mundartforschung 1 (1) 1 f. O. B(renner), Etwas über mundartforschung in der schule 1 (3) 1 f.

184. Zeitschrift für österreichische volkskunde. organ des vereins für österreichische volkskunde in Wien. redigiert von dr. Michael Haberlandt. 1. jahrg. Wien, F. Tempsky.
rec. Monatsblätter d. wissenschaftl. klub in Wien 16 (7) 69 f.

185. Ethnologische mitteilungen aus Ungarn. illustrierte monatsschrift für die völkerkunde und der damit in ethnographischen beziehungen stehenden länder. anzeiger der ungarischen landesgesellschaft für archäologie und anthropologie und der gesellschaft für die völkerkunde Ungarns. (zugleich organ für allgemeine Zigeunerkunde.) hrsg. von A. Herrmann. 4. bd. 4 hefte. (1—10). Budapest.

186. Volkskunde, tijdschrift voor nederlandsche folklore, onder redaktie van Pol de Mont en A. de Cock. 8. jaarg. Gent. no. 1—12.
ausführliche mitteilungen darin: A. de Cock, Spreuken, spreekwoorden en zegwijzen op de vrouwen. Derselbe, Volksgebruiken. De bronnen van het middeleeuwsche dierenepos. [besprechung der werke von Sudre und Gaston Paris: le roman de Renart.] Volksbruiken en volksgeloof met betrekking tot huisdieren, veldvruchten en weersgesteldheit. — P. de Mont, Onze vlaamsche 'componisten' ofte liedjeszangers.

187. Ons volksleven, tijdschrift voor taal-, volks- en oudheidkunde; onder leiding van J. Cornelissen en J. B. Vervliet. Brecht. 7. jaarg. no. 1—12.
A. Gittée, De kuil. kinderleven en historie. — A. Hardou, Spotnamen op steden en dorpen. Derselbe, Het vuir in het volksgeloof. — N. Panken, Volksgebruiken en gewoonheden in Noord-Brabant. — J. Cornelissen, Het manneken in de maan. Derselbe, Bijdrage tot Kempisch idioticon. — F. Zand, Kempische sagen. Derselbe, De wind in het volksgeloof. — J. C.: Volksgebruiken in Klein-Brabant. — A. Hardou, Dierenprocessen.

188. Beiträge zur volkskunde. festschrift Karl Weinhold zum 50 jährigen doktorjubiläum am 14. jan. 1896, dargebracht im namen der schlesischen gesellschaft für volkskunde. [= Germanische abhandlungen hrsg. von Fr. Vogt, 12. heft.] Breslau, Koebner 1896. 5 bl. und 245 s.

enthält ausser den einzeln besprochenen beiträgen noch: (4)
53—57. A. Hillebrandt, Brahmanen und Çûdras. [zu der stellung,
welche letztere in der gesetzgebung der Brahmanen einnehmen, werden bestimmungen der 'härteren knechtschaft' im altgermanischen und
römischen recht verglichen, zum beweise, dass hier wie dort die
eroberungen der arischen stämme gleiches verhältnis der eroberer
zu den unterworfenen herbeigeführt haben.] — rec. von H. G[aidoz],
Mélusine 8 (2) 47 f. Mitt. d. schles. ges. f. volksk. 2 (6) 83 f.
L. Fränkel, Lit. cbl. 1896, 748—750.

189. A. Hauffen, Zweiter bericht über den fortgang seiner
im auftrage der gesellschaft eröffneten sammlung der volkstümlichen
überlieferungen in Deutsch-Böhmen. (januar 1896.) [Mitt. no. IV
d. ges. z. förd. deutsch. wissensch. kunst u. litt. in Böhmen].   8 s.
    berichtet von erfreulichem fortschritt der volkskundlichen
sammlungen, vor allem durch beihilfe der volksschullehrer. — vgl.
jsb. 1894, 10, 151.

190. H. Lerond, Lothringische sammelmappe.
    enthält nach der rec. im Jahrb. d. gesch. f. lothr. gesch. u.
altertk. 1894, 331 f. grabsprüche, sagen und wächterrufe.

191. A. Freudenthal, Aus Niedersachsen II. schilderungen,
erzählungen, sagen und dichtungen. ein volksbuch für alt und
jung. mit 4 abb. Bremen, C. Schünemann. VIII, 384 s.
    das buch verdient nicht nur um der in ihm enthaltenen volks-
kundlichen aufsätze willen erwähnung und empfehlende beurteilung.
sondern auch seiner ganzen anlage nach, die volkstümlichen stoff
mit moderner formgebung verbindet. es bietet für weite volks-
kreise unterhaltungslektüre und ist so selbst objekt moderner volkskundeforschung. die sagen sind meist in poetischer bearbeitung
wiedergegeben (in prosa s. 212 Dreebargen, eine zwergsage); das
märchen s. 188—199 'Bur un könig' ist modern. ausser den unten
einzeln verzeichneten aufsätzen vgl. noch J. Müller: die vorgeschichtlichen begräbnisarten auf hannoverschem boden s. 38—79;
A. Sosna, Das schützenfest zu Wildeshausen s. 104—115; A. Freudenthal, Bremisches familienleben im vorigen jahrhundert s. 149—
161. [aus dem kaufmannsleben.]

192. J. Partsch, Litteratur der landes- und volkskunde der
provinz Schlesien. heft 3. ergänzungsheft zum 72 jsb. der schles.
ges. f. vaterl. kultur. Breslau 1895.
    auf s. 161—171 ist über sitte und brauch, sage und aber-
glaube in 11 abschnitten die bezügliche schlesische litteratur
zusammengestellt.

194. R. M. Meyer, Die anfänge der deutschen volkskunde. Zs. f. kulturgesch. 2 (2. 3).

195. C. Dirksen, Volkstümliches aus Meiderich (Niederrhein). aus 'Rheinische geschichtsblätter' I. Bonn, Hanstein. 59 s. 1 m.

rec. von K. Weinhold, Zs. d. ver. f. volksk. 4, 460.

196. E. Schmitt, Sagen, volksglaube, sitten und bräuche aus dem Baulande (Hettingen). ein beitrag zur badischen volkskunde. 23 s. 4".

197. F. Vogt, Über die bedeutung und die fortschritte der deutschen volkskunde mit besonderer beziehung auf Schlesien. Mitt. d. schles. ges. f. volksk. 2 (3) 30—36.

giebt eine gedrängte übersicht über die bisherigen arbeiten zur volkskunde in Schlesien. — ebd. s. 36 f. spricht Nehring über den gegenwärtigen stand der slawischen volkskunde, speziell in Schlesien und s. 37 f. O. Jiriczek über die pflege der volkskunde in den germanischen ländern ausser Deutschland (Holland, England, Skandinavien).

198. Hoffmann, Schapbach und seine bewohner. vgl. abt. 2, 22.

darin auch volkstracht, kinderreime, ortsneckereien, sagen, sitten und gebräuche.

199. W. Müller, Beiträge zur volkskunde der Deutschen in Mähren. Wien 1893. — vgl. jsb. 1893, 10, 123. 1894, 10, 161. A. Herrmann, Ethnographia 6 (4) 336 f.

200. E. H. Meyer, Badische volkskunde. — vgl. jsb. 1894, 10, 150. — rec. von L. Laistner, Anz. f. d. altert. 22, 2 f.

201. F. Schroller, Zur charakteristik des schlesischen bauern. aus: Beiträge z. volksk. (1896) s. 153—163.

'ihr' und 'du'. patriarchalisches verhältnis zwischen herrschaft und dienerschaft. wandel darin. verwandtschaft. familiennamen.

202. O. Wittstock, Volkstümliches der Siebenbürger Sachsen. [sonderabdruck aus den Forschungen zur deutschen landes- und volkskunde. hrsg. von A. Kirchhoff. bd. 9. heft 1 u. 2.] Stuttgart, J. Engelhorn. s. 56—124. — vgl. abt. 7, 59.

eine sorgfältige zusammenfassung des bisher veröffentlichten materials mit vollständiger litteraturangabe und sicherem urteil. in 14 kapiteln werden behandelt seelenglaube, maren und dämonen, götterglaube, brauch und glaube bei geburt und taufe, bruderschaft, verlobung und hochzeit, nachbarschaft, tod und begräbnis, festgebräuche, tracht, bauernhaus, sage und märchen, volkslied, litteraturnachträge. der allgemeinen volkskunde ist hier die zuverlässigste übersicht über die siebenbürgische bezügliche litteratur geboten, für die lokalforschung ein sicherer grundriss.

Sitte und brauch. 203. H. Gradl, Deutsche volksaufführungen. beiträge aus dem Egerlande zur geschichte des spiels und theaters. Mitt. d. ver. f. gesch. d. Deutschen in Böhmen 33, 121—153; 217—242; 315—336.

nachweisungen aus stadtarchiven und chroniken von verschiedenen volksbelustigungen aus dem 15. und 16. jahrh. (kolbeln, mummereien, tanz, kirchweih, rockenstuben, lobtanz, neujahrssingen, sommer und winter, kinderfasching, fastnachtsbär, schiff- und pflug-ziehen, reif- und laternentanz, schwerttanz, fahnenschwingen, fastnachtbegraben, bassbegraben, maibaum, hexenverbrennen, sonnwendfeuer). sodann eine reihe von notizen über aufführungen von volksspielen.

204. E. Koch, Von einigem, das bei dem stadtrat zu Meiningen ehedem brauch und sitte war. Meininger tagebl. 1893, unterhaltungsbeilage no. 273.

205. F. Krönig, Sitten und gebräuche aus Nordthüringen. Aus der heimat 1892, no. 35—39.

207. R. Wossidlo, Das naturleben im munde des Mecklenburger volkes. Zs. d. ver. f. volksk. 5, 302—325. 424—448. — vgl. abt. 17, 22.

208. R. Andree, Die hillebille. Zs. d. ver. f. volksk. 5, 103—106. 325—329.
volkstümliches signalgerät im Harz.

209. J. Peter, Dorfkurzweil im Böhmerwalde. Zs. d. ver. f. volksk. 5, 187—194.

210. L. Fränkel, Die käth, ein erzgebirgisches volksfest. ebd. 5, 454 f. aus dem Leipziger tagebl. (beilage 1. 2. juni 1895).
der name ist abgeleitet von dreieinigkeit, dreieinigkeet. ein bergfest in grossem massstabe.

211. Schwartz, Namen für kröte. Zs. d. ver. f. volksk. 5, 240—246. (vgl. abt. 2, 36. 17, 13.)

212. Buhlers, Schwerttanz zu Hildesheim 1604. Zs. d. Harzvereins 28, 751 f.
bittschreiben der grobschmiede um erlaubnis der abhaltung des schwerttanzes am 'vastelabendt'.

213. Max Radlkofer, Die schützengesellschaften und schützenfeste Augsburgs im 15. und 16. jahrhundert. Zs. d. hist. ver. f. Schwaben und Neuburg 21, 87—138.

214. M. Rehsener, Die weber-Zenze. eine Tiroler dorffigur nach dem leben. Zs. d. ver. f. volksk. 5, 80—93.

215. J. Mestorf, Ausbuttern. umfrage. Am urquell 6, 100 f., 131 f., 193 f. — vgl. jsb. 1894, 10, 212.

216. M. Klapper, Die alte bauernküche. Mitt. d. nordböhm. exkurs.-club 19 (1) 27—34.

217. Fr. Kunze, Volkstümliches aus der grafschaft Hohnstein. Aus der heimat. sonntagsbeil. d. Nordhäus. kuriers 1895, no. 11—13.

218. F. Vogt, Die festtage im glauben und brauch des schlesischen volkes. Mitt. d. ges. f. schles. volksk. 1 (5) 50—55. 2 (1) 12 f. (4) 54—66.

grundriss auf grund von erhebungen der kreissynoden von 1890. palmsonntag, gründonnerstag, charfreitag, ostern, Georgstag, Walpurgistag, pfingsten, weihnachtszeit.

219. P. Dittrich, Schlesische ostergebräuche. ebd. 2 (1) 10—12.

220. Dittrich, Ostergebräuche in Niederschlesien. Am urquell 6, 155 f.

221. P. Dittrich, Osterbräuche aus Leobschütz. Am urquell 6 (9/10) 187 f.

221a. M. Hofmann, Gründonnerstagseier. Am urquell 6 (1) 44; 127. eine umfrage.

am gründonnerstag gelegte eier haben besondere wirkung, lassen hexen erkennen, heilen krankheiten u. s. w.

221b. Fr. Teutsch, Balneum paschale. Korrbl. d. ver. f. siebenb. landeskde. 18 (12) 150.

notiz von 1643 über das balneum paschale, das 'osterbad', von welchem sich die jungfrauen durch ostereier lösen mussten.

222. A. Koenig, Die andacht zu den sieben fussfällen Jesu. ein charfreitagsgebrauch in Vianden. Ons hémecht 1 (6) 149—152.

223. C. Rademacher, Maisitten am Rhein. Am urquell 6 (3) 85—87.

der osterrohm, rohm = pfahl. einsammlung von gaben für den pfarrer. — vgl. jsb. 1894, 10, 198.

224. J. Beyhl, Die sitte des frischgrünschlagens. Mitt. u. umfragen z. bayer. volksk. 1 (4) 1—4.

'der schlag mit der lebensrute' (Mannhardt), das 'pfeffern', fitzeln, peitschen, dengeln, kindeln, besonders zu weihnachten, mit reichen beispielen aus den bayrischen gebieten.

225. P. Klamann, Der pfingstbauer in Pommern. Blätt. f. pomm. volksk. 3 (6) 88 f. — Ein fischerbrauch. ebd. s. 88.

226. E. Krause, Das sommertagsfest in Heidelberg. Verhandl. d. Berl. anthrop. ges. 1895, 145 f.

am sonntag Laetare. mitgeteilt sind auch die gesungenen reime.

227. H. G., Sonnwendfeuer in der Wachau (Niederösterreich). Der gebirgsfreund 1894 (7).

228. Kg., Sommersonnenwende-Johannisfeuer. Der bote aus dem waldviertel 1894, no. 396. 397.

229. P. Bahlmann, Die Lampertus-feier zu Münster i. W. Zs. d. ver. f. volksk. 5, 174—180.

230. Kassel, Zur volkskunde im alten Hanauerland. Jahrb. f. gesch. Elsass-Lothr. 11, 138—202.

1. anstand und umgangsformeln im alltagsleben. 2. bei tisch. 3. liebe, verlobung, hochzeit. 4. blumenkultus. 5. veränderung und verschwinden alter eigenart.

231. H. Lienhart, Die kunkelstube. ebd. 11, 202—209.

fortsetzung zu jsb. 1892, 10, 256. — scherze und spiele. neben älteren auch sehr moderne: 'einen hipotenisieren'.

232. H. Sohnrey, Spinnstuben und anderes volkstum. Leipziger ztg. 1895, wiss. beil. no. 110.

233. S. Kurz, Totenwache bei den Hienzen (Ober-Ungarn). Ethnol. mitt. aus Ungarn 4 (4/6) 178 f.

234. J. Thirring, Gebräuche der Hienzen zu weihnachten und zur jahreswende. ebd. 4, 223.

235. S. Kurz, Komorner (Ungarn) volksbräuche. Ethnographia 7 (1) 103—107.

typische ansprachen bei hochzeit und begräbnis.

236. A. Treichel, Allerneueste hochzeiten. eine umfrage. Am urquell 6 (3) 57 f., (4) 101 f.

silberne, zinnerne, kupferne hochzeit.

237. E. Schmeltz, Über einen hochzeitsbrauch in Hamburg.
Am urquell 6, 142.

das 'möschenputt', ein scherzgeschenk (töpfchen) für den zu
erwartenden weltbürger.

238. P. Drechsler, Handwerkssprache und -brauch. in ?
Beiträge z. volksk. (1896) s. 12—35.

1. die weber in Katscher. [zusammenstellung der gebräuchlichen dialektkunstausdrücke im weberhandwerk. lichtschnur ==
festlichkeit bei beginn der winterarbeit bei licht. (5) lieder zum
geklapper der schütze beim weben.] 2. das frei- oder lossprechen
des lehrlings. [handwerksgrüsse der schmiede, das 'schleifen' der
böttcherlehrlinge nach einem drucke aus d. j. 1693.]

239. A. Haas, Das lichtbraten. Blätt. f. pomm. volksk.
3 (11) 165 f.

festschmaus bei beginn der abendarbeit bei licht.

240. A. Haas u. a., Handwerker-ansprachen. ebd. (5) 71—73;
(7) 107—109. (11) 167—169.

241. A. Haas, Der blaue stein. Blätt. f. pomm. volksk.
3 (8) 123 f.

ein spiel, das auf einen alten rechtsgebrauch, lösung des ver-
urteilten durch eine jungfrau, zurückgeht.

243. S. Steinmetz, Ethnologische studien zur ersten entwicklung der strafe nebst einer psychologischen abhandlung über
grausamkeit und rachsucht. Leiden, Doesburgh. Leipzig, Harrassowitz 1894. 2 bde. XLV, 486. VII, 425 s.

lobend rec. von S. K(rauss), Am urquell 6 (1) 46 f.

244. A. H. Post, Grundriss der ethnologischen jurisprudenz.
II. bd. spezieller teil. Oldenburg, Schulze (A. Schwarz). XV,
744 s.

sehr rühmend angez. von S. K(rauss), Am urquell 6 (1) 45 f.
ebenso von Achelis, Archiv f. anthropol. 24, 156—160.

245. R. Sprenger, Das bahrrecht. umfrage. Am urquell
6, 174 f. — einzelne mitteilungen dazu von A. Tille.

246. O. Schell, Woher kommen die kinder? umfrage. Am
urquell 6 (1) 41. (4/5) 125. 159. — vgl. jsb. 1894, 10, 264.

247. A. Haas, Das kind in glaube und brauch der Pommern.
Am urquell 6 (1) 23 f., 65; 93 f., 113—115; 145—147; 172 f.
180 f.

taufe. kirchgang der mutter. — vgl. jsb. 1894, 10, 263.

248. — Die haut versaufen. ebd. 6, 34 f., 122 f. weitere beispiele. — vgl. jsb. 1894, 10, 195.

249. Drechsler, Streifzüge durch die schlesische volkskunde. Mitt. d. schles. ges. f. volksk. 2 (2) 22—25; (4) 45—54. (jugend-brauch und jugendspiel.)

150. R. Pelz, Kinder- und volksspiele in Pommern. Blätt. f. pomm. volksk. 3 (6) 91 f., (9) 136 f., (10) 154 f., (11) 169—171.

251. F. Ahrendts, Bemerkungen zu einigen Dessauer kinder-spielen. Am urquell 6 (9/10) 184—187.
mellespiel. stehball.

252. Warnatsch, Der tod auf der stange. Mitt. d. schles. ges. f. volksk. 2 (3) 43.
tod als popanz im wiegenliede. variante dazu das kinderspiel: 'der tod kommt'.

253. E. Lemke, Uraltes kinderspielzeug. Zs. d. ver. f. volksk. 5, 183—187.
spielzeuge in gräbern.

Aberglaube. 254. Zwei hexenprozesse zu Braunau. Mitt. d. ver. f. gesch. d. Deutschen in Böhmen 33 (3) 285—292.
zeugenverhör und protokolle aus d. j. 1617 und 1681.

255. E. Pauls, Amtliche korrespondenz über eine hexe im kirchspiel Porz 1637. Zs. d. Bergischen gesch.-ver. 31, 82—87.

256. O. Glöde, Der teufelsglaube in Mecklenburg. Zs. f. d. d. unterr. 9, 583—600.
aberglaube (pflanzen- u. s. w.). sagen.

257. Der letzte hexenprozess in Gutenstein. Mödlinger be-zirksbote 1894, 22.

258. E. Gerthner, Segen und zauber. Mitt. d. nordböhm. exkurs.-clubs 18 (2) 175.
diebssegen, jägersegen, zauberbann.

259. M. Urban, Blut-, feuer- und andere segen. ebd. 18 (3) 259—261.

260. M. Bartels, Medizin der naturvölker. — vgl. jsb. 1894, 10, 188. — rec. dr. B. B., Mitt. d. k. k. geogr. ges. in Wien 38, 93.

261. Th. Hutter, Die wünschelrute und schatzgräber in Böhmen. Zs. f. kulturgesch. 2 (2/3).

262. S. R. Steinmetz, Folgen der beschreiung. eine umfrage. Am urquell 6 (9/10) 190 f.
durch beschreiung werden leiden und krankheiten von menschen auf tiere und pflanzen und umgekehrt übertragen.

263. R. Fr. Kaindl, Die wetterzauberei bei den Rutenen und Huzulen. Mitt. d. k. k. geogr. ges. in Wien 37, 624—642.

264. M. Bartels, Über krankheits-beschwörungen. Zs. d. ver. f. volksk. 5, 1—40.
sucht auf grund der vorliegenden sammlungen von beschwörungsformeln die gesichtspunkte zusammenzustellen, nach welchen sie konstruiert sind. 1. die hilfe der gottheit, 2. die kapitulation mit den krankheitsdämonen. 3. der kampf mit ihnen.

265. M. Lehmann-Filhés, Einige beispiele von hexen- und aberglauben aus der gegend von Arnstadt und Ilmenau in Thüringen. ebd. 5, 93—98.

266. B. Kahle, Krankheitsbeschwörungen des nordens. ebd. 5 (2) 194—199.
beschwörungen aus Schweden und Dänemark.

267. F. W. E. Roth, Diz ist ein segen für den riten. Zs. f. d. phil. 28, 39 f. (aus einer abschrift von H. B. Hundeshagen).

268. O. Heilig, Segen aus Handschuhsheim. Zs. d. ver. f. volksk. 5, 293—298.
aus einem rezeptbuche von 1818.

269. A. Reiterer, Hexen- und wildererglauben in Steiermark. ebd. 5, 407—413.

270. Wetterweisheit und volksbrauch. Mitt. d. nordböhm. exkurs.-club 18 (4) 347—349.

271. M. Klapper, Der diebssegen. ebd. 19 (1) 47—49.

272. C. Kiesewetter, Die geheimwissenschaften. zweiter teil der geschichte des neueren occultismus. Leipzig, W. Friedrich. 749 s.
rec. von W. Rumpelt, Am urquell 6, 135 f. das buch enthält in 5 abschnitten: 1. alchymie. 2. astrologie und divinationswesen. 3. hexenwesen. 4. weisse magie und theurgie, nekromantie. 5. vergleichung der spiritistischen probleme mit den geheimwissenschaftlichen.

273. W. Mannhardt, Zauberglaube und geheimwissen im spiegel der jahrhunderte. mit 44 teils farbigen abbildungen. Leipzig, H. Barsdorf 1896. 284 s.

da bekanntlich der volksaberglaube zum guten teil brocken des gelehrten zauberglaubens und geheimwissens in sich aufgenommen hat, ist eine leicht fassliche übersicht über die hauptformen dieses zauberglaubens, zumal auch anschauliche bildliche darstellungen geboten werden, dankenswert und nützlich. das buch, wie es scheint, an Kieswetters grössere werke dieses gebietes sich anlehnend, behandelt zuerst die grundbegriffe der schwarzen und weissen magie (zauberei mit hilfe höherer mächte (dämonen, des teufels u. s. w. und durch eigene verständige erforschung und benützung der natur), sowie der theurgischen magie (verbindung des naturstudiums mit der geisterhilfe), damit im zusammenhang die 'theurgie', die wissenschaft des realen rapports zwischen mensch und geisterwelt. mitgeteilt sind hierauf auszüge aus einer handschriftlichen Pneumatologia occulta et vera (lehre vom schatzgraben), aus Herpentils 'kurzem bericht der übernatürlichen schwarzen magie' (Salzburg 1505), aus Fausts höllenzwang, aus dem hexenhammer, der 'Truten-zeitung' (1627 in Nürnberg) und einiges über astrologie und nekromantie.

274. H. Thren-Söby, Bienenzauber und bienenzucht. Am urquell 6 (1) 20 f., (2) 70—72. — vgl. jsb. 1894, 10, 259.

275. A. Wiedemann, Bienensegen und bienenzauber. ebd. 6, 140 f.

litteraturangaben aus der altrömischen und ägyptischen volkskunde.

276. R. Sprenger, Alter volksglaube bei neuen dichtern. Am urquell 6 (4/5) 128.

darunter volkszüge zum 'bannwald' in Schillers Tell.

277. A. Haas, Der mond im pommerschen volksglauben. Blätt. f. pomm. volksk. 3 (10) 135—148.

278. H. Volksmann, Der mann im monde. umfrage. Am urquell 6 (2) 75 f., 126, 199.

weitere mitteilungen aus München und Röhrenbach. — vgl. jsb. 1893, 10, 77.

279. Vergrabene schätze. umfrage. ebd. 6, 129—131, 195—197.

schatzsagen aus Ungarn, Franken, Holstein.

280. H. Feilberg, Warum gehen spukgeister kopflos um. Am urquell 6 (1) 35 f., 123—125, 197 f. — vgl. jsb. 1894, 10, 270.

281. S. Krauss, Katzensporn. Am urquell 6 (1) 44. (2) 70. (9/10) 133. — vgl. jsb. 1892, 10, 367a.

282. P. Sartori, Zählen, messen, wägen. Am urquell 6 (1) 9—12. 58—60. 87—88. 111—113.
beispiele von zahlenzauber. kinder dürfen nicht gemessen werden.

283. M. Landau, Liebeszauber. ebd. 6, 12 f. 156 f. 195.
aus italienischen und böhmischen hexenprozessen. zum teil aus älteren quellen.

284. E. Haase, Die wetterpropheten der grafschaft Ruppin und umgegend. ebd. 6, 14—16. 66 f. 89 f.

285. —, Zaubergeld. ebd. 6, 40. 158.
zauberthaler aus Eiderstedt. — vgl. jsb. 1894, 10, 253.

286. R. Hennicke, Zähne. umfrage. Am urquell 6, 103 f. 132 f. 198.
zahnaberglaube.

287. R. Andree, Das notfeuer im Braunschweigischen. Braunschweigisches magazin 1 (1) 4—6.
notfeuer, durch holzreibung erzeugt, als sühnmittel gegen viehseuche. Andree stellt die nachrichten hierüber zusammen; besonders lehrreich die schrift von Joh. Riskius, Untersuchung des notfeuers. Leipzig 1696. — rec. von K. Weinhold, Zs. d. ver. f. volksk. 5, 452 f.

288. H. Feilberg, Baumsagen und baumkultus. umfrage Am urquell 6 (2) 72.

289. Diebglauben. umfrage. Am urquell 6 (4/5) 129.

290. K. Popp, Volksglaube im niederösterreichischen Waldviertel. Am urquell 6 (9/10) 182.
wilde jagd.

291. A. Archut, Aberglaube und brauch aus dem kreise Bütow und Lauenburg. Blätt. f. pomm. volksk. 3 (5) 66—68. (7) 105—107. (8) 122 f. (12) 185 f.
1. krankheiten. 2. tod und begräbnis. 3. glück und unglück. 4. hexen und verrufen. 5. geburt, taufe, kindheit. 6. pflanzen. 7. vermischtes.

292. A. Haas, Handschriftliche zauberbücher aus Pommern. ebd. 3, 69 f.

293. F. Asmus, Sitten, gebräuche und aberglaube des landmannes. ebd. 3, 89—91. 149—151. 183—185.

294. C. J. Steiner, Das mineralreich nach seiner stellung in mythologie und volksglauben, in sitte und sage, in geschichte und litteratur, im sprichwort und volksfest. kulturgeschichtliche streifzüge. Gotha, Thienemann. X, 142 s. 2,40 m.

bespr. von H(aas), Blätt. f. pomm. volksk. 3 (10) 160. das buch ist nach pädagógischen gesichtspunkten gearbeitet. reich an material.

295. A. Haas, Feuersegen. Blätt. f. pomm. volksk. 3 (2) 26—28.

296. G. Gaude, Beiträge zum aberglauben in Pommern. ebd. 3 (9) 140—142.

297. F. W. E. Roth, Zur geschichte der volksgebräuche und des volksaberglaubens im Rheingau während des 17. jahrh. Zs. f. kulturgesch.

298. E. Mogk, Segen und bannsprüche aus einem alten arzneibuche. Beiträge zur volkskunde (1896) s. 109—118.

aus dem 'artztney-büchlein vor Carl Ludwig Schneidemann ao. 1768 in Pforzheim'. 14 sprüche und mittel gegen wurm, zahnweh, darmgicht, diebzauber. Mogk verspricht an anderm orte die formeln historisch zu verfolgen.

299. A. Haas, Der storch im munde des pommerschen volkes. Stettin 1894. 35 s. 16⁰.

eine hübsche zusammenstellung. verschiedene bezeichnungen des storchs als kinderbringer, als glückbringer und unglückspropheten. rätsel. sagen.

300. Dalla-Torre, Die volkstümlichen pflanzennamen. — vgl. abt. 5, 29. — kurz bespr. Allg. ztg. 1896, beil. no. 125. 'zahlreiche interessante notizen über volksnahrungsmittel- und heilkunde und damit zusammenhängende sagen und gebräuche'.

301. J. Schmidkontz, Der deichbaum. Mitt. und umfragen z. bayr. volksk. 1 (2) 1 f.

deichbaum = gedeihbaum. über den brauch, kranke durch einen spaltbaum zu ziehen.

302. A. Freudenthal, Der hollunder. in: 'Aus Niedersachsen 2, 54—70.

verwertung des hollunders in der volksmedizin.

303. M. Klapper, Irrlichter und seelenglaube. Mitt. d. nordböhm. exkurs.-clubs 18 (4) 310—320.

irrlichter erscheinen in Böhmen gewöhnlich im advent und um die allerseelenzeit, deshalb die verknüpfung mit dem seelenglauben. eine reihe von einschlägigen sagen wird mitgeteilt.

304. **Paudler, Kögler, Klapper, Segen.** ebd. 18, 323—326.
irrlichter, lindwurm.

305. **M. Klapper, Teufelsbeschwörungen.** ebd. 18, 345—347.

306. **O. Heilig, Einige segen aus dem fischerdorfe Zinno-
witz bei Wolgast an der Ostsee.** Am urquell 6 (9/10) 183 f.
blut-, gicht-, brandsegen.

307. **Franz Eichmayer, Das Rauttersche haus in Wind-
hofen a. d. Thaya.** Monatsblatt des altertumsvereins zu Wien 4,
206 f. 212.
lebendig eingemauerter hahn und henne. dem hahn ist der
kopf mit leinwandfetzen umwunden. die henne kopflos.

308. **E. S. Zürn, Sagenumwobene vögel.** Leipziger ztg.
1895, wissensch. beil. no. 10.

309. **Höfler, Die jungfer im bade.** eine volkstümliche
rarität aus der anatomia culinaris. Zs. d. ver. f. volksk. 5, 101—103.
halswirbel beim schwein, den die volksphantasie zu einer in
der wanne sitzenden jungfrau macht.

Volkslied.*)

310. **O. Weddigen, Geschichte der deutschen volksdichtung
seit dem ausgange des mittelalters bis auf die gegenwart.** in ihren
grundzügen dargestellt. 2. vermehrte und verbesserte aufl. Wiesbaden, Lützenkirchen. X, 248 s. 5 m.
die erste aufl. ward im jsb. 1884 no. 173 als ein 'miserables
flickwerk' charakterisiert. die neue verdient trotz einzelner zusätze
und abänderungen kein besseres prädikat. sie zeigt dieselbe un-
klarheit über den begriff volksdichtung, unter den W. nicht bloss
seine eigene lyrik (s. 197), sondern auch den Amadis und Zesens
und Lohensteins romane (s. 234) unterordnet, dieselbe mangelhafte
kenntnis der quellen sowohl wie der neueren forschungen, dasselbe
missverhältnis in der behandlung der einzelnen teile. dem historischen volksliede widmet W. 88 seiten, den balladen 4, dem
märchen 1 und dem schauspiele 8. statt anschaulicher charakteristik giebt er seitenlange auszüge aus fremden arbeiten, wobei
dann merkwürdige irrtümer (wie s. 57 über Paul Gerhardts vers-
technik) unterlaufen, und trockene aufzählungen von namen und
titeln mit den unvermeidlichen druckfehlern. auch das quellen-
verzeichnis auf s. VII ist ein muster von sorglos zusammen-

---

*) vgl. auch abt. 15, weltliches lied.

geschriebenen titeln; das dort über Erlachs sammlung gefällte urteil gilt für Weddigen selbst: 'leider allzu dilettantisch angelegt und hält auch zu wenig am begriffe des volksliedes fest'.

H. Schurtz, Volkssage und volkslied. oben 10, 57.

Reinh. Köhler, Aufsätze über märchen und volkslieder. vgl. oben 10, 151.

311. A. Hauffen, Das deutsche volkslied in Österreich-Ungarn. Verhandl. d. 12. versamml. d. philologen in Wien (1893). Leipzig, Teubner 1894 s. 386 f. — vgl. jsb. 1894, 10, 274.

312. Erk-Böhme, Deutscher liederhort 1—3. Leipzig, Breit-kopf & Härtel 1894. — vgl. jsb. 1894, 10, 276. — rec. Lit. cbl. 1895 (9) 300 f. K. Weinhold, Zs. d. ver. f. volksk. 5, 112 f.

313. G. Legerlotz, Aus heimat und fremde. nach- und umdichtungen. progr. [1895 no. 252] des gymn. zu Salzwedel. 24 s. 4⁰.

bietet nachdichtungen von 6 balladen (Erk-Böhme no. 1. 61. 62. 86. 84. 92) und 7 liedern. die verteidigung solcher bearbeitungen wird man gern gelten lassen, ohne gerade die vorliegenden stücke mustergültig zu finden. denn wenn sich auch L. bemüht, den ein-heitlichen grundgedanken aus der trümmerhaften überlieferung herauszuschälen, so stören doch nicht selten unvolksmässige, modern gezierte ausdrücke, die nur um des reimes willen eingesetzt sind.

314. K. Cleve, Nicolais feyner kleyner almanach. ein bei-trag zur geschichte der würdigung des volksliedes. progr. [1895 no. 86] Schwedt. 48 s. 4⁰.

eine litterarhistorische darlegung der veranlassung und wirkung der volksliedersammlung, mit der Nicolai zwei widersprechende ab-sichten verfolgte: beförderung der liebe zu volksliedern in niederen kreisen und verspottung der begeisterung für diese bei der neuen dichterschule.

315. Erich Schmidt, Lesefrüchte zum volkslied. Zs. d. ver. f. volksk. 5, 355—363.

aus J. Praetorius, Chr. Weise, Brentano, Kurz-Bernardon, Lessing und aus Goethes nachlass (zum Wunderhorn 2, 399 und 403).

316. A. Hofmeister, Findlinge. Korrbl. d. ver. f. nd. sprachf. 18 (5) 65—67.

Peter Lauremberg citiert 1642 in der Musomachia mehrere trink-lieder und Hamburger ausrufe. — vgl. abt. 15, 70. 17, 51.

317. L. Pineau, Là-bas, sur ces grands champs. Revue des trad. pop. 10 (2) 65—85.

verschiedene ausländische parallelen zu 'Der mutter fluch' bei Erk-Böhme, Liederhort no. 194.

318. A. Schullerus, Die volksballade von der nonne. Korrbl. d. ver. f. siebenb. landesk. 18 (1) 3—7. (2) 10 f.

319. A. Hauffen, Das volkslied von den zwei gespielen. Euphorion 2, 29—39.

der streit zwischen der armen und der reichen braut erscheint in einem deutschen volksliede, das bis ins 15. jahrh. zurückreicht und dessen spätere fassungen hier verglichen werden. auch in andern liedern wird für das arme mädchen partei genommen gegen das reiche.

320. J. D. Schischmanow, Der Lenorenstoff in der bulgarischen volkspoesie. Indogerm. forsch. 4, 412—448.

321. J. Bolte, De achttein egendöme der drenckers. Korrbl. d. ver. f. nd. sprachf. 18 (5) 76 f. — zu jsb. 1894, 10, 280. vgl. abt. 17, 57.

322. Mittelniederdeutsches trinklied (Rummeldossz). ebd. 18 (5) 75 f. — vgl. Nd. jahrb. 1877, 67. Germ. 25, 415.

323. L. Mátyás, Zu dem liede 'Es kamen drei diebe aus'. Am urquell 5 (11) 262 f. — A. F. Dörfler, Volkslied der Ofener Schwaben. ebd. 5, 230. — F. Krönig, In des gartens dunkler laube. ebd. 5, 195. — O. Heilig, Volkslied. ebd. 5, 286.

324. K. Storck, Spruchgedichte und volksbräuche aus der Vorderschweiz. Zs. d. ver. f. volksk. 5, 384—390.

325. F. A. Cannizzaro, Joggeli. racconto filastrocca popolare di Berna. Archivio per lo st. d. tradiz. pop. 13, 272 f. ('Es schickt e herr der Joggeli use'.)

326. L. v. Hörmann, Schnaderhüpfeln aus den Alpen. 3. aufl. illustr. mit singweisen. Innsbruck, Wagner. XXVII, 376 s. 16⁰. 2 m.

327. A. Schlossar, Deutsche volkslieder aus Steiermark. Zs. f. österr. volksk. 1, 129—138. (11 nummern.)

328. K. Reiterer, Zum volkslied vom Gams-Urberl. ebd. 1, 259—261.

329. J. N. Fuchs und F. Kieslinger, Volkslieder aus der Steiermark ausgewählt und hrsg. Augsburg, Lampart. XVI, 127 s. 16⁰. geb. 1,50 m.

eine reihe zumeist schon bekannter lieder in einem 'kompromissdialekt', ohne gelehrte zuthaten und ansprüche; s. 81—127 enthalten schnadahüpfln.

330. X. Rieber, Volks- und wanderlieder. dem schwäbischen Albverein gewidmet. 2. aufl. Esslingen, Lung. VI, 134 s. 0,45 m.

331. Toni Linder, Über fels und firn. Die schönsten Alpennational- und volkslieder. Lahr, Schauenburg. IV, 308 s. 1,50 m.

332. F. Franziszi, Weihnachtslied aus Heiligenblut. Carinthia 85 (2) 61 f.

333. M. Urban, As da haimat. eine sammlung deutscher volkslieder aus dem ostfränkischen sprachgebiete der österr. provinz Böhmen als beitrag zur kulturgeschichte Deutschböhmens. Plan 1894 (Falkenau a. E., Schwaab und Müller). 292 s.

enthält 142 volkslieder verschiedener art, 13 ansinglieder, 100 kinderlieder und 587 vierzeiler in mundartlicher form. — rec. W. Hein, Zs. f. österr. volksk. 1, 189. Mitt. d. nordböhm. exkurs.-clubs 18 (2) 193.

334. A. Meiche, Bergmannslied. Mitt. d. nordböhm. exkurs.-clubs 17 (4).

335. K. Kaiser, Aus dem volksmunde. kinderreime, sprücheln, trutz-, scherz- und schelmenliedchen aus Niederösterreich n. f. Heimgarten 1894 (nov.).

336. A. Hauffen, Die deutsche sprachinsel Gottschee. Graz 1895. — vgl. jsb. 1894, 10, 290. — rec. J. W. Nagl, Zs. f. österr. volksk. 1 (2) 58 f. und Euphorion 2, 644—649. Schnürer, Österr. litbl. 1895 (3) 84—86. Grenzboten 1895 (16). Lit. cbl. 1895 (9) 296 f. K. Weinhold, Zs. d. ver. f. volksk. 5, 220.

337. A. Hauffen, Zur Gottscheer volkskunde. Zs. f. österr. volksk. 1, 326—338.

8 weitere lieder.

338. J. v. Weiss-Fináczy, Deutsche volkslieder aus Ofen. Ethnolog. mitt. aus Ungarn 4 (1) 73.

339. O. Heilig, Volkslieder aus Waibstadt bei Heidelberg. Am urquell 6 (3) 67 f. 96 f. — dazu G. Schlegel und R. Sprenger, ebd. 6 (4) 121 f. ('An einem fluss, der rauschend schoss'; gedicht von K. F. Lossius).

340. Kassel, Zur volkskunde im alten Hanauerland. Jahrb. f. gesch. Elsass-Lothringens 11, 138—201. — s. 189—191 liebeslieder, in denen blumen erwähnt werden.

341. J. Graf, Deutsch-lothringische volkslieder, reime und sprüche aus Forbach und umgegend. Jahrb. d. ges. f. lothr. gesch. u. altert. 1894, 95—110.

342. K. Gusinde, Schlesisches volkslied aus der Zobtengegend. Mitt. d. schles. ges. f. volksk. 1894—1895 (4).

343. L. Draas, Alte volkslieder. ebd. 2 (7) 87—99.

344. P. Drechsler, Geistliche volkslieder aus mündlicher überlieferung. ebd. 2 (5) 74—76. (7) 97 f.

345. A. Archut, Volkslieder aus Pommern. Blätt. f. pomm. volksk. 3 (5) 76—78.

346. H. Frischbier, Hundert ostpreussische volkslieder. Leipzig, Reissner 1893. — vgl. jsb. 1894, 15, 297a. — rec. Bolte, Altpreuss. monatsschr. 31 (7—8) 685—691.

347. A. Treichel, Volkslieder und volksreime aus Westpreussen. Danzig, Bertling. VIII, 174 s. 3 m.
100 balladen, historische, soldaten-, liebes- und andere lieder, dazu ein anhang von kinderliedchen und allerlei volksreimen. die texte sind oft zersungen und verderbt. die parallelennachweise rühren von Bolte her. — rec. K. Weinhold, Zs. d. ver. f. volksk. 5, 352 f.

348. A. Treichel, knechtlohn im Ermlande. Am urquell 6 (3) 99 f.

349. Kinderliedchen aus Westpreussen. Ethnolog. mitt. aus Ungarn 4, 80.

350. C. Dirksen, Bemerkungen zu einem ostfriesischen Martiniliede. Zs. d. ver. f. volksk. 5, 451 f.

351. Van den mann, de sick wat maken kann. (Lammerstraatlied.) 25. aufl. Hamburg, Schlotke. 4 s. 4⁰. 0,10 m.

352. F. W. E. Roth, Ein new lied von Hans und Lienhardt dem Vittel. Wie man den Schwartzen richt. Zs. f. d. phil. 28, 40—43.
zwei historische volkslieder, aus einer hs. in Hundeshagens nachlass abgedruckt; ähnlich no. 149 und 150 in Liliencrons sammlung.

353. P. Schwenke, Zwei lieder für den hochmeister Albrecht von Brandenburg. Altpreuss. monatsschr. 32 (1) 153—173.

beide enthalten akrostichisch den namen des hochmeisters; 1522—1524 gedichtet, das zweite von L. Spengler.

354. M. Estermann, Geschichte der pfarreien Grossdietwil und Grosswangen. Geschichtsfreund 49, 228: lied auf die wallfahrtskirche Wertenstein im kanton Luzern (1635).

355. Rich. Müller, Über die historischen volkslieder des dreissigjährigen krieges. Zs. f. kulturgesch. 2 (2. 3) 199—216.

356. A. R., Gustav Adolf im deutschen volksliede. Illustr. ztg. no. 2684. — R. Dietrich, Gustav Adolf in lied und dichtung. Leipziger ztg. 1894, wiss. beil. 147.

357. O. Glöde, Ein spottlied auf die Dänen a. d. j. 1657. Quartalber. d. v. f. mecklenb. gesch. 57 (3) = Zs. f. d. unterr. 9 (7).

358. W. Ribbeck, Briefe Rotger Torcks. Zs. f. vaterl. gesch. u. altert. Westfalens 52. — s. 15 ein lied auf den feldzug von 1672.

359. R. Kralik, Über das volkslied von der schlacht bei Belgrad 1717. Zs. f. österr. volksk. 1 (2) 53 f.

prinz Eugens bruder Ludwig Julius von Savoyen fiel schon 1683 bei Petronell.

360. A. Rebhann, Einige der wichtigsten ereignisse aus Österreichs geschichte des 18. jahrh. im spiegel zeitgenössischer dichtung. Mitt. d. ver. f. gesch. der Deutschen in Böhmen 34 (1).

25 historische gedichte aus den jahren 1735—1757. — vgl. O. Weber, Die okkupation Prags durch die Franzosen 1741—1743. ebd. 34, 80.

361. Hoffmann, Aus dem tagebuche des glasmeisters Preussler zu Freudenburg. Zs. d. ver. f. gesch. Schlesiens 29. — s. 334 zwei spottgedichte von 1713 und 1740 auf preussische beamte und österreichische generäle.

362. R. Prümers, Lied der württembergischen auswandrer im jahre 1781. Zs. d. histor. ges. f. Posen 9 (3).

363. H. Merkens, Zwei politische volkslieder (Köln 1794). Am urquell 5 (11) 237 f.

364. H. Morsch, Der schlusschor aus Goethes festspiel 'Des Epimenides erwachen' und die preussische nationalhymne. Zs. f. d. d. unterr. 9, 785—807.

legt s. 798 die glaubwürdigkeit der nachricht dar, dass Careys

'God save the king' auf einer französischen von Lully komponierten dichtung der frau v. Brinon: 'Grand dieu, sauvez le roi' beruht.

365. A. Sauer, Eberts umarbeitung der österreichischen volkshymne. Mitt. d. ver. f. gesch. der Deutschen in Böhmen 33 (4) 360.

366. O. Richter, Ursprung der Sachsenhymne (von G. K. A. Richter † 1806). Dresdener geschichtsblätter 3 (2).

367. H. Unbescheid, Die kriegspoesie von 1870/71 und das Kutschkelied. Zs. f. d. d. unterr. 9 (4). — vgl. Nachr. aus dem buchhandel 1895 no. 94.

368. E. R. Freytag, Historische volkslieder des sächsischen heeres. — vgl. jsb. 1893, 10, 269. — rec. Lyon, Zs. f. d. d. unterr. 9 (8).

369. E. Reinle, Zur metrik der schweizerischen volks- und kinderreime. Basel 1894. — vgl. jsb. 1894, 10, 323. — rec. Schullerus, Korrbl. d. ver. f. siebenb. landesk. 1895 (4) 59.

370. A. Schlossar, Kinderreime aus Steiermark. Zs. d. ver. f. volksk. 5, 275—288.

371. G. Hanauer, Abzählreime aus dem Kurpfälzischen. ebd. 5, 450 f.

372. Stengel, Allerlei aus Westrich. Jahrb. f. gesch. Elsass-Lothr. 11, 39—71 (redensarten, sprüche, kinderreime).

373. H. Haupt, F. A. Reuss' sammlungen zur fränkischen volkskunde. Zs. d. ver. f. volksk. 5, 413—416 (kinderreime, volkslieder, aberglaube aus dem nachlasse von Reuss in Würzburg, 1810—1868).

374. L. Mátyás, Schwäbische kinderspiele aus der Ofner gegend. Am urquell 6 (9) 189 f.

375. F. Póra, Deutsche kinderreime aus Ofen. Ethnol. mitt. aus Ungarn 4 (4) 132. — reigenlieder, kniesprüchlein, abzählreime.

F. Vogt, Der tod im schlesischen kinderliede. oben 10, 12. 13.

376. K. Weinhold, Über ein schlesisches wiegenlied. Zs. d. ver. f. volksk. 5, 214—217.

377. O. Glöde, Kinderreime aus Mecklenburg. Zs. f. d. d. unterr. 9 (2) 192 f.

378. O. Schell, Abzählreime aus dem Bergischen. Zs. d. ver. f. volksk. 5, 67—71.

379. Kurt Müller, Kinderreime aus Leipzig und umgegend. Zs. d. ver. f. volksk. 5, 199—204.

380. A. Englert, Zum kinderlied. Mitt. z. bayer. volksk. 1 (3).

381. J. Beyhl, Bastlösereime. ebd. 1 (1) 2 f. (2) 3.

382. O. Heilig, Bastlösereime aus der gegend von Heidelberg. Alemannia 23 (2) 189—190.

383. H. Ankert, Bastlösereime. Am urquell 6 (9) 192 f. und Mitt. d. nordböhm. exkurs.-clubs 19 (1) 34—42.

384. F. A. Bacciocco, Eja popeja, das älteste deutsche wiegenlied. Alt-Wien 4 (7). — A. L., Haiderl pupaiderl. ebd. 4 (6). — vgl. abt. 5, 24.

385. E. Kulke, Judendeutsches wiegenlied (Schloif kindele schloif). Am urquell 6 (1) 43. — Judendeutsches volkslied. ebd. 6 (3) 97. — Lied beim ausgang des sabbats. ebd. 6 (7) 158.

386. C. Schumann, Laternenlieder aus Lübeck. Am urquell 6 (3) 98.

387. H. F. Feilberg, Das kinderlied vom herrn von Ninive (dänisch). Zs. d. ver. f. volksk. 5, 106. — Zu dem liede vom pater guardian. ebd. 5, 106 f.

388. O. Knoop, Abzählreime. Blätt. f. pomm. volksk. 3 (2) 28 f. (5) 73—75. (9) 137—139.

389. Peuse, Volkstümliches über die schnecke. ebd. 3 (3) 43 f.

390. F. M. Böhme, Volkstümliche lieder der Deutschen im 18. und 19. jahrh. nach wort und weise aus alten drucken und handschriften, sowie aus volksmund zusammengebracht, mit kritisch-historischen anmerkungen versehen und hrsg. Leipzig, Breitkopf & Härtel. XXII, 628 s. gr. 8⁰. 12 m.
B. ergänzt den dreibändigen 'Liederhort' durch eine äusserlich ebenso ausgestattete auswahl aus der volksmässigen und im volke beliebt gewordenen kunstdichtung des 18. bis 19. jahrhs. auch einige lieder von Opitz, Dach, Fleming und Gerhardt finden sich unter den 780 texten, denen in der regel eine einstimmige weise beigegeben ist. der sammelfleiss und die sachkenntnis des herausgebers sind anzuerkennen, wenn auch in der textbehandlung sowohl wie in den beigefügten geschichtlichen und bibliographischen nachweisen zahlreiche fehler störend ins auge fallen. — rec. Lit. cbl. 1895 (28) 989. Monatsh. f. musikgesch. 27, 172.

391. M. Lilie, Das lied im munde des volks. Leipz. ztg. 1894, wiss. beil. 149.

392. G. Bleisteiner, Änderungen des volksmundes an bekannten liedern. Vierteljschr. f. musikwiss. 10 (4).

393. K. Becker, 6 altdeutsche volkslieder. im anschluss an liederbücher des 15. und 16. jahrh. für männerchor bearb. Neuwied, Heuser. 12 s. 0,25 m.

394. E. Kremser, 6 altniederländische volkslieder aus der sammlung des Adrianus Valerius 1626, übers. von J. Weyl, für männerchor bearb. Leipzig, Leuckart. IV, 18 s. 0,30 m.

395. M. Friedländer, Über einige volkstümliche lieder des 18. jahrh. Verhandl. der 42. versamml. d. philologen in Wien (1893) s. 400—403.
über Hauffs morgenrot und das lied vom kanapee.

396. A. Kopp, Wedekind, der Krambambulist. Altpreuss. monatsschr. 32 (3. 4) 296—310.
Koromandel, der verfasser des Krambambuliliedes, hiess in wirklichkeit Christoph Friedrich Wedekind, stammte aus Niedersachsen und war um 1747 sekretär bei dem prinzen Georg Ludwig von Holstein-Gottorp, preussischem generalmajor.

397. L. Fränkel, Zum Krambambulied. Am urquell 6 (3) 102 f.

398. A. Treichel, Nachtrag zum liede vom Krambambuli. Altpreuss. monatsschr. 32 (7. 8) 479—487.

399. A. Englert, Zu Goethes Schweizerlied. Zs. d. ver. f. volksk. 5, 160—167.
varianten aus dem volksmunde zu 'Ufm bergli' und abdruck eines sehr ähnlichen gedichtes des Schweizers Alois Glutz (1789—1827).

400. W. P. H. Jansen, Op het begijnenhof te Amsterdam. Tijdschr. voor Noord-Nederlands muziekgesch. 4 (3) 137—159. — ders., Nog eens het lied Nu zijt wellekom. ebd. 4 (3) 160—163.

401. J. Bolte, Der Deutsche in Holland. Korrbl. d. ver. f. nd. sprachf. 18 (6) 88.
ein holländisches lied aus einem flugblatte um 1800.

402. L. Fränkel, Shakespeare und das tagelied. — vgl. jsb. 1894, 14, 112. — rec. A. Berger, Lit. cbl. 1895 (7) 225 f. G. Sarrazin, Zs. f. d. phil. 28, 263—267. H. Giske, Litbl. 1895 (5) 158—160.

Volksschauspiel.

403. E. Weinhold, Weihnachtsspiele im Erzgebirge. Glück-
auf, organ des Erzgebirg-vereins 16 (1) 2—10.

404. J. R. Bünker, Die heiligen drei könige. ein volksspiel
aus der Ödenburger gegend. Zs. f. österr. volksk. 1 (3) 81—84.
gereimter text; dazu eine sich daran anschliessende scene
zwischen zwei Türken und einem husaren.

405. J. A. v. Helfert, Böhmische weihnachts- und passionsspiele. ebd. 1, 167—171. (nach Menčiks tschechicher publikation.)

406. C. Richter, Auschaer krippenspiel. Mitt. d. nordböhm.
exkurs.-clubs 18, 62—64.

407. J. Semsch, Schäferspiel. ebd. 18, 44—46. — Auschaer
dreikönigsspiel. ebd. 18, 68—70.

408. W. Pailler, Volkstümliche krippenspiele. mit einer
musikal. beilage von B. Deubler. 3. aufl. Linz, Ebenhöch. 235 s.
1,80 m.

408a. W. Creizenach, Zur geschichte der weihnachtsspiele
und des weihnachtsfestes. nach handschriften der Krakauer univer-
sitätsbibliothek. in: Beiträge z. volksk. (1896) s. 1—10.
auszüge aus einem polnischen weihnachtsspiele 'dialogus pro
die nativitatis domini Jesu Christi' aus dem ende des 16. oder anfang des 17. jahrh. dazu kurze mitteilung über ein zweites handschriftliches weihnachtsspiel (17. jahrh.) und zwei handschriften des
traktates des Johannes von Holeschau 'Largam sero' [Schullerus].

409. R. Kralik, Das mysterium vom leben und leiden des
heilands. ein osterfestspiel in 3 tagewerken nach volkstümlichen
überlieferungen. I. Die frohe botschaft. Wien, Konegen. 219;
IV, 48 s. 12°. 3,60 m. — II. Die passion. ebd. VII, 200. IV,
40 s. 3,60 m. — III. Die auferstehung. ebd. VII, 141. IV, 31 s.
3,60 m.

410. Das passionsschauspiel in Selzach (Schweiz) im jahre
1895. gesangstext redigiert Gottl. Vögeli-Nünlist. Solothurn,
Th. Petri.
nach Ammann [s. no. 411] zusammengesetzt aus dem Höritzer
spiele und dem passionsoratorium von H. F. Müller in Fulda, sowie einzelnen scenen aus dem Oberammergauer spiele.

411. J. J. Ammann, Das passionsspiel des Böhmerwalds.
neubearbeitet auf grund der alten überlieferungen. Krumau, selbstverlag 1892 [vielmehr 1895]. XXXIV, 133 s. 2 m.

die bearbeitung, die A. für die Höritzer aufführungen von
1893 mit dem 1892 von ihm edierten texte Gröllhesls vorge-
nommen hat, erscheint hier wider seine ursprüngliche absicht im
drucke, weil die leitung des Böhmerwaldbundes sein geistiges ur-
heberrecht missachtend eine neue überarbeitung durch K. Land-
steiner [jsb. 1894, 10, 345] veranlasst hatte und nun eine gericht-
liche entscheidung notwendig wurde. A. hat nicht bloss den alten
prosatext gekürzt und von geschmacklosen ausdrücken gesäubert,
sondern auch die handlung einheitlicher zusammengefasst und einen
prolog und chorlieder hinzugefügt, ferner lebende bilder einge-
schaltet, deren erklärung in fünffüssigen iamben abgefasst ist. die
einleitung giebt darüber ausführlich rechenschaft.

412. A. Hauffen, Über das Höritzer passionsspiel. Prag
1894. — vgl. jsb. 1894, 10, 351. — rec. W. Hein, Zs. f. österr.
volksk. 1 (2) 57.

413. O. v. Kapff, Das passionsspiel zu Höritz. Deutsche
kunst- und musikztg. 21 (17).

414. Schmidt, Das volks-passionsschauspiel zu Höritz. Kirchl.
monatsschr. 14 (4).

415. R. Kralik, Das volksschauspiel vom dr. Faust, erneuert. Wien, Konegen. VI, 115 s. 2 m.

416. J. W. Bruinier, Faust vor Goethe I. Halle, Niemeyer 1894. — vgl. jsb. 1894, 10, 358. — rec. R. M. Meyer,
Litztg. 1895 (39) 1227.

417. J. Minor, Zur Faustsage. Die zeit 1895 (29. 30).

418. John Meier, Eine Faustaufführung in Wien. Paul-
Braune, Beitr. 20, 574. (citat aus Abr. a s. Clara.)

419. A. v. Weilen, Aus dem nachleben des Peter Squenz
und des Faustspieles. Euphorion 2, 629—632.

420. A. v. Berger, Über die puppenspiele von dr. Faust.
Neue freie presse 1893, 23. märz und Zs. f. österr. volksk.
1, 97—106.

421. F. W. Lehr (Tolnai), Ein slovakisches puppenspiel
vom dr. Faust. Egyetemes philologiai közlöny 20, 217—227.
dem texte des noch gegenwärtig in Mähren und Oberungarn
aufgeführten spieles ist eine magyarische übersetzung beigegeben
[Schullerus].

422. W. Hein, Hexenspiel. ein salzburgisches bauernstück
hrsg. Zs. f. österr. volksk. 1 (2) 43—53. (3) 74—79.

eine hexe reizt ein einträchtiges ehepaar zu misstrauen und
mord; der teufel reicht ihr die dafür versprochenen schuhe an einer
langen stange. vgl. H. Sachs' fastnachtsspiel 'der teufel und das
alte weib' (1545) und Nestroy, Der gemütliche teufel (Werke 1891
s. 261). die bei der aufführung benutzten masken sind abgebildet.

423. H. Gradl, Deutsche volksaufführungen. beiträge aus
dem Egerlande zur geschichte des spiels und des theaters. Mitt.
d. ver. f. gesch. d. Deutschen in Böhmen 33 (3) 217—271. —
auch bes. erschienen: Prag, Dominicus. 77 s. 1 m.

vgl. jsb. 1894, 10, 355; auch oben 10, 203. — hier hören wir
z. b. von schwerttänzen der kürschner; fastnachtsspiele erscheinen
seit 1442, 1500 ein judenspiel, 1516 ein Neidhartspiel, fronleich-
namspiele seit 1443, seit 1537 schulkomödien von Greff, Rebhun,
Culmann, Hans Sachs, auch von Terenz und Reuchlin.

424. K. Reiterer, Das sommer- und winterspiel und andre
spiele. Zs. f. österr. volksk. 1, 119 f.

bericht über aufführungen in Donnersbach bei Irdning: streit
von bauer, bürger, soldat und edelmann; duett von schneider und
schuster; dialog zwischen einem trabanten des Herodes und einem
halbtauben hirten.

Sprüche und sprichwörter.

425. A. Schmidt, Beiträge zur deutschen handwerkerpoesie
aus dem 16. bis 18. jahrh. das meisterbuch der Frankfurter gold-
schmiedeinnung. Archiv f. d. st. d. n. spr. 95, 353—384.

die gereimten einträge dieses stammbuches sind teils lebens-
läufe der meister, teils lobpreisungen des handwerks, teils sprüche
und lebensregeln, oft durch bilder illustriert. S. giebt eine auswahl daraus mit den jahreszahlen.

426. J. Loserth, Aus der protestantischen zeit der Steiermark. stammbuchblätter aus den jahren 1582—1616. Jahrb. d.
ges. f. gesch. d. protestant. in Österr. 16 (2) 53—77.

nur lateinische sprüche und verse.

427. K. Reiterer, Volkssprüche in mundart. Heimgarten
1895 (okt.).

428. Alte sprüche. Alemannia 23 (1) 84 f.

429. A. v. Padberg, Haussprüche und inschriften in Deutschland, in Österreich und in der Schweiz. Paderborn, Schöningh.
VIII, 55 s. 0,60 m.

eine ansprechende auslese aus früheren sammlungen (Hörmann, Sutermeister, Düffer u. a.) und eigenen aufzeichnungen. der fundort ist jedesmal angegeben.

430. W. Hein, Die geographische verbreitung der totenbretter. — vgl. jsb. 1894, 10, 184. — rec. Höfler, Am urquell 6 (1) 48.

431. O. Rieder, Totenbretter im bayerischen walde. Zs. f. kulturgeschichte 2, 58 ff., 97 ff.

432. E. H. Meyer, Totenbretter im Schwarzwald. Festschrift zur 50 jähr. doktorjubelfeier K. Weinholds (1896). s. 55—61.

433. A. Petak, Friedhofverse in Salzburg. Zs. f. österr. volksk. 1, 138—142.

434. M. Urban, Totenbretter in Westböhmen. ebd. 1, 179—181.

435. R. Sieger, Martelen und grabkreuze. ebd. 1, 292—294.

436. O. Glöde, Niederdeutsche verse auf alten geschützen. vgl. abt. 17, 65.

437. A. Haas, Volkstümliche buchinschriften. Blätt f. pomm. volksk. 3 (2) 25 f.

438. Rud. Eckart, Niederdeutsche sprichwörter. Braunschweig 1893. — vgl. jsb. 1894, 17, 43. — rec. W. Seelmann, Anz. f. d. alt. 21, 142—144. O. Glöde, Zs. f. d. d. unterr. 9 (7).

439. A. Haas, Der bauer im pommerschen sprichwort. Blätt. f. pomm. volksk. 3 (4) 57—59.

440. C. Dirksen, Meiedericher sprichwörter, sprichwörtliche redensarten und reimsprüche. mit anmerkungen. Königsberg, Hartung. 56 s.

441. E. Kulke, Judendeutsche sprichwörter aus Mähren, Böhmen und Ungarn. Am urquell 6 (4) 119—121. (6) 150—153.

442. B. Bonyhády, Sprichwörter kroatischer und slavonischer Juden. ebd. 6 (1) 33 f.

443. J. R. Bünker, Heanzische sprichwörter. Ethnol. mitt. aus Ungarn 3 (11—12).

444. Schauffler, Sprichwörtliche redensarten aus dem mhd. Südd. blätt. f. höheren unterr. 3 (9. 10).

445. Borchardt, Die sprichwörtlichen redensarten. — vgl. abt. 4, 23. — der 2. auflage des recht empfehlenswerten buches vom

jahre 1894 sind rasch drei weitere gefolgt. die erklärung der
1277 nummern verwertet nicht bloss ein reiches material, sondern
geht auch mit gesundem urteile den von der germanistischen
wissenschaft verhältnismässig selten berücksichtigten schwierigkeiten zu leibe.

446. Fr. Krönig, Volkstümliche redensarten aus Nordthüringen. Aus der heimat, sonntagsbl. des Nordhäus. kuriers,
1894, no. 34.

Stengel, vgl. oben 10, 372.

447. Strassburger redensarten, mitgeteilt von einem einheimischen sprachkundigen. Jahrb. f. gesch. Elsass-Lothringens
11, 110—131.

unter alphabetisch geordneten stichworten: 'ablehnende antworten' — 'zuchthaus'.

448. Genthe, Deutsches slang. — vgl. abt. 4, 45.

449. O. Glöde, Stein und bein klagen. Zs. f. d. d. unterr.
9, 774—776. — vgl. abt. 1, 29 und jsb. 1892, 10, 487.

450. Gadde, Redensarten und sprüche vom und beim trinken.
Blätt. f. pomm. volksk. 3 (10) 155—157.

451. Bezeichnungen der trunkenheit in der sprache des
volkes. Am urquell 6 (2) 73—75. — vgl. jsb. 1894, 10, 379.

452. Geheime sprachweisen. Am urquell 6 (1) 37—40.
verschiedene mitteilungen zu einer umfrage von S. Krauss. —
vgl. jsb. 1894, 10, 391.

453. A-B-C spiel. ebd. 6, 42 f. — vgl. jsb. 1894, 10, 393.

Volkswitz.

454. R. Eckardt, Allgemeine sammlung niederdeutscher
rätsel. Leipzig 1894. — vgl. jsb. 1894, 10, 380. — rec. R. M. Meyer
Zs. f. kulturgesch. 2, 93. R. Sprenger, Litbl. 1895 (9) 307 f.

455. A. Brunk, Pommersche volksrätsel. Blätt. f. pomm.
volksk. 3, 23 f. 41—43. 97—101. 113—118. 129—134.

456. K. E. Haase, Volksrätsel aus der grafschaft Ruppin
und umgegend. Zs. d. ver. f. volksk. 5, 396—407. — Volksrätsel
aus Thüringen. ebd. 5, 180—183.

457. B. Schüttelkopf, Volksrätsel aus Kärnten. Carinthia
85 (6) 173—185.

458. A. Renk, Volksrätsel aus Tirol. Zs. d. ver. f. volksk.
5, 147 – 169.

459. J. Robinson, Rätsel galizischer Juden. Am urquell
6 (2) 69.

460. H. Holstein, Leberreim (1656). Korrbl. d. ver. f.
niederdtsch. sprachf. 18 (2) 30 f.

461. A. Englert, Zu dem scherzgespräch 'Hans steh auf'.
Zs. f. d. d. unterr. 9, 146—149. 412 f. — vgl. jsb. 1894, 10, 344.

462. F. Gerhard, Joh. Peter de Memels Lustige gesellschaft. Halle 1893. — vgl. jsb. 1893, 10, 302. — rec. J. Minor,
Österr. litbl. 1895 (11) 342—345. G. Ellinger, Zs. f. d. phil.
28 (3) 403.

463. A. Friedrich, Anekdoten aus Alt-Strassburg. Jahrb.
f. gesch. Elsass-Lothr. 11, 132—134 (3 schwänke in der mundart).

464. M. Arnold, Dö páradess an d'höll (mundart von Gen-
tringen bei Diedenhofen). ebd. 11, 135—137.

465. A. L. Stiefel, Ein Eulenspiegelstreich aus Franken.
Zs. d. ver. f. volksk. 5, 208—210. ('Mein hut bezahlt'.)

466. O. Knoop, Schwank und streich aus Pommern. Posen,
Merzbach'sche druckerei 1894. 0,50 m. (sep.-abdr. aus der beil.
zum Posener tagebl.).

467. A. Brunk, Gadde, Knoop u. a., Volkshumor. Blätt.
f. pomm. volksk. 3 (1) 7 f. (2) 29 f. (4) 52 f. (12) 179 f.
Wat giwwt hüt (zu essen)? das libberlingjagen. deutungen
von ortsnamen. zauberei. ursprung der kahlköpfigkeit.

468. R. Pelz, Archut, Gadde u. a., Schwank und streich
aus Pommern. ebd. 3, 9 f. 40 f. 53—55. 139 f.
Der tote trompeter. lindwurm. judenberg. kartenpredigt.
Eulenspiegel.

469. H. Merkens, Was sich das volk erzählt. deutscher
volkshumor. 2. bd. Jena, H. Costenoble. VII, 201 s.
diese nachlese zu der jsb. 1892, 10, 507 verzeichneten sammlung ist teils gedruckten quellen, z. b. dialektdichtungen von Rosegger,
Epple, Seuffer, Egler und schwanksammlungen, teils mündlicher
überlieferung entnommen. die vier abteilungen sind betitelt:
deutsche Schwabenstreiche, legenden und teufelsgeschichten, kölsche
krätzcher, allerlei geister. auf s. 181—201 folgen nachweise und
bemerkungen. — rec. L. Fränkel, Zs. d. ver. f. volksk. 5, 407 f.

470.   Fr. Düsel, Jägerlatein.   Grenzboten 53, 4, 35 f.
76—83.

471.   A. H. Post, Mitteilungen aus dem Bremischen volksleben. 10. spottverse. Am urquell 6 (1) 22 f. — 11. ebd. 6 (3)
94 f. — 12. ebd. 6 (4) 116—118 (Hänschen im schornstein. bettel-
hochzeit). — 13. ebd. 6 (6) 147—149. — 14—15. kinderspiele.
ebd. 6 (8) 168—172. (9) 177—179.

472.   L. Fränkel, Zungenübungen.   ebd. 6 (4) 134.

473.   M. Radlkofer, Die sieben Schwaben und ihr hervor-
ragendster historiograph L. Aurbacher. mit einer abbildung. Hamburg, verlagsanstalt a.-g. 48 s. 1 m. (Sammlung gemeinverständl.
wissensch. vorträge, n. f. 221).

die ausführliche betrachtung der verschiedenen gestaltungen
des schwankes von Hans Sachs bis auf Aurbacher und seine nachfolger berücksichtigt auch die bildlichen darstellungen und vervollständigt hie und da den jsb. 1894, 10, 63 erwähnten artikel
Boltes, ohne ihn zu kennen. — vgl. Lit. cbl. 1895 (44) 1596.

A. Schullerus (no. 1—309).   J. Bolte (no. 310—473).

XI. Gotisch.

1.   W. Braune, Gotische grammatik mit einigen lesestücken
und wortverzeichnis. 4. aufl. Halle, Niemeyer. 140 s. 2,60 m.

2.   W. Braune, A gothic grammar with selections for reading
and a glossary. Translated (from the 4th german edition) and
edited with explanatory notes, complete citations, derivations and
correspondences by G. H. Balg. 2nd edition. Milwaukee, Wis.
The author. 228 s.

3.   S. Bugge, Über den einfluss der armenischen sprache
auf die gotische. Idg. forsch. 5 (2) 168—179; dazu nachtrag s. 274.
Bugge beruft sich auf Wulfilas herkunft aus Kappadocien um
aus armenischer entlehnung folgende dunkle gotische wörter zu
erklären: *saldra, ungatass, ungatassaba, astaþ, azetizo, anaks,
gatarniþ, tarmei, barusnjan, reiran*; für *aurahi* wird armenische beziehung angedeutet aber nicht behauptet; endlich wird für das
adverbialsuffix *-ba* auf das entsprechende armenische *-bar* hingewiesen. — der nachtrag giebt für *manaulja* und *kaupatjan* armenische parallelen.

4. F. A. Wood, Verners law in Gothic. Germanic studies, edited by the department of Germanic languages and litteratures, Chicago. II.

5. F. Solmsen, Gotisch alēw. Idg. forsch. 5 (4) 344 f.

alēw muss spätestens in der ersten hälfte des 2 jahrh. v. Chr. durch die Kelten aus lat. *oleivom mit monophthongischem ei = ē entlehnt worden sein.

6. F. A. Wood, Gothic haiþi. Mod. lang. notes 10 (7).

7. V. E. Mourek, Syntaxis složených vět v gotštině (Syntax der mehrfachen sätze im gotischen). Prag 1893. — vgl. jsb. 1894, 11, 6. — kurz angez. von E. Bernhardt, Zs. f. d. phil. 28 (1) 138.

8. V. E. Mourek, Über den einfluss des hauptsatzes auf den modus des nebensatzes im gotischen. — vgl. jsb. 1893, 11, 10. E. Bernhardt, Zs. f. d. phil. 28 (1) 130—138.

B. rekapituliert kurz die ergebnisse seiner von Mourek angegriffenen abhandlung über den gotischen optativ und verficht sie fast in allen stücken gegen seinen gegner, dem er nicht unbedenkliche irrtümer nachweist. er schliesst: 'was M. in betreff der bedingungs-, relativ- und temporalsätze hat beweisen wollen, hat er nicht bewiesen; seine ansichten über aussage- und folgesätze enthalten nichts wesentlich neues'. zur bestätigung seiner ansicht giebt er sodann eine übersicht über den einfluss des hauptsatzes auf den nebensatz bei Walther von der Vogelweide, dessen sprachgebrauch mit dem gotischen in überraschender weise übereinstimmt.

9. V. E. Mourek, Nochmals über den einfluss des hauptsatzes auf den modus des nebensatzes im gotischen. — Sitzungsberichte der königl. böhmischen gesellschaft der wissenschaften, klasse für philosophie, geschichte und philologie 1895, XVII. Prag, Řivnáč. 21 s.

M. antwortet auf Bernhardts in voriger nummer verzeichnete besprechung, indem er sich gegen die angriffe Bernhardts verteidigt und seine meinung ebenfalls fast in allen stücken aufrecht erhält. — es hat den anschein, als sollte sich über bezogenen und selbständigen modusgebrauch im germanischen eine ebenso unerquickliche kontroverse entspinnen, wie über die tempusfrage im lateinischen. die auffassung Bernhardts, der den einfluss der abhängigkeit betont, steht indes durch die zahlreichen einschränkungen und verklausulierungen derjenigen Moureks, der die selbständigkeit behauptet, sehr nahe und würde sich damit decken, wenn Mourek ausdrücklich zugäbe, dass in der beziehung des nebensatzes auf den hauptsatz ein begriffliches moment liegt, das bald den indikativ, bald den optativ fordert.

10. C. Kraus, Das gotische weihnachtsspiel. Beitr. z. g. d. d. spr. 20 (1. 2) 224—257.

neue prüfung der überlieferung und der bisherigen deutungen. K. hat den sehr glücklichen gedanken gehabt aus dem λεξικόν des Constantin Porphyrogenitos eine interlineare glossierung des lateinischen textes zu rekonstruieren, wodurch sich fast alle schwierigkeiten lösen; die zwischengesetzten, nicht glossierten ἅγια, νανά, ἀνανά sind musikalische zeichen.

Felix Hartmann.

XII. Skandinavische sprachen.

Bibliographie.

1. E. H. Lind, Bibliografi för år 1893. Ark. f. nord. fil. 11 (3) 272—305.

2. Nordisk bokhandlertidende 1895. hrsg. von J. L. Lybecker. 55 no. København. 3 kr.

3. Norsk bokhandlertidende, udg. af den norske bokhandlerforeningen ved M. W. Feilberg. 16. aarg. no. 25—44. 17, 1—25. Kristiania. 3 kr.

4. Svensk bokhandelstidning 1895. utg. af J. A. Bonnier. 52 no. Stockholm. 3 kr.

5. Nya bokhandelstidningen. 8. årg. 52 no. Stockholm, Seelig & comp. 4 kr.

6. Arskatalog för svenska bokhandeln 1894. 87 s. 8°. Stockholm, Svenska bokförläggareföreningen. 75 öre.

7. Kvartalskatalog over norsk litteratur 1895. 3den aargang med register. udg. af den norske boghandlerforening. 52 s. 8°. Kristiania, Dybwad. 1 kr.

8. Dansk bogfortegnelse for 1895. med et alfabetisk og et fagregister. 45. aarg. 21 no. 8°. København, Gad. 1,50 kr.

9. Litteraturtidende. udg. af boghandlerforeningen i København. verantw. red. R. Wasmann. 2. aarg. (1895). 10 no. 4°. København. gratis. sept. 1894 bis juni 1895.

10. Ólafur Daviðsson, Islands bogfortegnelse 1894 og tildels 1895. Nordisk boghandlertidende 29. no. 31—32.

Zeitschriften. Sammelwerke.

11. Arkiv för nordisk filologi, utg. under medvärkan av S. Bugge, G. Cederschiöld, F. Jónsson, K. Kålund, N. Linder, A. Noreen, G. Storm, L. Wimmer genom A. Kock. 11. bd. (ny följd 7. bd.) 1—2, 12. bd. (n. f. 8), 1—2. Lund, Gleerup und Leipzig, Harrassowitz. jährl. (4 hefte) 6 kr. = 8 m.

12. Aarbøger for nordisk oldkyndighed og historie, udg. af Det kongelige nordiske oldskrift-selskab. 2. række, 10 de bind. 4 hefte. København, Gyldendal. jährl. 4 kr.

13. Sønderjyske aarbøger 1895. udg. af H. P. Hanssen-Nørremølle, G. Johannsen og P. Skau. 4 hefte. Flensborg. jährl. 4 kr.

14. Nordisk tidsskrift for filologi, red. af K. Hude. 3die række, 3. bd. 3.—4de hefte und 4. bd. 1—2 hefte. København, Gyldendal. das heft 1,25 kr.

15. Nordisk tidskrift för vetenskap, konst och industri, utg. af Letterstedtska föreningen. red. af O. Montelius under medverkan af C. M. Guldberg och J. Lange. 8. årg. ny följd. gr. 8⁰. Stockholm, Norstedt & söner. jährl. 10 kr.

16. Finsk tidskrift för vitterhet, vetenskap, konst och politik, utg. af F. Gustafsson och M. G. Schybergson. 12 no. 8⁰. Stockholm, Samson & Walin. jährl. 12 kr.

17. Tímarit hins Íslenzka bókmenntafjelags 1895. 252 s. 8⁰. Reykjavík, Ísafoldarprentsmiðja. 3 kr.

18. Huld. Safn alþýðlegra fræða íslenzkra. útgefendur: Hannes Þorsteinsson. Jón Þorkelsson. Ólafur Daviðsson. Pálmi Pálsson. Valdimar Ásmundsson. 5. bd. 80 s. 12⁰. Reykjavík, Sig. Kristjánsson. 0,50 kr.

inhalt: Þáttur Hjálms bonda á Keldulandi eptir Gísla Konráðsson; Snjáfallavísur hinar síðari í móti þeim síðara gangára á Snæfjöllum 1612; Sagnir um Eirík í Haga; Sagnir um Erlend Helgason; Sagnir um Daða Halldórsson; Sagnir um börn Jóns Magnúsonar á Núpi; Drukknun Sveins í Tungu; Mörk á Merkurhrauni; Sagnir um Finna; Sögn um flugham; Ögn og Agnar; Sögn um Guðmund Ketilsson; Sögn um Agnar Jónsson; Eyjólfur og álfkonan; Langavatnsdalur; Sagnir af Snæfellsnesi; Glóðhausinn;

Maðurinn frá Súlnadalnum Krossinn í Fannardál; Gilsbakkaþula; Draumvísur; Bóndinn á Ámóti; Apturgöngur á Vestfjörðum; Hvíl-duþig, hvíld er góð; Svartur ullarlagður; Snjallræði.

19. Syn og Sagn. Norsk tidsskrift utgjeve af Det norske samlaget ved R. Flo og medarbeidere A. Garborg og M. Moe. fyrste aargangen. Kristiania. jahrg. 4 kr.

20. Dania. Tidsskrift for folkemål og folkeminder. utg. for Universitets-jubilæets dankse samfund af O. Jespersen og K. Nyrop. 3. bd. 4 hefte. København, Schubothe. jährl. 3 kr.

21. Nyare bidrag till kännedom om de svenska landsmålen ock svenskt folklif. tidskrift utg. på uppdrag af Landsmålsföreningarna i Uppsala, Helsingfors ock Lund genom J. A. Lundell. 53.—55. heft. (bih. I. 3; bd. 11, 1. 3; 14, 1. 2.). Stockholm, Samson & Wallin. jahrg. (im buchhandel) 4,50 kr. (f. mitglieder 3 kr.).

22. Svenska fornminnesföreningens tidskrift. no. 26. 9. bd., 2. heft s. 111—214. Stockholm, Samson & Wallin. 3 kr.
inhalt: C. J. Bergman, Solberga nunneklosters läge inne i eller utanför Visby? — K. H. Klint, Meklenburgska och svenska ordspråk; — V. Gödel, Hjalmars- och Hramersaga. ett literärt falsarium från 1690; — O. Montellius, Den nordiska jernålderens kronologi. I. med 53. fig. (vgl. abt. 7, 119).

23. Upplands fornminnesföreningens tidskrift utg. för föreningens bekostnad af R. Arpi. no. 17. (3. bd., 2. heft). med 1 plansch och 20 fig. i texten. s. 111—234. Upplands fornminnesför.'s förl. 2,75 kr. (für mitglieder 2 kr.)

24. Bidrag till kännedom om Göteborgs om Bohusläns fornminnen och historia, utg. på föranstaltande af länets fornminnesförening. 22. heft. (6. bd., 1. heft). 98 s. gr. 8⁰. 1 karte. Göteborg, Wettergren & Kerber. 5 kr.
inhalt: W. Berg, Dragsmarks kloster.

25. Finländska bidrag till svensk språk- och folklifsforskning utg. af Svenska landmålsför. i Helsingfors. — vgl. jsb. 1894, 12, 28. — angez. von E. Mogk, Lit. cbl. 1895 (46) 1658—59.

26. Antiqvarisk tidskrift för Sverige. utg. af Kongl. vitterhets historie och antiqvitets akademien genom H. Hildebrand. 16, 1—3. 207, 35 und 24 s. 8⁰. Stockholm, Wahlström & Widstrand. 2,50 kr. und 1,25 kr.

27. Kongl. vitterhets historie och antiqvitets akademiens handlingar. 32. delen. ny följd, 12. delen. Stockholm, Wahlström & Widstrand. 6 kr.

inhalt: E. Tegnér, De la Gardieska samlingen i Lund och på Löberöd; C. Annerstedt, Upsala universitetsbibliotheks historia intill år 1702; O. Alin, Kgl. Majestäts rätt i fråga om dispositionen af besparingarna på de fasta anslagen inom riksstatens hufvudtitlar; C. Silfverstolpe, Om kyrkans angrepp mot revelationes Sanctae Birgittae. ett bidrag till Birgittin-ordens historia.

28. Svenska akademiens handlingar ifrån år 1886. 9de delen. 212 s. 8⁰. Stockholm, Norstedt & söner. 3 kr.

29. Árbók hins íslenzka fornleifafjelags. 47 s. und 3 taf. gr. 8⁰. Reykjavík. 2 kr.

Brynjúlfur Jónsson, Rannsókn sögustaða í vesturhluta Húnavatnssýslu sumarið 1894: Ldn. *Hringstaðir* (3, kap. 1), *Ambáttará*; *Sótafell*; *Ormsðalur*; *Auðunsholl*; *Asmundarnúpur*; Vatndœla: *Þórdísarholt*, die tempelstätte, *Oddsá*, *Karnsnes*, *Gróustaðir*, *Grund, Sleggjustaðir*, *Faxabrandsstaðir*, *Stígandahróf*; Hallfreðarsaga: *Haukagil, Þingeyrar*; Finnbogasaga: *Víðidalsey, Móðskeggstóft, Svikadalr*; Þórðarsaga hreðu: *Ormshaugr*; Kormakssaga: die tempelstätte; *Gnúpsdalr*, *Sveinsstaðir*; Grettissaga: *Langafit, Grettishof, Spjótsmyri, Torfastaðir*; Heiðarvígasaga: *Saxalœkr, Gnúpsdalr*, ort der Heiðarvíg; Bandamannasaga: *Svöllustaðir. — Hofgil*, mehrere orte in Haukadalir, *Hvammr* in Hvammsveit, *Brúsastaðir* in Þingvallasveit (hoftoft?), *Bollasteinn.* — ders.: Flosatraðir og Þingfararvegur, Þjórsðœla. — ders.: Bær Þórodds goða. — Palmi Pálsson, Um myndir af gripum í forngripasafninnu (skrúðgöngumerki, abreiða, líkneski af Maríu mey með sveininn Jesúm og af Elisabet, tveir hanzkar). — ders.: Forn leiði fyrir ofan Búland í Skaptafellssyslu, þar sem þeir kári börðust við brennumenn.

30. Foreningen til norske fortidsmindesmærker bevaring. aarsberetning for 1894. 194 u. 19 s. Kristiania.
inhalt: O. Nicolaissen, Undersøgelser og udgravninger i Tromsø amt 1894; B. E. Bendixen, Fornlevninger i Søndhordland; N. Nicolaysen, Udgravninger i 1894 paa Bjørke i Hedrum; Oldsager, indkomne 1894 til universitets samling (O. Rygh), til Trondhjems saml. (K. Rygh), til Stavanger museum (efter katalogen), til Tromsø museum (O. Nicolaissen), til Bergens museum (G. Gustafson); N. Nicolaysen, Antikv. notiser. jsb. über die throndheimer und bergner filialabteilung und die zentralvereinigung in Kristiania.

31. Historisk tidskrift, utg. af Svenska historiska föreningen genom E. Hildebrand. 15. årg. Stockholm, Fritzes hofbokh. jahrg. (4 hefte) 8 kr.

32. Historisk tidsskrift. sjette række, udg. af den danske historiske forening ved dens bestyrelse. red. af C. F. Bricka. 5te binds 2.—3. heft og 6te binds 1. hefte. København, Schubothe in komm. heft je 3 kr.

33. Samlinger til jydsk historie og topografi. 2. række. 4. bds. 4.—5. hefte. udg. af det jydske historisk-topografiske selskab. Aalborg, Schultz. 1,75 kr., 1,50 kr.·

34. Nyt tidsskrift. redaktion: J. E. Sars, Chr. Collin, Sig. Ibsen, A. Løchen. ny række, 3. aargang. 20 hefte. Kristiania. jährl. 6 kr.

35. Museum. Tidsskrift for historie og geografi. redaktion: C. Bruun, A. Hovgaard og P. F. Rist. aargang 1895. 2 halbbind. 12 hefte. København, Gyldendal. 9,60 kr.

36. Danske magazin, indeholdende bidrag til den danske histories og det danske sprogs oplysning. femte række. udg. af det Kongelige danske selskab for fædrelandets historie og sprog, 3. bd. København, Gyldendal in komm.

37. Aarbog for dansk kulturhistorie 1894. udg. af Paul Bjerge. — vgl. jsb. 1894, 12, 36. — angez. von J. Ottosen, Dania 3 (3) 143—144.

38. Dass. for 1895. 196 s. 8⁰. Aarhus, Jydsk forlagsforretning in komm. 2 kr.

39. Ymer. Tidskrift utg. af Svenska sällskapet för antropologi och geografi. 15. årg. 1895. Stockholm, Samson & Wallin. 8 kr. (4 hefte).

40. Samlaren. Tidskrift utg. af Svenska literatursäll.'s arbetsutskott. 16. 171 s. 8⁰. Upsala. 4 kr. inhalt: C. R. Nyblom, Bellmans-minnets innebörd; K. Warburg, Bellmansdikten i Danmark; A. Lindgren, Bellmansmusiken; L. Weibull, Bellman såsom skald bedömd af sin samtid; L. Weibull, Tvenne dikter om Bellman; J. Flodmark, Hvilka voro de poetiska arbeten, som Bellman ämnade utgifva år 1772? R. Steffen, Anteckningar till Bellmansdiktens historia.

41. Kort udsigt over det philologisk-historiske samfunds virksomhed. okt. 1891 til okt. 1894. (38.—40. aarg.) med titelblad og inholdsfortegnelse til 27.—40. aargang. (trykt som manuscript for samfundets medlemmer). udg. af samfundets bestyrelse ved C. Jørgensen. 74 s. 8⁰. København, Kleins eftf. 1 kr.

42. A. Noreen, Spridda studier. — vgl. abt. 3, 26.

populär gehaltene sprachgeschichtliche aufsätze, die namentlich die schwedische sprache betreffen: Svensk folketymologi, Om tautologie, Om språkriktighet.

Wörterbücher. Wortforschung.

43. J. Fritzner, Ordbog over det gamle norske sprog. omarbeidet, forøget og forbedret udgave. 27.—29. heft (3. bd. s. 673—960) *takfall — virðingamunr*. heft je 1,50 kr. — forts. von jsb. 1894, 12, 45.

44. J. Þorkelsson, Supplement til islandske ordbøger. tredje samling. 10. og 11. heft. s. 721—880. *motta — rúmföt*. — forts. von jsb. 1894, 12, 46.

45. J. Þorkelsson, Supplement til ordbøger. anden samling. 1. lief. Kopenhagen, Skand. antikvariat. lief. 1,50 kr.

miserabler, manchmal kaum lesbarer neudruck des trefflichen supplements isländischer wörterbücher.

46. L. Larsson, Ordförrådet i de älsta islänska handskrifterna, leksikaliskt ock grammatiskt ordnat. — vgl. jsb. 1891. 12, 33. — ferner angez. von A. Bezzenberger, BB. 21 (2).

47. O. Kalkar, Ordbog til det ældre danske sprog (1300—1700). trykt paa Carlsbergfondets bekostning ifølge foranledning af Universitets - jubilæets danske samfund. 23. heft. 3. bd. s. 193—256. *natbakke — nærværelse*. 2 kr. — forts. von jsb. 1894, 12, 48.

48 H. F. Feilberg, Bidrag til en ordbog over jyske almuesmål. udg. af Universitets-jubilæets danske samfund. 13. heft. 2. bd. s. 129—176. *kirkegårdsdige — klavre*. 1,50 kr. — forts. jsb. 1894, 12, 51.

49. H. Ross, Norsk ordbog. tillæg til 'Norsk ordbog' af Ivar Aasen. 15.—17. (schluss)heft. s. 897—997 u. 18 s. *vedrfubb — Øyrnesnipp*. Christiania und København, Cammermeyer. heft je 70 öre. — forts. und schluss von jsb. 1894, 12, 50.

50. K. J. Söderwall, Ordbok öfver svenska medeltidsspråket. 2. bd. 15. heft. *siker — skynter*. — forts. von jsb. 1894, 12, 49.

51. Ordbok öfver svenska språket utg. ad Svenska akademien. 3.—4. heft. *afkläda — afstå*. Lund, Gleerup. heft 1, 50 kr. — forts. von jsb. 1894, 12, 52. das 1. heft ist eingehend besprochen von E. Wadstein, Ark. f. nord. fil. 11 (4) 374—384, wo einige

nachträge gegeben werden; von H. Gering, Zs. f. d. phil. 28 (3) 394—398 (sehr anerkennend).

52. F. Tamm, Etymologisk svensk ordbok. — vgl. jsb. 1893, 12, 54 und 1894, 12, 43. heft 2 ist anerkennend angez. von F. Holthausen, Anz. f. d. a. 22 (1) 86.

53. J. A. Lundell, Svensk ordlista med reformstavning ock uttalsbeteckning. — vgl. jsb. 1893, 12, 41. — angez. von W. Golther, Litbl. 16 (10) 342—343.

54. J. Kaper, Tysk-dansk-norsk haand-ordbog. tredie forbedrede og forøgede udgave. 718 s. 8⁰. København, Gyldendal. 6,25 kr.

55. J. Brynildsen, Tysk-norsk (dansk) ordbog. 3.—7. heft. s. 97—336. — forts. von jsb. 1894, 12, 60.

56. A. F. Dalin, Dansk-norsk og svensk ordbok. 2. uppl. granskad och redigerad af J. R. Spilhammer. 685 s. 8⁰. Stockholm, Beckmann. 3,50 kr.

57. A. F. Dalin, Svenska språkets synonymer. 2. uppl. granskad och redigerad af J. R. Spilhammer. 395 s. 8⁰. Stockholm, Beckman. 3 kr.

58. P. A. Kjällerström, Svensk namnbok. dopnamn, ättenamn, ortnamn. 177 s. 8⁰. Ulricehamn, Kjällerström. 1,50 kr.

59. E. H. Lind, Några anmärkningar om nordiska personennamen. Ark f. nord. fil. 11 (4) 259—272.

1. gegen A. Kock, der annahm, dass auch im älteren schwedischen der familienname wie im neuschwedischen den hauptton getragen habe, sucht L. zu beweisen, dass in früherer zeit im nordischen allgemein dem taufnamen der hauptton zugekommen sei. hieraus erklärt sich, dass noch heute die Isländer z. b. Konráðr Gíslason allgemein Konráðr, während wir ihn Gíslason nennen. 2. behandelt L. das interessante und wichtige thema, wie im westnordischen auf volksetymologischem wege verschiedene fremde eigennamen umgewandelt worden sind; so wurde aus *Rikarðr*: *Rikgarðr*, aus kelt. *Dufgus* ⟩ *Dugfus*, aus *Berengaria* ⟩ *Bengerd*, aus *Kristian* ⟩ *Kristjarn* u. dgl.

60. Jón Jónsson, Fáeinar athugasemdir um fornættnöfn. Ark. f. nord. fil. 11 (4) 359—367.

J. zeigt an einigen beispielen, wie sich der name in dem geschlechte forterbt.

61. E. Gigas, Mere om dekorerede fornavne paa dansk. Dania 3 (1) 42—45. — ergänzung zu jsb. 1894, 12, 93.

62. R. Saxén, Finska lånord i östsvenska dialekter. 132 s. Helsingfors. — der grössere teil hiervon findet sich auch Svensk. landsm. 11 (3); der schluss wird hier in einem der nächsten jahre erscheinen.

63. E. Wadstein, Förklaringar ock anmärkningar till forn-nordiska lagar. Nord. tidskr. f. fil 3. r. 3 (1/2).

64. E. Wadstein, Nordische bildungen mit dem präfix *ga*. Idg. forsch. 5, 1—32.

isl. *gá* zu lat. *ire*, *gaman* zu lat. *amare*, norw. *gausa* zu *ausa* 'schöpfen'; *gautar* zu lat. *audere*; norw. *geim* 'starker dampf' zu *eima* 'dampfen'; isl. *geirr* 'speer' zu got. *aiz*, ahd. *êr* 'erz'; isl. *geisa* 'brausend einherfahren' zu *eisa* 'das feuer'; isl. *gagna* 'nützen' zu *hagr* 'tauglich, geschickt'; isl. *gamall* 'alt' zu *hamla* 'verstümmeln, schwächen'; isl. *gemla* 'erwachsenes, jähriges schaf' zu 'hammel'; isl. *gengil-* (in *gengilbeina*) zu isl. *hengeligr* 'schwankend'; norw. *gildra* 'emporragen' zu *hildra*, *hallr* 'hügel'; isl. *glaðr* 'pferd' zu *hlaða* 'laden' (hierzu auch *mengląð* 'die mit geschmeide beladene'); isl. *glam* 'lärm' == isl. *hlam* 'lärm, gepolter'; isl. *glymia* 'lärmen' zu *hlymr* 'klang, lärm'; schwed. *knapp* 'schnaps' zu ahd. *hnapf* 'napf'; isl. *gneggia* zu *hneggia* 'wiehern'; isl. *gnit* zu ahd. *niz*; isl. *gnúa* 'reiben' zu ahd. (*h*)*nuan*; isl. *golf* zu *holfenn* 'gewölbt'; isl. *graðr* 'nicht verschnitten' zu *hreðr* 'penis'; isl. *grellskapr* 'zorn' zu *hrella* 'beunruhigen'; isl. *grið* 'heftigkeit' zu *hrið*; norw. *grjosa* zu isl. *hriósa* 'grauen'; norw. *grosa* 'preisen' zu isl. *hrósa*; norw. *grov* 'grob' zu isl. *hrufa* 'kruste', norw. *gumsa* zu *humsa* 'leise lachen'; norw. *gyfsa* zu *hyfsa* 'wiegen', isl. *gæra* zu ahd. *gehâr* 'behart'; schwed. *göl* 'tümpel' zu isl. *hol*; ils. *gífr* zu mtthd. *îfer* 'eifer'; schwed. *glappa* 'locker sein' zu *laffe*, *läppisch*; isl. *glata* 'verlieren' zu *láta*; isl. *glófe* zu *lófe* 'flache hand'; isl. *gná* == *ná* 'erreichen'; schwed. *gnabbas* zu *nabbas* 'sich necken'; isl. *gnaddr* == *naddr*; norw. *gnafs* zu agls. *neb* 'schnabel'; isl. *gnaga* zu *nagen*; schwed. *gnaska* zu *naschen*; isl. *gneista*, *gnógr*, *gnæfr*, schwed. *gnöla*; schwed. *gorm* zu isl. *ormr*; isl. *gǫrr* zu as. *aru* 'bereit'; norw. *gramsa* zu isl. *rammr* 'stark'; isl. *granne* 'nachbar' zu *rann* 'haus'; isl. *gregr* 'schwanz' zu mhd. *ge-regen* 'rühren' bewegen'; schwed. *grift* == *gerippe*; isl. *greiða* zu got. *garaidjan* 'anordnen'; dän. *griis* 'kleines fahrzeug' zu isl. *rinna*(?); isl. *grúna* zu ahd. *rûnên*; isl. *gugna* zu *ugga* 'erschrecken'; isl. *gaukr* zu got. *gajuka* 'genosse'; isl. *gaum* zu altslav. *umŭ* 'beobachtung'; isl. *gaupn* zu *openn* 'offen'; isl. *gandr* zu *vǫndr* 'der stab'; isl. *gista* zu *vista* 'kost und logis geben'; isl. *gizke* zu *vitt* 'zaubern, beschwörung'; norw. *gjeppa* zu ndl. *wippen*; isl. *gýgr* zu *ýgr* 'grimm, wild'; isl. *gyria* zu *yria*; isl. *gæta* 'hüten, weiden' zu as. *âhtian*; isl. *gæta* 'achten' zu ahd. *ahtôn*. — einige der von W. gegebenen etymologien sind fraglich.

65. Brynjólf Jónsson, Ölfus — Álfós? Tím. 16,164—172.

J. verteidigt die ansicht, dass *Ölfus* — *Álfós* (— *Álfsós*) der Landn. (buch 5, kap. 13) ist, wozu B. Magnússon Ólsen (ebd. 173—175) einige weitere ergänzungen giebt.

66. E. Hellquist, Ordförklaringar. Ark. f. nord. fil. 11 (4) 348—350.

isl. *allynges* ist nicht *allum* u. *gi*, wie Noreen annimmt, sondern gehört zum adjektivstamme *allung* — (vgl. ags. *eallunga* 'gänzlich').

isl. *præt(t)a* ist ein altes iterativum, dessen stamm *þranh* zu ahd. *dringan*, ags. *þringan* 'drücken' gehört.

67. Kr. Sandfeld Jensen, Ordet 'Laban'. Dania 3 (3) 97—104.

68. Kr. Nyrop, Ballade. Dania 3 (3) 128—130.

das wort *ballade* ist erst seit den 70er jahren unseres jahrhs. in Dänemark eingedrungen, hat aber schnell weites gebiet erobert. es hat die bedeutung des jüngeren pariser *balade*. auf welchem wege das wort nach Dänemark gekommen, entscheidet N. nicht.

69. A. Nordfeld, En fransk-svensk etymologi. Ark. f. nord. fil. 12 (2) 201—204.

das schwed. *klockarkärlek* ist franz. *amour de clocher*; jenes hat den ausdruck *kär som en klockare* veranlasst, dies wiederum *kär som en klockarkatt*.

70. A. Kock, Belysning af några svenska ord och uttryck. Antiqv. tidskr. för Sverige, del 16. no. 3. 24 s.

flicka = norw. *fleikja* 'dirne'; *iamkyrnismæn, iampkyrnismæn* 'schiedsrichter'; *ramata flætta, ramata flæt* 'das schneiden dicken grases'; *rogger* 'bauchfell'; *samanstæwa* (Rimkrön. v. 1986) 'an verschieden stellen aufstöbern'; *siþer*, das sich häufig in Vestgötalagen findet, bedeutet nicht 'später', sondern 'mächtiger', wie öfter im neunorwegischen; *sirla* aus älterem *siörla* von *siör* 'spät'; altschw. *thærdsmanadh*, altdän. *tørmaaneth* gehört zum adj. *þurr, torr*, wozu auch altnord. *þorri* gehört 'der trockene monat', da man im januar trockenes wetter liebt; die adverbialen ausdrücke altschw. *i aftons, i aftonse*, neuschw. *i afse, i julas, i söndags* etc. sind durch vermischung zweier konstruktionen entstanden: eines adverb. genetivs und eines adverb. wie *i gar, i afton* etc.

Sprachgeschichte. Grammatik. Dialekte. Metrik.

71. T. E. Karsten, Studier öfver de nordiska språkens primära nominalbildning. I. akademisk afhandling. Helsingfors. 121 s. 8⁰.

behandelt die adjektiva im nordischen, die durch die suffixe *o*
und *io* gebildet sind. nicht nur die adjektiva der alten schriftsprache, sondern auch die der neunordischen dialekte sind herangezogen.

72. A. Noreen, Altnordische grammatik I. Altisländische
und altnorwegische grammatik unter berücksichtigung des urnordischen. — vgl. jsb. 1892, 12, 23. — angez. von B. Kahle,
Anz. d. idg. forsch. 5, 74—78, wo einige ergänzungen gegeben sind.

73. K. Lentzner, Oldnordisk formlære. I. Grundriss. being
outlines of old-icelandic accidence i modern danish. 32 s. Oxford.

74. B. Kahle, Die sprache der skalden auf grund der binnen-
und endreime. — vgl. jsb. 1892, 12, 27. — ferner angez. von
O. Jiriczek, Zs. f. d. phil. 28 (1) 128—130.

75. A. Kock, Några grammatiska bidrag. Ark. f. nord. fil.
11 (4) 315—347.

1. bei assimilation von nasal mit folgender tenuis (*mp* 〉 *pp*,
nt 〉 *tt*, *nk* 〉 *kk*) wird im nordischen ein unmittelbar vorangehendes
u zu *o*, wenn nach jener konsonantenverbindung kein *i*, *i̯* oder *u*
folgt; folgt *i* oder *i̯*, so wird *u* 〉 *y*, dagegen bleibt *u* vor folgendem
u erhalten. — 2. die praet. von *halda* und *falla* erhielten im
altschw. die pluralformen *hiuldu*, *fiullu* (brechung aus *heldu*, *fellu*);
dieser brechungsdiphthong drang dann in den sg. *hiult*, *fiull*;
unter dem einfluss des inf. präs. entstanden: *hult*, *huldu*, *ful*, *fullu*:
später ging der brechungsdiphthong zu *io* über, und auch bei
diesen formen wirkte der inf. präs., so entstand: *hiolt*, *holt*, *fiol*,
fol. unter denselben bedingungen entstanden endlich in einer noch
späteren zeit *hiølt*, *hølt*, *fiøl*, *føl*. — 3. die assimilation des *ld* 〉 *ll*
ist in den einzelnen schwed. dialekten verschieden; sie erfolgt aber
immer unter dem einflusse des vorhergehenden vokales. — 4. dass
der altschwed. *gh*-laut vor *i* und *e* schon in vorgeschichtlicher zeit
zum spir. j übergehe, wie Noreen annimmt, wird durch die hs. der
altschwed. sprichwörter widerlegt, wo nur *gh* und unmittelbar folgendes
konsonantisches *i* oder *j* mit *gh* zum spiranten verschmilzt, während sonst *gh* erhalten bleibt. — 5. in schwachbetonten silben wird
im altschwed. kurz *y* 〉 *i*, wenn es unmittelbar nach konsonan-
tischem i-laute steht. — 6. in der sprache der heil. Birgitta zeigen
sich verschiedene dialektische eigentümlichkeiten: so hat man in
der endung *u*, wo wir nach den regeln der vokalbalans *o* erwarten
sollten, wenn dem *u* ein *i* unmittelbar vorangeht. — 7. dialektisch
wird altschwed. *a* zu *o* nach *v*, *w* und vor folgendem *r*, wenn
die silbe schwach betont ist (*alvara* 〉 *aluora*). — 8. gegen Noreen
wird verteidigt und erklärt, dass isl. *an*, *en* = run. *þan*, *þen* ist:

isl. *geyja*, bellen ⟨ **gauian* ⟨ *gawauian* 'wau sagen'; die beteuerung
isl. *iúr*, altnorw. *iaur*, altdän. *ior* = *iú er*, *iau er*, *io er* (vgl.
altschwed. *jaa er swa* 'gewiss ist es so').

76. A. Kock, Till frågan om *u*-omljudet i fornnorskan.
Ark. f. nord. fil. 12 (2) 128—170.

gegen Wadstein verteidigt K. von neuem seine periodentheorie
des *u*-umlautes. er stellt als regeln auf: 1. der ältere *u*-umlaut ist
bei stark- und halbstark betonten silben eingetreten, wenn das *u*
in vorgeschichtlicher zeit geschwunden ist und zwar sowohl bei *a*
als auch bei *ā* (lǫnd, rǭð). 2. ist das *u* erhalten, so ist *ă* in verschiedenen gegenden Norwegens überhaupt nicht umgelautet (das
ist das ältere), während es in anderen gegenden in einer späteren
zeit zu *ǫ* geworden ist und zwar unter einfluss des unmittelbar
vorangehenden labiallautes oder eines unmittelbar darauf folgenden
g (*monnum, hvorsu, Ogmundr*) oder wenn der *a*-laut nasaliert ist
(*hondum skommu*). ferner ist in einzelnen gegenden der jüngere
umlaut in halbstark betonten silben eingetreten (*Þiodgotu* aber
gatur), in anderen gegenden ist dagegen der jüngere *u*-umlaut
überall eingetreten. was von *ă* gilt, gilt auch von *ā*, doch ist dies
in verschiedenen gegenden zu *ō* geworden und zwar, wenn unmittelbar vor *ā* ein *w* steht oder wenn der *ā*-laut nasaliert war
wōru, spōnu). — bei dem *w*-umlaut ist zu unterscheiden, ob das *w*
α) unmittelbar auf den vokal folgt, oder β) ob vorher noch konsonanten stehen. α) *w* wirkte umlaut, wenn es verloren ging und
der vorhergehende vokal lang ist (*snýr* ⟨ *snīwir*), dagegen nicht,
wenn der vokal kurz ist (*þír* ⟨ *þíwir*); ist das *w* erhalten, bewirkt
es keinen umlaut. β) wird der wurzelvokal vom *w* durch konsonanten getrennt, so tritt bei verlust des *w* im urnordischen umlaut
ein; auch erhaltenes *w* hat in jüngerer zeit im altnord. (im gegensatz zu *u*) den umlaut bewirkt.

77. A. Kock, Zur frage über den *w*-umlaut, sowie über den
verlust des *w* in den altnordischen sprachen. Idg. forsch. 5 (2)
153—167.

w wirkt umlaut auf einen unmittelbar vorangehenden vokal,
wenn es unmittelbar vor konsonanten oder im auslaut verloren
ging und der unmittelbar vorausgehende vokal lang ist, war
dagegen der vokal kurz, so lautet er nicht um (*snýr* aus *snīwir*,
aber *þír* aus *þíwir*). bleibt *w* stehen, so findet kein umlaut des
vokals statt. diese regel erklärt sich daraus, dass *w* zwischen
vokal und konsonanten (resp. im auslaut) früher verloren ging,
wenn der vorangehende vokal lang war, als wenn er kurz war.

78. A. Kock, Zur behandlung des durch *u* entstandenen

brechungsdiphthongs in den altnord. sprachen. Paul-Br. beitr. 20, 117—140.

der altisl. brechungsdiphthong *io* wurde später zu *iø*, erhielt sich aber vor gewissen konsonantenverbindungen (*rð*, *rt*, *kk*) und wenn das *o* gedehnt ist (wie bei *miólk*, *hiólp*). im gotländischen haben wir den brechungsdiphthongen: *iu*, wo auch das altschwed. *iu*,- *io*, wo das jüngere altschwed. *io*,- *ie* wo das jüngere altschwed. *iø* hat. — das zahlwort *fiórir* geht auf einen stamm *fezur* zurück, der durch synkope zu *fiór* verkürzt ist. — im ostnordischen und einigen altnorw. dialekten ist das durch folgendes *u* gebrochene *e* zu *ia* (nicht *io*) geworden, wenn in der folgenden silbe ein *ă* stand.

79. E. Wadstein, Om *u*-brytningsdiftongen i fornisländskan ock fornnorskan. särtryck ur Språkvetenskapliga sällskapets i Upsala förhandlingar 1894—1897. 6 s.

W. zeigt, gestützt auf eine anzahl alter und guter hss., dass der diphthong, der durch *u*-brechung aus *e* hervorgegangen ist, nicht *iǫ* sondern *io* ist, wie A. Kock und Noreen bereits auf theoretischem wege angenommen haben. die durchgenommenen hss., die für das durch *u* umgelautete *a* fast durchweg *ǫ* oder *aо* zeigen, haben nie oder fast nie *iǫ*, sondern immer *io*.

80. Jón Þorkelsson (sen.), Íslensk sagnorð með þálegri mynd í nútíð (verba praeteritopraesentia). 80 s. 8⁰. Reykjavik.

dies heft bildet gewissermassen die ergänzung zu P.'s sammlung starker verba (vgl. jsb. 1894, 12, 81): es ist eine reichhaltige sammlung der in der litteratur alter und neuer zeit enthaltenen formen aller praeteritopraesentia im isländischen. auch altnorwegische schriften sind zuweilen herangezogen.

81. M. Nygaard, Kan oldn. *er* være particula expletiva? Ark. f. nord. fil 12 (2) 117—128.

während Egilsson und andere lexikographen *er* in einigen poetischen stellen als particula expletiva auffassen, sucht N. seine schon früher ausgesprochene ansicht zu verteidigen, dass wir an all diesen stellen das relativum haben; es ist nur ein teil des relativsatzes und zwar der hervorgehoben werden soll, vor die relativpartikel gestellt. die einzelnen in betracht kommenden stellen werden gedeutet.

82. G. Cederschiöld, Om s. k. subjektlösa satser i svenskan. Nord. tidskr. f. vetensk., konst och industri 1895 (3/4).

83. K. F. Söderwall, De nordiska språkens uttryck för sedliga begrepp. (nicht im buchhandel.)

84. V. Dahlerup, Det danske sprogshistorie i kortfattet oversigt. særtryk af Salmonsens konversationslexikon. 73 s. kl. 8°.
ein trefflicher allgemein verständlicher überblick über die dänische sprachgeschichte: sprache der runeninschriften; wiedergabe der
wichtigsten von diesen. abschnitte aus der alten gesetzlitteratur.
grammatik, syntax, wortbildung im altdänischen. die übergangs-
periode und der einfluss des niederdeutschen. die sprache in dem
reformationszeitalter. die dänische sprache in Norwegen. das ältere
neudänisch (1550—1700); der deutsche und französische einfluss.
Holbergs sprache. die periode der sprachreinigung. das jüngste
dänisch. einfluss der dialekte auf die schriftsprache. übersicht der
sprachgeschichtlichen litteratur.

85. O. Jespersen, En sproglig værdiforskydning. *og* — *at*.
Dania 3 (4) 145—182.

86. Kr. Nyrop, Katakreser. Dania 3 (3) 124—125.

87. K. Larson, Dansk soldatersprog til lands og til vands.
50 s. København, Schubothe. 1 kr. — dass. andet oplag. 54 s.

88. K. Larsen, Om dansk argot og slang. Dania 3 (2)
49—73; (3) 105—117.

89. H. Falk, Sprogets visne blomster. Fortsættelse af
'Vanskabningar i det norske sprog'. 67 s. 8°. Kristiania,
J. W. Cappellen. 1 kr.
F. behandelt hier dieselbe frage, der Polle in seinem werke
'Wie denkt das volk über die sprache? (Leipzig 1889)' näher getreten ist. das heftchen enthält: erklärung dunkler sprachbilder;
die sich zum grossen teil mit deutschen sprachbildern berühren,
ja teilweise von Deutschland nach dem norden gekommen sind;
über die verdrehung von sprachbildern; weiteres über den bildlichen
ausdruck; über volksetymologie.

90. O. Jespersen, Substantivers overgang til adjektiver.
Dania 3 (2) 80—90.

91. K. Mikkelsen, Mere om substantivers overgang til adjektiver. Dania 3 (3) 121—124.

92. V. Boberg, Den danske retskrivnings historie i de sidste
200 år. kortfattet fremstillet. 70 s. 8°. København, Gjelle-
rup. 1 kr.

93. Amund B. Larsen, Lydlæren i den solørske dialekt,
især i dens forhold til oldsproget. — vgl. jsb. 1894, 12, 106. —
anerkennend besprochen von E. Mogk, Lit. cbl. 1895 (49) 1765.

94. J. M. Jensen, Sprogprøve fra Vendsyssel. Dania 3 (3) 126—128.

95. F. Zetterberg, Bjärkörättens ljud- och böjningslära. akadem. afhandling. — vgl. jsb. 1893, 12, 89. — ausführlich angez. von A. Kock, Ark. f. nord. fil. 12 (1) 85—92. K. ist in nicht wenig punkten anderer ansicht als Z.

96. H. Vendell, Ordbok öfver Pedersöre-Purmomålet i Österbotten. Bidrag till kännedom af Finlands natur och folk. utg. af Finska vetenskaps societeten. 56. heft. 524 s. Helsingfors. 6 m.
nachdem V. bereits im 52. hefte der Beiträge zur natur- und volkskunde Finlands über die sprache von Pedersöre und Purmo in Österbotten gehandelt hat, giebt er hier ein wörterbuch des in mancher beziehung altertümlichen schwedischen dialektes.

97. Jóhannes Jóhannssen, Um ný-íslenzka bragfræði. Tím. 16, 230—252.
eine kurze darstellung der neuisländischen metrik.

Runen.

98. L. Wimmer, Sønderjyllands historiske runemindesmærker. — vgl. jsb. 1892, 12, 66. — angez. von H. Gering, Zs. f. d. phil. 28 (2) 236—239.

99. G. Storm, To runestene fra Sønderjylland og deres historiske betydning. (med et tillæg af S. Bugge.) Norsk. hist. tidssk. 3. r. 3 (2) 354—378.
St. schliesst sich gegen Möller in der historischen erklärung des Vedelspang- und Gottorpsteins Wimmer an. auch nach ihm gehören Gnupa und Sigtryggr einem schwedischen königshause an, das eroberungen in Dänemark gemacht hatte, dass ferner Gnupa hier die tochter eines jütländischen fürsten geheiratet habe und dass ihre unterthanen sowohl Schweden als Dänen waren. auch in der zeitbestimmung (um 950) schliesst sich St. Wimmer an. — in dem königsnamen *Silfraskalli*, der nach isländ. quellen zur zeit Gnupas gelebt haben soll, findet Bugge eine bezeichnung für Gnupa und deutet das wort 'der reiche mann'.

100. L. Wimmer, Om undersøgelse og tolkningen af vore runemindesmærker. Indbydelsesskrift til Kjøbenhavns universitets aarsfest i anledning af Hans Maj. Kongens fødselsdag, den 8. april 1895. 134 s. 4°. Kjøbenhavn.
W. giebt eine geschichte der runenforschung in Dänemark von den ältesten zeiten bis zur gegenwart. sie soll die einleitung zu

seinem grossen werke über die dänischen runeninschriften bilden:
behandlung dänischer runendenkmäler im mittelalter, besonders bei
Saxo. referat und kritik über die werke und deutungsversuche
von Chytræus und Ole Worm bis zu Stephens und Thorsen. dann
berichtet er über seine eignen forschungsreisen, über die bei den
untersuchungen angewandte methode, über die art und weise, wie
er das gesammelte material verwertet und zu welch wichtigen ergebnissen diese neue methode geführt hat. von mehreren inschriften wird
die Wimmersche lesung neben frühere deutungen gestellt. — angez.
von H. Gering, Zs. f. d. phil. 28 (2) 239—241.

101. De danske runemindesmærker undersøgte og tolkede af
L. Wimmer, afbildningerne udførte af J. M. Petersen. under-
søgelserne foretagne med understøttelse af det kgl. nord. oldskriftselskab og ministeriet for kirke-og undervisningsvæsenet; ud-
givelsen bekostet af Carlsberg fondet. I. De historiske runemindesmærker. 174 s. fol. København, Gyldendal. 25 kr.

mit diesem bande beginnt das grossartig angelegte, auf 4 bde.
berechnete werk W.'s über die dänischen runeninschriften. es lässt
an gewissenhaftigkeit in der ausführung und der umsicht bei der
deutung nichts zu wünschen übrig. den beginn machen die fest
datierbaren historischen denkmäler. W. liest diese (18 denkmäler):
kleinere Jællingstein (935—940): *GormR konungR gærði kumbl*
þausi æft Þyrwi konu sina DanmarkaR bót; grössere Jællingstein
(c. 980): *Haraldr konungR bað gørwa kumbl þési æft Gorm faður*
sinn âuk æft Þyrwi móður sina, sá Haraldr, es sæR wann Dan-
mârk alla âuk Norweg âuk Dani gærði kristna; die beiden Vedel-
spangsteine (c. 950): *Asfríðr gærði kumbl þaun æft Sigtriggw sun*
sínn, á wé Gniúpu; — *Wé-Asfríðr gærði kumbl þausi, dóttir*
Oðinkârs æft Sigtriugg konung, sun sínn âuk Gniúpu; — der grössere
Sønder Vissingstein (c. 970): *Tófa lét gørwa kumbl, Mistiwis*
dóttiR æft móður sina Haralds hins góða Gorms sunaR kona. —
Die Hällestadsteine (c. 980—985): *Askell satti stén þannsi æftiR*
Tóka Gorms sun, sæR hollan dróttin. SáR fló égi at Uppsalum.
Sattu drængaR æftiR sinn bróður stén á biargi stéðan rúnum.
ÞéR Gorms Tóka gingu næstiR; — *Asgøtr réspi stén þannsi æftiR*
Æiru bróður sínn; en sáR was hémþegi Tóka. Nú skal standa stén
á biargi: — *Asbiorn, hémþegi Tóka, satti stén þasi æftiR Tóka*
bróður sínn. — Der Sjörupstein (980—985): *Saxi satti stén þasi*
æftiR Asbiorn sinn félaga, Tóka sun. SáR fló égi at Uppsalum,
en wá, með hann wápn hafði. — Der Årsstein (980—985): *Asurr*
satti stén þannsi æft Wal-Tóka dróttin sínn. Sténn kwesk héri
standa længi — sáR Wal-Tóka — werða — næfni. — Der Hedeby-

stein (995—996): *Þórlf(R) résþi stén þannsi, hémþegi Swéns æftiR Érík félaga sinn, es warð døðr, þá drængjaR sátu um Héðabý; en hann was styrimandr, drængR harða góðr.* — Danewirkestein (995—996): *Swénn konungR satti stén øftiR Skarða sinn hémþega, es was farinn westr, en ní warð døðr at Héðabý.* — Der kleinere Árhusstein (995—996): *[Ulf]R þexla résþi (sátti) stén þannsi æftiR Amunda félaga (sun) sinn, es warð døðr at Héðabý.* — Der grössere Árhusstein (c. 1000): *GunnulfR åuk Øygótr (Ógótr?) åuk AslákR åuk RólfR résþu stén þannsi æftiR Full félaga sinn, eR warð østr úti døðr, þá konungaR barðusk.* — Der Kolindstein (c. 1000): *Tústi résþi, stén þannsi æft Tófa, es warð døðr østr, bróður sinn, smiðr AswiðaR.* — Der Sjællestein (c. 1000—1010): *Frøystæinn (-sténn?) satti stén þennsi øft Gyrð langa mann sinn, bróður Sigwalda, en hann . . . . na (. . . . nna?) drængja á Wéséði.* — Der Stein von Ny Larsker auf Bornholm (c. 1050): *Kåpu-Swæinn (-Swénn?) résti stén þenna æftir Bósa sun sinn, dræng góðan, þann es drepinn warð i orrostu at Útlængju. Guð dróttinn hialpi hans ånd åuk (ok?) santa Mikiáll!* — Der Asumstein in Schonen (c. 1250): *Krist Mario sun, hiapi þem, ær kirku þes(i) (ge)rþo, Absalon ærkibiskup ok Æsbiorn Muli.* — angez. von F. Jónsson, Nord. tidskr. för vetensk. konst och ind. 1895 (5).

102. Fr. **Läffler**, Några ord om Tunestenens *sijosteR* ock den därmed sammanhängande delen af inskriften. Ark. f. nord. fil. 12 (1) 98—101.

L. verteidigt seine auffassung des wortes *sijosteR* (Uppsala stud.) gegen Kauffmanns unbewiesene zurückweisung (Ark. f. nord fil. 11, 309). er stützt dieselbe dann weiter vom rechtsgeschichtlichen standpunkte. Kauffmanns worte dagegen (ebd. 101—102) sind nur verweise auf möglichkeiten, wogegen sich L. abermals wendet (ebd. 214—216).

103. S. **Bugge**, Norges inskrifter med ældre runer. udg. for Det norske historiske kildeskrift fond. 3. heft. s. 153—264. — forts. von jsb. 1893, 12, 104.

7. der stein von Elgesem: *alu* 'schutz'; das wort gehört zu ags. *ealgian* 'beschützen'. — 8. der Søtvetbrakteat: *onla elwa* (name und beiname des besitzers). — 9. der stein von Stenstad: *igingon halaR* 'Igingas stein'. — 10. die inschrift des steines von Saude, die nur in der kopie Worms erhalten ist: *wadaradas* 'Wandraads' (sc. stein). — 11. brakteat von Aagedal: *aþilR rikiþiR ai* (d. i. *aih*) *eirilidi uha ifalh* (d. i. *infalh*) *fahd* (d. i *fahide*) *tiade elifi an it* 'die hochgeborne Rikithir besitzt den häupt-

14*

lingsschmuck. Uha grub ein, zeichnete und ordnete das bild von
dem alfenweibe darauf an'. — 12. der stein von Tomstad (bruchstück) . . . *au waruʀ* . . . ruhestatt' (?). — 13. stein von Belland.
keþan 'Kethas' (sc. stein). — 14. stein von Reistad: *iuþingaʀ. ik
wakraʀ unam wraita* 'Juthing (name des toten). ich, Vakr, führte
das ritzen aus'. — 15. stein von Aarstad: *hiwigaʀ sar alu* [*þi?*]-
ngwinaʀ 'Hivig (setzte) hier den schutz (d. i. das geweihte denkmal). (dies ist) Thingvins (grab)'. — 16. stein von Bo: *hnab(i?)-
das hlaiwa* 'Hnab(i)ds grabhügel'. — 17. ein knochenstück mit
runeninschrift aus Ødemotland: *uha urte, Eburinu aiƕð þinnu we.
Tunþa bi Uhan fãhiði tiarð þinnu.* 'Uha verfertigte, Eburinu besitzt diesen heiligen gegenstand. Tuntha schrieb diese reihe neben
Uhas inschrift ein'. — heft 1 und 2 sind besprochen von E. Brate,
Ark. f. nord. fil. 11 (4) 367—374; von H. Gering, Zs. f. d.
phil. 28 (2) 241—245.

104. Per Pehrsson, En nyfunnen runsten. Upplands forn.
för's. tidskr. 17, 217—220.

der stein ist in Tengby in Uppland gefunden und von christen
im 11. jahrh. gesetzt. P. liest: . . . . *ir auk Jkimuntr auk Sbiuti
auk Sbiaulbuþi þair letu hukua stain at Sturbarn faþur sin
koupan. Kuþ hielbi sielu auk at hans* '—ir und Ingemund und
Spiuti und Spialbudde, die liessen den stein setzen für ihren guten
vater Styrbjörn; Gott helfe seiner seele und seinem geiste'.

Handschriften. Litteraturgeschichte. Litteratur-
denkmäler.

105. G. Cederschiöld, De gamle islandske skindbøger.
oversat fra svensk med forfatterens tilladelse af A. Dahl. ved
udvalget folkeoplysnings fremme. (særtryk no. 173 af Folkelæsning).
København, Gad. 20 öre. 30 s. 8°.

106. Finnur Jónsson, Den oldnorske og oldislandske litte-
raturshistorie. udg. på Carlsbergfondets bekostning. II. bd. 1. heft.
186 s. forts. von jsb. 1894, 12, 118.

dies vorliegende heft bildet einen in sich abgeschlossenen abschnitt. es enthält die geschichte der dichtung von c. 1100—1300.
in ihm sind auch die gedichte der romantischen sagas wie der
Hervararsaga behandelt, die F. J. als unecht erklärt.

107. B. Kahle, Der beiname *skáld*. Ark. f. nord. fil. 12 (1)
73—75.

A. Olrik hat die behauptung aufgestellt, dass nur die dichter den beinamen *skáld* erhalten hätten, die nur wenig bekannt gewesen und nicht aus ihrem engen kreise herausgekommen wären (Ark. f. nord. fil. 10, 223 f.). diese behauptung sucht K. als irrig zu erweisen, da u. a. die berühmten und viel gereisten dichter Sighvatr und Þjóðólfr diesen beinamen gehabt hätten.

108. A. Olrik, *Skald* som tilnavn. Ark. f. nord. fil. 12 (2) 214.

O. wendet sich gegen Kahle und betont, dass bei Sighvatr und Þjóðólfr *skáld* standesbezeichnung, nicht beiname sei; letzteres sei es dagegen bei Skald-Hrafn und Skald-Torfi.

109. S. Bugge, Bidrag til den ældste skaldedigtnings historie. — vgl. jsb. 1894, 12, 127. — ferner angez. von B. Kahle, Litbl. 16 (9) 289—296; von F. Detter, Ark. f. nord. fil. 12 (2) 204—213; The Athenæum 3533.

110. F. Jónsson, De ældste skjalde og deres kvad i anledning af prof. S. Bugge: Bidrag til den ældste skaldedigtnings historie (vgl. jsb. 1894, 12, 126). Aarb. f. nord. oldkynd. 2 r. 10 (4) 271—359.

gegen Bugge hält F. J. daran fest, dass sowohl Bragi als auch Þjóðólfr aus Hvín die geschichtlichen personen sind, die sie die isländische überlieferung sein lässt. er geht die einzelnen beweismomente Bugges durch und sucht diese als nicht stichhaltig zu entkräften. auch F. J. räumt fremden einfluss auf die nordische dichtung ein, doch meint er, dieser sei nicht aus England und Irland gekommen, sondern habe in Deutschland seine wurzel.

111. K. Gíslason, Forlæsninger over oldnordiske skjaldekvad. udg. af kommissionen for det arnamagnæanske legat. 311 s. 8º. København, Gyldendal. 5 kr.

im auftrage der arnamagn. kommission hat Björn M. Ólsen Gíslasons vorlesungen über einige skaldengedichte herausgegeben. es sind dies: Snorris Háttatal, Sturlas Hrynhenda und Hrafnsmál, Einar skálaglams Vellekla und die Rekstefja. eine litterarhistorische und ästhetische würdigung der gedichte enthalten diese vorlesungen nicht, sondern nur eine erklärung der einzelnen strophen. manche sprachgeschichtliche und grammatische bemerkung ist eingefügt. das register stellt diese grammatischen und syntaktischen bemerkungen, die erklärten worte, die wichtigeren umschreibungen und poetischen ausdrücke zusammen. — der band bildet den 1. teil von Gíslasons hinterlassenen schriften; ein 2. soll seine vorlesungen über die altnordische metrik und die ältere rímurdichtung bringen.

112. F. Jónsson, Hvar eru Eddukvæðin til orðin? Tím. 16,
1—41.

gegenüber Magnússon Ólsen (vgl. jsb. 1894, 12, 135) verteidigt F. J. die ansicht, dass die meisten eddalieder in Norwegen,
einige in Grönland gedichtet seien. darauf verteidigt B. Magnússon nochmals die isländische heimat fast aller eddalieder (ebd.
16, 42—87).

113. Den ældre edda. gudesanger oversatte af K. Gjelle-
rup. illustrerede af L. Frølich.   10.—15. levering. — forts. und
schluss von jsb. 1894, 12, 134. kompl. 18,75 kr.

114. E. Wadstein, Bidrag til tolkning ock belysning av
skalde-ock eddadikter. Ark. f. nord. fil. 12 (1) 30—46.

forts. von jsb. 1894, 12, 129. III. En irländsk vikingakung
i Ynglingatal. W. sucht zu beweisen, dass Olafr Guðrøðarson 'á
Geirstǫðom' (Heimskr. ausg. v. Unger, s. 41) identisch ist mit dem
bekannten vikingerkönig in Irland Olafr hviti.

115. Die Bósa-rímur hrsg. von O. L. Jiriczek. — vgl. jsb.
1894, 12, 139. — angez. von R. C. Boer, Museum 3 (2); von
W. Golther, Litbl. 16 (7) 226; von A. C., Rev. crit. 1895 (47);
von B. Kahle, Gött. gel. anz. 1895 (11) 908—915.

116. A. Ekermann, Från Nordens forntid. fornnordiska
sagor bearbetade på svenska. med originalteckningar af Jenny
Nyström-Stoopendaal. 348 s. 8⁰. Stockholm, Norstedt & söner. 4 kr.

117. Eyrbyggja saga. búið hefir til prentunar Valdimar Ásmundarson. 8 + 204 s. 12⁰. Reykjavík, Sig. Kristjánsson.
0,75 kr.
handliche ausgabe der Eyrbyggja. zu grunde liegt der text
von G. Vigfússon. kurze erklärung der skaldenstrophen.

118. Laxdœla saga. búið hefir til prentunar Valdimar Ásmundarson. 16 + 284 s. 12⁰. Reykjavík, Sigurður Kristjánsson.
1 kr.
kleine handliche textausgabe der Laxdœlas. mit zugrundelegung des Kålundschen textes.

119. F. Khull, Höskuld Kollsson und Olaf Pfau. aus der
Laxdœlasaga übersetzt. 37 s. Grazer programm.

120. A. U. Bååth, Kärlek i hedna dagar. Skalden Kormakssaga. från fornisländskan tolkad. 84 s. Göteborg, Wettergren u.
Kerber. 2 kr.

121. Bjarnarsaga Hítdœlakappa hrsg. von R. C. Boer. — vgl. jsb. 1893, 12, 159. — angez. von O. Jiriczek, Anz. f. d. a. 22 (1) 36—40.

122. A. U. Bååth, Några forntidsbilder från de norska kolonierna i Västerhafvet. Nord. tidskr. f. vetensk., konst och industri 1895 (3/4).

123. Heimskringla. Nóregs konungasǫgur af Snorri Sturluson. udg. for Samfund til udg. af gamm. nord. litt. ved F. Jónsson. 3. hæfte, 1. bd. s. 433—459 und 2. bd. s. 1—128. — forts. von jsb. 1894, 12, 145. enthält den schluss der Ólafssaga Tryggvasonar und den anfang (bis kap. 75) der saga Ólafs helga.

124. De bevarede brudstykker af skindbøgerne Kringla og Jöfraskinna i fototypisk gengivelse udg. for Samf. til udgiv. af gamm. nord. litt. ved F. Jónsson (XXIV). 26 s. + 14 s. facs. fol. København. 7 kr.

es ist F. J. geglückt, den nachweis zu führen, dass einige pergamentfragmente der konungasögur zu Stockholm und Christiania überreste der verbrannten Kringla und Jöfraskinna sind, der wichtigsten hss. der Heimskringla. diese fragmente sind hier in trefflicher phototypischer nachbildung herausgegeben; eine genaue beschreibung der fragmente und ihrer sprache geht voraus.

125. Det arnamagnæanske haandskrift 310. 4º. Saga Olafs konungs Tryggvasonar, er ritaði Oddr muncr. en gammel norsk bearbeidelse af Odd Snorresøns paa latin skrevne saga om kong Olaf Tryggvason. udg. for det Norske hist. kildeskriftfond af P. Groth. 78 + 156 s. 8º. Christiania. 2,40 kr.

einen litteralen abdruck dieser Ólafssaga Tryggvasonar besassen wir bereits im 10. bde. der Fornmannasögur. in einzelnen dingen weicht der vorliegende von jenem ab. die einleitung enthält: genaue beschreibung der handschrift und ihrer sprache. die hs. ist die übersetzung eines Norwegers nach dem lat. original aus der 1. hälfte des 13. jahrhs. Oddr hat zwei fassungen der Olafssaga geschrieben: eine ältere, die in übersetzung in der Uppsalaer membrane vorliegt, und eine jüngere, die er nach den änderungsvorschlägen des Gizur Halsson hergestellt hat. letztere liegt in der AM. (A) und der Stockholmer (B) membrane vor. von diesen steht A dem original am nächsten und ist wohl in der ursprünglichen übersetzung erhalten, während B den text Odds sehr verkürzt wiedergiebt und nur eine abschrift der 2. bearbeitung sein kann. als quelle benutzt Oddr u. a. die Jómsvíkingasaga und die

Íslendingabók, in der späteren bearbeitung auch Þjóðrek. in
Fagrskinna und der Heimskringla ist entweder eine lat. hs. von
Odds werk benutzt oder eine 4. übersetzung, die von den erhaltenen
ABC verschieden war. auch diese drei übersetzungen sind ganz
unabhängig von einander entstanden. eine verlorene fassung, der
B sehr nahe steht, haben auch die grosse Olafssaga (in den Form. s.)
und die Flateyjarb. benutzt. — mehrere von Groths aufstellungen
sind etwas gezwungen.

126. Otte brudstykker af den ældste saga om Olav den
hellige, udg. for det Norske historiske kildeskriftfond ved G. Storm.
— vgl. jsb. 1893, 12, 144. — angez. von F. Detter, Anz. f. d. a.
22 (1) 40—43; von B. Kahle, Litbl. 16 (11) 363—364.

127. Saga of king Olaf Tryggwason, who reigned over Norway a. D. 995 to 1000. trans. by J. Sephton. London, Nutt. 18 sh.

128. Das leben könig Olafs des heiligen. nach Snorri Stur-
lusons bericht dem deutschen volke erzählt von dr. F. Khull.
Graz, Styria. 156 s.
eine freie bearbeitung der saga Olaf des heiligen, wie sie in
Snorris Heimskringla vorliegt. die skaldenstrophen sind weggelassen;
das ganze ist frisch und treu erzählt.

129. Sex sögu-þættir, sem Jón Þorkelsson hefir gefið út.
önnur útgáfa. 20 u. 88 s. 8⁰. Kaupmannahöfn, Skand. antiqvariat.
neuer abdruck der 1855 von J. Þ. herausgegebenen 6 kleinen
erzählungen, die sich meist in den ausführlichen königssagas befinden, wie sie die Flateyjarbók enthält, es sind dies: der þáttr af
Egli Síðuhallssyni, af Þorsteini austfirðing, af Sneglu Halla, af
Hemingi Áslákssyni, af Þorsteini forvitna und af Gull-Ásuþorði.
sie gehören fast alle der klassischen periode der sagalitteratur an.

130. F. Winkel-Horn, Jomsvikingerne. skildringer fra
Nordens sagntid. med illustrationer og vignetter of L. Moe.
142 s. 8⁰. København, Hagerup. 2,50 kr.

131. Sagan ock rimorna af Friðþjófr hinn frækni utg. av
L. Larsson. — vgl. jsb. 1893, 12, 168. — angez. von W. Golther,
Litbl. 16 (10) 342.

132. E. Wadstein, Norska homiliebokens nedskrivningsort.
Ark. f. nord. fil. 11 (4) 351—358.
gegen G. Storm, der die ansicht verteidigt, dass die heimat des
norw. homilienbuches in der nähe der Vik zu suchen ist, verteidigt
W. seine schon früher aufgestellte vermutung, dass dasselbe weiter
nordöstlich, wahrscheinlich in Hamar geschrieben sei.

133. G. Morgenstern, Arnamagnæanische fragmente, ein supplement zu den Heilagramannasögur. — vgl. jsb. 1893, 12, 160. — anerkennend besprochen von L. Larsson, Anz. f. d. a. 21 (1/2) 56—59.

134. H. Jæger, Illustreret norsk literaturhistorie. heft 21—29. bd. 2, s. 17—448. — forts. von jsb. 1894, 12, 186. dieser teil enthält die norwegische litteratur bis zum anfange dieses jahrhs. die ältere zeit ist sehr knapp dargestellt. besonders eingehend ist Holberg behandelt.

135. H. Jæger, Illustreret norsk literaturhistorie. folke-subskription. 21.—44. heft. Kristiania, Bigler. heft je 30 öre. — forts. von jsb. 1894, 12, 187.

136. V. Olsvig, Det store vendepunkt i Holbergs liv. 104 s. 8⁰. Bergen, Nygaard. 1,50 kr.

den ersten brief über sein leben schrieb Holberg bereits 1726, kurz nach seiner rückkehr aus dem auslande. es war eine verteidigungsschrift gegen seine ankläger in Kopenhagen. der *vir illustris*, an den er gerichtet ist, ist könig Friedrich IV. von Dänemark. mancherlei ist in dem briefe verschwiegen. so tritt namentlich sehr wenig der einfluss hervor, den England auf Holberg gehabt hat und der sich in mehreren seiner lustspiele zeigt.

137. Chr. Bruun, Om Holbergs trende epistler til en højfornem herre, indeholdende hans autobiografi. 154 s. 8⁰. København, Lehmann & Stage. 2,25 kr.

B. wendet sich gegen die aufstellungen Olsvigs und sucht deren haltlosigkeit zu erweisen. — wenn man auch Olsvig nicht in allem beistimmen kann, so muss man doch mit ihm einen grösseren einfluss Englands auf Holbergs komödien annehmen, als man allgemein zu thun pflegt.

138. P. Hansen, Illustreret dansk litteraturhistorie. anden udgave. 1. levering. 48 s. 8⁰. København, Philipsen. lieferung 0,85 kr.

139. P. Hansen, Den danske skueplads. illustreret theaterhistorie. 33.—34. heft. København, Bojesen. heft je 1 kr. — forts. von jsb. 1894, 12, 180.

140. A. Aumont og E. Collin, Det danske nationaltheater 1748—1889. en statistisk fremstilling af det kongelige theaters historie fra skuepladsens aabning paa Kongens Nytorv 18. dez. 1748 til udgang af sæsonen 1888—1889. udg. med statsunderstøttelse. 1. heft. 80 s. 4⁰. København. 3 kr.

141. S. **Ljungren**, Svenska vitterhetens häfter. 5. bd., 4. heft. Lund, Gleerup. 2 kr. — forts. und schluss von jsb. 1892, 12, 130.

142. H. **Schück** och K. **Warburg**, Illustrerad svensk litteraturhistoria. afdelning I. heft 1—2., II. heft 1—2. Stockholm, Geber. heft 1 kr.

mit diesem werke erhält nun auch Schweden eine wissenschaftliche illustrierte litteraturgeschichte. Schück wird die ältere zeit behandeln, während Warburg die periode von 1718 an in angriff genommen hat. das ganze werk ist auf ca. 16 hefte berechnet.

143. B. **Lundstedt**, Sveriges periodiska litteratur. bibliografi enligt Publicistklubbens uppdrag utarbetad. I. 1645—1812. 180 s. Stockholm, Klemming antiqv. 5 kr.

144. E. **Wrangel**, Frihetstidens odlingshistoria ur litteraturens häfder 1718—1733. 1. heft. 80 s. Lund, Gleerup. 1,25 kr.

145. J. **Kruse**, Hedvig Charlotta Nordenflycht. ett skaldinneporträtt från Sveriges rococo-tid. 415 s. 8°. Lund, Gleerup.

eine ebenso gründliche wie anziehende darstellung des lebens und der zeit der Charl. Nordenflycht.

146. N. **Erdmann**, Carl Mikael Bellman, hans omgifning och samtid. med. 72 porträtt, vyer och teckningar. 222 s. + 2 fol. 8°. Stockholm, Alb. Bonnier. 2,25 kr.

147. C. M. **Bellman**. ett hundraårsminne. 18 s. + fol. Stockholm, Fröléen & comp. 1,50 kr.

148. H. **Schück**, Lars Wivallius, hans lif och dikter. II. dikter. Skrifter utg. af sv. literaturs. 13, 2. 115 s. — forts. von jsb. 1893, 12, 193. unter den hier von Sch. herausgegebenen gedichten des Wivallius' befindet sich auch eine anzahl in deutscher sprache verfasst.

149. A. **Olrik**, Kilderne til Sakses oldhistorie II. norröne sagaer og danske sagn. — vgl. jsb. 1894, 12, 201. — ferner anges. von W. **Golther**, Litbl. 16 (7) 225; von De la **Saussaye**, Museum 3 (4).

150. Saxo grammaticus. The first nine books of the danish history of Saxo Grammaticus translated by Oliver **Elton**. with some considerations om Saxos sources, historical methods and folklore by Fr. York **Powell**. — vgl. jsb. 1894, 12, 200. ausführlich besprochen von A. **Olrik**, Ark. f. nord. fil. 12 (1) 76—81, wo einwürfe gegen P.'s aufstellungen gemacht werden.

151. Danmarks gamle folkeviser. danske ridderviser efter forarbeider af Sv. Grundtvig udg. af A. Olrik. trykt og udg. paa Carlsbergfondens bekostning. 1. bd., 1. heft. s. 1—144. gr. 8⁰.

mit diesem hefte beginnt die fortsetzung der sammlung altdänischer volkslieder und zwar der ridderviser. die neue sammlung wird ca. 100 druckbogen umfassen. für die mitglieder des Universitets-jubilæets danske samfund ist sie gratis, im buchhandel wird der bogen mit 25 öre berechnet.

152. Den danske rimkrønike. efter et haandskrift i det kgl. bibliothek i Stockholm udg. af Universitets-jubilæets danske samfund ved H. Nielsen. 1. heft. 112 s. 8⁰.

der erste litterale abdruck der Stockholmer hs. der alten dänischen reimchronik, die wir bisher nur in den modernisierten und normalisierten texten von Ley (1841) und Brand (1858) kannten, während die älteren ausgaben auf den alten druck von 1495 zurückgingen.

153. Östnordiska och latinska medeltidsordspråk. Peder Låles ordspråk och en motsvarande svensk samling. utg. av A. Kock och C. af Petersens. — vgl. jsb. 1894, 12, 193. — angez. von K. Weinhold, Zs. d. ver. f. volksk. 5 (2) 233; von E. Mogk, Lit. cbl. 1895 (50) 1799—1800; von M. Kristensen, Dania 3 (4) 190—192.

154. A. Noreen, Altschwedisches lesebuch mit anmerkungen und glossar. — vgl. jsb. 1893, 12, 189. — angez. von F. Holthausen, Anz. f. d. a. 22 (1) 33—36; von R. C. Boer, ᛫Museum 3 (3); The Athenæum 3533.

155. Jungfru Marie örtagård. 1. heft. Samlingar utg. af Svenska fornskriftsällskapet. 107. Stockholm. 3,25 kr.

156. Bidrag till Karlskoga krönika. ur 'Noraskogs arkiv'. 4 + 400 s. gr. 8⁰. 2 portr., 1 facs. und 1 karte. Noraskog, Johansson. 6 kr.

157. T. Hasseqvist, Ossian i den svenska dikten och litteraturen, jemte inledning. 185 s. Lund, Gleerup.

158. Jöns Buddes bok. en handskrift från Nådendals kloster⌟ utg. genom O. F. Hultman. Skrifter utg. af Svenska litteratursällskapet i Finland XXXI. 22 + 256 s. Helsingfors. 5 m.

Jöns Budde war mönch des birgittinerklosters von Nådendal in Finland und lebte in der 2. hälfte des 15. jahrhs. er hat sich um die religiöse litteratur Schwedens sehr verdient gemacht, indem er einen grossen teil der werke des abendlandes ins schwedische übersetzte. solche übersetzungen oder besser freie übertragungen enthält auch die hier zum erstenmale herausgegebene Stockholmer papierhs., die lange zeit für verschollen galt. sie enthält den Lucidarius des Honorius, eine abhandlung über den heiligen Julian und die heilige Basilissa, über St. Justina und den zauberer Cyprianus, über das gesicht des Tundalus, Guidos offenbarung der seele, das leben des bischofs Udo, St. Bernhards betrachtungen, vom bischof Albert dem heiligen, von den 12 goldenen freitagen, von der heiligen Karin, der tochter St. Birgittas.

Mythologie. Sage. Volkskunde.

159. O. Warnatsch, Beiträge zur germanischen mythologie. — vgl. abt. 10, 25.

Loki ist eine jüngere form des alten Logi, eines germ. feuergottes, oder es sind vielmehr die mythen vom feuergotte Logi auf die spätere gestalt Lokis übertragen worden. in ihren einzelheiten decken sich die mythen von Loki fast stück für stück mit denen von Prometheus. W. ist geneigt, diese übereinstimmung aus arischem urmythos zu erklären. — der *Wunderære*, der öfter in der deutschen heldensage vorkommt. = *Winderære* = nord *Viðrir*. wie dies ein name für Oðin als dem windgotte ist, so lebt Wodan auch im Wunderære fort. — am schlusse ist ein plan entworfen, welche nordischen sagen und mythen beim unterrichte heranzuziehen seien und bei welcher gelegenheit dies geschehen müsse.

160. E. Wilken, Der Fenriswolf. Zs. f. d. phil. 28 (2) 156—198. (3) 297—348.

W. handelt zunächst über mythologische methode im allgemeinen, stellt dann die zeugnisse über den Fenriswolf zusammen und sucht die drohende gestalt eines wolfsrachens am himmel als das mythische symbol zu erweisen, das veranlassung zum dämonischen Fenrisulf gegeben hat.

161. R. Much, Ulls schiff. Paul-Br. beitr. 20, 35—36.

skip Ullar ist wohl auf missverständnis zurückzuführen. die ursprüngliche kenning für Ulls fahrzeug war vielmehr *skíð Ullar* — schneeschuh Ulls, was für Ull als die nordische personifikation des winters trefflich passt.

162. Eiríkr Magnússon, Odins horse Yggdrasill. (a paper read before the Cambridge Philological society january 24, 1894.) publ. under the direction of the General literature committee. London. 64 s.

M. geht davon aus, dass der weltbann stets in den quellen *askr Yggdrasils* genannt wird, nur an einer stelle *Yggdrasill* allein. *askr Yggdrasils* kann aber nichts anderes sein als die esche des 'rosses Oðins'. dies 'ross Oðins' ist der achtfüssige hengst Sleipnir, den das ross des winterlichen sturmriesen mit Loki in stutengestalt gezeugt hat: es ist der wind. die acht richtungen der windrose zeigen auf die acht beine des rosses hin. die himmelhohe esche über Miðgarð ist der baum, in dem Oðins ross sich befindet. — M.'s deutung, die in der natur der sache begründet ist, zeigt die unmöglichkeit von Bugges auffassung, der in dem *askr Yggdrasils* den galgen und in diesem das kreuz Christi findet. eine ganz ähnliche erklärung der kenning war in Pauls Grundriss I. 1114 gegeben. — angez. The Academy 1895, 1219.

163. Eiríkr Magnússon, Yggdrasill Oðins hestr. aukin og breytt útgáfa. Reykjavík. 64 s.

die isländische übersetzung der vorigen schrift, die einige zusätze und verbesserungen enthält.

164. S. Bugge, Mindre bidrag til nordisk mythologi og sagnhistorie. Aarb. f. nord. oldkynd. 2. r. 10 (2) 123—138.

I. *finngálkn* ist nur isländisch. *gálkn* wird in verbindung mit den Finnen gebracht, die als zaubervolk galten, geradeso wie *gandr* = der geist (d. i. *ga-andr*). *gálkn* ist entstanden aus **gandlíkan* (urnord. **gandalíkana*) = geisterhaftes wesen. der ursprung dieses geisterhaften wesens ist aber nicht skandinavisch, es steckt vielmehr im wort und wesen die *sphinx*. die nordländer hörten von den Angelsachsen **sfingalica* (= *sphingata effigies*) und dies gaben sie nach volksetymologischer weise mit *finngálkn* wieder.

165. F. Jónsson, Álfatrúin á Íslandi. Eimreiðin 1 (2) 95—103.

F. J. zeigt, wie der alte glaube an die álfar sich bis heute auf Island erhalten, wie aber die álfar immer mehr menschliche gestalt angenommen haben. die volksphantasie ist auf diesem gebiete unausgesetzt thätig gewesen.

166. O. Klockhoff, De nordiska framställningarna af Tellsagen. Ark. f. nord. fil. 12 (2) 171—200.

nachdem K. in den Uppsalastudier über die nordische Tellsage in der Hemingssage gehandelt, untersucht er hier die anderen nordischen fassungen der Tellsage (die Egilssage in der Þiðrekssaga, die sage von Harald und Toki bei Saxo, die erzählung im Hemingsþáttr Aslákssonar und Eindriðaþatt ilbreiðs, die ballade von Adam Bell, Clim of the Clough and William of Cloudesly) und stellt das verwandtschaftsverhältnis dieser überlieferungen untereinander fest. die ursprüngliche sage knüpft sich an Harald und seinen gefolgschaftsmann Heming; sie wurde in einer island. version an Harald hárðráði geknüpft. auf diese fassung geht der Eindriða-þáttr zurück. der Hemingsþáttr veranlasste das færöische lied von Geyte Aslaksson, auf das wieder die norw. folkvisa zurückgeht. die ursprüngliche sage von Harald und Heming benutzte ferner der vf. der Þiðrekssaga; sie kam auch nach Dänemark und war hier Saxos quelle. — die drei künste, die Harald von Heming verlangt, sind apfelschuss, wettschwimmen und schneeschuhlaufen; der apfelschuss ist von England nach Norwegen gekommen, die beiden anderen fertigkeiten sind dagegen norwegischen ursprungs.

167. A. Ahlström, Om folksagorna. Svensk landsm. 11 (1) 123 s.

die einleitung handelt über volkssage, legende, märchen. alsdann über den ursprung der volkssagen: die hypothesen J. Grimms, Benfeys, Tylor-Langs. A: die volkssagen sind geistiges eigentum aller völker. will man genaueren aufschluss über sie haben, so muss man jede sage einzeln historisch verfolgen, denn thatsächlich sind verschiedene oft von einem volke zum andern gewandert. die sagengruppen einzelner völker werden kurz charakterisiert; über die schwedischen volkssagen. im anhange werden schwedische volkssagen nach einer aufzeichnung aus den jahren 1701—1702 mitgeteilt.

168. A. Lehmann, Overtro og trolddom fra de ældste tider til vore dage. IV. del. de magiske sindstilstande. förste halvdel. 192 s. København, Frimodt. 2,75 kr. — forts. von jsb. 1894, 12, 217.

169. Íslenzkir vikivakar og vikivakakvæði. Ólafur Daviðsson hefir samið og safnað. gef. út af hinu íslenzka bókmentafélagi. 432 s. 8º. Kaupmannahöfn, Möller.

der 5. teil von Íslenzkar gátur, þulur og skemtanir (vgl. jsb. 1892, 12, 202).

170. Íslenzkar þjóðsögur. safnað hefir Ólafur Daviðsson. 4 + 190 s. 8º. Reykjavík, Ísafoldarprentsmiðja.

171. Olafr Daviðsson, Víg Spánverja á Vestfjörðum. 1615 og 'Spönsku vísur' eptir séra Ólaf á Söndum. Tím. 16, 88—163.

172. K. Maurer, Zur volkskunde Islands. Zs. d. ver. f. volksk. 5 (1) 98—100.

173. Kahle, Krankheitsbeschwörungen. — vgl. abt. 10, 266.

174. Jón Þorkelsson (jun.), Séra Gottskálk Jónsson í Glaumbæ og syrpa hans. Ark. f. nord. fil. 12 (1) 47—73.

die syrpa Gottskálks ist ein sammelwerk des priesters Gottskálk aus dem 16. jahrh., das eine reihe namentlich für die isländische volkskunde wichtige gedichte enthält.

175. Þorkel Bjarnason, Fyrir 40 árum. Tím. 16, 204—229.

176. Den gamle Nordmands Drakenbergs ævigvarende spaabog og ufeilbare julemærker, hvori alt hvad menneskene behøve at vide til deres nytte og fornøielse, saavel med hensyn til helbred, formue og veirlig som og til at kjende deres egen og andres fortid, fremtid og velfærd. funden i 'Tumbe-Søvrens' kistelædike i et 200 aar gammelt skrin paa vestkysten af Jylland og nu i trykken befordret med den rigtige gamle fortale af J. P. Bøwling. 30 s. 8⁰. København, Kauffmann. 35 öre.

177. A. Lindgren, Till frågan om den nordiska folkvisans ursprung. Nord. tidskr. f. vetensk., konst och industri 1895 (7).

178. J. Kleiven, Segner fraa Vaagaa. utgjevne av Det norske samlaget. 346 s. 8⁰. 1 karte. Kristiania. 3,50 kr.

179. T. S. Haukenæs, Eventyr og sagn. 140 s. 8⁰. Bergen, Floor in komm. 1,40 kr.

180. H. F. Feilberg, Nogle udrag af ældre bøger. Dania 3 (1) 37—41.

181. Kr. Nyrop, Pater Wolle Pæirsens munkeprædiken. Dania 3 (3) 118—119.

182. A. Nielsen, Det fandens P. Dania 3 (3) 131—135.

183. H. F. Feilberg, Bidrag til skræddernes saga. Dania 3 (4) 184—189.

184. Th. Müller, Et par studier fra Læsø. Dania 3 (1) 1—20.

beiträge zum volkstum und der volkskunde auf der insel Læsö.

185. E. T. Kristensen, Danske sagn, som de har lydt i folkemunde, udelukkende efter utrykte kilder samlede og tildels optegnede. 3. afdeling. kjæmper, kirker, andre stedlige sagn, skatte. 496 s. 8⁰. Aarhus, Jydsk forlagsforretning. 4 kr.

186. E. T. Kristensen, Æventyr fra Jylland, samlede og optegnede. tredje samling. auch unter dem titel: Jydske folkeminder. tolvte samling. 400 s. 8⁰. Aarhus. 3 kr.

187. E. T. Kristensen, Fra bindestue og kølle. jydske folkeæventyr, samlede og optegnede. første samling. 168 s. 8⁰. 1,50 kr.

188. S. Bugge, Den danske vise om Gralver kongens sön i sit forhold til Wolfdietrich-sagnet. Ark. f. nord. fil. 12 (1) 1—29.

das dänische lied von königssohn Gralver (Danmarks g. folke v. I. 374—384) enthält Wolfdietrichs kampf mit dem drachen. *Gralver* = *Gráulfr* 'der graue wolf' = Wolfdietrich. mit der alten sage steht das gedicht in keinem engeren zusammenhange, es geht vielmehr auf ein späteres niederdeutsches gedicht zurück, das mit dem verwandt war, auf das sich Dietrichs drachenkampf in der Diðrekssaga stützt. — die sage von Wolfdietrichs drachenkampf erscheint in poetischer verbindung mit den ältesten westgermanischen sagen von drachenkämpfen, mit der Sigfrids- und Beowulfsage.

189. Th. Lindblom, Något om älfvor och älfträgårdar. Upplands forn. för's. tidskr. 16, 83—85.

elfenopfer und elfenzauber in Uppland.

190. Th. Lindblom, Brudstigen, sägen från norra Uppland. ebd. 16, 85—86.

eine sage, die der bekannten legende vom mönche von Heisterbach sehr ähnlich ist. ein bräutigam wird von seinem verstorbenen freund am hochzeitstage mit hinaus ins freie genommen, kommt aber erst nach über 100 jahren zurück, nachdem seine ganze verwandtschaft gestorben ist.

191. E. Tegnér, En österländsk besvärjelse och västerländsk folkstro. — vgl. jsb. 1894, 12, 257. — angez. von H. F. Feilberg, Dania 4 (3) 137—139.

192. Beskrifning om allmogens sinnelag, seder vid de årliga högtider, frierier, bröllop, barndop, begrafningar, vidskeppelser, lefnadssätt i mat och dryck, klädedrägt, sjukdomar och läkemedel m. m. i Jönköpings lähn och Wässbo härad af kyrckoherden Gaslander i Burseryd. Ny upplaga. Svensk landsm. Bih. I (3).

diese alte beschreibung der sitten und gebräuche im bezirk Jönköping und Wässbo erschien zum erstenmale 1774. ihr vf. ist der jüngere (Johannes) Gaslander, der seit 1759 geistlicher in Burseryd war. die erste ausgabe versorgte Frans Westerdahl, diesen neudruck Lundell. im anhange handelt letzterer über vater (Petrus) und sohn Gaslander; hier findet sich dann auch eine recension der 1. ausgabe, die in Tidningar utg. i Upsala 1776 erschienen ist und mancherlei einzuwenden hat.

193. J. Henriksson, Plägseder och skrock bland Dalslands allmoge fordomsdags, jemte en samling sagor, gåtor, ordspråk, folkvisor och lekar från nämda landskap. 114 s. 8°. Gunnarsnäs och Mellerud, G. Bergman. 1,25 kr.

194. N. Andersson, Skånska melodier, musik och danser. Svensk. landsm. 14 (1. 2.). med tre porträtt.

der erste teil enthält die melodien schonischer volkstänze, während der zweite eine geschichte der musik und besonders des tanzes in Schonen. giebt.

195. A. Klinckowström, Fornsånger. Stockholm, A. Bonnier. 190 s. 2,50 kr.

Geschichte. Kirchen- und Rechtsgeschichte. Kulturgeschichte.

196. A. Kock, Om Ynglingar såsom namn på en svensk konungaätt. Svensk hist. tidskr. 15, 157—170.

Freys benennung *Ingunarfreyr* ist entstanden aus *Inguna árfreyr* 'ernteherr der Ingvinen' (vgl. *Gutnalþing = Gutna alþing*). *Yngvifreyr* ist älteres *Ingwinfreyr* 'herr der Ingvinen, Ingvæonen'. die Ingvæonen waren völker, die die Nerthus verehrten, deren heiligtum wohl auf Seeland lag. im Beowulf erfahren wir, dass Ingvæonen im heutigen Schonen einen ganz ähnlichen kult gehabt haben, wie die Nerthusvölker. von hier aus ist dann der Freykult zu den Schweden nach Uppsala gekommen. *Ynglingar* als name der Schwedenkönige ist daher berechtigt (gegen Noreen und Schück): die Schwedenkönige betrachteten sich als abkömmlinge des *Yngvifrey*.

197. C. G. Styffe, Om konung Olaf Haraldssons vikingatåg in i Sigtunafjärden, och den väg han tog för att komma därifrån. Upplands fornmför's. tidskr. 16, 3—16.

der zug des jungen Olaf des Heiligen, den wir aus der Heimskringla und den anderen fassungen der lebensgeschichte des königs kennen lernen, ging das Stäk, jenen schmalen durchgang am eingang des Upsalaer armes des Mälarsees, entlang.

198. Jón Jónsson (profast), Um Eirík blóðöx. Tím. 16, 176—203.

ein vergleich der isländischen quellen mit den brittischen lehrt, dass Eiríkr die herrschaft über Nordhumberland nicht vor 937 erhalten hat, dass der bericht der nordischen sagas über Eirík in Nordhumberland und die letzten regierungsjahre Aðalsteins durch schottische quellen bestätigt wird. dagegen irren die sagas, wenn sie Eirík kurz nach Edmunds regierungsantritt fallen lassen, vielmehr hat er noch lange darnach gelebt, doch hat er sich unter Edmund nicht in Nordhumberland halten können. Eiríkr blóðöx

ist derselbe, den angelsächs. quellen (948—954) Eiríkr Haraldss
nennen.

199. K. B. Wiklund, Om Kvänerna och deras nationali-
Ark. f. nord. fil. 12 (2) 103—117.

gegenüber der allgemeinen annahme, dass die Kvænir
Vesterbotten, die in den sagas mehrfach erwähnt werden, finnisc'
abkunft seien, sucht W. vielmehr ihren skandinavisch-germanis
ursprung zu erweisen.

200. Íslenzkar ártíðaskrár eða obituaria islandica með a-
gasemdum eptir Jón Þorkelsson (jun.), gefið út af hinu isl
bókmentafélagi. III. (ættaskrár). — forts. von jsb. 1894, 12.

dies heft enthält die geschlechtstabellen der angesehe:
isländischen familien und zwar von der ältesten zeit bis zur g-
wart herab. es sind dies: die Oddaverjar, das geschlecht d
golfs und Hunbogis, die Sturlungen, die Haukdælir, die
fellingar, die Skógamenn, die Holtsmenn und Selterningar, d
schlecht Svalbarðs des älteren, Ans fróða, die Flosungar, di
dælir, das geschlecht Ásbjörns Anórssons, die Hitdælir, die H
verjar im Vatnsdal, das geschlecht Dufgus Þorleifssons, di-
bæingar zu Siða, Valþjóflingar, Eiðamenn, das geschlecht
des starken, die Möðruvellingar, Auðkýlingar, Ljósvetnin_
Hlíðarmenn, das geschlecht des priesters Björn Brynjólfs
Skinnastaðamenn, das geschlecht Jón langs, das des gesetz-
Þórð Guðmundssons, das Kalastaðaætt.

201. Historisk-topografiske skrifter om Norge og nor-
dele, forfattede i Norge i det 16de aarhundrede. udg.
norske historiske kildeskriftfond ved G. Storm. 47 + 2.
Kristiania. 3 kr.

erste kritische ausgabe der geographischen und topo:
werke des 16. jahrhs., die über Norwegen oder teile der
lande handeln. es sind dies: 1. Mag. Absol. Pederssøn '
Norgis rige' aus dem jahre 1567. das werk behandel!
geschichte, Norwegens kolonien, Norwegens erzeugnisse
wohner u. a. 2. eine beschreibung und zum teil kirch
der stadt Hammar, die zwischen 1542 und 1553 verfa-
vf. war wahrscheinlich Lars Hummer, der 1537 bis .
nach Dänemark begleitete. 3. geschichte von Agershu
scheinlich Simon Nilssön vor 1588 geschrieben hat. 4.
des bezirks Nommedall aus dem jahre 1597, wohl vo
schen priester in Nærø herrührend. 5. beschreibun_
und Vestaalen von Erik Hansen Schönneböl aus d-
6. eine schilderung Finnmarkens und seiner bewoh

kanntem verfasser. — die einleitung orientiert über die überlieferung der schriften, ihre verfasser, quellen, disposition.

202. K. Stubs Optegnelser fra Oslo lagthing 1572—1580, udg.
for det norske historiske kildeskriftfond ved H. J. Huitfeldt-
Kaas. 2. heft. s. 129—277. Kristiania. 1,60 kr. — forts. von
jsb. 1894, 12, 281.

203. N. Andersen, Færøerne 1600—1709. med 2 kart.
med understøttelse af Carlsbergfondet. København, Gad. 464 s.
5 kr.

204. Joh. Steenstrup, Hvorlænge have Danske boet i Danmark? nogle bemærkninger om arkæologisk og historisk materiales
beviserne. (Dansk) Hist. tidsskr. 6. r. 6, 1—27.

gegenüber der annahme der archäologen, dass Dänemark schon
seit jahrtausenden von Dänen bewohnt werde, zeigt St., dass es
sich absolut nicht beweisen lasse, welches volk in grauer urzeit in
Dänemark gesessen habe, und dass eine dänische geschichte erst
mit den ältesten historischen zeugnissen und sprachdenkmälern beginnen dürfe.

205. T. Lund, Danmarks og Norges historie i slutningen af
det 16de aarhundrede. tolvte bog. dagligt liv. ægteskab og
sædelighed. København, Gyldendal. 6,50 kr. 488 s. 8⁰.

206. Repertorium diplomaticum regni Danici mediævalis.
fortegnelse over Danmarks breve fra middelalderen med udtog af
de hidtil utrykte. udg. ved K. Erslev i forening med W. Christensen
og A. Hude af Selskabet for udgivelse af kilder til dansk historie.
1. bd., 2. heft (1327—1350). 196 s. 8⁰. København, Gad in
komm. 2 kr. — forts. von jsb. 1894, 12, 301.

207. H. Olrik, To enslydende danske kongebreve fra 1230.
Aarb. f. nord. oldkynd. 2. r. 10 (1) 87—122.

208. Kr. Erslev, A Geri, A Wetlandi i kongebrevet 1135.
Aarb. f. nord. oldkynd. 2. r. 10 (2) 202—204.

in der ältesten dänischen königsurkunde ist statt *de Geri* und
de Wetlandi zu lesen *A Geri* und *A Wetlandi* wie bereits E. Wecke
vermutet hat (vgl. Aarb. ebd. 5. 376).

209. L. Holberg, Konge og Danehof i det 13. og 14. aarhundrede. første bind. Kong Erik Glippings haandfæstning og
rigslove. København, Gad. 5 kr. 350 s. 8⁰.

210. J. Langebek, Breve. udg. af Det kongelige danske
selsk. for fædrelandets historie og sprog. til erindring om selskabets
stiftelse den 8. jan. 1745 ved H. F. Rørdam. 1. halbbd. 235 s. +

15*

1 tafel. 8⁰. — 2. halbbd. 316 s + 1 tafel. København, Gyldendal. 3 kr. 4 kr.

211. K. Ahlenius, Olaus Magnus och hans framställning af Nordens geografi. studier i geografiens historia. akad. afhandl. 10 + 434 s. 8⁰. Uppsala, Lundequist. bokh. 5 kr.

212. Rikskansleren Axel Oxenstiernas skrifter och brefvexling. utg. af Kgl. vitterhets-historie- och antiqvitets-akademien. 7. bd. 730 s. 8⁰. Stockholm, Norstedt & söner. 9,50 kr. — forts. von jsb. 1894, 12, 292. inhalt: 1. Hertig Bernhards af Sachsen-Weimar bref 1632—1637. 2. Landgrefve Wilhelms af Hessen-Kassel bref 1632—1637. med tillägg af brefven från den sistnämdes gemål, landgrefvinnan Amalia Elisabeth 1634—1650.

213. G. Lindström, Anteckningar om Gotlands medeltid. II. med 29 afbildningar. 8, 531 s. — vgl. abt. 7, 71.

214. A. Chr. Bang, Den norske kirkes historie i det 16. aarhundrede (reformationsaarhundredet). 9. heft. s. 1—435. gr. 8⁰. Kristiania, Bigler. heft je 75 öre. kompl. 6,75 kr.

215. Biskop Nils-Glostrups visitatser i Oslo og Hamar stifter 1617—1637. udg. for Det norsk hist. kildeskriftfond ved L. Daae og H. F. Huitfeld-Kaas. Christiania. 1,80 kr.

216. H. Olrik, Valdemarstidens kirkemagt og kongedømme. (Konge og præstestand i den danske middelalder 2. bd.) 222 s. 8⁰. København, Gad. 3 kr.

217. Kirkehistoriske samlinger, fjerde række, udg. af Selskabet for Danmarks kirkehistorie ved H. F. Rørdam. 4. binds. 1. heft. 224 s. 8⁰. København, Gad in komm. 2 kr. — forts. von jsb. 1894, 12, 304.

218. Vadstena klosters uppbörds-och utgiftsbok. utg. af Carl Silverstolpe. Antiqv. tidskr. f. Svärige, del XVI. no. 1. 207 ss. und facs.

einnahme- und ausgabenbuch des klosters Vadstena von 1539—1570. im anhang ist über die thätigkeit in Wadstenas kloster gehandelt.

219. K. v. Amira, Nordgermanisches obligationsrecht. 2. bd. Westnordisches obligationsrecht. 2. hälfte. s. 385—964. Leipzig, Veit u. comp. 18 m.

220. L. M. B. Aubert, Den nordiske obligationsrets specielle del. andet bind. første hefte. 160 s. gr. 8⁰. Kristiania, Malling. 3 kr. — forts. von 1893, 12, 337.

221. K. Maurer, Zwei rechtsfälle in der Eigla. Sitzungsber. der philos.-philol. und der hist. klasse der k. bayr. akad. d. wiss. 1895. 1. heft. s. 65—124.

die Egilssaga kap. 7 zwischen Björgólf und Hilldiriö eingegangene ehe war keine rechtliche, sondern nur eine konkubinatsehe. — der zweite fall, den M. behandelt, ist der bekannte erbstreit Egils mit Bergönund und dessen bruder Atli um das erbe seiner gemahlin Asgérö, die die beiden brüder als kind einer unfreien betrachteten.

222. Diplomatarium islandicum. Íslenzkt fornbréfasafn, sem hefir inni aö halda bréf og gjörninga, dóma og máldaga, og aörar skrár, er snerta Ísland eöa íslenzka menn. gefiö út af hinu ísl. bókmentéfálagi. 4. bd., 1. heft. s. 1—384. — forts. von jsb. 1894, 12, 283.

das erste heft des 4. bds. enthält zunächst 306 nachträge, die von 1265—1400 gehen, dann die urkunden von 1416—1429.

223. Diplomatarium norvegicum. oldbreve til kundskab om Norges indre og ydre forhold, sprog, slægter, sæder, lovgivning og rettergang i middelalderen. samlede og udgivne af C. R. Unger og H. J. Huitfeldt-Kaas. 14. samling. anden halvdel s. 417—928. gr. 8⁰. Kristiania, Malling. 6 kr. — forts. von jsb. 1893, 12, 164.

224. Hirdskraa i fotolithografisk gjengivelse efter Tønsbergs lovbog fra c. 1320. udg. for det norsk histor. kildeskriftfond. 23 s. Christiania. 16 kr.

trefflicher photolithographischer abdruck der Tønsberger handschrift der norwegischen Hiröskraa, der unter G. Storms leitung hergestellt ist.

225. Dat gartenrecht in den Jacobsfjorden vnndt Bellgarden, med oversættelse ved W. D. Krohn og B. E. Bendixen. Skrifter udg. af Bergens historiske forening no. 1. 68 s. gr. 8⁰. Bergen, Floor in komm. 1,20 kr.

226. H. Matzen, Forelæsninger over den danske retshistorie. Offentlig ret. III. strafferet. 178 s. 8⁰. København. 2,50 kr. — forts. von jsb. 1894, 12, 308.

227. A. Andersson, David Svenssons breviarium juridicum. Upsala universitets årsskrift 1895. 6 + 71 s. Upsala, Akad. bokh. 1 kr.

228. A. U. Bååth, Nordmannaskämt. efter medeltida källor. 183 s. 8⁰. Stockholm, Seligmann. 2,25 kr.

229. H. J. Hansen, Germanisering af. dansk videnskab. 144 s. 8⁰. København, Lehmann & Stage. 2 kr.

230. H. Petersen, Danske adelige sigiller fra middelalderen. afbildningerne tegnede af E. Rondahl. 5. heft. s. 33—44 und taf. 35—44. 4,50 kr. — forts. von jsb. 1894, 12, 322.

230a. H. Hildebrand, Sveriges medeltid. kulturhistorisk skildring. andra delen III. s. 237—432. Stockholm, Norstedt & söner. 3,50 kr.
enthält tracht und schmuck in der ritterzeit.

231. H. Hildebrand, Sveriges mynt under medeltiden. (abdruck aus Sveriges medeltid.) 160 s. 8⁰. Stockholm, Norstedt & söner. 5 kr.

232. S. Wieselgren, Sveriges fängelser och fångvård från äldre tider till våra dagar. ett bidrag till svensk kulturhistoria. 11 + 481 s. 8⁰. und 5 karten. Stockholm, Norstedt & söner. 5 kr.

233. Bidrag till Södermanlands äldre kulturhistoria, på uppdrag af Södermanlands fornminnesförening utg. af Joh. Wahlfisk. 8 + 135 s. Strängnäs, Moselius. 2 kr.

234. Tegninger af ældre nordisk architektur. med tilskud fra kultusministeriet udg. af H. J. Holm, O. V. Koch og H. Storck. tredie samling. 2. række. 1. heft. 3 tavler fol. København, Hagerup. 1 kr. — forts. von jsb. 1894, 12, 327.

235. N. Nicolaysen, Stavanger domkirke. udg. af Foreningen til norske fortidsmindesmærker bevaring. 1. heft. text (1—2) und 9 taf. fol. Kristiania.

236. J. Helms, Danske tufstens-kirker. første bind. de med vulkansk tuf fra Rinen byggede kirker i Tyskland, Holland og især i Danmark. med bemærkninger om den rinske vulkanske tuf af J. F. Johnstrup. — Andet bind. Nitten vestjydske landsbykirker, under ledelse af H. Storck opmaalte og fremstillede paa 66 fotolitograferede, 1 litograferet og 3 kromolitograferede tavler med et kort over kirkerne paa den jydske halvø. udg. paa foranstaltning af Ministeriet for kirke-og undervisningsvæsenet. 238 s. + 71 taf. fol. København, Hagerup in komm. 30 kr.

237. J. Magnus Petersen, Beskrivelse og afbildninger af kalkmalerier i danske kirker. udg. med understøttelse af Carlsbergfondet. 178 s. 4⁰. 42 taf. København, Reitzel in komm. 32 kr.

238. Otto Blom, Befæstede kirker i Danmark fra den ældre middelalder. Aarb. f. nord. oldkynd. 2. r. 10 (1) 1—86.

239. C. Wibling, Lunds domkyrkas grund. Aarb. f. nord. oldkynd. 2. r. 10 (3) 205—217.

240. V. Koch, De jydske granitkirkers alder. svar til dr. J. Helms. Aarb. f. nord. oldkynd. 2. r. 10 (2) 179—201.

241. V. Koch, Om normanniske og irske bygningsformer i danske kirker. Aarb. f. nord. oldkynd. 2. r. 10 (3) 229—251.

242. P. Købke, Roeskildes domkirke. kortfattet oversigt. (Studentersamfundets museumsskrifter 5). 44 s. 8°. København, Bojesen. 0,75 kr.

243. G. Lindgren, Svenska kyrkor. 53 illustr. under medverkan af J. Kindborg. 79 s. 4°. Stockholm, Seligmann. 3 kr.

244. E. von Ehrenheim, Arnö kyrka. Upplands fornför's. tidskr. 16, 48—64.

245. C. G. Styffe, Skoklosters kyrka, med afseende på dess förhållande till forna klosterbyggnader och dess förändringar i nyare tider. ebd. 16, 65—80.

246. H. Hildebrand, Skokloster och dess kyrka. ebd. 17, 111—141.

247. C. M. Kjellberg, Några blad ur Uppsala domkyrkas äldre byggnadshistoria. ebd. 17, 142—163.

248. E. Ihrfors, Kyrkobeskrifningar. Uplandia sacra pars prima. I. II. ebd. 17, 167—172.

249. C. M. Kjellberg, Den forna kungsgården i Uppsala. Upplands fornför's. tidskr. 16, 17—35.

250. H. Mathiesen, Det gamle Trondhjem. byens historie fra dens anlæg til erkestolens oprettelse 997—1152. med karter og tegninger. 2.—3. heft. s. 33—96. — forts. von jsb. 1894, 12, 343.

251. C. Bruun, Kjøbenhavn. en illustreret skildring af dens historie, mindesmærker og institutioner. 43. levering. — forts. von jsb. 1894, 12, 332.

252. H. Degenkolv, Gammelholm i ældre tid. med to grundtegninger. 30 s. 8°. København, Lehmann & Stage. 1 kr.

253. A. U. Isberg, Bidrag till Malmö stads historia. 323 s. 12°. Malmö. 3,75 kr.

254. F. Berggren, Från Vestergötlands bygder. hågkomster och kulturteckningar. 176 s. 8°. Ulricehamn, Kjöllerström. 1 kr.

255. E. von Ehrenheim, Utö. Upplands fornför's. tidskr. 17, 173—185.
beschreibung alter gebäude in Utö am Mälarsee, ein beitrag zur geschichte der schwedischen baukunst.

256. V.Lundström, Sigtunas fornminnen. Upplands fornför's. tidskr. 16, 87—90.

257. W. Schürer von Waldheim, En nyupptäkt korsristning å ett berg i Frötuna socken. Upplands fornför's. tidskr. 16, 38—39.

Biographien.

258. J. B. Halvorsen, Norsk forfatter-lexikon 1814—1880. paa grundlag af J. E. Krafts og Chr. Langes 'Norsk forfatter-lexikon 1814—1856' samlet, redigeret og udgivet med understøttelse af statskassen. 38.—40 heft. 4. bd., s. 385—576. — forts. von jsb. 1894, 12, 344.

259. C. F. Bricka, Dansk biografisk lexikon, tillige omfattende Norge for tidsrummet 1537—1814. 65.—72. heft. (IX. bd.) *Jyde — Kötschau*. København, Gyldendal. — forts. von jsb. 1894, 12, 345.

260. **Knud Knudsen**. H. Falk, K. Knudsen. Ark. f. nord. fil. 12 (1) 92—97.

E. Mogk.

XIII. Althochdeutsch.

1. W. Braune, Abriss der althochdeutschen grammatik mit berücksichtigung des altsächsischen. 2. aufl. (Sammlung kurzer grammatiken germanischer dialekte hrsg. von W. Braune, C. Abrisse no. 1.) Halle, Niemeyer. 62 s. 1.50 m.

2. J. Kelle, Die deutsche dichtung unter den fränkischen kaisern 1024—1125. vortrag, gehalten in der feierlichen sitzung der kaiserlichen akademie der wissenschaften am 30. mai 1895. Wien, Tempsky in komm. 1895, 19 s.
verfolgt den zusammenhang der deutschen litteratur mit der geschichte des klosterwesens und weist so nach, dass unser Ezzoleich 'vom kreuze und dem gekreuzigten' nicht der 'von den wundern Christi' ist, von dem der biograph Altmanns berichtet. in die zeit der fränkischen kaiser werden noch Genesis, Exodus, Memento mori, Merigarto, die Sequentia Sanctae Mariae aus Muri und die schriften des armen Hartmanns gesetzt; K. betont, dass von den uns erhaltenen denkmälern andre nicht in diese zeit gehören.

Glossen. 3. E. Steinmeyer und E. Sievers, Die althochdeutschen glossen. 3. bd.: sachlich geordnete glossare bearbeitet von E. Steinmeyer. Berlin, Weidmann. XII und 723 s. 28 m.

der lange erwartete band umfasst noch nicht, wie ursprünglich beabsichtigt war, den schluss des grossen sammelwerks, sondern verweist die alphabetischen nicht zu nachweisbaren einzelwerken gehörigen glossare in den vierten band. von diesem, der auch die nachträge zum 1. und 2. band und die hsbeschreibungen enthalten soll, wird die erste hälfte für 1896 versprochen. der band enthält nicht bloss eine fülle von material, das sonst schwer zugänglich war, in musterhaft übersichtlicher anordnung, wie die glossae Casselanae, die wertvollen SGaller glossen, den Vocabularius SGalli, nicht bloss eine reihe wichtiger oder doch interessanter neuer veröffentlichungen, wie die no. 1012, 1146, 934, 945, sondern auch eine staunenswerte menge von beiträgen zur erklärung des überaus spröden stoffes, und zwar sowohl des deutschen als auch des lateinischen teiles. der vf. hat auf das Corpus glossariorum latinorum, über dessen ausführung er übrigens klagt, vielfach verwiesen, aber auch auf viele bisher unbelegte lateinische glossen aufmerksam gemacht, die verwandten glossare sind nicht nur, wie bisher durch zahlreiche verweisungen mit einander verglichen, sondern bei den neuen veröffentlichungen ist auch auf die bereicherung unserer kenntnis ausdrücklich hingewiesen. bei dem Summarium Heinrici 937 und 938, das fast die hälfte des bandes füllt, hat der vf. auch in einem anhange die frage der verwandtschaft der hss. ausführlich behandelt. erwähnt sei noch die mühe, die bei den glossae Hildegardis der eigentümlichen lingua ignota zugewendet ist.

Schauffler, Ahd. glossen. — vgl. abt. 7, 103.

Denkmäler. 4. V. Hurtig, Zum Hildebrandlied. České museum filol. 1 (1) 56 ff.

4a. Wilhelm Luft, Die entwickelung des dialogs im alten Hildebrandsliede. Berliner diss. Berlin, C. Vogts buchdruckerei. 39 s.

der vf. hat sich eine genaue kenntnis der neueren untersuchungen verschafft und beweist, trotz seines nahen anschlusses an Rödigers standpunkt, selbständiges urteil. er erörtert besonders den vers 2 und die stelle von 30—35. mit guten gründen bekämpft er die auffassung Kögels, dass das zusammentreffen während einer schlacht zwischen Dietrich und Odoaker stattfinde. wenig beifall aber werden seine konjekturen finden, und auch seine auffassung der verse 30—35 als einer den sohn verletzenden scherzrede Hildebrandts, die den tragischen schluss veranlasst, ist nicht überzeugend.

5. Th. v. Grienberger, Die Merseburger zaubersprüche. Zs. f. d. phil. 27 (4) 433—463.

sehr eingehende, aber in den meisten einzelheiten wenig überzeugende besprechung. G. liest: '*eiris sāzun idisi sāzun hēra duoder . . . suma clūbōdun, umbicuonio, widi*' und übersetzt: 'vor zeiten walteten frauen, walteten hohe damals, . . . andere lösten, allerfahrene, die fesseln'. in *Volla* und *Sunna* sieht er wieder nominative, für *Phol* werden zahlreiche urkundliche namen herangezogen, die deutung aus ndd. *polle, pol* 'kopf, spitze, wipfel' oder gar die vergleichung von ahd. *kolo, kol* 'glut, brand' sind recht unwahrscheinlich. ebenso ist der erkenntnis des wortes *Balder* durch heranziehung von *fulcire* gewiss nicht näher zu kommen.

Isidor. 6. G. A. Hench, Der althochdeutsche Isidor. Strassburg 1893. — vgl. jsb. 1894, 13, 8. — angez. von H. Wunderlich, Zs. f. d. phil. 28 (2) 254 f. berichtet über den gewinn, den die neuausgabe der Weinholdschen und den lesungen Kölbings gegenüber bietet, sowie über die ergebnisse der lautlehre, die das südliche Rheinfranken als den dialekt des vfs. mit wahrscheinlichkeit feststellt. — von O. Behaghel, Litbl. 1894 (10) 327 f. (heisst die arbeit willkommen und berichtigt einige versehen des glossars). — von W. Streitberg, Anz. f. idg. sprachk. 5 (1) 83—85.

Otfrid. 7. A. E. Schönbach, Otfridstudien II (fortsetzung und schluss). Zs. f. d. a. 39 (1. 2) 57—125. III Zs. f. d. a. 39 (4) 368—423.

II bringt die fortsetzung der minutiösen quellen- oder parallelennachweise für Otfrid II 1 bis V 23; III behandelt in besonders ausführlicher weise den abschnitt V 25, die vorrede 'cur scriptor hunc librum theotisce dictaverit' und die dedicationen. die genaue beachtung der bei widmungen üblichen förmlichkeiten wirft erwünschtes licht auf Otfrids persönliche stellung zu den angeredeten sowie auf deren und der veneranda matrona Judith verdienst um anregung und förderung des werkes.

8. M. H. Jellinek, Otfrid I, 4, 3 f. Zs. f. d. a. 39 (1. 2) 56.

führt zur beurteilung der stelle eine äusserung des papstes Siricius an, der in ähnlicher weise die verheiratung der jüdischen priester als eine durch die erblichkeit des priesteramts im stamme Levi gebotene notwendigkeit hervorhebt und sie deshalb nicht als beispiel für die christlichen priester gelten lässt.

Tatian. 9. E. Sievers, Tatian. Paderborn 1892. — vgl. jsb. 1893, 13, 16. — angez. von O. Behaghel, Litbl. 1894 (10) 326 f. (rühmt die vorzüge der neubearbeitung und äussert einige

wünsche über die einrichtung des wörterbuchs.) — von W. Streitberg, Anz. f. idg. sprachk. 5 (1) 83 f.

10. E. Sievers, grammatische miscellen: 9. Zum Tatian.
Beitr. z. gesch. d. d. spr. 19 (3) 546—560.

weist die von R. Kögel in seiner besprechung der Tatianaus-
gabe (vgl. no. 10) enthaltenen vorwürfe zurück, wobei zahlreiche
textkritische und lautgeschichtliche einzelheiten ausführlich erörtert
werden.

11. K. Förster, Der gebrauch der modi im ahd. Tatian.
Kieler diss. 62 s.

Williram. 12. Fr. Junghans, Die mischprosa Willirams. —
vgl. jsb. 1893, 13, 19.

angez. von J. Seemüller, Anz. f. d. a. 21 (3) 225—228. berichtet über das ergebnis der untersuchung und stimmt ihm zu.

Gespräche. 13. E. Martin, Die heimat der altdeutschen gespräche. Zs. f. d. a. 39 (1. 2) 9—20.

ein erneuter abdruck, auch der Tatianfragmente, dann eine
konstruktion des deutschen textes in deutscher schreibung und eine
grammatische untersuchung der eigentümlichkeiten, die endlich auf
die gegend bei Münster in Lothringen als die heimat des denkmals
führt. einige niederdeutsche formen, namentlich zu anfang, sind
durch abschreiber eingeführt.

Felix Hartmann.

XIV. Mittelhochdeutsch.

1. Fr. Jostes, Fritsche Closeners und Jacob Twingers vokabularien. Zs. f. d. gesch. d. Oberrheins n. f. 10 (3) 424—443.

erörtert und zeigt an vergleichenden beispielen das verhältnis,
in dem Twinger zu seinem vorgänger Closener steht, den er eigentlich nur ausschrieb. — die arbeit stützt sich auf eine untersuchung der handschriften, besonders der papierhs. des Closener
von 1384.

2. F. W. Séraphin, Ein Kronstädter lateinisch-deutsches
glossar aus dem 15. jahrhundert. Arch. d. ver. f. Siebenb. landesk.
n. f. 26 (1) 60—132.

archiv des Burzenländer kapitels, aufbewahrt in der bibliothek
des evang. Kronstädter gymn.; im einband eines alten rechnungs-
bandes; ursprünglich grossfolio, papier, zweispaltig zu je 46—48

zeilen. ein sachglossar in zehn gruppen, innerhalb derselben alphabetisch geordnet.

3. Böhme, Zur kenntnis des Oberfränkischen. — vgl. jsb. 1894, 14, 2. J. Schatz, Litztg. 1895 (43) 1358—1359.

4. Jellinek, Über die notwendigen vorarbeiten zu einer geschichte der mhd. schriftdialekte. Verhandl. der Wiener phil.-vers. vgl. abt. 21.

5. E. Sievers, Grammatische miscellen. 10. Zum umlaut des *iu* im mhd. Paul-Br. beitr. 20 (1. 2) 330—335.

bezieht sich auf abt. 3, 87 und enthält ausführliche angaben über die schreibung von echtem *iu*, daraus umgelautetem *u*, und der schreibung *u* für umgelautetes *ú* und französisches *u* in der Parzivalhs. G; der umlaut von *iu* unterbleibt vor *w*, *r* und wahrscheinlich auch vor *g*. Wolfram reimt indes *iu* unbedenklich auf *u*.

[Hartmann].

6. O. Bremer, Mittelhochdeutsches *iu*. Zs. f. d. d. u. 9 (2) 150—152.

Bremer nimmt, wie er dies schon in seiner grammatik (und ebenso Paul) gethan hat, zwei verschiedene *iu* an, ein diphthongisches und einen einfachen laut.

7. B. Schulze, Die negativ-excipierenden sätze. Zs. f. d. a. 39 (3) 327—336.

8. Kainz, Grammatik. — vgl. jsb. 1894, 14, 11. — ganz abgelehnt von Jellinek, Zs. f. d. österr. gymn. 1895 (2) 129—130.

9. O. Brenner, Zum rythmus der Nibelungen- und Gudrunstrophen. Paul-Br. beitr. 19 (3) 466—471.

10. Schauffler, Sprichwörtliche redensarten. — vgl. abt. 10, 444.

Kelle, Die deutsche dichtung. — vgl. abt. 13, 2.

11. Kraus, Über die aufgaben der forschung auf dem gebiete der deutschen litteratur des 11. und 12. jahrhs. Verhandl. d. Wiener phil.-vers. — vgl. abt. 21.

Passler, Zur geschichte der Heimesage. — vgl. abt. 10, 65

12. R. Müller, Beiträge zur geschichte der höfischen epik in den österreichischen landen, mit besonderer rücksicht auf Kärnten. Carinthia 85 (2) 33—51. (3) 65—69.

die lange dauernde pflege der höfischen dichtung nachgewiesen an dem fortleben höfischer heldennamen bei innerösterreichischen adelsgeschlechtern.

13. K. Wehrmann, Zum unterricht des mittelhochdeutschen. Zs. f. d. d. u. 9 (1) 37—43.

besprechung der von der gesellschaft für deutsche philologie in Berlin aufgestellten thesen über die mhd. lektüre in obersekunda (Zs. f. d. d. u. 7, 583 ff. s. jsb. 1893, 4, 36). vf. sieht den wichtigsten vorzug der betreffenden bestimmungen der lehrpläne gerade in der unbestimmtheit, die freiheit der bewegung ermögliche. deshalb will er die benutzung des mhd. textes durch die schüler zwar zulassen, sie aber nicht fordern; eben dies verlangten auch nur jene thesen; aber dass das vorlesen einiger strophen durch den lehrer wirklich genüge, wie der vf. meint, bestreiten die thesen allerdings, ebenso, dass Walther nur nebenbei, im ausblick zu behandeln sei. übrigens bestätigt vf. zum schluss nur die ansicht der thesen über den nutzen der beschäftigung mit den originalen; warum also unterlassen, was man im rahmen der bestimmungen erreichen kann? [Bötticher].

14. J. Felsmann, A Kalocsai codex. Középkori német koltemények gyüjteménye. Budapest. 60 s.

aus der 11. sitzung der wissenschaftlichen und litterarischen klasse der St. Stefansgesellschaft. — inhalt und geschichte des Koloczaer codex; bietet nach angabe des Litbl. 1895 (12) 426 nichts neues von bedeutung.

15. Adolf Schmidt, Mitteilungen aus deutschen handschriften der grossherzogl. hofbibliothek zu Darmstadt. Zs. f. d. phil. 28, 26—31. — vgl. abt. 15, 133.

2. Heinrich Munsingers buch von den falken, habichten, sperbern und hunden. aus einer darmstädtischen handschrift. neben der hs. der Clara Hätzlerin 1473 (hrsg. von K. D. Hassler, bibl. d. stuttg. litt. ver. bd. LXXI) und der Nostizischen hs. zu Lobris bei Jauer (H. Meisner, Zs. f. d. phil. 11, 480—482) jetzt eine dritte hs., die die älteste ist und scheinbar eine ältere fassung bietet. S.

16. F. W. E. Roth, Mitteilungen aus mhd. handschriften. Zs. f. d. phil. 28, 33—43.

abschriften aus dem nachlasse des dr. Helferich Bernhard Hundeshagen (1812 bei der landesbibl. in Wiesbaden angestellt, 1817 entlassen). 1. *Liebesbrief.* 72 verse (aus einer Regensburger hs. abgedruckt im Morgenbl. f. gebild. stände 1815, no. 167; vgl. Zs. f. d. a. 36, 358. abweichungen vom älteren drucke durch O. E(rdmann) verzeichnet). 2. *Vom mönch Felix.* 105 verse. ausführliche fassung der legende bei Hagen, Gesamtabenteuer 3, 613—623. 3. *Unser lieben frauen ritter.* 47 verse. vgl. Hagen 3, 466 fgg. Passional (hrsg. von Hahn) 142, 75 fgg. 4. *Diz ist ein segen für den Riten.* vgl. Zs. f. d. a. 17, 430. 5. *Ein new lied von Hans und Lienhardt dem Vittel.* 9 strophen. vgl. Lilien-cron, histor. volkslieder no. 149. 6. *Wie man den Schwartsen richt.* 6 strophen. sehr abweichend. Liliencron no. 150.   S.

17. Kraus, Deutsche gedichte. — vgl. jsb. 1894, 14, 18. Revue critique (1895) 29, 47. Le moyen âge 7 (9). R. Müller, Österr. litbl. 1895 (13) 406—408. H. Wunderlich, Zs. f. d. phil. 28, 256—259.

18. O. L. Jiriczek, Kudrun und Dietrichepen in auswahl mit wörterbuch. 3. vermehrte aufl. Stuttgart, Göschen (samm-lung 10 b). 0,80 m.

19. G. Ehrismann, Textkritische bemerkungen. 1. Zur krone Heinrichs von dem Türlin. 2. Der name des dichters des Schlegels. 3. Zu Hermann von Sachsenheim. Paul-Br. beitr. 20 (1. 2), 66—79.

E. giebt im anschluss an Singer, Zs. f. d. a. 38, 250—269 besserungsvorschläge zur krone; setzt in einem zweiten aufsatz den namen des dichters des Schlegels als Rüdeger von Hünkhofen fest (zu Germ. 37, 181) und bespricht endlich einige stellen aus Her-manns von Sachsenheim Mörin und Grasmetze.   S.

Albrecht von Kemenaten. 20. (vgl. auch unten no. 23). Schor-bach, Seltene drucke in nachbildungen. — vgl. jsb. 1894, 14, 21. 23. Revue critique 1894 (49).

Anno. 21. Das Annolied hrsg. von M. Roediger. (— Monum. Germ. historica. script. qui vernacula lingua usi sunt tom. I, pars II, pag. 63—139.) Hannoverae, imp. bibliop. Hahniani.

R. giebt mit dieser publikation eine abschliessende behandlung des AL. und aller der fragen, die sich daran anknüpfen. er be-handelt in einer umfangreichen einleitung zuerst (s. 63—66) die merkwürdige überlieferung des denkmals, das in keiner hs., sondern nur im drucke Opitzens, einer probe des Vulcanius und einer ab-schrift des Fr. Junius in Oxford auf uns gekommen ist. R. be-stätigt die schon von Massmann und Bezzenberger ausgesprochene behauptung, dass Junius' abschrift auf Opitz beruht, scheidet jedoch die quelle von Opitz und Vulcanius in zwei, wenn auch verwandte hss. — im 2. kap. (s. 66—72) werden die ausgaben, proben und über-setzungen des AL. eingehend besprochen und gewürdigt. namen wie Dietrich v. Stade, Schilter und Scherz, Bodmer und Breitinger und nicht zuletzt Herder zeugen von dem regen interesse, das die forscher auch früherer zeit am AL. gehabt haben. — nachdem

dann im 3. kap. (s. 73—80) das verhältnis vom AL. zur kaiserchronik festgestellt ist, geht R. im 4. kap. (s. 80—88) daran, zu
erweisen, dass die beiden denkmäler nicht direkt aus einander
schöpfen, sondern eine gemeinsame vorlage haben, und zwar nimmt
er als diese vorlage jene alte Regensburger reimchronik an, die
der pfaffe Konrad in der kch. verarbeitete und setzt dadurch auch
das AL. in den kreis hinein, dem kch. und Rolandslied und weiter
dann Alexander und könig Rother angehören. diese chronik glaubt
R. durch geistvolle interpretation einer stelle des gedichtes von
Christi geburt v. 64 ff.: *uns sagent von alder ê die bûch* genauer
nachweisen zu können. — das 5. kap. (s. 88—95) beschäftigt sich
mit dem dichter des AL., der als ein obd. (bayr.) mönch festgestellt wird, der in Siegburg, der grabstätte des heil. Anno, dichtete.
im zusammenhange mit diesen ausführungen werden im 6. kap.
(s. 95—98) versbau und reimkunst besprochen. — es folgt die
wichtige und vielumstrittene frage nach der abfassungszeit (7. kap.
s. 98—101), die auf 1080 angesetzt wird. das 8. kap. (s. 101—112)
klärt die beziehungen zur Vita Annonis (1105 entstanden) und
Lambert von Hersfeld und kommt auch von dieser seite her auf
das jahr 1080 als abfassungszeit. kap. 9 und 10 (s. 112—114) behandeln die spätere benutzung des AL., dessen sichere spuren nur
im Rolandslied und der kch. gefunden werden — es hatte wohl also
keine grosse verbreitung, wie schon aus der geringen zahl der hss.
erkennbar ist, — kurze bemerkungen über quellen und litterarischen
wert des AL., sowie mitteilungen über die textgestaltung machen
den schluss. dieser text folgt auf s. 115—132, daran schliessen sich
register und kurzes glossar. — angez. von C. Kraus, Zs. f. österr.
gymn. 1896 (3) 226—236, der die arbeit in gebührender weise
würdigt und anerkennt; in einzelheiten giebt er abweichende ansichten kund, z. b. über das verhältnis der probe des Vulcanius zu
Opitz: er hält die annahme zweier hss. für nicht wahrscheinlich;
ferner polemisiert er gegen R.s deutung der stelle aus 'Christi geb.'
64 ff. und die annahme einer alten chronik als gemeinsamer quelle
für kch. und AL.   S.

Anthyrlied. 22. H. Möller, Das Doberaner Anthyrlied nach
der Haseldorfer hs. hrsg., untersucht und mit der druckrevision verglichen. mit 4 tafeln. aus dem 40. bande der abhandlungen der
kgl. gesellschaft der wissenschaften zu Göttingen vom jahre 1894.
Göttingen, Dietrich. 96 s. 4⁰. mit 4 photolithogr. nachbildungen
der runenblätter. 16 m.
behandelt das von Louis Bobé im jahre 1893 in Haseldorf
aufgefundene original des liedes von Anthyr, den die gelehrte sage
des 16. jahrhs. zum stammvater der mecklenburgischen herzöge ge-

macht hat. es ist ein mit runenzeichen beschriebenes doppelblatt
einer papierhs. des 17. jahrhs., das auch in photolithographischer
nachbildung der abhandlung beigegeben ist. M. giebt zuerst einen
transskribierten text und bespricht in der einleitung die bereits
früher aus dem briefwechsel J. J. Doebels († 1684) und C. Vogts
bekannten notizen und textstücke, sowie die ebenfalls in Haseldorf
gefundene abschrift und translatio des liedes, die, wie nachgewiesen
wird, von keinem andern als Joh. Rist herrührt, behandelt sodann
die sage und in einem 3. kap. das lied selbst, das ungefähr im
7. jahrzehnt des 16. jahrhs. in gelehrten kreisen entstanden ist.
übereinstimmungen in ausdruck und schreibung mit dem gedruckten
heldenbuche von 1477 und dem Dresdner heldenbuche besonders
mit den von Kaspar v. d. Rhön geschriebenen stücken werden genauer nachgewiesen; ausserdem hat der dichter alte drucke des
Ecke, Sigenot, Laurin, Titurel und Hürnen Seifrid benutzt. die
metrische form des liedes wird als weiterbildung des Hildebrands-
tones erkannt. — die letzten abschnitte behandeln ausführlich die
runenhs. selbst, sowie die drucke des liedes oder einzelner strophen
im 17. jahrh., die alle auf eine fehlerhafte sekundäre hs. zurückgehen.   S.

Apollonius. Singer, Apollonius v. Tyrus. — vgl. abt. 10, 70.

Ritter Beringer. 23. (vgl. oben no. 20) jsb. 1894, 14, 23.
J. Loubier, Litbl. 1895 (2) 50. Edw. Schröder, Euphorion 2,
825 f. R. M. Werner, Anz. f. d. a. 21, 145—147.

A. L. Stiefel, Ritter Beringer und seine quelle. Zs. f. d. a.
39 (4) 426—429.

der dichter hat die erzählung dem fabliau Berengier au lonc cul
des franzosen Guerin nachgebildet.   S.

Bligger. 24. R. M. Meyer, Bligger von Steinach. Zs. f. d. a.
39 (3) 305—326.

kühner, freilich nicht unanfechtbarer versuch, auf grund
stilistischer übereinstimmungen den jetzt von Schröder herausgegebenen Moriz von Craon (vgl. no. 31) als rahmenerzählung oder
ein einzelnes gemälde aus dem *Umbehanc* des Bligger von Steinach
nachzuweisen; als sicher ergiebt sich, dass das Salmannsweiler
bruchstück Mones, das Pfeiffer Bligger zugeschrieben hatte, wohl zum
Umbehanc gehört, aber nicht von Bligger, sondern einem späteren
schon durch Gottfried beeinflussten fortsetzer gedichtet ist. — vgl.
dazu R. M. Meyer, Allg. d. biogr. 35, 670; dagegen Edw. Schröders bemerkung Zs. f. d. a. 38, 105.   S.

Böhmenschlacht. 25. J. te Winkel, Neue bruchstücke des gedichts von der Böhmenschlacht. Paul-Br. beitr. 19 (3) 486—494.

abdruck und besprechung eines pergamentdoppelblattes in
kl. 4⁰. aus dem beginne des 14. jahrhs., das zu den Massmannschen
bruchstücken (Zs. f. d. a. 3, 12—15) noch 58 neue verse hinzufügt; wiederholung des Massmannschen textes, sodass das ganze
gedicht, soweit es noch erhalten ist, hier vorliegt.   S.

26. J. Seemüller, Zum gedicht von der Böhmenschlacht.
Zs. f. d. a. 39 (3) 356—359.

behandelt die von te Winkel (oben no. 25) abgedruckten
bruchstücke mit hinweis auf seinen aufsatz im festgruss aus Innsbruck an die 42. versammlung deutscher philologen und schulmänner (1893) s. 43 ff. über die älteren Massmannschen fragmente
des gedichtes. — vgl. jsb. 1893, 21, 41.   S.

Boner. 27. Ulrich Boner, Der edelstein. ausgewählt und
sprachlich erneuert von K. Pannier. (Universalbibl. 3349—3350).
Leipzig, Reclam. 150 s. 0,80 m.

die übersetzung, welche sich auf Pfeiffers ausgabe (1844)
stützt, begründet das recht ihres daseins durch die behauptung,
dass die ältere bearbeitung von Oberbreyer (jsb. 1881, 716) mecha-
nisch und verständnislos sei, und dass Boners gedichte noch immer
wenig bekannt sind.

Christherrechronik (vgl. unten no. 75). 28. R. M. Werner,
Zwei bruchstücke aus der Christherreweltchronik. Zs. f. d. phil.
28, 2—17.

aus dem Salzburger gemeindearchiv zwei doppelblätter einer
mit schönen initialen verzierten foliohs. der Christherrechronik aus
dem 14. jahrh. (35 × 26,5 cm.), die als einband von 'spitall-
raittungen' (1590—1591) benutzt waren, in bairisch-österreichischem
dialekt. ein teil deckt sich mit dem Wiener bruchstück (Zs. f. d. a.
18, 105 fgg.). in den noten sind die wichtigeren abweichungen
von der Wiener hs. (2809 bl. 95 b ff.) gegeben.   S.

29. J. Seemüller, Bozener bruchstück der Christherrechronik.
Zs. d. Ferdinand. 1895. 3. folge, heft 39, 1—10.

zwei deckblätter einer papierhs. im Bozener stadtarchiv, pergament, folio, 13. jahrh. (?), 160 und 130 verse (= Massmann 1339 ff.
und 1834 ff.).

30. Edw. Schröder, Kulmer bruchstück der Christherrechronik. Zs. f. d. a. 39 (3) 359—360.

ein pergamentblatt des späteren 14. jahrhs.; 44 × 32 cm. gross,
zweispaltig mit 48 zeilen auf der kolumne; kollation des bruchstückes mit der für die künftige herausgabe des gedichtes wichtigen
Gothaer hs. Membr. A 88 ist gegeben.   S.

Moriz von Craon (vgl. no. 24). 31. Schröder, Zwei altdeutsche rittermæren. — vgl. jsb. 1894, 14, 26. 85. Wilmanns,
Gött. gel. anz. 1895 (5). Revue critique (1895) 29, 23. Lit. cbl.
1895 (16) 577—578. Schönbach, Österr. litbl. 1895 (2) 52—54.
A. Leitzmann, Zs. f. d. phil. 28, 260—261.

Eilhart von Oberge. 32. H. Felix, Eilhard von Oberge und
Heinrich von Veldeke. progr. d. gymn. Stendal [no. 256]. 22 s. 4.

beleuchtet die streitfrage nach der priorität Eilharts oder
Veldekes und kommt zu dem resultat, dass zwischen beiden
keinerlei abhängigkeitsverhältnis besteht (s. 17), dass vielmehr Eilhart deutlich den einfluss der dichtungen der vorhergehenden
periode zeigt, wie sich aus berührungen mit dem Annolied, der
kaiserchronik, Lamprechts Alexander und Konrads Rolandslied erkennen lässt, während die neue zeit des höfischen epos noch
keinen einfluss auf ihn gehabt hat. Eilhart dichtete also vor
Veldeke.   S.

Herzog Ernst. 33. Fuckel, Ernestus. — vgl. abt. 10, 72.

Friedrich von Schwaben. 34. L. Voss, Überlieferung und verfasserschaft des mhd. ritterromans Friedrich von Schwaben. Münster,
dissertation. 58 s.

Gottfried von Strassburg. 35. Tristan und Isolde von Gottfried
von Strassburg. neu bearbeitet von Wilhelm Hertz. 2., durchgesehene auflage. Stuttgart, Cotta 1894. VIII, 564 s. 6 m.

der text der zuerst 1877 erschienenen bearbeitung ist nur
wenig verändert; die aus dem franz. Thomasfragment entnommene
ergänzung ist durch die erzählung von Isoldens seefahrt und die
schlussworte des dichters vermehrt. dagegen haben die anmerkungen
vielfache bereicherung erfahren, sind aber auch anderseits, um raum
zu sparen, gekürzt. so wird das bewährte buch auch fernerhin
seinen zweck erfüllen, weitere kreise für Gottfrieds dichtung zu
interessieren. — vgl. auch unten no. 89.

36. P. Rothe, Die konditionalsätze in Gottfrieds von Strassburg Tristan und Isolde. diss. Halle (E. Karras), Niemeyer.
IX, 96 s. 1,60 m.

eingehende behandlung der konditionalsätze bei Gottfried:
1. konditionalsätze in hypotaktischer form. 2. modi und tempora.
3. wort- und satzstellung. 4. bedeutungstypen des hypothetischen
ausdrucks bei G. 5. der konditionale ausdruck als ein moment des
stils betrachtet. — die einzelnen fälle sind genau gezählt und die
häufigkeit des vorkommens in tabellen übersichtlich zur anschauung
gebracht.   S.

Hartmann von Aue. 37. P. Hagen, Zum Erec. Zs. f. d. phil. 27 (4) 463—474.

vergleichung der keltischen, französischen, deutschen und nordischen version. S.

38. Hartmann von der Aue, Der arme Heinrich. edition with an introduction, notes and glossary, by John G. Robertson. with facsimile. London, Swan Sonnenschein u. co. XVIII, 120 s. 4,6 sh.

39. O. Erdmann, Zur textkritik von Hartmanns Gregorius I. Zs. f. d. phil. 28, 47—49.

E. giebt als nachtrag zu K. Zwierzinas arbeiten (Zs. f. d. a. 37, 129—217. 356—416) seine vorarbeiten zu einer ausgabe und besonders die vergleichung der hss. K und J zunächst für die 170 verse der einleitung. S.

40. Henrici, Iwein. Halle 1893. — vgl. jsb. 1894, 14, 36. Wackernell und Detter, Österr. litbl. 1895 (18) 565—566. gegen Detters vorwurf, dass die anmerkungen 'im vergleich zu Lachmanns nur dürftig sind', ist zu bemerken: der grosse umfang der anmerkungen L.'s beruht auf der hineinarbeitung des kritischen apparates; was nach ausscheidung desselben übrig bleibt, ist, soweit es sich auf den Iwein bezieht, in die neue ausgabe übernommen. Franz Hofmann, Zs. f. d. realschulw. 20, 87—88 (anerkennend).

41. U. Friedländer, Metrisches zum Iwein Hartmanns von Aue. sonderdruck aus der festschr. zu O. Schades 70. geburtstage. 10 s.

gegen Lachmanns annahme schwerer zweisilbiger auftakte soll der nachweis geführt werden, dass eine grössere zahl von versen mit überladenem erstem fusse, also mehrsilbiger senkung im ersten takte, zu lesen sei; dagegen sei Henricis annahme solcher senkungen auch in anderen takten zu verwerfen.

42. Schönbach, Über Hartmann von Aue. — vgl. jsb. 1894, 14, 37. F. Piquet, Revue critique (1895) 29, 20. Le moyen âge VIII, 9. Lit. cbl. 1895 (4) 130—132. Seeberg, Theol. litbl. 16, 50. R. Müller, Österr. litbl. 1895 (9) 279—280. A. Leitzmann, Zs. f. d. phil. 28, 405—407.

Arme Hartmann (vgl. auch no. 44). 43. F. von der Leyen, Des armen Hartmann rede vom glouven. eine deutsche reimpredigt des 12. jahrhs. I. Berliner diss. 60 s.

vf. sucht die entstehungszeit zu bestimmen und stellt als solche auf grund eines zusammenhanges des gedichtes mit dem Rolandslied

die zeit um 1130 fest. er nimmt als heimat Nordmittel-
franken an und behauptet, dass das gedicht, von dort nach Bayern
gewandert und nachdem es in Bayern interpoliert worden, nach
Südrheinfranken gebracht und dort aufgezeichnet sei. eine reihe
von versen scheidet vf. als interpoliert aus; zum schluss betrachtet
er metrik und stil des denkmals, welche besonders auf ihre künstlerische wirkung im vortrag hin gewürdigt werden. — weitere, ungedruckte teile der dissertation versuchen den dialekt des glouven,
seine nordmittelfränkischen, bayerischen und südrheinfränkischen
bestandteile zu scheiden und zu beschreiben, das gedicht als reimpredigt nachzuweisen, seine quellen und seinen inhalt zu analysieren,
schliesslich seinen formelschatz einer vergleichend historischen betrachtung zu unterwerfen. die vollständige abhandlung soll, wesentlich umgearbeitet und berichtigt, verbunden mit einer ausgabe des
glouven demnächst in den Germanistischen abhandlungen erscheinen.

Heinrich von Melk. 44. P. Köhler, Der zusammengesetzte satz
in den gedichten Heinrichs von Melk und in des armen Hartmann rede vom glouben. 1. teil. die temporalsätze. Berliner diss.
36 s. — wird auf wunsch des vfs. erst mit der in aussicht gestellten fortsetzung besprochen.

Heinrich v. d. Türlin. 45. S. Singer, Allg. d. biogr. 39, 20—21.
vgl. auch oben no. 19.

Heinrich von Veldeke (vgl. auch oben no. 32). 46. R. M. Meyer,
Allg. d. biogr. 39, 565—571.
Schönbach, Der windadler. — vgl. abt. 10, 28.

Heinz der kellner. 47. A. L. Stiefel, Über die quelle der
Turandot-dichtung Heinz des kellners. Zs. f. vergl. lit. gesch. 8,
257—261.
die bei Hagen, Gesamtabenteuer 3, 179 und Lassberg, Lieder-
saal 1, 535 abgedruckte dichtung des 14. jahrhs. wird auf eine französische quelle zurückgeführt, die auch von Tabourot, einem schriftsteller des 16. jahrhs., für eine prosaerzählung benutzt wurde.

Heinzelein. 48. Fr. Höhne, Die gedichte des Heinzelein von
Konstanz und die Minnelehre. diss. Leipzig-R. (Osw. Schmidt),
G. Fock 1894. 67 s. 1 m.
aus der metrik und reimtechnik, ferner aus stilistischen eigentümlichkeiten wird nachgewiesen, dass die drei von Fr. Pfeiffer
1852 veröffentlichten gedichte: Minnelehre, Von dem ritter und dem
pfaffen und Von den zwein St. Johansen nicht von einem vf. herrühren können. Heinzelein von Konstanz hat vielmehr nur die
beiden letzteren gedichtet: ihr inhalt wird zusammen betrachtet

und gewürdigt. der dichter der Minnelehre dichtete etwas früher als H., etwa um die mitte des 13. jahrhs.; er ist ein jüngerer zeitgenosse des Rudolf von Ems, dem er wesentliche züge seines gedichtes verdankt. den schluss macht ein exkurs über höfische minne bei klerikern in der mhd. und altfranzösischen litteratur. — A. E. Schönbach, Österr. litbl. 1895 (14) 437—439 wendet sich hauptsächlich gegen die von Höhne angenommenen grundsätze der metrik, welche Sievers, Zu Wernher (jsb. 1894, 14, 133) aufgestellt hat. S.

Hero u. Leander. 49. Das mhd. gedicht von Hero und Leander übersetzt von R. E. Ottmann. mit revidiertem grundtext. Leipzig, G. Fock. 59 s. 12. 0,90 m.

als abfassungszeit wird (s. 9) gegen Goedeke der anfang des 14. jahrhs. angenommen. s. 11 ff. wird über berührung mit Ovid und über die anderen deutschen bearbeitungen der sage gesprochen. der text stützt sich ausschliesslich auf v. d. Hagen; ausserdem wird besonders auf Jellinek (jsb. 1891, 10, 139. 1892, 10, 88. 1894, 10, 53) verwiesen. — wenn der ausgabe des kleinen gedichts, um es 'einem weiteren kreise' zugänglich zu machen, eine übersetzung beigegeben werden musste, wäre es besser gewesen, sie parallel neben den text zu setzen.

Rüdeger Hünchover (vgl. oben no. 19). 50. O. Lippstreu, Der Schlegel, ein mhd. gedicht des Rüedger Hünchovaer. Berliner diss. Halle 1894. 34 s.

ausführliche behandlung der hs.lichen überlieferung des gedichtes als vorarbeit einer kritischen ausgabe und untersuchungen über den dichter, seinen namen und die dichtungen, die ihm ausser dem Schlegel etwa zugeschrieben werden könnten.

Hundesnot. 51. Reissenberger, Des hundes nôt. — vgl. jsb. 1894, 14, 44. R. Sprenger, Litbl. 1894 (11) 355—356.

Kaiserchronik. 52. hrsg. v. Edw. Schröder. — vgl. jsb. 1894, 14, 47. J. Meier, Litbl. 1895 (8) 257—262.

Klage. 53. J. P. Hoskins, Über die arten der konjunktivsätze in dem gedicht 'diu klage'. Berlin, Mayer u. Müller. III, 143 s. 3 m. [s. 1—44 auch Berliner diss.].

ausführliche, auch mit dem prozentualischen vorkommen rechnende darstellung der konjunktivsätze in der Klage. in der einleitung beleuchtet der vf. die abweichungen der einzelnen hss. im gebrauch der modi und den einfluss des reims. S.

Konrad von Würzburg. 54. Wolff, Diu halbe bir. — vgl. jsb.

1894, 14, 53. R. M. Meyer, Litztg. 1895 (43) 1357—1358. Behaghel, Litbl. 1894 (11) 355.

Kudrun (vgl. oben no. 9. 18. unten no. 69.) Fécamp, Le poème de Gudrun. — vgl. abt. 10, 67.

Kudrun. hrsg. v. Löschhorn. — vgl. abt. 6, 13.

Lamprecht. 55. A. Ausfeld, Zur kritik des griechischen Alexanderromans. untersuchungen über die unechten teile der ältesten überlieferung. progr. des gymn. Bruchsal 1894. 37 s. 4.

angez. H. Becker, Zs. f. d. phil. 28, 379—382.

56. G. Goltz, Beiträge zur quellenkritik der Alexanderhistoriker. II, progr. d. gymn. Allenstein [no. 1]. 18 s. 4. — vgl. jsb. 1894, 14, 56.

Lohengrin. 57. Fr. Panzer, Lohengrinstudien. Halle a. S., Niemeyer 1894. 60 s. 1,60 m.

angez. W. Golther, Litbl. 1895 (7) 222. R. Kralik, Österr. litbl. 1895 (15) 467.

Minneallegorie. 58. Hofmann, Ein nachahmer Hermanns v. Sachsenheim. — vgl. jsb. 1894, 14, 57. H. Wunderlich, Litbl. 1895 (3) 78—79.

Minnekloster. 59. G. Richter, Beiträge zur interpretation und textrekonstruktion des mhd. gedichtes Kloster der minne. einleitung. Berliner diss. 54 s.

Mönch von Heilsbronn. 60. J. B. Wimmer, Beiträge zur kritik und erklärung der werke des mönches von Heilsbronn. sonderdruck aus dem jahresbericht des privatgymnasiums der gesellschaft Jesu in Kalksburg bei Wien. 1894—1895. 28 s.

zerstreute bemerkungen, kritik und erklärung einzelner schwieriger stellen der werke des mönches von Heilsbronn. S.

Nibelungen (vgl. oben no. 9). 61. J. Lunser, Die Nibelungenbearbeitung *k.* P.-Br. beitr. 20 (3) 345—505.

ausführliche behandlung der sogenannten Piaristen-hs.: 1. die handschrift. 2. die bearbeitung, wortschatz und phraseologie. 3. die vorlage: a) strophenbestand, b) das hss.-verhältnis der vorlage. S.

62. Das Nibelungenlied hrsg. v. F. Zarncke. ausg. für schulen mit einl. u. glossar. 8. aufl. 14. abdr. des textes. Leipzig, G. Wigand 1894. XVIII, 408 s. 2 m.

63. G. Bötticher und K. Kinzel, Das Nibelungenlied im auszuge nach dem urtext mit den entsprechenden abschnitten der Wölsungensage, erläutert und mit den nötigen hülfsmitteln versehen.

2. aufl. (Denkmäler d. ält. d. litt. f. d. unterricht I, 3). Halle,
waisenhaus. X, 178 s. 1,35 m. — vgl. abt. 6, 13.

64. Der Nibelunge Nôt in auswahl und mittelhochdeutsche
grammatik mit kurzem wörterbuch von W. Golther. 3. vermehrte
und verbesserte auflage (sammlung 10a). Stuttgart, Göschen. 192 s.
12. 0,80 m.

die früher in no. 10 der sammlung vorgenommene vereinigung
von Kudrun und Nibelungen (vgl. jsb. 1890, 14, 58) ist nunmehr
aufgegeben: sicher nicht zum schaden des unternehmens; denn die
Nibelungen werden doch ungleich häufiger gelesen als die 'neben-
sonne'. — die ausgabe beharrt bei dem texte B; man braucht nicht
die liedertheorie anzuerkennen, um A den vorzug zu geben: referent
ist der überzeugung, dass B den weg gehen wird, den C trotz aller
anstrengungen gegangen ist; nur wird es etwas länger dauern, weil
der begründer der B-ansicht sie nicht mehr selber zurücknehmen
kann. — soll 964, 1 *schenken* oder *scenken* stehn?

65. H. Stöckel, Der Nibelunge nôt nach Lachmanns ausgabe für den schulgebrauch eingerichtet (Brunner, Sammlung der
dichtungen 8). Bamberg, C. C. Buchner. 170 s. 12. 0,90 m.

66. Das Nibelungenlied. mit benutzung v. Simrocks übersetzung hrsg. v. G. Rosenhagen (Deutsche schulausgaben 8. 9).
Dresden, Ehlermann. IV, 188 s. 12. 1 m.

67. The lay of the Nibelungers. translated into English verse
after C. Lachmann's collated and corrected text by J. Birch.
4. ed. München, Ackermann. 220 s. 5 m.

68. Sander, Das Nibelungenlied. — vgl. abt. 10, 11.

69. Hartung, Die deutschen altertümer des Nibelungenliedes
und der Kudrun. — vgl. jsb. 1894, 14, 66. R. Bethge, Litztg.
1895 (41) 1298 ff. (eine im ganzen verständige kompilation, die von
einem künftigen bearbeiter der deutschen altertumskunde als material
benutzt werden kann). Schauffler, N. korrbl. f. d. realsch.
Württemb. 1 (10) 476—481 (erschöpfend, fleissig und empfehlenswert). D. zs. f. kirchenr. 4, 205.

70. Wagenführ, Die lektüre des Nibelungenliedes und der
mittelhochdeutsche unterricht auf dem gymnasium. progr. d. gymn.
Helmstedt [no. 720]. 28 s. 4.

warme, lesenswerte worte über den oft behandelten gegenstand.

Orendel. 71. H. Tardel, Untersuchungen zur mhd. spielmannspoesie. 1. Zum Orendel. 2. Zum Salman-Morolf. Rostocker
diss. Leipzig, Fock 1894. 72 s. 1,20 m.

vf. will aus dem Orendel eine germanische brautwerbungssage erschliessen, die mit volksmässigen überlieferungen verbunden, doch auch litterarischem einfluss ausgesetzt war (Apollonius, Jourdain) und dann durch die verlegung nach Palästina und die einfügung der legende vom grauen rocke ein christliches gewand erhielt (s. 32). — ausführlich werden in einem zweiten abschnitte die beziehungen und quellen der geschichte von Salman und Morolf untersucht.   S.

Ottokar. 72. Österr. reimchronik hrsg. v. Seemüller. — vgl. abt. 7, 55 und jsb. 1894, 14, 71. Behaghel, Litbl. 1894 (12) 389—390.

Passionsgedicht. 73. C. Schiffmann, Bruchstücke aus einem mhd. passionsgedichte des XIV. jahrhs. aufgefunden und veröffentlicht. Linz (Museum Francisco-Carolinum), F. J. Ebenhöch. 12 s. 0,80 m.

abdruck und photographische facsimileprobe von 6 bruchstücken eines mhd. passionsgedichts aus dem 14. jahrh., durchschnittlich 8 × 15 cm. gross, aus der rückeninnenseite dreier inkunabeln der biblia cum postilla Hugonis a. S. Caro 1498—1502 abgelöst, ursprünglich kl. 4, zweispaltig; bayr.-österr. dialekt.   S.

Recht. 74. H. Haupt und Edw. Schröder, *artisen* und *arthave*. Zs. f. d. phil. 28, 421—425.

gegen O. Brenners konjektur (Zs. f. d. phil. 27, 386—389) zu einer stelle des gedichtes vom rechte (147 ff. Karajan 6, 16): *eidisen* (= egg-eisen) für *aerdisen* (*artisen*) (vgl. Edw. Schröder, Anz. f. d. a. 17, 291); für *artisen* werden genaue belege gegeben und auch das verwandte *arthave* behandelt.   S.

Reimbibel. 75. Edw. Schröder, Aus einer unbekannten reimbibel. Zs. f. d. a. 39 (1. 2) 251—256.

pergamentdoppelblatt (320 v.) des 14. jahrhs., zweispaltig zu 40 zeilen die kolumne; deckblatt eines inkunabeldrucks aus der bibl. zu S. Paul in Kärnten; enthält die geschichte Samsons; das frgm. steht ganz allein da, repräsentiert vielleicht eine selbständige fortsetzung der Christherrechronik.   S.

Rosengarten. 76. Die gedichte vom Rosengarten. hrsg. von Holz. Holz, Zum Rosengarten. — vgl. jsb. 1893, 14, 56. Boer, Museum II, 12. Golther, Litbl. 1895 (5) 146—149. Lit. cbl. 1895 (48) 1728—1729. Schönbach, Österr. litbl. 1895 (5) 151. A. Leitzmann, Zs. f. d. phil. 28, 261—263. S. Singer, Anz. f. d. a. 21, 65—75.

Rudolf v. Ems. 77. Zeidler, Die quellen von R.'s v. E. Wilhelm v. Orlens. — vgl. jsb. 1894, 14, 79. H. Lambel, Litbl. 1895 (11) 365—369 bestreitet Zeidlers annahme, dass der franz. roman des Philipp de Remy die quelle sei: dieser roman sei jünger als das deutsche gedicht; beide könnten also nur aus gemeinsamer quelle stammen. übrigens habe schon Heinzel den zusammenhang beider werke erkannt. Lit. cbl. 1895 (18) 661—662. Bechstein, Zs. f. vergl. litgesch. 8 (3) 262—266. S. Singer, Anz. f. d. a. 21, 233—240 nennt die vergleichung des werkes mit Philipp de Remy sehr glücklich, widerspricht sonst dem vf. in fast allen punkten.

78. Zeidler, Untersuchung des verhältnisses der handschriften von R.'s v. E. Wilhelm von Orlens. — vgl. jsb. 1894, 14, 79. S. Singer, Anz. f. d. a. 21, 240—242 (getadelt).

79. J. Seemüller, Innsbrucker bruchstück aus Rudolfs v. Ems Wilhelm. Zs. d. Ferdinand. 1895. 3. folge, heft 39, 10—15.

von einem bande im Servitenkloster zu Innsbruck abgelöst, pergament, ein blatt quart, um 1300; gehört in die erzählung des turniers von Komarzi; 108 verse.

80. P. Prohasel, Über vier bruchstücke aus der weltchronik des Rudolf von Ems. progr. d. gymn. Glatz [no. 185]. 33 s. 4.

bearbeitet kritisch die von Pfeiffer, Altd. übungsbuch 1866, s. 52 ff. (nach den damals in seinem besitz befindlichen originalen) abgedruckten 4 pergamentblätter des 13. oder 14. jahrhs., kennt jedoch die originalmss. selbst, die sich jetzt in Berlin befinden [Festgabe an K. Weinhold. festschrift d. gesellsch. f. deutsche phil. in Berlin. Leipzig, Reisland. 1896. s. 49], nicht, woraus sich ungenauigkeiten ergeben, die auf missverständlicher benutzung des Pfeifferschen abdruckes beruhen (bes. s. 7 f.). S.

Hermann v. Sachsenheim vgl. oben no. 19. 58.

Salman-Morolf vgl. oben no. 71.

Schretel. 81. R. Sprenger, Zum schretel und wasserbär. Zs. f. d. phil. 28, 429.

hinweis auf H. Pröhles Harzsagen 1886. I, s. 110 ff., wonach das märchen nicht nur in Norwegen, Altmark und Sachsen, sondern auch am Harz noch lebendig ist. S.

Silvester. 82. Der Trierer Silvester. hrsg. von C. Kraus (= Monum. Germaniae historica. scriptores qui vernacula lingua usi sunt tom. I, pars II, pag. 1—61). Hannoverae, impens. bibliopolii Hahniani.

vf. legt nach kurzer orientierung über die litteratur und die hs. des Silvester, sowie einer tabellarischen zusammenstellung die

beziehungen des gedichtes zur kaiserchronik und zur vita Sancti
Silvestri bei Mombritius auf das genaueste klar und kommt zu dem
resultat, dass der Trierer Silvester eine bearbeitung der nach unbekannter, doch der vita verwandter quelle abgefassten episode in der
kaiserchronik ist: lücken und abweichungen stammen daher, dass
der dichter aus dem gedächtnisse arbeitete und daneben vielleicht
die vita herangezogen hat. (s. 38). die sprache des schreibers und
des dichters wird s. 38—44 behandelt, dabei jedoch mit vorsicht
von einer heimatsbestimmung des dichters weise abgesehen, da die
wenigen dem dichter eigenen reimpaare (178) keinen schluss der art
erlauben. das gedicht ist kurz nach der kaiserchronik, also nach
1150 entstanden. s. 46—68 bietet text, register und glossar. S.

Peter v. Stauffenberg vgl. oben no. 32.

Stricker. 83. Rosenhagen, Daniel. — vgl. jsb. 1894, 14, 86.
G. Ehrismann, Litbl. 1895 (3) 76—78. Revue critique (1895)
29, 47. Boer, Museum 2 (8). Schönbach, Österr. litbl. 1895 (1)
13—15. A. Leitzmann, Zs. f. d. phil. 27, 543—547, zugleich
mit: Rosenhagen, Untersuchungen über Daniel (vgl. jsb. 1893,
14, 67).

84. A. Leitzmann, Das chronologische verhältnis von
Strickers Daniel und Karl. Zs. f. d. phil. 28, 43—47.

im anschluss an seine besprechung von G. Rosenhagens arbeiten (vgl. die vorhergehenden nummern) begründet L. seine von
Rosenhagen abweichende ansicht durch die stilistische beobachtung,
dass der Daniel durch das Rolandslied beeinflusst ist, während im
Karl an den entsprechenden stellen meist abweichende wendungen
gebraucht sind. S.

85. R. Dürnwirth, Ein bruchstück aus des Strickers Karl.
progr. d. oberrealschule. Klagenfurt, F. v. Kleinmayr. 30 s.

handschriftensammlung des kärntnischen geschichtsver. no. 7/42;
stammt aus S. Andrä im kärnt. Lavantthale, einer früheren bischöflichen
residenz; pergament, 13.—14. jahrh., von einem buchdeckel gelöst;
vers 10 572—11 754 (Bartsch), 4, 2 bll., höhe 28,75 cm., breite des
ersten 21—22 cm., des zweiten 24 cm.; jede seite 52 zeilen, die
verse sind nicht abgesetzt. — auf den abdruck des bruchstückes
(s. 7—23) folgt s. 24 ein vergleich der schreibweise desselben mit
Bartschs text.

Sündenklage. 86. A. Wallner, Millstätter sündenklage 432.
Zs. f. d. a. 39 (1. 2) 8.

statt der konjektur Scherers zu v. 432 *durch ⟨ des tages ère ⟩*
wird aus einer parallelen stelle der Vorauer sündenklage *durch des
ganges ère* eingesetzt. S.

Tnugdalus. 87. E. Peters, Die vision des Tnugdalus. ein beitrag zur kulturgeschichte des mittelalters. progr. [no. 94] des Dorotheenstädt. realgymn. Berlin. 30 s. 4.

I. ursprung und entwickelung der visionslegenden. II. die vision eines soldaten, aus den dialogen Gregors I. III. die vision eines Northumbriers, aus Baeda. IV. einleitung in die Tnugdalus-legende. V. übersetzung der lateinischen prosalegende des britischen mönches Markus, die diesem von dem ritter Tnugdalus 1148 er-zählt wurde; dieser teil umfasst s. 10—30.

Hugo v. Trimberg. 88. R. M. Meyer, Allg. d. biogr. 39, 762—765.

Tristan als mönch. 89. Tristan als mönch. deutsches gedicht aus dem 13. jahrh. von H. Paul. Sitzungsber. d. philosoph.-philolog. und der histor. klasse der bayer. ak. d. wissensch. 1895, heft 3, 317—427.

2705 verse, angehängt an zwei hss. von Gotfrids Tristan (eine in Brüssel, eine in Hamburg), schon benutzt von Scherz im Glossar und v. d. Hagen MS IV, 611 anm. 1, sonst wenig bekannt; 2. hälfte des 13. jahrhs., alemannisch: 'eine neue variation des motivs, dass sich Tristan der Isolde in einer verkleidung nähert'.

Ulrich v. Türheim. 90. R. Bechstein, Allg. d. biogr. 39, 9—10.

Ulrich v. d. Türlin. 91. S. Singer, Allg. d. biogr. 39, 21—22.

92. Singer, Willehalm. — vgl. jsb. 1894, 14, 93. Detter, Österr. litbl. 1895 (3) 86—87.

Hans Erhard Tüsch. 93. Röthe, Allg. d. biogr. 39, 26 f.

Ulrich v. Liechtenstein. 94. E. Schönbach, Zum Frauendienst Ulrichs v. Liechtenstein. Zs. f. d. phil. 28, 198—225.

vf. giebt sprachliche und besonders sachliche erläuterungen zu einzelnen stellen des Frauendienstes im anschluss an seine aufsätze Zs. f. d. a. 26, 307 ff.; Litztg. 1888 s. 1112 ff.; Anz. f. d. a. 15, 378. S.

Väterbuch. 95. F. Spina, [Ein mittelhochdeutsches hand-schriftenbruchstück]. progr. Braunau. Leipzig, Fock. 2 s. und 2 taf.

pergamentblatt von einem buchdeckel des stiftskapitels in Braunau. wie der herausgeber dem referenten mitteilt, hat Strauch die zugehörigkeit zu dem gedichte erkannt.

Velschberger. 96. Röthe, Allg. d. biogr. 39, 574—575.

Vrône botschaft. 97. R. Priebsch, Diu vrône botschaft ze der christenheit. untersuchungen und text. Grazer studien zur deutschen philologie II. Graz, Styria. X, 73 (74) s. 1,70 m.

eingehende untersuchungen über überlieferung, heimat, versbau, inhalt und quellen dieses fingierten briefes Christi über die sonntagsheiligung, den zuerst M. Haupt in den altd. blätt. II, s. 241—264 abgedruckt hatte; ausführlichere besprechung alles hierzu in beziehung stehenden soll besonders auf grund des materiales englischer bibliotheken an anderer stelle gegeben werden. neudruck des gedichtes mit sorgfältiger nachkollation der hs. — angez. A. Leitzmann, Litztg. 1895 (46) 1453. Lit. cbl. 1895 (42) 1530—1531.   S.

Wartburgkrieg. 98. Oldenburg, Zum Wartburgkriege. vgl. jsb. 1893, 14, 75. R. M. Meyer, Anz. f. d. a. 21 (1. 2) 75—81.

Wolfdietrich vgl. abt. 12, 188.

Wolfram. 99. Parzival. translated by Weston. — vgl. jsb. 1894, 14, 100. Martin, Anz. f. d. a. 21, 144. Lit. cbl. 1895, 859. Heinzel, Zs. f. österr. gymn. 46 (8) 757—760.

100. J. Stosch, Beiträge zur erklärung Wolframs. Zs. f. d. phil. 28, 50—55.

zu Parz. 1, 15 ff. werden zwei stellen aus des Strickers Frauenl. v. 86 ff. und 120 ff. angezogen. Parz. 12, 27 ff. wird *ungeloube* erklärt. Parz. 15, 23 *vor ieslichem einem* — jedem einzelnen. Parz. 367, 19 ff. *swer sol mit siner tohter weln.* Parz. 487, 1 ff. *fischege hande* (beziehung auf den karfreitag). Parz. 817, 28 ff. *mit dem wazzer man gesiht* (das wasser in den augen). Parz. 825, 9 *âderstôs.* Parz. 826, 29 ff. *mit rede sich rechen* (— sich gehörig rächen).

101. W. Hoffmann, Der einfluss des reims auf die sprache Wolframs. — vgl. jsb. 1894, 14, 102. O. Erdmann (†), Zs. f. d. phil. 28, 267—269 (anerkennend mit einigen ergänzungen, besonders zum gebrauch der eigennamen im reime).

102. Parzival in übertragung von Boetticher. — vgl. jsb. 1894, 14, 105. — empfehlend angez. von J. Wackernell, Österr. litbl. 1895, 310—311. — vgl. auch S. Singer, Zs. f. d. österr. gymn. 46, 527—531.

103. Aliscans von Rolin. — vgl. jsb. 1894, 14, 101. — angez., jedoch nur den franz. text betreffend, von Suchier, Litbl. 1894 (10) 331—335 (ablehnend). vgl. Lit. cbl. 1895 (11) 376—378. (W. F.)

104. A. Sattler, Die religiösen anschauungen Wolframs von Eschenbach. Grazer studien zur deutschen philologie I. Graz, Styria. XI, 112 s. 3,20 m.

fleissige zusammenstellung der religiösen äusserungen Wolframs, geordnet nach den gegenständen: gott, Christus, Maria, engel, sakramente u. s. w.; zugleich ausgestattet mit ausführlichen belegen aus den kirchenvätern und der scholastik, welche beweisen sollen, dass Wolfram dem sinne nach mit ihnen übereinstimmte. dem wesen der religiosität Wolframs, welche sich eben über den äusserlichen begriff des gehorsams gegen die kirche erhebt, wird vf. nicht gerecht, und die frage, wo Wolfram seine besonderen theologischen erörterungen her hat, wie z. b. seine angelologie, hat er nicht einmal berührt. — angez. von G. Boetticher, Zs. f. d. phil. 28, 537—539, wo diese ausstellungen weiter ausgeführt sind. Litbl. 1895 (11) 364—365 urteilt P. Hagen in ähnlichem sinne.

Wunderer vgl. abt. 10, 25.

Lyrik.

105. W. Wisser, Das verhältnis der minneliederhandschriften A und C zu ihren gemeinschaftlichen quellen. progr. d. gymn. Eutin [no. 692]. 24 s. 4.

schliesst an die erörterungen in der abhandlung über B und C s. 33—35 (jsb. 1889, 14, 97) an. bei 27 dichtern finden sich strophen, die eine gemeinsame quelle von A und C vermuten lassen; diese war schon eine sammelhandschrift. — von der litteratur über die Heidelberger hs. wird s. 14 nur Apfelstedt benutzt; die abhandlungen von Schulte (jsb. 1892, 14, 101), Zangemeister (jsb. 1893, 14, 96), Öchelhäuser (jsb. 1893, 14, 97) fehlen.

106. Bartsch, Deutsche liederdichter. — vgl. jsb. 1894, 14, 108. Fr. Pfaff, Alemannia 23 (2) 191—192 bemerkt, dass sein aufsatz über Spervogel (jsb. 1890, 14, 115) nicht ausgenutzt sei, denn die neue auflage drucke aus der zweiten ab, dass der Steinberg ein Gräfensteinberg bei Gunzenhausen und dass Heinrich v. Giebichenstein noch nicht nachgewiesen sei, während Pfaff über beides richtigere nachweise gegeben habe. im besonderen habe er gezeigt, dass der Steinberg bei Sinsheim später in den besitz der Öttinger übergegangen ist, wodurch die von Henrici (Z. gesch. d. mhd. lyrik s. 19) ausgesprochene erwartung bestätigt werde.

Bäumker, Liederbuch. — vgl. abt. 15, 66.

107. R. Becker, Der mittelalterliche minnedienst in Deutsch-

land. Festschr. d. oberrealsch. Düren zur Kölner philologenvers.
Leipzig, Fock in komm. 70 s. 1,50 m.

gegenüber der allgemeinen annahme, dass der minnedienst und
die aus ihm entsprungene minnedichtung verheirateten frauen galt,
beharrt vf. bei seiner schon früher wiederholt ausgesprochenen
meinung, dass beides sich in der regel auf unverheiratete bezog.
— abschnitt I (s. 4—30) giebt eine kritik der bisherigen auffassung; II (s. 30—53) handelt von der mädchenminne im minnesang; III (s. 53—67) dienst und lohn. — die schlussbemerkung hebt
hervor, dass der frauenkultus in Deutschland einen gesunden,
natürlichen boden hatte und nicht auf den verschrobenen romanischen anschauungen beruhte.

108. Lechleitner, Der deutsche minnesang. — vgl. jsb.
1894, 6, 21. R. M. Meyer, Litztg. 1895 (29) 911—912. Lit. cbl.
1895 (3) 97—98.

109. Schreiber, Die vagantenstrophe. — vgl. jsb. 1894, 14,
110. Wallensköld, Litbl. 1895 (8) 263—265, bestreitet unter
berufung auf seine eigenen untersuchungen (jsb. 1893, 14, 106) die
annahme, dass die deutschen gedichte nachbildungen der lat. sind.
J. Schmedes, Zs. f. d. phil. 28, 284—285.

110. G. Schläger, Studien über das tagelied. ein beitrag
zur litteraturgeschichte des mittelalters. diss. Jena., Pohle. IV,
89 s. 1,80 m.

die arbeit behandelt vornehmlich romanische dichtung, doch
wird auch die germanische oft gestreift. dies ist der fall bei den
ausführungen über die volkstümliche vorstufe des tageliedes und
über das verhältnis zu den geistlichen wächterliedern. — anges.
R. M. Meyer, Zs. d. ver. f. volksk. 5, 225. E. Stengel, Litbl.
1895 (8) 266—268. M. Hippe, Zs. f. vergl. litgesch. 9, 374—376.
H. Springer, Zs. f. rom. phil. 20, 393—397. A. Jeanroy,
Romania 24, 289 f. Le moyen âge 8 (6). E. Freymond, Arch.
f. d. st. d. n. spr. 95, 320—323.

Fränkel, Shakespeare und das tagelied. — vgl. abt. 10, 402.

111. A. E. Schönbach, Über den biographischen gehalt des
altdeutschen minnesangs. Biographische blätter 1 (1).

112. A. Schulte, Die standesverhältnisse der minnesänger.
Zs. f. d. a. 39 (1. 2) 185—251.

vf. versucht auf grund umfassender quellenstudien den romantischen vorstellungen vom mittelalterlichen rittertum ein ende zu
machen und die standesverhältnisse der ritterlichen sänger genauer
zu untersuchen. er geht hierbei von der einteilung der grossen

Heidelberger liederhs. aus (vgl. s. abhandlung in der Zs. f. gesch. d. Oberrh. n. f. 7, 542—559), die in der heutigen Nordostschweiz entstanden ist, und nimmt an, dass der sammler des cod. die disposition nach den thatsächlichen verhältnissen seiner heimat eingerichtet hat: diese sucht Sch. in kap. I seiner darstellung klarzulegen und weist nach, dass in der Nordostschweiz eine grosse kluft zwischen edelfreien und dem niederen adel bestand; kap. II zieht die anordnung anderer hss. ähnlichen inhalts aus der gleichen gegend zum vergleiche heran; kap. III beschäftigt sich eingehend mit der Manessischen hs., die die unterscheidung zwischen freiherren und dienstmannen durchaus in ihrer anordnung festhält. Sch.'s polemik richtet sich gegen Grimmes ansichten (vgl. jsb. 1894, 14, 107): Neue Heidelb. jahrb. 4, 53—90. in kap. IV stellt der vf. das ergebnis seiner untersuchungen für die mittelhochdeutsche litteraturgeschichte zusammen. S.

_____

Buwenburg. 113. F. Bech, Zu dem von Bûwenburc. Zs. f. d. phil. 28, 295—296.

erklärt in einer strophe des dichters (v. d. Hagen MS. 2, 262a (IV, 2) = Bartsch, Schweiz. MS. 23, 4 die rätselhaften ausdrücke *îper* und *hoye* als die städtenamen Ipern und Hoye (Huy). S.

Freidank. 114. J. Stosch, *Langez hâr — kurzer muot.* Zs. f. d. phil. 28, 429—430.

variationen zu dem bekannten von Joh. v. Freiberg dem Freidank zugeschriebenen spruch aus Wolfhart Spangenberg, den Sterzinger spielen und Tobias Stimmers. comedia. S.

Kaiser Heinrich. 115. K. Schenk, Der verfasser der dem kaiser Heinrich VI. zugeschriebenen lieder. Zs. f. d. phil. 27, 474—505.

nicht Heinrich VI., sondern der unglückliche Heinrich (VII.), der sohn kaiser Friedrichs II. und der Constantia von Aragonien wird als der verfasser der minnelieder (MSF 4, 17 ff.) angesprochen und diese dadurch ins 13. jahrh. gerückt. S.

Johannsdorf. 116. Mülder, Albrecht von Johannsdorf. — vgl. jsb. 1894, 14, 121. — angez. A. Heusler, Anz. f. d. a. 21, 348—349.

Mariensequenz. 117. R. Wolkan, Hohenfurter Mariensequenz. Mitt. d. ver. f. gesch. d. Deutschen in Böhmen 33 (4) 395—399.

papierhs. der Hohenfurter stiftsbibliothek, 14.—15. jahrh.; zwei sequenzen: die eine ist eine übertragung des Stabat mater von Jacoponus und stimmt in einigen zeilen wörtlich mit der dem

mönch von Salzburg zugeschriebenen übersetzung; die andere,
welche ganz abgedruckt wird, ist eine übertragung des dem Her-
mannus contractus zugeschriebenen Ave praeclara maris stella.

Muskatblüt. 118. W. Uhl, Muskatblüt. Zs. f. d. a. 39 (1. 2)
152—153.

zeugnis für den namen Muskatblüt aus dem einnahmen- und
ausgabenregister Konrads von Weinsberg von 1437 und 1438; ob
der dichter und der dort genannte Mainzer büchsenmeister identisch sind, lässt sich nicht ausmachen.   S.

Neidhart. 119. John Meier, Miscellen. 4. Herr Neidhart.
5. Süsskind von Trimberg. 13. Zu Beitr. 20, 340. P.-Br. beitr.
20 (1. 2) 340—342. 576.

4. in einem streit der gewandschneider zu Stendal wird den
gildemeistern vorgeworfen, sie hätten lieder wie Neidhart ge-
sungen (unmittelbar nach 1351). 5. notiz aus dem Speyrer aht-
buch, die ein klares zeugnis für den namen eines Süsskind bringt,
der vielleicht ein nachfahre des dichters gewesen ist. 13. nachtrag
zu 4: das Neidhartzeugnis ist bereits von Fr. Keinz in dem
Sitzungsber. d. Münchener akademie 1888, 2, 311 abgedruckt.   S.

Rumzland. 120. Panzer, Rûmzlants leben. — vgl. jsb. 1894,
14, 124. A. E. Schönbach, Österr. litbl. 1894 (22) 687—688
giebt einige ergänzungen.

Spervogel (vgl. oben no. 106). 121. R. Hildebrand, Spervogel. Zs. f. d. a. 39 (1. 2) 1—8.

bespricht in diesem aufsatz, der einen tag vor seinem tode
revidiert ist, die Spervogelfrage und handelt besonders über die
söhne, von denen der alte Spervogel (MSF 25, 13) redet.   S.

Süsskind vgl. no. 119.

Tannhäuser. 122. Siebert, Tannhäuser. — vgl. jsb. 1894, 14,
131. J. Wahner, Zs. f. d. phil. 28, 382—390. Schönbach, Österr.
litbl. 1895 (22) 693—695.

123. K. Amersbach, Über die heimat des minnesängers
Tannhäuser. Alemannia 23 (1) 82—83.

vgl. abt. 10, 91. — gegenüber der sonst allgemeinen annahme,
der dichter T. stamme aus Salzburg, wird auf zwei stellen bei
Hermann v. Sachsenheim und Hans Sachs hingewiesen, die als
seine heimat Franken nennen; dazu stimme die im 2. Tannhäuser-
spruche ausgesprochene sehnsucht des dichters nach Nürnberg.

Otto zem Turne. 124. R. M. Meyer, Allg. d. biogr. 39, 23—24.

Heinz Übertwerch. Röthe, ebd. 39, 118.

Der Ungelehrte. Röthe, ebd. 39, 280 f.

Der Unverzagte. Röthe, ebd. 39, 322 f.

Der Urenheimer. Röthe, ebd. 39, 351.

Bernhard v. Utzingen. Röthe, ebd. 39, 418—420.

Vegeviur. Röthe, ebd 39, 525.

Verschweigseinnicht. Röthe, ebd. 39, 634 f.

Jacob Veter. Röthe, ebd. 39, 654 f.

Werner. 125. E. Sievers, Zu Wernhers Marienliedern. Forschungen zur deutschen philologie. — vgl. jsb. 1894, 21, 27.

behandelt den unterschied podischer und dipodischer messung und verwendet die entwickelten grundsätze zur kritik der Marienlieder. — vgl. Litztg. 1895 (52) 1650 f.

Walther v. d. Vogelweide. 126. A. E. Schönbach, Walther von der Vogelweide. ein dichterleben. (Geisteshelden bd. 1.). 2. aufl. Berlin, Ernst Hofmann u. co. VIII, 216 s. 2,40 m.

der grössere umfang der neuen aufl. ist hauptsächlich durch die in der ersten (jsb. 1890, 14, 119) noch fehlenden litteraturangaben (s. 206 f.) hervorgerufen; sonst stimmen die seitenzahlen beider ausgaben fast überein. die neue ausgabe ist nach der angabe des vorwortes s. VIII 'in bezug auf inhalt und stil sorgsam durchgearbeitet'.

127. Hoffmann-Krayer, Walther. — vgl. jsb. 1894, 14, 135. Österr. litbl. 1894, 24, 750.

128. Hallwich, Böhmen die heimat Walthers v. d. V.? vgl. jsb. 1894, 14, 137. abgewiesen von Schönbach, Anz. f. d. a. 21, 228—233.

129. A. Naaf, Die heimat Walthers v. d. V. Litter. jahrbuch V, 60—69.

schliesst sich der meinung Hallwichs (jsb. 1894, 14, 137) an, dass Walther aus der gegend von Dux stamme.

130. J. Lampel, Walthers heimat. Bll. d. ver. f. landesk. v. Niederösterreich n. f. 28, 44—65.

'marter und zeitverlust', die er dem leser zumute, nennt der vf. selbst seine erörterungen. — vgl. jsb. 1894, 14, 139.

131. Die gedichte Walthers v. d. Vogelweide. hrsg. von H. Paul. 2. aufl. (Altd. textbibl. 1.). Halle, Niemeyer. IV, 201 s. 2 m.

nach einer mitteilung des verlegers unveränderter abdruck der 1. aufl.

132. O. Güntter, Walther v. d. Vogelweide mit einer aus-wahl aus minnesang und spruchdichtung. mit anmerkungen und einem wörterbuch (sammlung 23). 2. aufl. Stuttgart, Göschen. 152 s. 12. 0,80 m. — über die 1. aufl. vgl. jsb. 1894, 14, 144.

133. A. E. Schönbach, Zu Walther v. d. Vogelweide. Zs. f. d. a. 39 (3) 337—355.

giebt aus umfassenden sammlungen sehr lehrreiche parallelen und bemerkungen, vorzüglich zu den religiösen gedichten und sprüchen; behandelt sind: 3, 3; 8, 11. 29; 9, 24; 10, 8. 14. 16. 28; 11, 12. 20; 12, 6. 24; 14, 7. 38; 17, 3. 25; 18, 12. 15; 19, 17. 30. 20, 24. 35; 21, 36; 22, 8. 33; 23, 31; 24, 3. 20; 25, 32; 26, 5. 17; 27, 9; 28, 30; 29, 2. 36; 30, 24; 33, 1. 11. 28; 37, 12. 27; 38. 7; 44, 9; 50, 12; 54, 2; 61, 33; 66, 33; 71, 9; 76, 22; 79, 12. 38; 80, 3. 11; 81, 7. 15; 82, 11; 87, 9; 94, 39; 101, 9. 36; 104, 5. 15. 23; 111, 14; 116, 9; 121, 37; 122, 25; 124, 2.　　　　　S.

134. A. Wallner, Walther 23, 31. Zs. f. d. a. 39 (1. 2) 184.

statt *ungebatten* (hs. D), *ungebachen* (hs. C) oder *ungebarten* (Lucae) wird *ungeberten* vorgeschlagen und mit parallelen aus Walther und dem Marner gestützt.　　　　　S.

135. A. Wallner, Zu Walther v. d. Vogelweide. Zs. f. d. a. 39 (4) 429—432.

behandelt 25, 36; 33, 1 ff.

Elster, Bürger und Walther. — vgl. abt. 21, 58.

Drees, Walther v. d. Vogelweide. — wie der vollständige titel (vgl. abt. 21, 60) ergiebt, eine moderne dichtung.

Prosa.

136. Deutsche schriften des Albrecht von Eyb hrsg. von M. Herrmann. — M. Hermann, Albrecht v. Eyb. — vgl. jsb. 1893, 14, 140. 1894, 14, 158. beide schriften ausführlich und an-erkennend angez. von Strauch, Anz. f. d. a. 21, 82—91. Matthias, Zs. f. d. phil. 28, 273—280. R. M. Meyer, Zs. f. kulturgesch. 3 (2). Vogt, Gött. gel. anz. 1895 (4). K. Wotke, Zs. f. d. österr. gymn. 46, 512.

137. A. E. Rosendahl, Untersuchungen über die syntax der sprache Albrechts von Eyb. I. Der zusammengesetzte satz. diss. Helsingfors, Frenckell u. sohn. 124 s.

vf. behandelt den stoff in 3 kapiteln: 1. hypothetische satz-verbindungen (kausal-, koncessiv- und konditionalsätze). 2. relative (lokale, komparative, temporale und eigentlich relative). 3. substan-tivsätze (subjekt- und objektsätze, dann konsekutive, finale und in-direkte rede). fleissige zusammenstellung, doch ohne allgemeinere folgerungen. das deutsche beherrscht vf. leider nicht ganz.

138. Fr. Jostes, Meister Eckart und seine jünger. unge-druckte texte zur geschichte der deutschen mystik. Collectanea Friburgensia IV. Freiburg (Schweiz), Universitätsbuchhandlung. XXVIII, 160 s. 4⁰.

die nur deutschen texte stammen aus einer hs. der Nürnberger stadtbibliothek (14. jahrh.), die dem früheren Katharinenkloster (Nonnen) gehört hat und zu den ältesten und reichhaltigsten ihrer art gehört. manche stücke scheinen eigenhändige nachschriften der vff., nicht bloss abschriften oder gedächtnismässige aufzeich-nungen zu sein. der herausgeber wollte hauptsächlich material liefern zur festeren begründung der Eckartforschung und klärung des urteils über die unzuverlässigkeit der texte. die einleitung giebt eingehenden bericht über die hs., das kloster und die geistigen interessen der nonnen und berührt gelegentlich die bezüglichen ar-beiten Walthers, Pregers, Denifles, Kramms; die texte sind mit fort-laufenden verweisungen auf Pfeiffer abgedruckt; dann folgen zwei anhänge: der erste bringt drei verwandte predigten aus dem Frei-burger Minoritenkloster (die dritte als probe einer lateinisch-deutschen mischpredigt) und noch eine von den Nürnbergern in einer andern, bessern hs., der zweite teilt den katalog der zur geistlichen unterhaltung bestimmten bibliothek von nur deutschen büchern des Katharinenklosters in Nürnberg mit und gewährt da-durch einen einblick in das religiöse leben des 15. jahrhs. und den gebrauch der deutschen sprache zu philosophischen und erbaulichen zwecken.

139. Schorbach, Lucidarius. — vgl. jsb. 1894, 14, 162. J. te Winkel, Museum 3 (1).

140. Eberhard Windecks buch von kaiser Sigismund und seine überlieferung untersucht von A. Wyss. (aus Centralbl. f. bibl.-wesen). Leipzig, Harrassowitz. 51 s. 1,20 m.

141. A. Linsenmayer, Nikolaus von Lüttich, ein reim-prediger am ende des mittelalters. Katholik 1894, 2, 351—355.

die gewohnheit, die lat. disposition einer predigt in verse zu bringen, hat ein prediger des 15. jahrhs. auch auf das deutsche übertragen; zwei Münchener hss. enthalten solche versuche. auch innerhalb der predigt finden sich reime.

17*

142. Röthe, Augustin Tünger. Allg. d. biogr. 39, 114 f. —
Michel Velser ebd. 39, 576.

[die mit S. gezeichneten berichte W. Scheel; no. 99—104 und
136—138 G. Bötticher].

Henrici.

XV. Das 16. jahrhundert.

1. Jahresberichte für neuere deutsche litteraturgeschichte.
mit unterstützung von Erich Schmidt, hrsg. von J. Elias und
M. Osborn. 4 (jahr 1893). Leipzig, Göschen.

die 2. abteilung behandelt den zeitraum von der mitte des
15. bis zum anfang des 17. jahrh., und zwar 1. allgemeines von
M. Osborn, 2. lyrik von G. Ellinger, 3. epos von A. Hauffen,
4. drama von W. Creizenach, 6. Luther und die reformation von
G. Kawerau, 7. humanisten und neulateiner von G. Ellinger.
die fehlende 5. gruppe (didaktik) wird E. Jeep im nächsten bande
nachholen.

2. K. Burdach, Vom mittelalter zur reformation 1. Halle,
Niemeyer 1893. — vgl. jsb. 1894, 15, 2. — rec. K. Müller,
Theol. litztg. 1895 (3) 77—80.

3. R. Wolkan, Geschichte der deutschen litteratur in Böhmen.
— vgl. abt. 6, 3. rec. R. Fürst, Euphorion 2, 649—657. Loesche,
Jahrb. d. ges. f. d. gesch. des protestantismus in Österreich 16,
268 f. W. Toischer, Litztg. 1895 (47) 1482—1484. F. Eichler,
Cbl. f. bibl.-wesen 12, 516 f.

4. W. Kawerau, Das litterarische leben Magdeburgs am
anfang des 17. jahrhs. Geschichtsbl. f. Magdeburg 30 (1) 1—60.

behandelt ausführlich J. Sommer, J. Lonemann und A. Pape.

5. K. Helm, Zur rhythmik der kurzen reimpaare des 16. jahrh.
Heidelberger diss. Karlsruhe, Braun. 103 s. 2 m.

abweichend von Goedeke, Sievers und Minor sieht H. neben
der strengen einhaltung der silbenzahl den regelmässigen wechsel
zwischen hebung und senkung als das prinzip des 16. jahrh. an und
zählt daraufhin die widersprüche zwischen vers- und wortaccent,
sowie zwischen vers- und satzaccent in einer reihe von dichtungen
nach. aus seinen tabellen ergiebt sich, dass Alberus und Scheidt die
natürliche betonung am strengsten wahren, weniger Fischart und
Waldis, noch weniger Hans Sachs (1551 - 1553) und am allerwenigsten der Teuerdank.

5a. Herm. Haupt, Ein oberrheinischer revolutionär. 1893.
— vgl. jsb. 1894, 15, 7. — rec. A. Schulte, Zs. f. gesch. des
Oberrheins n. f. 9, 716 f. und Lit. cbl. 1894 (53) 1917 f.

6. H. Holtzmann, Über einige Strassburger katechismen aus
der reformationszeit. Zs. f. prakt. theol. 17 (2) 112—123.

7. A. Fluri, Das Bonner taufbüchlein von 1528. Theol. zs.
aus der Schweiz 1895 (2) 103 118.

8. P. Tschackert, Ungedruckte briefe zur allgemeinen reformationsgeschichte. aus hss. der k. univ.-bibl. in Göttingen.
(Abh. d. k. ges. d. wiss. in Göttingen 1894). Göttingen, Dieterich.
57 s. 4⁰. 6,40 m.

25 nummern aus Nürnberger besitz. unter den briefschreibern
befinden sich Eobanus Hessus, J. Jonas, Veit Dietrich, Joh. Ham-
bach, Mich. Rotting, M. Frecht. — rec. G. Loesche, Euphorion
2, 378 f. und Litztg. 1895 (15) 469 f. G. Bossert, Theol. litztg.
1895 (6) 163—165. Th. Kolde, Theol. litbl. 1895 (30) 356 f.
Schultze, Theol. litt. bericht. 1895 (2).

9. J. Haussleiter, Vier briefe aus der reformationszeit.
(U. Rhegius, W. Musculus, Ratzeberger, Melanchthon). Zs. f.
kirchengesch. 15 (3) 418—427.

9a. G. v. Kress, Briefe eines Nürnberger studenten [Christoph
Kress] aus Leipzig und Bologna (1556—1560). Mitt. d. ver. f.
gesch. Nürnberg 11, 97—173.

10. G. Buchwald, Simon Wilde aus Zwickau. ein Wittenberger studentenleben zur zeit der reformation. Mitt. d. d. ges. in
Leipzig 9 (1).

11. Album academiae Vitebergensis ab a. Chr. 1502 usque
ad a. 1602. vol. 2, sub auspiciis bibliothecae universitatis Halensis
ex autographo editum. Halle, Niemeyer. XIX, 498 s. 4⁰. 24 m.

12. G. Buchwald, Die bedeutung des Wittenberger ordi-
niertenbuches für die reformations-geschichtsforschung Österreichs.
Jahrb. d. ges. f. d. gesch. des protestantismus in Österreich 16,
29—34. 176—202.

13. Wittenberger ordiniertenbuch 1537—1572. veröffentlicht
von G. Buchwald. Leipzig, Wigand 1894—1895. V, 141 s. +
218 s. 28 m.

rec. Lit. cbl. 1895 (10) 325 f. F. Cohrs, Theol. litztg.
1895 (6) 166.

14. Universitätsmatrikel von Greifswald. hrsg. von E. Friedländer. 1—2. Leipzig, Hirzel 1893—1894. vgl. abt. 8, 17.

15. **N. Paulus**, Zur geschichte der kreuzwegandacht. Katholik 1895, 1, 326—335. — über die Geystlich strass (1521) u. a.

O. **Bahlmann**, Deutschlands katholische katechismen. — vgl. abt. 8, 87.

16. **N. Paulus**, Ewald Vincius, ein vergessener katechet des 16. jahrh. Katholik 1895, 1, 187—189.

17. **Reiser**, Wann ist die erstlingsausgabe des kleinen deutschen katechismus des Canisius erschienen? (1560). ebd. 1895, 1, 189—192.

18. **N. Paulus**, Ein vergessener deutscher katechismus des 16. jahrh. (1592). ebd. 1895, 1, 283—287.

19. **N. Paulus**, Zur revision des Index. censurierte katholische schriftsteller Deutschlands des 16. jahrh. ebd. 1895, 1, 193—213.

47 autoren, darunter V. Amerpach, J. Cario, A. Diether, Erasmus, J. Geiler, J. Grünpeck, Herm. Schottenius, G. und J. Lorichius, J. Schoepper, J. Staupitz, J. Trithemius, werden zur streichung aus dem Index vorgeschlagen.

20. **N. Paulus**, Kulturgeschichtliches aus einer 'Weckglocke' [predigten des Rup. Erythropilus in Hannover 1595] des 16. jahrh. ebd. 1895, 2, 185—192.

20a. **H. Meissner**, Deutsche Johanniterbriefe aus dem 16. jahrh. mit einl. und erläuterungen hrsg. Zs. f. gesch. d. Oberrheins n. f. 10, 565—631.

5 briefe des komturs Peter von Englisberg (1522—1523) und 10 des bailli Georg Schilling von Cannstatt (1523—1529) an den grossprior Joh. von Hattheim werden, da die originale verschollen sind, nach dem abdrucke Leichtlens (1828) mit gründlichen erläuterungen wiederholt. sie erzählen von den kämpfen auf Rhodos und der ansiedlung auf Malta.

Alber. 21. Ströle, Matthäus Alber, der reformator von Reutlingen. ein lebensbild für schule und haus. Reutlingen, Kocher. 47 s. 0,25 m.

Alberus. 22. F. Schnorr v. Carolsfeld, Erasmus Alberus. Dresden 1893. — vgl. jsb. 1893, 15, 16. — rec. E. Matthias, Zs. f. d. phil. 28, 392 f. Th. Kolde, Gött. gel. anz. 1895 (9) 691—694. n., Österr. litbl. 1895 (9) 273 f.

Althamer. 23. Th. Kolde, Andreas Althamer der humanist und reformator in Brandenburg-Ansbach. Erlangen, Junge. VI, 138 s. 2 m. (= Beitr. zur bayr. kirchengesch. 1, 3, 97 - 127.)

Althamer, geb. um 1500 zu Brenz, gest. nach 1539, ward als prediger in Schwäbisch-Gmünd 1525 aus einem eifrigen humanisten zu einem ebenso entschiedenen verfechter der lutherischen lehre, die er auch in verschiedenen schriften gegen Zwingli darlegte. von Nürnberg aus ward er 1528 nach Ansbach berufen, wo er seinen 'Catechismus' schrieb. K. hat seiner biographie einen neudruck dieses vorlutherischen katechismus, einige aktenstücke und ein verzeichnis der druckschriften A.'s angehängt. — rec. G. Kawerau, Gött. gel. anz. 1895 (10) 748—755. G. Bossert, Theol. litztg. 1895 (17) 451 f. F. Lezius, Theol. litbl. 1895 (38) 452 f.

Andwil. 23a. P. Albert, Fritz Jakob von Andwil, ein verschollener chronist? Zs. f. gesch. d. Oberrheins n. f. 10, 671—674.

Anhalt. 24. Fürst Georg der gottselige, 11 synodalreden, gehalten im dome zu Merseburg 1545-1550. eingeleitet und übers. von G. Stier. Dessau, Baumann. IV, 85 s. 2 m.

Anhorn. 25. F. J., Politisches und religiöses testament des chronisten Barth. Anhorn 1611. Anz. f. schweiz. gesch. 25.

Aventin. 26. M. Lenz, Aventins berufung nach Strassburg. Zs. f. d. gesch. d. Oberrheins 48 (4).

Bohemus. 27. F. Spengler, Martin Bohemus. Znaim 1893. — vgl. jsb. 1893, 15, 31. — rec. Egyetemes philologiai közlöny 19 (5).

Bugenhagen. 28. O. Vogt, Über drei neue Bugenhagenbriefe Zs. f. kirchengesch. 16 (1) 124—128.

29. E. Goehrigk, J. Bugenhagen und die protestantisierung Pommerns. Katholik 1895, 1, 97—124. 226—244. 300—326. 424—441.

Bünderlin. 30. A. Nicoladoni, Johannes Bünderlin von Linz. Berlin, Gärtner 1893. — vgl. jsb. 1894, 15, 25. — rec. J. Loserth, Zs. f. d. österr. gymn. 46, 276—278.

Butzer. 31. N. Paulus, Die Strassburger reformatoren und die gewissensfreiheit. Freiburg, Herder. XII, 106 s. 1,80 m.
rec. A. Bellesheim, Katholik 1895, 2, 182—184.

Cochläus. 32. F. Lauchert, Zur Cochläus-bibliographie. Cbl. f. bibl.-wesen 12 (2).
N. Paulus, vgl. unten 15, 109.

Cuppius. 33. O. v. Heinemann, Die Zellerfelder chronik des magisters Albert Cuppius (1604—1629). Zs. d. Harzvereins 28 (1) 253—360.

Dilbaum. 34. M. Radlkofer, Die poetischen und historischen schriften eines Augsburger bürgers an der grenzscheide des 16. und 17. jahrhs. 40 s. (aus: Zs. d. hist. ver. f. Schwaben 22).

der Augsburger buchführer und krämer Samuel Dilbaum (1530 — nach 1617) veröffentlichte von 1584—1609 16 poetische und prosaische schriften, die R. im einzelnen bespricht. erwähnung verdienen darunter das Weinbüchlin (1584), die rayss gen himmel (1592), das lied auf die eroberung von Raab (1598), die legende von St. Johannes und dem jünglinge (1609).

Dürer. 35. C. Gurlitt, Zur lebensgeschichte A. Dürers. Repert. f. kunstwiss. 18 (2) 112 f. (1503 in Wittenberg).

36. Zucker, Zu Dürers letztem venezianischen brief. ebd. 18, 433 f.

37. Zucker, Dürers stellung zur reformation. Beitr. z. bayer. kirchengesch. 1 (6) 275—280.

38. A. Weber, A. Dürer. Regensburg, Pustet 1894. — vgl. jsb. 1894, 15, 31. — rec. Phil. Schneider, Katholik 1895, 1, 186. B. Sepp, ebd. 1895, 1, 471 f.

39. Dürers schriftlicher nachlass hrsg. von K. Lange und F. Fuhse. 1894. — vgl. jsb. 1894, 15, 30. — rec. P. J. Rée, Mitt. d. ver. f. gesch. Nürnbergs 11, 221—225. C. Domanig, Österr. litbl. 1895 (9) 283 f.

Eberlin. 40. Th. Kolde, Zur geschichte Eberlins von Günzburg. Beitr. z. bayer. kirchengesch. 1 (6) 265—269.

Egl. 41. A. Hartmann, Zu den Regensburger fastnachtsspielen. — vgl. abt. 5, 16.

Egranus. 42. R. Wolkan, Die anfänge der reformation in Joachimsthal. — vgl. jsb. 1894, 15, 32 — G. Kawerau, Theol. litbl. 1895 (28) 333 f. (30) 360.

Eulenspiegel. 43. A. L. Stiefel, Zum Eulenspiegel. Zs. f. vergl. litgesch. 8, 483.

die 92. historie des druckes von 1532 ist aus Erasmus' Colloquia entlehnt.

Koppmann vgl. abt. 17, 50.

Faustbuch. 44. S. Szamatolski, Faust in Erfurt. Euphorion 2, 39—57.

die Erfurter geschichten des Faustbuches begegnen auch in der hsl. chronik Zacharias Hogels (1611—1677), der wahrscheinlich aus einem verlorenen werke Wolf Wambachs (1556) schöpfte.

45. A. Pick, Faust in Erfurt. Erfurter Echo, beil. zur Thüringer ztg. 1893 no. 30—32. 1894 no. 1—3.

46. L. Fränkel, Neue beiträge zur litteraturgeschichte der Faustfabel. Euphorion 2, 754—776.

ältere sagenparallelen, Faust bei Jac. Wecker, bei Bütner-Steinhart, weintraubenzauber bei Simon Majolus, Faustisches bei J. C. Frommann, bei Bernh. Waldschmidt, bei einem nachahmer Abrahams a s. Clara.

47. Wilh. Meyer, Nürnberger Faustgeschichten (aus den Abh. der bayer. akad. d. wiss. 20, 2). München, Franz. 80 s. 4⁰. 2,50 m.

M. teilt aus einem 1575 von dem Nürnberger schulmeister Christoph Rosshirt (c. 1520—1586) geschriebenen hausbuche (Karlsruher hs. 437) vier Faustgeschichten mit: gastmahl ohne koch, das ausgerissene bein, schweine werden strohwische, Fausts ende. ferner stellt er aus einer eingehenden betrachtung sämtlicher nachrichten des 16. jahrhs. über Faust fest, dass der verfasser des Faustbuches von 1587 sich von der verbreiteten überlieferung weit entfernt, dass er einen roman komponiert, keine geschichte schreibt. er erfindet den festen wohnsitz in Wittenberg, den famulus, die menschliche gestalt des bösen geistes Mephostophiles, die belehrung über himmlische und natürliche dinge, die ausmalung von Fausts tod, während er die einzelnen abenteuer Fausts, die er der über-lieferung entnahm, nur wenig überarbeitet. aus dem lustigen, ruhmredigen gaukler der volkssage macht er einen wissensdurstigen gelehrten, dessen seelenkämpfe er mit entschiedenem talente, aber keineswegs (wie Erich Schmidt meint) in streng lutherischem sinne ausmalt.

48. Alex. Tille, Neue Faustsplitter aus dem 16., 17. und 18. jahrh. Zs. f. vergl. litgesch. 9, 61—72.

49. Max Koch, Zur stellung des Faustbuchs im 17. jahrh. ebd. 9, 134. (citat bei Theob. Höck 1601).

Fischart. 50. J. Fischarts werke. eine auswahl. 1. teil. hrsg. von A. Hauffen. Stuttgart, Union. LXXXIII, 439 s. 2,50 m. (= Kürschners Deutsche nationallitteratur bd. 18, 1).

enthält: Flöhhaz, das glückhaft schiff von Zürich; bündnis zwischen Strassburg, Zürich und Bern; das Jesuiterhütlein; ritter Peter von Stauffenberg; kleinere dichtungen (lob der lauten, Ismenius, ermanung an die lieben Teutschen, erklärung der tugenden etc.) mit den originalholzschnitten und gründlichen einleitungen. aus raummangel hat H. die verheissenen abhandlungen über Fischarts sprache und metrik zurückgehalten, wie er auch sein leben und

schriftstellerischen charakter auf s. I—X in gedrängter kürze behandelt. er verheisst jedoch eine monographie über den autor.

51. A. Hauffen, Das glückhafte schiff von Zürich 1576.
Deutscher volkskalender, red. v. J. Lippert 26 (Prag 1896).

52. W. Ellmer, Rabelais' Gargantua und Fischarts Geschichts-
klitterung. progr. [1895 no. 702] des realgymn. zu Weimar.
18 s. 4°.

Flugschriften. 53. G. Hellmann, Meteorologische volksbücher.
ein beitrag zur geschichte der meteorologie und zur kulturgeschichte. 2. vermehrte aufl. Berlin, Paetel. 68 s. 1 m.
    rec. E. Schröder, Anz. f. d. a. 21, 347 f. K. Weinhold,
Zs. d. ver. f. volksk. 5, 468.

54. E. Einert, Ein streitlied aus der reformationszeit. Zs.
d. ver. f. thüring. gesch. 16 (3. 4) 457—460.

55. Lucifers mit seiner gesellschafft val, vnd wie derselben
geist einer sich zu einem ritter verdingt vnd ym wol dienete.
Bamberg 1493. nach dem unicum im germanischen nationalmuseum zu Nürnberg in facsimile hrsg. Frankfurt a. M., J. Baer.
6 bl. 4°.
    eine phototypische reproduktion eines von Panzer (Ann. 1, 372)
citierten, aber verschollenen druckes von H. Schobser. er enthält
eine prosaerzählung von den neun engelchören und Lucifers fall
nach Nic. de Lyra, sowie eine geschichte des Caesarius von Heisterbach über einen teufel, der als knecht eines ritters diesen übers
wasser führt und seine frau durch löwenmilch kuriert.

Geiler s. Keisersberg.

Gengenbach. 56. P. Gengenbach und sein Wiener prognostikon
von 1520. Alt-Wien 4 (1).

Gennep. 57. N. Paulus, Caspar von Gennep. Katholik 1895,
1, 408—423.
    mustert zur ergänzung von Scheels arbeit (1893) Genneps
schriften auf den inhalt.

Grillenmair. 58. Th. Hampe, Ein lobspruch auf das kammmacherhandwerk von Thomas Grillenmair und Wilh. Weber 1657.
Anz. d. germ. nationalmuseums 1895 (2).

Gürtler. 59. G. Bauch, Hieronymus Gürtler von Wilden-
berg (1464—1558). Zs. d. ver. f. gesch. Schlesiens 29.

Haselberg. 60. F. W. E. Roth, Joh Haselberg aus Reichenau
und Jakob Schenk aus Speier. ein beitrag zur volks- und über-

setzungslitteratur des 16. jahrhs. Archiv f. d. stud. d. n. spr. 95 (3) 301—307.

Hafftiz. 61. F. Holtze, Die Berolinensien des Peter Hafftiz. (Schr. d. ver. f. d. gesch. Berlins 31.) Berlin, Mittler 1894. 99 s.

giebt einen auszug aus dem schon von Riedel (Codex diplom. Brandenburg. IV) gedruckten Mikrochronikon des Berliner schulmeisters Hafftiz (c. 1529—c. 1601) in vereinfachter orthographie mit wertvollen historischen erläuterungen. zur biographie des chronisten sei nachgetragen, dass er 1574 für die herzogin Elisabeth von Braunschweig ein lehr- und trostbüchlein vom jüngsten gericht (Erlanger hs. 1698) verfasste.

Herman. 62. Nicolaus Herman, Die sonntagsevangelia (1561). hrsg. von R. Wolkan. Wien 1895. — vgl. jsb. 1894, 15, 55. — rec. H. Lambel, Euphorion 2, 829 f. Lit. cbl. 1895 (20) 731. A. Leitzmann, Litbl. 1895 (7) 223. A. Hauffen, Mitt. d. ver. f. gesch. d. Deutschen in Böhmen 33, lit. beil. s. 76 f. A. v. Weilen, Zs. f. d. österr. gymn. 46, 948 f.

Heupold. 63. M. Radlkofer, Bernhard Heupold, präceptor an der studienanstalt st. Anna zu Augsburg und sein verzeichnis der daselbst wirkenden lehrer. Zs. d. hist. ver. f. Schwaben 20, 116—135. 21, 165—168.

Heupold (1560—1625) verfasste eine reihe von schriften zur philologie (u. a. ein fremdwörterbuch 1620) und zur geschichte seiner vaterstadt (reime auf das stadtwapppen, die gemälde am weberhause, die teuerung von 1622; hochzeitbuch der Fugger), auch eine sammlung fürstlicher namenlieder (1620), die teilweise nur hsl. erhalten sind.

Jonas. 64. K. Stückelberger, Justus Jonas, der freund und mitarbeiter Luthers. Theol. zs. a. d. Schweiz 1895, 58—64.

Keisersberg. 65. O. Ritter, Geiler von Keisersberg und die reformation in Strassburg. progr. [1895 no. 563] des realgymn. in Döbeln. 37 s. 4⁰.

eine fleissige zusammenstellung von K.s äusserungen über die kirchenlehre und die sittlichen schäden seiner zeit, sowie eine betrachtung seines freundeskreises und seiner wirksamkeit in Strassburg.

Ott vgl. unten 15, 123.

Kirchenlied. 66. Ein deutsches geistliches liederbuch mit melodien aus dem 15. jahrh. nach einer hs. des stiftes Hohenfurt hrsg. von Wilh. Bäumker. mit einer tafel. Leipzig, Breitkopf & Härtel. XVIII, 98 s. 3 m.

B. bringt in vortrefflicher wiedergabe eine von Kehrein 1860
erwähnte, dann aber verschollene und erst 1892 wieder aufge-
tauchte hs. des cistercienserstiftes Hohenfurt in Böhmen zu allgemeiner kenntnis. diese enthält 79 geistliche lieder eines oder
mehrerer unbekannter bayerischer dichter mit 38 singweisen.
no. 1—39 erzählen die jugendgeschichte Jesu und die passion, teilweise nach apokryphen quellen und unter dem einfluss der fran-
ziskanerpredigt; dann eine reihe anziehender lieder eines bekehrten
sünders, die seinen inneren kampf schildern und nach erfolgter be-
gnadigung sich warnend und lockend an die weltkinder wenden;
endlich weihnachts- und ostergesänge, sowie eine allegorie von
einem geistlichen garten. einige dieser dichtungen lehnen sich an
weltliche volkslieder an. in den anmerkungen giebt B. nach
Schmeller und Weinhold worterklärungen und zieht die in predigten
und geistlichen dichtungen niedergelegte tradition zur erklärung
heran.

67. R. Wolkan, Das deutsche kirchenlied der böhmischen
brüder. Prag 1891. — vgl. jsb. 1894, 15, 58. — rec. J. Bolte,
Zs. f. d. phil. 28 (3) 401 f. F. Spengler, Anz. f. d. altert.
21, 148 f.

68. Vulpinus, 16 briefe Peter Schotts an Geiler von Kaisers-
berg. Jahrb. f. gesch. Elsass-Lothr. 10. — dabei ein geistliches
lied Schotts (1498).

69. W. Bäumker, Der hymnarius von 1524. Monatsh. f.
musikgesch. 1895 (4) 50—52.
zeigt, dass der von F. Waldner als ältestes katholisches gesangbuch bezeichnete hymnarius nur als vorläufer eines solchen
gelten kann, weil er zwar notenlinien, aber keine musiknoten enthält.

70. A. Hofmeister, Findlinge. Korrbl. d. ver. nd. sprachf.
18 (5) 67. — Joachim Schröder in Rostock übertrug 1554 die
hymne 'Media in vita' ins nd. — vgl. abt. 10, 316. 17, 51.

71. R. Kade, Das erste Dresdner lutherische gesangbuch
1593. (hrsg. von Rogier Michael). Dresdner geschichtsbl. 3 (2).

72. F. Wiedmann, Die Lobwasserschen psalmen. Musikal.
wochenbl. 25 (43).

73. P. Bergmans, Un noël historique allemand de 1478.
Cbl. f. bibl.-wesen 12 (10) 456—458.
druckblatt in Gent. der text beginnt: 'Zu jherusalem vff der
heiligen erde platz'.

74. E. Boehme, Die weimarischen dichter von gesangbuch-
liedern und ihre lieder. Zs. d. ver. f. thüring. gesch. 16 (3. 4).

75. J. Loserth, Wiedertäufer in Steiermark (Dan. Kropf,
Hans Donner). Mitt. d. hist. ver. f. Steiermark 42.

76. J. Loserth, Der kommunismus der mährischen wiedertäufer. Archiv f. österr. gesch. 81. — s. 192 ein lied von Joh. Eys-
vogel 1586.

78. R. Wolkan, Zwei geistliche lieder aus Eger. Mitt. d
ver. f. gesch. d. Deutschen in Böhmen 33, 310—312.
aus einer Prager hs. 1. Zu lob da will ich singen. 2. Jhesus
in unsser selle gründt.

79. R. Wolkan, Hohenfurter Mariensequenz. — vgl. abt.
14, 117.

80. Th. Unger, Über eine wiedertäufer-liederhs. des 17. jahrh.
Jahrb. d. ges. f. d. gesch. des protestant. in Österreich 15, 23—35.
187—198.

81. 34. antiquariatskatalog von Spirgatis in Leipzig: Geistliche und weltliche lieder in originaldrucken (ausführliche beschreibung von 37 flugblättern des 16. und 17. jahrhs. mit
108 liedern).

Linck. 82. Wenzel Lincks werke hrsg. von W. Reindell,
1. Marburg, Ehrhardt 1894. — vgl. jsb. 1894, 15, 68. — rec.
Knaake, Theol. litbl. 1895 (36) 429 f.

Luther. Bibliographie. G. Kawerau, vgl. oben no. 1.

83. G. Loesche, Kirchengeschichte von 1517—1648. Theol.
jahresbericht 14, 245—304 (über die 1894 erschienene litteratur).

Werke. 84. M. Luther, Werke. kritische gesamtausgabe.
14. bd. Weimar, Böhlau. XIX, 761 s. 19,60 m.
enthält die predigten über 2. Petrus und Judasbrief, über das
1. buch Mose und die Deuteronomium-vorlesung (1523—1524);
nach den hss. bearbeitet von Buchwald und Koffmane unter
oberleitung von P. Pietsch, der s. XI die interessante frage auf-
wirft, wie sich Luthers gesprochene sprache (auf der kanzel und
im hause) zu seiner schriftsprache verhielt. — einzelne nachträge
zu den nicht sehr reichhaltigen sachlichen und sprachlichen anmerkungen giebt G. Kawerau, Theol. litztg. 1895 (23) 594—597.
bd. 9. vgl. jsb. 1894, 15, 71. — rec. Th. Kolde, Gött. gel. anz.
1895 (7) 576—584, der sich gegen die hypergenauigkeit in der
wiedergabe der hsl. abkürzungen wendet.

85. J. Josenhans, Die deutsche bibelübersetzung in Württemberg zur zeit der reformation. Württemb. vierteljahrsheft n. f. 3 (4).

86. Die notwendigsten verbesserungen der Lutherschen bibelübersetzung. 2. aufl. Gütersloh, Bertelsmann. 20 s. 0,20 m.

87. M. Luthers erklärung der heil. schrift. zusammengestellt von E. Müller. Gütersloh, Bertelmann. — vgl. jsb. 1894, 15, 78. — rec. Rüling, Theol. litbl. 1895 (41) 489 f.

88. M. Luther, Erklärung des briefes St. Pauli an die Galater. hrsg. vom Calwer verlagsverein. Calw, vereinsbuchhandl. 1894. 368 s. 1 m.
    rec. S—t, Theol. litbl. 1895 (13) 155.

89. G. Buchwald, Die entstehung der katechismen Luthers und die grundlage des grossen katechismus. Leipzig, Wigand 1894. — vgl. jsb. 1894, 15, 79. — rec. G. Loesche, Litztg. 1895 (15) 469.

90. M. Luthers Disputationen, in den jahren 1535—1545 an der universität Wittenberg gehalten. zum erstenmale hrsg. von P. Drews. 1. hälfte. Göttingen, Vandenhoeck u. Ruprecht. XLIV, 346 s. 12 m.
    rec. G. Buchwald, Theol. litbl. 1895 (28) 329—331.

91. C. Fey, Urteile M. Luthers über das papsttum. aus seinen schriften zusammengetragen. 2. aufl. Leipzig, Braun. III, 50 s. 0,25 m.
    rec. R. Bendixen, Theol. litbl. 1895 (26) 310.

92. Luthers Betbüchlein. 3. aufl. Calw, vereinsbuchhandl. 176 s. 1m.

93. G. Buchwald, Zu Luthers schrift 'Ein sendbrief von dem harten büchlein wider die bauern'. Stud. u. krit. 1896 (1) 141—150.

94. Luther, An den christl. adel deutscher nation. Leipzig, Bibliographisches institut. 98 s. 0,20 m. (Meyers volksbücher no. 1099—1100).

95. W. E. Köhler, Luthers schrift an den christlichen adel deutscher nation im spiegel der kultur- und zeitgeschichte. ein beitrag zum verständnis dieser schrift Luthers. Halle, Niemeyer. VII, 334 s. 6 m.

96. F. Zelle, Ein feste burg ist unser gott. zur entwickelung des evangel. choralgesanges. progr. (1895 no. 124) der 10. realschule. Berlin, Gaertner. 26 s. 4⁰. 1 m.

97. Luthers deutsche sprüche, in chronolog. reihenfolge hrsg. von P. Ketzscher. Altenburg, Schnuphase. VIII, 47 s. 0,60 m.

Biographisches. 98. A. E. Berger, Die kulturaufgaben der reformation. Berlin, Hofmann 1894. — vgl. jsb. 1894, 15, 93. — rec. F. Lezius, Theol. litbl. 1895 (20). K. Sell, Zs. f. prakt. theol. 1895 (3). Schultze, Theol. litbericht 1895 (7).

99. A. E. Berger, M. Luther in kultnrgeschichtlicher darstellung. 1. Berlin, Hofmann 1895. — vgl. jsb. 1894, 15, 94. — rec. F. Cohrs, Theol. litztg. 1895 (13) 338—340. A. Biese, Litztg. 1895 (48) 1512 f.

100. P. Majunke, Gesammelte Lutherschriften 1—4. (Luthers lebensende. Die historische kritik über Luthers lebensende. Ein letztes wort an die Lutherdichter. Luthers testament an die deutsche nation). Mainz, Kupferberg. 100, 106, 52, VIII, 285 s. geb. 5 m.

101. P. M., Die Lutherforscher in verlegenheit. Hist.-polit. blätter 116 (3).

102. Th. Kolde, Lutherstudien I. Das ergebnis der Altenburger verhandlungen mit Karl von Miltiz. Zs. f. kirchengesch. 15, 204—221.

103. Rob. Fronius, Luthers beziehungen zu Böhmen I. L.'s beziehungen zu den utraquisten. Jahrb. d. ges. f. d. gesch. d. protestantismus in Österreich 16 (1) 1—28.

104. Förster, Luthers Wartburgjahre. 1521—1522. Halle, Niemeyer. 35 s. 0,15 m. [Schriften f. d. d. volk no. 25.]

105. J. Baier, M. Luthers aufenthalt in Würzburg. Würzburg, Stahel. IV, 35 s. 0,60 m.

106. N. Paulus, Zur biographie Tetzels. Hist. jahrb. 16 (1) 37—67.

107. Keidel, Tezel und Kraft in Ulm. Württemb. vierteljsh. f. landesgesch. 1895, 127—140.

108. E. Michael, Luther und Lemnius. Wittenbergische inquisition 1538. Zs. f. kath. theol. 1895 (3) 450—466.

109. N. Paulus, Johann Vogelgesang [vf. des heimlichen gesprächs von der tragedia Joh. Hussen. 1538] ein pseudonym von Cochläus, nicht von Luther. Katholik 1895, 1, 571—574.

110. A. Hausrath, M. Luthers Romfahrt. Berlin 1894. — vgl. jsb. 1894, 15, 100. — rec. G. Ellinger, Euphorion 2, 376 - 378. G. Loesche, Litztg. 1895 (15) 468 f.

111. F. Zweynert, Luthers stellung zur humanistischen schule und wissenschaft. Leipziger diss. Chemnitz. III, 75 s. 1,20 m.

gegen Janssen und Paulsen legt Z. dar, dass die reformation der entwicklung des wissenschaftlichen lebens nicht geschadet habe. — rec. F. Cohrs, Theol. litztg. 1895 (19) 497 f.

112. H. Rinn, Bild und gleichnis in Luthers briefen. Zs. f. d. unterr. 9 (7).

113. E. Dickinson, The hymns of M. Luther, their predecessors and their place in history. Bibliotheca sacra 1895, 676 707.

Manuel. 114. Niklaus Manuels Satire om den syge Messe i dansk bearbejdelse udg. af S. Birket Smith. København. 1893. — vgl. jsb. 1893, 15, 132. — rec. J. Bolte, Zs. f. d. phil. 28, 399 f.

Maria von Ungarn. 115. Th. Kolde, Markgraf Georg von Brandenburg und das glaubenslied der königin Maria von Ungarn. Beitr. z. bayer. kirchengesch. 2 (2) 82—89.

markgraf Georg von Ansbach schickt am 15. januar 1529 seinen räten 'ein lied, das des konigs swester konigin Maria wider iren bruder gemacht, ds er ir einen cristlichen prediger verjagt hat'. diese dichtung erkennt K. in dem bekannten liede 'Mag ich vnglück nit widerstan' wieder, das er nach einer Erlanger hs. abdruckt. — vgl. jsb. 1893, 15, 133.

Mathesius. 116. K. Amelung, J. Mathesius. Gütersloh, Bertelsmann 1894. — vgl. jsb. 1894, 15, 112. — rec. Brandes, Lit. cbl. 1895 (11) 365. G. Bossert, Theol. litztg. 1895 (10) 258—260. Th. Kolde, Theol. litbericht. 1895 (1). von H., Konservat. monatsschr. 1895 (juni). R. Wolkan, Mitt. d. ver. f. gesch. d. Deutschen in Böhmen 33, lit. beil. s. 27 f. Loesche, Jahrb. f. d. gesch. d. protestantismus in Österreich 16, 269—271.

117. G. Loesche, Johannes Mathesius. ein lebens- und sittenbild aus der reformationszeit. 2. bd. Gotha, Perthes. IV, 467 s. 6 m.

vgl. jsb. 1894, 15, 113. — rec. G. Bossert, Theol. litztg. 1895 (10) 260—262. (31) 540—543. Brandes, Lit. cbl. 1895 (15) 527 f. (38) 1359 f. J. Loserth, Euphorion 2, 839 f.

May. 118. Mays Spiel von der vereinigung göttlicher gerechtigkeit und barmherzigkeit neu hrsg. und mit einer einleitung versehen von K. Eichhorn. progr. Meiningen. 67 s. 4º.

ein sorgfältiger neudruck des 1562 zu Wittenberg erschienenen stückes, von dessen erstem entwurfe noch eine abschrift in Heidelberg erhalten ist. des autors leben (1522—1598) wird genauer vorgeführt. die litterarhistorische würdigung dagegen, für die doch Goedeke und Raab vorgearbeitet hatten, ist schwach ausgefallen (vgl. Stricker, Schlömer 1889 s. *34).

Meistergesang.*) 119. A. Hartmann, Deutsche meisterlieder-handschriften in Ungarn. München, Kaiser 1894. — vgl. jsb. 1894, 15, 117. — rec. G. Heinrich, Egyetemes philologiai közlöny 19 (5). Ph. Strauch, Cbl. f. bibl.-wesen 12, 331—333.

Murner. 120. E. Voss, Der genitiv bei Thomas Murner. diss. Leipzig.

121. M. Spanier, Über Thomas Murners narrenbeschwörung und schelmenzunft. diss. Heidelberg 1894.

122. Murner, Narrenbeschwörung hrsg. von M. Spanier. Halle, Niemeyer 1894. — vgl. jsb. 1894, 15, 126. — rec. M. Herrmann, Litztg. 1895 (4) 104 f.

123. K. Ott, Über Murners verhältnis zu Geiler. Alemannia 23 (2) 154—188. (3) 231—288.

nicht bloss dem ernsten stubengelehrten Brant verdankt Murner viel, sondern auch dem lebendigen satiriker und kanzelredner Geiler, dessen persönlichkeit schon früh auf ihn eingewirkt haben wird. durch die eingehende untersuchung erscheint M. in etwas anderm lichte als bei Ch. Schmidt, Kawerau und Spanier.

Musculus. 124. Musculus, Hosenteufel hrsg. von M. Osborn. Halle, Niemeyer 1894. — vgl. jsb. 1894, 15, 127. — rec. A. v. Weilen, Zs. f. d. österr. gymn. 46 (4) 338.

Nunnenbeck. 125. Th. Hampe, Lienhard Nunnenbeck. Mitt. d. ver. f. gesch. d. st. Nürnberg 11, 173—190.

die 46 gedichte N.'s sind im Berliner mgq. 414 erhalten, das aber nicht, wie man bisher annahm, ein autograph des Hans Sachs ist. der inhalt ist, abgesehen von einer 'schulkunst' und zwei liedern vom hausrat und von Trojas zerstörung, geistlich.

Oelinger. 126. John Meier, Oelingeriana. Paul-Braune, Beitr. 20 (3) 565—571.

biographisches aus O.'s bisher unbekannter verdeutschung der dialoge des Vives (Speier 1587). zurückweisung der von C. Müller vermuteten identität O.'s mit Laur. Albertus.

Oppen. 127. Das tagebuch des domdechanten und portenarius des hochstifts Halberstadt Matthias von Oppen 1596—1608 hrsg.

---

*) vgl. auch no. 58 Grillenmair, 125 Nunnenbeck.

von G. A. von Mülverstedt. Magdeburg, Baensch 1894. XXXII,
483 s.

rec. G. Liebe, Zs. d. Harzvereins 28 (1) 394.

Paracelsus. 128. K. Sudhoff, Gedanken eines unbekannten
anhängers des Theophrastus Paracelsus von Hohenheim aus der
mitte des 16. jahrhs. über den jugendunterricht. Mitt. d. ges.
f. d. erziehungs- und schulgeschichte 5 (2).

über die anonyme Cyclopaedia Paracelsa christiana (1583).

129. K. Sudhoff, Versuch einer kritik der echtheit der
Paracelsischen schriften 1. Berlin, Reimer 1894. XIII, 722 s. 18 m.

rec. J. Pagel, Gött. gel. anz 1895 (1). O. Hartwig, Cbl. f.
bibl.-wesen 12, 130—132. Lit. cbl. 1895 (1) 7 f.

130. F. Hartmann, Theophrastus Paracelsus als mystiker.
(Mitt. d. ges. f. Salzb. landesk. 34.) Leipzig, Friedrich 1894. II,
55 s 2 m.

rec. K. S., Lit. cbl. 1895 (5) 149.

Pauli. 131. A. L. Stiefel, Über das schwankbuch 'Schertz
mit der warheyt'. Arch. f. d. st. d. n. spr. 94 (1) 55—106.

in sorgsamer untersuchung zeigt S., dass das 1550 erschienene
schwankbuch auf einer 1545 erschienenen kürzenden bearbeitung
von Paulis 'Schimpf und ernst' beruht, die 133 nummern aus Pauli
und 112 aus Bebel, Erasmus, Poggio, Reineke Vos, Gast u. a. enthält. der anonymus von 1550 hat 18 erzählungen seiner vorlage
weggelassen und 67 aus Gast, Bebel, Boccaccio und Petrarca hinzugefügt.

Pellikan. 132. H. Menges, Wer hat das wörterverzeichnis in
Adam Petris nachdruck des neuen testamentes aufgestellt? Zs. f.
d. d. unterr. 9 (7).

Plieningen. 133. Ad. Schmidt, Mitteilungen aus deutschen
hss der grossherzogl. hofbibliothek zu Darmstadt I. Zs. f. d. phil.
28 (1) 17—26.

bericht über eine hs., die 13 von Dietrich von Plieningen
1516—1517 verdeutschte schriften Senecas enthält; Hartfelder
kannte 1884 nur zwei davon aus andern quellen. abgedruckt
werden P.'s beachtenswerte bemerkungen über die interpunktions-
zeichen. — vgl. abt. 14, 15.

134. K. Vilmar, Ein beitrag zur geschichte der deutschen
interpunktion. — vgl. abt. 4, 65.

Rasser. 135. J. Bolte, Zu Johann Rasser. Zs. f. d. phil.
28, 72. — (nachtrag zu Binz, ebd. 26, 480).

Rebhuhn. 136. F. E. Friess, War Paul Rebhuhn, der erste deutsche kunstdramatiker, aus Waidhofen an der Ips gebürtig? Blätt. d. ver. f. landesk. von Niederösterreich n. f. 28.

Rhenanus. 137. Ph. Losch, Joh. Rhenanus, ein Casseler poet des 17. jahrh. Marburger diss. Leipzig, Fock. VI, 96 s. 1,60 m.

Rinckhart. 138. E. Michael, Martin Rinkhart als dramatiker. diss. Leipzig 1894.

Reuchlin. 139. Th. Distel, Die erste verdeutschung des 12. Lukianischen totengesprächs nach einer urtextlichen hs. von Joh. Reuchlin (1495) und verwandtes aus der folgezeit. Zs. f. vergl. litgesch. 8, 408—417.

nach einer Dresdener abschrift der für Herzog Eberhard von Württemberg angefertigten übersetzung. — rec. Lit. cbl. 1895 (29) 1017 f.

Sachs. 140. A. L. Stiefel, Die Hans Sachs-litteratur zur 400 jährigen jubelfeier. Mitt. d. ver. f. gesch. Nürnbergs 11, 248—281.

Genées biographie erfährt hier eine strenge, aber gerechte abfertigung.

141. Hans Sachs, Sämtliche fabeln und schwänke hrsg. von E. Goetze. 2. bd. Halle, Niemeyer 1894. — vgl. jsb. 1894, 15, 137. — rec. A. v. Weilen, Zs. f. d. gymn. 46 (4) 336—338 (zugleich über die technik des einganges). Lit. cbl. 1895 (1) 29 f.

142. Hans Sachs, hrsg. von A. v. Keller und E. Goetze. 22. bd. hrsg. von E. Goetze. Tübingen 1894. 572 s. (Bibliothek des litterar. vereins in Stuttgart 201).

enthält die prosa-dialoge und eine reihe von dichtungen der jahre 1523—1552 (geistliche lieder, historische gedichte, fabeln, schwänke, holzschnitterklärungen, kartenreime etc.), die im drucke oder hsl. erhalten sind, aber in der alten gesamtausgabe fehlen. ausgeschlossen sind die meisterlieder.

143. Hans Sachs, Lobspruch der stadt Salzburg. hrsg. von E. Haueis. Wien, Konegen 1895. — vgl. jsb. 1894, 15, 138. — rec. Zs. f. d. österr. gymn. 46, 618—622.

144. Hans Sachs, Drei fastnachtsspiele. Leipzig, Bibliogr. inst. 50 s. 0,10 m. (Meyers volksbücher no. 1073). — ausgewählte gedichte. ebd. 108 s. 0,20 m. (ebd. no. 1074—1075).

145. Hans Sachs, Eine auswahl seiner dichtungen für das volk von R. Staude. Halle, Schroedel. 1 m.

146. Hans Sachs-forschungen. festschrift. herausgegeben von
A. L. Stiefel. Nürnberg, Raw 1894. — vgl. jsb. 1894, 15, 151.
— rec. B. Seuffert, Gött. gel. anz. 1895 (10) 817—826. K. Drescher,
Euphorion 2, 379—396. 830—839. Creizenach, Lit. cbl. 1895
(14) 499 f. Bolte, Zs. d. ver. f. volksk. 5, 464 f. E. Petzet,
Allgem. ztg. 1895, beil. 288.

147. A. L. Stiefel, Zum 31. fastnachtsspiel des H. Sachs.
Zs. f. vergl. litgesch. 8, 483.

149. A. L. Stiefel, Zwei schwänke des H. Sachs und ihre
quellen. Zs. f. vergl. litgesch. 8, 254—257.
'Der müller mit der katze' auch bei Joh. Gast, Convivales ser-
mones; 'Des schäfers wahrzeichen im Aesop des Camerarius.

149. M. Landau, Die dramen von Herodes und Mariamne.
Zs. f. vergl. litgesch. 8, 174—212. — handelt s. 195—198 über
H. Sachs' tragedia Herodes (1552).

150. E. Sulger-Gebing, Dante in der deutschen litteratur
des 15.—17. jahrhs. Zs. f. vergl. litgesch. 8, 221—253. 453—479.
bespricht s. 455—459 H. Sachs' historie 'Dantes der poet von
Florentz' (1563), s. 464 f. Albertinus und Messerschmid.

151. D. B. Shumway, Das ablautende verbum bei Hans
Sachs. ein beitrag zur formenlehre des deutschen im 16. jahrh.
diss. Einbeck (Göttingen, Vandenhoeck u. Ruprecht). 149 s.
3,60 m.

152. J. Amerlan, Hans Sachs. ein lebensbild. (Hans-Sachs-
kalender 1895). Nürnberg, Raw. 16 s. 4°. 0,20 m.

153. F. Bardachzi, Hans Sachs. ein lebensbild. Prag,
Haerpfer. 27 s. 0,40 m. (Sammlung gemeinnütziger vorträge
no. 194).

154. J. Nover, Hans Sachs. [Sammlung gemeinverständl.
wisssensch. vorträge no. 229.] Hamburg, verlagsanstalt. 58 s. 1 m.
oberflächlich und unselbständig im urteil; Hagens Norica
werden wie eine historische quelle benutzt.

155. A. Nicoladoni, Hans Sachs und die reformation.
Monatsh. der Comenius-ges. 3, 279—290.

156. Riggauer, Eine medaille von Hans Sachs. Mitt. der
bayer. numismat. ges. 13, 110—113.

157. Gg. Hch., Ein neues porträt des Hans Sachs. Illustr.
ztg. no. 2679.

158. O. v. Heinemann, Hans Sachs und sein kätzchen. Grenzboten 54, 4, 168 ff.

159. Alb. Richter, Ein nachwort zur Hans Sachs-feier. Grenzboten 53, 4, 373 ff.

160. E. Heilborn, Hans Sachs. Die Nation 12 (5).

161. E. Vanderstetten, Hans Sachs. Deutsche bühnengenossenschaft 1894, 362—364. 378.

162. A. Lesimple, Hans Sachs. Musikal. rundschau 9 (20).

163. O. Bie, Hans Sachs. Allgem. musikztg. 21 (22).

164. R. Fürst, Hans Sachs. Bericht der lesehalle der deutschen studenten in Prag über 1894. — Bohemia 1894, no. 336.

165. L. Lier, Zum jubiläum des Hans Sachs. Deutsche dramaturgie 1 (2).

166. R. Friedrich, Hans Sachs. Blätt. f. litt. unterh. 1894 (44).

167. J. Sahr, Zu Hans Sachs II. leben und wirken des Hans Sachs. Zs. f. d. d. unterr. 9 (10) 670—707.

168. Levissohn, Der politiker Hans Sachs. Neue revue 5 (47).

169. F. Violet, Hans Sachs und seine bedeutung für unsere litteratur und sprache. Mitt. d. d. sprachver. Berlin 6 (2) 17—21.

170. J. Minor, Hans Sachs. Wiener ztg. 1894, 4. nov.

171. S. M. Prem, Zum Hans Sachs-jubiläum. Bote für Tirol und Voralberg 1894 (253. 254).

172. Th. Hampe, Die Hans Sachsfeier in Nürnberg. Zs. f. d. d. unterr. 9 (2).

173. F. Bauer, Hans Sachsens gespräch 'Die neun gab Muse' und Goethes 'Hans Sachsens poetische sendung'. Chronik d. Wiener Goethever. 9 (1).

174. A. Kopp, Hans Sachsens ehrensprüchlein. Zs. f. d. d unterr. 9, 600—607.
der reim 'Hans Sachse war ein schuh-macher und poet dazu' wird in einem um 1783 verfassten guckkastenliede 'Das ist der schöne leichenzug' nachgewiesen.

175. Hans Sachs, der meistersänger als evangelischer zeuge. dramatische scene verf. von einem Nürnberger geistlichen. Nürnberg, Raw. 19 s. 0,35 m.

176. Rud. Genée, Hans Sachs. ein festspiel. in zwei abteilungen. Berlin, Entsch. 46 s. 0,80 m. — dasselbe, ein Nürnberger festschauspiel. Nürnberg, Raw. 78 s. 0,80 m.

177. E. A. Gutjahr u. F. A. Geissler, Hans Sachs in
Leipzig. festspiel. musik von F. Th. Cursch-Bühren. Leipzig,
Pöschel u. Trepte. 39 s. 0,75 m.

178. E. Hermann, Hans Sachsens herbstglück. dramatische
scene. Lahr, Schauenburg. 14 s. 0, 30 m.

Schan. 179. J. Bolte, Georg Schans gedichte vom Niemand.
Zs. f. vergl. litgesch. 9, 73—88.

teilt neben einigen bearbeitungen des jsb. 1894, 15, 162. erwähnten gedichts auch ein 1533 von Schan zu Strassburg ge-
dichtetes flugblatt 'Der wolredendt Niemant' mit, das die protestantische lehre darlegt und in England als 'The welspoken Nobody'
bearbeitet wurde.

Schauspiel.*) 180. R. Froning, Das drama der reformationszeit. Stuttgart, Union. XXII, 426 s. 2 m. (= Kürschners
Deutsche nationallitteratur bd. 22).

enthält: Gengenbach, Die totenfresser. Manuel, Der ablass-
krämer. Waldis, Der verlorene sohn. Rebhuhn, Susanna. Nao-
georg, Pammachius. Heinrich Julius von Braunschweig, Vincentius
Ladislaus. — vgl. abt. 17, 49.

181. Schweizerische schauspiele des 16. jahrh. hrsg. v. J. Bächtold. 3. bd. Frauenfeld 1893. — vgl. jsb. 1894, 15, 164. — rec.
L. Fränkel, Litbl. 1895 (1) 5 f.

182. R. Schwartz, Esther im drama des reformationszeitalters. Oldenburg, Schulze 1894. — vgl. jsb. 1894, 15, 173. —
rec. P. Bahlmann, Zs. f. d. phil. 28, 398 f. A. v. Weilen,
Euphorion 2, 396—398. H. Holstein, Zs. f. vergl. litgesch. 8,
427—429.

183. W. Köppen, Beiträge zur gesch. der weihnachtspiele.
Paderborn 1893. — vgl. jsb. 1894, 15, 163. — rec. R. Kralik,
Österr. litbl. 1895 (11) 344 f.

184. J. E. Wackernell, Die ad. passionsspiele in Tirol.
Wien 1894. — vgl. jsb. 1894, 15, 167. — rec. W. Hein, Zs. f.
österr. volksk. 1 (2) 59 f. R. Kralik, Österr. litbl. 1895 (7) 218.

---

*) vgl. auch no. 1 Creizenach, 41 Egl, 114 Manuel, 118 May, 135 Rasser,
136 Rebhuhn, 137 Rhenanus, 138 Rinckhart, 144 Hans Sachs, 189 Schernberk,
196 Tharaeus, 197 Türckis.

185. J. Bolte, Das Danziger theater im 16. und 17. jahrh. Hamburg, Voss. XXIII, 296 s. 7 m. (Theatergeschichtliche forschungen hrsg. von B. Litzmann 12).

das buch bietet eine annalistische zusammenstellung des reichen archivalischen materials über die Danziger theatergeschichte von 1522—1733. im vorworte giebt B. einen überblick über die drei entwicklungsstufen: die schauspiele der jungen bürger und handwerksgesellen, die um 1560 beginnenden schulkomödien und die bald darauf erscheinenden stadtfremden puppenspieler und wanderkomödianten. angehängt hat er zwei bisher ungedruckte prosabearbeitungen englischer dramen: Tiberius von Ferrara und Anabella von Mömpelgart (nach Marstons Parasitaster) und Der stumme ritter (nach Machins Dumb knight) mit dem zwischenspiele vom wunderthätigen steine, die in Danziger hss. aus der mitte des 17. jahrh. erhalten sind.

186. J. Bolte, Die singspiele der englischen komödianten. Hamburg 1893. — vgl. jsb. 1894, 15, 176. — rec. G. Ellinger, Zs. f. d. phil. 28, 402 f. M. Koch, Zs. f. vergl. litgesch. 8, 493 f. R. Arnold, Neue revue 5, 1, 184 f.

187. F. J., Schauspielaufführung in Chur (1541 'den richen man mit dem Lazaro'). Anz. f. schweiz. gesch. 25.

H. Gradl, Deutsche volksaufführungen. vgl. abt. 10, 423.

188. J. Schwering, Zur geschichte des niederländischen und spanischen dramas in Deutschland. Münster, Coppenrath. 2 bl., 100 s. 2 m.

giebt u. a. nachricht von besuchen nld. rederijker in Aachen, Münster, Hamburg. — rec. Bolte, Litztg. 1895 (41) 1295 f. vgl. abt. 19, 28.

Schenk. Roth, vgl. oben 15, 60.

Schernberk. 189. Hugo Zürner, Ein neues lustspiel von frau Jutten . . . gemacht a. d. 1480 von einem messpfaffen, benamset Schernberk, jetzt aber neuerlich gefunden, in schöne hochdeutsche reime gebracht etc. Zürich, Verlagsmagazin. 90 s. 1,50 m.

den titel entlehnt der offenbar pseudonyme verfasser dem drama Schernberks; alles andre aber ist eine unappetitliche mischung von eigenen unflätereien und satirischen angriffen auf moderne zustände im stile von O. Panizzas berüchtigtem 'Liebeskonzil'. mit unserm jahresberichte hat also das buch nichts zu schaffen.

Schweinichen. 190. Hans v. Schweinichen, Merkbuch. hrsg. von Konr. Wutke. Berlin, Stargardt. XXXVIII, 273 s. 12 m.

betrifft die ceremonialien höfischer festlichkeiten. — rec. Lit. cbl. 1895 (24) 845.

logische übersicht der dichtungen, 507 über seine vorbilder, 511
über seine metrik und (521) sprache; endlich 537 ein verzeichnis
der gedicht-anfänge. — vgl. jsb. 1894, 15, 226. — rec. E. Schröder,
Deutsche rundschau 1895 (dez.) 478 f.

Weltliches lied. 214. Rud. Bäumer, Untersuchungen über die
Bergreihen von 1531, 1533, 1536 und 1537. diss. Jena, H. Pohle.
43 s. 1 m.

durch eine vergleichung der vier Zwickauer und Nürnberger
drucke stellt B. fest, dass die ausgabe von 1536 andere quellen
zur besserung des textes heranzog. die ursprüngliche gestalt der
lieder und die änderungen des ersten herausgebers sucht er durch
benutzung anderer hsl. und gedruckten überlieferungen zu ermitteln.

215 John Meier, Ein irrtum in Goedekes Grundriss
(2, 32 no. 13: Gassenhawer und reutterliedlein). Paul-Braune,
Beitr. 20 (1. 2) 342 f.

216. John Meier, Zu Beitr. 18, 572. ebd. 20, 575 f.

das lied von st. Grobian ist von Aeg. Albertinus und in der
Bierelogia (um 1690) benutzt.

217. Ad. Schmidt, Ein sammelband deutscher lieder a. d.
jahr 1529 in der grossherzoglichen hofbibliothek zu Darmstadt.
Cbl. f. bibl.-wesen 12 (2. 3) 113—130.

19 druckblätter in folio, von denen nur einige von Ph. Wackernagel benutzt sind, werden hier beschrieben und teilweise abgedruckt.

218. P. Stötzner, Ein geschriebenes liederbuch des 16. jahrh.
Euphorion 2, 294—304.

aus einer 47 vier- und fünfstimmige lieder enthaltenden
Zwickauer hs., die 1570—1575 von einem Leipziger studenten
Matth. Neander geschrieben ist, werden sieben bisher unbekannte
texte abgedruckt.

219. Jakob Regnarts deutsche dreistimmige lieder nach art
der neapolitanen nebst Leonhard Lechners fünfstimmiger bearbeitung, hrsg. von Rob. Eitner. Leipzig, Breitkopf & Härtel.
116 s. fol. 15 m. [19. bd. der Publikation älterer prakt. und
theoret. musikwerke.]

die 67 lieder, die der Niederländer Regnart 1576—1579 als
mitglied der Prager hofkapelle im italienischen canzonettenstile
komponierte, erscheinen hier in partitur, während Ditfurth 1876
einen neuen satz dazu geliefert hat; angehängt sind Lechners bearbeitungen von 25 nummern daraus. die texte, deren geschichte

Vannius. 203. P. Tschackert, Valentius Vannius. Allgem. d. biogr. 39, 483 f.

Vehe. 204. W. Bäumker, Michael Vehe. ebd. 39, 529 f.

Vellinger. 205. Roethe, Benedikt Vellinger. ebd. 39, 573.

Venatorius. 206. P. Tschackert, Thomas Venatorius. ebd. 39, 599 f.

Vespasius. 207. E. Bertheau, Hermann Vespasius. ebd. 39, 649.

Vetter. 208. G. M. Dreves, Konrad Vetter. ebd. 39, 664 f.

Vielfeld. 209. L. Keller, Jakob Vielfeld. ebd. 39, 677 f.

Vietor. 210. Metz, Johannes Vietor. ebd. 39, 687 f.

Walasser. 211. N. Paulus, Adam Walasser, ein schriftsteller des 16. jahrh. Katholik 1895, 2, 453—467.

zählt 33 schriften aus den jahren 1552—1581 auf und giebt kurze nachricht von ihrem inhalt.

Warbeck. 212. Die schöne Magelone, aus dem französischen übersetzt von Veit Warbeck 1527. nach der originalhandschrift hrsg. von J. Bolte. Weimar, Felber 1894. LXVII, 87 s. 3 m. [= Bibliothek älterer deutscher übersetzungen, hrsg. v. A. Sauer 1.]

der 1457 geschriebene französische roman ist 1527 von dem magister Veit Warbeck aus Schwäbisch-Gmünd (c. 1490—1534) verdeutscht und seinem ehemaligen zöglinge, dem sächsischen kurprinzen Johann Friedrich, zur vermählungsfeier überreicht worden. B. hat den text nach dem bisher unbekannten autograph Warbecks in Gotha abgedruckt und die abweichungen der 1535 von Spalatin besorgten editio princeps beigefügt. die einleitung handelt über die quellen und die verbreitung des französischen romans, Warbecks leben, das interesse des kursächsischen hofes für die französische litteratur, Warbecks verhältnis zu seiner vorlage, über seine nachfolger und bearbeiter und giebt endlich eine bibliographie aller fassungen und übersetzungen. — rec. A. Hauffen, Zs. f. d. phil. 28, 390—392. A. v. Weilen, Zs. f. d. österr. gymn. 46, 947 f. M. Landau, Zs. f. vergl. litgesch. 8, 266 f.

Weckherlin. 213. G. R. Weckherlins gedichte, hrsg. von Herm. Fischer. 2. bd. Tübingen 1895. VII, 552 s. [= Bibl. des litt. vereins in Stuttgart 200.]

bringt als no. 236—416 die oden und gesänge der ausgabe von 1648. auf s. 462 folgen anmerkungen bibliographischer natur, sowie quellennachweise und erläuterungen; s. 504 eine chrono-

XVI. Englisch.

A. Allgemeines.

1. Suchier und Wagner, Ratschläge für die studierenden des französischen und englischen. — vgl. jsb. 1894, 16, 1. C. Friesland, Arch. f. d. st. d. n. spr. 95 (3) 334 f. stimmt den vf. in manchen punkten nicht zu und glaubt nicht, dass das heftchen erreichen werde, was es erreichen soll, da es zu allgemein gehalten sei.

2. K. D. Bülbring, Wege und ziele der englischen philologie. — vgl. jsb. 1893, 16, 2. — bespr. von W. Wetz, Anglia beibl. 6 (7) 193—196, welcher die 'philosophische richtung' der vfs. rühmt, 'der die probleme gerne bis zu ihrer letzten wurzel verfolgt'.

3. J. M. Garnett, The progress of English philology. American philol. association, proceedings for July, 1894. XXI—XXIII.
ein sehr gedrängter auszug aus einer rede über die fortschritte in den letzten 25 oder 30 jahren.

4. W. V(ietor), Alt- und neuenglisch noch einmal. Die neueren sprachen 3, 63—64. — vgl. jsb. 1894, 16, 3.

5. Englische studien. hrsg. von E. Kölbing. — der inhalt von bd. 17 (1892) und 18 (1893) eingehend bespr. von A. S. Cook, American journal of philol. 15 (1894) 238—247.

6. P. Lange, Übersicht über die im jahre 1891 auf dem gebiete der englischen philologie erschienenen bücher, schriften und aufsätze. supplementheft zur 'Anglia' jahrg. 1894—1895. — 96 s. 1,50 m. — vgl. jsb. 1894, 16, 13.

---

7. C. Stoffel, Studies in English written and spoken. first series. — vgl. jsb. 1894, 16, 111. nach L. Kellner, Anglia beibl. 5 (9) 260 f. 'ein lehrreiches, anregendes, vortreffliches buch'.
eingehend bespr. von G. Tanger, Engl. stud. 22 (1) 96—111. mit zahlreichen ergänzenden und zum teil berichtigenden bemerkungen. nach ihm gehört das buch zu den hervorragendsten der in den letzten jahren auf dem gebiete der englischen sprachforschung erschienenen werke. ergänzende notizen bringt auch die lobende anzeige von J. Koch, Archiv f. d. st. d. n. spr. 94 (2 u. 3) 315—319.

---

8. Dictionary of national biography. edited by S. Lee. — vgl. jsb. 1894, 16, 14.

bd. 41 Nichols—O'Dugan. bd. 42 O'Duina—Owen. bd. 43 Owens—Passelewe. bd. 44 Paston—Percy.

B. Sprachliches.

Wörterbücher. 9. A new English dictionary on historical principles ed. by James A. H. Murray. — vgl. jsb. 1864, 16, 15. part. 7 (*Consignificant—Crouching*), part. 8, sect. 1 (*Crouchmas—Czech*) bespr. von J. M. Garnett, American journal of philol. 15 (1894) 82 mit hervorhebung einiger im wb. fehlender wörter. in dem neu erschienem abschnitt *d—depravation* (von J. A. H. Murray) hebt der herausgeber selbst als besonders interesting hervor die artikel: *derrick, dervish, desk, despot, destrer, Deuce, deed, deem, deep, den, deft, deign, decorum, dell, delve, dempster, deemster den, dene.* von historischem interesse seien u. a.: *Dane-geld, Dane-law, dauphin, decener, decoy, deemster, defenestration, deist, deity, delf, demarcation, demesne, denisse, dengue, denizen, Black-Death, debeture, deck (of a ship), dean, dene-hole* oder *Dane-hole.* — *D—Deject* und *F—Fang* (H. Bradley) bespr. von M. Mann, Anglia beibl. 5 (10) 291 f.

10. J. R. Cl. Hall, A concise Anglo-Saxon dictionary for the use of students. — vgl. jsb. 1894, 16, 17. F. Kluge, Litbl. 1895 (6) 193—195 weist auf mancherlei mängel. nach ihm war der vf. seiner aufgabe nicht gewachsen. es fehle ihm die grammatische bildung und eine klare einsicht in die anforderungen, die ein für studenten brauchbares hilfsbuch zu erfüllen hat u. s. w. günstiger lautet das urteil J. Zupitzas, Arch. f. d. st. d. n. spr. 94 (4) 430—434, der dem vf. bestätigt, 'dass er den anfänger mit einem weit besseren lexikon versehen hat, als er bisher zur verfügung hatte'. doch weist Z. auf mancherlei lücken und berichtigt zahlreiche fehler und irrtümer. nach F. Dieter, Anglia beibl. 6 (6) 161—164 der verbesserung und ergänzung wohl fähig, im ganzen aber brauchbar. einzelne ergänzungen und berichtigungen werden gegeben, ebenso von O. Brenner, Engl. stud. 21, 103—106, der das buch als ein 'höchst willkommenes hilfsmittel für den handgebrauch' bezeichnet. nach dem recensenten der Academy (47) no. 1193, 241 'a work of very considerable merit and usefulness'. Fr. H. Chase, Mod. lang. notes 1895 (2) 100—103 'until the appearance of something better, we can recommend dr. Hall's book as the most complete and generally handy dict. of Old English for

elementary use'. — angez. von V. Henry, Revue critique 1895 (2) 28—30.

11. A. S. Cook, A glossary of the Old Northumbrian gospels. — vgl. ae. denkmäler.

12. Chr. Fr. Grieb's Englisch-deutsches und deutsch-englisches wörterbuch. 10. aufl. neu bearbeitet und vermehrt von A. Schröer. — vgl. jsb. 1894, 16, 22. in lief. 9—16 (bis s. 800) wird das werk, dessen vorzüge a. a. o. hervorgehoben sind, bis *promise* geführt. — lief. 1—8 bespr. mit einigen ergänzungen und berichtigungen von G. Ellinger, Anglia beibl. 6 (1. 2) 9—14, (3) 75—78, der die behandlung der aussprache als gewissenhaft und sorgfältig bezeichnet, die korrektheit der etymologischen angabe rühmt, ebenso die logische anordnung der wortbedeutung und die phraseologie, die viel mehr als in dem älteren werk zur geltung komme.

13. Muret, Encyklopädisches wörterbuch der englischen und deutschen sprache. — vgl. jsb. 1894, 16, 23. lief. 12 (*indigo* bis *kyx*) mit einigen ergänzungen angez. von A. Müller, Arch. f. d. st. d. n. spr. 94 (4) 434. die lief. 16—19 führen das werk bis *set*.

14. J. Schmidt und G. Tanger, Wörterbuch der englischen sprache für hand- und schulgebrauch. unter besonderer benutzung von Flügels allgemeinem englisch-deutschem und und deutsch-englischem wörterbuch bearbeitet. Braunschweig, Westermann [1896]. 1. bd. englisch-deutsch X, 968 s. 2. bd. IX, 1006 s. 10 m.

nach den einleitenden worten, die eine vergleichung durchaus bestätigt, ist Flügels Universal Dictionary (vgl. jsb. 1892, 16, 166) mehr ausgangspunkt als grundlage dieses ausgezeichneten, seinen zwecken trefflich dienenden werkes gewesen, das jedem, der zum handgebrauch eines englischen wbs. bedarf, angelegentlich empfohlen werden kann. da das werk zunächst für den schulgebrauch bestimmt ist, hat die zeit vor Elisabeth keine berücksichtigung mehr gefunden, doch ist der sprachschatz Shakespeares mit aufgenommen worden. auch provinzialismen, besonders amerikanismen, ebenso ausdrücke der technik und wissenschaft werden in geschickter auswahl und, wo es nötig schien, mit kurzen erklärungen gegeben. reichhaltig ist auch der deutsch-englische teil, der zur übersetzung aus dem deutschen eine fülle nützlicher handhaben bietet.

15. J. E. Wessely, Neues englisch-deutsches und deutsch-englisches taschenwörterbuch, 22. aufl. von C. Stoffel und

G. Payn, unter mithilfe von G. Berlit. Leipzig, B. Tauchnitz. VIII, 250 und 338 s. 12⁰. 1,50 m., geb. lwd. 2,25 m.

16. K. ten Bruggencate, Engelsch woordenboek. eerste deel: engelsch-nederlandsch. Groningen, J. B. Wolters. 2,50 fr.
lobend angez. von P. Roorda, Museum (Groningen) 2 (1894) 357 f.

17. J. Ogilvie, The student's English dictionary: literary, scientific, etymological, pronouncing and explanatory. new edition, thoroughly revised and greatly augmented by Charles Annandale. illustr. London, Blackie and son. geb 7 s. 6 d.
Athenæum no. 3524 (1895, 1), 607: 'by far the most useful one-volume English dictionary at present existing'.

18. Lloyd's Encyclopædic dictionary: a new and original work of reference to the words in the English language, with a full account of their origin, meaning, pronunciation and use. with numerous illustrations. London, Lloyd. bd. 1—6 (*A—Tartu*). 4 s. 6 d. der bd.

19. A standard dictionary of the English language upon original plans, designed to give the orthography, pronunciation, meaning and etymology of all the words and the meaning of idiomatic phrases in the speech and literature of the English-speaking peoples. prepared by more than two hundred specialists and other scholars. London, Funk and Wagnalls. vol. 2 M—Z.

20. D. Gardner, A practical dictionary of the English language, giving the correct spelling, pronunciation and definitions of words. chiefly derived from 'Webster's Unabridged dictionary'. edited under the supervision of N. Porter. with nearly 1500 illustrations. London, Routledge. VIII, 634 s.

Phraseologie. 21. Ph. H. Dalbiac, Dictionary of quotations (English). with authors and subjects indexes. London, Swan Sonnenschein and co. 510 s.
alphabetisch nach dem anfangswort der citate geordnete sammlung. genaue angabe der stelle oder verszahl, wo die citate bei den betreffenden autoren zu finden sind, zeichnet das buch aus. doch wäre ein verzeichnis der ausgaben, die D. zu grunde legte, sehr nützlich gewesen. die sammlung ist reichhaltig — auf Chaucer allein fallen 27 citate —, die indices sind übersichtlich. ein zweiter band, die griech. und lat. autoren, ein dritter, die moderne ausländische litteratur behandelnd, werden angekündigt.

22. J. Bartlett, Familiar quotations: a collection of passages, phrases, and proverbs traced to their sources in ancient and modern literature. ninth edition (twenty-fifth thousand). London, Macmillan and co. XV, 1158 s. 6 sh.

eine reiche sammlung 'geflügelter worte', die — mit Chaucer (s. 1—6) beginnend — nicht nur die gesamte englische litteratur, sondern auch die andern litteraturen, diese allerdings nur in über-setzung berücksichtigen. die citate sind breiter als im Büchmann und bestehen oft aus ganzen strophen. auf Shakespeare allein kommen 120 ss. die deutsche litteratur ist sehr stiefmütterlich behandelt. ein ausführlicher index ist beigegeben. — anerkennend bespr. von M. F. Mann, Anglia beibl. 6 (3) 78—80.

Wortforschung. 23. C. C. Uhlenbeck, Etymologisches. P.-Br. beitr. 20, 37—45. 20, 328 f. 563 f. vgl. oben 3, 119—121.

behandelt u. a. ae. *mealt* 'malz', ne. *hurricane*, ae. *seolfor*, *fæst* (ne. *fast*), *mǣw* 'möwe', *salu* 'schmutzig'.

24. G. Ehrismann, Etymologien. II. P.-Br. beitr. 20, 46—65.

vgl. abt. 3, 111. — darunter ae. *styrian*, *storm* ne. *to start*, *startle*, *strut*, ae. *sculdor*, *hlenca*, *lıc*, *lıf*, *sceonca*, *scıæ scēo*, *scınu* 'shin', *hēap*, ne. *scall* 'grind', *swer* 'columna', *crūdan*, *dolg* 'wunde', *poll*, *sceolu* 'schaar'.

25. H. Osthoff, Etymologica. P.-Br. beitr. 20, 89—97.

vgl. 3, 113. aus engl. gebiete wird s. 95 berührt: ne. *fry*, 'fischbrut, roggen'.

26. Osthoff, Ae. *ēanian*. — vgl. abt. 3, 114.

27. F. Dieter, Altenglisch *healstán*. Anglia 18 (2) 291 f. über die bedeutung des von Sweet (Oldest Engl. Texts) falsch gedeuteten wortes.

28. Fr. Tupper, Anglo-Saxon Dæg—Mæl. Publications of the Modern language association of America 10 (2). Baltimore 111—241.

29. F. Chance, 'Arsenic'. Academy 47 (1895) 358. 381. 427.

30. Paget Toynbee, F. Chance, P. M. MacSweeney, The etymology of 'cormorant'. Academy 47 (1895) 339 f. 380 f. 404.

31. J. E. Wülfing, *Croud* ⚊ krächzen? Engl. stud. 21, 188 f. neben to *crow* krähen hat ein verbum to *croud* krächzen be-standen, das W. zuerst aus dem Laud-Troy-Book (wende des 14.—15. jahrhs.) belegt.

32. F. Chance, 'Dinner'. Academy (46) no. 1159, 50 f. no. 1161, 87 f.

franz. *diner* habe seinen ursprung im italien. *desinare*.

33. W. W. Skeat, The etymology of 'dirk'. Academy 47 (1895) 15 f.

dirk 'dolch' sei niederländisch oder niederdeutsch *dirk* < *Diderik* 'dietrich', 'nachschlüssel'.

34. James A. Harrison, Etymology of *even* (*evening*). American journ. of phil. 15 (1894) 496.

will *æfen* aus *af-iend,* part. praes. von einem verb. *afian* 'to ebb' herleiten. und lang *ǣ*?

35. J. W. Bright, The earliest use of the word *geology*. Modern lang. notes 1895 (1) 21.

das wort ist vorgeblich von Richard de Bury zuerst gebildet.

36. A. L. Mayhew, The 'loover' of a hall: its etymology. Academy (46) no. 1177, 424 f. F. Chance, no. 1181, 536 f. P. Toynbee, no. 1181, 537. W. W. Skeat, The etymology of 'louvre', no. 1182, 559. F. Chance, *Lever* = *loover* ebd. (47) no. 1195, 280.

M. zweifelt Skeat's ableitung des engl. *loover*, *louver* (schon Piers Plowman C 21, 288 u. s.) vom franz. *l'ouvert* an und will darin ableitungen von mlat. *lodium* (nach M. = an. *hlóð*, Chance = ahd. *louba*) erkennen. Sk. weist hingegen auf spätlat. *lupara* = *louvre*.

37. R. Gnerlich, Zur abstammung des wortes *pedigree*. Engl. stud. 21, 189—191. vgl. W. W. Skeat, ebd. 21, 448 und Athenæum no. 3511 (1895, 1) 148 f. J. H. Round, Ch. Sweet no. 3518, 409.

G. will das wort auf ein franz. *pied de greffe* zurückführen. Skeat leitet das in den ältesten belegen *pedigrewe* geschriebene wort (endgültig) von franz. *pied de grue* 'foot of a crane' ab, eine bezeichnung, die nach einer in alten stammbäumen üblichen figur sich einbürgerte.

38. F. Kluge, Ne. *Proud—Pride*. Engl. stud. 21, 334 f. K. leitet ae. *prūd*, *prūt* (ne. proud) vom afranz. *proud* nom. *prouts* ab und führt eine reihe anderer lehnwörter aus dem franz. auf, die vor der eroberung ins englische drangen.

39. James Gairdner, 'Salet' and 'salad'. Academy (47) no. 1192, 218.

40. Kolkwitz, Etymologisches. Anglia 17 (3) 406 f.

1. ne. *seen*, ae. *sīene*, *sēne* < urgerm. *saunis* < *sagwnis*, 2. ne. *snail* < urgerm. *snaglaz* (nicht aus *snagilaz*).

41. W. W. Skeat, 'Widdersins'. Academy (46) no. 1172, 306.
das schott, 'in entgegengesetzter richtung' bedeutende wort sei
an. *vithra* (!) + *sins* = adverbialer gen. von an. *sinni.*

42. W. M. Baskervill, The etymology of *Yeoman.* Mod.
lang. notes 1895 (8) 475—478.
will in ae. *geôman* = *iûman*, das ursprünglich die bedeutung
'old man, ancient' haben soll, das etymon des wortes erkennen.

43. J. S. C., A suggested derivation for 'yorker'. Academy
(47) no. 1192, 218. no. 1193, 240. — vgl. A. Lang, no. 1193, 240.

---

44. C. H. P. Inhülsen, Juristische bezeichnungen in der
englischen sprache. Anglia beibl. 5 (9) 266—268.
allgemeine bemerkungen über die übersetzung juristischer urkunden und behandlung einzelner juristischer ausdrücke als *heir*,
administrator, *last will*, *trustee*, *property.* vgl. auch beibl.
5 (11. 12) 338—340 (Englische urkunden); 340—343 (Englische
titulaturen).

45. S. Fallows, A complete dictionary of synonyms and
antonyms, or, synonyms and words of opposite meaning. with an
appendix embracing a dictionary of criticisms, Americanisms, colloquial phrases etc. London, Gay and Bird. 510 s. 3/6.

Namenforschung. 46. G. Binz, Zeugnisse zur germanischen
sage in England. P.-Br. beitr. 20 (1. 2) 144—223.
eine eingehende und wichtige behandlung der ae. namen, die
auf die heldensage bezug haben. — vgl. abt. 10, 62.

47. F. Kluge, Zeugnisse zur germanischen sage in England.
Engl. stud. 21, 446—448.
berichtigungen und ergänzungen zu Binzens aufsatz. vgl. 46.

---

48. A. L. Mayhew, E. W. B. Nicholson, E. McClure,
The etymology of 'Bannauenta', 'Daventry'. Academy 47 (1895)
445 f. 466. 484 f. 507.
Bannauenta, geburtsort St. Patrick's, das N. mit ne. Daventry zusammenbringt. vgl. auch Nicholson, ebd. 47, 402 f.

49. H. Bradley, The derivation of 'Mersey'. Academy (46)
no. 1178, 449.

50. A. Kluyver (adapted from the Dutch by A. E. H. Swaen,
vgl. Tijdschr. voor nederl. taal- en letterk. 14, 53—64), Caliban.
Engl. stud. 21, 326—328.

versuch einer deutung des names in Shakespeare's Tempest.
vgl. auch F. J. Furnivall, Academy (47) no. 1196, 298.

51. G. Sarrazin, Der name Ophelia. Engl. stud. 21, 443—446.
S. erklärt den namen für irisch.

52. A. L. Mayhew, The etymology of 'Shottery'. Academy
(47) no. 1207, 525 f. — vgl. E. McClure, no. 1208, 546.

53. Annie W. Whitney, The Ell and Yard. Mod. lang.
notes 1895 (7) 403—406. name eines sternbildes (Orion).

---

54. H. Barber, British family names: their origin and meaning. — vgl. jsb. 1894, 16, 67.
bespr. von J. Taylor, Academy (46) no. 1162, 98 f. 'absur-
dities bristling on every page', 'not only useless, but positively
misleading'.

55. B. E. Smith, The cyclopædia of names: a pronouncing
and etymological dictionary of names in geography, biography,
mythology, history, ethnology, art, archæology, fiction etc. London,
T. Fisher Unwin. 1088 s. 42 sh.

Dialekte des neuenglischen, slang. 56. Br. Matthews, Another
note on recent briticisms. Mod. lang. notes 1895 (8) 449—450.
betont die notwendigkeit eines wbs. der briticismen, da es
viele ausdrücke gäbe, die nur auf den brit. inseln heimisch wären.
einzelne werden angeführt.

57. Dialect notes. published by the American dialect society.
Boston, Cushing. part. 7. — angez. Academy (46) no. 1182, 560 f.

58. F. H., A. Lang, G. Newcomen, Americanisms. Academy 47 (1895) 126 f. 193. 278 f. 317.
für und gegen die aufnahme von amerikanischen ausdrücken
und solchen, die als amerikanisch gelten (*truthful* in der bedeutung
veracious, scientist = a cultivator of science in general u. a.).

---

59. A. J. Wilson, A glossary of colloquial slang and
technical terms in use in the Stock Exchange, and in the money
market. London, Wilson and Milne. 210 s. 3 sh.

60. H. L. und G. Newcomen, 'A hole in the ballet'. Academy 47 (1895) 173. 194.
irischer slangausdruck.

Sprachgeschichte und grammatik (über die sprache einzelner denkmäler vgl. unten ae. und me. denkmäler, no. 123 ff.). 61. O. Jespersen, Progress in language with special reference to English. — vgl. oben 3, 22 und jsb. 1894, 16, 87. 88. — J. Ellinger, Engl. stud. 21, 99—101 erkennt den hauptwert des buches in den kapiteln 6, 7 und 8, worin J. zeige, dass 'alle veränderungen des englischen seit der ältesten zeit nur den zweck hatten, es zu einem einfacheren und bequemeren werkzeuge des menschlichen geistes zu machen'.

62. A. Schröer, Über historische und deskriptive englische grammatik. Verhandlungen der 42. versammlung deutscher philologen und schulmänner in Wien 1893. Leipzig, Teubner 1894, s. 466—477. — vgl. jsb. 1893, 16, 284. K. Luick, Über die bedeutung der lebenden mundarten für die engl. lautgeschichte. ebd. s. 477—484; vgl. jsb. 1894, 16, 89. A. Pogatscher, Chronologie des ae. i-umlauts. ebd. s. 484—490; vgl. jsb. 1894, 16, 97.

63. O. F. Emerson, The history of the English language. London u. New York, Macmillan and co. 1894. XII, 415 s. 6 m. — lobend angez. von Ch. F. McClumpha, Mod. lang. notes 1895 (2) 105—109, von J. Ellinger, Engl. stud. 22 (1) 72 f., von J. Sch., Lit. cbl. 1895 (25) 954 f., wonach sich das werk dadurch vorteilhaft von den meisten englisch geschriebenen büchern ähnlicher art auszeichnet, dass es eingehend auf die deutschen forschungen bezug nimmt und auch die neuesten resultate derselben berücksichtigt.

64. U. Lindelöf, Grunddragen af engelska språkets historika ljud- och formlära. Helsinfors, Hagelstam. IV, 108 s.
ein klarer, nur die hauptsachen berührender abriss der historischen grammatik des englischen: 1. stellung des englischen in den indogermanischen sprachen. 2. altenglisch: dialekte, vokale, konsonanten, deklination (§ 46, im paradigma für schw. m. wird *wiga* 'kämpfer' mit *ƨ* angesetzt?), konjugation. 3. einwirkung fremder sprachen, des kelt., nord., lat. (als etymon von *prēost* hätte nicht ohne weiteres griech.-lat. *presbyter* angegeben werden sollen) und des französischen. 4. entwickelung der sprache seit 1100 (mittelengl. dialekte, die hauptsächlichsten texte, das wichtigste aus der entwickelung der vokale, konsonanten und flexion).

65. R. Morris, Historical outlines of English accidence comprising chapters on the history and development of the language, and on word-formation. revised by L. Kellner, with the assistance of H. Bradley. London, Macmillan and co. XIII, 463 s. 6 sh.

Kellners arbeit an diesem vielbenutzten buche ist besonders der lautlehre zu gute gekommen, die mannigfache ergänzungen und besserungen erfahren hat. zur einführung in die historische laut-, formen- und wortbildungslehre ist das reichhaltige werk recht geeignet, das in 20 kapiteln über die sprachfamilien, allgemeine phonetik, german. sprachen, geschichte der engl. sprache, altengl. dialekte, perioden der engl. sprache, geschichte der engl. laute, orthographie, accente, etymologie und die einzelnen wortarten, wortbildung und komposition belehrt. im einzelnen lassen sich viele ausstellungen machen. was z. b. über die angelsächs. dialekte gesagt wird, ist wenig zureichend. s. 86 *gǣs, gerǣfa* sind nicht westsächs. formen, die schlechten, auf ausgleichung beruhenden formen *niman, nǎm, nǎmon* hätten nicht erwähnt, noch viel weniger aber als paradigma für das starke verbum angesetzt werden sollen (vgl. s. 378). geradezu scherzhaft aber ist das durch alle kasus flektierte got. *augtō, augtins, augtin* s. 352 als parallele zu ae. *ēage* (für got. *augō*).

66. L. Kellner, Historical outlines of English syntax. — vgl. jsb. 1894, 17, 84. angez. mit einigen änderungsvorschlägen von F. Holthausen, Anglia beibl. 5 (11. 12) 321 f.

67. V. Henry, A short comparative grammar of English and German. London, Swan Sonnenschein and co. — übersetzung des jsb. 1894, 16, 82 angezeigten buches. angez. Academy (46) no. 1171, 283. gelobt mit einigen ergänzungen und berichtigungen von J. Ellinger, Anglia beibl. 6 (8) 238—241.

68. Ch. P. G. Scott, English words which hav gaind or lost an initial consonant by attraction. third paper. Transactions of the American. philol. assoc. 25 (1894) 82—139.

vgl. jsb. 1894, 16, 92. der dritte artikel behandelt attraktion von *ch* in me. *icham*, 'ich bin', *ichabbe, ichave* 'ich habe', *ichadde* 'ich hatte', *ichulle, ichil* 'ich will', *chont* ⟨ *ich won't, i cholde* ═ *ich would* u. ä., *everichone* ═ *everich one.* verlust von *sh* im anlaut: *fleshamels* für *fleshsham(b)les*, schwund von *th: North Riding* ⟨ *North Thriding* (an. *þriðjungr, þridungr*), hinzufügung von *l: logie* abstrahiert aus *kill-ogie*, hinzufügung von anlautendem *w, y*, von *p, b* in zahlreichen namen. s. 106 - 135 bietet ergänzungen zu den früher behandelten fällen von attraktion und verlust von *n* im anlaut. zum schluss stellt der vf. des lehrreichen aufsatzes allgemeine thesen über etymologische untersuchungen auf.

69. Edwin W. Bowen, The *ie*-sound in accented syllables in English. American journ. of philol. 25 (1894) 51—65.

ws. *ie, ie* lebe als diphthong im me. nirgends fort. ein neues *ie* entstehe me. im kent. vf. handelt dann über den phonet. wert der schreibung *ie* bei Chaucer und in späterer zeit.

70. John Morris, On the development of diphthongs in Modern English from OE. î and û. American. journ. of philol. 25 (1894) 73—76.

bemerkungen über die ne. aussprache der diphthonge und entwicklung dieser aussprache.

71. E. Einenkel, Die wortstellung im englischen nebensatze. Anglia 17 (4) 515—520. Die englische wortstellung II. Anglia 18 (2) 141—168.

I. über die setzung gewisser satzteile entgegen der gewöhnlichen wortstellung an den anfang des nebensatzes, nach E. auf den einfluss des altfranz. zurückzuführende konstruktionen. II. inversion des subjekts im alt-, mittel- und neuenglischen haupt- und nebensatze, unregelmässige stellung der zahlwörter und sonstige abweichungen von der gewöhnlichen wortstellung.

72. F. Chance, The use of 'a' = certain pronouns of the third person. Academy 47 (1895) 126 f.

zusammenstellung von me. *a* für *he* (seltener für *she they*), mit afr. *a* für *elle*, deutsch *a* für *er*, ital. *a* für *egli*, die damit garnichts zu thun haben.

―――――――

73. P. J. Cosijn, Kurzgefasste altwestsächsische grammatik. vgl. jsb. 1893, 16, 297. mit geringen ausstellungen gelobt von E. Nader, Engl. stud. 21, 101—103.

74. Ed. Sievers, Abriss der angelsächsischen grammatik. Halle, M. Niemeyer. (Sammlung kurzer grammatiken germanischer dialekte hrsg. von W. Braune. C. no. 2.) I, 56 s. 1,50 m.

als grundlage für vorlesungen bestimmt, weswegen den ags. paradigmen die altsächsischen zur seite gestellt sind. in der lautlehre geht S. vom Urgermanischen, nicht wie in der grösseren grammatik vom Westgermanischen aus. ein übersichtlicher und klarer abriss, im ersten teil freilich durch die notwendigkeit möglichst kurz zu sein, mehr eine buchstaben- als eine lautlehre, was bei der behandlung der gutturalen und palatalen auffällt. gelobt von K. Luick, Anglia beibl. 6 (5) 129—133 'in bezug auf prägnanz kann das buch als muster hingestellt werden'. doch hätte L. einige einleitende bemerkungen über die verschiedene dialekte über die lautung der schriftzeichen und einen index gewünscht. gelobt von E. Nader, Engl. stud. 22 (1) 73 f.

75. James W. Bright, An outline of Anglo-Saxon grammar, published as an appendix to 'An Anglo-Saxon Reader'. London, Swan Sonnenschein and co. s. IX—LXXIX.

das büchlein, wie die paginierung zeigt, bestimmt des vfs. Anglo-Saxon reader beigeheftet zu werden, giebt eine laut- und formenlehre des Altwestsächsischen im anschluss an Sievers' grammatik. auf die lautlehre kommen nur 13 s.; schwierige fragen, wie einfluss des *w* auf den vorhergehenden vokal und die unbetonten vokale sind überhaupt nicht behandelt; eingehender und recht klar und übersichtlich dargestellt ist die formenlehre.

76. Albert S. Cook, Exercises in Old English based upon the prose texts of the author's 'First Book in Old English'. Boston, Ginn and co. IV, 68 s. 1,60 m.

neuengl. ausdrücke und sätze zum übersetzen ins Altenglische mit einem engl.-altengl. wörterbuch. — angez. von J. Ellinger, Anglia beibl. 6 (8) 234 f.

77. W. van Helten, Grammatisches. P.-Br. beitr. 20 (3) 506—525.

vgl. abt. 3, 83. 18, 21. für das engl. kommen besonders in betracht: XXXI. zur behandlung von **aw²j* und *iw²j* im wgm., XXXII. ae. *sāwle*, XXXIII. zur westgerm. erweichung der alten im inlaut stehenden stimmlosen spiranten. XXXIV. zur afries. und ags. flexion der *u*-stämme.

78. O. Brenner, Zur aussprache des angelsächsischen. P.-Br. beitr. 20 (3) 554—559.

über die aussprache der diphthonge, besonders der durch vorhergehenden palatal entstandenen.

79. F. A. Wood, Apparent absence of umlaut in O. E. Mod. lang. notes 1895 (6) 347—350.

über den langen vokal in *ŏrēagean, frēa, ēowan* und in den verben *blāwan, cnāwan, blōwan* u. ä.

80. J. E. Wülfing, Die syntax in den werken Alfreds des grossen. — vgl. jsb. 1894, 16, 101. — bespr. von F. H. Chase, Mod. lang. notes 1895 (7) 421—429: 'The book has some faults, one of which, the absence of general philosophical statements regarding the history and nature of the phenomena, will prevent its taking its place, even temporarily, as a handbook of O. E. syntax for general use. but, as a treasury of syntactical facts, a storehouse of excellently classified examples, it is deserving of the highest praise'. gelobt von R. W(ülker), Lit. cbl. 1895 no. 32, 1133 f.

81.   J. H. Gorrell, Indirect discourse in Anglo-Saxon. Publications of the Mod. lang. assoc. of America edited by J. W. Bright 10 (3) 342—485.

82.   A. S. Cook. The Old English optative of unexpectant wishing.   Mod. lang. notes 1895 (1) 56.

hinweis auf einen satz der Cura pastor. *eala, wǣre hē auðer, oððe hat oððe ceald.*

---

83.   W. Heuser, Nachtrag zu Anglia neue folge 5, 69 ff. (vgl. jsb. 1894, 16, 105). Anglia 18 (1) 113. — W. Heuser, Offenes und geschlossenes *ee* im schottischen und nordenglischen. Anglia 18 (1) 114—128.

§ 1 die *ee*-reime in Wallace (in den endungen *eed, eer, eel, een, eet, eez, ees, eest, ecp, eeve, eef,* auslautendes *ee*). § 2. die *ee*-reime in Henrisone's fabeln. offenes und geschlossenes *ee* sind in beiden denkmälern genau geschieden.

84.   F. Holthausen, Die englische aussprache bis zum jahre 1750 nach dänischen und schwedischen zeugnissen. I. [Göteborgs Högskolas årsskrift 1895, IV]. Göteborg, Wald. Zachrissons boktryckeri.   22 s.

H. stellt die angaben über die englische aussprache zusammen, die der Norweger Fred. Bolling, der Kopenhagener Henr. Gerner und der Fühner Ch. L. Nyborg in ihren ende des 17. jahrhs. erschienenen elementarbüchern bieten.   die vokale und konsonanten werden einzeln besprochen und texte (das vaterunser und Esaias 60, 1—10) nach der umschrift der gewährsleute gegeben.

85.   C. A. Ljunggren, The poetical gender of the substantives in the works of Ben Jonson. Lund 1892. 63 s. 4°.

untersucht nach Sterns vorgang (über das pers. geschlecht unpersönlicher substantive bei Shakespeare, Dresden 1881) das geschlecht der substantive bei B. J., vgl. F. Holthausen, Litbl. 1895 (1) 14 f.

---

86.   A. E. H. Swaen, *To shrink, to sing, to drink, to sink, to begin, to spin, to ring, to spring.* Anglia 17 (4) 486—514.

über den vokal im praeter. und part. dieser verben im ne., mit zahlreichen belegen aus modernen autoren.

87.   H. Bradhering, Das englische gerundium. progr. Emden. 17 s.

88.   G. Caro, Distributives *the.* Die neueren sprachen 3, 127 f. über ausdrücke wie *6 d. in the pound.*

89. R. O. Williams, *Only* — adversative. — misplacement of adverb. Mod. lang. notes 1895 (3) 131—136. vgl. auch (5) 318 f.

belege aus älteren und neueren autoren für adversatives *only* (*do what you like, only don't miss the train*); über die stellung von *only* im satz, vgl. hierüber auch Fred. N. Scott, ebd. (7) 392—401.

90. J. Ellinger, Zu dem gebrauche des infinitivs nach *to dare*. Engl. stud. 21, 195—197.

ergänzung zu Swaen's studie (jsb. 1894, 16, 119) über den gebrauch des inf. mit oder ohne *to* nach *to dare*.

91. J. Ellinger, Beiträge zur syntax des 'Victorian English'. Zs. f. d. realschulw. 20, 3.

Phonetik (vgl. abt. 3, 1—10). 92. J. Storm, Englische philologie. 1. die lebende sprache. 1. abt.: phonetik und aussprache. — vgl. jsb. 1894, 16, 120. — eingehend bespr. von J. R. Lloyd, Die neueren sprachen 3, 48—53. 91—103. 240—251.

93. Ch. W. P. Scott, Omission as a means of phonetic representation. American philological association, proceedings for July, 1894. s. XI—XVIII.

bemerkungen zur aussprache und schreibung von ne. *burgh, eighth, one, once, —le; —re, —'s, ĭ, ū, ou, ch, j, g, t* vor *i, oi.*

94. H. Sweet, A primer of spoken English. second ed., revised. Oxford, Clarendon press. 3/6. — vgl. jsb. 1892, 16, 288.

95. R. Alezais, Traité de prononciation anglaise. Paris, C. Klincksieck. 278 s. 3 fr. 50 c.

bespr. von J. Ellinger, Anglia beibl. 6 (8) 235—238. das buch wird, besonders wenn die demselben noch anhaftenden ('sehr bedenklichen und zahlreichen') mängel berichtigt werden, den Franzosen gute dienste leisten.

96. Swoboda, Die englische und deutsche betonung der composita. Zs. f. d. realschulw. 20, 2.

Orthographie. 97. E. H. Lewis, The history of the English paragraph. a dissertation presented to the faculty of arts, literature, and science, of the university of Chicago, in candidacy for the degree of doctor of philosophy. Chicago, The university of Chicago press. 1894. 200 s. 50 cents.

anerkennend angez. von F. Pabst, Anglia beibl. 5 (11. 12) 322 f. danach behandelt kap. 1 die verschiedenen graphischen und

typischen paragraphenzeichen vom griechischen altertum an, 2. die
bisherigen theorien über diese zeichen oder die durch einrückung
der ersten zeile kenntlich gemachten textabschnitte, 3—8 die allmähliche entwickelung dieser textabsätze in der englischen prosa
dazu anhangweise: bemerkungen über den textabsatz in der me.
poesie. gelobt von O. Glöde, Engl. stud. 21, 141—145. 'der vf.
hat mit grossem geschick aus der masse der einzelheiten allgemeine sätze abzuleiten verstanden'.

Metrik (vgl. oben 3, 122—135). 98. J. Schipper, Grundriss
der englischen metrik. [Wiener beiträge zur englischen philologie
unter mitwirkung von K. Luick und A. Pogatscher, hrsg. von
J. Schipper, II]. Wien und Leipzig, W. Braumüller. XXIV,
404 s. 12 m.

das Felix Dahn gewidmete werk ist im wesentlichen ein auszug aus des vfs. grösserer 'englischer metrik', Bonn 1881—1888.
nach einer allgemeinen einleitung zur verslehre (begriff der metrik,
takt und rhythmus, quantität und accent, bedeutung derselben für
den versbau, der reim und seine hauptarten) behandelt S. die
allitterierende langzeile. in der darstellung derselben schliesst er
sich jetzt ganz an Sievers an, und in der behandlung der 'einheimischen
metra' in der me. poesie folgt er dem in Sievers' spuren wandeln-
den Luick. ref. erkennt darin einen vorzug, doch hätte er gewünscht, dass der behandlung und kritik der entgegenstehenden
theorien etwas mehr raum gewährt worden wäre, als es § 6 geschieht. den fremden metren ist der 2. teil gewidmet, in dem nach
einer allgemeinen charakteristik der gleichtaktigen metra, vers-
rhythmus, silbenmessung, me. ne. wortbetonung und in einem
2. abschnitt A. die der me. und ne. zeit gemeinsamen versarten B.
die nur in der ne. zeit vorhandenen versarten besprochen werden.
das 2. buch behandelt in durchsichtiger und klarer weise den
strophenbau (s. 267—392). ein verzeichnis der benutzten ausgaben
und ein namen- und sachregister sind dem nützlichen und jedem
studierenden und freunde der englischen poesie zu empfehlenden
handbuch beigegeben. — lobend angez. von A. Schr(ö)er), Lit. cbl.
1885, no. 51, 1838 f.

99. M. Kaluza, Studien zum altgermanischen allitterationsvers. I. der altenglische vers. 1. teil: kritik der bisherigen
theorien. 2. die metrik des Beowulfliedes. — vgl. jsb. 1894, 16,
136 und oben 3, 130. — auch bespr. von P. J. Cosijn, Museum
(Groningen) 2 (1894) 353 f.

100. M. Kaluza, Die schwellverse in der altenglischen dichtung. Engl. stud. 21, 337—383.

K. geht die bisher aufgestellten theorien über den schwellvers durch, die ihn sämtlich nicht befriedigen, und kommt dann nach einer zusammenstellung sämtlicher in der ae. poesie vorkommenden verse dieser art zu dem ergebnis, dass die schwellverse als (vierhebige) normalverse mit erweitertem auftakt anzusehen seien.

101. F. Graz, Die metrik der sogenannten Cædmonschen dichtungen, mit berücksichtigung der verfasserfrage. — vgl. jsb. 1894, 16, 137 und oben 3, 131 (wo Graz zu lesen ist). nach M. Trautmann, Anglia beibl. 6 (1. 2) 1—4. 'eine fleissige arbeit, deren ergebnisse unter der voraussetzung, dass die. untersuchten stücke im wesentlichen in ihrem ursprünglichen wortlaut vorliegen, kaum zu erschüttern sein werden'. bemängelt wird, dass sich G. ohne allen vorbehalt an Kaluza's metrische ansichten anschliesst, auf deren mängel er im einzelnen eingeht. freilich wird auch das, was T. zum teil dafür einführt, z. b. die regel, dass im altgermanischen verse auch die schwächste silbe nach langer treffsilbe gelängt werden könne, kaum viel entgegenkommen finden. nach O. Brenner, Engl. stud. 22 (1) 74 f. ist das gesamtgebäude der metrischen ansichten Kaluza's 'kaum haltbar', Grazens arbeit sei wenig selbständig, aber zeuge von andauerndem fleiss und habe feste ergebnisse für die litteraturgeschichte. nach H. H(irt), Lit. cbl. 1895 (no. 36) 1288—1290 sind diese ergebnisse hingegen sehr zweifelhaft.

102. J. Lawrence, Chapters on alliterative verse. — vgl. jsb. 1894, 16, 139. nach A. Heusler, Anz. f. d. a. 21 (1895) 54—56 eine 'an feinen bemerkungen reiche schrift'.

103. O. Brenner, Zur verteilung der reimstäbe in der alliterierenden langzeile. vgl. oben 3, 132.

104. E. Einenkel, Die metrische frage. Anglia 17 (3) 407 f. bemerkungen über das verhältnis des stabreimverses zum Otfridischen verse.

105. M. Trautmann, Zur kenntnis und geschichte der mittelenglischen stabzeile. Anglia 18 (1) 83—100.
1. die me. stabzeile ein siebentakter, 2. auch die stabzeilen in strophen siebentakter, 3. die zeugnisse für die angebliche viertreffigkeit der me. stabzeile, 4. die me. stabzeile vielfach verschieden von der altenglischen, 5. weshalb das wesen der me. stabzeile bisher nicht erkannt worden ist.

106. R. R. de Jong, On ME. rhymes in *end(e)* and *ent(e)*. Engl. stud. 21, 321—325.

Litteraturgeschichte. 107. J. J. Jusserand, A literary history of the English people, from the origins to the Renaissance. London, T. Fisher Unwin. 546 s. 12/6. übersetzung des jsb. 1894, 16, 147 genannten werkes. bespr. Academy 47 (1895) 497 f. von G. C. Macaulay. der dem autor sachkenntnis und vertrautheit mit sprache und volk nachrühmt. gerügt wird die 'anti-teutonische' tendenz des werkes, die alle vorzüge der englischen litteratur aus der romanischen oder keltischen abkunft herleitet. nach dem recensenten des Athenæums no. 3531 (1895, 1) 834 f. 'a brilliant and thoughtful book'.

J. J. Jusserand, Histoire abrégée de la littérature anglaise. Paris, Ch. Delagrave. 2,50 fr.

108. A. Filon, Histoire de la littérature anglaise depuis ses origines jusqu'à nos jours. 2e édition. Paris, Hachette et co. 648 s. 6 fr.

109. F. J. Bierbaum, History of the English language and literature from the earliest times until the present day, including the American literature, third edition (student's edition). Heidelberg, G. Weiss. VIII, 265 s.
der vf. hätte angeben sollen, dass das buch zum teil wörtlich englischen litteraturgeschichten entlehnt ist. in der älteren zeit ist das buch fehlerhaft, brauchbarer für die ne. litteratur. E. Kölbing, Engl. stud. 22 (1) 123 f. warnt davor, zu grosses vertrauen in das buch zu setzen. die behandlung der me. litteratur vor Chaucer sei ungenügend, text und proben vor 1500 durchweg unzuverlässig und voll von versehen bedenklichster art. eine anzahl berichtigungen wird gegeben.

110. H. Breitinger, Grundzüge der litteratur- und sprachgeschichte. mit anmerkungen zum übersetzen ins Englische. 3. aufl. besorgt von Th. Vetter. Zürich, Schulthess. IV, 122 s. 1,60 m.
E. Kölbing, Engl. stud. 22 (1) 125 f. erklärt die behandlung der ae. und me. zeit für zu dürftig. einige ungenauigkeiten werden berichtigt. nach J. Ellinger, Anglia beibl. 6 (7) 199—201. 'trotz einiger noch vorhandener mängel brauchbar'.

---

111. H. S. Pancoast, An introduction to English literature. New York, Holt. XII, 451 s.

112. E. Simonds, An introduction to the study of English fiction. Boston, D. C. Heath and co. 1894. 240 s.

bespr. von J. Z(upitza), Arch. f. d. st. d. n. spr. 94 (2. 3) 324—326. danach enthält das werk eine gut geschriebene übersicht über die entwicklung des romans in England und Amerika und 12 proben, beginnend mit Beowulf und endigend mit Tristram Shandy. die hier in betracht kommende zeit ist vertreten durch eine (nicht fehlerfreie) übersetzung des Beowulf und einen abschnitt aus King Horn in modernisierter sprache.

113. W. J. Courthope, A history of English poetry. London, Macmillan. bd. 1. 10 sh.

114. W. Raleigh, The English novel. London, John Murray. nach E. K. Chambers, Academy 47 (1895) 162 f. ein frisches und anregendes buch, in dem auch Chaucer als 'der erste der englischen erzähler' charakterisiert wird.

115. F. M. Warren, history of the novel, previous to the seventeenth century. New York, Holt. 373 s.

---

116. D. Abegg, Zur entwickelung der historischen dichtung bei den Angelsachsen. — vgl. jsb. 1894, 16, 153. — angez. O. Brenner, Engl. stud. 22 (1) 76. K. D. Bülbring, Museum (Groningen) 1894, 439 f., nach dem der vf. in eine etwas zu skeptische beurteilung der annahme geraten ist, dass in der chronik alte gedichte in prosa umgestaltet sind.

---

117. S. H. Gurteen, The Arthurian epic: a comparative study of the Cambrian, Breton and Anglo-Norman versions of the story and Tennyson's 'Idylls of the King'. London, Putnam's sons. 446 s. 7/6.

118. H. Graf, Der Miles gloriosus im englischen drama. — vgl. jsb. 1893, 16, 371. — gelobt von A. Brandl, Österr. litbl. 4 (1) 16 f.

Chrestomathien, sammlungen. 119. Ch. W. M. Grein, Bibliothek der angelsächsischen poesie. neu bearb. u. s. w. von R. P. Wülker. bd. 2, 2. hälfte. — auf Holthausen's rec. (vgl. jsb. 1894, 16, 165) antwortet Wülker, Anglia beibl. 5 (9) 263—265. F. Holthausen, antwort auf Wülkers replik. ebd. 6 (1. 2) 15 f.; R. Wülker, bemerkung zu vorstehender antwort. ebd. 6 (1. 2) 16 f. — anerkennend bespr. 'wenn sich auch im einzelnen mängel herausstellen' Engl. stud. 21, 106—115 von O. Glöde, der auf

W.'s textbehandlung in einem abschnitt des Andreas näher eingeht.
bd. 2, 2. hälfte angez. von F. Kluge, Litbl. 1895 (11) 370.

120. R. Wülker, Codex Vercellensis. die angelsächsische
handschrift zu Vercelli in getreuer nachbildung. Leipzig, Veit u. co.
(1894). — angez. von B. Assmann, Anglia beibl. 6 (4) 103.

121. A. S. Cook, A first book in Old English. — vgl. jsb.
1894, 16, 167. die erste aufl. bespr. von F. Dieter, Anglia
beibl. 5 (9) 257 — 259. danach besonders für den anfänger geeignet,
der die belehrung durch das lebendige wort entbehren muss.
einzelne kleine ausstellungen sind in einer zweiten aufl. bereits
berichtigt.

122. J. W. Bright, An Anglo-Saxon reader. — vgl. jsb.
1893, 16, 375. — bespr. von V. Henry, Revue critique 1895,
no. 2, 28—30.

123. H. Craik, English prose: selections with critical intro-
ductions by various writers and general introduction to each
period. vol. 3: seventeenth century, vol. 4: eighteenth century.
London, Macmillan and co. 1894. XII, 618 s. XII, 636 s. —
vgl. jsb. 1894, 16, 170. auch in diesen bänden sind an der
herausgabe der texte hervorragende litterarhistoriker, u. a. G. Saints-
bury, A. W. Ward, E. Gosse, W. J. Courthope, J. W. Hales
beteiligt, die zu jedem autor eine nützliche litterarhistorische einleitung beifügen. — bd. 3 bespr. von L. Johnson, Academy 47
(1895) 74 f. 'excellent volume'. — angez. Athenæum no. 3524
(1895, 1) 607.

124. E. Flügel, Neuenglisches lesebuch zur einführung in
das studium der denkmäler selbst nach den handschriften und
ältesten drucken. erster band: die zeit Heinrichs VIII. Halle,
Niemeyer. XII, 547 s. — als seminarübungsbuch empfohlen von
E. Einenkel, Anglia beibl. 6 (8) 233 f.

Denkmäler.

a. Altenglisch.

Poesie.

Andreas. 125. M. Trautmann, Der Andreas doch von Cynewulf. Anglia beibl. 6 (1. 2) 17—22.
    begründet die (zuerst von J. Gollancz, Cynewulfs Christ.
1892) ausgesprochene meinung, dass die sogenannten 'Schicksale

der Apostel', deren von Napier entdeckter schluss sie als ein werk Cynewulfs bezeichnet, kein selbständiges gedicht seien, sondern das ende des Andreas, der also Cynewulf zum verfasser habe.

126. M. Trautmann, Zu Cynewulfs Andreas. Anglia beibl. 6 (1. 2) 22 f.

weist darauf hin, dass schon G. Sarrazin einige der im vorigen aufsatz behandelten gründe für Cynewulfs verfasserschaft des Andreas vorgebracht hat.

127. G. Sarrazin, Noch einmal Cynewulfs Andreas. Anglia beibl. 6 (7) 205—209.

S. vertritt noch einmal seine anschauung, dass der Andreas (mit dem schlusse 'Schicksale der A.') und der Beowulf von Cynewulf seien.

Azarias. 128. P. J. Cosijn, Anglo-Saxonica II. P.-Br. beitr. 20 (1. 2) 115 f.

texterklärung und besserung.

Beowulf. 129. P. J. Cosijn, Aanteekeningen op den Béowulf. Leiden 1892. — vgl. jsb. 1893, 16, 386. — angez. von F. Holthausen, Litbl. 1895 (3) 82. 'eine grosse anzahl schwieriger, verderbter oder unerklärter stellen werden unter steter berücksichtigung früherer deutungen mit eindringender schärfe besprochen'.

130. A. Holder, Beowulf. IIb. wortschatz mit sämtlichen stellennachweisen. Freiburg und Leipzig, J. C. B. Mohr (P. Siebeck). 94 s.

durchaus vollständiger wortschatz, doch ohne angabe der nhd. bedeutung. die quantitäten sind angegeben und die hauptsächlichsten conjecturen beigefügt.

131. A. J. Wyatt, Beowulf. edited with textual footnotes, index of proper names, and alphabetical glossary. — vgl. jsb. 1894, 16, 176. bespr. von H. Bradley, Academy (46) no. 1160, 69 f. 'für englische studenten den ausgaben von Heyne und Holder entschieden vorzuziehen'. einige lesungen werden angezweifelt, conjecturen zu 1803 (sicher falsch!) und 3084 ohne grund als 'excellent' bezeichnet. gelobt wird auch das glossar. mancherlei mängel und ungenauigkeiten deckt J. Zupitza, Arch. f. d. st. d. n. spr. 94 (2. 3) 326—329 auf, der auch bedauert, dass der herausgeber in der aufnahme von conjecturen anderer gelehrter zu sparsam sei.

132. E. Sievers, Béowulf und Saxo. Berichte über die verhandlungen der königl. sächsischen gesellschaft der wissenschaften zu Leipzig. 47 (1895) 175—193.

133. F. Kluge, Der Beowulf und die Hrolfs Saga Kraka,
Engl. stud. 22 (1) 144 f.

conjecturen zu Beowulf 61—62 (zu *Elan cwēn*) 753 (*eldra* für
elra); in 925 *hōs e* erkennt K. die praepositionale bedeutung, die *hōs*
im ostnord. hat.

134. F. Detter, Über die Heaðobarden im Beowulf. Verhandlungen der 42. versammlung deutscher philologen und schulmänner in Wien vom 24.—27. mai 1893. Leipzig, Teubner 1894,
s. 404—406.

D. erkennt in der Heaðobarden-episode das älteste zeugnis für
den Ragnarǫk-mythus.

135. J. W. Bright, Notes on the Beowulf. Mod. lang. notes
1895 (2) 85—88.

conjecturen und deutungen zu z. 30. 306. 386, 87. 623. 737.

136. A. Pogatscher, Zum Beowulf 178. P.-Br. beitr. 19
(3) 544 f.

will in *for metode* ein wort, d. h. ein praet. von **formetian*
'verschmähen' erkennen.

137. G. Binz, Sceaf und seine nachkommen und die genealogien, Beowa, Hygelac-Beowulf, Hreðel und seine söhne, Ongenþeow
und seine nachkommen, Heremod, Sigehere und Alewih, Offa und
Þryðo, Ingeld und Hroðgar. Welsungensage. Ermenrichsage
(vgl. oben 16, 46). P.-Br. beitr. 20 (1. 2) 141—179. 190—192.
207—212.

Sog. Cædmon. 138. F. Graz, Beiträge zur textkritik der
sogenannten Cædmon'schen dichtungen. I. Engl. stud. 21, 1—27.

eine reihe von conjecturen zu Exodus, Daniel, Satan (nach
Wülker-Grein, Bibl. der ags. poesie 2, 2), die sich dem vf. bei
seinen metrischen studien (vgl. oben 16, 101) ergaben. — vgl. dazu
E. Sievers, Wie man conjecturen macht. P.-Br. beitr. 20 (3) 553.

Daniel (vgl. auch die vorhergehende no.). 139. P. J. Cosijn,
Anglo-Saxonica. II. P.-Br. beitr. 20 (1. 2) 106—115.

zur texterklärung.

Deor's klage. 140. J. W. Tupper, Deor's Complaint. Mod.
lang. notes 1895 (2) 125—127.

über die stellung des Heorrenda und der Hilda in der sage.

141. G. Binz, Wielandsage, Ermenrichsage, Dietrichsage
(vgl. oben 16, 46). P.-Br. beitr. 20 (1. 2) 186—190. 207—217.

Be domes dæge. 142. P. J. Cosijn, Anglo-Saxonica. P.-Br. beitr. 19 (3) 443. bemerkung zu 3 (s. 250) in Wülkers-Grein's bibl. der ae. poesie 2 (2).

Elene. 143. Jane Menzies, Cynewulf's 'Elene': a metrical translation from Zupitza's edition, with a frontispiece. Edinburgh and London, W. Blackwood and sons. 82 s. 3/6.

übersetzung in wechselndem versmass, gereimt und allitterierend. grosse formale gewandtheit ist der vf. nachzurühmen, wennschon ihre übersetzung nur ein unvollkommenes bild des originals giebt. J. Zupitza, Arch. f. d. st. d. n. spr. 94 (4) 439—441 hält die übersetzung für lesbarer als ihre vorgänger, doch beanstandet er die wechselnde metr. form, einzelne missverständnisse und das fehlen des alten kolorits.

Exodus (vgl. sog. Cædmon). 144. P. J. Cosijn, Anglo-Saxonica. P.-Br. beitr. 19 (3) 457—461. 20 (1. 2) 98—106. conjecturen und texterklärungen.

Finnsburg. 145. G. Binz, Finnsage. P.-Br. beitr. 20 (1. 2) 179—186.

Genesis. 146. P. J. Cosijn, Anglo-Saxonica. P.-Br. beitr. 19 (3) 444—457. nachtrag: 526. ebd. 20 (1. 2) 98. conjecturen und texterklärungen.

147. G. Steche, Der syntaktische gebrauch der conjunctionen in dem angelsächsischen gedichte von der Genesis. diss. Leipzig. 61 s. (Leipzig, Fock).

Historische dichtung. 148. Abegg, Zur entwickelung der historischen dichtung. — vgl. oben 16, 116.

Hymnen. 149. P. J. Cosijn, Anglo-Saxonica. P.-Br. beitr. 19 (3) 441 f. — conjecturen.

Judith. 150. P. J. Cosijn, Anglo-Saxonica. P.-Br. beitr. 19 (3) 444. — zur erklärung des textes.

151. M. Neumann, Über das altenglische gedicht von Judith. — vgl. jsb. 1893, 16, 401. — angez. von O. Glöde, Litbl. 1895 (6) 196 f.

Hlg. kreuz. 152. W. Vietor, Die northumbrischen runensteine. beiträge zur textkritik. grammatik und glossar. mit einer übersichtskarte und 7 tafeln in lichtdruck. Marburg, Elwert. VIII, 50 s. 4⁰.

da Sweet in seinen Oldest English Texts die runendenkmäler
nur unvollständig und nicht nach eigener lesung, sondern nach
Stephens' Runic Monuments giebt, erscheint V.'s erneute prüfung
der denkmäler des nordens nach eigenem augenschein als eine
sehr verdienstliche arbeit. V. prüft zunächst das kreuz von Ruth-
well, teilt die älteren ansichten darüber mit und giebt s. 6 die inschrift nach eigener lesung. ähnlich werden behandelt: die säule
von Bewcastle, der stein von Falstone, von Monk Wearmouth,
die steine von Hartlepool, Kirkdale, das kreuz von Collingham,
der stein von Bingley, das bruchstück von Leeds, die steine von
Thornhill und das kreuz von Lancaster. es folgt eine laut- und
formenlehre, syntaktische bemerkungen, metrik (nach Sievers) und
glossar. auf s. 46—49 wird eine datierung der denkmäler versucht. ein teil der arbeit s. 1—16 (taf. I—IV) erschien bereits
1894 als Marburger universitätsprogramm u. d. t. 'Beiträge zur
textkritik der north. runensteine'.

Menologium. 153. P. J. Cosijn, Anglo-Saxonica. P.-Br. beitr.
19 (3) 443. conjecturen und bemerkungen zum text.

Phoenix. 154. Margaret R. Bradshaw, The versification of
the Old English poem Phoenix. American journ. of phil. 15 (1894)
454—468.
    metr. behandlung nach Sievers' theorie.

155. A. Blackburn, Notes on the Phoenix, verse 151.
Mod. lang. notes 1895 (5) 259. conjectur.

Rätsel. 156. M. Trautmann, Zu den altenglischen rätseln.
Anglia 17 (3) 396—400.
    löst rätsel 52 (Grein 53) als 'der dreschflegel', 57 (Grein 58)
als 'regentropfen' und versucht eine erklärung des lat. rätsels 90
(Grein 86).

Satan (vgl. sog. Cædmon).

Vaters lehren. 157. James W. Bright, Notes on *Fæder lár-
cwidas.* Mod. lang. notes 1895 (3) 136 f. — conjecturen.

Vercelli-codex (vgl. 16, 120).

Waldere. 158. P. J. Cosijn, De Waldere-fragmenten. Verslagen en mededeelingen der Akademie van wetenschappen, afdeeling letterkunde, 3de reeks, deel 12.

159. G. Binz, Walthersage. P.-Br. beitr. 20 (1. 2) 217—220.

Widsith. 160. G. Binz, Hildesage. Hug- und Wolfdietrich-sage und Hartungensage, Burgunder- und Nibelungensage, Lango-bardische sagen, Ermenrichsage, kleinere sagen. P.-Br. beitr. 20 (1. 2) 192—223 (vgl. oben 16, 46).

Prosa.

Ælfric. 161. M. Förster, Über die quellen von Ælfrics Homiliae Catholicae. — vgl. jsb. 1893, 16, 416. — bespr. von O. Glöde, Litbl. 1895 (4) 119—122.

Boethius. 162. G. Schepss, Zu könig Alfreds 'Boethius'. Arch. f. d. st. d. n. spr. 94 (2 u. 3) 149—160.

S. weist nach, dass die erklärenden beifügungen zum ae. Boethius auf ältere lateinische vorlagen zurückgehen, und dass seine vornehmste quelle identisch ist mit einer kommentargruppe KY, welche vf. 1. nach einer hs. benutzt, die der von Froumund (saec. X) geschriebenen Boethius-hs. der Wallersteiner (= Mai-hinger) bibliothek angebunden ist, und 2. nach den randscholien des Monacensis 19452 (saec. X—XI).

Evangelien. 163. Albert S. Cook, A glossary of the Northum-brian gospels. — vgl. jsb. 1894, 16, 18. anerkennend, doch mit einigen berichtigungen bespr. von J. Z(upitza), Arch. f. d. st. d. n. spr. 94 (2. 3) 329—332. von F. Dieter, Anglia beibl. 6 (6) 164—166, von Gustav Binz, Zs. f. d. phil. 28 (3) 378 f.; da-gegen abfällig beurteilt: Athenæum no. 3524, 607 f.

164. A. N. Henshaw, The syntax of the indicative and subjunctive moods in the Anglo-Saxon gospels. — vgl. jsb. 1894, 16, 206. behandelt den modusgebrauch in den genannten denk-mälern, der sich von der lat. vorlage im allgemeinen als ganz unabhängig erweist; vgl. M. Förster, Anglia beibl. 6 (5) 135 f.

Gesetze. 165. M. H. Turk, The legal code of Ælfred the Great, edited with an introduction. — vgl. jsb. 1894, 16, 197. bespr. mit eingehender angabe des inhalts der einleitung von O. Glöde, Engl. stud. 22 (1) 66—72. 'genaue und sorgfältige ausgabe'.

Glossen. 166. M. Kolkwitz, Zum Erfurter glossar. Anglia 17 (4) 453—465.

eine zusammenstellung der laute und formen des denkmals als ergänzung zu Dieters 'Sprache und mundart der ältesten englischen denkmäler'.

Kreuzlegende. 167. A. S. Napier, History of the holy rood-tree, a twelfth century version of the cross-legend (with notes on the orthography of the Ormulum and a Middle English Compassio Mariae). London, publisht for the Early English text society [or. series no. 103. by Kegan Paul, Trench, Trübner and co. 1894. LIX, 86 s.

treffliche ausgabe des spätwestsächs. denkmals mit übersetzung und einer reichhaltigen einleitung über die hs., andere versionen der kreuzlegende, und zwar lateinische, holländische und französische, englische und ihre verwandtschaft, über sprache und dialekt der legende. dazu die im titel genannten beigaben (vgl. jsb. 1893, 16, 427) und wertvolle anmerkungen. — lobend angez. mit einigen ergänzungen zu Napier's darstellung der sprache des denkmals und zur texterklärung von A. Brandl, Anz. f. d. a. 21 (1895) 61—65.

Psalmen. 168. J. D. Bruce, The Anglo-Saxon of the book of psalms commonly known as the Paris psalter. dissertation presented to the board of university studies of the Johns Hopkins university for the degree of dr. of philosophy (reprinted from the Publications of the Mod. lang. assoc. of America vol. IX, no. 1). Baltimore 1894. 126 ss.

gegen Wichmanns annahme (Anglia 11, 39—96) gerichtet, dass könig Alfred der vf. der erhaltenen prosaübersetzung der psalmen 1—50 sei. nach A. Brandl, Anz. f. d. a. 21 (1895) 59—61 ist der beweis nur teilweise als gelungen anzusehen, doch sei sie sonst 'reich an kritischen ergebnissen und gehöre zum besten, was die amerikanischen fachgenossen in der Mod. lang. assoc. bisher geboten haben'.

Runendenkmäler. vgl. 16, 152.

Sermo. 169. H. A. Vance, Der spätangelsächsische Sermo in festis Sae Mariae virginis, mit rücksicht auf das Altenglische sprachlich dargestellt. Darmstadt, Otto. — vgl. jsb. 1894, 16, 209. trägt nach O. Brenner, Engl. stud. 21, 116 'mehr den charakter einer seminararbeit, bei der es nicht so sehr auf resultate als auf übung ankam'.

Soliloquien. 170. W. H. Hulme, Die sprache der altenglischen bearbeitung der Soliloquien Augustin's. diss. Freiburg i. Br. 1894. 100 s.

bespr. von O. Brenner, Engl. stud. 21, 116 f. 'sorgsame materialsammlung'.

Urkunden. 171. R. Wolff, Untersuchungen der laute in den kentischen urkunden. diss. Heidelberg, J. Groos 1893. XII, 71 s.

nach G. Binz, Litbl. 1895 (2) 51 f. benutzt der vf. nicht bloss die bei Sweet abgedruckten originalurkunden, sondern auch spätere abschriften, die kein reines bild des dialektes geben. auch sonst zeige die arbeit mancherlei mängel.

no. 1—171 F. Dieter.

---

b. Mittelenglisch.

Ältere religiöse und weltliche litteratur.

Orrm. 172. F. Kluge, Das französische element im Orrmulom. Engl. stud. 22, 179—182.

Signa a. judicium. 173. F. Holthausen, Zu den Signa ante judicium (Zu ae. u. me. dichtungen, 48). Anglia 17, 441—443, 444.

Geistl. lyrik. 174. E. Kölbing, Textkritische bemerkungen zu William von Schorham. Engl. stud. 21, 154—162.

175. J. Hall, Short pieces from ms. Cotton, Galba E. IX. Engl. stud. 21, 201—208.

erste ausgabe von Al es bot a fantum, Popule meus quid feci tibi and In cruce sum pro te; dazu nochmaliger abdruck von Sir Penny.

R. Rolle. 176. Yorkshire writers. Richard Rolle of Hampole an English father of the church and his followers edited by C. Horstmann. London, Swan Sonnenschein and Co. XIV, 443, 8 (Old English library).

inhalt: 1. The forme of livyng, nach 3 hss. 2. Ego dormio et cor meum vigilat, nach 2 hss. 3. The commaundement of love to god, nach 2 hss.: diese 3 in prosa und R. R. ausdrücklich zugeschrieben. 4. Cantica divini amoris secundum Ricardum Hampole. 5. Richard Rolle's Meditatio de passione domini, 2 versionen. 6. Prose treatises of ms. Rawl. C. 285 fol. 57b ff., anonym überliefert bis auf eine predigt vom John Gaytryge; dazu zwei kurze predigtgedichte aus derselben hs. 7. Treatises of ms. Arundel 507; anonym; prosa, mit drei kurzen versfragmenten. 8. Treatises of ms. Harley 1022, anonym ('the smaller bits suggest R. Rolle': aber he is: bis s. 161 stimmt nicht zu Rolles sprachgebrauch). 9. Treatises of ms. Cambr. Dd. V. 55 (von H. dem W. Hylton zugeschrieben). 10. Works bearing name of R. Rolle aus ms. Thornton (in ms. Thornton mehrfach R. R. zugeschrieben, was aber H.

'highly doubtful' nennt). 11. Works not bearing author's name aus ms. Thornton (darunter The abbey of the holy ghost nach 5 hss, von denen eine R. R. als vf. nennt); als beigabe: Charter of the abbeye of the holy ghost, 4 hss., aber nicht Thornton, in südl. sprache. 12. Poems of ms. Thornton (wesentlich nördl., doch mit mehreren mtl. reimen). — appendix I: rest of religious contents of ms. Thornton. appendix II: additions from ms. Arundel 507 (meist lateinisch). — reiches, zum teil sehr schönes material zur geschichte der nordenglischen mystik, in dessen veröffentlichung H. hoffentlich fortfährt. bespr. Not. a. quer., 21. sept. s. 239—240.

Ipotis.   177.   H. Gruber, Beiträge zu dem me. dialoge 'Ipotis'. Anglia 18, 56—82.

Langland.   178.   E. M. Hopkins, Character and opinions of W. Langland, as shown in 'The vision of William concerning Piers the Plowman'. reprinted from the Kansas university quarterly for april 1894. 234—288 ss.

darlegung von Langland's weltanschauung (1. scientific information, 2. political and social theories, 3. theological and religions teaching, 4. Langland's philosophy) und zum teil von seiner poetischen technik (visions, allegory, quotations, similes and proverbs, parables, puns etc.). aus den von L. erwähnten ortsnamen schliesst H., dass er über den landstrich zwischen Malvern Hills-Bristol und London kaum je hinauskam.

179.   E. D. Hanscom, The argument of the vision of Piers Plowman. Publ. of the mod. lang. assoc. vol. IX, 3, 403—450.

180.   P. Bellezza, Langland's figur des 'Plowman' in der neuesten engl. litteratur. Engl. stud. 21, 325—326.

citat aus Tennyson.

181.   Langland's Vision of Piers the Plowman. done into modern prose. with an introduction by Kate M. Warren. London, Unwin. 176 s.

bespr. von E. Teichmann, Anglia beibl. okt. 1895, 166—168.

Huchown.   182.   G. Brade, Über Huchown's Pistil of swete Susan. Breslauer diss. 1892. s. jsb. 1892, 16, 396.

bespr. von R. Brotanek, Anglia beibl. dez. 1895, 229—233.

183.   Huchown's Pistel of swete Susan. kritische ausgabe von Hans Köster. (Quellen und forsch. 76. heft.) Strassburg i. E., Trübner 1895. 98 s.

inhalt: 1. ausgaben und verhältnis der (5) hss. 2. quelle und zeit der abfassung (anspielung auf königin Margarethas scheidung 1369 ?). 3. metrik. 4. stilistisches. 5. sprache. 6. text. 7. anmerkungen. 8. glossar. — eingehend bespr. von R. Brotanek, Anglia beibl. dez. 1895, s. 229—233.

Visio s. Pauli. 184. E. Kölbing, Eine bisher unbekannte me. version von Pauli höllenfahrt. Engl. stud. 22, 134—139.

abdruck einer prosafassung aus ms. Addit. 10 036 (XIV. jahrh.).

Geistl. spiele. 185. H. E. Coblentz, Some suggested rime emendations to the York mystery plays. Mod. lang. notes X (2) 77—81.

186. A. W. Pollard, English miracle plays, moralities and interludes. 2. edition revised. Oxford, Clarendon Press 1895.

bespr. von E. Kölbing, Engl. stud. 22, 208—209, der die revision als eine sehr oberflächliche bezeichnet.

187. E. Kölbing, Kleine beiträge zur erklärung und textkritik vor-Shakespearescher dramen. Engl. stud. 21, 162—176.

textkritisches zu Pollard's auswahl und zur neuausgabe der Chester plays von Deimling part 1.

188. F. Holthausen und E. Kölbing, Zu Everyman. Engl. stud. 21, 449—450.

nachtrag zum vorgenannten artikel.

Havelok. 189. F. Holthausen, Zum Havelok (Zu ae. u. me. dichtungen 47). Anglia 17, 442.

Arthur and Merlin. 190. Arthur and Merlin, nach der Auchinleck-hs. hrsg. von E. Kölbing (Altengl. bibliothek IV). 1890.

vgl. jsb. 1892, 16, 410. — bespr. von Varnhagen, Litztg. 1895 (6) 172—173.

Der schöne unbekannte. 191. Libeaus desconus, die me. romanze vom schönen unbekannten. hrsg. von M. Kaluza (Altengl. bibliothek V). 1890. — vgl. jsb. 1891, 16, 462. — Varnhagen, Litztg. 1895 (6) 172—173.

192. G. Sarrazin, Noch einmal Thomas Chestre. Engl. stud. 22, 331—332.

193. W. H. Schofield, Studies on the Libeaus desconus (Harvard Studies vol. IV). Boston, Ginn and co. 246 ss.

Sch. vergleicht den L. d. mit dem afrz. Bel inconnu, dem ital. Carduino und mhd. Wigalois in sorgfältiger und methodischer weise. da die mhd. und die ital. version eine anzahl offenbar ursprünglicher züge mit dieser me. gemein haben, die der afrz. fehlen,

kann die me. nicht aus der afrz. direkt geflossen sein, wie Kaluza
u. a. behauptet hatten, sondern Gaston Paris mit seiner vermutung
einer verlorenen afrz. zwischenstufe hat recht. die einflüsse von
Erec, Perceval and Tristan auf die afrz. romanze werden scharfsinnig
verfolgt. Wigalois erweist sich in der hauptgeschichte dem original
noch näher stehend als L. d. die eigenart des me. bearbeiters
zusammenfassend zu charakterisieren, hat Sch. wohl mit bedacht
unterlassen, da es einer verlorenen zwischenstufe gegenüber ein ge-
wagtes unternehmen gewesen wäre. dagegen verfolgt er das nachleben des L. d. im Squire of low degree, Carle of Carlyle, Weddinge
of Sir Gawain, Thersites, in der ballade Earl of Westmoreland, bei
Skelton und Henri Crosse.

Eglamour. 194. J. Hall, Bruckstücke eines alten drucks des
Eglamour of Artois. Arch. f. d. st. d. n. spr. 95, 308—311.

bruchstück eines druckes von Bankys, der c. 1523—1539 thätig
war. der text stimmt am meisten zur Percy folio version.

Disticha Catonis. 195. A. Napier, Eine weitere me. übersetzung der Disticha Catonis. Arch. f. d. st. d. n. spr. 95, 163—164.

N. giebt kunde von einer version in vierzeiligen strophen
(aus zwei kurzreimpaaren bestehend), die in ms. Rawlinson G. 56
(anfang des 15. jahrhs.) bewahrt ist.

Chaucer und sein kreis.

Chaucer. 196. Geoffroy Chaucer, The complete works, ed.
from numerous mss. by W. W. Skeat. — s. jsb. 1894, 16, 230. —
bespr. von J. Koch (Berliner ges. f. n. spr., vgl. Arch. f. d. st. d.
n. spr. 94, 280), der namentlich gegen Chaucers autorschaft des
gedichtes Complaint to my lodestar ein reimbedenken äussert. — von
M. Kaluza, Engl. stud. XXII, 271—287, der namentlich gegen
viele to-verba einspruch erhebt. — bd. V und VI erwähnt von
R. W(ülker), Lit. cbl. no. 11, s. 378.

197. Selections from Chaucer's Minor poems, with introduction
by J. B. Bilderbeck. London, Bell. 178 s.

198. The Student's Chaucer, being a complete edition of his
works. edited from numerous mss. by W. W. Skeat. Oxford
1895. XXIV, 732, 149 ss.

bespr. von P. Pabst, Anglia beibl. nov. 1895, s. 196—199. —
von M. Kaluza, Engl. stud. 22, 287—288.

199. O. Jespersen, Chaucers liv og digtning (Studier fra
sprogs- og oldtidsforskning utgivne af det philologisk-historiske
samfund no. 12). Kopenhagen, Klein 1893. 63 s.

vgl. jsb. 1894, 16, 232. F. Holthausen, Anglia beibl. aug.
1895, s. 103—104.

200. P. Bellezza, Introduzione allo studio dei fonti Italiani
di G. Chaucer e primi apunti sullo studio delle litterature straniere
in generale. Milano, presso l'autore, via Pietro Verri 3. 59 s.

inhalt: 1. alte irrtümer in büchern über Chaucer. 2. über
vergleichendes studium der litteratur, besonders der italienischen
(nach Gervinus, Amadt, Ruth, Dunlop u. a.). 3. urteile über Chaucer
und die notwendigkeit, seine italienischen quellen zu studieren.
letzteres selbst fehlt. — bespr. von E. Kölbing, Engl stud. 22, 288.

201. H. Lange, Die versicherungen bei Chaucer. — vgl.
jsb. 1892, 16, 434. M. Kaluza, Engl. stud. 22, 77—79.

202. A. Andrae, Zum drama: Lyly and Chaucer; Frau von
Bath. Anglia 17, 259—260.

203. E. Kölbing, Byron und Chaucer. Engl. stud. 21,
331—332.

204. M. Liddell, Chaucer's translation of Boece's 'Boke of
comfort'. Academy no. 1220. s. 227.

Chaucer übersetzte nach dem lat. text und zugleich nach der
franz. übersetzung des Jehan de Meung.

205. G. C. Macaulay, 'Troilus and Criseyde' in prof. Skeat's
edition. Academy no. 1196, s. 267—269 und no. 1198 s. 338 −340.

nicht Guido de Colonna wurde für 'Troilus' mitbenützt, sondern
Benoît de Sainte-More. — ms. Bodl. Arch. Seld. B. 24 hätte von
Skeat mitbenützt werden sollen. — erklärungen zu bd. II, str. 184,
IV, 505, V, 1790 und identificierung des 'philosophical Strode' mit
dem 'nobilissimus philosophus Mag. N. Strode', den Chaucer am
ende des Astrolabs als erzieher seines söhnchens in Oxford erwähnt.

206. H. Bradley, Chaucer and Froissart. Academy no. 1188,
p. 125—126.

die ersten zeilen des 'Buchs von der herzogin' sind nicht vorbild für Froissart (Paradys d'amours) gewesen, sondern aus
Froissart entlehnt, sowie auch der name des schlafgottes Eclym-
pasteir.

207. C. G. Child, Chaucer's House of Fame and Boccaccio's
Amorosa visione. Mod. lang. notes X (6) 379—384.

anknüpfend an Koeppel zeigt C., dass Chaucer öfters diese
schrift von Boccaccio statt der verwandten darstellung von Ovid
oder Vergil benutzt hat.

208. Parallel-text specimens of all accessible unprinted manuscripts of the Canterbury Tales, the doctor-pardoner link, and par-
doner's prologue and tale edited by J. Zupitza. part III: six
mss.: Sloane 1686, Trinity Coll. Camb. R. 3, 15, New Coll. Oxf.
314, Harl. 7333, Helmington, University Libr. Camb. Ji, III, 26.
(Chaucer soc. I. series no. LXXXVI for 1893.) London, Kegan
Paul, Trench, Trübner. XI, 60 s. 4⁰.

209. Chaucer's Canterbury tales, ed. with an introduction, by
A. W. Pollard. — s. jsb. 1894, 16, 243. — ablehnend bespr. von
G. Hempl, Mod. lang. notes X (3) 177—180. — von F. Holthausen, Lit. cbl. no. 8 s. 260. — von J. Zupitza, Arch. f. d·
st. d. n. spr. 94, 441—444, der die lediglich eklektische, keine
genealogische untersuchung der hss. voraussetzende behandlung des
textes, sowie manche auf sprachunkenntnis bestehende veränderungen des herausgebers tadelt und dann speciell für die geschichte
des müllers einen sagenstammbaum aufstellt. — von A. Andrae,
Anglia 17, 281—284.

210. Chaucer's Canterbury tales, annotated and accented, with
illustrations of English life in Chaucer's time, by J. Saunders,
new and revised ed. with illustr. from the Ellesmere ms. Dent.
XIV, 487 s.

211. Chaucer's Canterbury tales, the prologue and the knight's
tale edited by A. W. Watt. with a glossary by S. J. Evans.
London, Clive (University tutorial series). 208 ss.

212. G. Shipley, Arrangement of the Canterbury tales.
Mod. lang. notes X (5) 260—279.
S. schlägt vor, das Doctor-Pardoner-fragment vor die Man-of
law' tale zu setzen.

Gower. 213. G. C. Macaulay, The lost French work of
Gower. Academy no. 1197 s. 315, no. 1212 s. 71—72, no. 1213
s. 91—92.
M. glaubt das 'Speculum meditantis' in der Cambridge univer-
sitätsbibliothek entdeckt zu haben.

214. M. W. Easton, Readings in Gower. Halle, Niemeyer.
(Publications of the university of Pennsylvania, series in philology IV. 1). Boston, Ginn. 50 s.

Lydgate. 215. J. Zupitza, Arch. f. d. st. d. n. spr. 95, 439—440, kennt L.'s erzählung von den zwei kaufleuten (s. Arch. XC, 241) in 6 hss., deren gegenseitiges verhältnis er charakterisiert.

Walton. 216. M. Liddell, The authorship of a spurious Chaucer poem. Athenæum no. 3557 s. 902—903.

'Posperity', gedr. in Morris's Chaucer VI, 296 und von Skeat dem könig Jakob I. zugeschrieben, ist ein teil des prologs von John Walton's Boethius-übersetzung.

Karl v. Orleans. 217. E. Hausknecht, Vier gedichte von Charles d'Orleans. Anglia 17, 445—447.

mitgeteilt aus zwei fragmentblättern in der Bodleiana.

Dunbar. 218. W. Dunbar, Poems ed. by J. Schipper. — vgl. jsb. 1893, 16, 502. R. W(ülker), Lit. cbl. 1895 (37) 1330—1331.

219. Dunbar, being a selection from the poems of an old makar. adapted for modern readers by H. Haliburton. London, Nutt. XII, 120 ss.

bespr. von J. Ellinger, Anglia beibl. juli 1895 s. 71—74 von R. Brotanek.

Jakob und seine söhne. 220. J. Zupitza, Arch f. d. st. d. n. spr. 95, 440, beschreibt drei drucke des 16. jahrhs., in denen er dies wohl noch aus dem 15. jahrh. stammende gedicht (im rhyme royal) kennt, und betont eine reihe origineller abweichungen dieses gedichts vom bibelstoff.

Andere jüngere dichtungen und prosa.

Morte Arthur. 221. P. Seyferth, Sprache und metrik des mittelengl. strophischen gedichtes 'Le morte Arthur' und sein verhältnis zu 'The lyfe of Ipomydon'. (Berl. beitr. z. germ. u. roman. philol. von E. Ebering VIII.) Berlin, C. Vogt.

als diss. (vgl. jsb. 1894. 16, 272) waren nur die ersten 43 ss. gedruckt worden. S. bezeichnet als entstehungsort das mittelland (norden mit anlehnung an die neue schriftsprache nicht ausgeschlossen) und als entstehungszeit das ende des XIV. jahrhs., untersucht in der metrik besonders die allit. verbindungen (*to the turnemente* und *J ne thinke not* sind keine stabreime) und weist Sommers vermutung gleicher herkunft mit dem in derselben hs. überlieferten 'Life of Ipomydon' besonders aus sprachlichen gründen ab.

Torrent von Portugal. 222. F. Holthausen, Zu Torrent of Portyngale (Zu ae. u. me. dichtungen, 46). Anglia 17, 401—405.

Mönch und knabe. 223. J. Zupitza, Zum märchen vom tanze des mönches im dornbusch. Arch. f. d. st. d. n. spr. 95, 168—177.

behandelt das nachleben des me. schwankes in neueren engl. volksbüchern.

Lyrik. 224. J. Kail, Einige englische gedichte aus dem 15. jahrh. progr. Prag. 32 s.

225. J. Zupitza, Anmerkungen zu J. Ryman's gedichten. 3., 4., 5., 6. teil. Arch. f. d. st. d. n. spr. 94, 161—206, 389—420. 95, 259—290, 385—406.

226. F, Holthausen, Englische weihnachtslieder (Zu ae. u. me. dichtungen, 49). Anglia 17, 443—444.

227. F. Holthausen, Zu den englischen liedern und balladen aus dem 16. jahrh. ed. Böddeker (Lemckes jahrbuch XIV, 81 ff., 210 ff., 347 ff. XV, 92 ff.). Engl. stud. 22, 1—8.

Gebetbuch. 228. The prymer or lay folk's prayer book. (with several facsimiles.) edited by H. Littlehales from the ms. 11, 82, ab. 1420—1430 a. d., in the library of the university of Cambridge. part I. text. (E. E. T. S. orig. ser. 105). London, Kegan Paul, Trench, Trübner. X, 89 ss.

part I. introduction. section 1, the origin of the prymer, contributed by Edmund Bishop (E. E. T. S. orig. ser. 109). London 1897.

Eroberung Irlands. 229. The English conquest of Ireland. a d. 1166—1185, mainly from the 'Expugnatio Hibernica' of Giraldus Cambrensis. a parallel text from 1. ms. Trinity Coll. Dubl. E, 2, 31, about 1425 a. d. 2. ms. Rawlinson B 490, about 1440 a. d. part I. the text edited by F. Furnivall. (E. E. T. S. orig. ser. 107.) London, Kegan Paul, Trench, Trübner 1892. XVI, 172 s.

ms. Trinity Coll. Dubl. verwechselt th, t, d. üie übersetzung folgt jener lat. fassung, zu der ms. Harley 177 gehört. von einem spätern ms. der übersetzung (Trinity Coll. Dubl. F. 4. 4) wird eine probe mitgeteilt. spezifisch me. wörter sind in einem glossar erklärt.

R. Rolle übersetzt. 230. The fire of love, and the mending of life, or the rule of living. the first englisht in 1435, from the De incendio amoris, the second in 1434 from the De emendacione vitae, of Richard Rolle, by Richard Misyn, bachelor of theology, prior of

Lincoln, carmelite. edited with introduction and glossary from ms. CCXXXVI in Corpus Christi Coll. Oxf. by Ralph Harvey. (E. E. T. S. orig. ser. 106). London, Kegan Paul, Trench, Trübner 1896. XIV, 138 s.

Malory. 231. C. S. Baldwin, The inflections and syntax of the Morte d'Arthur of Sir Thomas Malory. Boston 1894.

bespr. von A. Bülbring, Anglia beibl. märz 1895, s. 323—324. L. Kellner, Engl. stud. 22, 79—81.

232. C. S. Baldwin, The verb in the 'Morte d'Arthur'. Mod. lang. notes X (2) 92—94.

Maria Magdalena. 233. J. Zupitza, Arch. f. d. st. d. n. spr. 95, 439, teilt mit, dass die von ihm Arch. 91, 207 ff. gedruckte Maria Magdalena nicht direkt aus Jacobus a Voragine stammt, sondern zunächst aus einer me. prosaübersetzung von Jean de Vignays' franz. bearbeitung der Legenda aurea. dadurch wird eine untersuchung über die herkunft von Caxton's Leg. aur. wünschenswert.

Caxton. 234. The recuyell of the histories of Troye written in French by Raoul Lefevre, translated and printed by W. Caxton (about 1474), the first English printed book, now faithfully reproduced with critical introduction, index and glossary, and eight pages in photographic facsimile, by H. O. Sommer. London, Nutt 1894. 2 vols.

vgl. jsb. 1893, 16, 531. — lobend bespr. von G. P(aris), Romania 24, 295—298.

Vita patrum. 235. St. Jerome's lives of the fathers of the desert. translated by Caxton, printed M. Wynken de Worde's press in 1495. new edition uniform with that of Caxton's Golden legend, issued from the Kelmscott press in 1892. 2 vols. 4⁰. a. a. o. (nicht gesehen.)

236. Chr. Wordsworth, Caxton's Sarum pie. Athenæum no. 3539, s. 260 und no. 3540 s. 292.

handelt über fragmente von Caxton's 'pye of two and three commemorations of Salisbury use' im British Museum.

Melusine. 237. Melusine. compiled (1382—1394 a. d.) by Jean D'Arras englisht about 1500 a. d. edited from the unique ms. in the library of the British Museum by A. K. Donald. part I. text, notes, and glossary. (E. E. T. S. extra ser. LXVIII.) London, Kegan Paul, Trench, Trübner. 408 s.

Dreier könige söhne. 238. The three kings' sons. (Englisht from the French.) part I, the text. edited from its unique ms.

Harl. 326, ab. 1500 a. d., by F. Furnivall. (E. E. T. S. extra ser. LXVII.) London, Kegan Paul, Trench, Trübner. VII, 216 s.

Berners. 239. Lord Berners, The chronicles of Froissart. translated by John Bourchier, Lord Berners. ed. and reduced into one volume by G. C. Macaulay. London, Macmillan. XXX, 484 ss. 3 sh.

240. Huon of Bordeaux done into English by Sir John Bourchier, Lord Berners, and now retold by R. Steele. London, Allen. 4⁰.

Gerichtsakten. 241. Child - Marriages, divorces, and ratifications etc. in the diocese of Chester, a. d. 1561—1566. depositions in trials in the bishop's court, Chester, concerning 1. child-mariages, divorces, and ratifications. 2. trothplights. 3. adulteries. 4. affiliations. 5. libels. 6. wills. 7. miscellaneous matters. 8. clandestine marriages. also entries from the Mayor's books, Chester, a. d. 1558—1600. edited from ms. written in court while the witnesses made their depositions, and from the mayor's books, by F. Furnivall. (E. E. T. S. orig. ser. 108.) London, Kegan Paul, Trench, Trübner 1897. LXXXVII, 256 s.

s. XLVIII ist lehrreich für die beurteilung von Shaksperes heirat. kulturhistorisch durchaus interessant, schriftsprache.

no. 172—241 A. Brandl.

XVII. Nederdeutsch.

Allgemeines.

1. Korrespondenzblatt des vereins für nd. sprachforschung. heft 17 s. 89—98 [register] und heft 18 s. 1—96. Norden, Soltau. 1894—1896.

darin ausser den besonders verzeichneten beiträgen: Glöde, Zum mecklenburgischen wortschatz; Jellinghaus, A. Schierenberg; Schumann, Benennung des wagens und seiner teile; Sprenger, Zu Groths Quickborn, Zum Redent. spil 1651, zum göttingischen wortschatz. berichte über die vorträge von Schwering über den einfluss der ndl. wanderbühne auf das nd. drama, Bahlmann über Münsters nd. litteratur. ferner erörterungen über *overdüweln, dewein, witteldach, bei der hecke sein, tran nach Tromsoe bringen, ergattern, gräne, gadlich, Rauhes haus, hillebille, sund, tilock* 'bienenloch', *kindecken* als buttermass, *matschop* u. s. w.

— die leitung des blattes geschieht nach Mielcks tode (16. märz 1896) durch C. Walther.

2. Th. Jaensch, Niederdeutsch und alldeutsch. Bayreuther blätter 1894, stück 10—12.

Sprachgeschichte. Grammatik.

3. H. Tümpel, Die Bielefelder urkundensprache. Ndd. jahrb. 20, 78—89.

es wird die Bielefelder urkundensprache zunächst mit dem mittelniederdeutschen verglichen, das die urkunden anderer orte bieten; zu diesem zwecke werden die eigentümlichkeiten der mnd. lokalmundarten kurz verzeichnet. dann wird das verhältnis zwischen urkunden- und volkssprache erörtert, indem beispiele für die übereinstimmung wie abweichung angeführt werden.

4. J. Fr. Iken, Die nd. sprache als kirchensprache zu Bremen im 16. jahrh. Bremer jahrb. 17, 47—76.

der ratsherrn- und bürgerseid waren bis 1848 nd., die kundige rolle wurde bis 1756 jährlich nd. verlesen, trotzdem war seit mitte des 16. jahrhs. die kirchensprache hochdeutsch, wenn auch einige ausnahmen in älterer zeit vorkommen.

5. E. Damköhler, Zur sprachgrenze um Aschersleben. Archiv f. landeskde. d. provinz Sachsen 5 s. 75—92.

Haushalter hatte 1883 behauptet, dass eine gewisse anzahl orte bei Aschersleben mit diesem gemischten dialekt aufweisen, ferner dass die früher nd. orte erst in den letzten 20—30 jahren durch die md. mundart erobert seien. auf grund von auskünften, die er mündlich auf einer wanderung von zum teil hochalten leuten oder brieflich erhalten hat, stellt Damköhler fest, dass in den genannten orten schon vor 100 jahren die mundart wesentlich dieselbe war wie heute. zum schluss seines aufsatzes spricht er die überzeugung aus, dass der Hassen- und Schwabengau schon im frühen mittelalter mitteldeutsch gewesen und Tümpels u. a. annahme einer alten nd. mundart daselbst irrig sei.

6. J. Bernhardt, Die Glückstädter mundart. zweiter teil. Nd. jahrb. 20, 1—39.

betr. konsonantismus, konjugation, deklination, adjektiv, pronomen u. a. anhang: kinderreime u. ä. in phonetischer schreibung.

7. H. Brendicke, Der Berliner volksdialekt. Schriften d. ver. f. gesch. Berlins, heft 32, s. 115—142.

fortsetzung von jsb. 1893, 17, 9. — die wissenschaftlichen
wert kaum beanspruchende arbeit bietet zusammenstellungen volkstümlicher ausdrücke und spitznamen, z. b. für einzelne stadtteile,
kleidungsstücke, für trinken und betrunken u. s. w., ferner schul-
ausdrücke und fremden sprachen entlehnte worte.

8. Karl Maass, Wie man in Brandenburg spricht. Brandenburg, R. Koch 1896. 32 s. 0,50 m.
abdruck aus dem Jahrbuche f. nd. sprachforschung bd. 4.

9. J. Ch. F. Dietz, Über die mecklenburgisch-plattdeutsche
mundart in bemerkungen zu Richey's Dialectologia Hamburgensis.
Ndd. jahrb. 20, 123—131.
zu anfang dieses jahrhs. niedergeschriebene bemerkungen über die
aussprache des nd. und hd. im mittlern Mecklenburg (Wismar u. s. w.)
und über besonderheiten des mecklenburgischen dialektes. als anhang: mit a anfangende idiotismen.

10. R. Wossidlo, Die präpositionen und präpositionalen
adverbien in der Mecklenburger mundart, Ndd. jahrb. 20, 40—56.
materialanhäufung, bestehend in vielen aus volksmund und
dialektlitteratur gesammelten redenwendungen, ohne dass der vf.
irgend welche regeln zu finden oder schlüsse zu ziehen versucht hat.

11. W. Scheel, Zur geschichte der Pommerischen kanzlei-
sprache im 16. jahrh. Ndd. jahrb. 20, 57—77.
betr. sowohl die herzogliche wie die städtische kanzlei. jene
zeigt zuerst den einfluss hd. sprache im beginn des 16. jahrh. in
urkunden an auswärtige hd. adressaten. pommersche verhältnisse
beginnt sie seit 1534 (in Wolgast seit 1543) zu beurkunden, doch
zeigt sich nd. sporadisch bis in die 70er jahre. in der stadtkanzlei
muss mitte der 60er jahre das nd. dem hd. weichen.

12. E. L. Fischer, Grammatik und wortschatz der plattdeutschen mundart im preussischen Samlande. Halle, waisenhaus-
buchhandlung 1896. XXIV, 260 s. 3,60 m.
ohne sprachwissenschaftliche methode zusammengestellt, doch
wertvoll nicht allein als einzige ausführliche darstellung eines ost-
preussischen dialektes, sondern auch wegen des reichhaltigen aus
vertrautester kenntnis der mundart gebotenen materiales. angez.
Ndd. korr.-bl. 18, 94 f. (Seelmann), Zs. f. d. phil. 29, 132
(Jellinghaus).

Wortkunde.

13. W. Schwartz, Die volkstümlichen namen für kröte, frosch und regenwurm in Norddeutschland nach ihren landschaftlichen gruppierungen. Zs. d. ver. f. volkskde. 5, 246—264.

ermittelung aller mundartlichen benennungen und ihrer verbreitungsgebiete. besonders mannigfaltig sind die ausdrücke für kröte und frosch, welche in den verschiedenen gegenden häufig miteinander vertauscht sind. aus dem zusammenfall des gebietes der wörter *muggel* 'kröte' und *pirlork* 'regenwurm' mit dem vorkommen des aberglaubens von der dämonischen Harke zieht der vf. ethnographische schlüsse auf vorslavische zeiten. — angez. Ndd. korr.-bl. 18 s. 45.

14. J. Franck, Die herkunft von mnd. *enket.* Ndd korr.-bl. 18, 5—8.

ein compositum, dessen erster teil *ên* 'ein' ist, während der zweite zu as. *kennian* 'kennen' gehört.

15. F. Runge, Über Joh. Aeg. Klöntrup und sein westfälisches wörterbuch. ebd. 18, 53—56.

ausführliche inhaltsangabe eines auf der versammlung des nd. vereins gehaltenen wertvollen vortrages, der genauere biographische daten und beiträge zur würdigung des hsl. wörterbuchs brachte.

16. P. Eickhoff, Westfälische etymologieen· Ndd. korr.-bl. 18, 37—41.

1. in Aliso ist vermutlich germ. *hlis* enthalten und das castell hat am Liesbache gelegen. — 2. weichbild. *weich* 'stadt' *bilithi* 'recht' zu engl. bill. — 3. hellweg 'gemeinde- d. h. öffentlicher weg' zu *hêl* 'ganz'. — 4. Dortmund. — 5. Senne aus *sinhêti* 'grosse heide'.

17. G. Lugge, Nd. pflanzennamen (aus Vest Recklinghausen). Ndd. korr.-bl. 18, 11—13.

über 150 mundartliche namensformen.

18. W. Lüpkes, Ergänzungen zu J. ten Doornkaat-Koolmans wörterbuch der ostfries. sprache. Jahrbuch d. ges. f. bild. kunst zu Emden bd. 11, s. 157—171.

175 wörter, zum grossen teile aus und mit volksreimen. — vgl. abt. 18, 4 (bd. 11).

19. Zur erinnerung an Jan ten Doornkaat Koolman, den verfasser des wörterbuches der ostfriesischen sprache. Jahrb. d. ges. f. bild. kunst zu Emden bd. 11, 399—408.

äussere lebensgeschichte. verfasserin ist Doornkaats ältere halbschwester.

20. W. Schwartz, Ein paar miscellen aus den Havellandschaften. Zs. d. ver. f. volkskde. 5, 167—171.

betr. 'dei hürt de pieräser blaffen'; hede- oder herbsthund 'brake' u. a.

21. C. Bolle, Kleine nachlese hauptsächlich mittelmärkischer pflanzennamen. Brandenburgia 3, 298—301.

c. 90 namen, nur wenige in nd. sprachform.

22. R. Wossidlo, Das naturleben im munde des Mecklenburger volkes. Zs. f. volkskde. 5, 302—325. 424—448.

zusammenstellung von redensarten und ausdrücken, welche das wetter (regen, wind, seegang u. s. w.) betreffen.

Altniederdeutsch.

Allgemeines. 23. W. van Helten, Zur altsächsischen grammatik. Idg. forsch. 5, 182—193.

im anschluss und gegensatz zu bemerkungen Kögels (jsb. 1893, 17, 15) wird das o in *old*, e in *dege*, o in *wonon* u. a. wörtern erörtert.

24. W. van Helten, Weiteres zur altsächs. grammatik. ebd. 5, 347—353.

über die verschiedenheit der hss. bezüglich der den umlaut hindernden konsonanten; über *fraho*; *fiund*; Kögels annahme vieler frisonismen in den as. denkmälern wird bestritten.

25. van Helten, Grammatisches. 34. Die genitive *buryes*, *custes* etc. 37. Zu den flexionsformen von as. *thiod(a)*. — 38. Die as. dative sg. *êo*, *êu* und *kraft*. — 41. Das as. praeter. *sêu*. P.-Br. beitr. 20, 513 f. 517 ff. 522. 524.

26. Altsächsische sprachdenkmäler hrsg. von J. H. Gallée. Leiden, E. J. Brill 1894. LI, 367 s. 8. — dazu atlas: Altsächs. sprachdenkmäler. facsimilesammlung hrsg. von J. H. Gallée. ebd. 1895, 2 bl. u. 19 taf. gr. fol. 45 m.

die gut ausgefallenen photolithographien geben auch proben der Heliandhss. und der Genesis. der textband bietet eine sammlung der kleinen as. denkmäler und glossen mit einleitungen und nachweisen. ein wörterbuch wird später erscheinen. neu sind ausser glossen Prudentiusfragmente aus Düsseldorf und Werden. Steinmeyer, Anz. f. d. alt. 22, s. 266—280, tadelt die aufnahme

r überhaupt nicht sächs. Hamburger glossen wie des Werdener
udentius und erweist durch eine genaue prüfung der texte, dass
le bereits veröffentlichten denkmäler in erheblich inkorrekterem
stand als früher auftreten und warnt geradezu vor den durch
ae sintflut von fehlern verböserten texten.

Bibeldichtung. 27. Zangemeister und Braune, Bruchstücke.
vgl. jsb. 1894, 17, 9. — angez. von Gallée, Taal en letteren
123—127; Jellinek, Anz. f. d. alt. 21, 204—225.

28. Kögel, Genesis. — vgl. jsb. 1894, 17, 12 bespr. von
artin, Göttinger gel. anz. 1895 no. 7, s. 573—575, welcher
der übersetzung einige stellen berichtigt und bezweifelt, dass
anesis und Heliand von demselben dichter verfasst sind.

29. F. Vetter, Die neuentdeckte bibeldichtung des 9. jahrh
it dem text und der übersetzung der neuaufgefundenen vati-
nischen bruchstücke. ein beitrag zur litteratur- und kirchen-
schichte. Basel, B. Schwabe. 47 s. 1,50 m.
s. 3—27 ein (aus der Schweizerischen rundschau 1895,
53—75 wiederholter) für weitere kreise bestimmter vortrag über
e bruchstücke, der sich gut liest, aber nichts neues bietet. s. 28 ff.
xtabdruck der Genesisstücke nebst freier stabreimender über-
tzung. — angez. Lit. cbl. 1895 (43) 1562.

29a. F. Vetter, Die neuaufgefundenen as. Genesisbruchstücke.
im gebrauch für vorlesungen hrsg. [aus no. 29 besonders abge-
uckt.] Basel, B. Schwabe. 12 s. 0,50 m.

30. Fr. Düsel, Das alte testament und der dichter des
eliand. Grenzboten, jahrg. 54 no. 43, 179—195.
darlegung des inhalts der Genesisstücke mit besonderem hin-
eis auf einzelheiten, welche den künstlerischen sinn und die
rmanische lebensauffassung des dichters erweisen.

31. W. Schlüter, Zu den altsächsischen bibelbruchstücken.
dd. jahrb. 20, 106—121.
eine besonders auf grammatische einzelheiten und manche text-
ellen eingehende anzeige der ausgabe Braunes.

32. P. J. Cosijn, De oudsaksische Genesis. Tijdschr. v.
ll. taalkde. 14, 313—315.
v. 34 *kuman* 'gebracht', ebenso ags. in Cockayne's Leechdoms
424.

33. Th. Siebs, Zur altsächs. Genesis. Zs. f. d. phil. 28,
38—142.

21*

v. 10 hsl. *them* 'angst haben vor dem schicksal; 12 ff. vgl. aus dem Corp. script. eccl. 23, 237 Hilarius in Genesin v. 164 ff. 175 ff.; 22 *ni te skadowe ni te scura* 287 *huoani* 'der hahn', vgl. duvan v. 196. 233; ferner betr. v. 32—42, 72 ff., 160. 164 ff. 180. 277 ff. 321 ff. 335 ff. aus den auf Magdeburg bezüglichen einträgen scheine hervorzugehen, dass dieses nicht in frage komme.

34. B. Symons, Zur as. Genesis. Zs. f. d. phil. 28, 145—156.
betr. v. 9 *them*; 17 'das den himmel bedeckende hagelwetter'; 182 *uuitan* 'wissen'; 254 *karm* 'geschrei' vgl. ags. cirm; 258 *at handum* 'nahe bevorstehend'; 288; 232 u. a.

35. F. Holthausen, Zur altsächsischen Genesis. Zs. f. d. a. 39, 52—56.
betr. v. 22 (lies *ni te skadoua ni te scûra*); 30 (*uuaran* = *uuaron* 'hüten'); 34 f. (l. *thuo, kindiungan guman*); 115 f.; 180 (l. *thesæ uuardas* sc. Engel); 264; 288 (*fruoiam* 'frühen'); 322 ff.

36. M. H. Jellinek, Altsächsische Genesis v. 322—324. Zs. f. d. alt. 39, 151.
ergänzung: *segg enig thegan ni ginas ac so bithuungan uuardh bidodit.*

37. J. Ries, Zur altsächsischen Genesis. Zs. f. d. alt. 39, 301—304.
betr. v. 28 (*undar baka* 'auf dem rücken'); 30 f.; 71; 114 ff.; 154 f.; 185 f.; 234 ff.; 240 ff.

38. Fredr. Schmidt, As. Genesis v. 22. Zs. f. d. alt. 40, 127 f.
da *sk* statt *sc* vor gutturalen vokalen nie in der Gen. und (mit 3 ausnahmen) in den Heliandhss. geschrieben ist, wird man *ni te skerema* statt *ni te skadoua* (Holth.) ergänzen müssen.

Heliand. 39. Heliand, nach dem altsächsischen übers. von Paul Herrmann. (= Universal-bibliothek no. 3324. 3325). Leipzig, Reclam. 203 s. 16°. 0,40 m., geb. 0,80 m.

40. J° van de Ven, Gebruik der naamvallen, tijden en wijzen in den Heliand. bekroond door d. k. Vlaamsche academie voor taal- en letterkunde. Gent, A. Siffer 1893. VI, 236 s. 3 f.
nach Jellineks anzeige Anz. f. d. alt. 22, 3—7 wissenschaftlich vollständig wertlos.

41. F. Jostes, Die darstellung der kreuzigung Christi im Heliand. Zs. f christl. kunst 8, 57—64.
Hel. 5532 ff. 5580 ff. 5658 wird geschildert, wie Christus an das kreuz mit stricken gebunden und mit nägeln, die durch hände

ıd füsse gingen, ausserdem noch befestigt war. das kreuz wird
lgen genannt und gesagt, dass Christus daran stand. da nun
ıht vorausgesetzt werden darf, dass der Helianddichter durch
ıne schilderung der kreuzigung in widerspruch mit den bildlichen
ıstellungen derselben an den crucifixen treten wollte, so sei zu
hliessen, dass die in den sächsischen kirchen ums jahr 830 ge-
äuchlichen crucifixe Christus mit nägeln und stricken darge-
ıllt und die mit trittbrett versehenen kreuze die T-form gehabt
ben.

42. H. Klinghardt, Zur vorgeschichte des Münchener
ıliandtextes. Zs. f. d. phil. 28, 433—436.
an einer der vorlagen müssen drei verschiedene schreiber
ätig gewesen sein, dem dialekt des ersten ist die form *thana*
ın', dem zweiten (v. 1859—4925) *thene*, dem dritten *thena* eigen.

43. Lagenpusch, Recht im Heliand. — vgl. jsb. 1894, 17,
;5. — angez. von Geffcken, Litztg. 1896 no. 5.

44. F. Holthausen, Zs. f. d. phil. 28, 1 f.
v. 2482, 4290 f.; 5738. werden lücken angenommen und er-
nzt.

45. E. Martin, Zum Heliand. Zs. f. d. alt. 40, 126 f.
besserungen von v. 3962. 235 aus metrischen gründen, ferner
n v. 461 *westan*, 967 *rheto*.

Mittelniederdeutsche dichtung.

Drama. 46. K. Meyer, Niederdeutsches schauspiel von Jacob
d Esau. Zs. f. d. alt. 39, 423—426.
bruchstücke auf einem um 1400 geschriebenen pergamentblatt,
mnd. verse und ein lat. cantus.

47. Das Redentiner osterspiel. II. teil. (hochdeutsch.) das
ren. teufelsspiel. (v. 1044—2025.) Allgem. konserv. monatsschr.
(5) s. 449—464.
der gereimten übersetzung sind anmerkungen beigegeben. be-
cksichtigt sind die gesamten neueren arbeiten über das spiel.
scheint Freybe, wenigstens liegt seine früher als buch er-
ıienene übersetzung zu grunde, doch ist sie vielfach geändert.

48. J. Peter, Zum Redentiner osterspiel. Ndd. korr.-bl. 18,
f. 33—37.
deutung einzelner stellen.

49. Froning, Das drama der reformatiohszeit. — vgl. abt.·
15, 180. — darin s. 31—100 Waldis verlorener sohn. es wird
Milchsacks text abgedruckt unter beifügung des facsimilierten
originaltitelblattes und notdürftiger erläuterungen.

Eulenspiegel. 50. K. Koppmann, Zum Eulenspiegel. Ndd.
korr.-bl. 18, 18 23.

bespiechung einzelner stellen im anschluss an Walther untersuchung zur ermittlung des nd. originalen wortlautes.

Hymnen. 51. Ad. Hofmeister, Findlinge. Ndd. korr.-bl. 18,
65—67.

betr. 1. Peter Lauremberg, Musomachia. Rostock 1642.
darin nd. stellen, besonders Hamburger ausrufe. — 2. Schröder,
Vnderrichtinge vam gebede. Rostocker hs. v. j. 1554. darin eine
nd. nachbildung des hymnus Media in vita. — vgl. abt. 10, 316.
15, 70.

52. Hermann Vespasius. Allg. deutsche biographie 39, 649.

Kalenberg. 53. W. Köppen, Die alten Kalenbergdrucke und
übersetzungen. Ndd. jahrb. 20, 92 —105.

erörterung des abhängigigkeitsverhältnisses der fassungen zu
einander einschl. der ndl. und engl. übersetzung.

Lied. 54. Mnd. trinklied. Ndd. korr.-bl. 18, 75 f.
strophische fassung des Rummeldes (vgl Nd. jahrb. 3, 67).

Narrenschiff. 55. Schip van Narragonien, hrsg. von
C. Schröder. — vgl. jsb. 1892, 17, 28. H. Brandes, Anz. f.
d. alt. 22, 64—67.

Spruch. 56. Fr. Schlie, Kirchliche altertümer aus der St. Nikolai-
kirche in Rostock. Zs. f. christl. kunst 8, 3—18.

mehrere nd. inschriften, dabei der spruch 'so we zin hopen in
rikedom sleit' (Lübben, Mitteilungen s. 1).

57. J. Bolte, De achtein egendöme der drenkers. Ndd.
korr.-bl. 18, 76 f.

hinweis auf lat. u. a. trinkerbeschreibungen, die ähnlichkeiten
mit den nd. versen bieten. — vgl. abt. 10, 321.

58. A. Wolff, Bruder Lütke, ein vormaliger bettelmönch,
mit proben seiner poesien. Zs. d. ges. f. Schlesw. Holst.-Lauenb.
gesch. 23 (1893), 209—224.

Ludolf Naaman ist 1498 von friesischen eltern in Flensburg
geboren, hat an der Sorbonne studiert, die gelehrtenschule in
Flensburg gegründet und ist hier am 3. jan. 1575 beerdigt. er hat
hsl. aufsätze hinterlassen, welche die lutherische lehre bekämpfen.

n den eingestreuten poetischen ergüssen werden einige mitgeteilt
ieselben sind aber nicht sämtlich von ihm verfasst, vgl. s. 222 f.
id Reimbüchlein 1596 ff.].

Mittelniederdeutsche prosa.

59. A. Lonke, Physiognomische lehren. Ndd. jahrb. 20,
!2 f.

aus der Bremer hs. des Sachsenspiegels v. j. 1342. sätze wie:
7ese heuet en grot houet, de is gherne dorech.

60. Hänselmann, Mnd. beispiele. — vgl. jsb. 1892, 17, 36.
lw. Schröder, Anz. f. d. alt. 21, 144.

61. Ph. Strauch, Johannes Vehe. Allg. deutsche biographie
l, 525—528.

62. J. Bolte, Der wegekörter von 1592. Ndd. jahrb. 20,
!2 – 138.

die erzählungen sind bis auf eine ausnahme hd. quellen ent-
hnt, die für jedes stück nachgewiesen werden. als probe werden
7ei erzählungen abgedruckt. — vgl. auch Ndd. korr.-bl. 18, 72,
o für eine derselben Poggios Facetiae als quelle angeführt wird.

Reinke Vos. 63. R. Sprenger, Zu Reineke vos. Zs. f. d.
iil. 28 (1) 32 f.

v. 3777 *schole holden*; Reinke habe auf der universität dociert.

Neuniederdeutsche litteratur.

64. Niederdeutsche schauspiele älterer zeit. hrsg. von J. Bolte
id W. Seelmann. (= Drucke d. ver. f. ndd. sprachforschung IV.)
orden. Soltau. 3 bl. 48 u. 164 s.

enthält ausser den sehr eingehenden einleitungen zu den ein-
ilnen stücken, den sprachlichen anmerkungen und einem excurse
ber einige ältere heute verschwundene dialektische eigentümlich-
aiten (*gaje* für *gade* u. a.) folgende texte: Moorkensvel ndl. (drama
.eichen stoffes wie das ndd. 'Böse Frauen'.) — Boeren Vasten-
7onds-spel. (ndl. übersetzung der nd. 'Bauernbetrügerei'). —
itulus. Scriba (beide stücke sind bereits 1616 in Hamburg auf-
3führt, mithin die ältesten hamburgischen dramen. quelle des
itulus ist Schonaeus). — Hanenreyerey (1618 ohne ortsangabe ge-
ruckt, aber durch die sprache als hamburgisch nachweisbar). —
igez. von Kalff, Museum 3 no. 7.

65. O. Glöde, Ndd. verse auf alten geschützen. Zs. f. d. d.
unterr. 9, 553 f.

sprüche ohne litterarischen wert aus späterer zeit.

66. W. H. Mielck, Wernigeröder hochzeitscarmen aus dem
18. jahrh. Ndd. korr.-bl. 18, 74 f.

64 verse v. j. 1797.

Brinckmann. 67. R. Sprenger, Zu John Brinckmanns erzählungen. Ndd. jahrb. 20, 89—91.

Seelmann.

XVIII. Friesisch.

A. Zeitschriften.

1. De vrije Fries. mengelingen, uitgegeven door het Friesch
Genootschap van geschied-, oudheid- en taalkunde. XVIII, derde
reeks, zesde deel. te Leeuwarden, bij Meijer en Schaafsma. 4 bl.,
624 s. 4 m.

enthält: G. H. van Borssum Waalkes, Vervolg van Friesche
klokke-opschriften (13.—19. jahrh.), met andere van elders ver-
geleken, en met aanteekeningen, vertaling, registers en platen
voorzien, s. 1—188; M. van Staveren, Bijdrage tot de levens-
geschiedenis van Mr. Johannes Basius, s. 189—279; Mr. J. Dirks,
Vijf oude zegels (mit einer tafel), s. 281—299; S. Haagsma,
Eenige bladzijden uit Friesland's zeegeschiedenis (1665 und 1666),
s. 303—418, 457—623; H. Suringar, Iets over Mr. Jakob Dirks
(mit porträt), s. 419—456.

2. Zevenenzestigste verslag der handelingen van het Friesch
Genootschap van geschied-, oudheid- en taalkunde te Leeuwarden,
over het jaar 1894—1895. 52 s. — Lijst van voorwerpen aan het
Friesch Genootschap van gesch.-, oudh.- en taalk. geschonken,
in bruikleen gegeven, of aangekocht. 1894—1895. 18 s., 3 bl.

s. 1—27 bericht über die vergaderingen en werkzaamheden der gesellschaft und über die vorträge von: C. D. Donath, Bijdrage tot
de geschiedenis der Straatverlichting und Uit den pruikentijd
(s. 3—6); F. Buitenrust Hettema, 'T Fries en z'n studie
(s. 6—8); T. de Boer, Franciscus Hemsterhuis, friesch filosoof in
de 18e eeuw (s. 8—12); L. H. Wagenaar, over Graaf Willem
Lodewijk van Nassau, eersten stadhouder van Friesland (derde
periode 1588—1594) (s. 12—16); Reitsma, Het leven en de werk-

amheid van IJsbrand Trabius of Balck, eene bijdrage tot de
:nnis van het predikantsleven bij de binnen- en buitenlandsche
:meenten van de Ned. Hervormde Kerk, in de 2e helft der 16e
uw (s. 17—21). — s. 29—50 alphabetische naamlijst der mit-
ieder. — s. 3—18 aanwinsten van het museum.

3. Friesche Volksalmanak voor het jaar 1895. Leeu-
arden, Meijer en Schaafsma. 2,10 m. — nicht geliefert.

4. Jahrbuch der gesellschaft für bildende kunst und
.terländische alterthümer*) zu Emden. — diese, dem bericht-
statter bisher nicht zugänglich gewesene zeitschrift erscheint seit
172, in 8⁰ und zwar ist erschienen:

bd. 1, heft 1—3, Emden, W. Haynel, 1875, 1 bl.: heft 1, Emden
d Aurich, W. Haynel 1872, IV, 62 s. 1,50 m. (enthält u. a.:
rtels, Ubbo Emmius, Möhlmann und die entstehung des
)llart, mit karte.) — heft 2, Emden, W. Haynel, 1873, 2 bl.,
!0 s. 4 m. (enthält u. a.: E. Friedlaender, Ostfriesische haus-
arken, mit vielen tafeln.) — heft 3, ebd. 1874, 2 bl., 150 s.
m. (enthält u. a.: Bartels, Beiträge zur ostfriesischen cultur-
d literaturgeschichte. I. Eggerik Beninga und seine Cronica
r Fresen.)

bd. 2, heft 1, ebd. 1875, 2 bl., 160 s. 3 m. (enthält u. a.:
artels, Fragmente zur geschichte des Dollart; Lohstöter, Von
n ordalien der Friesen.) — heft 2, ebd. 1877, 2 bl., 176 s.
50 m. (enthält u. a.: Bartels, Ostfriesland in der Römerzeit;
. Friedländer, Güterverzeichniss des klosters Langen in Ost-
iesland; Bartels, Einiges über die authentie und entstehungszeit
n Ernst Friedrich v. Wicht's chronik.)

bd. 3, heft 1, ebd. 1878, 2 bl., 142 s. 3 m. (enthält u. a.:
artels, Beiträge zur ostfriesischen cultur- und literaturgeschichte.
. Die apokryphische geschichtschreibung in Friesland im zeitalter
s Ubbo Emmius; Sauer, Beiträge zur münzgeschichte Ostfries-
nds.) — heft 2, ebd. 1879, 2 bl., 104 s. 2 m. (enthält u. a.:
artels, Drusus, Tiberius und Germanicus an der Niederems, mit
rte.)

bd. 4, heft 1 und 2, ebd. 1881, 2 bl.: heft 1, ebd. 1880,
bl., 92 s. 4 m. (enthält u. a.: Bartels, Ubbo Emmius und die
rte von Ostfriesland.) — heft 2, ebd. 1881, 2 bl., 134 s. (ent-
lt u. a.: Bartels, Geschichte der holländischen sprache in Ost-
esland.)

bd. 5, heft 1, ebd. 1882, 2 bl., 160 s. (enthält u. a.: Bartels,
lemann Dothias Wiarda, mit porträt.) — heft 2, Emden, selbst-

---

*) so bis bd. 4, heft 1. von bd. 4, heft 2 ab: altertümer.

verlag der gesellschaft 1883, 2 bl., 148 s. (enthält u. a.: P. Prinz, Studien über das verhältnis Frieslands zu kaiser und reich, insbesondere über die friesischen grafen im mittelalter; lat. und ndd. urkunden 1218, 1220, 1233, 1226, 1227, 1438, 1466.)

bd. 6, heft 1, Emden, selbstverlag der gesellschaft, 1884, 2 bl., 144 s. (enthält u. a.: Bartels, Ubbo Emmius und seine Rerum Frisicarum historia; Herquet, Das archidiakonat von Friesland Münsterscher diöcese.) — heft 2, ebd. 1885, 2 bl., 204 s.

bd. 7, heft 1, ebd. 1886, 2 bl., 190 s. (enthält u. a.: Ein Brüchteregister des amtes Emden aus dem 15. jahrh., hrsg. von G. Liebe.) — heft 2, ebd. 1887, 2 bl., 160 s.

bd. 8, heft 1, ebd. 1888, 2 bl., 144 s. — heft 2, ebd. 1889, 2 bl., 172 s. (enthält u. a.: Fabricius, Die von Derschau'sche bibliothek in Aurich nebst urkundlichen nachträgen zu der früher veröffentlichten lebensbeschreibung ihres stifters.)

der inhalt der folgenden bände folgt hier vollständig.

bd. 9, heft 1, ebd. 1890, 2 bl., 130 s. inhalt: K. Herquet, Geschichte der insel Norderney in den jahren 1398—1711, s. 1—58. Bunte, Über Johannes Fabricius, den entdecker der sonnenflecken, s. 59—77. Bunte, Der sogenannte Plitenberg bei Leer, s. 78—88. Germelmann, Mitteilungen über die bei herstellung der unterirdischen kanalisation der stadt Emden in den jahren 1885—1887 gemachten ausgrabungen und funde von archäologischer bedeutung, s. 89—95. de Vries, Zustände zu den vorstehenden mitteilungen, s. 95—96. Schnedermann, Die schulden der stadt Emden um's jahr 1581, s. 97—100. Schnedermann, Wertsendungen vor dreihundert jahren, s. 100—103. P. van Rensen, Beitrag zur entstehungsgeschichte des alten leuchtturmes zu Borkum und des sogenannten ostfriesischen lastengeldes (schiffahrtsabgabe), s. 103—105. J. Fr. de Vries, Das schicksal eines madonnenbildes aus der Grossen kirche in Emden, s. 105—106. Bartels, Litterarische anzeige: Blok, Studien over Friesche toestanden in de middeleeuwen, s. 106—108 (vgl. jsb. 1892, 18, 6 und 6a). Pleines, Bericht über die gesellschaft vom 30. juni 1888 bis 1. oktober 1890, s. 109—114. E. Starcke, Über den erweiterungsbau des gesellschaftshauses, s. 114—117. P. van Rensen, Rechenschaftsbericht, s. 117—122. Verzeichnis der am 1. oktober 1890 vorhandenen mitglieder, s. 123—127. Verzeichnis der auswärtigen vereine und gelehrten gesellschaften, mit denen die gesellschaft in schriftenaustausch steht, s. 128—129.

bd. 9, heft 2, mit einem lichtdruck, ebd. 1891, 2 bl., 120 s. inhalt: Bartels, Einiges über Brenneysens studien und literarische entwürfe zur ostfriesischen geschichte, s. 1—11. Bunte, Über Johannes Molanus, s. 12—46. J. Holtmanns, Genealogieen

ostfriesischer familien (fortsetzung), III. von Werdum s. 47—66.
Starcke, Der altarschrein in der Lambertikirche zu Aurich (mit
lichtdruck), s. 67 - 72. Prinz, Mirabeau über Ostfriesland, s. 73—86.
Bunte, Über das im Dollart untergegangene kirchdorf Torum,
s. 86—89. J. Fr. de Vries, Zur geschichte der 'Klunderburg' in
Emden, s. 90—92. Schnedermann, Vier briefe von der gräfin
Anna und ihrem sohne, dem grafen Edzard, s. 93—96. Schnedermann, Zur münzkunde, s. 96—97. Bartels, Notiz, vermutlich
zur rüstkammer der Emder rüstkammer, s. 98. Bartels, Volksaberglaube im 17. jahrh, s. 98—100. Thomsen, Zum Holtlander
münzenfunde, s. 101—103. Bunte, Berichtigung in dem aufrufe
für das Fabricius-denkmal, s. 103. Pleines, Bericht über die gesellschaft vom 1. oktober 1890 bis 1. august 1891, s. 104—110.
P. van Rensen, Finanzieller stand der ges., s. 111—112. Verzeichnis der am 1. oktober 1891 vorhandenen mitglieder, s. 113—117.
Verzeichnis der auswärt. vereine u. gel. ges. u. s. w., s. 118—119.
W. Schweckendieck, Nekrolog, s. 120.

bd. 10, heft 1, ebd. 1892, 2 bl., 168 s. inhalt: Zur erinnerung
an direktor dr. Schweckendieck, s. 1—10. B. Bunte, Über den güter-
besitz der klöster Fulda, Werden und Korvei in den altfriesischen
gebieten, s. 11—28. B. Bunte, Ausführliche untersuchungen über
die auf Friesland sich beziehenden traditiones Fuldenses, erster teil,
s. 29—49. Prinz, Urkundliches zur ostfriesischen geschichte (1003,
1014, 1158, 1040, 1132, 1176, 1177, 1211, 1216, 1221, 1230, 1396,
1402, 1474, 1487, 1490, 1491), s. 50—60. P. Prinz, Über Emdens
namen und älteste geschichte, s. 61—87. P. van Rensen, Das
Grimersumer haus zu Leer, mitteilungen über die häuslichen verhältnisse und den landwirtschaftlichen betrieb eines bewohners
desselben im XIV. jahrh., s. 88—117. B. Bunte, 1. Der geburtsort des Werdener mönches Uffing, 2. Über gorte (latinisiert corta),
3. Der Plitenberg und die bedeutung dieses namens, 4. Die älteste
bezeichnung für Norden, 5. Über Mentersaten und Morsaten,
6. Über Emsgahe und Ostroh, s. 118—121. P. van Rensen,
Zur münzkunde Ostfrieslands, s. 122—123. Eigenhändiger brief
des ostfriesischen fürsten Georg Albrecht, mitgeteilt von J. Fr. de
Vries, s. 123—124. Friedrich der Grosse an den Ostfriesischen
kammerpräsidenten Lentz über streitigkeiten unter den direktoren
der Asiatischen handlungskompagnie zu Emden, mitgeteilt von
A. Pannenborg, s. 124—126. Briefe über den feindlichen einfall
der Conflanser in Emden zur zeit des siebenjährigen krieges, mitgeteilt von J. Fr. de Vries, s. 126—130. Zwei eigenhändig
unterzeichnete dankschreiben Friedrich Wilhelms III, königs von
Preussen, mitgeteilt von J. Fr. de Vries, s. 130—131. Zwei
briefe von Jakob Grimm an amtmann Hemmo Suur in Norden

mitgeteilt von Suur, s. 131—134. Laarmann, Über das bei
Roggenstede unter der erde gefundene schiff, s. 134—136.
F. Ritter, Urnenfund bei Norden, s. 137—144. Houtrow,
Litterarische anzeige: Blok, Schieringers en Vetkopers, s. 140—142
(vgl. unten no. 11a). E. Starcke, Die einrichtung eines Emder patri-
zierzimmers aus dem beginn des 17. jahrhs. im sammlungsgebäude der
gesellschaft, s. 142—144. Pleines, Bericht über die gesellschaft
vom 1. august 1891 bis 31. dezember 1892, s. 145—161. Verz.
d. am schluss d. j. 1892 vorhandenen mitglieder, s. 162—166.
Verz. d. ausw. vereine u. s. w., s. 167—168.

bd. 10, heft 2, ebd. 1893, 84 s. inhalt: Ostfriesische volks-
und rittertrachten um 1500 (= jsb. 1893, 18, 13).

bd. 11, heft 1 und 2, ebd. 1895, 2 bl., 478 s. inhalt:
A. Franz, Ostfriesland und die Niederlande aus der zeit der regentschaft Albas 1567—1573, mit karte, s. 1—82, 203—398,
463—478 (vgl. unten no. 13). B. Bunte, Ausführliche untersuchungen über die auf Friesland sich beziehenden traditiones
Fuldenses, zweiter teil, s. 83—105. Fr. Sundermann, Die Ost-
friesen auf universitäten, erster beitrag: Bologna, Köln, Erfurt,
s. 106-136. P. Wagner, Zur geschichte der besitznahme Ostfrieslands durch Preussen, s. 137—156. W. Lüpkes, Ergänzungen
zu J. ten Doornkaat-Koolmans wörterbuch der ostfriesischen
sprache, s. 157—171. vgl. abt. 17, 18. J. Höpken, Zur baugeschichte der Grossen kirche in Emden, mit 2 tafeln, s. 172—202.
Zur erinnerung an Jan ten Doornkaat Koolman, den verfasser des
wörterbuches der ostfriesischen sprache, s. 399—408. B. Bunte,
1. Über die Morsaten, 2. Über die palus Emisgoe oder die Edden-
riede, 3. Über die namen Westeremden, Emden, Muiden, Mude,
ter Muiden, Leimuiden, 4. Über das landgut Merthen und angebliche andere besitzungen des klosters Korvei in Friesland, sowie über Fenkiga, Hesiga und Sahslingun, s. 409—421. Bartels,
Ostfriesische studenten auf der universität Basel, s. 421—425.
Bartels, Notizen aus der pestzeit 1664—1666, s. 426—429. Schnedermann, Statistisches aus der pestzeit, s. 429. Offener klage- und
drohbrief des Waldrik Wildriksen von Appingedam gegen graf
Edzard II. v. Ostfr. und seine amtleute, 1566 (ndd.), s. 429-433.
P. v. Rensen, Zur topographie der stadt Emden, die Geusen-
herberge 'Gulden Fontein', s. 433—438. J. Fr. de Vries, Notiz
betr. die schlacht bei Jemgum 1568 aus den protokollen des
kirchenrats der Grossen kirche zu Emden, s. 438—439. Fr. Sundermann, Zur vervollständigung der Fabricius-litteratur, s. 439—440.
van Borssum Waalkes, Ostfriesische gedenkzeichen in den Niederlanden, s. 440—443. Pleines, Bericht über die gesellschaft vom
1. januar 1893 bis zum 1. mai 1895, s. 444—454. P. v. Rensen,

Rechenschaftsbericht, s. 455—456. Verzeichnis der am 1. juli 1895 vorhandenen mitglieder, s. 457—460. Verzeichnis der vereine u. s. w. s. 461—462.

Zeitschriften in landfriesischer sprache.

5. Swanneblommen. Jierboekje for it jier 1895. utjown fen it Selskip for Fryske tael- en skriftenkennisse. Bolsert, P. de Jong. XII, 90 s.

enthält gedichte und erzählungen, s. 3—46 das lustspiel 'Twa is in pear' von T. Velstra.

6. Forjit my net! tydskrift útjown fen 't Selskip for Fryske tael en skriftenkennisse. XXVste boek. Bolsert, P. de Jong. 2 bl., 198 s.

enthält erzählungen und gedichte, u. a. s. 69—96 A—a, 400 jier tobek (in foarlêzing).

7. For hûs en heim. tiidskrift for it Fryske husgesin. utjown fen T. E. Halbertsma. jiergong 1895. Ljouwert, Meijer en Schaafsma. 252 s. 3,20 m.

enthält gedichte und erzählungen; s. 4—36 und 69—104 das lustspiel 'Hûshimmelje' von T. E. Halbertsma; s. 239—241 G. Veendorp, Taheak fen letterrym en klankrym yn sizwizen (allitterationen und reime wie *twiske bast en beam, haren en snaren, bliid en boastich, forronfelje et forskronfelje*); s. 244—248. Twa âlde stikjes fen Master Jouke, dy-t foar fyftich, sechstich jier yn Fryslân forspraet binne, mar net yn'e hannel wierne.

B. Allgemeines.

8. A. Meitzen, Siedelung und agrarwesen der Westgermanen und Ostgermanen, der Kelten, Römer, Finnen und Slawen. bd. II. Berlin, Wilhelm Hertz.

behandelt s. 1—10 das land der Friesen und Sachsen, s 10—30 heimath und ausbreitung der Friesen und Sachsen, s. 30—53 die besiedelung Frieslands. — bd. III, s. 299 und 305—313 über das friesische haus.

9. Jacobi, Quellen zur geschichte der Chauken und Friesen. — vgl. abt. 7, 20.

10. Ph. Heck, Die altfriesische gerichtsverfassung. — vgl. abt. 9, 21 und jsb. 1894 9, 24, 18, 6. sehr günstig angez. von Fockema

Andreae, Museum maandblad voor philologie en geschiedenis, april 1895; Seerp Gratama, Gött. gel. anz. 1895 (11) 842—855; Lit. cbl. 1895 (4) 125.

11. W. O. Focke, Beiträge zur norddeutschen volks- und landeskunde. Bremen. heft 1, s. 60—71, stellt ein verzeichnis der nach den chronisten untergegangenen ortschaften an der deutschen Nordseeküste zusammen, das sich auf den küstenstrich von der Lauwers bis Sylt erstreckt. — vgl. Globus LXVIII (no. 9) 146 f.

11a. P. J. Blok, Schieringers en Vetkopers. Bydragen voor vaterlandsche geschiedenis en oudheidkunde (1892?).

kämpfe der cisterzienser- und prämonstratenser-partei in Friesland. — angez. von Houtrow, Jb. d. ges. f. bildende kunst zu Emden X 1 (1892), s. 140—142.

Westfriesisch.

12. H. Jaekel, Die grafen von Mittelfriesland aus dem geschlechte königs Ratbods. Gotha, F. A. Perthes. VIII, 136 s. — nicht geliefert.

inhalt: einleitung. § 1 die mittelfriesischen grafen des 8., 9. und 10. jahrhs. im einzelnen: Abba, Dietrich, Nordalah, Gerhard, Gerulf, Alfdag, Wigging, Gardolf, Reginbert, Gerbert, Egbert, Rednat. § 2 die mütterliche herkunft der deutschen königin Mathilde. § 3 übergang der grafschaft Mittelfriesland auf die Brunonen. § 4 die herkunft der grafen von Mittelfriesland. § 5 die linien der Ratbodinger. Beilage: Nakala und Vunninga. — ergebnis: Mittelfriesland (Westfriesland) blieb auch nach der fränkischen eroberung 734 bis um 1015 unter einheimischen grafen aus dem geschlecht könig Ratbods. s. 57—62 umwälzung im friesischen münzwesen ende des 10. jahrhs. s. 111 Vunninga und Nakala heute Wijns und de Nagel.

Ostfriesisch.

13. A. Franz, Ostfriesland und die Niederlande zur zeit der regentschaft Albas 1567—1573. Emden, Schwalbe. 294 s. 4 m.

vgl. oben no. 4, bd. 11. der erste teil erschien als diss. 1893, vgl. jsb. 1893, 18, 10.

14. A. Hugenberg, Innere kolonisation. 1891. — vgl. jsb. 1892, 8, 18.

15. Fürbringer, Die stadt Emden in gegenwart und vergangenheit 1892. — vgl. jsb. 1893, 7, 100.

16. G. Sello, Beiträge zur geschichte des landes Würden. — vgl. jsb. 1892, 18, 19 und 1894, 7, 122.

17. C. Dirksen, Kinderlieder und lügenreime aus Ostfriesland. — vgl. jsb. 1892, 10, 429.

18. C. Dirksen, Ostfriesische lautspiele und sprechübungen. — vgl. jsb. 1894, 10, 327.

C. Sprachgeschichte.

19. W. van Helten, Frisonismen in den altsächsischen dialekten. Idg. forsch. V, 183, 187, 351—353.
gegen Braune und Kögel (jsb. 1894, 18, 17), glaubt an Frisonismen im Altsächsischen nicht.

20. W. van Helten, P.-Br. beitr. XX, 512. *th + d* > afrs. *thth* > *tt*.

21. W. van Helten, Zur afries. und ags. flexion der *u*-stämme. P.-Br. beitr. 20, 515 f. 525. — vgl. abt. 3, 83. 18, 21.
sen 'söhne' < germ. *suniwiz* neben sonstigem nom. acc. pl. auf -*a* < *awiz*.

22. W. L. van Helten, *Betten, kies, kroelen*. Tijdschr. voor Nederlandsche taal- en letterkde. XIV, 26 f.

23. W. L. van Helten, Oudfri. *kestigia, kesta, kest* enz., nld. *custen, custinge* enz. Tijdschr. voor Nederlandsche taal- en letterkde. XIV, 293—300.

---

24. J. W. Muller, Nfri. *boesdoer*. Tijdschr. voor Nederlandsche taal- en letterkde., deel 12, n, r. deel 4 (1893).

D. Sprachdenkmäler.

25. Th. Siebs, Westfriesische studien. aus dem anhang zu den abhandlungen der königl. preuss. akad. d. wiss. zu Berlin v. j. 1895. Berlin, G. Reimer. 62 s. 4°. — nicht geliefert.
über die Junius'schen handschriften in Oxford. angez. Ndd. korrbl. 1894/95 XVIII, s. 45 f.

26. Fryske Bybleteek fen dr. F. Buitenrust Hettema. I. Starter's Frysk. H. Honig, Utrecht. 24 s.

ausgabe von 'Een vermaecklijck sotte-clucht van een advocaet ende een boer op't plat Friesch' 1618, mit anmerkungen, und von zwei gedichten Starters.

E. Nordfriesisch.

Allgemeines.

W. O. Focke, s. no. 11.

27. P. Lauridsen, Om bispedømmet Slesvigs sognetal i middelalderen. Historisk tidskrift, 6. r. V. Kjøbenhavn (1894) 183—222.

auf grund des bisher nicht bekannten, grösstenteils 1440/1450 abgefassten Registrum Capituli Slesvicensis wird festgestellt, dass bis 1440 in der Schleswigschen marsch mindestens 49 kirchspiele untergegangen sind; in Nordfriesland entstanden 6 neue kirchen. — angez. von R. Hansen, Zs. d. ges. f. Schlesw.-Holst.-Lauenbg. gesch. XXIV (1894) 352—356.

28. Chr. Jensen, Landverlust und landgewinn an der Schleswigschen westküste (mit einer karte der 1634 überfluteten insel Alt-Nordstrand von 1659). Globus LXVII (no. 12) 181—187.

29. Eckermann, Die eindeichungen auf Nordstrand und Pellworm. mit karte. Zs. d. ges. f. Schlesw.-Holst.-Lauenbg. gesch. XXV, 119—160.

30. Reimer Hansen, Beiträge zur geschichte und geographie Nordfrieslands im mittelalter. Zs. d. ges. f. Schlesw.-Holst.-Lauenbg. gesch. XXIV (1894) 1—92. dazu karte 'Nordstrand um 1597. nach Joh. Petreus'.

1. die sturmfluten. 2. Gästänacka. 3. die Designatio. 4. Designatio und Catalogus vetustus. 5. Johannes Petreus' karte von Nordstrand. ergebnis: 'die überlieferung der chronisten über die sturmfluten des mittelalters ist sehr unverlässig; die Designatio ist als werk Mejers ohne jede bedeutung für die feststellung der kirchspiele des 13. jahrhs.; die autorität Mejers ist von Geers weit überschätzt; es spielt die phantasie derart bei ihm mit, dass er selbstverfertigte listen als alte denkmäler anführt'. — vgl. Globus LXVIII (no. 4) 66 f.

31. Reimer Hansen, Die eiderstedtischen chronisten vor Peter Sax. Zs. d. ges. f. Schlesw.-Holst.-Lauenbg. gesch. XXV, 161—215.

_____

32. Chr. Jensen, Die bewirtschaftung der 'Schiftburlag' auf Sylt. Globus LXVI (1894) 217—219.

33. **C. P. Hansen**, Sagen und erzählungen der Sylter Friesen. vgl. abt. 10, 99.

die 2. aufl. ist 1875 erschienen, die 1. aufl. in Altona 1857 unter dem titel 'Friesische sagen und erzählungen'. nach der 1. aufl. hier die geschichte des langen Peter, ebenso die 'sagen und erzählungen der heidebewohner auf Sylt'. die karte ist berichtigt. beigefügt ist wiederum ein 'verzeichnis von C. P. Hansen's ethnographischer sammlung', die sich in Keitum befindet. texte in Sylter sprache s. 39, 47—56, 63 f., 66, 68 f., 74, 77—79, 191, 207, 212, 215, 217, 226.

33a. **E. Lindemann**, Die nordseeinsel Helgoland. — s. jsb. 1893, 18, 35. — 2. aufl. 1890.

34. **M. Harrwitz**, Helgoland einst und jetzt. bericht von Casper Danckwerth vor ungefähr 250 jahren über die insel geschrieben, neu hrsg., mit vorwort und anmerkungen, sowie mit einer [recht dürftigen] bibliographie über Helgoland. Berlin, M. Harrwitz 1891. 24 s. — s. jsb. 1894, 18, 45.

35. **E. Tittel**, Die natürlichen veränderungen Helgolands und die quellen über dieselben. Leipzig, Fock 1894. IV, 156 s. 2,50 m.

von den 3 abschnitten (1. die geschichtlichen nachrichten über Helgoland, 2. karten und steuerbücher, 3. die physische beschaffenheit der insel) verdient der erste die weitaus grösste beachtung. die mitteilungen Adams von Bremen sind von zweifelhaftem werte, weil die bedeutung des von ihm angewandten längenmasses 'milliarium' nicht feststeht. nach Oetkers vorgang deutet T. den ausdruck als 'schritttausend' und berechnet die länge der insel zu 6400, die breite zu 3200 m. die dünenriffe haben zur zeit Adams die ostgrenze der insel gebildet. im 15. jahrh. taucht die sage von der einstigen grösse der insel auf. dieselbe besitzt eine vierfache wurzel: 1. der streit zwischen den Hansestädten und den schleswigschen herzögen um den besitz der insel, 2. die Ursulalegende, 3. das leben Suitberts, 4. die falsche bezeichnung der Tacitusstelle Germ. 40 auf Helgoland durch Pontanus. die untersuchungen Lauridsens über Mejers karten von Helgoland haben endgültig dargethan, dass Mejers historische karte von Helgoland nur willkürliche, in die gestalt von kartenbildern eingekleidete spekulationen sind, die von Mejer selbst beliebig verändert wurden und jeder grundlage entbehren. [A. P. Lorenzen.]

36. **H. Theen**, Helgoländer sagen. Am urquell V, 233 f. — vgl. jsb. 1894, 10, 83.

37. **Fränkel**, Helgoländer sagen. Am urquell VI, 3.

Sprachdenkmäler.

38. **Ferreng an öömreng allemnack för 't juar 1895 ütjdenn
fan O. Bremer an Neggels Jirrins. Halle, Max Niemeyer. 96 s.
kl. 8⁰. 1 m.**

in amring-föhringischer sprache. enthält u. a.: s. 7—29 sprichwörter und kinderreime zu den einzelnen jahreszeiten; s. 42—50
O. Bremer, Bliw' am jammens ual spriak trau! (angaben über den
rückgang der heimischen sprache und dessen ursachen); s. 50—52
O. Bremer, Hüdenneng san a ferreng-öömreng spriak an a sall-
reng an halleglunner ünlick? (lautliche unterschiede der amr.-föhr.,
sylter und helgolander sprache); s. 74—80 O. Bremer, Wat a
ferreng an öömreng wüffhöd un ualeng tidjen un hedd ha (frühere
frauentracht, meist nach den angaben von K. J. Clement).

Otto Bremer.

XIX. Niederländisch.

Allgemeines.

1. **Noord en zuid.** tijdschrift ten dienste van onderwijzers
bij de studie der ndl. taal- en letterkunde onder redactie van
T. H. de Beer. jaarg. 18. Culemborg, Blom & Olivierse. 576 s.
5,50 f.

darin ausser den besonders bezeichneten abhandlungen:
Bergsma, De vervoeging van de sterke werkwoorden. — **Kat,**
Het voorzetsel. — H. V. Leopold, De onderwijzer en de etymologie. — Schook, De causatieven en hun voorwerpen. —
J. te Winkel, Geschiedenis der ndl. taal (vervolg) § 4. woordvor-
ming door afleiding. — Vercoullie, Een blik in de geschiedenis
onzer taal. — Vierhout, De rangschikking van opeenvolgende
adjectieven; Stylistische overwegingen. — ferner allerlei notizen
und didaktische anweisungen.

2. **Taal en letteren,** onder redactie van Buitenrust Hettema u. a. jaarg. 5. Zwolle, Tjeenk Willink. XVI, 384 s. 4,20 f.

darin ausser den besonders verzeichneten arbeiten: van
Heeckeren, De vrijheid in onze letterkunde. — van Helten,
Over de verscherpte uitspraak van zachte en de verzachte uitspraak
van scherpe stomme consonanten in het normale nederlandsch. —
Hettema, Uit de spraakleer; Over naamvallen. — Kollewijn,

Onze voornaamwoorden; Het geslacht der zelfstandige naamwoorden
in het nederlands; Woordorde en buigingsuitgangen. — Logeman,
Taalverval of taalontwikkeling? — Talen, Het bijvoeglik naam-
woord; Beknopte spraakleer van 't beschaafde nederlands. — ausserdem aufsätze zur neundl. litteratur u. a.

3. (M. Nijhoff), Sciences, belles-lettres et arts dans les
Pays-Bas surtout au 19e siècle. bibliographie systématique. tom. I.
linguistique.   histoire littéraire.   belles-lettres.   avec une table
alphabétique.   La Haye, M. Nijhoff. (VIII, 301 s.)   geb. 5,50 m.

4. W. L. van Helten, Etymologische en andere bijdragen.
Tijdschr. v. ndl. taalkde. 14, 26—37. 111—118.

betr. *betten* (aus dem fries. entlehnt, vgl. *bette* 'nässen' bei
Japicx, tt enttstanden aus ththj); *kies* ('backzahn', mnd. kuse, aus
dem fries., stamm *kusiô); *krioelen* (identisch mit kryoelje bei
Japicx entspricht ahd. crewelon cf. P. u. Br. beitr. 18, 378 ff.);
eiland (ndfrk. entsprechung von *ajo, anfr. *egia, während ndl.
ouwe und oye aus *auwi und *aujo entwickelt sind); die diphthongen
aai, ovi, oei; plien; 'wanconst, wanconnen; waers wanen. — de
praepositie *ont* en het inchoatieve (?) *ont-; rijten, reus;* (he:n)
temayeren; inlems.

Grammatik.

5. J. H. Gaarenstrom, De klemtoon in het nederlandsch.
Noord en zuid 18, 481—503.

6. A. Opprel, De zachte en scherpe *e* en *o* bij Cats. Tijdschr.
v. ndl. taalkde. 14, 154—167.

die mundart von Oud-Beiërland scheidet im gegensatz zur ndl,
rechtschreibung sehr genau organische länge und tondehnung des
e und *o.* die folgerung, dass diese unterscheidung auch bei Cats,
der den seeländischen dialekt des 17. jahrhs. sprach, sich wiederfinden
müsse, bestätigt sich. unter c. 10 000 reimen begegnen kaum 13 *e*
und nur 10 *o* betreffende ungenauigkeiten.

7. F. A. Stoett, Het achtervoegsel *-baar.* Noord en zuid
18, 289—301.

8. F. A. Stoett, Het achtervoegsel *-lijk.* Noord en zuid
18, 422—429.

Mundarten.

9. **W. de Vries**, Het vocalisme van den tongval van Noord-
hoorn. eene bijdrage tot de kennis der hedendaagsche Saksische
dialekten. proefschrift. Groningen, Wolters. 92 s.

anz. Gallée, Museum 3, no. 12.

10. **J. H. Gallée**, Woordenboek van het Geldersch-Overijselsch
dialekt. s'Gravenhage, Nijhoff. XXVIII, 77. s. 2,50 fi.

11. **A. Dassonville**, De westvlaamsche l. Philol. bijdragen,
bijblad von 't Belfort IV, 1.

12. **J. te Winkel**, Tijdschrift van het k. ndl. aardrijks-
kundig genootschap 1895 deel 12 (1) 51—70; vgl. Globus 67 (18)
291 f.

bereitet eine sprachkarte von Nordholland vor, indem er sonder-
karten für einzelne spracherscheinungen herstellt.

Wortkunde.

13. **Woordenboek** der ndl. taal. deel II. afl. 7 (sp. 953—
1112) *band-bed*, bew. door A. Kluyver. — deel V. afl. 7. 8
(sp. 929—1248) grootachting — gulden, bew. door A. Beets.
's Gravenhage en Leiden, Nijhoff en Sijthoff.

14. **Servaas de Bruin**, Duitsch woordenboek in twee deelen·
(I. Duitsch-Hollandsch. II. Hollandsch-Duitsch.) naar de nieuwste
bronnen samengesteld. nieuwe uitgave. Zutphen, Thieme. VI,
1196 u. 585 s. geb. 8,20 m.

15. **Franck**, Etymol. woordenboek. — vgl. jsb. 1893, 19, 19.
Kluge, Litbl. 1895 (12) 395—399.

16. **J. Broeckaert**, Bastaard woordenboek. (uitgave der
k. Vlaamsche acad.) Gand, Siffer. XXX, 440 s.

17. **J. Verdam**, Dietsche verscheidenheden. Tijdschrift 14,
8—16.

112. een paar plaatsen uit de Couchy-fragmenten. — 113.
smachten. — 114. *achterstouwen.* —

18. **P. van Veerdeghem**, Bijdragen tot onzen zestiend'
eeuwschen taalschat. Noord en zuid 18, 245—254.

aus J. B. Houwaerts gedichten.

19. **J. Franck**. Das *e* in *heeten*. Tijdschr. v. ndl. taalkde.
14, 305—309.

unter den von Opprel (s. oben no. 5) verzeichneten ausnahmen erscheint besonders *heeten*, das schon mnl. gern mit *weten* reimt. die thatsache und ursache von *heten* mit tonlangem e lasse sich nicht mit genügender sicherheit feststellen.

20. **Einzelnes.** *St. Annas schapraai*; *iets van St. Anna.* Noord 18, 166 (de Cock).

bakeljauw. Sievers' Beiträge 20, 344 (Schuchardt).

beusele. Tijdschrift 14, 300 (Nauta).

dubbeld'u, dubbel u. ebd. 14, 173—179 (Stoett).

op syn genevoys. Taal 5, 116 ff. (Nauta).

gewesen. Tijdschrift 14, 287 ff. (de Vrese, J. W. Muller).

gids. Verslagen d. k. akad. v. wetensch. letterkunde III. bd. 12, 1 (A. Kluyver).

haar van den hond. Tijdschrift 14, 292 (van Moerkerken).

haare op de tanden. Noord 18, 9—15 (Stoett).

houden. Noord 18, 147 ff. (Allan).

kalis en *caliban.* Tijdschrift 14, 53—64 (Kluyver).

kalisbank, kalisbrug. ebd. 14, 65—68 (Beets).

custen custinge. ebd. 14, 293—300 (van Helten).

langs 's heeren wegen. Noord 18, 477 (Vierhout).

ledikant. Tijdschrift 14, 93 (de Vreese).

matroos. Noord 18, 416—421 (Stoett).

non fortse. Tijdschrift 14, 180 f., 290 ff. (Verdam, de Vrese).

ontraden. ebd. 14, 316—319 (Stoett).

den reuk ergens van hebben. ebd. 14, 300 (Nauta).

stapelzot. ebd. 14, 319 f. (Beets).

wanewaer. ebd. 14, 68 (J. W. Muller).

Litteraturgeschichte.

21. E. F. Kossmann, Bibliographie der i. j. 1893 in den Niederlanden erschienenen arbeiten auf dem gebiete der modernen litteraturgeschichte. Euphorion 2, 511—515.

22. W. J. A. Jonckbloet, Geschiedenis der ndl. letterkunde. deel 1. herzien door C. Honigh. 4. goedkoope uitg. Groningen, Wolters. XII, 464 s. (vollständig in 6 deelen à 1 fl. 25 c.)

23. J. ten Brink, Geschiedenis der ndl. letterkunde. geillustreerd onder toezicht van J. H. W. Unger. met gekleurde en ongekleurde afbeeldingen, facsimile's, tekstfiguren en portretten, afl. 1—9 (= s. 1—305). Amsterdam, Uitgevers-maatschappij Elsevier.

ein holländisches gegenstück zu Königs deutscher litteratur-geschichte. das buch soll 20 — 22 lieferungen zu je 2 fr. oder 0,95 f. umfassen. angez. von Kalff, Museum 3, no. 9; Hettema, Taal en letteren 5, 311—321.

24. J. Bolte, Bilderbogen des 16. jahrhs. Tijdschr. voor ndl. taal- en letterkde. 14, 119—153.

beschreibung von 18 holzschnittbogen des Gothaer museums mit sittenbildlichen und allegorischen darstellungen und versen. darin ist original die von Jonck gereimte geschichte des Sorgheloos, die heilige Aelwaria (zanksucht), die leichtfertige buhlerei, der hennentaster; andres ist oberdeutschen vorbildern nachgebildet, so die aus flugblättern des Hans Sachs übertragenen gespräche zwischen dem tode und den liebenden, der alten frau und ihrem jungen freier, die allegorie vom glücksrade, vom guten regiment, Pirckheimers emblem, scene zwischen dem greise und seiner jungen frau, das mädchen mit dem alten und jungen liebhaber.

25. A. L. Stiefel, Zur schwanklitteratur im 16. jahrh. Archiv f. d. stud. d. n. spr. 94, 129 - 148.

ergänzungen und berichtigungen betr. Bolte's ausführungen über die ndl. schwankbücher von 1576 und 1589.

26. Bibliotheek der universiteit van Amsterdam. tooneel-catalogus. Nederland. (bewerkt door F. Z. Mehler). Amsterddm. Delsman & Nolthenius. 6, 216 kol. 1,50 fl.

27. R. de Wolf, Bijdrage tot de kennis van ons midde-leeuwsch tooneel. Tijdschr. v. ndl. taalkde. 14, 301—304.

urkundliche nachrichten d. j. 1403—1463 aus den rechnungs-büchern des dorfes Oudenburg zwischen Brügge und Ostende. die dortige Apostelgilde verband mit einer jährlich abgehaltenen prozession dramatische aufführungen. eine andere gilde gab jähr-lich zur fastenzeit eine vorstellung. öfter aufführungen durch orts-fremde. 1457 ein dramatischer preiskampf, an dem sich Rederijker aus zehn orten beteilgten, während sie 1458 nur aus drei orten zu gleichem zwecke erschienen.

28. Jul. Schwering, Zur geschichte des ndl. und spanischen dramas in Deutschland. neue forschungen. Münster, Coppenrath. 3 bl., 100 s. 2 m.

über das auftreten ndl. spruchsprecher und schauspieler in Deutschland und die beziehungen der rederijker zu diesem sind einige nachrichten aus dem 14.—16. jahrh. beigebracht. ausführ-licher wird über die ndl. wanderbühne des 16. und 17. jahrh. und die einzelnen schauspielertruppen gehandelt. deutsche nach ndl. vor-bild gearbeitete dramen werden verzeichnet und der einfluss der ndl.

auf die deutsche bühnentechnik nachgewiesen. — angez. Lit. cbl. 1896 (3). — vgl. abt. 15, 188.

29. J. A. Worp, Invloed van het Fransche drama op het onze in het begin der 17de eeuw. Noord en zuid 18, 198—215.

30. G. Kalff, Litteratuur en tooneel te Amsterdam in de 17. eeuw. Haarlem, De erven Bohn. XII, 317 s. 2,90 fl.

Mittelniederländische litteraturdenkmäler.

31. K. de Flou en Edw. Gailliard, Beschrijving van mnl. en andere handschriften die en Engeland bewaard worden. Gent, Siffer. (234 s.)

titel und inhalt von 100 meist mnl. stücken aus hss. des British Museums. anz. von Scharpée, Belfort 1895; Martin, Anz. f. d. a. 22, 234.

32. F. van Veerdeghem, Ndl. handschriften in Engeland. Tijdschr. v. taalkde. 14, 1—7.

titelverzeichnis neu- und mnl. hss. des British Museum. text-proben sind nicht gegeben.

33. P. Leendertz, Het Zutfensch-Groningsche handschrift (I.) Tijdschr. v. ndl. taalkde. 14, 265—283.

beschreibung und vollständige inhaltsangabe der Maerlants Rijmbijbel, die Wrake van Jherusalem u. a. enthaltenden hs. des 14. jahrhs. abdruck: van den clusenaere (legende, 102 v., betr. die zahl der wunden Christi).

34. Will. de Vrese, Mndl. fragmenten III—IV. Tijdschrift v. ndl. taalkde. 14, 38—52; 168—172; 260—264.

III. bruchstück eines im 16. jahrh. gedruckten volksbuches 'van den ridder metter zwane'. bekannt waren nur zwei jüngere drucke. — IV. fragment van eene berijmde geschiedenis van Bar-laam en Josaphat? 90 verse einer unbekannten dichtung aus einer hs. des 14.—15. jahrh. — V. Mnl. minnedichten. hs. des 14. jahrh. bruchstücke.

Mittelniederländische dichtung.

Franciscus. 35. T. D. Detmers, Aanteekeningen op de madl. berijming van Sinte Franciscus' leven. diss. Groningen (Leipzig, Fock). XVI, 80 s.

Gebote. 36. W. de Vreese, Dit sijn de X gheboden ons heeren. Tijdschr. v. ndl. taalkde. 14, 181.

14 verse aus einer hs. in Gent, 15. jahrh.

Maerlant. 37. J. Verdam, Een vierde tekst van 'Ons Heren wonden'. Tijdschr. v. ndl. taalkde. 14, 94—110.

in einer Haagschen hs.; ein voranstehendes noch unbekanntes einleitungsgedicht (128 v.) wird samt dem neuen texte abgedruckt.

38. W. de Vreese, Sp. II⁴, 22, 80. Tijdschr. v. ndl. taalkde. 14, 7.

Ragisel. 39. H. E. Moltzer, Een nieuw Ragisel-fragment. Verslagen v. d. k. Akad. van wetenschappen, afdel. letterkde., reeks III d. 12 (1).

40. H. E. Moltzer, Een nieuw Ragiselfragment. Tijdschr. v. ndl. taalkde. 14, 232—237.

228 verse (1—54 nur in einzelnen worten erhalten) in einer Düsseldorfer hs. dem abdruck ist ein facsimile beigegeben.

Reinaert. 41. (J.) P(rinsen Sz.), De Renaert. Noord en zuid 18, 302—326.

der inhalt wird erzählt und auf manchen feinen zug in der charakteristik der tiere hingewiesen.

42. J. W. Muller, De oorsprong van den roman de Renart. Taal en letteren 5, 129—160.

im anschluss an 'L. Sudre, Les sources du roman de Renart Paris 1893'.

43. Chr. Semler, Willems Reinaert in dem deutschen unter-richt. Zs. f. d. u. 9, 377—392.

der gang der handlung wird dargelegt, um an einzelnen zügen der dichtung das wesen der komik zu entwickeln.

44. F. W. Drijver, Van den vos Reinaerde. Extr. de Het Belfort. Gand, Siffer. (ohne titel) 5 s. 25 c.

Seneca. 45. Dit sijn Seneka leren, iever te noemen twee-spraec tusscen enen vader en sinen sone over alrehande swaer gheval. een mndl. zedekundig leerdicht, na Blommaert volgens het Brusselsch handschrift opnieuw uitgeg. en toegelicht door W. H. D. Suringar. Leiden, Gebr. van der Hoeck. 32 en 142 bl. 1,75 fl.

Utenbroeke. 46. E. Martin, Philipp Utenbroeke. Allg. d. biographie 39, 408 f.

Utenhove. 47. E. Martin, Wilhelm Utenhove. ebd. 39, 415.

Velthem. 48. E. Martin, Lodewijk van Velthem. ebd. 39, 596 f.

Mittelniederländische prosa.

49. R. Priebsch, Dit is Sinte Baernaert spiegel. Tijdschr. v. ndl. taalkde. 14, 20—25.

übersetzung (aus dem 14. jahrh.) des Speculum Bernhardi (Migne 184 c. 1167). abdruck nach einer hs. in Oxford.

Hadewijch. 50. Zuster Hadewijch werken. II. proza. naar de drie bekende hss. diplomatisch uitg. door J. Vercoullie. Gand, Hoste. 212 s. (Maatschappij d. Vlaamsche bibliophilen, reeks IV, no. 11.)

Klosterregel. 51. J. H. Gallée, Middeleeuwsche kloster- regels, II. het boek der statuten van het klooster Bethlehem bij Hoorn. Archief voor ndl. kerkgeschiedenis deel V. (afl. 4) s. 345—420. ˙

abdruck der einzig erhaltenen hs., anscheinend mehr kultur- historischen, als sprachlichen interesses. (vorangeht s. 229—322 das lat. liber constitutionum der Windesheimschen frauenklöster nebst einer einleitung von F. Pijper.)

Predigten. 52. De Limburgsche sermoenen. uitg. [met in- leiding, aantekeningen en woordenlijst] door J. H. Kern. ged. 7 [slot.] XII und seite 577—696. (= Bibliotheek van mnl. letter- kunde onder redactie van Moltzer aflev. 53.) 3 fl.

Seelmann.

XX. Latein.

Hymnologie.

1. Blätter für hymnologie, hrsg. von J. Linke. Kahla, Beck 1894 und 1895.

die ende 1889 eingegangene zeitschrift erscheint wieder seit 1894 und wird in derselben weise wie die früheren jahrgänge ge- leitet, ist also von wichtigkeit auch für die kenntnis des latei- nischen kirchenliedes. die vielen einzelnen beiträge hier aufzuführen verbietet der unserer abteilung zugemessene raum des jahres- berichtes. nur sei hingewiesen auf eine zusammenstellung der in der zeitschrift 'Siona' in den jahren 1889—1894 abgedruckten

hymnologischen arbeiten und auf eine übersicht über die hymno-
logische litteratur von 1890—1893.

2.   G. M. Dreves, Analecta hymnica medii aevi. XVII. Hym-
nodia hiberica.   Leipzig, Reisland 1894.   276 s.   7,50 m.

liturgische reimofficien aus spanischen brevieren. — angez. Lit.
cbl. 1895, s. 856—858.

3.   M. Dreves, Analecta hymnica medii aevi. XXI. Cantiones et muteti. zweite folge: cantiones festivae, morales, variae.
Leipzig, Reisland.   226 s.   7 m.

Dichter bis zur Humanistenzeit.

4.   M. Manitius, Analecten zur geschichte des Horaz im
mittelalter. — vgl. jsb. 1894. 20, 4.   R. Kukula, Österr. litbl.
1895, s. 405 f. — E. Voigt, Litztg. 1895, s. 518.

Schreiber, Die vagantenstrophe. — vgl. abt. 14, 109.

5.   E. Voigt. Ein unbekanntes lehrbuch der metrik aus dem
11. jahrh.   Mitt. d. ges. f. deutsche erziehungs- u. schulgesch. IV
(3) s. 149—158.

versifizierungen von fabeln des Romulus, als beispiele für
die metrik verwendet, 11. jahrh.; zwei blätter, aufgeklebt auf den
deckel einer Würzburger hs. des Ambrosius.

6.   M. Dreves, Profane lateinische lyrik aus kirchlichen
handschriften.   Zs. f. d. a. 39 (4) 361—368.

lieder aus der Stuttg. hs. I. Asc. 95 der kgl. handbibliothek.

7.   M. Manitius, Zu den gedichten Priscians. Rh. mus. 1894,
s. 170—172.

8.   A. Riese, Libri Salmasiani aliorumque carmina. Leipzig,
Teubner 1894.   ed. alt. XLVII, 372 s.

angez. L. Traube, Berl. phil. woch. 1895, s. 495—497.

9.   F. Heidenhain, Zur rettung des Avian.   N. jahrb. f.
phil. und päd. 1895, s. 837—855.

10.   L. Hervieux, Avianus et ses imitateurs. (Les fabulistes latins.)   Paris, Didot 1894.   XII, 808 s. u. III, 530 s.

für die geschichte der mittelalterlichen fabellitteratur von
interesse. angez. Fr. Heidenhain, N. phil. rundschau 1895,
s. 181—186 u. 197—202. Keller, Berl. phil. woch. 1894, s. 1615.
Lit. cbl. 1895, s. 1287 u. 1836.

11. **M. Ihm**, Anthologiae latinae supplem. vol. I. Damasi epigrammata. Leipzig, Teubner. LIII, 147 s. 2,40 m.

angez. C. **Weymann**, Woch. f. kl. phil. 1895, s. 789—794.

12. **M. Ihm**, Die epigramme des Damasus. Rh. mus. 1895, s. 191—204.

13. **M. Manitius**, Zum florilegium des Micon. Rh. mus. 1895, s. 315—320.

14. **M. Manitius**, Zu Maximianus. Rh. mus. 1895, s. 642.

15. **C. Weymann**, Zur anthologia latina epigraphica. Rh. mus. 1895, s. 154.

16. Claudii Claudiani carmina ed. J. **Koch**. — vgl. jsb. 1894, 20, 5. — angez. von F. **Gustafson**, Berl. phil. woch. 1894, s. 1358; Zs. f. d. österr. gymn. 45, s. 417. P. **Postgate**, Classical review IX, 3.

17. **E. Arens**, Quaestiones Claudianae. diss. Münster 1894, 42 s.

gegen aufstellungen Birts in seiner vorrede zu Claudian (vgl. jsb. 1893, 20, 12) gerichtet. — angez. von M. **Petschenig**, Woch. f. kl. phil. 1895, s. 947, F. **Gustafson**, N. phil. rundschau 1895, s. 299—300.

17. **C. Muellner**, De imaginibus similitudinibusque quae in Claudiani carminibus inveniuntur. Dissert. philol. Vindobonenses vol. IV. s. 99—203. Wien, Gerold 1893. — bespr. von E. **Grupe**, N. phil. rundschau 1895, s. 26—27.

19. Claudii Claudiani carmina ed. Th. **Birt**. — vgl. jsb. 1893, 20, 12. — P. **Postgate**, Classical review IX, 3.

20. **W. Gundlach**, Heldenlieder der deutschen kaiserzeit aus dem lateinischen übersetzt. 1. bd. Hrotsvithas Ottolied. Innsbruck, Wagner 1894. XXXIX, 654 s.

angez. F. **Kurze**, Litztg. 1894, s. 1335—1337.

21. **E. Ottmann**, Ausonius, Die Mosella übertragen. Trier, Linz. 1,50 m. — angez. Lit. cbl. 1895, s. 729.

22. **W. Brandes**, Beiträge zu Ausonius. progr. des gymn. Wolfenbüttel 1895. [no. 723]. 31 s.

23. Ausonius, Mosella. hrsg. u. erkl. von C. **Hosius**. Marburg, Elwert 1894. 1,40 m.

bespr. von G. **Eskuche**, N. phil. rundschau 1894, s. 280. — O. **Rossbach**, Berl. phil. woch. 1895, s. 812—814.

24. Fr. Marx, Aviens ora maritima. Rh. mus. 1895, s. 321—347.

untersucht die komposition der griechischen vorlage und versucht die zeit der einzelnen stücke festzustellen.

25. Repertorium latinae poeseos (Catholica hymnologica excepta) specimen. Leipzig, Harrassowitz. 34 s. gr. 4°. 2 m.

Prosaiker bis zur Humanistenzeit.

26. R. Heim, Incantamenta graeca latina. Leipzig, Teubner 1892. 108 s.

behandelt auch die christliche zeit. — angez. K. Pauli, N. phil. rundschau 1895, s. 102. — Lit. cbl. 1894, s. 1065 f. — Litztg. 1894, s. 1034.

27. M. Ihm, Zu Valerius Maximus und Januarius Nepotianus. Rh. mus. 1894, s. 247—255.

die epitome des Nepotianus liegt der historia miscella des Landolfus zu grunde.

28. G. Woelbing, Die mittelalterlichen lebensbeschreibungen des Bonifatius. — vgl. jsb. 1894, 8, 101. — H. Hahn, Litztg. 1894, s. 1362—1363.

29. Willibaldus, vita S. Bonifatii. aus der Münchener hs. neu hrsg. und mit textkritischem apparat versehen von A. Nürnberger. — Breslau, Müller und Seyffert. 69 s. 1 m.

30. A. Duemmler, Epistolae. — vgl. abt. 7, 47.

31. A. Bernouilli, Zwei exempla aus mittelalterlichen predigten. Zs. f. kirchengesch. 1894, s. 451—453.

32. D. Reichling, Das doctrinale des Alexander de Villa-Dei. (Mon. Germ. paed. XII). Berlin, Hofmann 1893. CCCIX, 211 s. 18 m.

angez. K. Wotke, Berl. phil. woch. 1894, s. 1398, M. Manitius, Woch. f. kl. phil. 1894, s. 1168.

33. H. Zimmer, Nennius vindicatus. — vgl. jsb. 1894, 20, 10. R. Thurneysen, Zs. f. d. phil. 28, 80—113.

34. A. Bahlmann, Deutschlands katholische katechismen. — vgl. abt. 8, 87.

Humanistenzeit, spätere zeit.

35. K. Krause, Euricius Cordus Epigrammata. — vgl. jsb. 1894, 20, 25. V. Michels, Zs. f. d. a. 39, 91—100.

36. Murmellius, Pappa puerorum. m. ausschl. des 1. kap. in neudr. hrsg. von A. Bömer. XX, 43 s. 1,60 m. Münster, Regensberg.

37. Murmellius, Scoparius in barbariei propugnatores et osores humanitatis ex diversis illustrium virorum scriptis ad iuvanda politioris litteraturae studia comparatus. in neudr. hrsg. v. A. Bömer. XXX, 138 s. 3 m. Münster, Regensberg.

38. E. Weber, Virorum clarorum saec. XVI—XVII epistolae selectae. Leipzig, Teubner 1894. X, 195 s. 2,40 m.
91 briefe, meist Göttinger handschriften entnommen. — angez. Lit. cbl. 1895, s. 700.

39. M. Fickelscherer, Manutii epistulae selectae. — vgl. jsb. 1893, 20, 55. K. Wotke, Zs. f. d. österr. gymn. 45, s. 666 f. E. Krah, N. phil. rundschau 1894, s. 280—281.

40. Th. Klähr, Die lateinschulen zu Eton und Winchester im sechzehnten jahrh. N. jahrb. f. phil. u. paed. 152, 498—517. 552—563.
I. statuta, ordinationes et consuetudines scholae Etoniensis per singulos anni menses composita seu saltem in ordinem digesta per Zul. Malim. II. Johnsons lat. gedicht De collegio seu potius collegiata schola Wicramia Wintoniensi.

41. Eckius dedolatus, ed. S. Szamatolski. — vgl. jsb. 1892, 20, 85. — F. Spengler, Anz. f. d. a. 20, 405.

42. Xystus Betulius, Susanna, hrsg. von J. Bolte. (Lat. litt. d. XV. u. XVI. jahrhs., 8.) Berlin, Weidmann 1894.
angez. H. Holstein, Zs. f. d. phil. 28, 269 f.

43. R. Schwarz, Esther im deutschen und neulateinischen drama des reformationszeitalters. vgl. abt. 15, 182.
ferner angez. K. Wotke, Berl. phil. woch. 1895, s. 85.

44. P. Bahlmann, Die lateinischen dramen der Italiener im 14. und 15. jahrh. Cbl. f. bibliotheksw. 1894, 172.

45. Jacobus Wimphelingius, Stylpho ed. H. Holstein. — vgl. jsb. 1893, 20, 24a. — angez. von V. Michels, Anz. f. d. a. 21, 91—100.

46. G. Ellinger, Deutsche lyriker des 16. jahrhs. — vgl. jsb. 1894, 20, 24b. — angez. von V. Michels, Anz. f. d. a. 21, 91—100.

47. W. Creizenach, Geschichte des neueren dramas 1. — vgl. abt. 6, 11. L. Traube, Berl. phil. woch. 1895, s. 471.

48. Hubert, Vergerios publizistische thätigkeit. — vgl. abt. 8, 64. behandelt die protestantische periode im leben des päpstlichen nuntius Vergerio. — angez. K. Wotke, Litztg. 1895 s. 333.

49. Herrmann, Albrecht von Eyb. — vgl. abt. 14, 136 und jsb. 1894, 20, 32.

50. Buchwald, Lutherfunde in der Jenaer universitäts-bibliothek. Zs. f. kirchengesch. 1894, s. 600 - 603.

51. M. Müller, Melanchthoniana aus Brandenburg a. H. und Venedig. Zs. f. kirchengesch. 1894, s. 133—142.

52. Th. Kolde, Zwei Lutherbriefe. Zs. f. kirchengesch. 1894, s. 603—607.

53. Hans, Drei briefe von Luther und Melanchthon. Zs. f. kirchengesch. 1894, s. 448—451.

54. G. Knod, Findlinge. Zs. f. kirchengesch. 1894, s. 118—132. zu Reuchlin, Wimpfeling, Hutten, Erasmus, Berus.

55. Fr. Lezius, Zur charakteristik des religiösen stand-punktes des Erasmus. Gütersloh, Bertelsmann. 72 s. 1 m. angez. von R. Seeberg, Theol. litbl. 1895, s. 341.

56. F. Baumann, Nachträge zu Trauschs schriftsteller-lexikon. Korresp. d. ver. f. siebenb. landesk. 1895, 69 ff., vgl. s. 97 f. enthält u. a. einige lat. gedichte von Michael Adelphus (Adleff).

57. Philipp Melanchthon, Declamationes, hrsg. v. K. Hart-felder. — vgl. jsb. 1894, 20, 35. — angez. H. Holstein. Zs. f. d. phil. 28, 270 f. K. Wotke, Berl. phil. woch. 1894, s. 1558. 2. heft (lat. litteraturdenkm. no. 9). Berlin, Weidmann 1894. XVI, 38 s. 1 m. — angez. G. Kawerau, Theol. litztg. 1895, s. 240—241.

58. K. Hartfelder, Phil. Melanchthon als praeceptor Germa-niae. — vgl. jsb. 1892, 20, 100. W. Bornemann, Theol. litztg. 1895, s. 370—374.

59. Lilius Gregorius Gyraldus, De poetis nostrorum temporum. ed. K. Wotke. [Lat. litt. denkmäler d. XV. und XVI. jahrh. no. 10.] Berlin, Weidmann. XXV, 104 s. 2,40 m.

60. J. Pelczar, Nicolai Hussoviani carmina. Krakau, buchh. der poln. verlagsgesellsch. 1894. LV, 118 s.
die lat. gedichte des humanisten Nicolaus Hussovianus (Hussovius, geb. zwischen 1475 u. 1485). — angez. Lit. cbl. 1895, s. 925, von J. Dembitzer, Woch. f. kl. phil. 1895, s. 850—854. K. Wotke, Berl. phil. woch. 1895, s. 886—888.

61. P. Stötzner, Sigismund Evenius. ein beitrag zu geschichte des Ratichianismus. progr. d. gymn. Zwickau. [no. 559.] 32 s.

62. J. Pohl, Über ein in Deutschland verschollenes werk des Thomas von Kempen. progr. des Thomaeums zu Kempen (Rhein). [no. 457.] 28 s.

63. F. Baumann, Alte grabinschriften. Korrespbl. d. ver. f. siebenb. landesk. 1895, 23—26.
lateinische aufzeichnungen von einigem historischen wert aus den kirchenbüchern der gemeinden Kelling und Rätsch.

64. P. Joachimsohn, Aus der bibliothek Sigismund Gossembrots. Cbl. f. bibliotheksw. 1894, 294 u. 297.

65. K. Krause, Eine neu aufgegefundene schrift des Eobanus Hessus. Cbl. f. bibliothekw. 1894, 163.

66. Hartfelder, Melanchthoniana paedagogica. — vgl. jsb. 1893, 20, 59. — W. Bornemann, Theol. litztg. 1895, s. 370—374.

67. Mummenhoff, Sixt Tucher. Allgem d. biogr. 39, s. 111—114.

68. Meyer von Knonau. Tutilo. Allgem. d. biogr. 39, s. 28—30.

69. Eisenhart, Johannnes Tylich. Allgem. d. biogr. 39, s. 52.

70. P. Bahlmann, Dietrich Tzwyvel. Allgem. d. biogr. 39, s. 69 f.

71. G. Bauch, Kaspar Velius Ursinus. Allgem. biogr. 39, s. 367 - 369.

72. D. Jacoby, Cornelius Valerius. Allgem. d. biogr. 39, s. 469 f.

73. J. Bolte, Nicolaus Vernuläus. Allgem. d. biogr. 39, s. 628—632.

74. Schimmelpfennig, Petrus Vincentius. Allgem. d. biogr. 39, s. 735 f.

                                                              Kaiser.

XXI. Geschichte der germanischen philologie.

1. H. Schmidt-Wartenberg, Germanistische studien in den vereinigten staaten von Amerika. Zs. f. d. phil. 28, 425—427.

verzeichnis germanistischer kurse an amerikanischen universitäten 1894—1895.

2. Breul, A handy bibliographical guide. — vgl. abt. 3, 11 und jsb. 1894, 21, 6. Academy 1895, 1210. Euphorion 2, 483. 84. M. H. Jellinek, Zs. f. d. österr. gymn. 46, 1095. 96.

Wehrmann, Zum unterricht des mhd. — vgl. abt. 14, 13.

Wagenführ, Die lektüre des Nibelungenliedes. — vgl. abt. 14, 70.

3. Koch, Die ehemalige Berlinische gesellschaft für deutsche sprache. — vgl. jsb. 1894, 21, 10. M. Friedländer, Eine vergessene gesellschaft, Zs. f. d. spr. 9, 19—24 giebt inhalt und würdigung dieses programms. L. Fränkel, Arch. f. d. st. d. n. sprr. 94 (1) 95—96.

4. Eggermann, Die Prager gesellschaft für wissenschaft und kunst und die pflege der nationallitteratur in Deutschböhmen. Litter. jahrb. V.

5. Der verein 'Deutsches haus' in Brünn wirkt unverdrossen für die erhaltung des deutschen wesens auf gefährdetem gebiete, besonders durch seine 'Blätter vom deutschen hause'; zur zeit ist no. 9 erschienen. ausserdem ist eine weihnachtsgabe zu erwähnen: G. List, Walkürenweihe. 88 s., eine moderne dichtung, aber mit historisch-sprachlichen erläuterungen und anmerkungen.

                          Biographie.

Bartsch vgl. unten no. 52.

Bechstein. 6. vgl. jsb. 1894, 17, 1. Zs. f. d. phil. 27, 568—569.

Cohausen. 7. B. Florschütz, Karl August von Cohausen oberst z. d. und kgl. konservator, † am 2. dezember 1894. Annalen d. ver. f. Nassauische altertumskunde 25, 1—8.

Jacob Dirks vgl. abt. 18, 1.

Doornkaat vgl. abt. 17, 19.

Oskar Erdmann († 15. juni 1895 in Kiel). 8. H. Gering, Zs. f d. phil. 28, 228—235: gedächtnisworte, gesprochen am 17. 6. 95 in der aula der universität Kiel.

9. H. Wunderlich, Allg. ztg. 1895, beil. 163.

Grimm (vgl. abt. 9, 4. 10, 175. 21, 20).

10. H. Grimm, Die brüder Grimm. Deutsche rundschau 1895, januar (21, 4).

11. K. Franke, Politische taten und worte J. Grimms. Zs. f. d. d. u. 9 (7) 466 f.

12. Steig, Goethe u. d. br. Grimm. — vgl. jsb. 1894, 21, 15. Zs. f. d. österr. gymn. 45 (11).

13. Emil Brauns briefwechsel mit den brüdern Grimm und J. v. Lassberg, hrsg. von R. Ehrwald. Gotha 1891.
angez. Weizsäcker, N. korrbl. f. d. gel. u. realsch. Württemb. II, 2.

14. E. Stengel, Private und amtliche beziehungen der brüder Grimm zu Hessen. titelausgabe des jsb. 1886 (21) 1953 verzeichneten buches.

15. Zwei briefe von Jakob Grimm an amtmann Hemmo Suur in Norden, mitgeteilt von Suur. Jahrb. d. ges. f. bildende kunst u. vaterl. altertümer zu Emden, bd. 10, heft 1 (1892), s. 131—134. — vgl. abt. 18, 4 (bd. 10, 1).

Rudolf Hildebrand. 16. O. Lyon, Zs. f. d. d. u. 9 (1) 1—21. vgl. jsb. 1894, 21, 28. — J. Sahr, Zs. d. allg. d. spr. v. 10, 1. — Leipziger ztg. 1894, 3. nov. abends. Leipziger tageblatt 1894, 4. nov.

17. R. Dietrich, Hildebrand-heft. Neue bahnen, monatsschr. f. haus-, schul- und gesellschaftserziehung 6, 10. — vgl. G. Berlit, Zs. f. d. d. u. 9, 854—856.

18. O. Lyon, Festschrift. — vgl. jsb. 1894, 21, 26. Franz Hofmann, Zs. f. d. realschulwesen 20, 220—221.

19. Forschungen z. deutschen philologie. — vgl. jsb. 1894, 21, 27. G. Ehrismann, Litbl. 1895 (3) 73—76.

20. G. Berlit, Rudolf Hildebrand. ein erinnerungsbild nebst einer beilage zur gesch. d. d. wörterbuchs d. br. Grimm. (aus N. jahrbüch. f. phil. u. päd.) Leipzig, Teubner. 41 s. 1 m. — angez. O. Lyon, Zs. f. d. d. u. 9 (5. 6) 427—428.

21. Th. Distel, Ein brief Hildebrands an einen seiner früheren schüler auf St. Thomä. Zs. f. d. d. u. 9, 93.

Th. Distel, Ein weiterer brief und reime R. Hildebrands an einen seiner früheren schüler auf St. Thomä. Zs. f. d. d. u. 9 (5. 6.) 367.

22. G. Berlit, Aus R. Hildebrands unterrichtspraxis. Zs. f. d. d. u. 9 (5. 6) 373 fg.

23. G. Berlit, Worte der liebe und dankbarkeit am sarge des verehrten lehrers R. Hildebrand. als handschrift gedruckt. — angez. O. Lyon, Zs. f. d. d. u. 9, 79—80.

24. Eugen Wolff, Zs. f. d. phil. 28, 73—79.

25. Julius Göbel, Modern language notes 1894 (6) 342—350.

Adelbert Hoppe. 26. J. Schmidt, Arch. f. d. st. d. n. spr. 95 (1. 2) 153—163.

Wilhelm v. Humboldt. 27. Briefe an Nicolovius. hrsg. von Haym. — vgl. jsb. 1894, 21, 32. Revue critique 1894 (49). Leitzmann, Euphorion I (3) 647 f. F. Jonas, Anz. f. d. a. 21, 252—255.

28. A. Leitzmann, W. v. Humboldts briefe an F. A. Wolf aus der zeit seiner leitung des preussischen unterrichtswesens. N. jahrb. f. phil. u. päd. 1895 (3. 4. 5. 6).

29. Distel, Aus dem briefwechsel W. v. Humboldts. Euphorion II (3) 640—641. nachtrag dazu II (4) 820—821.

30. Tagebuch W. v. Humboldts von seiner reise nach Norddeutschland im jahre 1796. hrsg. von A. Leitzmann (Quellenschriften z. neueren d. lit.- u. geistesgesch. 3). Weimar, E. Felber. X, 163 s. 3 m. — vgl. jsb. 1894, 21, 31. R. Haym, Euphorion II, 661—667.

Lachmann. 31. Vahlen, Lachmanns briefe. — vgl. jsb. 1894, 21, 36. O. Behaghel, Litbl. 1895 (1) 1. 2.

Lassberg vgl. oben no. 13.

Knudsen vgl. abt. 12, 260.

W. Scherer. 32. Kleine schriften. I hrsg. v. Burdach, II hrsg. v. Erich Schmidt. — vgl. jsb. 1894, 21, 41. O. Behaghel, Litbl. 1895 (2) 41—42.

Schierenberg vgl. abt. 17, 1.

Traugott Scholl (geb. 17. 4. 1817, gest. 28. 4. 1895 in Stuttgart). 33. H. Fischer, Zs. f. d. phil. 28, 430—431.

Laura Soames (geb. 1840, gest. 1895). 34. A. Schröer, Engl. stud. 21, 197—199 giebt eine kurze charakteristik der durch ihre Introduction to phonetics bekannt gewordenen forscherin.

Teutsch. vgl. jsb. 1894, 21, 43. weitere litteratur verzeichnet Korrbl. f. Siebenb. landesk. 1895 (1) 8—12.

35. Fr. Teutsch, Bischof d. G. D. Teutsch. hrsg. vom ausschusse d. ver. f. Siebenbürg. landesk. Hermannstadt, W. Krafft. 71 s. mit bildnis. 0,80 m.

Tieck. 36. G. Klee, Zu Ludwig Tiecks germanistischen studien. progr. d. gymn. Bautzen [no. 543]. 31 s. 4.

beleuchtung einzelner punkte, meist auf grund von noch ungedruckten briefen. — angez. Euphorion 2, 733. O. Lyon, Zs. f. d. d. u. 9 (7) 501—502.

Karl Tomanetz † 14. 1. 1894 Wien.

37. P. Knöll, Professor Anton Horner und prof. dr. Karl Tomanetz. progr. d. gymn. im 8. bez. Wien.

Franz Tschischka. 38. K. Weiss, Allg. d. biogr. 38, 726—728.

Ludwig Uhland. 39. H. Fischer, ebd. 39, 148—163.

Joh. Weikhard v. Valvassor. 40. P. v. Radics, ebd. 39, 471—475.

Georg Veesenmeyer. 41. K. G. Veesenmeyer, ebd. 39, 519—523

Franz Anton Veith. 42. W. Vogt, ebd. 39, 552.

A. F. C. Vilmar. 43. Wippermann und E. Schröder, ebd. 39, 715—722.

Johann Wolff vgl. jsb. 1894, 21, 46.

44. Fr. Teutsch, Dankrede auf J. Wolff. Zur eröffnung d. 47. generalversammlung d. ver. f. Siebenb. landesk. Arch. d. ver. f. Siebenb. landesk. 27 (1) 10—38. sonderdruck Hermannstadt, W. Krafft 1896. 38 s.

das lebensbild eines hochstrebenden mannes, dessen nur funfzig lebensjahre meist mühe und arbeit gewesen sind. er war nicht nur gelehrter, prediger und schulmann, sondern besonders auch ein mann seines volkes, ein kräftiger vorkämpfer für das deutsche wesen im fremden lande. — auch der Berliner ges. f. d. phil. hat er viele jahre nahe gestanden.

Friedrich Zarncke. vgl. jsb. 1893, 21, 31—45. E. Zarncke, Biogr. jahrb. f. altertumswissenschaft 18, 90—109. auch als sonderdruck. Berlin, Calvary. 21 s. 0,80 m.

Julius Zupitza † 6. juli 1895 in Berlin.

46. Academy 1895, 1211. Breul, Athenæum 1895, 3534. R. Wülker, Anglia 18 (1) 129—131. E. Kölbing, Engl. stud. 21 (3) 452—471. A. Brandl, Deutsche rundschau 22 (2). A. Napier und M. Roediger, Archiv f. d. stud. d. n. sprr. 95, 241— 258. A. Tobler, ebd. beiblatt zu 95, 1. 2.

Bibliographie.

47. Jahresbericht über die erscheinungen auf dem gebiete der germanischen philologie. hrsg. v. d. ges. f. deutsche philologie in Berlin. 16. jahrg. 1894. Dresden und Leipzig, C. Reissner. 396 s. 9 m.

der 15. jahrg. angez. Österr. litbl. 1895 (6) 172—173.

48. W. Golther, E. Kölbing, E. Köppel, Wechselbeziehungen zwischen romanischer und germanischer litteratur. Kritischer jsb. über die fortschritte der romanischen phil. von K. Vollmöller. bd. I, heft 6.

49. Germania. Illustrierte monatsschrift für kunde der deutschen vorzeit und kulturgeschichte.
erscheint seit ende 1894.

50. Längin, Deutsche handschriften. — vgl. jsb. 1894, 21,
51. K. Weinhold, Arch. f. d. st. d. n. sprr. 94 (4) 421. Lit. cbl. 1895 (16) 578—579.

51. G. Huet, Catalogue des manuscrits allemands de la bibliothèque nationale. (extrait de la Revue des bibliothèques.) Paris, Bouillon. VIII, 176 s. 5 fr.

52. Ed. Grisebach, Katalog der bücher eines deutschen bibliophilen mit literarischen und bibliographischen anmerkungen. nebst einem porträt. Leipzig, Drugulin 1894. VI, 288 s. 6 m.
angez. Lit. cbl. 1894 (40) 1463—1464.

Ed. Grisebach, Katalog der bücher eines deutschen bibliophilen: supplement und namenregister. supplement (no. 1851—2000). Leipzig, Drugulin. XLI, 60 s. 0,75 m.
nach der anz. Lit. cbl. 1895 (40) 1448—1449 enthält das buch unter anderen bemerkenswerten beobachtungen des herausgebers auch zu der (no. 1976) 4. aufl. von Kobersteins Grundris ein wort

über die 'zahllosen verbesserungen und nachträge', welche von
Koberstein handschriftlich eingetragen sind: in der von Bartsch besorgten 5. aufl. sind diese Koberstein'schen handschriften keineswegs mit sorgfalt benutzt, oft ganz übergangen, wie denn die
'umarbeitung' vielmehr als eine verballhornung des werkes zu bezeichnen ist — was man ja schon wusste und besonders bei den
Nibelungen lernen konnte.

53. Neuer deutscher bücherschatz. verzeichnis einer an selten-
heiten ersten ranges reichen sammlung von werken der deutschen
litteratur des 15.—19. jahrhs. mit bibliographischen bemerkungen.
Berlin, Imberg u. Lefson. 4 m.

54. Science, belles-lettres et arts dans les Pays-Bas sourtout
au 19e siècle. Bibliographie systématique. tome I: linguistique,
histoire littéraire, belles-lettres. avec une table alphabétique.
La Haye, M. Nijhoff. 301 s.

55. M. Poll, Bericht über die während des jahres 1894 in
Amerika veröffentlichten aufsätze über deutsche litteratur. Euphorion 2, 675—679.

56. Verhandlungen der 42. versammlung deutscher philologen
und schulmänner in Wien vom 24.—27. mai 1893. Leipzig,
Teubner 1894. XVII, 626 s. 4. 24 m. — angez. Österr. litbl.
1895 (19) 601.
hier zu erwähnen sind: Schipper, Über die stellung und
aufgabe der engl. philologie an den mittelschulen Österreichs.
vgl. jsb. 1894, 16, 5. Kraus, Über die aufgaben der forschung
auf dem gebiete der deutschen litteratur des 11. u. 12. jahrhs.
und die mittel zu ihrer lösung. Sievers, Zur rhythmik und
methodik des nhd. sprechverses. Jellinek, Über die notwendigen
vorarbeiten zu einer geschichte der mhd. schriftdialekte. Hauffen,
Das deutsche volkslied in Österreich-Ungarn. Bötticher, Über
die mhd. lektüre an höheren lehranstalten. Detter, Über die
Hæðobarden im Beowulf. Schröer, Über historische und deskriptive engl. gramm. vgl. abt. 16, 62. Luick, Die bedeutung der
lebenden mundarten für die engl. lautgeschichte. vgl. abt. 16, 62.
Pogatscher, Über die chronologie des ae. i-umlauts. vgl. abt.
16, 62. Streitberg, Die entstehung der dehnstufe im indogermanischen. vgl. abt. 3. 62. Meringer, J. Schmidts wellen-
theorie und die neuen dialektforschungen. Hirt, Der accent der
i- und u-deklination in den indogermanischen sprachen. Stolz,
Die vergleichende grammatik und das sprachstudium an den universitäten.

57. Von den auf der 27. jahresversammlung der American Philological Association (9.—10. juli 1895 in Cleveland) gehaltenen vorträgen sind hier zu erwähnen: Fay, Die unwandelbarkeit phonetischer gesetze. Hulme, Quantitätszeichen in altengl. hss. Perrin, Ursprung und wachstum einer Alexanderlegende. H. Schmidt-Wartenberg, Rousselots phonetischer apparat.

58. E. Elster, Bürger und Walther v. d. Vogelweide. Euphorion 2 (4) 776—781.

eine reihe von stärkeren anklängen an Walther wird bei Bürger nachgewiesen; andere, die man früher schon bemerkt zu haben glaubte, werden abgelehnt. — dabei wird auf andere anklänge bei den Göttinger dichtern und auf eine bisher nicht beachtete schrift hingewiesen.

59. R. Sokolowsky, Das aufleben des altdeutschen minnesangs in der neueren deutschen litteratur. Jenaer diss. 1891.

in dem zur zeit vorliegenden 1. kap. die zeit bis 1759.

60. H. Drees, Walther v. d. Vogelweide, könig Philipps herold. Hans Sachs. zwei festspiele für höhere lehranstalten. progr. no. 259 d. Stollbergschen gymn. Wernigerode. 54 s.

Autorenregister.

24*

Sigfr. d. schlangentöter
10, 11.
anders. Lexikalisches
1, 30. Fremdwörter 4, 2.
Leitfaden zur gramm. 4,
17. *misstrauen* 4, 26.
Pron. poss. 4, 35. Ord-
nungszahlen 4, 36. Ver-
mischtes 4, 39. J. E.
Schlegel 4, 47. *der* oder
die Eisack 4, 53b.
Rechtschreibung 4, 62.
Rec. 4, 64.
andfeld-Jensen. Laban
12, 67.
aran. Rec. 3, 122. 129. 130.
arrazin. Ophelia 16, 51.
Andreas 16, 127. Th.
Chestre 16, 192. Rec.
10, 402.
ars. Nyt tidsskrift 12, 34.
artori. Zählen, messen
10, 282.
artori-Montecroce. Rec.
9, 13, 22.
attler. Religiöse an-
schauungen Wolframs 14,
104.
aubert. Germ. welt- und
gottanschauung. 10, 10.
auer. Mahábhárata 10,
23. Ostfries. münzgesch.
18, 4.
auer, A. Österreich. na-
tionalhymne 10, 365.
aunders. Chaucer's Cant.
Tales 16, 210.
aussaye. Rec. 12, 149.
exén. Finska lånord 12,
62.
chäfer, D. Rec. 7, 45.
86.
chäfer, K. Baukunst 8,
130. Münster zu Freiburg
8, 135.
chäfer, R. Wirtschafts-
geschichte 9, 16.
chaube. Regensburger
haus 8, 114. Hansgrafen-
amt 9, 22. Rec. 9, 68.
charpé. Rec. 19, 31.
chauffler. Sprichwörtl.
redensarten 10, 444. Glossen z. Germania 7, 103.
Rec. 14, 69.

Scheel. Pommersche kanz-
leisprache 17, 11. Rec.
8, 44. 77. 78.
Scheiner. Ma. der Sieben-
bürger 5, 31. 7, 59.
Schell. Woher kommen
die kinder 10, 246. Ab-
zählreime 10, 378.
Schellhass. Rec. 7, 56.
Schenk. Kaiser Heinrich
14, 115.
Schepss. Ae. Boethius 16,
162.
Schermann. Sterne im
idg. seelenglauben 10, 38.
Schiber. Siedlungen 7, 25.
Schich. Rec. 16, 63.
Schiemann. Rec. 8, 65.
Schiepek. Satzbau 5, 26.
Schierenberg. Götter der
Germanen 10, 5.
Schiffmann. Passionsge-
dicht 14, 73.
Schiller. Allgäuer kunst
8, 133.
Schimmelpfennig. Vin-
centius 20, 72.
Schipper. Engl. metrik
16, 98. W. Dunbar 16,
218.
Schischmanow. Lenoren-
stoff 10, 320.
Schläger. Tagelied 14, 110.
Schlegel. Volkslieder 10,
339.
Schlessing. Wortschatz
4, 44.
Schlie. Altertümer 17, 56.
Schliep. Mythologisches
10, 14.
Schlossar. Märchen u.
sagenkunde 10, 155. Kin-
derreime 10, 370. Volks-
lieder 10, 327.
Schlüter. Zu den as.
bibelbruchstücken 17, 31.
Schmedes. Rec. 14, 109.
Schmeltz. Hochzeits-
brauch 10, 237.
Schmelzer. Massenburg
8, 109.
Schmid. Goldschmiede-
schule 8, 77.
Schmidkontz. Ortsna-
menkunde 2, 24. Deich-

baum 10, 301. Rec. 10,
110.
Schmidt. Steinzeitfund 7,
143.
Schmidt. Passionsspiel
10, 414.
Schmidt, A. Handwerker-
poesie 10, 425.
Schmidt, A. B. Rec. 9,
10. 41.
Schmidt, Ad. Hand-
schriften zu Darmstadt
14, 15. 15, 133. Sammel-
band deutscher lieder 15,
217.
Schmidt, B. Siegerländer
ma. 5. 38.
Schmidt, Ch. Strassburger
ma. 5, 7. Répertoire
bibliographique 8, 56.
Schmidt, Erich. Volks-
lied 10, 315. Jahresbe-
richte 15, 1. Scherer 21,
32.
Schmidt, Fredr. As. ge-
nesis 17, 38.
Schmidt, G. Clavigo 4, 56.
Schmidt-Wartenberg, H.
Germ. studien 21, 1.
Rousselots apparat 21,
57.
Schmidt, I. Engl. wörter-
buch 16, 14. Hoppe 21,
26.
Schmidt, Joh. Sonanten-
theorie 3, 63.
Schmidt, L. Grimma 8,
26.
Schmidt, Leop. Märchen-
oper 10, 155a.
Schmidt, M. C. P. Rec.
7, 15.
Schmidt, M. G. Goldene
bulle 9, 48.
Schmidt, O. Rechtsge-
schichte 9, 63.
Schmitt. Sage v. Karl d.
gr. 10, 85.
Schmitt, E. Sagen a. d.
Baulande 10, 196.
Schmitz. Hohenzollern 8,
44. Rec. 7, 58. 9, 37.
Schnedermann. Schulden
d. stadt Emden 18, 4,
bd. 9, 1. Wertsendungen

Teutsch. Siebenbürger Sachsen 7, 59. Balneum paschale 10, 221 a. Teutsch 21, 35. Wolff 21, 44.

Tewes. Numismatisch-sphragistischer anzeiger 8, 149.

Theen. Bienenzauber 10, 274. Helgoländer sagen 18, 36.

Thirrung. Gebräuche der Hienzen 10, 234.

Thomsen. Münzenfund 18, 4, bd. 9, 2.

Thorkelsson, J. sen. Suppl. til isl. ordbøger 12, 44. 45. Sagnord 12, 80. Sex sögu þættir 12, 129.

Thorkelsson, J. jun. Huld 12, 18. Gottskálk Jónsson 12, 174. Jsl. ártidaskrár 12, 200.

Thorsteinsson. Huld 12, 18.

Thudichum. Sala 9, 26.

Thürlings. Musikdruck 8, 58.

Thurneysen. Comparativ-bildung 8, 65. Wurzel *kugh* 8, 117. Nennius 20, 33.

Tietzen s. Wegener 7, 139.

Tille, Alex. Bahrrecht 10, 245. Faustsplitter 15, 48. Rec. 10, 88. 104.

Tille, Armin. Vintschgau 8, 178.

Tittel. Helgoland 18, 35.

Toball. Ostpreussische sagen 10, 101.

Tobler, A. Zupitza 21, 46.

Tobler, G. Tierprozesse 9, 7. Matth. Zollner 15, 226.

Tobler-Meyer, W. Familiennamen 2, 17.

Toischer. Rec. 15, 3.

Tomanetz. Syntax Grillparzers 4, 18.

Töppen. Weichseldelta 8, 13.

Toynbee. *cormorant* 16, 30. *loover* 16, 36.

Traube. Rec. 20, 8. 45.

Trautenberger. Brunn 7, 92.

Trautmann. Me. stabzeile 16, 105. Andreas von Cynewulf 16, 125. 126. Ae. rätsel 16, 156. Rec. 3, 130. 16, 101.

Treichel. Allerneueste hochzeiten 10, 236. Volkslieder aus Westpreussen 10, 347. Knechtlohn im Ermlande 10, 348. Lied vom Krambambuli 10, 398.

Trimpe. Götterlehre 10, 21.

Tschackert. Briefe zur reformationsgesch. 15, 8. Val. Vannius 15, 203. Tho. Venatorius 15, 206.

Tücking. Germania 7, 100.

Tümpel. Bielefelder urkundensprache 17, 3.

Tümpling. Tümpling 8, 53.

Tupper, F. Ae. *dæg-mæl* 16, 28.

Tupper, J. W. Deor's klage 16, 140.

Turk. Alfred's legal code 16, 165.

Uhl. Muskatblüt 14, 118.

Uhle. Entwicklung d. d. spr. 4, 46.

Uhlenbeck. Waar werd de idg. stammtaal gesproken? 3, 50. Zur gutturalfrage 3, 64. *p* aus *b* im anlaut 3, 93. Etymologisches 3, 118. 119. 121. 16, 23. Miscellen 3, 120. Rec. 3, 58.

Uhlirz. Litteratur 9, 64.

Uhlmann. Geleit f. Hus U 9, 51.

Ullrich. Volkssagen 10, 98.

Ulmann. Rec. 9, 49.

Umlauft. amenbuch v. Wien 2, 28.

Unbescheid. Kriegspoesie 10, 367.

Unger, C. R. Diplom. norvegicum 12. 223.

Unger, Th. Wiedertäuferlieder 15, 80.

Uppenkamp. Semitisch-idg. sprachvergleichung 3, 43.

Urban. Blut u. feuersegen 10, 259. As da haimat 10, 333. Totenbretter in Westböhmen 10, 434.

Vahlen. Lachmann 21, 31.

Vance. Spätags. Sermo 16, 169.

Vanderstetten. Hans Sachs 15, 161.

Varnhagen. Rec. 16, 190. 191.

Varrentrapp. Briefe Wimpfelings 15, 225. Rec. 7, 45.

Vater. Sächsische herrscher 8, 46.

Veendorp. Letterrym en klankrym 18, 7.

Veerdeghem. Taalschat 19, 18. Ndl. hss. 19, 32.

Veesenmeyer. Veesenmeyer 21, 41.

Velstra. Lustspiel 18, 5.

van de Ven. Gebruik d. naamvallen in d. Heliand 17, 40.

Vendell. Pedersöre-Purmomålet 12, 96.

Vercoullie. Ndl. 19, 1. Hadewijch 19, 50.

Verdam. Verscheidenheden 19, 17.

Vernaleken. Kinder- u. hausmärchen 10, 152.

Vervliet. Ons volksleven 10, 187.

Vetter, F. As. bibeldichtung 17, 29.

Vetter, Th. Rec. 16, 110.

Viereck. Städte 9, 84. Rec. 7, 38.

Vierhout. Ndl. 19, 1.

Vietor. Elemente der phonetik 3, 5. Aussprache der schriftdeutschen 3, 6.

Verbesserungen.

Graz.
Bornscheuer.
  zeile 14 Leine u. Rhein.
) „ 8 200 nach Chr.
} „ 10 von letzteren.
} „ 7 einem sog. diadem.
' „ 11 ösenring.

| 7, 148 zeile 6 Schmon.
, 7, 164 „ 4 das gräberfeld.
, 7, 169 s. 89 z. 6 Sulingen.
, 7, 177 s. 92 z. 8 Memmingen.
| 7, 185 s. 94 z. 1 religion.
| 8, 167 vgl. abt. 14, 107.
| 9, 53 Gratama.

Druck von Gressner & Schramm, Leipzig.

Inhalt.

Redaktion: Prof. Dr. E. HENRICI. Berlin, Sebastianstrasse 26.

I. Allgemeine lexikographie.

Wörterbücher. 1. Grimms wörterbuch. — erschienen sind 9. bd., 6. lief., *schmeckebier—schnack.* sp. 961—1152, 7. lief., *schnack—schnitt*, sp. 1153—1344, 8. lief., *schnitte—schoppe*, sp. 1345—1536, 9. lief., *schöpfen—schreiner* 1537—1728.

2. M. Heyne, Deutsches wörterbuch. 3. bd. R—Z (6. hlbd. setzen—Z). Leipzig, S. Hirzel. VII, sp. 593—1364. 5 m.
kurze anzeige des sechsten halbbandes. Lit. cbl. 1895 (52) 1878. — eingehende beurteilung des ganzen werkes von O. Lyon, Zs. f. d. d. unterr. 10 (5/6) 447—454, der auf etymologischem gebiete rücksichtnahme auf die neuesten forschungen vermisst — die beispiele sind gerade recht unglücklich gewählt — sonst aber das ganze werk warm empfiehlt.

3. M. Heyne, Deutsches wörterbuch. kleine ausgabe (in 20 lief.). 1.—16. lief., 1024 sp. L. S. Hirzel. lief. 0,50 m.

4. H. Paul, Deutsches wörterbuch. Halle, Niemeyer 1896. — vgl. jsb. 1895, 1, 3. — angez. von W. Golther, Blätter f. d. gymnasialschulw. 32 (3'4). — von A(rthur) C(huquet), Revue critique 1896 (28). — von W. Braune, Lit. cbl., der über anlage und zweck berichtet, erklärt, warum häufige wörter, wie *arm, baum* nicht aufgenommen sind, vorzüge, wie die abgrenzung des gebrauchs mundartlicher ausdrücke hervorhebt und das buch nicht bloss denen, die kurze und zuverlässige belehrung suchen empfiehlt, sondern auch den fachmann auf das viele lehrreiche, das es bietet, hinweist. — ferner sind erschienen lief. 2, s. 161—320. 'gebühren—name' und lief. 3 4 'namenlos—zwölf', VII s. und s. 321—576. die vorrede setzt kurz die absichten des vfs. auseinander; der schnelle abschluss des an mannigfaltiger belehrung überreichen werkes war sehr erwünscht. es sei noch einmal darauf hingewiesen, dass Paul namentlich auf den abweichenden wortgebrauch der klassischen und lutherischen schriften achtet und alles hier auffällige in knapper, klarer weise bespricht nebenbei finden sich, namentlich bei den partikeln, nicht nur darlegungen über die bedeutungsentwicklung ganzer wörtergruppen, sondern auch

zusammenstellungen über einzelheiten der wortbildung. viel sorgfalt ist auf die verzeichnung landschaftlicher ausdrücke verwendet.

5. Chr. Wenig's Handwörterbuch der deutschen sprache, mit
bezeichnung der aussprache und betonung, nebst angabe der nächsten
sinnverwandten und der gebräuchlichsten fremdwörter und eigennamen. neu bearb. von G. Schumann. 8. aufl. (in 10 lief.).
1.—5. lief., s. 1—480. Köln, M. Du Mont-Schauberg. die lief. 0,90 m.

6. P. F. L. Hoffmann, Wörterbuch der deutschen sprache,
nach dem standpunkt ihrer heutigen ausbildung. 4. aufl. Leipzig,
F. Brandstetter. VI, 705 s. 3,60 m.

7. Eberhards Synonymisches handwörterbuch. — vgl. abt.
4, 47. — der herausgeber arbeitet unablässig an der bereicherung
des buches, dessen brauchbarkeit durch die häufigen neuauflagen
erwiesen und dessen verbreitung zur beförderung der aufmerksamkeit auf angemessenen und treffenden ausdruck nur warm
empfohlen werden kann. nicht überall zustimmung verdient die
einleitende abhandlung über die vor- und endsilben der deutschen
sprache, für die die alphabetische anordnung natürlich sehr unbe-
quem ist, und die, wenn sie nicht überhaupt fortfallen soll, auf
grund der neueren die wortbildung behandelnden forschung gründlich umgearbeitet werden sollte. man vergleiche z. b. den artikel
ge- bei Paul.

8. F. Tetzner, Wörterbuch sinnverwandter ausdrücke. Universalbibliothek no. 3506—3510. 472 s. 1 m.

9. John Meier, Eine populäre synonymik des 16. jahrhs. in:
Philologische studien. festgabe für Eduard Sievers. Halle, Niemeyer. 441 s.

10. L. Goldstein, Beiträge zu lexikalischen studien über
die schriftsprache der Lessingperiode. in: Festschrift zum 70. geburtstage Oskar Schade dargebracht. Königsberg, Hartung 1896.

11. M. Goldschmidt, Allerlei beiträge zu einem germano-
romanischen wörterbuch. in: Abhandlungen prof. Tobler dargebracht. Halle, Niemeyer.

12. Rud. Kleinpaul, Das fremdwort im deutschen. Leipzig,
G. J. Göschen. 176 s. Sammlung Göschen. 55. bdchen. 0,80 m.
vf. verfolgt die 'naturgeschichte' von etwa tausend fremdwörtern
in seiner bekannten geistreichen weise. doch finden sich unter den
gegebenen wortdeutungen auch wieder haarsträubende, wie Beli-
sar = der weisse Zar, kaviar von *ovarium*, torso von *dorsch*; auch
die verdeutschungen sind nicht immer glücklich. immerhin wird
das buch mit interesse und vorteil von vielen gelesen werden.

Wortkunde. 13. Schlessing, Deutscher wortschatz. angez. Revue crit. 1896 (37/38) von A. Bauer.

14. O. Schrader, 'Deutsches reich' und 'deutscher kaiser', eine sprachlich-geschichtliche betrachtung zum 18. jan. 1896. — Wiss. beih. z. zs. d. allg. d. sprachvereins, heft 10, s. 153—172.

weist darauf hin, dass 'reich', 'kaiser' und selbst 'deutsch' in gewissem sinne fremdwörter seien, aber auf deutschem boden einen eigentümlichen gefühlswert erhalten haben, in der verbindung deutscher kaiser und deutsches reich sogar schon lange vor der auflösung des alten 'römischen' reiches 1806.

15. O. Schrader, Die deutschen und das meer, eine sprachlich-geschichtliche betrachtung. Festvortrag, gehalten auf der 9. hauptversammlung des allgem. deutschen sprachvereins zu Oldenburg. — Wiss. beih. z. zs. d. allg. d. sprv. heft 11. s. 1—24.

untersucht eine anzahl auf das meer und das seewesen bezüglicher ausdrücke auf ihre herkunft und sucht an der entwicklung des wortschatzes auf diesem gebiete die entwickelung des seewesens zu zeigen.

16. Glöde, Zur neuhochdeutschen seemannssprache. — vgl. abt. 4, 37.

17. H. Gloël verzeichnet einige tautologien, in ergänzung zu einem aufsatz von E. Wasserzieher 7, 606—608. Zs. f. d. d. unterr. 10 (1) 76.

Wortforschung. 18. F. Harder, Werden und wandern unserer wörter. Etymologische plaudereien. 2. aufl. R. Gärtner. III, 204 s. 3 m.

18a. Konrad Duden, Etymologie der nhd. sprache. München, Beck 1893. — vgl. jsb. 1894, 1, 7. — angez. von G. Roethe, Litztg. 1896 (4) 111—113, der den grammatischen teil veraltet, die bemerkungen des wörterbuches zu knapp findet.

18b. Fr. Haberland, Krieg im frieden. III. teil. ritter und turniere im heutigen deutsch. eine sprachlich-kulturgeschichtliche skizze. progr. des realprog. zu Lüdenscheid [no. 380]. 76 s.

eingehende, von sachkenntnis zeugende nachweise der im sprachbewusstsein vielfach geschwundenen beziehungen unserer schriftsprache zum rittertum. manches erscheint etwas gesucht, aber das ganze ist eine wertvolle, interessant geschriebene bereicherung der etymologischen litteratur. — vgl. jsb. 1895, 1, 13.

19. Alfred Bauer, Radfahren, radfahrer, radfahrt, radreiter, reitrad. Zs. f. d. spr. 10 (10) 390 f.

bemängelt die üblich gewordenen ausdrücke und schlägt rad-
reiten, radritt, radreiter, auch radeln, radler, radlerin vor.

20. J. W. Bruinier, Rätzel 'einer dem die augenbrauen zu-
sammenwachsen'. Zs. f. d. d. unterr. 10 (3) 219 f.

hochdeutsch *ratz* sei ursprünglich bezeichnung des iltisses, die
ratte behielt, weil von der see aus eingewandert, auch hochd.
ihren ndd. namen. auch der marder wird zur bezeichnung von
menschen mit zusammengewachsenen augenbrauen verwendet.

21. J. Peters, Rätzel (zu X, 219 flg.). Zs. f. d. d. unterr.
10 (7) 511 f.

Rätzel sei identisch mit *schrätzel*, alb, nachtmar, zu dem es
sich wie mhd. *rimpfen* zu *schrimpfen* verhalte.

22. Max Busse, In die pilze gehen. Zu jahrg. VII, 492;
VII, 573; VIII, 198. Zs. f. d. d. unterr. 10 (5/6) 446.

'in die binsen' und 'in die brüche' (= in gefährliche moor-
strecken) sei volkstümlich und wohl auch ursprünglich, 'in die
pilze' gedankenlose umbildung.

23. L. Fränkel, Materialien zur begriffsentwickelung von
nhd. 'fräulein'. Zs. f. d. phil. 29 (4) 561—563.

verfolgt die übertragung der benennung von adligen jungen
mädchen auf mädchen jedes standes durch die beiden letzten jahrhunderte und weist belege für den letztgenannten gebrauch schon
für 1706, für den zuerst erwähnten noch aus 1816 nach.

24. A. Jeitteles, Aar und adler. Zs. f. d. phil. 29 (2)
177—179.

giebt belege für *ar, arn*, aus dem fünfzehnten und sechzehnten
jahrh., um die im Heyneschen wörterbuch vorgetragene auffassung,
dass das wort erst durch die beschäftigung mit dem mhd. wieder
aufgelebt sei, zu widerlegen.

25. E. Mogk, Werwolf. P.-Br. beitr. 21 (3) 575 f.

weist gegen Kögel nach, dass die schreibung ae. *werewulf*
unerheblich ist und hält daher an der deutung 'mannwolf' fest.

26. Carl Müller, Politisch. Zs. f. d. d. unterr. 10 (11)
777—781.

verfolgt die geschichte der bedeutung besonders im 17. jahrh.

27. P. Polack, 'Es bricht wie ein irres rind'. Zs. f. d. d.
unterr. 10 (5/6) 508—511. dass brechen nicht, wie ebendort
9 (8) 556 vermutet wurde, zu mhd *brëhen* 'brüllen' gehört, sondern 'hervorbrechen' bedeutet, wird aus dem sprachgebrauch der
dichterin A. v. Droste Hülshoff überzeugend nachgewiesen. ebenso:

28. Gustaf Eschmann, Zu Annette Drostes knaben im moor. Zs. f. d. d. unterr. 10 (9) 624.

29. A. Pick, Zum zeitwort 'eichen'. Zs. f. d. phil. 29 (3) 374. weist die gleichsetzung von *eichen* mit *aequare* aus Scheler, dictionnaire d'étymologie française 1873 nach. — vgl. abt. 3, no. 128.

30. D. Sanders, Hunde nach Bautzen tragen. Zs. f. d. spr. 10 (1) 25—28. bedeute in Sachsen 'bei einem geschäft geld zusetzen'.

31. D. Sanders, Geiste(r)n und zusammensetzungen. Zs. f. d. spr. 10 (7) 259 f. ein beispiel für 'durchgeistern'.

32. D. Sanders, G'wächte f. Zs. f. d. spr. 10 (8) 299 f. heisst schneewehe, wofür auch schneewecht vorkommt.

33. D. Sanders, Bombenhaus. Zs. f. d. spr. 10 (8) 300—302. heisst bei Wilbrandt, Vater und sohn, ein dichtgefülltes theater.

34. D. Sanders, Dufte. Zs. f. d. spr. 10 (10) 389 f. citiert *dufte* aus P. Lindaus 'Spitzen' in der bedeutung 'verfänglich', während es sonst berlinisch nur 'schön, fein, angenehm' heisse.

35. D. Sanders, Verfahren (n. und pl.). Zs. f. d. spr. 10 (10) 391 f. belegt den pluralis.

36. D. Sanders, Zu meinem ergänzungswörterbuch. Zs. f. d. spr. 10 (11) 417—431. eine anzahl seltener wörter belegt.

37. D. Sanders, Bis in die puppen. Zs. f. d. spr. 10 (11) 412—415. schliesst sich der auffassung an, dass 'puppen' die garben seien und dass 'bis in die puppen regnen' heisse: es regnet durch die zum schutz aufgesetzte garbe durch.

38. D. Sanders, Die halligen. Zs. f. d. spr. 10 (11) 415—417. Reuleaux macht darauf aufmerksam, dass, wie pfennige zu pfenning, helgen zu helling, so auch hallige zu halling gehöre, wie norddeutsch allgemein gesagt werde.

39. D. Sanders, Wort- und sprachreichtum. Zs. f. d. spr. 10 (12) 456—464. nicht die menge der wörter, sondern die fähigkeit die gedanken in allen abstufungen und abschattungen auszudrücken mache den reichtum aus.

40. H. Schmidt, Windsbraut. P.-Br. beitr. 21 (1) 111—124.
berührt ältere erklärungen, rationalistische wie mythologische,
und erklärt auf grund von dialektischen formen wie *windsprew,
wintgsprauder, windsprauss, spreysswind,* den zweiten teil für verwandt mit *spriessen, sprützen.* dazu engl. *spout,* wodurch auch
wasserbraut = waterspout erwiesen wird. auch mhd. *snĕgelle* und
hd. *windgelle* werden behandelt.

41. J. P. Schmitz, Das 'fechten' der handwerksburschen.
(vgl. jahrg. 5, s. 118 und 271 d. zs.) Zs. f. d. d. unterr. 10 (12)
829—831.
wird mit dem fest der Berhta zusammengebracht und als
'bechten' gedeutet.

42. J. P. Schmitz, Stein und bein schwören. (Zu zs. IX,
774 flg.) Zs. f. d. d. unterr. 10 (12) 831—836.
stein bezeichne den altar, bein sei tautologische verstärkung,
das ganze ein alter formelhafter rechtsausdruck, der den leiblichen
eid bezeichnet.

43. H. Schrader, Kiesätig. Zs. f. d. spr. 10 (11) 408—412.

44. Edward Schröder, Zu zs. XXVIII, 423 (*ærdisen*). Zs.
f. d. phil. 29 (2) 223.
trägt nach, dass die a. a. o. begründete erklärung schon Germania 33, 372 von Ehrismann gegeben ist, der auch *hert eisen* bei
Helbling als *artisen* auffasst.

45. N. A. Schröder, Nachträge zu dem ausdruck 'schau
haben'. (jahrg. VII, s. 567 flg. und VIII, s. 775 flg.) Zs. f. d.
d. unterr. 10 (4) 283 f.

46. R. Sprenger, Sattelhof, sattelmeier. Zs. f. d. d. unterr.
10 (4) 290 f.
sattelhöfe sind höfe, die ehemals adliger besitz waren, daher
sedelhöfe, sedelmaier in Bayern, sattelfrei; mit sattel habe das wort
nichts zu thun.

47. R. Sprenger, Zu Uhlands volksliedern. Zs. f. d. d. unterr.
10 (1) 71 f.
'*hacht*' heisse nicht 'hecht' bei Uhland I, 3, s. 84. sondern
eher 'habicht'.

48. J. Peters, Hacht. (Zs. 10, 71 flg.) Zs. f. d. d. unterr.
10 (5/6) 445.
verweist auf Grimms wörterbuch, wo hacht auf *hach, hache*
zurückgeführt wird.

49. R. Sprenger, *Zitelose*. Zs. f. d. phil. 29 (1) 121 f.
nicht herbstzeitlose, sondern vielleicht colchicum speciosum.

50. F. A. Wood, *Schnörkel*. Mod. lang. notes 9 (2).

Felix Hartmann.

II. Namenkunde.

Personennamen. 1. H. Schuchardt, Sind unsere personennamen übersetzbar? Graz, selbstverlag. 11 s.

Schuchardt verneint die frage natürlich, er begründet seine
antwort damit, dass die namen nur dem individuum zukommen
und demnach sich einer definition entziehen. die stellung der frage
ist durch einen ungarischen ministerialerlass hervorgerufen, wonach
in den staatlichen matrikeln auch die vornamen in ungarischer
sprache aufgeführt und daher auf grund eines eigens dazu veröffentlichten büchleins übersetzt werden müssen. — angez. von
W. Streitberg, Lit. cbl. 1896 (5) 157 f.

2. Th. Gartner, Die übersetzbarkeit der personennamen.
vortrag. (aus: Bukowiner nachrichten.) Czernowitz. R. Schally.
8 s. 0,20 m.

wendet sich gegen Schuchardt (vgl. no. 1); vornamen drücken
nach dem vf. meist die beziehung zu einem heiligen, dem namens-
patron aus; insofern sei die übersetzung möglich. — angez. von
W. Streitberg, Lit. cbl. 1896 (26) 944.

3. H. Hirt, Nochmals die deutung der germanischen völkernamen. P.-Br. beitr. 21 (1) 125—159. vgl. abt. 7, 76.

antwort auf Muchs aufsatz ebd. 20 (1) 1 ff. (vgl. jsb. 1895,
2, 9). H. erörtert die prinzipien der namendeutung, mahnt zu
grösserer vorsicht und bestreitet die möglichkeit für alle die fälle,
wo sie altererbte stammesnamen, nicht erst im sonderleben der
Germanen mit bestimmter absicht gewählte bezeichnungen sind.
besonders betont er die unsicherheit der überlieferung und das
vorkommen gleicher namen bei Kelten und Italikern.

4. G. Kossinna, Zur geschichte des volksnamens 'Griechen'.
in: Festschrift zur 50jährigen doktorjubelfeier Karl Weinholds.
Strassburg, Trübner. s. 27—42.

ausführliches referat Anz. f. idg. sprachk. 7 (1) 102 f.

5. W. Reeb, Germanische namen auf rheinischen inschriften.
— vgl. jsb. 1895, 2, 13. A. Riese, Berl. phil. wschr. 1896
(11) 341 f., bemängelt die etymologien, lobt aber den eifer und

erklärt manche abschnitte für wohlgelungen. — R. Bethge, Litztg.
1896 (41) 'höchst dankenswertes büchlein'. — A. Socin, Litbl.
1896 (8) 257 f., lässt nicht viel gutes daran. — C. Giambelli,
La cultura 15 (4) 'nützliche arbeit, nur ein weiterer gesichtskreis
wäre wünschenswert'.

6. R. Needon, Vornamen als gattungsnamen. Zs. f. d. d.
unterr. 10 (3) 198—210.

verfolgt eine reihe von namen, wie *Hinz, Kunz, Hans, Matz,
Jan, Jockel, Nickel, Rüpel, Michel, Stoffel* in ihren verwendungen
zur bezeichnung von personen mit bestimmten eigenschaften. die
verwendung der namen zu bezeichnung von tieren und sachen wird
nur gestreift. — vgl. O. Gorges, ebd. 10 (10) 707 f.

7. Adamek, Die rätsel unserer deutschen schülernamen.
Wien 1894. — vgl. jsb. 1894, 2, 1. R. Müller, Österr. litbl.
1896 (7). — J. Schatz, Litztg. 1896 (40) 1260 f., erkennt fleiss
und anregende wirkung an, tadelt die methode dagegen vielfach
und sieht keinen fortschritt in den ergebnissen.

8. V. Burckas, Die Ohrdrufer familiennamen nach herkunft
und bedeutung. teil I. progr. no. 721. Ohrdruf, druck von Hermann Lucas. 12 s. 4⁰.

behandelt werden deutsche personennamen nach einer kurzen
darlegung der wichtigsten für die namengebung giltigen gesetze;
doch ist die anzahl (A—H werden behandelt) gering und die behandlung der koseformen vielfach sehr willkürlich.

9. Selmar Kleemann, Die familiennamen Quedlinburgs und
der umgegend. Quedlinburg, Huch 1891. — vgl. jsb. 1891, 2, 3.
O. Glöde, Zs. f. d. d. unterr. 10 (12) 844—847, empfiehlt das
buch warm.

10. J. Blumer, Die familiennamen von Leitmeritz und umgebung. I. teil. entstehung, ausbildung und festsetzung der
familiennamen bis zur zeit des 30 jährigen krieges. progr. d. st.-
realsch. in Leitmeritz, 1895. 35 s.
angez. Zs. f. d. realschw. 21, 635.

11. E. H. Lind, Några anmärkningar om nordiska person-
name 3. Arkiv for nord. filol. 13 (1).

12. H. F. Feilberg, Navneskik. Dania 3 (6).

Ortsnamen. 13. J. Schmidkontz, Ortskunde und ortsnamenforschung. Halle 1895. — vgl. jsb. 1895, 2, 24. — angez. Litbl.
1896 (7) 225 f. von A. Socin, der dem vf. mangel an grammatischer schulung vorwirft und dafür bedenkliche beispiele anführt,
aber auch hervorhebt, dass sein buch stellenweise gute gedanken

ausspreche. — G. Meyer, Lit. cbl. 1896 (33) 1198 'muster un-
freiwilliger komik'.

14. W. Wick, Geographische ortsnamen und sprichwörter.
Jahresbericht der kantonsindustrieschule in Zug. 98 s.

15. H. Jellinghaus, Die westfälischen ortsnamen nach ihren
grundwörtern. Kiel, Lipsius und Tischer. VIII u. 163 s. 4 m.
angez. Lit. cbl. 1896 (19) 707; im einzelnen sei manches an-
fechtbar; der vf. hätte Grimms wörterbuch benutzen sollen.

16. Erich Volckmar, Die ortsnamen des kreises Höxter.
progr. no. 364. Höxter. 44 u. III s.
der vf. ordnet nach einer kurzen einleitung die namen nach
dem 'grundwort', dem zweiten element; er sucht namentlich auf
grund der Corveyer güterverzeichnisse die älteste namensform festzustellen und bietet somit brauchbares material auch für die lautgeschichte. die deutungen sind vielfach recht unsicher, zeugen
aber von guter schulung.

17. G. Jacob, Die ortsnamen des herzogtums Meiningen.
Hildburghausen 1894. — vgl. jsb. 1894, 2, 21. Heinr. Meyer,
Anz. f. d. altert. 22 (4) 385—389. 'bei aller anerkennung für den
fleiss, den guten willen und die sehr schätzenswerten geographischen
und historischen kenntnisse der hauptsache nach verfehlt'.

18. Chr. Schneller, Beiträge zur ortsnamenkunde Tirols,
drittes heft. herausgegeben vom zweigverein der Leo-gesellschaft
für Tirol und Vorarlberg. Innsbruck, vereinsbuchhandlung. (III u.)
98 s. 2 m.
umfasst das XI., 'die flur' überschriebene kapitel, in dem die
vom garten, felde, obst- und weinbau, nach bestimmten pflanzen
und anlagen, nach feldmassen, wiesen, weiden, wäldern, bäumen,
grenzen, wegen benannten ortschaften in zuverlässiger und um-
sichtiger weise behandelt sind. echt deutsches material ist nur
ganz vereinzelt darunter. ein exkurs behandelt den namen des
Ortlers.

19. Joseph Schatz, Über die schreibung tirolischer ortsnamen. Ferdinandeums-zeitschrift III. folge. 40. heft. 32 s.
Innsbruck, Wagnersche universitäts-buchdruckerei.
sucht die vielfach irrtümliche und irreführende schreibung von
namen des Oberinnthals auf grund der lautgesetze der mundart zu
berichtigen und tritt, soweit der wortschatz der schriftsprache es
erlaubt, für eine der nhd. orthographie sich anpassende schreibung
ein. der schluss behandelt das schliessende s in *Taufers, Zams* u. a.,
das die ableitungen nicht aufweisen.

20. J. J. Hoffmann, Schapbach und seine bewohner. Alemannia 23 (1) 1 ff.

erörtert s. 1 f. den ortsnamen, s. 2—4 die flurnamen, s. 4—6 die familien- und taufnamen der gemeinde.

21. A. Bohnenberger, Zu den flurnamen. in: Philologische studien. festgabe für Eduard Sievers. Halle, Niemeyer.

22. Th. Siebs, Flurnamen. in: Germanistische abhandlungen, begründet von Karl Weinhold. hrsg. von Fr. Vogt. 12. heft. — 210 flurnamen des Saterlandes mit etymologischem kommentar.

23. O. Glöde, Mecklenburgische strassennamen: sackgassen, bergstrassen, diebsstrassen, Hegede, an der Hege. Zs. f. d. d. unterr. 10 (11) 753—756.

der ursprüngliche sinn einiger benennungen wird festgestellt.

24. G. Weisker, Slavische sprachreste, insbesondere ortsnamen, aus dem Havellande und den angrenzenden gebieten. II. teil. progr., Rathenow (no. 110). s. 45—76.

behandelt benennungen nach tieren, fischfang, bienenzucht, siedlungsverhältnisse, menschliche beziehungen, beziehungen zu höheren wesen, farben, sonstige eigenschaften; ein nachtrag enthält eine grössere anzahl von besserungen zum ersten teile. — der vf. geht zwar nicht selten im suchen nach slavischen anklängen zu weit, giebt aber eine grosse anzahl zweifellos treffender erklärungen für ortsnamen.   Felix Hartmann.

III. Allgemeine und vergleichende sprachwissenschaft.

Phonetik. 1. W. Vietor, Elemente der phonetik. Leipzig 1895. — vgl. jsb. 1895, 3, 5. Fr. Beyer, Zs. f. franz. spr. u. litt. 1894. — L. Sütterlin, Litbl. 1896 (7) 240—244 verzeichnet und rühmt die wandlungen und fortschritte der neuen auflage und verbreitet sich über verschiedenheiten in der bezeichnung der französischen aussprache zwischen V. und P. Passy. — V. Henry, Revue crit. 1896 (39).

2. O. Bremer, Deutsche phonetik. Leipzig 1893. — vgl. jsb. 1895, 3, 4. — Fr. Kauffmann, Zs. f. d. phil. 29 (4) 544 f. der die vorzüglichkeit der tafeln lobt und in dem werke die erste untersuchung begrüsst, die die norddeutsche normalsprache der forschung zugänglich mache, anderseits aber die schwierigkeit von B.'s darstellungsweise hervorhebt, die das buch nur für geschulte phonetiker wahrhaft brauchbar und förderlich erscheinen lasse. —

J. Schatz, Zs. f. d. österr. gymn. 47 (8/9) 758. — H. Hirt, Anglia beibl. 4 (1893) 167—169. — O. Br[enner], Bayerns mundarten 2 (2) 296 f. — O. Kipping, Vom büchertisch, monatsbeil. z. d. deutschen blätt. f. erz. unterr. 1895 (1) 1—3. — J. Jent, Blätt. f. d. bayr. gymn. 32, 90—92. — E. Koschwitz, Krit. jsb. d. rom. phil. 2, 31 f.

3. J. Beaudouin de Courtenay, Theorie phonetischer alternationen. Strassburg 1895. — vgl. jsb. 1895, 3. 3. — angez. von R. J. Lloyd, Die neueren sprachen 3 (10). — von Ph. Wagner, Zs. f. franz. spr. u. litt. 18 (4).

4. H. Klinghardt, Artikulations- und hörübungen. Praktisches hilfsbuch der phonetik. Cöthen, Schulze. VIII, 254 s. mit 7 abbildungen. 5,50 m.

5. H. Schmidt-Wartenberg, Rousselots phonetical apparatus. Transactions of the americ. philol. association 26.

6. l'Abbé Rousselot, Recherches de phonétique expérimentale sur la marche des évolutions phonétiques d'après quelques dialectes bas-allemands. Compte rendu du congrès scientifique des catholiques 6, s. 175—192.

von interesse sind namentlich die untersuchungen über aussprache von *p*, *b*, referat Anz. f. idg. sprachk. 7 (1) 3.

7. Meringer und Mayer, Versprechen und verlesen. Stuttgart 1895. — vgl. jsb. 1895, 3, 10. — angez. Österr. litbl. 1896 (4) von Bohatta. — Lit. cbl. 1896 (1) 23 von W. Streitberg, der über zweck und ergebnis der untersuchung kurz berichtet und für weitere forschung auf den weg des experiments hinweist. — von Fr. Polle, Wschr. f. kl. phil. 1895 (49) 1349 'mit solcher haarspalterei ist der wissenschaft nicht gedient'. — von Gustav Meyer, Berl. phil. wschr. 1896 (2) 52 f. hält den wissenschaftlichen gewinn für sehr geringfügig. — dazu entgegnung von R. Meringer sp. 351 f.

8. Gaarenstroom, Klemtoon. Noord en zuid 19 (5).

9. W. Vietor, Wie ist die aussprache des deutschen zu lehren? ein vortrag. 2. aufl. Marburg, N. G. Elwerts verlag. 28 s. 0,50 m. — vgl. jsb. 1893, 3, 17. — angez. von R. Pfiffl, Österr. litbl. 1896 (13).

9a. Aug. Lange, Vom sprechen, lesen und schreiben. progr. des Johanneums (no. 748). Hamburg, Herolds verlag. 28 s. 4⁰. 1,60 m.

der grösste teil der arbeit enthält eine eigenartige, wohldurchdachte darstellung der deutschen aussprachegesetze und hinweise

auf die abweichungen der deutschen lautgebung von der französischen und englischen; das ganze verfolgt, besonders die kurzen
bemerkungen über das lesen und schreiben, pädagogische zwecke. —
erwähnt sei, dass der vf. für trennungszeichen bei langen compositis eintritt.

10. W. Vietor, 1. nochmalige erklärung. 2. die aussprache
des auslautenden *ng*. Süddeutsche blätter f. höhere unterrichtsanst.
4 (7/8).

11. A. Grabow, Aussprache der lautverbindungen *sp*, *st* u. a.
Mitt. d. d. sprachver. Berlin. VI, 21—23.

12. A. Grabow, Die mustergiltige aussprache des *g*. Ebd.
VI, 137—164.
beide aufsätze werden zustimmend besprochen von Th. Gartner, Zs. f. d. d. unterr. 10 (8) 586—589, der aber die bestimmungen der Berliner bühnenvorschrift verteidigt.

13. A. Gutzmann, Medizinisch-pädagogische monatsschrift
für die gesamte sprachheilkunde. — vgl. jsb. 1891, 3, 22. — die
erste nummer angez. Zs. f. d. d. unterr. 10 (2) 164 von Carl Franke.

Bibliographisches. 14. K. Breul, A handy bibliographical guide
to the study of the german language and literature. London,
Hachette 1894. — vgl. jsb. 1895, 21, 2; 3, 11. H. Jellinek, Zs.
f. d. österr. gymn. 46 (12). — M. Roediger, Archiv d. stud. d.
n. spr. 97 (1/2).

15. Kritischer jahresbericht über die fortschritte der roman.
philol. II (1891—1894) 1.
enthält: L. Sütterlin, Die allgemeine und die indogermanische
sprachwissenschaft 1889—1894. E. Koschwitz, Allgemeine phonetik, F. Gentsch, Indogermanische, altitalische und vorhist.-latei-
nische forschung. — warm empfohlen von Gustav Meyer, Berl.
phil. wschr. 1896 (46) 1464—1467.

16. H. Ziemer, Jahresbericht über allgemeine und vergleichende sprachwissenschaft mit besonderer rücksicht auf die
alten sprachen, umfassend die jahre 1888—1893. = Jahresbericht
über die fortschritte der klassischen altertumswissenschaft bd. 85,
s. 1—38.

17. Anzeiger für neuere sprachen und litteraturen. red.:
F. H. Ehlers. 1. jahrg. april 1896 bis märz 1897. 6. no. Dresden, C. A. Koch. no. 1, 16 s. 1,50 m.

Allgemeines. 18. G. de Gregorio, Glottologia. Mailand, Hoepli.
XXXII u. 378 s. 2,40 m.

obwohl der vf. den versuch ein so umfassendes gebiet in
einem abriss zu behandeln entschuldigt und obwohl er seinem
gegenstande mit einer übersicht nach den verschiedensten richtungen hin gerecht zu werden versucht, darf doch nicht verschwiegen werden, dass die benutzten quellen und die litteraturangaben starke mängel zeigen, und dass seine darstellung in einer
auch für ein populäres handbuch zu weit gehenden weise an der
oberfläche bleibt. bedenklich sind namentlich die ausführungen
über phonetik, wo der vf. über den wert von Techmers zs. im irrtum ist, und über die typen des sprachbaus, wo er, wie auch sonst
vielfach, ganz veraltetes lehrt. — angez. von A. M(eillet), Revue
crit. 1896 (41). — von Gustav Meyer, Berl. phil. wschr. 1896
(35) 1110—1113 hebt eine anzahl höchst bedenklicher fehler hervor
und glaubt sich gerade durch das verdiente ansehen der Hoeplischen
handbücher zur warnung vor dem buche verpflichtet.

19. A. graf von der Schulenburg, Über die verschiedenheiten des menschlichen sprachbaues. eine studie über das werk
von J. Byrne Principles of the structure of language. Leipzig,
Harassowitz. 20 s. 1,20 m.

20. A. Giesswein, Die hauptprobleme der sprachwissenschaft. Freiburg, Herder 1892. — vgl. jsb. 1894, 3, 14. — angez.
Anz. f. idg. sprachk. 6 (1/2) 1 f. von Klaudius Bojunga,
'krasse fehler, wirkliche förderung bietet er nicht'.

21. Holger Pedersen, Sprogbygning. Nord. tidskrift f. fil.
4 (1/2) 50—61.
    wendet sich gegen den mysticismus der mit dem begriffe
sprachbau getrieben wird. kurzes referat Anz. f. idg. forsch.
7 (1) 2.

22. Rudolf Salpeter, Sprache und sprachen. progr. no. 79.
Königsberg in der Neumark, druck von J. G. Striese. 20 s. 4⁰.
phantasien ohne wissenschaftlichen wert.

23. Heymann Steinthal, Dialekt, sprache, volk, staat, rasse.
in: Festschrift für Adolf Bastian. Berlin, Reimer.

24. Behaghel, Schriftsprache und mundart. — vgl. abt. 5, 6.

25. W. Streitberg, Schleichers auffassung von der stellung
der sprachwissenschaft. Idg. forsch. 7 (3/4) 360—372.
    richtet sich gegen Delbrücks darstellung in der Einleitung in
die sprachwissenschaft, dass der einfluss der neueren naturwissen-
schaft auf Schleicher von grossem einfluss gewesen sei und sucht
vielmehr Schleichers denkweise aus Hegelschen ideen zu erklären.

26. W. Münch, Gedanken über sprachschönheit. Preussische
jahrbücher 1896, febr., s. 236—267.

der vf. behandelt seinen stoff von sehr vielen seiten aus mit
weiser mässigung und aufrichtigem streben nach objektivität. seiner
ansicht, dass das deutsche am sorgfältigsten und schönsten von
den Deutschen im auslande und nächstdem in Posen gesprochen
werde, möchte ich indes nicht ohne einschränkung beistimmen; ich
erinnere nur an das deutsch der russischen Ostseeprovinzler und an
das der französischen Schweizer. dagegen wünsche ich der so
massvoll und doch überzeugend vorgetragenen mahnung zu bestimmter und klarer aussprache und zu allgemeiner annahme der
bühnensprache recht eindringende wirkung.

27. O. Jespersen, Progress in language. New York, Macmillan and co. 1894. — vgl. jsb. 1895, 3, 22. — angez. Americ.
journ. of philol. 16 (3). — Anglia beibl. 6 (10) von Hoops. —
Journal des savants 1896 (7/8) von M. Bréal.

28. W. Swoboda, Fortschritt in der sprache. Zs. f. d.
realschulw. 20, 10.

29. O. Jespersen, Berichtigungen zu prof. W. Swobodas
'Fortschritt in der sprache'. Zs. f. d. realschulw. 21 (1).

30. E. Wasserzieher, Warum verändert sich die sprache?
Zs. f. d. d. unterr. 10 (4) 270—274.

hauptsache sei: ungenaue auffassung mit dem ohre und
mangelnde wiedergabe mit den sprechwerkzeugen, dazu komme be-
quemlichkeit. der deutlichkeit wegen entstehen neubildungen, doppel-
setzungen, gering sei das eingreifen der gelehrten, wichtig die entlehnung und neuschöpfung von ausdrücken für neue dinge.

31. Weise, Geschwundenes sprachbewusstsein. — vgl. abt.
4, 33.

32. O. Jespersen, En sproglig vaerdiforskydning. Dania 3 (4).

33. O. Siesbye, Bemærkninger til ovenstående afhandling
Dania 3 (4).

34. F. A. March, Time and space in word-concepts. Am.
phil ass. proceedings 1894. LIII f.

behandelt den psychologischen faktor, den bei der äusserung
eines wortes seine zeitdauer oder das geschriebene wortbild ausmacht.

35. A. Ludwig, Über den begriff 'lautgesetz'. Sitzungsber.
d. k. böhm. ges. d. wiss. Prag, Fr. Řivnáč 1894. 54 s. 0,80 m.

der berühmte sanskritforscher polemisiert hier, wie auch sonst häufig, in scharfer, persönlich gefärbter weise gegen die lehre von der ausnahmslosigkeit der lautgesetze, die ihm um so bedenklicher erscheint, als er fürchtet, dass die betonung dieses nach seiner ansicht unhaltbaren dogmas das ansehen der sprachwissenschaft diskreditieren muss. er fordert anerkennung der ansicht, dass bei jedem lautwandel der ursprüngliche und der veränderte laut lange zeit nebeneinander bestanden haben und dass erst zeit und gewohnheit und vor allem der wille des menschen eine der beiden lautformen, und zwar nicht immer der neuen, zum siege verholfen haben.

36. Edwin W. Fay, The invariability of phonetic law. Transactions of the american. philol. association. 26.

37. Edwin W. Fay, Agglutination and adaptation II. Americ. journ. of philol. 16 (1) 1—27.

fortsetzung des jsb. 1895 (3) 33 verzeichneten aufsatzes.

38. Anton Krause, Entstehung der deklination in den flektierenden sprachen. 1. teil, nominativ und accusativ. progr. no. 187. Gleiwitz, Neumanns stadtbuchdruckerei. 23 s. 4⁰.

im hebräischen gab es ein pronomen *hu* er, das die tiefe stimme des mannes, *hi* sie, das die helle des frau bezeichnet; griechisch entsprechen der artikel ὁ, ἡ und die vokale der endungen ος, ων einerseits, η anderseits u. s. w.

Semasiologie. 39. K. Schmidt, Die gründe des bedeutungswandels. Leipzig 1894. — vgl. jsb. 1894, 3, 33. J. Ellinger, Engl. stud. 22 (2).

40. R. Thomas, Über die möglichkeiten des bedeutungswandels II. Blätter f. d. gymnasialschulw. 32 (3/4).

41. Stöcklein, Untersuchungen zur bedeutungslehre. Dillingen. angez. von K. Schmidt, Wschr. f. kl. phil. 1896 (1) 19. 'lesenswert'.

42. R. Otto Franke, Einiges über die beziehung der wortbedeutung zur wortform. in: Gurupūjākaumudī, Festgabe für Albrecht Weber. Leizig, Harrassowitz. 10 m.

43. Karl Hiecke, Der begriff vom wort. Festschrift d. d. akad. philol.-ver. in Graz. Graz, Leuschner u. Lubenski. 8 s. 0,40 m.

Syntax. 44. J. Ries, Was ist syntax? — vgl. jsb. 1895, 3, 38. J. Golling, Zs. f. d. österr. gymn. XLVI (8 9) 'die schärfe und konsequenz der polemik wird sicherlich klärend auf die anschauungen der syntaktiker wirken'. — anerkennende beurteilung von E. P. Morris, The americ. journ. of. phil. 16 (6) 241. —

Ed. Hermann, Anz. f. idg. sprachk. 6 (1/2) 2 f.   skizziert den gedankengang, stimmt aber nicht unbedingt zu.

45.   G. Hauber, Zum streit über das wesen des satzes. Zs.
f. d. d. unterr. 10 (10) 694—700.

knüpft an den jsb. 1895, 3, 40 verzeichneten artikel an;
Müllers 'ursatz' sei in wirklichkeit das verbum finitum, wo dieses
verhanden oder mit notwendigkeit zu ergänzen ist, sei ein satz; das
verbum finitum wahre die satzeinheit. satz ist 'ein wortgebilde,
welches eine aussage enthält'. wo bleiben bei dieser definition
frage, befehl, wunsch, empfindung, vorstellung, anruf?

46.   E. Hoffmann-Krayer, Zu zs. 9, 185. Zs. f. d. d.
unterr. 10 (5/6) 445 f.

verweist auf eine stelle in Pauls prinzipien, die vom wesen des
satzes handelt.

47.   A. Marty, Über subjektlose sätze und das verhältnis der
grammatik zur logik und psychologie. Vierteljahrschrift f. wiss.
phil. 19 (3) 263—334. — vgl. jsb. 1895, 3, 39; schlussartikel. —
zusammenfassende übersicht über den gedankengang von F. Schröder, Zs. f. d. d. unterr. 10 (10) 715—719.

48.   F. X. Procházka, Über subjektlose sätze (böhmisch).
Listy filol. 22, 190—211.

Vergleichende grammatik. 49.   P. Giles, A short manual of
comparative philology for classical students. — vgl. jsb. 1895,
3, 55. — Gustav Meyer, Berl. phil. wschr. 1896 (6) 182 f. 'das
beste unter ähnlichen englischen, handbüchern, wissenschaftlich
zuverlässig und didaktisch sehr gut angelegt'. — eine deutsche
übersetzung, besorgt von Joh. Hertel, ist erschienen bei Reisland,
Leipzig. VII u. 493 s.   9 m.

50.   C. Abel, Ägyptisch und indogermanisch. Vorlesung des
Freien deutschen hochstifts. 2. verm. aufl. Frankfurt, Knauer.
22 s.   0,80 m. — vgl. jsb. 1892, 3, 45.

51.   Raoul de la Grasserie, De la parenté entre la langue
égyptienne, les langues sémitiques et les langues indo-européennes
d'après les travaux de M. Carl Abel. études de grammaire comparée. Muséon.

auch sep. Louvain.   92 s.   Leipzig, W. Friedrich.   2 m.

52.   Herman von Jacobs, Das volk der „siebener-zähler".
rückschluss aus der form der „arabischen ziffern" auf ihre herkunft.
Berlin, Jacobsche buchhandlung.   45 s.   1,60 m.

ein reines phantasiegebilde. der vf. verwendet seinen scharfsinn darauf, nachzuweisen, dass die ziffern aus stäbchen, die man

in den sand legte, gebildet und dass die null das band bedeute,
welches sieben solcher stäbchen zusammenhielt. er weiss auch, dass
die keilschrift aus den mit einem solchen stäbchen gemachten ver-
tiefungen entstand u. s. w. sprachliches material ist nur wenig
verwendet; das verwendete aber lässt tief blicken. alles ernstes
wird zweimal behauptet, dass die Germanen ihr zahlensystem von den
Römern bekommen hätten; besonders komisch wirkt der versuch
die namen der ersten apices entweder aus dem deutschen oder
aus dem griechischen oder aus allen sprachen der welt zu deuten.
dazwischen finden sich ausführungen über bibelkritik und hebräische
geschichte, darlegungen über den pythagoreischen lehrsatz und
bilder assyrisch-babylonischer funde; den schluss macht eine erklärung fremdartiger wörter, worin etwa atome, Cortez, Gothen,
karte, kultur, papyrusstengel, positiv u. dgl. erläutert werden.

53. C. de Harlez, Les affinités linguistiques du Hongrois.
Bull. de la soc. de lingu. 39 s. XXVI—XLI.
    sucht in der ableitung und in den wurzeln entsprechungen mit
dem idg.

54. Al. Giesswein, Les éléments localo-démonstratifs du
type *t-*, *n-*, *l-*, dans les langues ouralo-altaïques, indo-germaniques
et chamito-sémitiques. Compte rendu du congrès scientifique des
catholiques 6, s. 141—153.

55. Jacob Wackernagel, Altindische grammatik. 1. teil,
lautlehre. Göttingen, Vandenhoeck u. Ruprecht. LXXIX, 343 s.
10 m.
    das werk ist die erste nach sprachwissenschaftlicher methode
bearbeitete altindische grammatik, aber nicht nur als solche eine
höchst erfreuliche erscheinung, sondern in der art ihrer ausführung,
durch die bewältigung eines immensen, weitverstreuten materials,
durch die ausserordentlich klare darstellung, durch die steten hinweise auf parallele erscheinungen in den verwandten sprachen,
durch die sichere kritik bei der annahme von etymologischen oder
grammatischen entsprechungen hervorragend wie selten eines. ganz
besonders dankenswert ist die ausführliche einleitung, die die geschichte der indischen sprache und grammatik behandelt. alle angaben sind mit genauen verweisungen versehen. das werk ist für
alle sprachwissenschaftliche beschäftigung unentbehrlich; hoffentlich
lässt die wortlehre nicht lange auf sich warten. — angez. v.
C. C. Uhlenbeck, Museum 4 (2). — von F. Kluge, Litbl. 1896
(9) 289—291, der das buch dem studium der germanisten warm
empfiehlt. — von B. Liebich, Litztg. 1896 (47) 1483, der das erscheinen des werkes lebhaft begrüsst, die staunenswerte arbeitskraft

des vfs. und die geschickte darstellung rühmt und besonders den
wert der einleitung gebührend hervorhebt.

56. Paul Kretschmer, Einleitung in die geschichte der
griechischen sprache. Göttingen, Vandenhoeck u. Ruprecht. IV u.
428 s. 10 m.

das buch gehört zu den eigenartigsten und erfreulichsten veröffentlichungen der letzten zeit. der vf. betrachtet seinen gegenstand von den verschiedensten punkten und erörtert ihn in selbst-
ständiger weise. er benutzt dabei nicht nur die hilfsmittel der
philologischen forschung, sondern beherrscht auch die ergebnisse
der archäologischen untersuchungen. für das Germanische wird
sein werk dadurch wertvoll, dass eine ganze anzahl prinzipieller
fragen, über die rekonstruktion der idg. ursprache, über die ausdehnung und die kultur der ältesten Indogermanen, über die gegenseitigen beziehungen der einzelnen glieder des idg. sprachstamms, in
neuer, vielfach durchaus überzeugender weise behandelt werden. für
die geschichte des idg. sprachstamms entfällt reicher gewinn aus den
eingehenden untersuchungen über die stellung der Phryger, Thraker,
Illyrier und der Kleinasiaten teils innerhalb, teils ausserhalb des
sprachstamms und über die urbevölkerung von Hellas. — die weit-
gehende skepsis des vfs. den bisherigen ansichten über sprachverwandtschaft und den rekonstruktionen der idg. urkultur gegenüber
ist gewiss nicht immer berechtigt und steht im gegensatz zu dem
gelegentlich zu weit gehenden bestreben vorgeschichtliche laut-
neigungen bei mehreren völkern als übereinstimmend zu erweisen.
eine tiefe, die forschung auf vielseitige weise anregende und be-
fruchtende wirkung des buches kann indes nicht ausbleiben. —
anzeigen: Lit. cbl. 1896 (30) 1070 f. von R. M. Berl. phil. wschr.
1896 (44) 1394—1399 von Jakob Wackernagel, der der impo-
santen gelehrsamkeit des vfs. das gebührende lob zollt und meist
zustimmt. Litztg. 1896 (49) 1540—1549 von O. Schrader, der
seine zum teil abweichenden ansichten ausführlich begründet.

57. K. Brugmann, Zur transskriptionsmisère. Idg. forsch.
6 (1/2) 167—177.

schlägt für die verschiedenen sprachen verschiedene anerkannte
werke, für die rekonstruktion der idg. formen seinen grundriss als
muster vor.

58. H. D. Darbishire, Relliquiae philologicae or essays in
comparative philology. Edited by R. S. Conway. With a biographical
notice by J. E. Sandys. London, Clay and sons. XVI u. 279 s. 7 sh.

für die germanische grammatik sind von interesse nur zwei
rezensionen über Fennels vokalsystem, vgl. jsb. 1892, 3, 57, und die
arbeiten der Göttinger schule, Ficks wörterbuch I⁴, vgl. jsb. 1892,

3, 51, und Bechtels hauptprobleme, vgl. jsb. 1895, 3, 57. — angez. von W. Streitberg, Anz. f. idg. sprachk. 6 (3) 170—173.

59. A. Lepitre, La phonétique indo-européenne et ses progrès depuis trente ans. Compte rendu du congrès scientifique des catholiques. Bruxelles, Société de librairie, section 6.

im wesentlichen bericht über Bechtels hauptprobleme, vgl. jsb. 1895, 3, 57.

60. Johannes Schmidt, Kritik der sonantentheorie. Weimar, Böhlau 1895. — vgl. jsb. 1895, 3, 63, H. Hirt, Litbl. 1896 (5) 145—148, der den ausführungen Schmidts in wichtigen stücken zustimmt, allerdings aber für nachtonige silben vor konsonant den sonorlaut als ursprachliche entwicklung zu retten sucht. — van Helten, Museum 4, 4. — V. Henry, Revue critique 1896 (4) 58 'sehr lehrreich und anregend auch für den, der die schlussfolgerungen nicht annimmt'. — A. Bezzenberger, Gött. gel. anz. 1896 (12) 944—968, im wesentlichen zustimmend, zum teil eigne aufstellungen verteidigend. — vgl. auch no. 61, 63—65, 79.

61. H. Schmidt-Wartenberg, A physiological criticism of the liquid and nasal sonant theory. Americ. journ. of phil. 17 (2) 217—223.

der vf. bestätigt Joh. Schmidts theorie durch experimente mit dem Rousselotschen apparate. er weist nach, dass im allgemeinen zwischen explosiva und nasal in silben wie *gnā* ein vokalisches element von der hälfte der dauer des vokals in *gen* steht.

62. C. A. M. Fennel, Indo-germanic sonants and consonants: chapters on comparative philology, comprising contributions towards a scientific exposition of the Indo-Germanic vowel system. Cambridge, E. Johnson. London, D. Nutt. 136 p. 5 sh.

vf. bekämpft zuerst den lehrsatz von der ausnahmslosigkeit der lautgesetze, die er trotzdem als prinzipielle forderung anerkennt; er leugnet sodann wiederholt (vgl. jsb. 1892, 3, 61) die existenz silbebildender nasale und liquidae und konstruiert ferner unter wesentlicher abänderung früherer aufstellungen ein eigenartiges lautsystem, bei dem musikalischer und expiratorischer accent eine grosse rolle spielen; die hauptpunkte sind: *i, u* gehören derselben ablautstufe an wie *ei, eu*; unaccentuiertes *ŏ, ĕ, ə* giebt accentuiert (musikalisch) *e*; unter dem hochton (expiratorisch) geben erstere *o*, letzteres *ē*; in den einzelsprachen wird *o* durch besondere verstärkung zu *ō*. bewiesen ist nichts, weil man nicht sieht, wo und warum ton oder tonlosigkeit, accent oder accentlosigkeit eintritt. — ausserdem wird wiederum Verners gesetz und die lautverschiebung behandelt. den schluss bilden griechische etymologien. — angez. The Athenæum 3586. — Berl. phil. wschr. von Gustav Meyer, den der polemische

2*

teil nicht beunruhigt und die positiven aufstellungen nicht über-
zeugen.

63. Chr. Bartholomae, Idg. *e* + nasal im tiefton. Idg. forsch.
6 (1/2) 82—111.

polemisiert gegen einige ausführungen Joh. Schmidts in der
sonantentheorie, namentlich gegen den ausfall von *en* unter der einwirkung doppelter schwächung. Bartholomae nimmt namentlich
auch für alle reduplicierten formen doppelbetonung an und betont,
dass in den entsprechungen der doppelt und einfach geschwächten
er, el, em, en kein unterschied erweislich sei.

64. H. Hirt, Der indogermanische accent. Strassburg 1895.
— vgl. jsb. 1895, 3. 58. A. Bezzenberger, Beitr. z. kunde d. idg.
spr. 21 (4) 289 ff. — R. Meringer, Österr. litbl. 1896 (12). —
Chr. Bartholomae, Berl. phil. wschr. 1896 (11) 343 f. mahnt die
leser und benutzer dringend zur vorsicht, da manche noch zu neuen
und zu wenig abgeklärten ansichten als sicher übernommen seien.
— selbstanzeige Anz. f. idg. sprachk. 6 (1/2) 15—19 mit kurzer zusammenstellung der ergebnisse der untersuchung.

65. H. Hirt, Accentstudien. Idg. forsch. 6 (5) 344—349,
7 (1/2) 111—160, (3/4) 185—210.

1. 'Germ. got. *þūsundi*' richtet sich gegen Kluges erklärung des
wortes aus *tūs-kmtī* und nimmt an, dass die slavischen entsprechungen aus dem deutschen entlehnt seien. — 2. 'Die *n*-stämme
im Germanischen'. es giebt nur zwei alte n-stämme im Germanischen,
g. *aúhsa* und ahd. *guma*, die übrigen sind schlussglieder von zusammensetzungen in der bedeutung eines nomen agentis, wovon
das erste glied abhängig ist, sie entsprechen den reinen wurzel-
stämmen des ai. — 3. 'Zum grammatischen wechsel der o-stämme'.
Hirt führt aus, dass nur die neutralen o-stämme im pluralis anders
betont gewesen seien als im singularis, für die femininen ā-stämme
sei accentwechsel möglich, aber wie bei den masculinen unerweis-
lich. — 4. behandelt die dehnstufe im Serbischen. — 5. 'Zur
sonantentheorie' nimmt in sehr beachtenswerter weise stellung zu den
darlegungen Joh. Schmidts in no. 60; er sucht zwischen der ansicht Joh. Schmidts und Bechtels einerseits und der Brugmanns
und seiner schüler anderseits in der weise zu vermitteln, dass er
ausführt: der sonant der ersten silbe eines wortes im satz- oder
sprechtaktanlaut ist nicht geschwunden, wenn der accent auf der
folgenden silbe lag: von zwei vortonigen silben schwindet bald die
erste, bald die zweite; bei den gruppen *ere, ele, eme, ene* giebt es
zwei stufen der schwächung, *er* und *re* u. s. w. Hirt bespricht
die wortklassen, welche den ersten grad der schwächung zeigen.
voller vokalausfall tritt nach dem hauptaccent ein; dieser teil der

ausführungen begründet Streitbergs dehnstufentheorie. die aufgestellten gesetze werden dann noch an den lautverhältnissen von
ei, eu vor vokal und *e* vor konsonant geprüft und durch die annahme geflüsterter vokale in vortoniger silbe gestützt. — 6. 'Die
abstufung zweisilbiger stämme'. vf. geht aus von der basis *erā*,
elā, emā, enā; bei betonung des *e* wird *ā* zu *ə*, bei betonung des
ā ist *e* meist geschwunden, bei betonung einer dritten silbe treten
elə, erə u. s. w. ein.

66. **M. H. Jellinek**, Die accentabstufung eine naturnot-
wendigkeit? Idg. forsch. ℞ (1/2) 160—163. — vgl. no. 67.

67. **V. Michels**, 'Vgl. Wundt'. Idg. forsch. ℞ (1/2) 163—167.
Jellinek behauptet, Michels bestreitet die möglichkeit gleich
starker betonung von zwei aufeinander folgenden silben.

68. **Axel Kock**, Zur frage nach den verbalendungen und den
nebenaccenten der idg. ursprache. Zs. f. vgl. sprachf. 34 (4)
576—582.
sucht durch parallelen aus den neunordischen sprachen die
Zimmersche hypothese dahin abzuändern, dass der wechsel der
endungen in *bhéreti: é bheret* von der stellung und dem fehlen des
haupt- und nebenaccents abhängt.

69. **F. Fortunatov**, Über den accent und die quantität in
den baltischen sprachen. I. Der accent im Preussischen. Russ.
filolog. věstnik, 32, 252—297.
der vf. behandelt in russischer sprache ausführlich das problem
des verhältnisses von accent und quantität in der ursprache.
inhaltsangabe Anz. f. idg. sprachk. 7 (1) 174 f.

70. **H. Schmidt-Wartenberg**, Zur physiologie des litauischen
accents. Idg. forsch. 7 (3/4) 211—223.
sucht der frage nach der aussprache des stoss- und schleiftons
im Litauischen mit den Rousselotschen apparaten beizukommen.
der schleifton ist zweigipflig und der zweite gipfel übertrifft den
ersten an stärke; über die tonhöhe konnte der vf. nichts kon-
statieren; den stosston beschreibt er als einfach fallend.

71. **H. Zimmer**, Zur angeblichen 'gemeinwesteuropäischen
accentregelung'. in: Gurupūjākaumudī, festgabe zum fünfzigjährigen
doktorjubiläum Albrecht Weber dargebracht.
das Germanische und Italische haben im nomen anfangs-
betonung durchgeführt, in der verbalbetonung aber weichen sie
von einander ab; das urkeltische hatte den idg. accent.

72. **M. Bloomfield**, On professor Streitbergs theorie as to
the origin of certain Indo-european long vowels. Transactions of
the americ. philol. association 26, 5—15.

73. K. Bohnenberger, Zur frage nach der ausgleichung des silbengewichts. Zs. f. d. phil. 29 (4) 515—524.

behandelt die frage, wie weit der abfall des endungsvokals durch dehnung der vorletzten silbe ersetzt worden sei. der aufsatz richtet sich in erster linie gegen die ansicht Brenners (Idg. forsch. 3. 295 ff., vgl. jsb. 1894, 5, 26), geht jedoch auch auf Streitbergs dehnstufentheorie (vgl. jsb. 1895, 3, 62) ein. nicht der abfall oder die schwächung der endsilbe habe die dehnung der vorletzten veranlasst, sondern die grössere expiratorische kraft des accents auf dieser habe deren dehnung auf kosten der folgenden verursacht.

74. Maurice Grammont, De liquidis consonantibus indagationes aliquot. Dijon, Darantière 1895. 63 s.

angez. Lit. cbl. 1896 (45) 1642 f. W. Streitberg nennt die argumentation des vfs. gegen Seelmann, der silbische nasale nach verschlusslauten leugnete, treffend, erhebt aber einspruch gegen die folgerungen, die aus einem falsch konstruierten gesetz über die silbentrennung gezogen werden.

75. M. Grammont, La dissimilation consonantique dans les langues indoeuropéennes et dans les langues romanes. Dijon, Darantière. 215 s.

lehrreiche anzeige von W. Meyer-Lübke, Litbl. 1896 (12) 409—413, der indes nur auf den romanischen teil der ausführungen genauer eingeht. die frage nach dem wesen und dem eintritt der dissimilation sei nicht erschöpft, aber die richtigen grundlagen und wege gegeben. — von W. Streitberg, Lit. cbl. 1896 (45) 1642; das buch sei trotz aller reserve, die man im einzelnen machen müsse, als wirkliche bereicherung der sprachwissenschaftlichen litteratur zu betrachten.

76. K. Brugmann, Die verbindung dentaler verschlusslaut $+ s + t$ im Lateinischen und Germanischen. Idg. forsch. 6 (1/2) 102—104.

ahd. gan-eista, rost, last, quist, got. beist ergeben das resultat st.

77. Alois Walde, Die verbindungen zweier dentale und tönendes s im Indogermanischen. Zs. f. vgl. sprachf. 34 (4) 461—536.

die arbeit verrät gute kenntnisse, sowie grosse selbständigkeit des denkens und ist, trotzdem ihre resultate wenig gesichert erscheinen, durchaus beachtenswert. vf. sucht zu beweisen: 1. an stelle von tönenden und tonlosen aspiraten sind für das Idg. spiranten anzusetzen; 2. tönende spirans wird vor s oder tenuis wie tenuis behandelt. nur ŏst macht germ. ausnahme. 3. z begegnet idg. nur vor tönenden lauten, zum teil in vokalischer funktion.

78. Maurice Bloomfield, On assimilation and adaptation in congeneric classes of words. Americ. journ. of. philol. 16 (4) 409 ff.

79. Chr. Bartholomae, Die neunte präsensklasse der Inder. Idg. forsch. 7 (1/2) 50—82.

richtet sich gegen Joh. Schmidts annahme des zusammenfallens von *āi* und *ā* in dieser klasse; hierbei wird auch eine anzahl schwierigster fragen der stammabstufung mit hinblick auf Joh. Schmidts sonantentheorie eingehend erörtert.

80. E. Leumann, Die herkunft der sechsten präsensklasse im Indischen. Actes du dixième congrès intern. des Orientalistes. session de Genève 1894. Leiden, Brill, Sektion I bis.

eine berichtigung dazu, Zs. f. vgl. sprachf. 34 (4) 587 f. fasst das resultat so zusammen: 'ursache ist, dass im verlauf der Rg-Vedazeit zu thematischen aoristformen ein präsentischer indikativ hinzugebildet wurde, der mit jenen zusammen ein neues präsenssystem zu bilden anfing. wirkung dagegen ist, dass dieses system . . . momentane bedeutung hatte'.

81. H. Hirt, Griech. φερόντων, got. *bairandau* ai. *bharantām*. Idg. forsch. 7 (1/2) 179—182.

sucht diese drei formen als altererbt, ursprünglich und identisch zu erweisen.

82. J. v. Rozwadowski, Das angebliche idg. präsens *si-sd-ō*. Beitr. z. kunde d. idg. spr. 21 (2) 147—160.

sucht ein idg. präs. *sīdi͡ō* nachzuweisen, auf grund dessen dann auch lat. *sīdo* ai. *sīdati*, ἵζω anders als bisher beurteilt werden müssen.

Idg. syntax. 83. B. Delbrück, Indogermanische syntax. Strassburg, Trübner 1893. — vgl. jsb. 1895, 3, 69. — angez. von W. Schulze, Berl. phil. wschr. 1896 (42) 1330—1337 und (43) 1362—1368 der die weise beschränkung des vfs. auf die darstellung der erreichbaren thatsachen und seine enthaltsamkeit in glottogonischen spekulationen lobt, sein werk und seine wissenschaft den philologen warm empfiehlt und auf mehrere einzelheiten, besonders der casuslehre eingeht. — von M. Bréal, Journal des savants, 3 artikel, aug.—nov.

84. G. Herbig, Aktionsart und zeitstufe. beiträge zur funktionslehre des idg. verbums. Idg. forsch. 6 (3/4) 157—269. — auch als Münchener diss. Strassburg, Trübner 1895.

vf. legt zuerst dar, dass die idg. sprachen morphologische elemente zur unterscheidung der tempora nicht besessen zu haben scheinen, giebt dann eine geschichte des grammatischen begriffes 'aktionsart', eine darlegung der verhältnisse beim slavischen ver-

bum, nimmt stellung zu der forderung Streitbergs, dass der be-
deutungsinhalt eines wortes auch durch objektive äussere mittel
gekennzeichnet sein müsse, untersucht das verhältnis der perfek-
tiven aktionsart zur resultativen, aoristischen, präsentischen, zu den
tempora, bespricht den einfluss der zusammensetzung mit präpositionen, die präsensklassen als träger perfektivischer bedeutung
und kommt zu dem schluss, dass die unterscheidung der aktionsart
älter sei als die der subjektiven zeitstufen. der übergang erfolge
allmählich, zuweilen liegen beide unterscheidungen nebeneinander.
die arbeit zeugt von umfangreicher kenntnis der einschlägigen
litteratur, eindringendem urteil und vorsichtiger betrachtungsweise;
die ergebnisse sind indes nur teilweise richtig, besonders deswegen,
weil der vf. die iterativa nur nebenbei behandelt und zu glauben
scheint, dass die entwickelung der zeitstufen die unterscheidung
der aktionsart ersetzen könne. ich will nur darauf verweisen,
dass das griechische imperfectum ausserordentlich häufig perfektiv
ist, und zwar ingressiv, im gegensatz zum effektiven aorist (ἔφευγον,
ἔφυγον). angez. Lit. cbl. 1896 (33) 1193 f. 'gründliche und methodisch wohlgelungene untersuchung. — von K. Bruchmann, Berl.
phil. wschr. 1896 (20) 627—629, der über die ergebnisse, zu denen
der vf. kommt, kurz berichtet. — von H. Ziemer, Wschr. f. kl.
phil. 1896 (27) 741 'musterhaft durchgeführte untersuchung'. —
von L. Job, Revue critique 1896 (26) 502 'immerhin glückliche
anfängerarbeit'.

Deutsche grammatik. 85. Pauls grundriss. — vgl. jsb. 1894,
3, 76. 2. aufl. 1. bd., 1. lief. s. 1—256. Strassburg, Trübner. 4 m.

86. W. Wilmanns, Deutsche grammatik. zweite abteilung:
wortbildung. 1. hälfte. 352 s., 2. hälfte XVI s. u. s. 353—363.
Strassburg, Trübner. 12 m.

die seit Jakob Grimm nicht wieder im zusammenhange dargestellte wortbildung behandelt Wilmanns in der weise, dass er vollständigkeit der erörterten bildungen vor allem für das nhd. er-
strebt, während die älteren perioden etwas zurücktreten. die anordnung der an die stämme tretenden suffixe wird man vielleicht
etwas äusserlich finden, sie bietet aber den vorzug der übersicht-
keit. W. geht vom verbum und den verbalen zusammensetzungen
zum substantivum, adjektivum, pronomen, zahlwort, adverbium über;
hinter dem adjektivum werden die nominalen zusammensetzungen
behandelt. besondere hervorhebung verdient die eingehende aufmerksamkeit, die beim verbum dem einfluss der präposition
auf die überführung der durativen bedeutung in die perfektive
gewidmet ist. die menge des verarbeiteten und übersichtlich geordneten stoffes ist ganz erstaunlich; durch diesen teil allein wird

die Deutsche grammatik ein monumentum aere perennius werden, und besonders kann eine nachhaltige einwirkung auf die lexikalische und semasiologische forschung gar nicht ausbleiben. W. betont ausdrücklich, dass er der etymologie nur geringere aufmerksamkeit geschenkt habe und dass man von seinem buche genauere ausführungen über die bedeutungsentwicklung nicht verlangen dürfe. in beiden beziehungen aber dient die gliederung des stoffes in bedeutungs- und formgruppen, sowie die aussonderung der isolierten bildungen ganz besonders der erkenntnis der altertümlichen bildungen und der ursprünglichen bedeutungen; übrigens bürgt die mitarbeit Franks dafür, dass die etymologie nicht zu kurz gekommen ist. — anzeigen: V. Henry, Revue crit. 1896 (35/36). W. Braune, Lit. cbl. 1896 (47) 1708 f. der zweite band teile die vorzüge des ersten und komme einem noch dringenderen bedürfnisse entgegen, doch sei nur das jetzt geltende nhd. berücksichtigt, zwischen Luther und Goethe klaffe eine empfindliche lücke. S. Burghauser, Zs. f. realschulw. 21 (470).

87. H. Lichtenberger, Histoire de la langue allemande. Paris 1895. — vgl. jsb. 1895, 3, 77. Wilh. Streitberg, Anz. f. idg. sprachk. 6 (1/2) 102 f. lobt klarheit der darstellung und übersichtlichkeit der anlage.

88. W. Streitberg, Urgermanische grammatik. Strassburg 1895. — vgl. jsb. 1895, 3, 80. — V. Henry, Revue critique 1896 (11). F. Kluge, Litbl. 1896 (6) 185—188, der dem vf. vorwirft durch einmischung zu viel vager hypothesen über die entstehung der indogermanischen und der germanischen grundsprache die klare darstellung der wichtigsten thatsachen der urgermanischen lautlehre unnötig getrübt zu haben und mancherlei einzelheiten beanstandet. F. N. Finck, Die neueren spr. 4 (1). M. H. Jellinek, Zs. f. d. phil. 29 (3) 374—384 der Streitbergs stellung zu den wichtigsten grammatischen problemen übersichtlich darlegt und von der allgemeinen anerkennung, die er trotz zahlreicher ausstellungen dem buche zollt, zwei kapitel ausnimmt, das über den germanischen nebenaccent und über $\bar{e}_2$. H. Hirt, Lit. cbl. 1896 (9) 194—196, der über den plan des buches und der sammlung, zu der es gehört, kurz berichtet und besonders hervorhebt, dass darin der neueste stand der wissenschaft im gegensatz zu Brugmanns Grundriss und Kluges Vorgeschichte in Pauls Grundriss vertreten sei. Hirt meint, dass den neuen ausblicken gegenüber weniger griesgrämige kritik als freudige mitarbeit am platze sei. — kurze empfehlung Berl. phil. wschr. 1896 (22) 701 f. — vgl. auch no. 99 u. 100.

89. Friedr. Kauffmann, Deutsche grammatik. 2. aufl. Marburg 1895. — vgl. jsb. 1895, 3, 75. — Lit. cbl. 1896 (8) 267 f.,

wo die veränderungen gegen die erste auflage zusammengestellt und sämtlich als besserungen bezeichnet werden. W. Streitberg, Anz. f. idg. sprachk. 6 (2) 206—209, dem das büchlein namentlich noch zu knapp ist und der einige unebenheiten und fehler bemängelt. Joseph Schatz, Litztg. 1896 (31) 973 f., der ebenfalls die kürze tadelt und einige versehen namhaft macht.

90. A. Fritsch, German grammar, based on Trauts German grammar. vol. I. C. Jügel, Frankfurt a. M. VII, 681 s. 5 m.

davon auch besonders: Introductory to Fritsch's german grammar. Systematic exposition of German pronounciation and orthography. IV, LXXX s.

91. O. Brenner, Grundzüge der geschichtlichen grammatik der deutschen sprache, zugleich erläuterungen zu meiner mittelhochdeutschen grammatik und zur mittelhochdeutschen verslehre. mit einem anhang: sprachproben. München, J. Lindauersche buchhandlung. VIII, 113 s.

das buch ist der vorrede zufolge für lehrer des deutschen an oberdeutschen schulen bestimmt. der vf. geht daher nicht nur auf die entwickelung der sprache aus dem mhd. und ahd. zum schriftdeutschen ein, sondern behandelt gleichzeitig die laut- und flexionsgeschichte der oberdeutschen dialekte. ist es auch bei der wenig zusammenhängenden darstellung nicht leicht, dem gedankengange zu folgen, so ist doch diese zusammenstellung in mancher hinsicht dankenswert; nicht nur, weil zusammenfassende darstellungen der grammatischen eigentümlichkeiten moderner dialektgruppen fehlen, sondern namentlich, weil der vf. in beziehung auf die phonetische deutung der älteren schreibungen, in accentfragen und im zusammenhange damit auf metrischem gebiete eigenartige und sehr beachtenswerte ansichten entwickelt. — angez. von O. Weise, Die neueren sprachen 4 (3).

92. O. Weise, Unsere muttersprache. Leipzig 1895. — vgl. jsb. 1895, 3, 78; 4, 49. Howard, Mod. lang. notes 9 (3). O. Brenner, Blätter für das gymnasialschulwesen 1896, 32 (3/4). R. M. Meyer, Archiv f. d. stud. d. n. spr. 97 (1/2). G. Burghauser, Zs. f. d. realschulw. 21, 83. Revue critique 1896, 47.

93. H. Hirt, Die stellung des Germanischen im kreise der verwandten sprachen. Zs. f. d. phil. 29 (3) 289—305.

bestreitet nähere zusammengehörigkeit mit dem Baltisch-Slavischen, dessen formenlehre keine und dessen wortschatz nur wenige übereinstimmungen biete — eine anzahl von vergleichungen die Kluge im Etymol. wörterb. und Kretschmer (vgl. no. 56) aufstellen, werden, weil nicht aufs Germanische und Baltisch-Slavische beschränkt, als unzutreffend beseitigt — und betont demgegenüber die grosse zahl der übereinstimmungen im wortschatz mit den italischen sprachen und dem Keltischen, sowie auch die ähnlichkeit in der bildung des perfektums in beiden sprachgruppen.

94. W. Bruckner, Die sprache der Langobarden. Strassburg, Trübner 1895. — vgl. jsb. 1895, 3, 79. — angez. Museum 3 (11) von Van Helten. — Österr. litbl. 1896 (11) von E. Schönbach. — von W. Streitberg, Lit. cbl. 1896 (12) 430 'tüchtige leistung'. — F. Wrede, Litztg. 1896 (52) 1641—1643 misst B.'s arbeit an den ihm selbst von Kögel gemachten vorwürfen, vgl. jsb. 1892, 11, 5, und empfiehlt bei der benutzung der langobardischen grammatik sorgfältigste nachprüfung seiner angaben. die brauchbarkeit des ganzen sowie manche einzelheiten werden anerkannt.

95. R. Loewe, Die reste der Germanen am Schwarzen meere. eine ethnologische untersuchung. Halle, Niemeyer. XII, 271 s. 8 m.
der vf. hat mit grosser belesenheit und mit viel glück alles zusammengestellt, was wir von nachrichten über Germanen am Schwarzen meere besitzen. er prüft diese auf ihren wert und behandelt in den ersten drei abschnitten die kleinasiatischen Germanen, die Kaukasusgermanen und etwaige Germanen am kaspischen meere. es ist natürlich, dass diese untersuchungen, die geschichtlich manches interessante ergebnis liefern, sprachlich resultatlos verlaufen. — über den vierten und fünften abschnitt, die die Krimgoten und die Gothi minores behandeln, ist abt. 11 zu vergleichen. — angez. von Uhlenbeck, Museum 4, no. 10.

96. R. M. Meyer, Runenstudien. I. Die urgermanischen runen. P.-Br. beitr. 21 (1) 162—184.
vf. betont, dass, wenn Wimmers ansatz, der die erfindung der runen ins 3. jahrh. verlegt, richtig ist, schon ältere runen bestanden haben müssen. die schwierigkeit einige runenzeichen aus dem lat. alphabet abzuleiten, lässt ihn eine gruppe von neun runen aussondern, die er für urgermanisch in anspruch nimmt. diese urgermanischen runen seien nicht in stäbe geritzt, sondern aus dürren reisern gesammelt oder zurechtgeschnitten worden.

97. Th. von Grienberger, Die germanischen runennamen. 1. Die gotischen buchstabennamen. beitr. P.-Br. 21 (1) 185—224.
vgl. abt 11.

98. W. van Helten, Grammatisches. P.-Br. beitr. 21 (3) 437—498.

forts. der jsb. 1895, 3, 83 (wo ich P.-Br. beitr. 20 (3) 506—525 nachzutragen bitte) verzeichneten aufsätze. XLII. 'Zur westgerm. konsonantendehnung nach langer silbe' as. *bed, flet, net* u. s. w. haben erst konsonantendehnung, dann abfall von *i* erlitten. zur zeit der konsonantendehnung herrschte noch silbische aussprache des *j* nach langer silbe; ahd. *lōssan, leittan* u. s. w. haben daher analogisch gebildete geminata. das gleiche wird für fränkisch *rr* nach kürze angenommen. — XLIII. 'Zum germanischen *ē²*'. XLIV. 'Zur entstehung der sogenannten reduplicierten praeterita im westgerm. und altnord.' XLV. Zur pronominalen flexion im westgerm.' richten sich gegen den aufsatz von Franck (vgl. abt. 13). v. Helten unterscheidet *ē²* = *ë* (offen) von *ē¹* = *ä* (sehr offen); aus *ē²* sei *ė* (geschlossen) entstanden, spätestens in der zeit, wo *ai* zu *ē²* kontrahiert wurde; auch nordisch und gotisch sei *ē²* in der zeit aus der unsere denkmäler stammen, geschlossen gewesen. die reduplicierten praeterita des westgerm. und nord. erklärt er ähnlich wie Franck, nur werden namentlich die formen mit *i* aus geschlossenem *ē* abgeleitet und as. *giheu, sēu* anders aufgefasst. die ahd. und as. formen des n. a. pl. des demonstrativums *thēr*, erklärt er aus *thē* mit *ē²* aus *þai* wie früher. XLVI. 'Zur schwachen deklination im ahd. as. und aonfrk.' sucht den satz zu erweisen, dass nebentoniges *o* der paenultima vor *u* der ultima zu *u* wird; *o* sei aus dem nom. sg. masc. übertragen, die häufigen -*an* im as. werden etwas anders als von Schlüter durch vermischung schwacher und starker deklination gedeutet. XLVII. 'Zur behandlung von *-ōwj-, *ōwi-* und antevokalischem *ē* im vorgotischen' knüpft an analoge lautübergänge eines nl. dialekts an und nimmt an: *taujan* sei nach *tauida* gebildet, *tauida* nach *strawida* geändert, *j* im *saijands* hiatustilgend nach echtem *ái*; *ō* in *waiwōun* nicht berührt, weil nicht hochtonig. XLVIII. 'Noch einmal zur geschichte der *jo-* und *io-*stämme im germanischen' erklärt die nom. masc. neutr. got. auf -*eis, jis* und -*i* als analogiebildungen, westgerm. könne von *-jas, *-jan* oder von *-iz, *-in* ausgegangen werden; für die kurzsilbigen feminina sei -*i* anzusetzen. XLIX. 'Zur behandlung von *i* und *u* im auslaut im vorgotischen' stimmt mit Kock (vgl. abt. 13) gegen Streitberg und Hirt darin überein, das ausl. *u* got. auch nach langer wurzelsilbe in zweisilbigen wörtern erhalten bleibt. L. 'Zur behandlung des gedeckten endungsvokals aus *ai* und aus *ē* (in der 2. 3. sg. praes. ind. nach dritter schwacher conj.) im as. aonfrk. amfrk. ags. afries.' verteidigt die lautregel '*ai* wird in der endung in ungedeckter stellung zu *e*, in gedeckter zu *a*' gegen Jellinek, der Anz. f. d. altert. 20 (1) 22 vor *s e* als das regelmässige ansieht, und überträgt sie auch auf das unerklärte *ē* der dritten schwachen conj. LV. Zur behandlung der langen auslautenden vokale im urgermanischen' führt aus, dass die Hirt-Streitbergsche accenttheorie nicht zum ziele führe und sucht die alte lehre von der erhaltung der länge durch einwirkung eines konsonanten oder eines nasalklanges wieder zu ehren zu bringen.

99. W. Streitberg, Zur germanischen grammatik. Idg. forsch. 6 (1/2) 140—155.

behandelt 1. Die langen silbischen nasale und liquiden im germanischen; diese seien wie im litauischen mit den kurzen zusammengefallen, daher durch *un, um, ur, ul* urgerm. vertreten. 2. Zwei- und dreimorige vokale im ahd.; hier betont der vf., dass er jetzt mit Hirts auffassung der auslautgesetze übereinstimme;[*] got. *dagos, gibos* haben dreimorige, *sniumundos, wileis* zweimorige länge; wie *gebā* sicher langes *ā* zeige, so sei auch *tagā* ahd. wahrscheinlich mit länge aufzusetzen. die kürze von ahd. *wili* daneben beweise, dass auch das Westgermanische den unterschied der accent-qualitäten bewahrt habe. 3. Die got. *ja*-stämme in der kompo-sition. *andi-laus* neben *lubja-leis* beweise eine silbentrennung *lu-bja-*. 4. Ahd. *gēn* könne als durativum nicht mit *ga*, wie Kluge annimmt, zusammengesetzt sein; auch bei *gaumjan*, in dem die komposition vergessen ist, sei perfektive bedeutung erhalten. 5. Die herkunft des *ē* im perf. plur. der vierten und fünften ablautreihe. *ē₁* findet sich nur im plural der germanischen perfekta vor ein-facher konsonanz; es erkläre sich durch die dehnstufentheorie, wenn man annehme, dass die reduplikationssilbe den accent gehabt habe. 6. Die *jan*-verba und ihre verwandten. Streitberg unter-scheidet starre bildungen, abstufende, kausativa und -*ēi* verba.

100. H. Hirt, Zu den germanischen auslautgesetzen. Idg. forsch. 6 (1/2) 48—79.

der aufsatz wendet sich nicht ohne schärfe gegen die aus-führungen von M. H. Jellinek (Zs. f. d. österr. gymn. 1893, s. 1092 ff. und Zs. f. d. altert. 39 (1) 125 ff. (vgl. jsb. 1894, 3, 77 und 1895, 3, 84) und untersucht 1. ob die gestalt der urgerm. auslaute eine unterscheidung von *ā* und *ō* noch fordere, 2. ob die nasalierten längen anders behandelt seien, als 3. die längen im absoluten aus-laut, 4. als die gedeckten längen, und sucht endlich unter 5. 'idg. *oī* und *oī*', 6. 'ahd. *gebā*' zu beweisen, dass gotisch kürzen, zwei-morige und vor *s* dreimorige längen erhalten, ahd. alle auslaute um eine more gekürzt seien, nur bleibt die kürze nach kurzer stammsilbe erhalten.

---

[*] worauf ich hiermit, auf seinen ausdrücklichen wunsch, zur berichtigung der schlussbemerkung jsb. 1895, 3, 80 besonders hinweise.

101. O. Brenner, Zum deutschen vokalismus. Zs. z. bearb. d. mundartl. materiales. hrsg. von J. W. Nagl. Wien, Fromme I (1).

102. O. Brenner, Zum deutschen vokalismus. nachtrag. P.-Br. beitr. 21 (3) 569—574.

auseinandersetzung mit Nagl, vgl. abt. 5, 35; hält seine aufstellungen aufrecht.

103. Hempl, The stress of german and english compounds in geographical names. Mod. lang. notes 11 (4).

104. E. Mackel, Die aussprache der altgermanischen langen *e* und *o* laute. Zs. f. d. phil. 40 (3) 254—269.

bespricht die vertretung von roman. *ae, ę, ẹ* in deutschen und von deutsch *ē*[2] in romanischen lehnwörtern sowie von offenem und geschlossenem *ō* wesentlich in übereinstimmung mit dem aufsatz von Franck (vgl. abt. 13) und mit dem resultat, dass *ē*[2] und *ō*[1] ahd. offne laute gewesen sein.

105. P. Regnaud, Exposé succinct des lois qui ont présidé aux modifications des explosives initiales dans les anciens dialectes germaniques. — Actes du dixième congrès intern. des Orientalistes. Session de Genève 1894. II. Leiden, Brill 1895. Section I bis.

106. E. Zupitza, Die germanischen gutturale. Schriften zur germ.-philol. hrsg. von M. Roediger. achtes heft. Berlin, Weidmann. VIII und 262 s. davon teil 1, Kritik der lehre vom übergang idg. labiovelarer geräuschlaute in germanische reine labiale. 47 s. als Berliner diss. besonders erschienen.

die sorgfältige und umfangreiche arbeit bietet eine sehr vollständige zusammenstellung aller auf labiale bezüglichen germanischen etymologien, die auf ihren wert geprüft werden, und auf grund deren der vf. erstens die Bezzenbergsche these von der existenz dreier gutturalreihen im idg. bestätigt findet, zweitens die lautgesetzliche entwickelung von labialen aus labiovelaren im Germanischen ablehnt und endlich die vertretung der drei reihen im Germanischen feststellt. das buch bewältigt ein enormes material, leidet aber dadurch teilweise an unübersichtlichkeit; der vf. ist auch keineswegs immer glücklich in der beurteilung der etymologischen gleichungen, er giebt aber jedem gelegenheit zur gründlichen nachprüfung seiner aufstellungen.

107. F. A. Wood, Final *s* in germanic. Mod. lang. notes 11 (6).

108. W. Streitberg, Urgerm *zm*. Idg. forsch. 7 (1 2) 177—179.

verteidigt die behauptung, dass -*zm*- schon im urgerm zu *mm* geworden, gegen Kluge, dem er sie als seine eigene frühere ansicht nachweist.

109. J. Mikkola, Zum wechsel von þ und f im Germanischen. Idg. forsch. 6 (3/4) 311 f.

bei an. *þél* 'geronnene milch' neben schwed. *fil-*, nndd. *dīne* neben ahd. *fīma*, *fīn* 'kornhaufen', an. *þiós: fiós* 'walfischfleisch' sei dissimilation mit altem geschwundenen *h* die veranlassung des übergangs; bei an. *þél*, *fél* ahd. *fīhala* und an. *fiql* 'dielung' neben *þile*, ahd. *dili* seien verschiedene wurzeln vorliegend.

110. Fr. Kluge und G. Baist, Altfranz. *dh* (ð) in ae. und ad. lehnworten. Zs. f. roman. phil. 20 (2/3).

111. Menger, German *w-* into french *gu-*. Mod. lang. notes 11 (4).

112. v. Grienberger, Pronominale lokative. — vgl. abt. 5, 2.

113. F. Kluge, Deutsche suffixstudien. in: Festschrift zur fünfzigjährigen doktorjubelfeier Weinholds am 14. jan. 1896. Strassburg, Trübner.

114. F. Kuntze, Das verbum substantivum im Germanischen. Zs. f. d. d. unterr. 10 (5/6) 314—331.

überblick über die geschichte der bildungen, die in gedrängter form das leben der gesamtsprache darstelle.

115. K. Brugmann, Der präteritale bildungstypus ahd. *hiaz*, aisl. *hét* und ahd. *liof*, aisl. *hlióp*. Idg. forsch. 6 (1/2) 89—100.

auf grund der annahme, dass das urgerm. geschlossene $\bar{e}_1$ aus *ēi* entstanden sei und dass in der ursprache ein nicht redupliciertes perfekt mit langer wurzelsilbe existiert habe, wird bei verben wie ahd. *heizan*, *meizan*, *sceidan* ein perfektstamm mit *ēi* konstruiert, dies *ēi* soll dann das lautgesetzliche $\bar{e}_1$ von *fāhan*, *fallan*, *wallan* u. s. w. nachgezogen haben; die verba mit stammhaften $\bar{e}_1$ hatten im perfektum wohl $\bar{e}_1$ und *ō* nebeneinander, die mit *eu* hatten *ēu*, davon ahd. *io*.

116. Fr. Lorentz, Über das schwache präteritum. Leipzig, Harrassowitz 1894. — vgl. jsb. 1895, 3, 97. — angez. von Victor Michels, Anz. f. idg. sprachk. 6 (1/2) 85—91. 'sehr sorgfältige untersuchung, die Lorentzsche hypothese kann als die am konsequentesten durchgeführte gelten'. Michel hebt aber die grossen unwahrscheinlichkeiten, die sie noch hat, gebührend hervor.

117. Heinrich Winkler, Germanische casussyntax. I. der dativ, instrumental, örtliche und halbörtliche verhältnisse. Berlin, F. Dümmlers verlag. VIII, 551 s. 15 m.

118. Ernst Walbe, Die spuren älterer sprachstufen im Neuhochdeutschen. lautlehre und deklination. progr. (no. 476) des kgl. gymn. zu Wesel. 24 s. 4⁰.

um den schülern höherer lehranstalten einen einblick in die
geschichte der deutschen sprache geben zu können, hat der vf. eine
scheinbar gedrängte, in wirklichkeit sehr eingehende übersicht
solcher erscheinungen gegeben, in denen etwa dialektische erscheinungen anlass zu geschichtlicher erklärung geben können. behandelt ist die lautlehre und die deklination.

119. C. C. Uhlenbeck, Over de etymologische wetenschap .
Taal en letteren 6 (4).

120. Th. Braune, Narr. Zs. f. d. phil. 29 (1) 118—121.
verfolgt den stamm durch die germanischen sprachen, such
verwandte im Idg. und ausserhalb desselben aufzuweisen und di-
wurzel als eine den schall des knurrens, brummens nachahmend
nachzuweisen. ähnliche bildungen werden verglichen.

121. Th. Braune, Über einige schallnachahmende stämme i
den germanischen sprachen. progr. (no. 62) des kgl. Luisengymn.
zu Berlin. 18 s. 4⁰ u. ein lithographisches blatt.
mit *knaben, knabbern* vergleicht der vf. unter vielem andere
z. b. *snabul, knebel, knie, neffe, nichte, knoten, Neptunus, νέατος,
νεί'ω, kneifen, nahe, knopf, not,* ahd. *cnāan, niuwan* 'stossen' ai
nābhis, ναύς, *knödel.* G. Ehrismann, Litbl. 1896 (12) 402 möchte
daher die abhandlung fast als einen scherz auf die wau-wau-theorie
nehmen.

122. Th. Braune, Neue beiträge zur kenntnis einiger romanischer wörter deutscher herkunft. Zs. f. roman. phil. 20 (2/3).

123. S. Bugge, Germanische etymologien. P.-Br. beitr 21 (3
421—428.
behandelt got. *basi,* nhd. *beere;* mhd. *brüelen;* an. *dêll;* norw.
dial. *eil;* anorw. *hǿfir;* an. *jarfr; Scadinavia;* nnorw. dial. *skvetta*
norw. *tíra;* anorw. *topt;* an. *tróda, róda,* nhd. *rute;* germ. *wiðu-s*

124. H. Collitz, The aryan name of the tongue. Studies of
the oriental club of Philadelphia. pp. 1—27. Philadelphia 1894.
urform *dlnghvā, dlnghu.*

125. E. W. Fay, Some linguistic suggestions. Mod. lang.
notes 11 (4).
behandelt nach Litbl. s. 207, deutsch *mich;* engl. *spray* = deutsch
spreu; deutsch *streu.*

126. E. Hoffmann-Krayer, Got. *jains,* ahd. *jener, ener,*
mhd. *ein* und verwandtes. Zs. f. vgl. sprachf. 34 (1) 144—152.

sorgfältige zusammenstellung und nachprüfung der bisher über die herkunft des pronomens veröffentlichten ansichten. eine einheitliche erklärung giebt auch H. nicht, er will hauptsächlich die mhd. und nhd. formen mit *ei* herangezogen wissen und verweist für die deutung des ursprungs glücklich auf ai. *anya-* und die mundartlichen deutschen formen mit doppeltem *n*. weniger gelungen ist der hinweis auf ἐ-ϰεῖ, umbr. *e-sto-*, *e-tantu*, ai. *a-sāu* zur erklärung des anlautenden *j*.

127. Otto Hoffmann, Etymologien. Beitr. z. kunde d. idg. spr. 21 (2) 137—144.

behandelt u. a. 1. germ. *bauan*: gr. φαύειν (*bauan* 'wohnen' ist zu trennen). 5. got. *sparwa*: gr. σπαράσιον. 6. an. *pyttr*, ahd. *put* 'pfütze': lit. *gùd* sumpf.

128. Fr. Kluge, Eichen. Zs. f. d. phil. 29 (1) 117 f.

hält gegen Lucae (ebenda 18, 405) seine deutung an *aequare* aufrecht. vgl. abt. 1, no. 29.

129. E. Lidén, Vermischtes zur wortkunde und grammatik. Beitr. z. kunde d. idg. spr. 21 (2) 93—118. = Språkvetenskapliga sällskapets i Upsala forhandlingar. sept. 1891 bis mai 1894. 1. got. *fani*, ahd. *fūhti*, 2. aisl. *sigg* 'harte haut', ahd. *warid* 'insel', 3. aisl. *fimr* 'rasch', 4. ahd. *chebis*, 5. nnorw. *gand* 'pflock', 6. ahd. *mahhōn*, 7. aisl. *næfr*, 9. aisl. *kueld* 'abend', 10. aisl. *hinna* werden besonders mit keltischen wörtern verglichen.

130. J. J. Mikkola, Etymologische beiträge. Beitr. z. kunde i. idg. spr. 21 (3) 218—225.

behandelt 1. ahd. *bah*, 2. ags. *hweohl*, 4. deutsch *linde*, 5. got. *lamb*, 6. nhd. *rocken*, *wocken*, 8. got. *saiwala*, 9. deutsch *helm* (griff des steuerruders), 10. an. *valr*, sgs. *wœl*, ahd. *wuol*, 11. got. *tilþei*.

131. J. J. Mikkola. Ett par språkliga fornminnen. Finskt nuseum 1895 (9/10).

enthält nach Litbl. 1895, 283 die vergleichung von finn. *haahla* mit ahd. *hāhala*, und die erklärung von finn. *marhaminta* aus einem urgerm. compositum *marhaminþa-ïsarna* oder -*banda*.

132. W. Prellwitz, Idg. *bhenzhús*: *bhenzhús* 'dick'. Beitr. z. kunde d. idg. spr. 21. (4) 286 f.

133. W. Prellwitz, Studien zur idg. etymologie und wortbildung. L Idg. *bhēti* 'scheint', *bhē* 'schein, aussehen, wie', *bhēs* schein, licht'. II. *bhē* 'scheinen', *bhē*, *bhēs* 'schein, aussehen' im zweiten gliede einer zusammensetzung oder als 'suffix'. Beitr. z. kunde d. idg. spr. 22 (1/2) 76 ff.

134. Otto Schrader, Linguistisch-historisches. — in: Symbola doctorum ienensis gymnasii in honorem gymnasii isenacensis collecta. ed. G. Richter. Jena, Neuenhahn in komm. III, u. 70 s. 4⁰. 2,50 m..

135. Otto Schrader, Etymologisch-kulturhistorisches. — in: Philologische studien. Festgabe für Eduard Sievers. Halle, Niemeyer. 441 s.

136. C. C. Uhlenbeck, Etymologisches. P.-Br. beitr. 21 (1) 98—106.

behandelt 1. *habicht*, 2. *hüpfen*, 3. *kegel*, 4. nl. *kol*, 5. ae. *falod* (hierzu und zu ags. *fala* eine die angesetzten bedeutungen berichtigende anmerkung von Sievers), 6. apr. *gewinna*, 7. got. *haifsts*, 8. ags. *hasu*, 9. nl. *samaar*, 10. nl. *sluiken*, 11. ahd. *sparro*, 12. and. *wilgia*.

137. Elis Wadstein, Beiträge zur westgermanischen wortkunde I. Zs. f. d. phil. 29 (4) 525—530.

behandelt nhd. *gären*; *gaul*; *geifern*, *geifer*, *geifeln*, *geifel*; *haschen*; *hode*; *kracke*; *schenken, schenkel, schinken*; *ware*, die sämtlich mit nordischen verwandten in überzeugender weise verknüpft und zum teil gedeutet werden.

138. August Zimmermann, Etymologisches aus dem bereiche der germanistik. in: Festschrift zum 70. geburtstage Oskar Schade dargebracht von seinen schülern und verehrern. Königsberg, Hartung.

auch einzeln. 3 s. 0,10 m.

139. August Zimmermann, Etymologien. Zs. f. vgl. sprachf. 34 (4) 589 f.

amme: *amare*; ἄταλος, ἀτιτάλλω: *adal*.

140. Josef Zubatý, Zu ai. *kŕmiš*, lat. *vermis* u. s. w. Idg. forsch. 6 (1/2) 155 f.

unterstützt durch slavische beispiele Wiedemanns ausführungen Idg. forsch. I, 255 ff., der die mit *k* anlautenden wörter von den mit *v*- beginnenden trennt.

Metrik. 141. Rud. Westphal, Allgemeine metrik. Berlin 1892. — vgl. jsb. 1894, 3, 120. Rud. Meringer, Zs. f. d. österr. gymn. 45 (8/9).

142. Friedr. Kauffmann, Deutsche metrik nach ihrer geschichtlichen entwickelung. neue bearbeitung der aus dem nachlass dr. A. F. C. Vilmars von dr. C. W. Grein hrsg. deutschen verskunst. — vgl. abt. 4, 57.

143. A. Heusler, Über germanischen versbau. — vgl. jsb.
95, 3, 126. M. Trautmann, Anglia, beibl. 6 (10).

144. Friedr. Kauffmann, Metrische studien. 1. Zur reim-
chnik des allitterationsverses. Zs. f. d. phil. 29 (1) 1—17.
wendet sich gegen R. M. Meyers aufsatz (vgl. jsb. 1893, 3,
1) über die allitterierende doppelkonsonanz, untersucht die häufig-
it des allitterierenden silbenreims und sucht die gesetze, nach
nen einfacher und doppelter stabreim im ersten halbverse gesetzt
irde, zu ermitteln. er betont, dass die reimtechnik der afrs. ge-
tzessprache grundverschieden sei und wiederholt Snorris grundsatz
r hauptstab regiert den reim.'

145. Friedr. Kauffmann, Metrische studien. 2. Dreihebige
rse in Otfrids evangelienbuch. Zs. f. d. phil. 29 (1) 17—49.
vgl. abt. 13.

146. Max Kaluza, Der altenglische vers I, II. Berlin,
ilber 1894.
vgl. jsb. 1895, 3, 130 und 16, 99. — H. Hirt, Litbl. 1896
| 7—9 lehnt K.s aufstellungen ab, die nicht eine neugestaltung
r vierhebungstheorie, sondern nur eine geschickte zustutzung der
iverschen seien. entgegnung Kaluzas und erwiderung Hirts
enda (5) 182—184.

147. Oskar Fleischer, Abhandlungen über mittelalterliche
sangs-tonschriften. teil I Über ursprung und entzifferung der
iumen. Leipzig, Fleischer 1895.
angez. Lit. cbl. 1895 (52) 1880. 'fördert die wissenschaft um
i ausserordentliches stück'.   Felix Hartmann.

IV. Neuhochdeutsch.

Fremdwörter. 1. Th. Matthias, Ein sprachreinigender jurist
s vorigen jahrhunderts. Zs. d. a. d. sprachver. 1896, 18—20.
Karl Ferdinand Hommel, gerichtsrat und prof. der rechte, ver-
sste den 'Teutschen Flavius', eine anleitung zur urteilsabfassung
gutem deutsch, mit einem 'antibarbarischen wortverzeichnis'.

2. K. Scheffler, Die schule, verdeutschung der hauptsäch-
hsten entbehrlichen fremdwörter der schulsprache [verdeutschungs-
lcher des allg. d. sprachver. VII]. Berlin, Jähns u. Ernst. 67 s.
übersichtliche zusammenstellung in wörterbuchform (etwa
100 ausdrücke), oft freilich nicht einwandfrei.

3. L. Kiesewetter, Neuestes vollständiges fremdwörterbuch.
8. aufl. Glogau, Flemming. IV, 771 s. 7,50 m.

Grammatik. 4. Pfeifer, Über deutsche deminutivbildung im
17. jahrh. 1. teil. grammatiker und lexikographen. progr. Meiningen [no. 723] 1896.

stellt die wandlung der bedeutung der deminutivsuffixe dar,
besonders *chen* im verhältnis zu *lein* und zwar in diesem ersten
teile aus den äusserungen der grammatiker und lexikographen Schottel,
Stieler, Kempe, Bödiker, Henisch.

5. Die deutsche grammatik von Joh. Clajus, hrsg. von Weidling. Strassburg 1894. — vgl. jsb. 1894, 4, 17. als eine in vieler
beziehung mangelhafte arbeit nachgewiesen Anz. f. d. altert. 22,
72—78 von Al. Reifferscheid.

6. R. Böhme, Sprachbilder zur einführung in das leben der
sprache. Zs. f. d. unterr. 10, 793—802.

behandelt die verschiebung in den bezeichnungen des weiblichen und männlichen geschlechts (fräulein, frau, weib, magd,
knabe u. s. w.).

7. H. Gloel, Verdoppelungen in der wortbildung. Zs. f. d.
unterr. 10, 76.

nachträge zu den aufzeichnungen Wasserziehers. Zs. 7,
606—608.

8. A. Zwitzers, Was ist rechtens in unserer substantiv-
komposition? Zs. f. d. unterr. 10, 124—133.

allgemeine übersicht über eigentliche und uneigentliche zusammensetzung nach Grimm und Tobler mit besonderer berücksichtigung der s-bildungen. denselben gegenstand behandelt
K. Scheffler, Einiges über zusammensetzungen. Zs. d. a. d.
sprachver. 1896 (6) 104—108.

9. A. Bauer, *Die* Rhone nicht *der* Rhone. Zs. f. d. unterr.
10, 220—221.

ansicht über den geschlechtswechsel mancher lehnwörter
(z. b. *die* rolle von le rôle).

10. M. Grabow, Aussprache. — vgl. abt. 3, 11. 12.

11. P. Merkes, Beiträge zur lehre vom gebrauch des infinitivs. Leipzig 1895.

s. jsb. 1895, 4, 20a — angez. Litbl. 1896, 262—264 von
H. Reis gänzlich ablehnend, besonders wegen der nichtberück-
sichtigung der mundarten; dagegen im wesentlichen anerkennend
Zs. f. d. phil. 29, 134—137 von O. Mensing, doch wird die

mangelhafte benutzung der vorhandenen litteratur gerügt. — im
ganzen anerkennend auch Zs. d. a. d. sprachver. 1896, 90—91 von
Th. Matthias. Zs. f. d. unterr. 10, 839—844 von Arens mit
uneingeschränkter anerkennung.

11a. R. Hartmann, Über den gebrauch des infinitivs im
deutschen und französischen. progr. Heilbronn. 42 s. 4⁰.

Fr. Kauffmann, Deutsche grammatik. — s. abt. 3, 89.

12. D. Sanders (†), Satzbau und wortfolge in der deutschen
sprache, dargestellt und durch belege erläutert. 2. um ein vollständiges abeced. inhaltsverzeichnis vermehrte aufl. Weimar, Felber.
XVI, 260 s. 2,60 m.

13. J. Minor, Ein kapitel über deutsche sprache. Zs. f.
österr. gymn. 47, 7.

Schriftsprache. 14. R. Sprenger, Zu Th. Matthias, Sprachleben und sprachschäden. Zs. f. d. unterr. 10, 626—627. über
jägt und *jug* von jagen.

15. O. Schröder, Vom papiernen stil. 4. aufl. Berlin,
Walther. VIII, 102 s. 2 m.

s. jsb. 1892, 4, 29. auch unter den zahlreichen, viel umfang-
reicheren sprachreinigenden werken der letzten jahre nimmt Schröders buch noch einen hervorragenden platz ein.

16. A. Brunner, Schlecht deutsch. Wien 1895.

s. jsb. 1895, 4, 43. — angez. Lit. cbl. 1896, 27—28 (ablehnend). Zs. d. a. d. sprachver. 1896 (3) 54—55 von Matthias.

17. G. Bornscheuer, Deutsch. Bonn, Hannstein.

s. jsb. 1895, 4, 42 (wo irrtümlich Bomscheuer steht) wird
Lit. cbl. 1896, 166—167 als ein werk unglaublichster unwissenheit
gekennzeichnet, ebenso Zs. d. a. d. sprachver. 1896, 54—55 von
Th. Matthias.

18. A. Weise, Unsere muttersprache. — vgl. abt. 3, 92.

19. G. Wustmann, Allerhand sprachdummheiten. 2. aufl.
Leipzig, Grunow. XII, 410 s. geb. 2,50 m.

s. jsb. 1891, 4, 14. der stoff ist von neuem um- und durchgearbeitet, bequemer und durchsichtiger geordnet und um ein
drittel vermehrt. auch ein wörterverzeichnis ist hinzugekommen, das
den gebrauch des buches wesentlich erleichtert. leider hat es der
vf. aber verschmäht, die ausstellungen, die von wissenschaftlicher
seite an der 1. aufl. gemacht waren, zu beherzigen. er spricht
darüber sehr wegwerfend und ist zufrieden mit dem beifall der
'journalisten, juristen und schriftsteller'.

20. J. Erler, Die sprache des neuen bürgerlichen gesetzbuches. verlag des Allg. d. sprachver. Berlin, Jähns u. Ernst. 20 s.

die sprachliche reinheit und richtigkeit des neuen gesetzbuches
gegenüber dem alten juristen-deutsch wird eingehend nachgewiesen.

21. G. Glanz, Gut deutsch ohne lehrer für jedermann leicht
zu erlernen. Berlin, Neufeld-Xenius. XII, 153 s. 1 m.

22. K. Scheffler, Ein wort für — monatig und — wöchig.
Zs. d. a. d. sprachver. 1896 (3) 34—36.

vf. spricht für die allmähliche durchführung der bezeichnung
-ig für die dauer einer handlung und -lich für die wiederholung
auch bei den von monat und woche abgeleiteten adjektiven, also
dreimonatiges krankenlager, aber dreimonatliche zahlung. daneben
werden auch die bildungen von jahr und tag behandelt.

23. Übungssätze zur schärfung des sprachgefühls. Zs. d. a.
d. sprachver. 1896 (11) 215—218, (12) 234—235.

beispiele eines versuches, den richtigen sprachgebrauch durch
gutachten vieler massgebender kenner festzustellen an bestimmten
beispielen, in denen falsches und richtiges nebeneinandergestellt
werden (nach einem antrage H. Dungers auf der hauptversammlung des vereins).

24. R. Foss, Schweizer schriftdeutsch. Zs. d. a. d. sprachver.
1896, 1—5.

zusammenstellung einiger eigentümlichkeiten bei den Schweizer
schriftstellern C. F. Meyer, Meyer v. Knonau, Haffter, Wirz.

25. O. Weise, Überblick über die entwicklung der nhd.
schriftsprache. für laien. Zs. d. a. d. sprachver. 1896 (6) 98—104.

26. Matthias, Mundart. — vgl. abt. 5, 9.

27. H. Schrader, Unausrottbare unrichtigkeiten der sprache.
Zs. f. d. spr. 1896, 58—63.

über thor, kirchhof, vorlesungen, minister, magister, kugel, ent-
zwei, mond und kalender.

28. W. Behaghel, Schriftsprache und mundart. — vgl.
abt. 3, 24.

29. H. Wunderlich, Unsere umgangsprache u. s. w.
Weimar 1894.

s. jsb. 1895, 4, 52. — angez. Zs. f. d. phil. 29, 138—139 von
J. W. Bruinier mit einer längeren ausführung über 'mein herr'.
Archiv f. d. stud. d. n. spr. 96, 2 von F. Vogt, Zs. f. d. unterr.
10, 855—857 v. O. Lyon.

30. R. Hildebrand, Vermischte kleinigkeiten, aus seinem nachlasse. Zs. f. d. unterr. 10, 734—738.

eine reihe von betrachtungen über bedeutungswandel.

31. Studentensprache und studentenlied. J. Meier, Hallische studentensprache. Fr. Kluge, Deutsche studentensprache.

s. jsb. 1894, 4, 52a—c. — angez. mit vielen berichtigungen und nachträgen Zs. f. d. phil. 29, 428—431 von J. Schmedes, ebenso Anz. f. d. a. 22, 253—258 von M. Heyne. Zs. d. a. d. sprachver. 1896, 7—8 von H. Dunger.

32. A. Heintze, Die revidierte bibel. Zs. f. d. unterr. 10, 134—144.

eine rechtfertigung der revisionsarbeit gegen M. Heynes kritik (Anz. f. d. a. 38, 350—352), zugleich zusammenstellung einiger noch vorhandener desiderien. der begriff nhd. schriftsprache wird dabei wiederholt berührt.

33. O. Weise, Geschwundenes sprachbewusstsein. Zs. f. d. unterr. 10 144—151.

zusammenstellung einer reihe von beispielen scheinbar widersinniger wortbildungen wie *leitfaden* für buch, fenster*scheibe*, *alte jungfrau, silbernes hufeisen;* und solcher, deren ursprung völlig vergessen ist, wie *zupfen* (zopf), *taufen* (tiefe) u. s. w.

34. Fr. Spälter, Er hilft uns frei aus aller not. Zs. f. d. unterr. 10, 581—582.

versucht *frei* als phraseologisches ethisches adverb aus ähnlichen wendungen bayrischer und fränkischer umgangsprache zu erklären. — vgl. jsb. 1895, 4, 27.

35. C. Müller, Politisch. Zs. f. d. unterr. 10, 777—781. vgl. IX, 26 ff.

vgl. abt. 1, 26.

36. Ebrard, Zur allitteration bei Goethe (allitteration in Goethes Götz v. Berlichingen). Zs. f. d. spr. 1896, 179—188.

zeigt, dass Goethe die allitterationen bei den späteren bearbeitungen besonders berücksichtigt hat.

37. O. Glöde, Zur nhd. seemannsprache. Zs. f. d. unterr. 10, 72—74.

erklärung einer reihe von seemannsausdrücken, die vom marinepfarrer Gödel in zwei aufsätzen der Marine-rundschau 'die nhd. seemannsprache' und 'hochd. verdunkelungen ndd. seemannsausdrücke' zusammengestellt waren. vgl. dazu Gödel, Etwas von der deutschen seemannsprache. Zs. d. a. d. sprachver. 1896 (5) 82—85.

38. Es sei hingewiesen auf die 'vereinzelten beim lesen niedergeschriebenen bemerkungen' von D. Sanders (†) in der Zs. f. d. spr., unter denen sich viele eigentümlichkeiten der nhd. schriftsprache finden, die einzeln aufzuzählen hier nicht angeht. auch metaphorische redewendungen, volksetymologien, volkskundliches und grammatische besonderheiten werden behandelt.

38a. R. M. Meyer, Studien zu Goethes wortgebrauch. Archiv f. d. stud. d. n. spr. 96, 1. 2.

Rechtschreibung und zeichensetzung. 39. W. Bleich, Vereinfachte deutsche rechtschreibung und richtige aussprache. Berlin, Schildberger. 42 s.

vf. empfiehlt beseitigung aller dehnungszeichen, klare anfangsbuchstaben, nur 2 s-laute und einige andere der aussprache entsprechende änderungen der doppellaute. von geschichtlicher betrachtung sieht er grundsätzlich ab.

40. K. Erbe, Zu der abhandlung von E. Wülfing, Die verwirrung in der schreibung unserer strassennamen (Grenzboten 1896, heft 7 u. 9). dazu erwiderung von Wülfing.

betrifft auch die bildung der strassennamen.

41. G. Saalfeld, Katechismus der deutschen rechtschreibung. Leipzig, Weber. — s. jsb. 1895, 4, 64. — angez. Zs. f. d. unterr. 10, 80 von O. Lyon.

42. K. Stejskal, Vorschläge zur ergänzung und verbesserung der amtlich festgestellten regeln für die deutsche rechtschreibung. als manuskript gedruckt. Wien, Manz'sche hof- und universitätsbuchhandlung (J. Klinkhardt u. co.). XX, 76 s.

vf. weist die zahlreichen lücken und inkonsequenzen des österreichischen regelbuchs nach (vorwort) und giebt vorschläge zur verbesserung in form eines vollständig neubearbeiteten regelbuchs, das sich, soweit thunlich, an das preussische regelbuch anlehnt. im vorwort werden die abweichungen der 'vorschläge' von dem vom vf. früher bearbeiteten regelbuche beleuchtet. das ganze ist eine selbständig durchgearbeitete, wertvolle behandlung der gesamten deutschen rechtschreibung.

43. F. Haberstock, Populäres orthograph. wörterbuch der deutschen sprache, nebst einer beigabe der gebräuchlichsten fremdwörter und deren verdeutschung zum gebrauch für schule und leben. 208 s. 12°. München, Kellerer. geb. 1,50 m.

44. A. Meurer, Die lehre von den deutschen satzzeichen, systematisch dargestellt und auf die klassen sexta bis tertia verteilt. progr. des realgymn. zu Aachen. Aachen, Jacobs u. co. 32 s.

45. A. Stamm, Grundsätze für die interpunktion. progr.
[no. 378.] des realgymn. Iserlohn. 9 s.

elementare übersichtliche darstellung.

Synonymik. 46. D. Sanders, Deutsche synonymen. gesamtausgabe der Neuen beiträge zur deutschen synonymik und der Bausteine zu einem wörterbuch der sinnverwandten ausdrücke im
deutschen. Weimar, Felber. VII, 239—375 s. (1881. 1889.)
8 m., geb. 9 m.

47. J. A. Eberhards Synonymisches handwörterbuch der
deutschen sprache. mit übersetzung der wörter in die englische,
französische, italienische und russische sprache und einer vergleichenden darstellung der deutschen vor- und nachsilben unter
erläuternder beziehung auf die englische, französische, italienische
und russische sprache. 15. aufl. nach der von Friedr. Rückert besorgten 12. ausgabe durchgängig umgearbeitet, vermehrt und verbessert von Otto Lyon. Leipzig, Grieben. XLIV u. 1010 s. 12 m.

die neue aufl., die verhältnismässig schnell gefolgt ist (14te 1888),
beweist, dass das verdienstliche werk in Lyons kundiger bearbeitung festen fuss gefasst hat. abermals ist es durch mehrere
hundert wörter und artikel bereichert worden, so dass es von
943 s. auf 1010 angewachsen ist. der ausführliche titel giebt den
inhalt an. die besprechungen der früheren auflagen waren durchweg anerkennend. — angez. Österr. Litbl. 1896, 19 von Jarnik.
— vgl. abt. 1, 7 und jsb. 1888, 4, 4.

48. M. Meier, Eine populäre synonymik. — vgl. abt. 1, 9.

Unterricht. 49. C. Böttcher, Die schreibung der s-laute. Zs.
f. d. unterr. 10, 470—472.

zusammenstellung von regeln nach 'Regeln und wörterverzeichnis' § 11 u. 12.

50. L. Fränkel, Ein blick in den deutschen unterricht der
Siebenbürger Sachsen. Zs. f. d. unterr. 10, 473—478. hauptsächlich empfehlung des lesebuches von Netoliczka u. Wolff.

51. J. V. Hürbin, Mundart, sprachunterricht und rechtschreibung. Aarau, Sauerländer 1895. IV, 57 s. 0,80 m.

zwei programme der bezirksschule Muri von 1867 und 1871,
als broschüre neu herausgegeben. enthält beachtenswerte erörterungen über die verwendung der mundart beim sprach-
unterrichte in der Schweiz, mit hinweis auf die wichtigsten abweichungen der Schweizer mundarten von der schriftsprache.

· 52. Th. Matthias, Kleiner wegweiser durch die schwankungen und schwierigkeiten des deutschen sprachgebrauchs. Leipzig, Richter. 144 s.

auszug aus 'Sprachleben und sprachschäden'. — angez. Zs. f. d. unterr. 10, 854 von O. Lyon.

52a. O. Schmeckebier, Abriss der deutschen wort- und satzlehre zum gebrauch beim unterricht. Berlin, Gsellius. 48 s. 0,60 m.

52b. W. Wilmanns, Deutsche schulgrammatik, nebst regeln und wörterverzeichnis für die deutsche rechtschreibung nach der amtlichen festsetzung. 2. teil für quinta bis tertia. 9. aufl. Berlin, Weidmann. VI, 147 s.

53. J. Sachse. Die deutsche grammatik in ihren grundzügen. 4. kursus: allgemeine stilistik und poetik. 2. aufl. Freiburg i. Br., Herder. IV, 82 s. 0,60 m.

54. Fr. Kern, Grundriss der deutschen satzlehre. 3. aufl. Berlin, Nicolai. XII, 91 s. geb. 1 m.

s. jsb. 1888, 4, 45.

55. Fr. Kern, Lehrstoff für den deutschen unterricht in prima. 2. aufl. Berlin, Nicolai. 1,80 m.

Walbe, Die spuren älterer sprachstufen im nhd. — vgl. abt. 3, 118.

Metrik. 56. O. Schmeckebier, Abriss der deutschen verslehre. 3. aufl. Berlin, Weidmann.

s. jsb. 1893, 4, 34. — angez. Zs. f. österr. gymn. von J. Minor.

57. F. Kauffmann, Deutsche metrik nach ihrer geschichtlichen entwicklung. neue bearbeitung der aus dem nachlass dr. A. F. C. Vilmars von dr. C. W. Grein hrsg. deutschen verskunst. Marburg, Elwert. VIII, 235 s. 3,60 m.

K. hat die bedeutenden arbeiten der neuzeit von Sievers, Paul, Wilmanns, Minor übersichtlich im rahmen des Vilmar-Greinschen buches zusammenzufassen gesucht. wer über die hauptergebnisse dieser untersuchungen übersichtlich unterrichtet sein will, findet hier einen vortrefflichen führer. besonders in der darstellung der nhd. metrik zeigt sich, wie sehr jetzt die bestimmung des metrums eines gedichts vom subjektiven empfinden abhängig ist. vermisst wird eine klare erörterung der frage, ob der grundrhythmus des nhd. verses als trochäisch, mithin beginnende senkung als auftakt zu fassen sei. die einteilung in jambische, trochäische u. s. w.

verse ist beibehalten. auffällig ist die beibehaltung der termini 'männliche' und 'weibliche' reime statt der sachgemässen 'klingende' und 'stumpfe'.   Bötticher.

V. Deutsche mundartenforschung.

(ausser niederdeutsch.)

Allgemeines. 1. Mentz, Bibliographie. — vgl. jsb. 1895, 5, 1. anz. Nagl, Österr. litbl. 5 no. 11; F. Kauffmann, Zs. f. d. phil. 28, 545. Binz, Idg. forsch. 8, 94 f.

2. Deutsche mundarten. Zeitschrift für bearbeitung des mundartlichen materials. hrsg. von J. W. Nagl. bd. 1, heft 1. (= s. 1—82). Wien, Fromme. 3,40 m.

darin: v. Grienberger, Pronominale lokative; Nagl, Der name Wien; Landau, Das deminutivum in der galizisch-jüdischen mundart; ders., Ein drei, ein vier. ausserdem bücheranzeigen.

Sprachatlas. 3. F. Wrede, Berichte über G. Wenkers sprachatlas des deutschen reichs. Anz. f. d. altert. 22, 322—336.

vgl. jsb. 1895, 5, 2. betr. die wörter: 68) beissen. 69) hof. 70) tische. 71) nähen. 72) mähen.

Wenker, Über den sprachatlas des deutschen reiches. Verhandlungen d. 43. vers. d. philologen in Köln. s. 35—43.

bericht über den stand der arbeiten. hervorhebung des zusammenhanges zwischen ortsnamenforschung und mundartforschung.

Wrede, Eine karte des deutschen sprachatlas. Verhandlungen d. 43. vers. d. philologen in Köln. s. 134 f.

kurzer bericht über den vorstehend bezeichneten vortrag.

4. Bremer, Beiträge, vgl. jsb. 1895, 5, 3 und Wenker-Wrede, Sprachatlas, vgl. jsb. 1895, 5, 4. — angez. von F. Kauffmann, Zs. f. d. phil. 29, 273—281 (dagegen Wrede, Anz. f. d. altert. 23, 120); J. Franck, Anz. f. d. altert. 23, 1—12; E. Mackel, Archiv f. stud. d. neueren spr. 98, 142—145; Nagl, Österr. litbl. 5, no. 11; Ph. Wagner, Die neueren sprachen IV, heft 5. A. Heusler, Idg. forsch. 8, 96—98.

5. O. Bremer, Zur kritik des sprachatlas. P.-Br. beitr. 21, 27—97 (nebst einer karte).

vgl. jsb. 1895, 5, 4. B. giebt einige versehen bei der benutzung der karten zu, führt aber aus, dass diese ohne belang für das gesamturteil und die prinzipiellen fragen seien. beigefügt ist

eine karte der schwäbisch-alem. diphthongierung, die zusammenfasst, was verschiedene karten aus Fischers atlas darbieten. — vgl.
Heusler, Idg. forsch. 8, 98 f.

Vermischtes. 6. O. Behaghel, Schriftsprache und mundart.
akademische rede zur feier des jahresfestes der universität Giessen
am 1. juli 1896. 4⁰. s. 3—15. 26—39.

hinweis auf die beeinflussung des älteren, besonders md. und
nd. schrifttums durch das oberdeutsche bezw. die schriftsprache.
beachtungswert sind die beigegebenen anmerkungen wegen der zahlreichen, wenn auch nicht immer richtig beurteilten belegstellen für
die diphthongierung bei mhd. schriftstellern, für das vorkommen
diminutiver -lin und hochdeutscher formen in mnd. werken u. a.

7. O. Brenner, Etwas über mundartforschung in der schule.
Mitt. z. bayer. volksk. 1, no. 3.

8. Hürbin, Mundart. — vgl. abt. 4, 51. 80 c.

9. Th. Matthias, Die mundart im spiegel der schriftsprache.
Wiss. beihefte z. zs. d. allg. d. sprachver. 10, 173—200. (die im
verlage des sprachvereins erschienene sonderausgabe ist durch
einen anmerkungen bietenden anhang erweitert). Berlin, Jähns
u. Ernst.

verhältnis der nhd. schriftsprache zum mhd. und den dialekten
in bezug auf den lautstand. einfluss der mundart auf die vermehrung und veränderung des nhd. wortschatzes.

10. H. Schreiber, Die wichtigkeit des sammelns volkstümlicher pflanzennamen. Zs. f. österr. volksk. 1, 36—43.

11. J. Winteler, Über volkslied und mundart. ein wort an
die aarg. lehrerschaft. Brugg, Effingerhof. 16 s. 25 c.

12. H. Wunderlich, Die deutschen mundarten in der Frankfurter nationalversammlung. Festschrift z. doktorjubelfeier K. Weinholds. s. 134—156.

zusammenstellung mundartlich gefärbter ausdrücke u. s. w. aus
den stenographischen berichten.

Schweiz. 13. Schweizerisches idiotikon. wörterbuch der
schweizerdeutschen sprache. gesammelt auf veranstaltung der Antiquarischen gesellschaft in Zürich . . . (heft 31—33 —) bd. 4,
sp. 1—464. bearb. von Fr. Staub, R. Schoch, A. Buchmann und
H. Bruppacher. Frauenfeld, J. Huber. à heft 2 m.

darin die mit Ma—Mas, Mes u. s. w. beginnenden stämme. —
heft 21—30. angez. Lit. cbl. 1896 (15).

14. Zimmerli, Sprachgrenze in der Schweiz. — vgl. jsb. 1895, 5, 6. — angez. von H. Suchier, Zs. f. d. phil. 29, 283—285; Gilliéron, Litbl. 17, 197—200; L. Gauchat, ebd. 17, 417—419; Str(eitberg), Lit. cbl. 1896, no. 16.

15. J. Hunziker, Die sprachverhältnisse der Westschweiz. (aus: Schweizer. rundschau 5.) Aarau, Sauerländer u. co. 0,80 m.

16. A. Socin, Basler mundart und Basler dichter. (neujahrsblatt d. ges. z. beförderung d. guten n. 74.) Basel, Reich. 63 s., 1 taf. 4⁰. 1, 35 m.

17. H. Stickelberger, Die deminutiva in der Berner mundart. Philol. studien für Sievers. s. 319—335.
für die verschiedenen wortendungen sind beispiele zusammengestellt.

Elsass. 18. E. Martin, Das wörterbuch der elsässischen mundarten. vortrag. sonderabdruck der Strassburger Neuesten nachrichten. Strassburg, Druckerei der Neuesten nachrichten. 15 s.
bericht über die geschichte und den stand der arbeiten für das wörterbuch.

19. J. Spieser, Die mundartlichen formen der ortsnamen der umgegend von Waldhambuch. Jahrb. f. gesch. Elsass-Lothringens 11, 211—224.
alphab. verzeichnis mit beifügung der mundartlichen und älterer urkundlichen namensformen.

20. Ch. Schmidt, Wörterbuch d. Strassburger ma. — vgl. jsb. 1895, 5, 7. — angez. H. Menges, Zs. f. d. phil. 29, 262—269: ein beträchtlicher teil gebräuchlicher ausdrücke fehle, in vereinzelten fällen sei die bedeutung nicht richtig angegeben, die schwächste seite sei die etymologie; B. Stehle, Alemannia 24, 90—94. 282—287; M. Rödiger, Archiv f. stud. d. n. spr. 98, 146—148.

21. Strassburger redensarten. eine kleine ergänzung des bereits gesammelten und publizierten materials, mitgeteilt von einem einheimischen sprachkundigen. Jahrb. f. gesch. Elsass-Lothr. 11, 110—131.

22. L. Schneegans, Über die orthographische anarchie im schrifttum des Strassburger dialekts und der nächstverwandten elsässischen mundarten. ein vorschlag zur abhilfe. Strassburg, Heitz. 54 s. 1,50 m.

Schwaben. Württemberg. 23. H. Fischer, Geographie der schwäb. ma. — vgl. jsb. 1895, 5, 9. Heusler, Litbl. 17, 148—151.

24. H. Fischer, Geographie der schwäb. mundart. Württemb.
vierteljahrsschr. f. landesgesch. n. f. 4, 114—125.

selbstanzeige über die entstehung, das verfahren und die ergebnisse der arbeiten für das gleichnamige werk. s. vorige no.

25. K. Bohnenberger, Über H. Fischers geographie der
schwäbischen mundart. Alemannia 24, 23—50.

eine kritische auf einzelheiten eingehende und abweichende anschauungen einflechtende darstellung der ergebnisse des atlas.

26. Frz. Jacobi, Schwäbische und schwäbisch-neuhoch-
deutsche lehnwörter mit lateinischer und lateinisch-romanischer
grundlage. Alemannia 24, 252—261.

zusammenstellung der aus 30 lat. wörtern hervorgegangenen
schwäbischen wortformen.

27. A. Holder, Pflege der volkskunde und mundartlichen
dichtung in württembergisch Franken. Alemannia 24, 261—265.

hinweis auf vier dialektschriftsteller dieses jahrhs.

28. A. Holder, Geschichte der schwäbischen dialektdichtung
mit vielen bildnissen mundartlicher dichter und forscher. offen-
barungen unseres stammheitlichen volks- und sprachgeistes aus
drei jahrhunderten kulturgeschichtlich beleuchtet. Heilbronn, Kiel-
mann 1896. 245 s. — erster nachtrag. Alemannia 24, 279—282.

angez. R. Krauss, Litztg. 1896 no. 14; Lit. cbl. 1896 no. 19;
Bohnenberger, Euphorion 3, 784 erkennt an, dass erhebliches
material mit viel mühe zusammengetragen sei, wissen und urteil
fehle oft; F. Pfaff, Alemannia 24, 190; Deutsche ma. 1 no. 1.

29. Joh. Bolte, Schwäbische hochzeitsabrede. Alemannia 24,
167—169.

abdruck des Alemannia 8, 84 mitgeteilten gedichtes in dem
von einem kupferstich des 17. jahrhs. gebotenen texte, der einige
abweichungen bietet.

30. P. Beck, Seb. Sailer [1763—1841], kanzelredner, schwäbischer humorist, volks- und dialektdichter. Württemb. vierteljahrshefte für landesgeschichte, n. f. 3, s. 236—250.

31. P. Beck und A. Holder, Eine unbekannte lesart von
Seb. Sailers Schöpfung. Alemannia 24, 158—167.

nachweis und proben einer handschriftlich erhaltenen fassung,
welche von der gedruckten erheblich abweicht.

Baden. 32. O. Heilig, Die aussprache der e-laute im grossherzogtum Baden. Süddeutsche blätter für höhere unterrichtsanstalten 1, 9.

33. O. Heilig, Zum vokalismus des Alemannischen in der mundart von Forbach im Murgtal. Alemannia 24, 17—23.

bei den einzelnen vokalen wird unter beifügung einiger belege angemerkt, welchen mittelhochdeutschen sie entsprechen.

34. O. Heilig, Beiträge zur mundart des Taubergrundes. — vgl. jsb. 1894, 5, 23. — angez. Korr.-bl. d. ver. f. siebenb. landesk. 18 no. 2, s. 27 f.

Bayern. Österreich. 35. O. Brenner, Zum deutschen vokalismus. P.-Br. beitr. 21, 569—574.

gegen Nagl bemerkungen, Dtsch. ma. 1, 75 ff. betr. einzelheiten der österr.-bayer. mundart. — vgl. abt. 3, 101. 102.

36. R. Sprenger, Zu Schmeller-Frommanns bayer. wörterbuch II, 265. Zs. f. d. phil. 29, 122.

betr. 'selbsterer'.

37. A. Kübler, Die mundart der Kissinger gegend. ein beitrag zur kenntnis des lautstandes der dialekte Unterfrankens. festschrift. Kissingen. 9 s.

38. Georg Heeger, Der dialekt der Südost-Pfalz. I. teil die laute. mit einer lautkarte. progr. d. gymn. zu Landau, Lang. 40 s. u. karte. 1,20 m.

behandelt wird auf grund persönlicher in mehr als hundert ortschaften gemachter beobachtungen das gebiet zwischen Rhein und Vogesen von der südgrenze der Pfalz bis nördlich über die Queich. Schandeins darstellung gebe vielfach ein falsches bild. der lautstand wird nach mhd. schema dargestellt. s. 31 ff. lautgeographisches und besondere abschnitte über die ma. von Neuburg am Rhein und Büchelberg. ersteres, das seit 1570 durch änderung des stromlaufes vom rechten auf das linke Rheinufer versetzt ist, habe rechtsrheinischen dialekt bewahrt, Büchelberg, das man für eine franz. siedelung des 17. jahrhs. halte, weise keine hierauf deutenden eigentümlichkeiten auf. die karte scheidet das monophth. und diphth. gebiet und kennzeichnet die orte mit zäpfchen r und aa aus mhd. ou.

39. H. Lambel, Plan und anleitung zu mundartlicher forschung in Deutsch-Böhmen. Mitt. d. ver. f. gesch. d. Deutschen in Böhmen 35, 1—21.

der verein beabsichtigt unter Lambels leitung stoffsammlungen für mundartliche grammatiken und wörterbuch, weshalb anweisungen zur sammlung und zur mundartlichen lautbezeichnung gegeben werden.

40. H. Gradl, Die mundarten Westböhmens. lautlehre des nordgauischen dialektes in Böhmen. München, Ch. Kaiser 1895. VII, 176 s. 3 m.

besonderer abdruck aus 'Bayerns ma.' (s. jsb. 1896, 5, 16), vermehrt um ein vorwort und 'ergänzungen und besserungen'. — angez. von H. Lambel, Mitt. d. ver. f. gesch. d. Deutschen in Böhmen 35, beilage 18—20.

41. Neubauer (nicht: Neubronner), Zur Egerländer wortforschung. — vgl. jsb. 1895, 5, 28.

42. J. Schiepek, Untersuchungen über den satzbau der Egerländer mundart. II. progr. des staats-ober-gymnasiums zu Saaz (Böhmen). 46 s.

behandelt werden die modi mit ausnahme der indirekten rede. — angez. H. Lambel, Mitt. d. ver. f. gesch. d. Deutschen in Böhmen 35, beilage 66—70.

43. Val. Schmidt, Geschichtliches von der Stritschitzer deutschen sprachinsel. Mitt. d. ver. f. gesch. d. Deutschen in Böhmen. 34, 380—400.

die ältesten deutschen ansiedler kamen im 13.—14. jahrh. aus dem bayer. sprachgebiet.

44. Frz. Held, Das deutsche sprachgebiet von Mähren und Schlesien i. j. 1890. mit 2 karten. (aus Schriften d. ver. f. gesch. Mährens bd. 31.) Brünn, Winiker. 21 s. . 1,80 m.

angez. Mitt. d. ver. f. gesch. d. Deutschen in Böhmen 35, beilage 75 f.

Ungarn. 45. Andr. Scheiner, Die mundart der Siebenbürger Sachsen. Forschgn. z. dtsch. landeskde. 9, 129—184.

die arbeit beruht grossenteils auf eigenen reichen stoffsammlungen des vfs., der ihretwegen an einzelnen orten der verschiedenen teile Siebenbürgens auf einer ferienreise aufenthalt genommen hat, sie beschränkt sich also nicht auf irgend eine lokalmundart. die lautlehre stellt er nach westgerm. schema dar, die palatalisierung u. a. behandelt er zusammenhängend, ebenso den durch das rumänische beeinflussten accent u. a. phonetische. s. 185 ff. 'einiges zur siebenbürgischen formenlehre'. die einleitung giebt einen überblick über die geschichte der siebenbürgischen mundartforschung. — angez. v. J. Schatz, Deutsche litztg. 1897 no. 9.

46. A. Scheiner, Die siebenbürgische vokalkürzung. Philol. studien, festgabe für Sievers. 336—348.

ermittlung der konsonantverbindungen u. s. w., welche verkürzung erwirken und folgerungen über das alter der verkürzungen.

47. V. Lumtzer, Die Leibitzer mundart. II. Beiträge 21, 499—539.

darstellung der formenlehre, in die einzelnes syntaktische eingefügt ist. — vgl. jsb. 1894, 5, 34. — angez. Scheiner, Korr.-bl. f. siebenb. landeskde. 19, no. 7. 8.

48. János Ebenspanger, Die in den Hienzendialekt aufgenommenen magyarischen wörter. progr. der ev. schulanstalten von Ober-Schützen (Felsö-lövo). 1892/1893. 4⁰. s. 3—6. (magyarisch geschrieben.)

aufzählung und kurze besprechung von etwa 40 magyarischen lehnwörtern. — angez. von A. Schullerus, Korr.-bl. d. ver. f. siebenb. landeskde. 1895, no. 4.

Rheinland. 49. Bernh. Schmidt, Siegerländer ma. — vgl. jsb. 1895, 5, 38. — angez. v. G. Binz, Zs. f. d. phil. 29, 269—271: eine wenig erfreuliche leistung; Gallée, Museum 4, 157.

49a. J. Koulen, Der stabreim im munde des volkes zwischen Rhein und Ruhr. progr. (no. 446) d. gymn. zu Düren. 38 s.

sammelgebiete sind der reg.-bez. Aachen und angrenzende teile der reg.-bez. Köln und Düsseldorf. eine vorbemerkung belehrt über die angewandte lautbezeichnung. angeführt werden ausser redensarten auch einzelwörter, sogar komkomer 'gurke', zizis 'saucischen' u. ä.

50. Schmitz, Mischmundart in Geldern. — vgl. jsb. 1894, 5, 42. — anz. v. A. Hauffen, Euphorion 3, 782 f.

Hessen. 51. Pfister, Idiotikon von Hessen. — vgl. jsb. 1894, 5, 40. — anz. v. J. W. Nagl, Österr. litbl. 5, no. 7.

Schlesien. 52. P. Pietsch, Zur behandlung des nachvokalischen -*n* einsilbiger wörter in der schlesischen mundart. Festschrift zur doktorjubelfeier K. Weinholds. s. 84—117.

wie in andern md. mundarten sei im schlesischen der abfall des *n* unabhängig von dem umstande, ob es ursprünglich auslautete oder erst in jüngerer entwicklung in den auslaut trat, nirgends sei aber der abfall so deutlich als in der schles. ma. von dem minderen ton oder der unbetontheit beherrscht.

Ostpreussen. 53. Stuhrmann, Das mitteldeutsche in Ostpreussen. 2. teil. progr. (n. 25) d. gymn. zu Deutsch-Krone. 33 s.

die einzelnen laute der heutigen 'breslauschen' mundart der östlichen dörfer werden verzeichnet unter beifügung zahlreicher heutiger wortformen und mhd. entsprechungen. 1. teil ist angez. von Wrede, Anzeiger 22, 392.   Seelmann.

VI. Litteraturgeschichte.

1. K. Goedeke, Grundriss V u. VI, bog. 1—7. — angez.
Lit. cbl. 1896, 307—308 mit vielen ergänzungen und zum teil
auch berichtigungen.

2. K. Burdach, Vom mittelalter zur reformation. Halle 1893.
— vgl. jsb. 1894, 8, 187. 15, 2. 1895, 15, 2. — Litbl. 1896
(1) 1—3. angez. von Wunderlich; hat auch indirekte beziehung
zur nhd. schriftensprache.

3. J. Kelle, Geschichte der deutschen litteratur von den
ältesten zeiten bis zum 13. jahrh. 2. bd. Berlin, Wilhelm Hertz.
IV, 403 s. 8 m. — vgl. jsb. 1893, 6, 3.
    der zweite band von Kelles litteraturgeschichte ist wie der
erste keine litteraturgeschichte im eigentlichen sinne. er ist eine
geschichte der geistlichen, genauer eine geschichte der theologischen
litteratur der jahre 1150—1190. bei den theologischen werken
interessierte den vf. wiederum lediglich ihr inhalt, sehr selten
spricht er über ihre mundart, ihren versbau, ihre stilart, ihren
künstlerischen wert und unwert. diesen inhalt aber will K. in den
rechten zusammenhang mit der ganzen zeit, ihrer politischen geschichte wie ihren religiösen bestrebungen bringen. darum verfolgt er mit grosser aufmerksamkeit die äusseren schicksale Deutschlands, mit noch grösserer die entwicklung der philosophie und
theologie. ihm gelingen dabei einige neue quellenfunde; auf seine
reiche belesenheit gestützt, bekämpft er die ansicht, dass Honorius
Augustodunensis ein weitreichendes ansehen genoss, er will an die
verbreitung des Ezzoliedes in der folgenden zeit nicht glauben,
ebensowenig an die wirkung der predigt auf die deutsche poesie.
    weiter achtet K. auf die wirkung der geistlichen litteratur.
er geht den schicksalen der handschriften nach, und entreisst
manche der verschollenheit. — ihn interessieren ebenso die lebens-
umstände der geistlichen verfasser, dabei vertieft er sich in die geschichte der klöster und entwirft ein bild von der wirksamkeit der
geistlichen orden, von ihrem einfluss auf die geistliche litteratur,
das in allem wesentlichen wohl neues und überraschendes sagt.
    eben darum muss man die grosse ungleichheit in Kelles dar-
stellung lebhaft bedauern. er behandelt die denkmäler nicht nach
ihrem objektiven wert, sondern nach dem wert, den sie für ihn besitzen, er spricht über sie kurz oder lang, je nachdem er neues
über sie zu sagen weiss oder nicht. — auch die reichhaltigen anmerkungen von K. sind in ihren litteraturangaben und nachweisen oft

willkürlich; text und anmerkungen vernachlässigen bisweilen die moderne forschung, so dass behauptungen aufgestellt werden, die leicht hätten vermieden werden können. — angez. Lit. cbl. 1896, 1880—1881 mit einer reihe von ausstellungen, die eingehend begründet werden. [Fr. v. d. Leyen.]

4. Fr. v. d. Leyen, Kleine beiträge zur deutschen litteratur-geschichte im 11. u. 12. jahrh. Halle, Niemeyer. 83 s. 2 m.

diese der Gesellsch. f. deutsche phil. gewidmete schrift ist eine eingehende und selbständig weiterführende kritik des 2. bds. von Kelles litteraturgeschichte (no. 3). die einleitung (s. 1—9) hebt ganz kurz hervor, was Kelles buch für die denkmäler des 11. u. 12. jahrh. bedeutet und welche neuen aufgaben es stellt. dies wird dann im einzelnen beleuchtet, und zwar am Ezzolied (s. 9—40) an der summa theologiae (s. 40—56), am Friedberger Christ und Antichrist (s. 56—61), am Arnsteiner Marienleich, Melker Marienlied, Marien Lob, Sequentia d. S. Maria aus S. Lambrecht, Sequentia de S. Maria aus Muri (s. 62—72), endlich an Trost in verzweiflung (s. 73—83). am einschneidendsten sind die erörterungen über das Ezzolied, in denen es vf. unternimmt, Kelles ansicht von der genauen abhängigkeit des liedes von Hraban strophe für strophe zu widerlegen, und im wesentlichen auf Müllenhoffs an-sicht zurückkommt. auch in den folgenden abschnitten polemisiert er wiederholt gegen Kelle, aber er hat schliesslich ein grösseres ziel im auge, er will die bedeutung, die alle diese denkmäler für die grossen kulturgeschichtlichen fragen, besonders für wesen und art des christentums in dieser zeit haben, klar machen und damit der weiteren forschung ziele stecken.

5. Fr. Vogt u. M. Koch, Geschichte der deutschen litte-ratur von den ältesten zeiten bis zur gegenwart. 14 lief. zu je 1 m. (gesamtpreis 14 m.) mit 170 abb. im text, 25 taf. in farben-druck, kupferstich und holzschnitt mit 23 facsimile-beilagen. Leipzig und Wien, Bibliogr. inst. 1.—5. lief.

der schätzenswerte vorzug dieser neuen populären litteratur-geschichte in der art der werke von König und Leixner besteht darin, dass hier die ältere litteratur von sachkundigster hand be-arbeitet worden ist. sie übertrifft alle ähnlichen an lichtvoller, klarer entwicklung, an schärfe der charakteristik und an geschickter und geistreicher hineinarbeitung der neuesten wissenschaftlichen ergebnisse. manches, wie Rödigers ausgabe des Annoliedes, ist noch nicht verwertet; zu anfang wäre vielleicht eine orientierung über die germanischen völkerschaften und die abgrenzung des deutschen gebietes wünschenswert gewesen; auch beispiele ver-misst man mitunter z. b. für den parallelismus der ältesten poesie,

aber das und noch mehr fällt nicht ins gewicht gegen die so glücklich getroffene verbindung wissenschaftlichen inhalts mit allgemein
interessanter form, die das ganze beherrscht. besonders hervorzuheben ist die geschichte der Nibelungensage, sowie die vorzügliche übersetzung der als proben eingeflochtenen stellen aus
mhd. gedichten.

6. H. Jantzen, Geschichte des deutschen streitgedichtes im
mittelalter mit berücksichtigung ähnlicher erscheinungen in anderen
litteraturen. [Germanist. abhandl. begr. von K. Weinhold, hrsg.
von Fr. Vogt XIII.] Breslau, Koebner. 98 s. 3 m.

s. 1—26 übersicht über die mittelalterlichen lateinischen,
französischen und provenzalischen, skandinavischen und altenglischen
streitgedichte, s. 34—96 behandlung der deutschen streitgedichte,
der sängerkriege, rätselspiele und anklänge in den fastnachtsspielen.
überall wird der inhalt kurz erörtert, zum schluss wird das ergebnis zusammengefasst, das allerdings keine besondere bedeutung
für die litteraturgeschichte hat. aber der gegebene überblick über
die gattung ist dankenswert.

7. R. Kögel, Geschichte der deutschen litteratur. — s. jsb.
1895, 6, 1. — angez. Euphorion 3, 482—490 von J. Seemüller, Zs.
f. d. phil. 29, 394—414 von Th. Siebs mit eingehender behandlung,
zum teil bekämpfung der einzelnen teile, im wesentlichen aber das
werk als bedeutende leistung anerkennend. ebenso Anz. f. d. altert.
22, 241—252 von A. Heusler, der es noch rückhaltloser rühmt.

8. R. Wolkan, Geschichte der deutschen litteratur in
Böhmen. Prag 1894. — s. jsb. 1895, 6, 3. 15, 3. — lobend und mit
einer eingehenden übersicht über den inhalt des werkes angez.
Zs. f. d. phil. 29, 236—243 von A. Jeitteles.

9. Creizenach, Geschichte des neueren dramas. Halle 1893.
— s. jsb. 1895, 6, 11. — angez. Zs. f. österr. gymn. 46, no. 12.
Archiv f. d. stud. d. n. spr. 96, 208—210 von Cloetta.

10. W. Bottermann, Die beziehungen des dramatikers Achim
von Arnim zur altdeutschen litteratur. diss. Göttingen, Pepp-
müller 1895. 87 s. 1,20 m.

11. Elster, Die aufgaben der litteraturgeschichte. Halle
1894. — s. jsb. 1894, 6, 29. — angez. Euphorion 3, 124—126 von
Wetz. Zs. f. vergl. litteraturgesch. 9, 414—417 von H. Roetteken.

12. Könnecke, Bilderatlas. 2. aufl. Marburg 1895. —
s. jsb. 1895, 6, 12. — angez. Euphorion 3, 218 f. G. Wendt,
Zs. f. gymn.-wesen 50, 230—232.

13. A. Philippi, Die kunst der rede, eine deutsche rhetorik. Leipzig, Grunow. XIII, 256 s. 2 m.

der grössere teil des buches enthält eine geschichte der prosa bei den Römern, Italienern, Franzosen, Engländern und Deutschen, von Klopstock bis auf die neueste zeit. die kunst-theorie wird nur auf den letzten 72 seiten entwickelt. das ganze ist zwar sehr weitschweifig, aber doch vielseitig anregend. — angez. Lit. cbl. 1896, 1476—1477.

14. H. Roetteken, Die dichtungsarten. Euphorion 3, 336—350.

15. Litteraturgeschichten und litterargeschichtliche hilfsmittel für den schulgebrauch: G. Klee, Grundzüge der deutschen litteraturgeschichte. — s. jsb. 1895, 6, 13. — angez. Euphorion 3, 242 f. Zs. f. d. unterr. 10, 722 von O. Lyon. 2. aufl. 1896. — G. Boetticher u. K. Kinzel, Gesch. d. d. litt. u. spr. Halle, Waisenhaus. — s. jsb. 1895, 6, 13. — angez. Zs. d. a. d. sprachver. von G. A. Saalfeld. 2. aufl. 1896. — G. Boetticher u. K. Kinzel, Denkmäler u. s. w. Halle, Waisenhaus. I, 1 Hildebrandlied und Waltherlied mit Muspilli u. zaubersprüchen. 4. aufl. II, 1 Walther v. d. Vogelweide u. Minnesangs frühling. 5. aufl. F. Kummer u. K. Stejskal, Einführung in die geschichte der deutschen litteratur. 3. aufl. Wien, Manz. — s. jsb. 1895, 6, 13. — angez. Österr. litbl. 1896, no. 4.

16. P. Cauer, Deutsche litteratur und litteraturgeschichte in prima. Zs. f. gymn.-wesen 50, 209—228. enthält eine besprechung der bekannteren schul- und litteraturgeschichten, Kluge, Boetticher-Kinzel u. a. Bötticher.

VII. Altertumskunde.

Geschichtslitteratur. 1. Jahresberichte der geschichtswissenschaft, hrsg. von J. Jastrow. 17. jahrg. [1894.] Berlin, R. Gärtner. XX, 135, 436, 338 u. 268 s. 30 m.

nicht geliefert. — vgl. jsb. 1895, 7, 1. — anerkennende anz. Berl. phil. wochenschr. 47, 1502; auch von Frank, Zs. f. realschulw. 1896 no. 5 als ein bedeutendes werk anerkannt. — Wurm, Lit. handw. 1896 no. 1 vermisst zum teil objektivität. — kurze anzeigen des werkes finden sich Hist. zs. 77, 157 (der letzte abschnitt über deutsche geschichte ist wenig befriedigend); Voss. ztg. 1896, sonntagsbeil. no. 31 (lobend); Lit. cbl. 1896 (25) 899 f. und Hist. jahrb. 16, 451 (in dem abschnitt über reformation und gegenreformation wird objektivität vermisst). — lobende anz. des 17. bds.

von Löschhorn, Mitt. a. d. hist. litt. 24, 257—260. in der anz.
des 13.—16. bds. Litztg. 1895 (20) 618 ff. und des 17. bds. das.
1896 (16) 504 ff. wünscht P. Hinneberg, dass zwischen dem
berichtsjahre und dem jahre der veröffentlichung ein zeitraum von
etwa zwei jahren liege. — eine lobende anz. des 15. bds. mit
kleinen ausstellungen giebt H. Simonsfeld, Bl. f. bayr. gymnasialw.
30, 560 ff.; in dem 16. u. 17. jahrgang findet manche ungenauigkeiten ders. das. 32, 771 f.

2. Deutsche zeitschrift für geschichtswissenschaft. (neue folge.)
1. jahrg. 1896. im verein mit G. Buchholz, K. Lamprecht, E. Marcks
hrsg. von G. Seeliger. Freiburg u. Leipzig, J. C. B. Mohr.
    enthält jährlich bibliographische übersichten.

3. K. Keller, Die historische litteratur des Niederrheins für die
jahre 1892 u. 1893. Ann. d. hist. ver. f. d. Niederrh. 61, 187—236.

4. F. X. Kraus, Badische litteratur 1890—1893. geschichte
und altertümer. Zs. d. ges. f. gesch. zu Freiburg 11, 118—132.

5. Badische geschichtslitteratur des jahres 1893. Zs. f. gesch.
d. Oberrh., n. f. 9, 350—377.

6. H. Isenbart, Badische geschichtslitteratur des jahres 1894.
ebdas. 10, 302—320.

7. W. Heyd, Bibliographie der württembergischen geschichte.
2. bd. VIII, 794 s. 5 m.
    vgl. jsb. 1895, 7, 2. — die fülle, brauchbarkeit und zuver-
lässigkeit des im 1. bde. gebotenen hebt hervor G. Mehring,
Litztg. 1895 (12) 371 f.; ähnlich die kurze anz. Hist. jahrb. 16, 451.

8. O. Dobenecker, Übersicht der neuerdings erschienenen
litteratur zur thüringischen geschichte und altertumskunde. Zs. d.
ver. f. thüring. gesch. 10.

9. W. Haas, Bibliographie zur landeskunde von Niederösterreich i. j. 1894. Bl. d. ver. f. landeskde. v. Niederösterr. 28,
492—528.

10. H. Jentsch, Litteraturbericht betreffend altertümer und
geschichte der Niederlausitz. Niederlaus. mitt. 1893, 155—160.

11. A. Poelchau, Die livländische geschichtslitteratur i. j.
1894. Riga, N. Kymmel. 90 s. 12⁰. 1895. 1 m.
    vgl. jsb. 1895, 7, 4

Derselbe, Die livländische geschichtslitteratur i. j. 1895.
Riga, N. Kymmel. III, 76 s. 12⁰. 1 m.
    vgl. auch abt. 7 no. 22, 23.

Arier, Germanen. 12. V. Hehn, Kulturpflanzen und haustiere. — vgl. jsb. 1894, 8, 16. — H. Hirt, Anz. f. idg. sprach- u.
altertumsk. 6, 173 ff. wünscht eine andere anordnung und verwirft
u. a. Schraders ansicht von einer zweiten heimat der europäischen
Indogermanen in Russland.

13. R. v. Jhering, Vorgeschichte der Indoeuropäer. — vgl.
jsb. 1895, 7, 6. A. G. Meyer, Mitt. a. d. hist. litt. 24, 37—43:
ein mehr grossartiger und kühner als wohlbegründeter und sicherer
aufbau. W. Streitberg, Hist. jahrb. 16, 342—353: widerspruch
und bewunderung erregend; arm an bleibenden resultaten, reich an
fruchtbarer anregung. Post, Cbl. f. rechtswiss. 14, 8 ff.: auf mini-
malster thatsächlicher basis entstanden; fast mehr dichtung als
wissenschaft zu nennen. A. Foucher, Rev. hist. 60 (21. bd.),
153 f.: dem stoffe nach ist nur eine theoretische konstruktion
möglich. J. Van den Gheyn, Bull. crit. 17, 41 ff.: die gelehrsamkeit des vfs. ist zu bewundern; doch sind viele seiner schlussfolgerungen skeptisch aufzunehmen.

14. F. Seiler, Die heimat der Indogermanen. — vgl. jsb.
1895, 7, 7. — kurz angez. Litztg. 1895 (8) 235 f. von O. Schrader, mit dessen annahme einer südeuropäischen urheimat der Indogermanen Seiler im wesentlichen übereinstimmt; und von O. Weise,
Zs. f. gymnasialw. 49, 217 f. (im ersten teil ist die unmöglichkeit
der skandinavischen urheimat überzeugend dargethan). — kurze
referierende anz. Bl. f. bayr. gymnasialw. 32, 510.

15. H. d'Arbois de Jubainville, Les premiers habitants de
l'Europe. — vgl. jsb. 1895, 7, 200. — angez. von A. Meillet, Rev.
celt. 17, 70—75 (vielfach in den resultaten zweifelhaft, aber sehr
interessant; namentlich erweist d'A. enge beziehungen zwischen dem
keltischen und dem germanischen wortschatz); und von F. Lot,
Bibl. de l'école des Chartes 55, no. 1 u. 2 (ablehnend).

16. J. Taylor, The European origin of the Aryans. Acad.
1068, 366.
wendet sich gegen die behauptung Brintons (The Prehistoric
Ethnography of Western Asia), dass Omalins d'Halloy schon vor
Latham in den jahren 1839—1844 die asiatische herkunft der
Germanen bestritten habe.

17. Schwerdtfeger, Die heimat der Homanen. Cruttinnen
(Leipzig, L. E. Rust). 2. teil. 31 s
vgl. jsb. 1895, 7, 10. — der vf. sucht seine ansicht, dass die
weidegebiete an der Nordsee und in Ungarn sich als die urheimat
der Homanen, d. h. der Arier, darstellen, weiter zu stützen. da
er sich diesmal auf schlüpfrigem gebiete, wie dem des mythus, der

sage und der urgeschichte, bewegt, so ist es nicht zu verwundern,
dass er zuweilen bedenklich ausgleitet. ganz besonders auf dem
schlüpfrigsten aller gebiete, dem etymologischen. es will wenig
sagen, dass Mārs (vgl. Māvors) und māre, prātum und prĕtium,
Flēvo und flŭvius zusammengebracht werden; welche verworrenheit
spricht sich aber z. b. in folgendem satze aus: 'den namen vultur
beziehe ich nicht auf volere, stehlen, sondern auf volare, fliegen;
doch mag dabei eine niederdeutsche benennung wold-or, wald-aar,
waldvogel in hohem masse mitwirken!' die versuchten nachweise,
dass die flutsagen arischer völker, der Poseidonkultus, die bedeutung,
welche vogelschau, adler, geier, gans bei den Römern haben, u. v. a.
gerade auf die Nordseeküste hinweisen müssen, sind, milde ausgedrückt, nicht überzeugend. für die günstige meinung über Schafarik
wird der vf. bei deutschen gelehrten schwerlich viel zustimmung
finden. den namen 'Homanen' hat Sch. gewählt, weil jede der
alten bezeichnungen ihren mangel.hat und weil er eine 'einfache
und charaktervolle bezeichnung' gewinnen wollte; da er über die
ableitung nichts angiebt, so scheint er ihn frei erfunden zu haben.

18. L. Wilser, Stammbaum der Germanen. — vgl. jsb.
1895, 7, 13. als durchaus unwissenschaftlich abgelehnt von
R. Bethge, Litztg. 1896 (26) 817 f. — kurz angez. Hist. zs. 76,
355 f. (wegen des mangels an methodischer kritik wissenschaftlich
wertlos). — angez. von L. von Borch, Mitt. a. d. hist. litt. 24,
265 f. (im gegensatz zu der meinung des vf. spricht ref. seine
eigene ansicht dahin aus, dass die Germanen eingeboren und keine
Arier waren), und von A. Riese, Berl. phil. wochenschr. 16 (19)
586 f. (vf. besitzt eine leichte und zuweilen glückliche kombinations-
gabe, wendet aber zu wenig sorgfalt an).

19. J. W. Bruinier, Die heimat der Germanen. Umschau
1 (1) 14 ff. mit dem tone völliger sicherheit wird folgendes
verkündet: süden = dem sunde zu, norden = der erde (dem lande)
zu; also wohnten alle Germanen ursprünglich im norden eines
meeres, nämlich in Skandinavien. ihr ältester name ist Skadines,
d. h. die ausgezeichneten. derselbe stamm findet sich in Kattegat,
Katten (= Hessen). wie man sieht, versteht es der vf. die
schwierigsten fragen mit spielender leichtigkeit und ohne gelehrten
ballast zu beantworten. noch nicht völlig sicher scheint er über
folgende gleichung zu sein: blinder Hesse = blonder Germane, 'als
schimpfwort gedacht mit für uns jetzt unverständlicher spitze'.

20. J. Bryce, The Migrations of the Races of Men considered
historically. Contemp. Rev. 319.
behandelt u. a. wanderungen der Germanen.

21. V o g t, Zur geschichte der Westgermanen. Rhein. geschichtsbl. 1, 169—177.

untersucht die schicksale, wanderungen und wandlungen der
Germanen am Niederrhein bis zum jahre 100 n. Chr.

vgl. auch abt. 7 no. 26, 30, 56, 76, 86, 100, 161; abt. 9 no. 2, 3, 22.

Vorgeschichtliches, altertümer. 22. J. N a u e, Litteratur betreffend
prähistorie. Präh. bl. 5, 28—32 u. 45 ff.

23. F. M o e w e s, Bibliographische übersicht über deutsche
altertumsfunde. Nachr. üb. d. altertumsf. 4, 1—30; 5, 1—28.

24. A. B a r a n s k y, Die vorgeschichtliche zeit im lichte der
haustierkultur. Wien, M. Perles. IV, 296 s. 9 m. — nicht geliefert.

25. F. S e n f, Germanisch oder slavisch? Arch. f. anthrop. 22,
354—369.

behandelt die charakteristischen kennzeichen der germanischen
wie der slavischen vorgeschichtlichen gefässe.

26. J. H a m p e l, Neuere studien über die kupferzeit. Zs. f.
ethn. 28, 57—91.

vf. ergänzt die untersuchungen Muchs und v. Pulskys über
die kupferzeit in Ungarn. der (nur teilweise erfolgende) übergang
zur bronzezeit vollzog sich nach ihm in ganz Europa ungefähr um
den anfang des 2. jahrtausends v. Chr.

27. T e i c h, Die prähistorische metallzeit und ihr zusammenhang mit der urgeschichte Deutschlands. Korrbl. d. Berl. ges. f.
anthrop. 24, 10—14.

28. K. S c h u m a c h e r, Germanische waffen aus vormerowingi-
scher zeit. Korrbl. d. westd. zs. 15 (4) 65 ff.

29. A. R a b e, Drei steine mit runenalphabeten. Geschichtsbl.
f. stadt u. land Magdeburg 29, 152 f.

30. Archiv f. anthropologie. 24. bd. 1896.

jede einzelne nummer des archivs enthält ausser abhandlungen
(vgl. abt. 7, no. 35 u. 43) zahlreiche referate und zwar nicht nur
aus der deutschen (vgl. abt. 7, no. 37), sondern auch aus der
fremdsprachlichen litteratur (vgl. no. 70 dieser abt.), ferner ein umfassendes verzeichnis der neu erschienenen anthropologischen werke.
aus dem 24. bde. sind hier zu erwähnen: J. M e s t o r f, Das vor-
historische eisenalter im skandinavischen norden (s. 339—346).
die vf. giebt eine gedrängte übersicht, indem sie in erster reihe
S. Müller, 'Die prähistorischen kulturperioden in Dänemark' und
an zweiter stelle das werk von O. Montelius (von S. Reinach

übersetzt als 'Les temps préhistoriques en Suède et dans les autres
pays scandinaves' zu grunde legt und die darin gemachten angaben
speziell für Schleswig-Holstein vervollständigt. — H. Bulle, Die
ältesten darstellungen von Germanen (s. 613—620). diese finden
sich auf dem monument von Adamklissi, welches nach Furtwängler
bald nach 29—28 v. Chr. errichtet worden ist. die hieraus gewonnenen kenntnisse sind wichtig für die erkennung und beurteilung von Germanen auf andern denkmälern, so an der Trajans-
und Markussäule, auf grabsteinen, münzen, bronzereliefs, cameen
und gemmen. — von den besprochenen schriften sind zu erwähnen:
S. Müller, Vor Oldtid s. 675 f. — J. Steenstrup, Der grosse
silberfund bei Gundestrup in Jütland 1891 s. 676 f. — E. Brate,
De nya runverken. Svenska Fornminnesföreningen Tidskr. IX, heft 3,
no. 27. s. 677 f. (Br. hält die Goten an der Weichselmündung für
eine von Gotland ausgegangene kolonie, wie die von Bornholm
ausgegangenen Burgunder). B. Salin, Die nordischen goldbrak-
teaten, deren örtliche verbreitung und kulturgeschichtliche bedeutung. Antiqv. Tidskr. XIV 2. s. 679 f. Ders., Ornament-
studien zur beleuchtung einiger fundsachen aus den gräbern von
Vendel. Tidskr. XVIII, 1896 s. 680 f.. — H. Hildebrand,
2 silberfunde. Månadsbl. 1892, s. 167—185. s. 681 f. — R. Sernander, Ein interessanter moorfund. Ant. Tidskr. XVI 2. 3.
s. 682. — H. Stolpe, Die Vendelgräber in Uppland. Upplands
Fornminnesföreningens Tidskr. XVI. 1894. s. 682 f. — Ders., Die
bootgräber bei Tana (Uppland). s. 683.

31. Prähistorische blätter, hrsg. von J. Naue. München,
Th. Riedel in komm.
      der 8. jahrg. (1896) enthält u. a. J. Naue, Neue grabhügel-
funde in Oberbayern. s. 1—9, 17—25, 33—38, 49—57, 81—89;
die beschreibung von ausgrabungen zu Wengen in Mittelfranken,
Wiessen in Böhmen, Wattendorf in Oberfranken, Garvsmühlen bei
Neu-Bukow, Blengow, Sarmstorf, Sternberg und Krebsförden in
Mecklenburg, Brombach (amt Lörrach), Bühl (amt Waldshut),
Zischingen, Gross-Czernosek, Leitmeritz, Mlikojed, Nimburg in
Böhmen, Wachenzell bei Altdorf; eine besprechung von B. Salin,
De nordiska guldbrakteaterna (Antiqvarisk tidskrift för Sverige 14,
no. 2), durch Beltz; in der beilage berichte über vorträge: J. Naue,
Die bronze- und Hallstattzeit in Bayern (s. 1—4) und Schirmer,
Die stämme Mittelfrankens (s. 5—10). in diesem vortrage, der
einiges unrichtige und vieles unsichere enthält, werden (nebst vereinzelten fränkischen und sächsischen bestandteilen) 5 stämme
unterschieden, denen die bewohner Mittelfrankens angehören: der
suevische, thüringische, alemannische, wendische und bayrische.

32. Verhandlungen der Berliner gesellschaft für anthropologie. Berlin, Asher.

nachrichten über wichtige ausgrabungen finden sich im jahrgang 1895, s. 26 (Eifel, an der Lippe), 97 (Heidelberg bei Dahnsdorf, kr. Zauche-Belzig), 141 (hacksilberfund aus der Odergegend), 146 (Neuhaldensleben), 328 (depotfund von Wollin bei Penkum), 454 (Nächst-Neuendorf, Stucken, Wilmersdorf, kr. Beeskow-Storkow), 484 (Behrent), 557 (Mützlitz), 558 (Brunn), 571 (Martinskirche), 680 (Bilstein), 684 (Czernosek), 691 (Ober-Johnsdorf), 698 (Bornholm), 708 (die gräfte bei Driburg), vgl. jsb. no. 168), 760 (Kromau). im jahrg. 1896 finden sich fundberichte aus Island (28 f.), über Thüringer wallburgen (115—119), feuersteinwerkstätten in Thüringen (119—122) und in Posen (346—350), im kreise Beeskow-Storkow (126—130; vgl. jsb. no. 46 u. 47), in Ostpommern (130—137), in Schlesien, der Mark und Pommern (190 f.), in der Niederlausitz (240 f.), in Bayern (243—246), in Posen (246—251), im Mitterberge in Salzburg (292—297), in Böhmen (331 f., 541 ff.), über prähistorischen zinkguss in Siebenbürgen (338 f.), über funde auf Rügen (350—361), in Westpreussen (374—379), Buckau bei Magdeburg (405), in der Lausitz (406 f.), im kr. Belzig (408—411), die gräfte bei Driburg (600—614, siehe oben).

33. Koenen, Gefässkunde. — vgl. jsb. 1895, 7, 172. — fleissig und von grosser sachkenntnis zeugend nach der anz. Korrbl. des gesamtver. d. d. altertumsver. 1895 (10) 120; verdienstvoll, aber nicht abschliessend nach F. Haug, Berl. phil. wochensch. 16 (22) 692 f.

34. R. Engelhard, Das steingrab zu Thuine nebst beiträgen zu den prähistorischen altertümern des kreises Lingen. progr. (no. 318) des kgl. gymn. Georgianum zu Lingen. 18 s. 4°. 2 m.

auf eine vorbemerkung 'über dolmenbauten im allgemeinen' folgt die beschreibung der steingräber zu Thuine und zu Glesen; in einem anhange werden prähistorische altertümer aus dem kreise Lingen in museen und privatsammlungen aufgezählt.

35. L. Leiner, Bildnereien und symbole in den pfahlbauten des Bodensees. mit abb. Arch. f. anthrop. 23, 181 f.

36. Fr. Weber, Bericht über neue vorgeschichtliche funde in Bayern. Beitr. z. anthrop. u. urgesch. Bayerns 11, 90—99 und 297—309 (für die jahre 1892 und 1893).

37. J. Naue, Die bronzezeit in Oberbayern. — vgl. jsb. 1895, 7, 192. — angez. von R. Virchow, Zs. f. ethnol. 27, 182 f. (wirkliche befriedigung erregend); von W. M. Schmid, Arch. f. anthrop.

23, 202 (lobend); von Szombathy, Mitt. d. anthrop. ges. zu Wien
24, 266 (das werk stellt sich den bedeutendsten veröffentlichungen
aus der prähistorischen litteratur ebenbürtig an die seite); von
P. Orsi, Bull. di pal. it. 20, 91; Monatsschr. d. hist. ver. f. Oberbayern 3, 117 f.; von A. E. Evans, Acad. 1199, 362 f. (auch für
die klassische archäologie bedeutungsvoll).

38.   J. Fink, Flachgräber der mittel-La Tène-periode bei Man-
ching (bezirksamt Ingolstadt). Beitr. z. anthrop. u. urgesch. Bayerns
11, 34 ff., mit einer beschreibung der funde von W. Schmidt, das.
37—42, und chemischen analysen von G. Krüss, das. 43 f.

39.   K. Popp, Wallburgen, burgstalle und schanzen. I. (aus:
Oberbayr. arch. f. vaterländ. gesch.). München, G. Franz in komm.
39 s. mit abb. 0,70 m.

inh. Herren-Chiemsee und Langenbürgner see. der Specker
turm am Ratzinger berg. das Römerkastell bei Grünwald. vortrag. — nach einer einleitung, welche die charakteristischen formen
und die unterscheidungzeichen der wallburgen, burgstalle (überreste von holz- und mauerwerksburgen), Römerkastelle und der
augenblicklichen zwecken dienenden schanzen behandelt, schildert der vf. die vorerwähnten befestigungen. er nimmt an, dass
wallburgen auch neben den aus holz- und mauerwerk errichteten
burgen noch bis ins 10. und 11. jahrhundert gebaut wurden. an
den befestigungen bei Grünwald, deren römischen ursprung die gemachten, bei Popp zum grossen teil abgebildeten funde zu erweisen scheinen, ist besonders bemerkenswert, dass diese nicht
rechteckig sind, sondern dass der grundriss die form eines kreis-
ausschnittes hat und in diesem die wälle und gräben konzentrische
kreise bilden.

40.   A. Götze, Die merowingischen altertümer Thüringens.
Zs. f. ethnol. 26, 49—56.

41.   A. Götze, Thüringer wallburgen. Verhandl. d. Berl.
ges. f. anthrop. 1896, 115—119. (referat über einen vortrag.) bei
besprechung der Himmelsburg weist der vortragende auf einige
auffallende analogieen mit der Himienbiörg der Edda hin.

42.   Förtsch, Thongefässe der bronzezeit aus der provinz
Sachsen. (aus Zeitschrift für naturwissenschaften, 69. bd.) Leipzig,
C. E. M. Pfeffer. 3 s. mit 3 lichtdr.-taf. u. 1 bl. erklärungen.
0,40 m.

bericht über gefässe, die beim bau der kohlenbahn Burg-
kemnitz-Golpa gefunden wurden. die funde stellen teils eingeführte ware dar, die an den Lausitzer typus erinnert, teils sind sie
inländisches fabrikat.

43. G. Jacob, Vorgeschichtliche wälle und wohnplätze in den fränkischen gebietsteilen der herzogtümer Sachsen-Meiningen und Coburg. Arch. f. anthrop. 23, 77—95.

vgl. jsb. 1895, 7, 175. — behandelt den ringwall des grossen Gleichbergs bei Römhild, den wallbezirk der Altenburg daselbst (zu beidem vgl. jsb. 1895, 7, 175) und 15 andere alte anlagen.

44. A. Brinkmann, Die burganlagen bei Zeitz in tausend-jähriger entwickelung. mit 14 originaldarstellungen. Halle, O. Hendel. V, 55 s. 2 m.

die arbeit ist ursprünglich als programm (no. 262) des gymnasiums zu Zeitz erschienen. behandelt werden wallburgen, die wohl schon dem anfang der christlichen zeitrechnung angehören, kegelburgen, die der vf. als eine zwischenstufe zwischen den alten ringwällen und den mittelalterlichen steinburgen ansieht, wasser- und höhenburgen späterer zeit.

45. H. Jentsch, Das gräberfeld bei Sadersdorf im kreise Guben und die jüngste Germanenzeit der Niederlausitz. — vgl. jsb. 1895, 7, 150. — kurz angez. von A. R., Lit. cbl. 1896 (19) 709 f. (manches spricht für eine noch etwas ältere entstehungszeit der dargestellten funde).

46. Buchholz, Das brandgräberfeld von Wilmersdorf, kreis Beeskow. Nachr. üb. d. altertumsf. 4, 89—92; vgl. die mitteilung desselben das. 38 f.

aus dem ende der jüngsten bronzezeit, also etwa aus der zeit von 1000—400 v. Chr., stammend.

47. H. Busse, Das frühgermanische gräberfeld in Wilmers-dorf (kr. Beeskow-Storkow). Mitt. d. ver. f. gesch. Berl. 1896 (5) 5 f.

48. R. Baier, Die goldgefässe von Langendorf. Zs. f. ethnol. 28, 92—96.

eine kurze besprechung der in Langendorf gefundenen goldenen gefässe findet sich auch Verhandl. d. Berl. ges. f. anthrop. 1896, 114 f.

49. M. Much u. H. Fischer, Vor- und frühgeschichtliche denkmäler aus Österreich-Ungarn. — vgl. jsb. 1895, 7, 183. — angez. von K. Masner, Zs. f. österr. gymn. 46, 439 f. (einen grossen fortschritt bedeutend, wenn auch noch verbesserungsfähig); von W. Schwartz, Zs. f. gymnasialw. 49, 351 f. (wohl gelungen; auch für höhere schulen zu empfehlen).

50. G. Calliano, Prähistorische funde in der umgebung von Baden. — vgl. jsb. 1894, 4, 29. — angez. von J. Szombathy, Mitt. d. anthrop. ges. in Wien, 25, 22 (der ausgräber Calliano ist zu loben, nicht aber der schriftsteller).

51. F. v. Wieser, Die wichtigsten ergebnisse der urge-
schichtsforschung in Tirol. Mitt. d. anthrop. ges. in Wien 24 (4)
189 ff.

52. R. Kulka, Vorgeschichtliche funde aus Österreichisch·
Schlesien. Mitt. d. anthrop. ges. in Wien 24, sitzungsber. (1) 3 f.
(vgl. das. (2) 16 f.).

53. H. Richlý, Die bronzezeit in Böhmen. — vgl. jsb. 1894,
7, 30. — angez. von J. Naue, Prähistor. bl. 6, 31; von J. Ranke,
Korrbl. d. ges. f. anthrop. 25, 16; von J. Szombathy, Mitt. d.
anthrop. ges. in Wien 25, 184 f. (lobend; doch lege R. zu viel
gewicht auf die depotfunde, zu wenig auf die grabfunde).

54. B. Jelinek, Materialien zur vorgeschichte und volkskunde Böhmens. 2. teil. mit 71 textill. Mitt. d. anthrop. ges. zu
Wien, 24, 57—83.
Jelinek berichtet über die ausgrabungen in der gräberstätte
zu Vorder-Ovenec, über die wallburg bei Komořan, einzelfunde bei
Königsaal, die burgstätte bei Hostim ·und die wallburg von Kodýs.
bei besprechung der funde von Hostim, die einer älteren periode
als der des sogenannten burgwalltypus angehören, sucht der vf. zu
erweisen, dass der letztere eine unter römischem einfluss entstandene fortbildung der La Tène-kultur sei.

55. B. Jelinek, Bericht über verschiedene prähistorische
funde in Böhmen im jahre 1893. Mitt. d. anthrop. ges. in Wien 24,
sitzungsber. (2) 26 ff.

56. L. Niederle, Über die jüngere steinzeit in Böhmen.
Mitt. d. anthrop. ges. in Wien 24, sitzungsber. (1) 4 ff.
vf. nimmt für Böhmen die neolithische periode als erwiesen
an. in der paläolithischen zeit war Böhmen spärlich bewohnt.
während der neolithischen zeit Europas kam ein neuer, zahlreicher
arischer stamm aus den sächsischen und thüringischen gauen durch
den Elbepass und siedelte sich in ganz Nordböhmen längs der
grösseren flüsse an. er brachte die neolithische kultur mit und
lebte mit ihr noch eine zeit lang in Böhmen. die bronzekultur
wurde später durch handelsbeziehungen nach Nordböhmen gebracht und entwickelte sich hier und in Centralböhmen langsam
aus der kultur der neolithischen ansiedler.

57. R. v. Weinzierl, Die neolithische ansiedlung bei Gross-
Czernosek a. d. Elbe. Mitt. d. anthrop. ges. in Wien 25, 29—49
u. 189—193.

58. R. v. Weinzierl, Neolithische gräber einer nekropole
aus verschiedenen epochen bei Lobositz. Mitt. d. anthrop. ges. in

Wien 24, 144—152. — vgl. desselben vfs. ausführlicheren bericht: Der prähistorische wohnplatz und die begräbnisstätte auf der lösskuppe südöstlich von Lobositz a. d. Elbe. Zs. f. ethnol. 27, 49—81 (mit abb.).

59. de Baye, Antiquités franques trouvées en Bohème. Bull. monumental 1893, no. 3.

vf. will an der hand der grabfunde aus der fränkischen zeit die ausbreitung der Germanen in Böhmen feststellen.

60. van Bastelaer, Le cimetière franc de Fontaine-Valmont. Bull. de l'ac. d'arch. de Belg. 32, no. 8.

61. E. de la Roche, Le cimetière franc d'Harvengt. Ann. de la soc. arch. de Brux. 1893, no. 1.

62. H. Schuermanns, Découvertes d'antiquités en Belgique. Westd. zs. 13, 319 ff.

63. Th. Eck, Note sur un cimetière mixte découvert à Chalandry (Aisne). Le cimetière franc de Ribemont (Aisne). Paris, Leroux 1894. 12 s.

64. H. Coulon, Le cimetière mérovingien de Chérisy (Pas de Calais). Mém. de la soc. d'émulation de Cambrai 48, 27—59.

65. H. Coulon, Fouilles de Chérisy. Rev. arch. 24, 95 ff. (vgl. Barthélémy, Polybibl. 1894, 366 f.)

66. C. Barrière-Flavy, Note sur six stations barbares de l'époque mérovingienne récemment découvertes dans le sud-ouest. Toulouse, Chauvin. 19 s.

67. J. Gauthier, Sépultures dites burgondes. contribution à leur classification. Mém. de la soc. d'émulation d. Doubs 1894, no. 8, 6. série.

68. A. Bequet, Les bagues franques et mérovingiennes du musée de Namur. Ann. de la soc. arch. de Namur 20, 209—241.

69. S. Müller, Nordische altertumskunde. nach funden und denkmälern aus Dänemark und Schleswig gemeinfasslich dargestellt. deutsche ausgabe. unter mitwirkung des vf. besorgt von O. L. Jiriczek. mit mehreren taf., 250 abb. im text und einer archäol. karte. 1. u. 2. lief. Strassburg, K. J. Trübner. s. 1—96. à 1 m.

nicht geliefert.

70. J. Mestorf, Aus der skandinavischen litteratur. Arch. f. anthrop. 22, 464—485 u. 23, 637—649. Fräulein Mestorf bespricht in bd. 22 u. a. Chr. Bahnson, Das steinalter (Aarböger 1892, heft 3). C. Neergard, Das eisenalter. S. Hansen, Das

bronzealtervolk in Dänemark (das. 1893, heft 1). A. Hammerich, Studien über die bronzenen blasehörner im nationalmuseum
zu Kopenhagen (das. 1893, heft 2). S. Müller, Das grosse silber-
gefäss von Gundestrup in Jütland (vgl. abt. 1893, 12, 285).
H. Möller, Die zeit der runensteine von Wedelspang und die
beiden Gnupa (Verhandl. d. kgl. dän. Vidensk. Selskab 1893).
L. Zinck, Steinalterstudien. II. Jahresbericht für 1891 der Forening til Norske Fortidsmindesmärkers Bevaring (Kristiania 1892).
J. Undset, Weiteres über norwegische altsachen im Kopenhagener
museum. Ders., Die nordischen kleeblattförmigen fibeln der
jüngeren eisenzeit, ihre entstehung und entwickelung. mit 3 lithogr.
taf. (Kristiania, Vidensk. Selsk. Forhandlinger f. 1891, no. 3).
Hazelius, Abbildungen aus dem nordischen museum. Kgl. Vitterhets etc. Akademiens Månadsblad 1890, okt.—dez. (vgl. jsb. no. 72).
O. Montelius, Findet man spuren eines kupferalters in Schweden?
Svenska Fornminnes-föreningens Tidskrift, bd. 8, heft 3 (24)
203—238 (vgl. jsb. 1895, 7, 123). S. Söderberg, Tierornamentik
in der völkerwanderungszeit (vgl. jsb. 1895, 7, 120). A. Rud-
berg, Opferquellen in Westgotland (vgl. jsb. 1893, 12, 281).
S. Bugge, Der runenstein zu Rök und die spange zu Fonnås (vgl.
jsb. 1893, 12, 106). v. Rydberg, Die heldensage auf dem runensteine zu Rök (vgl. jsb. 1893, 12, 107). in bd. 23: L. F. A. Wimmer, De tyske Runemindesmärker (Aarbøger f. Nord. Oldk. 1894,
1—83). A. Olrik, Sköldungasaga nach dem auszuge von Arn-
grim Jonsson. C. Neergard u. A. P. Madsen, Gräberfelder aus
dem vorrömischen eisenalter in Jütland. S. Müller, Vor Oldtid.
eine populäre darstellung der vorzeit Dänemarks. H. Möller, Bemerkungen zu prof. Wimmers schlussbemerkungen über die runensteine von Vedelspang. B. Salin, Schatzfund von Djurgårdsäng
in Westgotland. O. Montelius, Der orient und Europa. I.
(Antiqv. Tidskr. f. Sverige 13, 1). Ders., Särge aus gespaltenen
und ausgehöhlten baumstämmen. C. O. E. Arbo, Die anthropologischen verhältnisse im südwestlichen Norwegen (sonderabdr.
aus Ymer 1894). B. E. Bendixen, Ausgrabungen und untersuchungen in Röldal (sonderabdr. aus Aarsberetninger 1893).
Foreningen til Norske Fortidsmindesmärkers Bevaring (Aarsberetning 1892). N. Nicolaysen, Foreningen til Norske Fortidsmindesmärkers Bevaring. 1844—1894. Kristiania, Gundersen 1894.
14 s. Kunst og Haandverk fra Norges Fortid, hrsg. durch
N. Nicolaysen.

71. M. Lehmann-Filhés, Eine altisländische thingstätte.
Verhandl. d. Berl. ges. f. anthrop. 1895, 358—363.

72. Kongl. Vitterhets Historie och Antiqvitets Akademiens

Månadsblad. 21. årgången. med 108 figurer [1892]. Stockholm, akademiens förlag 1896.

hier sind zu erwähnen die zahlreichen, durch vorzügliche abbildungen erläuterten fundberichte aus vorgeschichtlichen und späteren zeiten, die beschreibung von altertümern, die in sammlungen vereinigt sind, und H. H(ildebran)ds besprechungen von S. Bugge, Norges Indskrifter med de ældre Runer (vgl. jsb. 1895, 12, 103) und S. Müller, Nordiske Fortidsminder udgivne af det kgl. Nordiske Oldskriftselskab. 2. hefte. Det store Sølvkar fra Gundestrup i Jylland.

73. H. Hildebrand, Zur vorgeschichte Schwedens. Mitt. d. anthrop. ges. in Wien 24, sitzungsber. (4) 174 ff.

die einzelnen vorgeschichtlichen perioden werden abgegrenzt und näher gekennzeichnet.

74. O. Montelius, Über die kupferzeit in Schweden. Mitt. d. anthrop. ges. in Wien 24, sitzungsber. (4) 118—121.

kurzer bericht über den in der versammlung der deutschen anthropologischen gesellschaft zu Innsbruck im august 1894 gehaltenen vortrag nebst der sich daran schliessenden debatte (der vortrag ist im Arch. f. anthrop. 23, 425—449 erschienen; s. jsb. 1895, 7, 123). — vgl. Korrbl. d. ges. f. anthrop. 25, 128—131. vgl. auch abt. 7 no. 10, 16, 115, 183.

Stämme. 75. F. Stein, Die völkerstämme der Germanen nach römischer darstellung. ein kommentar zu Plin. Nat. hist. IV, 28 und Tac. Germ. cap. 2. Schweinfurt, Ernst Stoer. VII, 103 s. 1,80 m.

Stein hofft, indem er die germanischen völkerstämme im lichte römischer darstellung betrachtet, auf eine ausbeute auch für unsere eigene erkenntnis. einiges aus dem inhalt: in vorgeschichtlicher zeit bestehen bei den Germanen die grossen kultgemeinschaften der Marsen, Gambrivier, Sueven, Vandalen, deren namen zugleich auch einzelstämme bezeichnen. zur zeit des Plinius sind die einzelstämme der Marsen und Gambrivier schon im verschwinden begriffen, und er nennt daher die grösseren gemeinschaften mit den namen der Ingyaeonen, Istriaonen und Hermionen. diese namen gehen nicht auf alte göttersagen zurück, vielmehr ist durch die gesandtschaft, die Nero im interesse des bernsteinhandels nach der Ostsee entsandte, die erste genauere kenntnis Skandinaviens verbreitet worden; auf dieser fahrt hat man den nordischen namen Yngwi kennen gelernt und Yngwi, sowie seine brüder zu stammvätern der hauptgruppen der Germanen gemacht. von den Ingaevonen (Gambriviern) stammen die Friesen, von den Istaevonen

(Marsen) die Niederfranken, von den Herminonen (Sueven) die
Oberdeutschen; aus diesen und den nordgermanischen Sachsen
setzt sich das deutsche volk (mit einschluss der Niederländer und
Flamländer) zusammen. die fünfteilung des Plinius, die drei-
teilung des Tacitus und die vierteilung, die er (Germ. 2) als ansicht einiger anführt, stimmen überein; nur hat Tacitus irrtümlich
die Ostgermanen unter die Sueven mit einbegriffen. schon dieser
kurze auszug zeigt, dass Stein manche neuen hypothesen aufstellt;
diese überzeugend zu erweisen ist ihm noch nicht gelungen.

76.   H. Hirt, Nochmals die deutung der germanischen völkernamen. P.-Br. beitr. 21, 125—159.

vgl. abt. 2, 3. — Hirt begründet das ablehnende urteil,
welches er Muchs ansichten gegenüber (vgl. jsb. 1892, 7, 51)
ausgesprochen hat (P.-Br. beitr. 18, 511 ff.). er hegt gegen Muchs
ausführungen die grössten methodischen bedenken; dieser habe sich
an seine aufgabe mit unzulänglichen mitteln gewagt. es sei möglich, einzelne volksnamen auf lebende wörter anderer sprachen zu
beziehen, wobei aber ihre bedeutung nur erraten werden könne;
wichtiger aber sei es, die verbreitung einzelner volksnamen zu bestimmen. das vorkommen derselben namen bei Kelten und Germanen, Germanen und Italikern, Germanen und Griechen weise
darauf hin, dass einige namen älter seien als die sprachliche
sonderentwickelung. die namen dürften somit von denen verwandter sprachen nicht losgerissen, sondern es müsse ihre erklärung im weitesten umfange versucht werden.

77.   G. Holz, Über die germanische völkerschaftstafel des
Ptolemäus.   Halle 1894.

vgl. jsb. 1895, 7, 18. — angez. von A. Häbler, Berl. phil. wochenschr. 16 (3) 71—74 (die arbeit ist reich an wertvollen einzelheiten,
doch glaubt ref. nicht an die mosaikartige arbeitsweise des Ptolemäus, welche Holz annimmt). — R. Much, Zs. f. d. altert. 41,
28—38 findet bei anerkennung der methode die resultate wenig
zufriedenstellend.

78.   S. Muller, De germaansche Volken bij Julius Honorius
en anderen. Verhandl. d. kgl. akad. d. wiss. zu Amsterdam. Amsterdam, J. Müller 1895. 39 s. 4⁰. mit karte.

nach der nur zum teil zustimmenden anzeige von A. Riese,
Berl. phil. wochenschr. 16 (10) 302 f., nimmt der vf. an, dass die
listen germanischer völkerstämme, die sich auf der Peutingerschen
tafel, in dem cod. Veronensis und bei Julius Honorius finden,
einer vor der zeit des Gallienus hergestellten weltkarte entstammen,
dass diese aber nach 260 einige änderungen erfahren hatte; nach
diesen habe das gemeinsame original längs des Rheines die namen

Fresii, Chamavi, Chattuvarii, Francia, Suevia und Alamannia enthalten, hinter denen eine zweite reihe die Chauci, Amsivarii, Angri-
varii, Burcturi und Chatten gebildet hätten. eine jüngere redaktion
habe noch Burgundiones und Juthungi hinzugefügt, die in der
älteren noch an der mittleren Donau verzeichnet gewesen seien.

79. E. Schweder, Über den ursprung und die ältere form
der Peutingerschen tafel. N. jahrb. f. phil. (63. bd. 147/148)
485—512.

vf. sucht namentlich nachzuweisen, dass die Peutingersche
tafel aus einer gerundeten form hervorgegangen und gleich allen
andern itinerarkarten ein (sehr entstelltes) abbild der römischen
weltkarte des Augustus gewesen sei.

80. Vogt, Die ortsnamen auf scheid und auel (ohl). —
vgl. jsb. 1895, 7, 19. — kurz angez. von R. Foss, Mitt. a. d.
hist. litt. 24, 25 (sehr eingehende und sorgfältige untersuchung).

81. Schiber, Die fränkischen und alemannischen siedlungen
in Gallien. — vgl. jsb. 1895, 7, 25. — angez. von E. Heyck,
Litbl. f. g. u. r. ph. 17 (6) 195 ff. (enthält ein geradezu erlösendes
ergebnis über die verteilung von Alemannen und Franken und zugleich eine einschneidende umgestaltung und verbesserung der
methode, die ortsnamen als quellen allgemeiner geschichte zu verwerten). — ferner angez. von Duvau, Moy. Age 7, 103.

82. P. J. Blok, Geschiedenis van het nederlandsche volk.
derde deel. Groningen, Wolters. 6,25 fr.

vgl. jsb. 1894, 7, 70. — anz. der früheren teile von
Edmundson, Engl. hist. rev. 9, 736—740 und von P. L. Muller,
Nederl. spect. 1892, 151 ff.

83. Bangert, Die Sachsengrenze im gebiete der Trave. —
vgl. jsb. 1895, 7, 32. — angez. von Gloy, Mitt. a. d. hist. litt.
22, 12 (bahnbrechend); von A. Kirchhoff, Petermanns mitt. 39,
lit.-ber. 149; von Wetzel, Zs. f. Schlesw.-Holst.-Lauenb. 23, 316;
Allg. ztg. 1893, no. 108 beil.; für 'so gut wie zweifellos' erklärt
Bangerts aufstellungen R. Hansen, Globus 64, 178 f.

84. R. Thurneysen, Wann sind die Germanen nach England gekommen? Engl. stud. 22, 163—179.

hauptsächlich nach brittischen quellen kommt vf. zu folgendem
ergebnis: um 410 fielen die germanischen piraten, die man unter
dem namen Saxones zusammenfasste, in Brittannien ein. um 428
nahm könig Guorthigirn eine schar Germanen (Jüten?) unter Hen-
gist und Horsa zur landesverteidigung in sold. von den durch
zuzug stark angewachsenen Germanen wurden die Britten 441—442

überwältigt. trotz eines 446 beginnenden rückschlages schritt doch
die besetzung des landes durch die Germanen stetig fort.

85. L. v. Heinemann, Geschichte der Normannen in Unteritalien und Sicilien. — vgl. jsb. 1895, 7, 34. — kurz angez. von
C. Sutter, Hist. zs. 77, 515. — ferner besprochen von K.-L.,
Lit. cbl. 1895 (21) 749 f. (eigene forschung und geschickte anordnung des stoffes sind zu loben). — im ganzen zustimmend äussert
sich G. Meyer von Knonau, Gött. gel. anz. 1895, 229—233.

86. Loewe, Die reste der Germanen am schwarzen meer. —
vgl. abt. 3, 95.

vgl. auch abt. 7, no. 21, 31, 100, 109—113, 121, 126, 136,
183; abt. 9, no. 23, 25, 26—41, 44—48.

Deutsche geschichte. 87. K. Lamprecht, Deutsche geschichte.
Berlin, R. Gaertner. 4. bd. 2. aufl. XV, 488 s. 6 m. 5. bd.,
1. hälfte. 2. aufl. XIII, 358 s. 6 m.

nicht geliefert. — vgl. jsb. 1895, 7, 35. — Rachfahl giebt eine
ungünstige beurteilung von Lamprechts werk, und zwar von bd. 4
Litztg. 1895 (27) 840—851 (es fehlt hingebung an den stoff und
sorgfalt der arbeit), von bd. 5 Mitt. d. inst. f. österr. geschichtsf. 17,
468 ff.; er kritisiert eingehend Lamprechts methode Preuss. jahrb.
83, 48—96. Lamprecht erwidert darauf in 'Alte und neue richtungen in der geschichtswissenschaft' (Berlin, Gaertner. IV, 79 s.
1,50 m.; angez. Hist. jahrb. 17, 385). auf die replik Rachfahls
Preuss. jahrb. 84, 542 f. erwidert Lamprecht in einem aufsatz:
'Was ist kulturgeschichte?' D. zs. f. geschichtsw. n. f. 1, 146—150
(vgl. Hist. jahrb. 17, 845 und Litztg. 1895 (29) 926). — ablehnend
ist die kritik des 5. bds. von L.'s Deutscher geschichte durch
M. Lenz, Hist. zs. 77, 385—477 (der band enthält fast so viele
irrtümer wie sätze). — vgl. auch Lamprecht, das. 77, 257—261
und Fr. Meinecke, das. 262—266. — in der sonst anerkennenden
besprechung von bd. 5, 2 Lit. cbl. 1896 (9) 295 f. wird gerügt,
dass es im einzelnen zuweilen an genauigkeit gebricht und dass
manches für das verständnis notwendige fehlt. — eine scharfe
kritik einzelner teile des werkes giebt H. Finke, Römische
quartalsschr. f. christl. altertumsk., 4. supplementheft, unter dem
titel: Die kirchenpolitischen und kirchlichen verhältnisse zu ende
des mittelalters. 136 s. (vgl. Hist. jahrb. 17, 659 f.) — dagegen sind
günstig die anz. des 4. bds. von K. Fischer, Zs. f. gymnw. 49,
358 ff. (im wesentlichen wohl gelungen; nach form und inhalt er-
freulich); des 5. bds. von demselben das. 50, 488 ff. (der band
gehört trotz der zum teil zu sehr zusammengedrängten und skizzen-
haften darstellung doch zu den besten des werkes). — die anz. von
R. Bendixen, Theol. litbl. 17 (11) 186 f., die besonders auf

Luther eingeht, findet das geheimnis der anerkannten meisterschaft Lamprechts in seiner feinsinnigen auffassung, scharfen beobachtung und starken betonung der kulturbedingenden verhältnisse. — die lobende anz. von R. Foss, Centralorgan 24 (4) 246—251 geht auf viele punkte näher ein; ders. weist das. 23, 530—538 darauf hin, dass der lehrer der geschichte aus dem werke reiche anregung schöpfen könne; günstig ist auch die anz. von J. P. Jörgensen (über bd. 4) das. 23, 504 f. (eigenartig und original). — fernere anzeigen des 1. bds. von Tait, Engl. Hist. Rev. 7, 547—550, des 4. u. 5. bds. von Blok, Museum 4, no. 6.

88. L. Stacke, Deutsche geschichte. 7. aufl. Bielefeld, Velhagen u. Klasing. 1. lief. 1. bd. s. 1—48. à 0,50 m.

89. Th. Lindner, Geschichte des deutschen volkes.
vgl. jsb. 1895, 7, 36. — kurze lobende anz. von J. Loserth, Zs. f. österr. gymn. 46, 949 f. — ferner angez. von Koedderitz, Mitt. a. d. hist. litt. 24, 268 ff. (das werk wird dem lehrer gute dienste leisten); von E. Stutzer, Zs. f. gymnw. 49, 352—356 (wohl gelungen; nur hätten die letzten zeiten ausführlicher behandelt und der ausdruck mehr gefeilt werden müssen); Korrbl. d. gesamtver. d. d. altertumsver. 1895 (5) 64 (die aufgabe ist trefflich gelöst); von M., Saaleztg. 1894, no. 563; D. zs. f. geschichtsw. 11, 386 f.

90. S. Widmann, Geschichte des deutschen volkes. — vgl. jsb. 1895, 7, 37. — kurz angez. von F. Ruhle, Lit. rundsch. 21 (1) 19 f. (katholischen kreisen zu empfehlen). — die anz. von J. W(eiss), Hist. jahrb. 16, 656 ff. rechnet das buch zu den besten seiner art, findet aber die preussische geschichte zu sehr betont und giebt eine anzahl von berichtigungen. — ferner angez. von M. Hoffmann, Zs. f. gymnw. 49, 356 ff. (geschickt und sprachgewandt; doch wegen der ultramontanen denkweise des vfs. nicht zu loben).

91. Bibliothek deutscher geschichte, hrsg. von H. v. Zwiedineck-Südenhorst. Stuttgart, J. G. Cotta nachf.
nicht geliefert. — vgl. jsb. 1895, 7, 38. — von den ferner erschienenen teilen ist zu erwähnen: O. Gutsche und W. Schultze, Deutsche geschichte von der urzeit bis zu den Karolingern. 2. bd. XII, 548 s. 6 m. — vgl. jsb. 1895, 7, 38. — der 1. bd. wurde angez. von R. Bethge, Hist. zs. 76, 288—295 (nur der von Schultze herrührende teil hat wissenschaftlichen wert, dem jedoch u. a. die vorliebe für geschichtliche konstruktionen und namentlich der völlige mangel germanistischer kenntnisse eintrag thun). gegen Bethges kritik wendet sich W. Schultze, Litztg.

1896 (10) 318; vgl. Bethges erwiderung das. (14) 443—446. —
M. Ritter, Deutsche geschichte im zeitalter der gegenreformation
und des dreissigjährigen krieges. 2. bd. [1586—1618]. 1895.
X, 482 s. 6 m. — A. Chroust, Hist. zs. 77, 477—484 weist auf
eine anzahl von mängeln hin, namentlich auf die ungleichmässigkeit der behandlung, die zum teil auf der einseitigen benutzung
von akten protestantischer stände beruhe. — ferner angez. von
v. Bezold, Gött. gel. anz. 1896, 552—564 (der vf. vereint wie
wenige mit gründlicher sachkenntnis selbstbeherrschung und gerech-
tigkeitsliebe in beobachtung und darstellung). — referierende anz. von
J. Pistor, Mitt. a. d. hist. litt. 24, 311—314. — von den früher erschienenen teilen wurde besprochen: E. Mühlbacher, Deutsche
geschichte unter den Karolingern Lit. cbl. 1896 (35) 1261 (sach-
verständig, mit ausgiebigster verwendung der urkunden geschrieben);
von H. Hahn, Mitt. a. d. hist. litt. 24, 397 f. (eine breitere, ja
vielleicht zu breite, und saftigere ausführung der ersten darstellung);
von demselben Hist. zs. 77, 466—471 (das buch kommt dem bedürfnis, die früchte gelehrter arbeiten leicht und behaglich zu
pflücken, in vorzüglicher weise entgegen). — die in sachlicher hinsicht höchst anerkennende anz. von F. Kurze, Litztg. 1896 (35)
1107—1110 weist auf einzelne mängel des ausdrucks hin. —
Th. Lindner, Deutsche geschichte unter den Habsburgern und
Luxemburgern (vgl. jsb. 1893, 7, 56) von Froboese, N. jahrb. f.
phil. u. päd. 151 - 152, no. 10 u. 11.

92. Dahlmann-Waitz, Quellenkunde zur deutschen geschichte. — vgl. jsb. 1895, 7, 45. — die bei der ausgabe von
Steindorff angewendete sorgfalt lobt J. Loserth, Zs. f. österr.
gymn. 46, 440 f. — die kurze anz. von D., Österr. litbl. 5 (7) 200 f.
hebt die vortrefflichkeit der 6. auflage hervor und weist auf eine
anzahl kleiner versehen hin. — ferner angez. von E. Bernheim,
Arch. f. öff. r. 10, 487; D. zs. f. geschichtsw. 11, 381—384; von
—ng, Litztg. 1894 (35) 1114 ff. (lobend; nur das register ist
nicht sorgfältig genug angefertigt).
vgl. auch abt. 7, no. 183.

Einzelne zeitalter. 93. Die geschichtschreiber der deutschen
vorzeit. Leipzig, Dyk. 2. gesamtausgabe.
vgl. jsb. 1895, 7, 46. — nicht geliefert. — 69. bd. Die Kölner
königschronik. nach der ausgabe der Monumenta Germaniae übers.
von C. Platner. 2. aufl., neu bearb. u. verm. von W. Wattenbach. XV, 416 s. 5,40. m. 70. bd. Die jahrbücher von St. Jacob
in Lüttich. Die jahrbücher Lamberts des kleinen. Die jahrbücher
Reiners. nach der ausgabe der Mon. Germ. übers. von C. Platner.

X, 121 s. 1,80 m. — 71. bd. Die chronik Arnolds von Lübeck.
nach der ausg. der Mon. Germ. übers. von J. C. M. Laurent.
mit einem vorwort von J. M. Lappenberg. 2. aufl. neu bearb.
von W. Wattenbach XII, 373 s. 4,80 m. — 72. bd. Die
chronik des Albert von Stade. übers. von F. Wachter. VIII,
133 s. 1,80 m. — 73. bd. Auszüge aus der grösseren chronik
des Matthaeus von Paris. nach der ausg. der Mon. Germ. übers.
von G. Grandaur und W. Wattenbach. IX, 311 s. 4 m. —
74. bd. Die jahrbücher von Marbach. nach der ausg. der Mon.
Germ. übers. von G. Grandaur. VIII, 64 s. 1 m. — von früher
erschienenen bänden wurden besprochen von E. H. bd. 64 Theol.
litbl. 17 (11) 210 f., bd. 65 u. 66 das. (6) 76 f., bd. 67 u. 68 das.
(27) 331 f., bd. 69 das. (29) 354 f. — auf den wert des werkes
und die verdienste Wattenbachs weist im einzelnen hin die anz.
des 20.—55. bds. von O. Holder-Egger, Litztg. 1896 (18)
560—564.

94. R. Bethge, Die altgermanische hundertschaft. festgabe
an K. Weinhold von d. ges. f. d. phil. in Berlin. (Leipzig, Reisland. VI, 135 s. 2,40 m.) s. 1—19.

Bethge sucht den zusammenhang zu erweisen zwischen der
militärischen hundertschaft der gemischten elitetruppe (Tac. Germ.
6, Caes. Bell. Gall. I, 48), der landverteilenden behörde Caesars
(Bell. Gall. VI, 22) und der richterlichen hundertschaft des Tacitus
(Germ. 12). in der wanderzeit waren die stämme in abteilungen
gegliedert, deren jede ein geschlossenes gebiet, einen gau, einnehmen sollte und rund tausend kampffähige männer mit ihren
familien umfasste. jede abteilung war von einer hundertschaft aus-
erlesener männer umgeben, die während des zuges zugleich militärische und polizeiliche funktionen ausübte, im falle dauernder
niederlassung die ackerverlosung leitete und bei den kleineren
rechtsstreitigkeiten als richtende behörde entschied. die frühere
elitetruppe lebte zwar später im frieden nicht überall und dauernd
als richterliche hundertschaft fort, doch finden sich eben ihre
spuren noch als ein rest aus früherer zeit (Tac. Germ. 12). Bethge
nimmt an, dass die den Germanen eigentümliche mischung von
fussvolk und reiterei dem wagenkampf der Kelten nachgebildet
war und dass, während die kriegswagen bei den Galliern in den
letzten jahrzehnten des 4. jahrhs. aufgekommen waren, die Germanen in der zeit, als sie (nach Kossinna) allmählich das tiefland
von der Weser bis zum Rhein besetzten und die gallische kampf-
art ihnen oft gefährlich wurde, also etwa um 250, die letztere
durch die neuerfundene taktik der parabatenreiterei nachzuahmen
versuchten.

95. H. F. Helmolt, Die entwickelung der grenzlinie aus dem grenzsaume im alten Deutschland. Hist. jahrb. 17, 235—264.

'jede deutsche siedelung hat ihre mark'. nach den ausführungen des vf. waren im 8. und 9. jahrh. im innern des reiches wie nach aussen nicht grenzlinien, sondern nur grenzsäume vorhanden; erst bei dem zunehmen der bevölkerung entwickelten sich die ersteren aus den letzteren.

96. H. Köstler, Handbuch der gebiets- und ortkunde des königreiches Bayern. 2. (schluss-)band des 1. abschnittes. München, Lindauer. 190 s. 4⁰.

vgl. jsb. 1895, 7, 176. — über zweck und anlage dieses nachschlagewerkes ist bereits berichtet worden. der schwierige gegenstand bringt es mit sich, dass versehen und lücken sehr leicht vorkommen können; gegen diese wird man also nachsichtig sein müssen; dagegen kann man erwarten, dass ein solches werk einen streng wissenschaftlichen charakter hat. was soll man aber dazu sagen, wenn in diese sammlung alles seit jahrhunderten veraltete geschwätz, jede müssige erfindung eines mittelalterlichen chronikenschreibers aufgenommen wird? einige beispiele werden genügen, um die art dieser schriftstellerei zu erläutern. zu Regensburg wird bemerkt (mit quellenangaben): 'angeblich 1890 v. Chr. von Hermann, dem 5. könige der Germanen und sohn Istävons gegründet, dann von Ingram, sohn des Bojos und enkel des Alamanus Hercules Ingramsheim genannt', '10. oder 13. jahrhundert als kolonie Reginum gegründet'. eine chronologische übersicht, die in die beiden rubriken 'Kelten' und 'Germanen' zerfällt, beginnt unter 'Kelten': '3000—2000 v. Chr. einwanderung in Europa v. Pamir'; unter 'Germanen' werden die vier söhne des Mannus mit namen aufgezählt; dann ist von den Hermmionen (nach dem 5. jahrh. in Deutschland eingewandert) und den Istävonnen die rede. von den beiden vorstehenden druckfehlern ist in dem verzeichnis der errata, deren grosse zahl der vf. zu entschuldigen bittet, keiner verbessert. dass Petrus als papst 25 jahre 2 monate 3 tage regiert hat (freilich mit dem zusatz 'auch 20, 22, 32 u. 35 j.') wird uns ebenso wenig erspart wie irgend einer der zahlreichen Priamus, Hektor, Helenus, Antenor, die je über die Franken regiert haben sollen; auch ist gewissenhaft angeführt, dass Basan während eines gewitters von den göttern entführt worden ist. — referierende anz. von Ch. Ruepprecht, Mitt. a. d. hist. litt. 24, 384. — nach F. Ohlenschlager, Bl. f. bayr. gymnw. 32, 776—782 ist das buch nicht zu empfehlen wegen zahlloser ungenauigkeiten und weil der ballast wertloser schriften nicht beseitigt worden ist.

97. Scriptores rerum germanicarum in usum scholarum ex

Mon. Germ. Histor. separatim editi. Annales regni Francorum inde ab a. 741 usque ad a. 829, qui dicuntur Annales Laurissenses maiores et Einhardi. post edit. G. H. Pertzii recogn. F. Kurze, XX, 204 s. Hannover, Hahn. 2,40 m.

lobende anz. von H. Hahn, Litztg. 1896 (30) 945—949.

98. Monumenta Germaniae historica. (neue quartausgabe.) Scriptorum, qui vernacula lingua usi sunt, tomi I, pars II. Hannover, Hahn. VI, 145 s. 5 m.

inh.: Der Trierer Silvester. hrsg. von C. Kraus. Das Anno-lied. hrsg. von M. Roediger. — vgl. jsb. 1895, 14, 21. 82.

99. R. Siebert, Untersuchungen über die Nienburger anna-listik und die autorschaft des annalista Saxo. ein beitrag zur kritik der deutschen geschichtsquellen des mittelalters. nebst einer stammtafel. Rostocker dissertation. Rostock, selbstverlag. 84 s. 3 m. — nicht geliefert.

100. E. Mogk, Kelten und Nordgermanen im 9. u. 10. jahrh. Leipzig, J. C. Hinrichs. 27 s. 4⁰. 1 m. (progr. der städt. real-gymn. in Leipzig no. 566.)

Mogk behandelt eingehend den handel und den sonstigen ver-kehr der Nordgermanen, namentlich mit den Iren, welche im mittelalter allein die griechisch-römische kultur bewahrt haben. die nordische litteratur hat nach ihm nur auf Island eine hohe blüte erreicht, und diese blüte ist gezeitigt worden durch den engen verkehr mit den Kelten, die die phantasie der Nordgermanen be-fruchtet haben. die eddischen gedichte sind in der erhaltenen ge-stalt wahrscheinlich erst auf Island entstanden, und irischer ein-fluss auf sie ist sehr wahrscheinlich. — angez. von R. Wust-mann, Bl. f. litt. unterh. 1896 (36) 567 f. (die kleine, reiche schrift wirkt stofflich wie methodisch über die grenzen der deut-schen altertumskunde hinaus). — beweise vermisst für die aufge-stellten behauptungen M. Roediger, Litztg. 1896 (42) 1326 ff.

101. F. Kurze, Deutsche geschichte im mittelalter. — vgl. jsb. 1894, 7, 79. — die anz. Litztg. 1895 (14) 438 spricht trotz der wärmsten anerkennung des gebotenen doch eine reihe von wünschen aus. — nach Th. Sorgenfrey, Zs. f. gymnw. 49, 240 f. ist die aufgabe, eine politische geschichte des mittelalters zu liefern, ge-lungen; doch ist nicht recht klar, für welche leser das buch be-stimmt ist. — kurz angez. von Reissermayer, Bl. f. bayr. gymnw. 32, 163 f.

102. J. F. Böhmer, Regesta imperii. II. Die regesten des kaiserreichs unter den herrschern aus dem sächsischen hause. neu bearb. von E. v. Ottenthal.

nicht geliefert. — vgl. jsb. 1893, 20, 24. — die im ganzen
vortreffliche lösung der aufgabe erkennt trotz kleiner ausstellungen
an P. Kehr, Gött. gel. anz. 1895, 799—804.

103. G. Meyer v. Knonau, Jahrbücher des deutschen
reiches unter Heinrich IV. und Heinrich V. I. u. II. bd.
vgl. jsb. 1895, 7, 51. — angez. von Lampel, Österr. litbl.
5 (3) 74 ff. (der hohe wert des buches wird durch den schwer-
fälligen stil nur wenig beeinträchtigt).

104. A. Eigenbrodt, Lampert von Hersfeld, der geschichtschreiber könig Heinrichs IV. progr. (no. 391) des kgl. Wilhelms-
gymn. zu Cassel. 34 s. 4⁰.
Eigenbrodt sucht Lampert, ohne dessen schwächen zu ver-
kennen, doch von der beschuldigung, ein tendenzlügner gewesen
zu sein, zu reinigen.

105. A. Eigenbrodt, Lampert von Hersfeld und die neuere
quellenforschung. eine kritische studie. Cassel, E. Hühn. 137 s. 3 m.
nicht geliefert. — die abhandlung enthält das vorstehend
(no. 104) genannte schulprogramm nebst weiteren ausführlichen
einzelbegründungen. — gegen die ablehnende anz. von O. Holder-
Egger, Litztg. 1896 (22) 688 ff. wendet sich Eigenbrodt in:
Lampert von Hersfeld und die wortauslegung. Leipzig, G. Fock.
33 s. mancherlei ausstellungen erhebt die anz. Lit. cbl. 1896
(20) 732 f.

106. G. Juritsch, Geschichte der Babenberger und ihrer
länder. — vgl. 1895, 7, 54. — angez. von A. Starzer, Österr.
litbl. 5 (13) 393 (vf. hat die geschichte des deutschen reiches zu
sehr betont; andererseits vermisst man eine zusammenfassende behandlung der inneren verhältnisse und ein eingehen auf die
stellung der markgrafen zu den bayrischen herzögen), und von
K. Uhlirz, Hist. zs. 77, 287—293 (da zum teil die vorarbeiten
fehlen, so ist dem vf. die lösung der aufgabe noch nicht gelungen;
die auswahl der ereignisse und die streng chronologische behandlung derselben sind nicht zu loben).

107. W. von Giesebrecht, Geschichte der deutschen kaiserzeit. 6. (schluss-)band. hrsg. von B. v. Simson.
vgl. jsb. 1895, 7, 52. — die verdienstvolle arbeit Simsons
wird voll anerkannt von H. Kohl, Bl. f. lit. unterh. 1896 (1) 4 ff.
— die thätigkeit Simsons lobt die anz. Lit. cbl. 1896 (31) 1101 f.;
B. Kugler, Litztg. 1896 (15) 462—465 wünscht, derselbe hätte
in der beurteilung der mittelalterlichen zahlen schärfere kritik
walten lassen.

108. J. Kempf, Geschichte des deutschen reiches während des grossen interregnums. — vgl. jsb. 1895, 7, 56. — kurz angez. von Gottlob, Lit. rundsch. 21 (1) 20 f. (über den stand der forschungen gut unterrichtend und beachtenswerte versuche zur lösung bietend).

109. Th. Rudolph, Die niederländischen kolonieen der Altmark. — vgl. jsb. 1892, 7, 107. — angez. von Kupke, Zs. d. hist. ges. v. Posen, 7, 104; ferner Arch. f. landeskde. v. Sachs. 2, 254.

110. W. Salow, Die neubesiedelung Mecklenburgs im 12. u. 13. jahrh. progr (no. 677) des gymn. zu Friedland. 20 s. 4⁰.

nach einer allgemeineren schilderung der neubesiedelung, die nichts neues enthält, giebt der vf. genauere einzelheiten.

111. O. Schulze, Die kolonisierung und germanisierung der gebiete zwischen Saale und Elbe. Leipzig, Hirzel. XIV, 421 s. 20 m. — nicht geliefert.

112. W. v. Sommerfeld, Geschichte der germanisierung des herzogtums Pommern oder Slavien bis zum ablauf des 13. jahrhs. (Staats- und sozialwissenschaftliche forschungen. bd. 13, heft 5). Leipzig, Duncker u. Humblot. VIII, 234 s. 5,20 m.

nicht geliefert. — angez. von K.-L., Lit. cbl. 1896 (27) 964 f. (durch sichere und gewandte behandlung hat S. schöne und wichtige ergebnisse erreicht); ferner Monatsbl. d. ges. f. pomm. gesch. 1896 (5) 71—76 (klar und sorgfältig; in einzelheiten kann man anderer meinung sein).

113. Heil, Die gründung der nordostdeutschen kolonialstädte und ihre entwickelung bis zum ende des dreizehnten jahrhs. progr. (no. 408) des königl. gymn. zu Wiesbaden. Wiesbaden, H. Lützenkirchen. 38 s. 0,80 m.

die arbeit bietet nichts neues, erfüllt aber den zweck, das wichtigste über gründung und entwickelung der nordostdeutschen kolonialstädte in knapper und klarer form zusammenzustellen.

114. J. Janssen, Geschichte des deutschen volkes seit dem ausgang des mittelalters. 8. bd.

vgl. jsb. 1895, 7, 58. — angez. von D., Österr. litbl. 5 (4) 104 f. (der band steht an wert dem epochemachenden 1. bde. gleich). — der 7. u. 8. bd. wurde angez. Hist. jahrb. 17, no. 1 von Schmid (auch an Pastor sind, wie an Janssen, unermüdliche lust und arbeitskraft sowie die gestaltungsgabe zu rühmen). — anz. des 8. bds. von G. E. Haas, Lit. rundsch. 21 (4) 114 ff. (Pastor zeigt sich als ein Janssen ebenbürtiger schöpferischer genius); von L. Freytag, Centralorgan 23, 97 ff. (bewundernswert, die protestan-

tische darstellung an objektivität bei weitem übertreffend). —
J. Janssen, L'Allemagne et la réforme. tome 4. Trad. de l'allemand sur la 13e édition par E. Paris. Paris, Plon et Nourrit 1895.
XXIV, 560 s. übertragung des deutschen werkes. — vgl. jsb.
1887, 7, 37 u. 1888, 7, 48. — A. Baudrillart, Bull. crit. 17 (9)
171 ff. spricht seine bewunderung über das werk aus, erhebt aber
doch kleine bedenken gegen die einseitigkeit der darstellung
und die auswahl der quellen. — schärfer ist der tadel von
Ch. Dejob, Rev. crit. 29 (31. 32) 96 f., der das buch als parteiisch
und als ermüdend bezeichnet.

vgl. auch abt. 7, no. 125, 183, abt. 9, no. 42, 43, 47 u. 49—63.

Einzelne landschaften. 115. H. Schliep, Ur-Luxemburg. ein
beitrag zur urgeschichte des landes, des volkes und der sprache,
der urreligion, sitten und gebräuche. Luxemburg, selbstverlag.
408 s. mit bildn. u. 2 karten. 5 m. — nicht geliefert.

116. B. Schönneshöfer, Geschichte des bergischen landes.
Elberfeld, Baedeker. VIII, 543 s. mit titelbl. 4,50 m.

so viel sich durch nachprüfung erkennen liess, ist es dem vf.
mit seinem streben, zuverlässig zu sein und auszuschliessen, was
sich nicht durch urkunden oder andere sichere quellen nachweisen
lässt, ernst gewesen, wenngleich bei der darstellung der vorgeschichtlichen zeit auch einiges unsichere aufnahme gefunden hat.
wie es gewöhnlich bei kleineren lokalgeschichten der fall ist,
verleitet auch hier der stoff den vf., sich im wesentlichen auf die
politische geschichte zu beschränken; wer z. b. erwartet, über die
innere entwickelung der städte des niederrheinischen gebietes, über
ihre sozialen und rechtlichen verhältnisse, über die wichtigkeit des
alten handelsweges Köln-Dortmund-Soest-Weser für die bergischen
lande, über die teilnahme derselben an der (gerade am Rhein zuerst entstehenden) neuen wirtschaftlichen bewegung, oder auch nur
über die engeren beziehungen zu Köln genaueres zu erfahren,
sieht sich getäuscht. diese einschränkung muss bei der anerkennung des sonstigen wertes des buches gemacht werden.

117. F. v. Weech, Badische geschichte. neue billige (titel-)
ausgabe. Karlsruhe, A. Bielefeld (1890). 1. lief. XII u. s. 1—160. 1 m.

118. W. Schultze, Die gaugrafschaften des alamannischen
Badens. Stuttgart, Strecker u. Moser. CXVI, 324 s.

nicht geliefert. — als unmethodische, der akribie ermangelnde
arbeit abgelehnt von Tumbült, Litztg. 1896 (31) 975—978.

119. E. Schneider, Württembergische geschichte. Stuttgart, J. B. Metzler. VI, 590 s. 7 m.

vf. will eine zusammenfassende darstellung der bisher schon ausführlich behandelten abschnitte der württembergischen geschichte und einen den weg weisenden überblick über unbekannte gebiete geben. die ganze vorgeschichte ist auf ungefähr drei seiten abgehandelt, die zeit bis 1496 nimmt 100 seiten in anspruch; erst dann beginnt die ausführlichere darstellung. schon daraus geht hervor, dass über die schrift in diesem jahresbericht wenig zu vermelden ist. es ist weniger eine württembergische geschichte als vielmehr eine geschichte der württembergischen landesherren; wenn man jeden absatz, in dem nicht von den fürsten Württembergs die rede ist, herausnähme und das so gewonnene aneinander reihte, so würde sich dies auf ganz knappem raum unterbringen lassen. Uhland ist immer nur als politiker, die übrigen württembergischen dichter sind überhaupt nicht erwähnt; kurz, Schneider giebt nur eine einseitig politische darstellung. ein aufbau auf erweiterter basis und eine durchtränkung mit sozialgeschichtlichen und kulturgeschichtlichen elementen würde den wert des buches erhöht haben. — angez. von Th. S., Lit. cbl. 1896 (21) 768 ff. (lebendig geschrieben; auf gründlichen archivalischen forschungen beruhend); ferner Grenzboten, 55, 22.

120. Württembergische geschichtsquellen, hrsg. von D. Schäfer. 2. bd. Stuttgart, Kohlhammer 1895. III, 614 s. mit 1 karte. 6 m. inhalt: Württembergisches aus dem codex Laureshamensis, den traditiones Fuldenses und aus Weissenburger quellen. bearb. von G. Bossert. Württembergisches aus römischen archiven. bearb. von E. Schneider und K. Kaser. 3. bd. XXIX, 788 s. 6 m. inhalt: Urkundenbuch der stadt Rottweil. 1. bd. bearb. von H. Günter. — die gediegenheit des inhalts des 2. bds. der geschichtsquellen hebt hervor G. Mehring, Litztg. 1895 (11) 336—340. — ferner angez. von Baumann, Hist. jahrb. 16, 794—804 (allen anforderungen entsprechend, die man an eine quellenpublikation stellen darf).

121. K. Weller, Die ansiedlungsgeschichte des württembergischen Frankens, rechts vom Neckar. Württemb. vierteljahrschr. 1894, 1—93. berichtigungen ebendas. 455.

122. F. L. Baumann, Geschichte des Allgäus. 3 bde. 39,60 m. vgl. jsb. 1895, 7, 61. — angez. Augsb. postztg. 1894, no. 284; Jsb. d. geschichtsw. 17, 2, 164 von Glasschröder als muster einer provinzialgeschichte bezeichnet; ähnlich J. Hirn, Österr. litbl. 5 (17) 522 f. und A. Schröder, Hist. jahrb. 17, 180 f.

123. K. Dändliker, Geschichte der Schweiz. 1.—3. bd. —

vgl. jsb. 1895, 7, 78. — M(eyer) v. K(nonau), Hist. zs. 77, 146 ff.
hebt einerseits die verbesserungen in den späteren auflagen hervor
und tadelt andererseits die nachgiebigkeit gegen die aufstellungen
Bürklis in seinem 'Ursprung der eidgenossenschaft aus der mark-
genossenschaft'.

124. W. Oechsli, Quellenbuch zur Schweizergeschichte. neue
folge. — vgl. jsb. 1895, 7, 79. — angez. N. Zür. ztg. 1893, no. 229;
Schweiz. rundsch. 2, 356; Päd. jsb. 45, 311; Schweiz. bibl. no. 4.

125. K. v. Hauser, Kärntens Karolingerzeit. — vgl. 1895,
7, 77. — sehr ungünstig beurteilt Österr. litbl. 1895, 145 ff. und
Jsb. d. geschichtsw. 17, 2, 105.

126. G. Strakosch-Grassmann, Geschichte der Deutschen
in Österreich-Ungarn. 1. bd. — vgl. jsb. 1895, 7, 76. — angez.
Mitt. d. anthrop. ges. in Wien 25, 22; ferner von Jung, Mitt.
d. inst. f. österr gesch. 16, 352—358 (mancherlei ausstellungen
werden erhoben). — die anz. von X., Österr. litbl. 5 (9) 267 f.
weist darauf hin, dass die schwierigkeiten der aufgabe erst in den
noch in aussicht stehenden bänden beginnen. — G. Kaufmann,
Gött. gel. anz. 1895, 270 ff. findet, dass ein bild von der allmählichen germanisierung der österreichischen länder nicht gegeben, die stellung der Germanen zur römischen kultur nicht
richtig gezeichnet ist. — am ausdruck wie am inhalt macht sehr
erhebliche ausstellungen Hirn, Lit. rundsch. 21 (10) 301 ff. — die
unwissenheit des vf. in prähistorischen dingen tadelt M. Hoernes,
Mitt. d. anthrop. ges. in Wien 25, 22 f. — nach F. v. Krones,
Litztg. 1896 (20) 620—623 fehlt dem buche durchsichtige gliederung
und klare fasslichkeit, dem vf. selbstbescheidung und selbst-
erkenntnis.

128. B. Bretholz, Geschichte Mährens. — vgl. jsb. 1895, 7,
75. — kurze lobende anz. von v. Helfert, Österr. litbl. 5 (12)
363. — W. Erben, Hist. zs. 77, 140—145 hebt neben dem werte
des buches kleinere mängel hervor, u. a. die vermengung der
wissenschaftlichen untersuchung mit der darstellung. — lobende
anz. von A. Huber, Mitt. d. inst. f. österr. geschichtsf. 15, 138. —
die anz. Mitt. d. ver. f. gesch. d. Deutschen in Böhmen 32, lit.
beil. 34 ff. findet einzelne partieen zu knapp zugeschnitten.

129. J. Bühring u. L. Hertel, Der rennsteig des Thüringer
waldes. führer zur bergwanderung, nebst geschichtlichen untersuchungen. mit einer wegekarte, einem höheplan, einer sprachkarte und einer abbildung von Oberhof. Jena, G. Fischer. VIII,
200 s. 2,50 m. — nicht geliefert.

130. Die Chronica Jeuerensis. Geschreuen tho Varel dorch Eilert Springer Anno 1592. besprochen und herausgegeben von Fr. W. Riemann. progr. (no. 684) des gymn. zu Jever. 82 s.

Riemann hält Springer nicht für den eigentlichen verfasser der chronik, sondern nimmt an, dass er im wesentlichen die reimchronik des Laurentius Michaelis wiedergegeben habe.

131. G. Sello, Saterlands ältere geschichte und verfassung. mit einer nachbildung der karte des Saterlandes von 1588. Oldenburg, Schulze. XII, 64 s. 1,60 m. — vgl. abt. 18.

132. Hansisches urkundenbuch. im auftr. d. ver. f. hans. gesch. hrsg. von K. Höhlbaum. Halle, buchhandlung des waisenhauses. 4. bd. [1361—1392.] bearb. von K. Kunze. XIV, 522 s. 4⁰. 16 m. — nicht geliefert.

133. A. Gloy, Beiträge zur siedelungsurkunde Nordalbingiens. — vgl. jsb. 1894, 8, 18. — angez. Ausland 66, 237; Verhandl. d. ges. f. erdkde. zu Berlin 20, 368.

134. H. Zander, Sieben jahre nordalbingischer geschichte nach der schlacht bei Bornhöved 1227—1234. Berliner dissertation. Berlin, Thümecke 1894. 82 s.

angez. Hist. jahrb. 15, 893.

135. H. Bonk, Die städte und burgen in Altpreussen in ihrer beziehung zur bodengestaltung. — vgl. jsb. 1895, 8, 20. — angez. von P. Simon, Mitt. a. d. hist. litt. 24, 375 ff. (gelungen, anregend und dankenswert).

136. F. Tetzner, Zur besiedelung und germanisierung Deutsch-Litauens Geogr. zs. 1, 679—685.

137. E. Seraphim, Geschichte Liv-, Esth- und Kurlands. — vgl. jsb. 1895, 7, 72. — an dem 1. bde. vermisst die anz. Hist. zs. 77, 523 f. akribie und kunst der darstellung; auch werden die vielen druckfehler getadelt. — ähnliche ausstellungen erhebt die sonst im ganzen anerkennende anz. von A. Bergengrün, Litztg. 1895 (10) 304 ff., während derselbe das. 1896 (38) 1203 ff. dem 2. bde. das zeugnis giebt, dass er, abgesehen von stilistischen nachlässigkeiten, gut geschrieben sei und eine lücke ausfülle. — ferner angez. von J. Girgensohn, Mitt. a. d. hist. litt. 24, 481 ff. (geschickt geschrieben und einem bedürfnis entgegenkommend).

vgl. auch abt. 7, no. 106, 183; abt. 9, no. 102—110.

Städte. 138. Urkunden und akten der stadt Strassburg. bearb. von H. Witte und G. Wolfram. Strassburg, K. J. Trübner. 1. abt. Urkundenbuch der stadt Strassburg. 5. bd., 1. hälfte. [Politische urkunden von 1332—1365]. 520 s. — 2. hälfte [Politische urkunden von 1360—1380]. VIII u. s. 521—1128. 4°. 26 m.

139. R. Pick, Aus Aachens vergangenheit. Beiträge zur geschichte der alten kaiserstadt. Aachen, A. Creutzer 1895. VIII, 632 s. 15 m.

von den 33 aufsätzen, welche zum grossen teil Aachener bauwerke behandeln, fallen in das gebiet dieses jahresberichtes namentlich: s. 1—20. Die kirchlichen zustände Aachens in vorkarolingischer zeit. hierin führt der vf. u. a. aus, dass in Aachen zur Römerzeit an ein kastell sich eine bürgerliche ansiedlung von ziemlicher bedeutung schloss und dass die letztere fortdauerte; ferner dass Aachen früher zur Kölner diözese gehörte. s. 113—171. Aachens befestigung im mittelalter. die genannten beiden aufsätze werden von H. Keussen, Litztg. 1896 (41) 1298 f. als wertvoll hervorgehoben. der letztere wird auch Lit. cbl. 1896 (45) 1631 als einer der bedeutungsvollsten der sammlung genannt. s. 30—35. Hat Karl d. gr. Sachsen nach Aachen verpflanzt? Die gestellte frage wird verneint.

140. H. Averdunk, Geschichte der stadt Duisburg. — vgl. abt. 8, 12 und jsb. 1895, 7, 84. — angez. von Knipping, Korrbl. d. westd. zs. 13, 130; von Eschbach, Jahrb. d. Düsseldorfer geschichtsver. 10, 225; von W. Varges, Mitt. a. d. hist. litt. 24, 176—180 (wertvoll, wenn auch vieles an der form der darstellung und einzelnes am inhalt auszusetzen ist); Beitr. z. gesch. d. Niederrh. 8, 240 f.; von H., Hist. zs. 77, 491 f. (die anordnung des stoffes ist etwas zu kompliziert); von E. Liesegang, Litztg. 1896 (9) 267 ff. (trotz einzelner mängel bedeutet das buch einen guten schritt vorwärts in der erforschung der niederrheinischen geschichte); ferner von O. Redlich, Westd. zs. f. gesch. u. kunst 15, 106—109 (die aufgabe ist mit hingebung, liebe und gründlichkeit musterhaft gelöst).

140a. F. W. Strauss, Geschichte der stadt M.-Gladbach. M.-Gladbach, F. Strauss. VI, 89 s.

der vf. stellt sich die aufgabe, 'Gladbach nur vom historischen standpunkte aus zu betrachten, die inneren und sozialen zustände dagegen so viel als möglich beiseite zu lassen und dasselbe in beziehungen zur deutschen und, wo es nötig ist, zur weltgeschichte zu setzen'. dabei wollte er nur 'für das grosse publikum verständlich, in kurzen umrissen zusammengefasst, die interessante geschichte Gladbachs dem leser vorführen'. für die ältere zeit fällt die geschichte der stadt im wesentlichen mit der der abtei zusammen; rechtliche und kulturelle verhältnisse werden in den kapiteln 'die schirmvogtei der grafen von Kessel, Jülich und der pfalz', 'das amt Gladbach', 'das raubrittertum im Mühlgau', 'hexenverfolgungen' u. a. behandelt. zu bedauern ist es, dass der vf. bei seinem alter ego, dem verleger, nicht einen die augen weniger anstrengenden druck und eine bessere ausstattung durchgesetzt hat.

141. H. Hess, Zur geschichte der stadt Ems. progr. (no. 413) des realprogymn. in Ems 1895. — vgl. jsb. 1895, 7, 83. — angez. von Bodewig, Korrbl. d. westd. zs. 15 (7) 147 f. (ein trefflicher beitrag zur Emser geschichte). — kurze anz. von F. Hirsch, Mitt. a. d. hist. litt. 24, 26.

142. Die chroniken der westfälischen und niederrheinischen städte. 3. bd.: Soest und Duisburg. — vgl. jsb. 1895, 7, 91. — von den beiden chronikalischen aufzeichnungen, den auszügen aus den Soester stadtbüchern und der Duisburger chronik des Johann Wassenberch, wird namentlich die letztere als nicht unwichtig hervorgehoben in der anz. von (G.) v. B(elow), Lit. cbl. 1896 (34) 1223 f.

143. Die chroniken der schwäbischen städte vom 14. bis ins 16. jahrh. Leipzig, S. Hirzel. 23. bd.: Die chroniken der schwäbischen städte. Augsburg. 4. bd.
vgl. jsb. 1895, 7, 91. 15, 191. — angez. von Hollaender, Hist. zs. 77, 128—131 (die chronik Senders ist bedeutsam, die edition Roths musterhaft). — auch F. Frensdorff, Gött. gel. anz. 1895, 527—541, der auf den inhalt näher eingeht, erkennt die arbeit des herausgebers als reiche belehrung bietend an. — referierende anz. von A. Schulte, Litztg. 1896 (16) 496 f.

144. F. v. Weech, Karlsruhe. geschichte der stadt und ihrer verwaltung. Karlsruhe, Macklot. 8. u. 9. lief. à 1 m.
vgl. jsb. 1895, 7, 82. — anz. der früheren lieferungen Karlsr. ztg. 1893, beil. no. 315; 1894, no. 53, 182, 212, 288; Bad. landesztg. 1893, no. 271; Karlsr. nachr. 1893, no. 137.

145. H. Soldau, Beiträge zur geschichte der stadt Worms. Worms, H. Kräuter. 228 s. geb. 2,60 m. — nicht geliefert.

146. G. Reicke, Geschichte der reichsstadt Nürnberg von dem ersten urkundlichen nachweis ihres bestehens bis zu ihrem übergang an das königreich Bayern. (bisher u. d. t. J. P. Priem, Geschichte der stadt Nürnberg. 2. aufl., hrsg. von G. Reicke.) Nürnberg, J. Ph. Raw. IX, 1078 s. 10 m.
nicht geliefert. — vgl. jsb. 1895, 7, 89.

147.   K. Steiff, Beitrag zur geschichte der ehemaligen reichsstädte Ulm, Biberach, Gmünd, Esslingen und Reutlingen.   Württ.
vierteljahrschr. 1894, 213 ff.

148.   J. Laub, Geschichte der vormaligen fünf Donaustädte
in Schwaben (Mengen, Munderkingen, Riedlingen, Saulgau, Wald-
see).   Mengen, Gruber 1894.   240 s.   2,50 m.

auf eine einzelbeschreibung der 'Donaustädte' folgt die darstellung der geschichtlichen entwickelung.   nachdem diese bis zum
übergang der städte an das haus Österreich (um 1300) behandelt
worden ist, wird ein überblick über die politischen verhältnisse
Vorderösterreichs eingeflochten.   bei der behandlung der nächsten
zeitabschnitte kommt auch das kulturgeschichtliche zu seinem
recht; namentlich in den abschnitten: bündnisse, der bürger, landwirtschaft, gewerbe und handel, das schul- und erziehungswesen,
kriegswesen, armen- und krankenpflege, die städtische wirtschaft;
während in andern abschnitten die rechtsverhältnisse behandelt
werden. — s. 29 l. 1070 statt 1170, s. 191 bekleideten statt be-
gleiteten. — angez. Staatsanz. 1894, 1217; Bl. d. schwäb. Albver.
1894, 175.

149.   W. Brüll, Chronik der stadt Düren.
nicht geliefert. — vgl. jsb. 1895, 8, 33. — angez. von H. Koch,
Lit. rundsch. 22 (6) 181 ff. (zu einer umfassenden und abgeschlossenen lokalgeschichte ist ein guter grund gelegt).

150.   Hans Widmann von Mieringen, Chronica der für-
nemben fürstlichen Vestung Hochen-Saltzpurg von der Römer
zeiten bis auf gegenwärtiges jahr 1650.   Salzburg, H. Kerber.
20 s.   4⁰.   0,90 m. — nicht geliefert.

151.   Quellen zur geschichte der stadt Wien.   hrsg. mit unterstützung des gemeinderates vom altertumsverein zu Wien.   redigiert von A(nt.) Mayer.   1. abt. Regesten aus in- und ausländischen archiven mit ausnahme des archives der stadt Wien.
1. u. 2. bd.   Wien, C. Konegen in komm. 1895—1896.   X, 363 u.
VI, 388 s.   je 20 m.

nicht geliefert. — die schrift ist kritisiert worden in: Quellen
zur geschichte der stadt Wien. besprochen von K. Uhlirz. Innsbruck, Wagner. 42 s. 1,20 m. Uhlirz tadelt es, dass die regesten
nicht in einer chronologischen reihenfolge veröffentlicht werden
und dass nur eine auswahl nach äusserlichen gesichtspunkten ge-
troffen worden ist, dass auch akten registriert sind, grosse ungleichmässigkeit hervortritt und vor allem, dass nicht ein urkundenbuch herausgegeben worden ist. dieser streit hat noch
folgende schriften veranlasst: A. Mayer, Antwort auf dr. Uhlirz'
besprechung der Quellen zur geschichte der stadt Wien. Wien,

Konegen. 24 s. 0,50 m. K. Uhlirz, Nachtrag zu meiner kritik der Quellen zur geschichte der stadt Wien. zur abwehr und klärung. Wien, Schworella u. Heick. 35 s. 0,80 m. — vgl. F. Ilwof, Mitt. a. d. hist. litt. 25, 70—73.

152. G. Trautenberger, Die chronik der landeshauptstadt Brünn. 4. bd. Verlag des vereins 'Deutsches haus'. 244 s. 3 fl. vgl. jsb. 1895, 7, 92. auch in dem vorliegenden schlussbande, der die geschichte von Brünn in chronikartiger form bis zur auflösung des römischen reiches fortführt, ist vieles kulturgeschichtlich wertvolle enthalten. — gegen einzelne ausführungen wendet sich C. Janetschek, Teilweise besprechung der chronik der landeshauptstadt Brünn von dr. G. Trautenberger. Olmütz, selbstverlag. 22 s.

153. G. Wustmann, Quellen zur geschichte Leipzigs. veröffentlichungen aus dem archiv und der bibliothek der stadt Leipzig. 2. bd. Leipzig, Duncker u. Humblot 1895. VI, 548 s. mit 7 abb. 10 m. nicht geliefert. — die empfehlende anz. von F., Lit. cbl. 1896 (10) 336 f. hebt aus der sammlung das älteste Leipziger urfehdebuch [1390—1480] und die urkunden und aktenstücke zur geschichte des Leipziger rates vom ende des 15. bis zum 18. jahrh. hervor. — ferner angez. von H. Ermisch, N. arch. f. sächs. gesch. 17, no. 1 u. 2.

154. G. F. Hertzberg, Geschichte der stadt Halle a. S. — vgl. jsb. 1894, 7, 159. — angez. von K. Uhlirz, Mitt. d. inst. f. österr. geschichtsf. 17, 316 ff. (musterhaft angelegt und durchgeführt; vgl. abt. 9 no. 99) und Arch. f. landeskde. d. prov. Sachsen 3, 200.

155. C. Beyer, Geschichte der stadt Erfurt bis zur unterwerfung unter die mainzische landeshoheit im jahre 1664. Halle, Hendel 1893. 52 s. 1 m. — nicht geliefert.

156. Urkundenbuch der stadt Goslar und der in und bei Goslar belegenen geistlichen stiftungen. bearb. von G. Bode. 2. teil [1251—1300]. mit 18 siegeltafeln. (a. u. d. t. Geschichtsquellen der provinz Sachsen und angrenzender gebiete. 30. bd.) Halle, O. Hendel. IX, 699 s. 16 m. — nicht geliefert. — vgl. jsb. 1894, 7, 151.

157. Urkundenbuch der stadt Braunschweig, hrsg. von L. Hänselmann. 2. bd., 1. abt. [1031—1299.] Braunschweig, Schwetschke. 225 s. 4⁰. 12 m. — nicht geliefert.

158. W. v. Bippen, Geschichte der stadt Bremen. Bremen, C. E. Müller. 5. lief., 2. bd. s. 129—240. 1 m. vgl. jsb. 1895, 7, 86. — K. Uhlirz, Mitt. d. inst. f. österr.

6*

geschichtsf. 17, 316 ff.: musterhaft angelegt und durchgeführt. vgl. abt. 9, 99.

159. E. H. Wichmann, Geschichte Altonas. 2. (titel-)aufl. Altona (1865), J. Harder. 287 s. mit 3 ans. u. 2 plänen. 5 m. — nicht geliefert.

160. C. Mettig, Geschichte Rigas. Riga, Jonck u. P. 1.—3. lief. à 1,20 m.
vgl. auch abt. 9, no. 69, 71—99.

Römer (auswahl). 161. Ch. Kingsley, Römer und Germanen. vgl. jsb. 1895, 7, 93. — angez. von P. Hinneberg, Litztg. 1895 (8) 236 f. (es fehlt dem vf. an tieferen kenntnissen; mit der veröffentlichung der schrift ist niemand gedient). — ähnlich die anz. von A. R(iese), Lit. cbl. 1895 (20) 718 f. — ferner angez. von E. Heydenreich, Zs. f. gymnw. 49, 552—557 (lesenswert, wenn auch im inhalt nicht einwandsfrei).

162. O. Kemmer, Arminius. — vgl. jsb. 1895, 7, 95. — angez. von E. Ritterling, Litztg. 1895 (48) 1514—1517 (eine aus antiken nachrichten zusammengeschweisste erzählung, welche die wissenschaft nicht fördert).

163. F. W. Fischer, Armin und die Römer. — vgl. jsb. 1894, 7, 164. — abgelehnt von A. Bauer, Zs. f. österr. gymn. 46, 520—523. — ferner besprochen von Rottmanner, Bl. f. bayr. gymnschulw. 30, 759 (liest sich leicht und angenehm, doch ist der inhalt zum teil auf blosse vermutungen aufgebaut).

164. F. Knoke, Die römischen moorbrücken in Deutschland. — vgl. jsb. 1895, 7, 169. — G. Wolff, Berl. phil. wochensch. 16 (9) 272—277 glaubt mit Knoke an römischen und militärischen ursprung der meisten bohlwege, zieht aber daraus nicht die historischen konsequenzen wie dieser. — ferner angez. von E. Dünzelmann, N. phil. rundsch. 1896 (23) 366 ff. (in den meisten ausführungen nicht überzeugend); von G. Andresen, Wochensch. f. klass. phil. 13 (6) 145 ff. (referierend); von Gratama, Museum 4, no. 4; von F. H(averfield), Class. Rev. 10, 404 f. (die zusammengetragenen thatsachen bilden noch keinen beweis für die aufgestellten behauptungen). — auch das werk von J. B. Nordhof, Neue römische funde in Westfalen (Münster, Regensberg 1895) enthält in anlage III eine kritik der Knokeschen schrift.

165. F. Knoke, Das Varuslager im Habichtswalde bei stift Leeden. Berlin, Gaertner. 20 s. 4⁰. mit 2 taf. 4 m.
abgelehnt von A. R(iese), Lit. cbl. 1896 (46) 1661 f. (vgl. die entgegnung Knokes und die erwiderung Rieses das. (50)

1822 f.) und von F. H(averfield), Engl. Class. Rev. 10, 404 f. — kurze, zustimmende anz. von Löschhorn, Bl. f. bayr. gymnw. 32, 745.

166. E. Meyer, Über die schlacht im Teutoburger walde. vgl. jsb. 1895, 7, 96. — in der anz. von Rottmanner, Bl. f. bayer. gymnschulw. 31 (2. 3) 168 werden die neuen gesichtspunkte hervorgehoben, welche das werk bringt.

167. Th. v. Stamford, Das schlachtfeld im Teutoburger walde. — vgl. jsb. 1894, 7, 166. — angez. von E. Ritterling, Litztg. 1896 (6) 172—176 (das gute und richtige wird völlig überwuchert durch unbewiesene und falsche hypothesen).

168. H. v. Stoltzenberg, Die gräfte bei Driburg, Westf. Verhandl. d. Berlin. ges. f. anthrop. 1896, 600—614.

der vf. glaubt in den schon von Hölzermann untersuchten 'gräften' (= gräben) die spuren der von Germanicus errichteten ara Drusi zu finden und nimmt somit an, dass hier das ende der Varusschlacht stattgefunden habe.

169. Der obergermanisch-rhätische limes des Römerreichs. im auftrage der reichs-limeskommission hrsg. von O. v. Sarwey und F. Hettner. Heidelberg, O. Petters. 1. lief. 1894. 27, 13 u. 8 s. gr. 4⁰ mit abb. u. 6 taf. 5 m. 2. lief. 1895. 44 s. gr. 4⁰ mit abb. u. 7 taf. 4 m. 3. lief. 22 s. u. 15 s. mit abb., 5 taf. u. 1 karte. 2,80 m. 4. lief. 6, 9, 7 u. 10 s. mit abb., 7 taf. u. 1 karte. 3,60 m.

170. F. Hettner, Bericht über die vom deutschen reiche unternommenen erforschung des obergermanisch-rhätischen limes. vortrag. Trier, F. Lintz. 36 s. 1 m.

171. Conrady, Kastell Niedernberg. aus: Der obergermanisch-rhätische limes des Römerreichs. Heidelberg, O. Petters. 15 s. gr. 4⁰ mit abb. u. 2 taf. 2 m. — vgl. no. 169.

172. G. Helmreich, Jahresbericht über Tacitus. 1892—1893. Jsb. üb. d. fortschr. d. klass. altertumsw. 89, 1—48.

ausser den Tacitusausgaben von Tücking (jsb. no. 173) und Stephenson (jsb. no. 177) sowie den untersuchungen von Wuensch (jsb. no. 180) und Holub (jsb. no. 181) werden u. a. besprochen: Ph. Fabia, Les sources de Tacite; vgl jsb. 1894, 7, 171 (ref. ist nicht durchweg überzeugt worden; doch habe Fabia eine verwickelte untersuchung mit scharfsinn und geschick durchgeführt); R. Sepp, Bemerkungen zur Germania des Tacitus, vgl. jsb. 1892, 7, 151 (den aufstellungen ist nicht durchweg zuzustimmen); A. Lückenbach, De Germaniae quae vocatur fontibus, vgl. jsb. 1892, 7, 147 (die schrift bietet nichts wesentlich neues); E. Wölfflin,

Zum titel der Germania des Tacitus, vgl. jsb. .1893, 7, 123 (kurze
anzeige).

173. Germania, erklärt von K. Tücking. 8. aufl.
    vgl. jsb. 1895, 7, 100. — in vielen punkten spricht über text
und anmerkungen eine abweichende meinung aus F. Zöchbauer,
Zs. f. österr. gymn. 46, 498—507. — angez. von Ed. Wolff,
N. phil. rundsch. 6, 83 ff. (die 8. auflage weist eine viel gründlichere
durchsicht auf als die vorigen). — U. Zernial, Berl. phil. wschr.
15 (2) 41—44 wünscht, Tücking hätte für das aus der ref. ausgabe entlehnte die quelle angegeben; die anz. von dems. Wochensch.
f. klass. phil. 11 (48) 1312 ff. geht, wie die vorgenannte, auf
mehrere einzelheiten genauer ein. — die im text vorgenommenen
änderungen billigt G. Helmreich, Jsb. üb. d. forsch. d. klass.
altertumsw. 89, 32. — ferner angez. von Ammon, Bl. f. bayr. gymnw.
32, 471 f. (aufzählung der änderungen).

174. Tacitus' Germania. für den schulgebrauch erkl. von
E. Wolff. Leipzig, Teubner. XXVI, 110 s. mit 1 farb. karte. 1,35 m.
    eine namentlich für den lehrer sehr brauchbare ausgabe. der
herausgeber ist zu seinem werke wie wenige berufen: die ein-
dringendste beschäftigung mit dem gegenstande tritt auf jeder zeile
hervor, und zu gründlichen kenntnissen auf allen irgendwie in betracht kommenden gebieten gesellen sich klare einsicht und verständige erkenntnis des für den vorliegenden zweck brauchbaren.
so reiht sich das werk den besten schulausgaben an und wird
sicher nach dem wunsche des herausgebers auch über die kreise
der schule hinaus anregend und belehrend wirken. ausserhalb
der schülerkreise dürfte es sogar am nützlichsten sein, da aus
pädagogischen gründen den schülern wohl solche ausgaben am dien-
lichsten sind, die nicht allzu viele erklärungen enthalten; zu dem,
was er zur ergänzung hinzuzuthun hat, wird der lehrer dann aus
der Wolffschen ausgabe manche wertvolle anregung schöpfen. der
ansicht Wolffs, dass der Germania keine tendenz zu grunde liege,
und den dafür angeführten gründen ist durchaus zuzustimmen;
vielleicht wäre hier noch darauf hinzuweisen gewesen, dass Tacitus
den in der Germania verarbeiteten stoff wohl ursprünglich für sein
grösseres geschichtswerk gesammelt hatte. kleine berichtigungen:
s. IV l. 45, 22; s. 25 l. Bonifatius; s. 47 l. zweimal behuot;
s. 53 l. muose; für s. 60 'der anfänglich sehr niedrige zinsfuss war
durch gesetze mehr und mehr herabgesetzt worden' und für s. 94
'früher am Main und Oberrhein, wo ihre nachkommen die Alemannen sind' ist der ausdruck zu ändern; s. 109 ist es inkonse-
quent, wenn Wolff annimmt, dass Tacitus Hermiones geschrieben

habe, und doch Herminones in den text setzt. — angez. von U. Zernial, Berl. phil. wochenschr. 16 (33. 34) 1051—1056 (eine sehr reichhaltige und erfreuliche fundgrube); von W. Schleusner, Zs. f. gymnw. 50, 790—794 (gegen die ausgabe, die dem ideal einer schulausgabe nahe kommt, werden im einzelnen manche einwendungen erhoben). — die reichen kenntnisse und die besonnenheit.des vf. rühmt Ammon, Bl. f. bayr. gymnw. 32, 467—471.

175. Des P. Cornelius Tacitus Germania und Agricola. für den schulgebrauch bearb. u. erl. von F. Seiler. Bielefeld und Leipzig, Velhagen u. Klasing 1895. text XXV, 84 s., komment. 102 s. mit je 1 karte. 1 m. und 0,90 m.

die äussere erscheinung der ausgabe ist musterhaft. gegen die thätigkeit des herausgebers lassen sich kleine bedenken nicht unterdrücken; so ist es fraglich, ob es mit methodischen grundsätzen zu vereinigen ist, wenn Seiler für den text aus den ausgaben von Halm, J. Müller, Andresen, Zernial das 'für seine zwecke tauglichste' gewählt hat. der kommentar müsste, um zu vollem verständnis zu führen, an manchen stellen doch wohl etwas ausführlicher sein; jedenfalls bleibt dem lehrer noch vieles hinzuzufügen. der ansicht Seilers, dass Tacitus in der Germania darauf habe hinweisen wollen, wie gefährlich und bedeutsam der nordische gegner sei, kann ref. sich nicht anschliessen, sondern stimmt dem von Ed. Wolff (jsb. no. 174) s. X hierüber gesagten zu. doch sind das nur kleine ausstellungen, welche neben dem überwiegend günstigen eindruck, den die ausgabe macht, wenig in betracht kommen. — O. Friedel, Zs. f. gymnw. 50, 448—457 begründet zwar im einzelnen abweichende ansichten, lobt aber doch die gründlichen, geschickt verwerteten studien, den übersichtlichen, lesbaren text und die klaren erläuterungen.

176. Cornelii Taciti de Germania, edited with introduction, notes and map by H. Furneaux. Oxford, Clarendon Press 1894. VIII, 123 s.

vgl. jsb. 1895, 7, 101. — R. Bethge, Litztg. 1896 (34) 1071 f. bezeichnet die wahl des Halmschen textes als einen missgriff, die anmerkungen als in sprachlicher beziehung ausreichend, für die sachliche erklärung aber unzulänglich. — Athenæum 3517, 374 f. wird die ausgabe als eine gründliche leistung bezeichnet, die wissenschaftlichen studien zu dienen bestimmt ist.

177. Agricola and Germania ed. by H. M. Stephenson.

vgl. jsb. 1894, 7, 172. — als schulausgabe im ganzen recht brauchbar nach der anz. Athenæum 3517, 374 f., wo jedoch einige ausstellungen erhoben werden. — auch von Ph. Fabia, Rev. de phil. 19 (1) 95 als geeignete schulausgabe empfohlen; ähnlich

K. Niemeyer, Berl. phil. wochenschr. 15 (4) 112. — kurz
angez. von G. Helmreich, Jsb. ü. d. fortschr. d. klass. altertumsw.
89, 30 f.

178. Germania ed. by R. F. Davis. Methuen and comp. 1895.
als eine im ganzen recht brauchbare schulausgabe bezeichnet
Athenæum 3517, 374 f.

179. Tacitus. The Agricola and Germania edited with introduction and maps by A. Grosvenor Hopkins.
vgl. jsb. 1894, 7, 174. — kurz angez. von Ph. Fabia, Rev.
de phil. 19, 1, 90 f. (die einleitung ist ungenügend; sonst ist die
ausgabe reichhaltig und nützlich).

180. R. Wuensch, De Taciti Germaniae codicibus Germanicis.
vgl. jsb. 1895, 7, 98. — nach G. Helmreich, Jsb. üb. d.
fortschr. d. klass. altertumsw. 89, 33 f. liegt das verdienst der arbeit darin, dass W. die autorität von AB und CD wiederhergestellt
hat. — ferner angez. von H. Schefczik, Zs. f. österr. gymn. 46,
1137 f. (man kann dem vf. fast in allen punkten zustimmen).

181. J. Holub, Unter den erhaltenen handschriften der
Germania ist die Stuttgarter handschrift die beste. — vgl. jsb.
1895, 7, 99. — angez. von G. Helmreich, Jsb. üb. d. fortschr.
d. klass. altertumsw. 89, 34 ff. (die willkürlichen, sprachwidrigen
konjekturen und die abenteuerlichen einfälle verdienen keine ernst-
hafte kritik). — abgelehnt auch von J. Prammer, Zs. f. österr.
gymn. 46, 282 und 47, 86.

182. J. F. Marcks, Kleine studien zur Taciteischen Germania. festschrift. Köln 1895. 20 s. 4°.
vgl. auch abt. 7, no. 77—79, 183; abt. 9, no. 73.

183. Folgende in diese abteilung gehörigen besprechungen
mögen kurz erwähnt werden. es wurden angezeigt: M. Much,
Die kupferzeit in Europa (jsb. 1895, 7, 191) von W. Streitberg, Idg. forsch. 5, no. 2; ferner Präh. bl. 5, 60. — G. Ditt-
mar, Geschichte des deutschen volkes (jsb. 1894, 7, 78) Zs. f.
österr. gymn. 46, 459 f. (der 3. bd. ist nicht voll befriedigend). —
Br. Gebhardt, Handbuch der deutschen geschichte (jsb. 1895,
7, 39) von Markhauser, Bl. f. bayr. gymnw. 30, 426—439. —
W. Wattenbach, Deutschlands geschichtsquellen (jsb. 1895, 7, 44)
Arch. stor. ital. 13, ser. 5, 233. — A. Malzacher, Alamanniens
heldensaal und ehrentempel (jsb. 1895, 7, 29) Schwäb. chron. 1894,
2098. — G. Zippel, Deutsche völkerbewegungen in der Römerzeit (jsb. 1895, 7, 43) von Dietrich, Mitt. a. d. hist. litt. 24, 6
(kurzes referat). — W. Busch, Chlodwigs Alamannenschlacht

(jsb. 1895, 7, 30) von F. Hirsch, Mitt. a. d. hist. litt. 24, 8 f. (referierend). — J. Sass, Deutsches leben zur zeit der sächsischen kaiser (jsb. 1894, 7, 98) von O. v. Zingerle, A. f. d. a. 22, 320 (die quellen sind nicht genügend ausgebeutet). — Eberhard Windeckes Denkwürdigkeiten zur geschichte kaiser Sigmunds, hrsg. von W. Altmann (jsb. 1895, 8, 11) Kwart. Hist. 8, 715. — C. Hirschberg, Geschichte der grafschaft Mörs (jsb. 1893, 7, 75) Korrbl. d. westd. zs. 12, 123 f. — J. Hartmann, Die besiedelung Württembergs von der urzeit bis zur gegenwart (jsb. 1894, 7, 114) Reutl. geschichtsbl. 1894, 48. — J. Dierauer, Geschichte der schweizerischen eidgenossenschaft, bd. 2 (jsb. 1894, 7, 139) Hist. jahrb. 13, 358 f. — P. Reichardt, Versuch einer geschichte der meissnischen lande in den ältesten zeiten (jsb. 1895, 7, 73) kurz angez. von F. Hirsch, Mitt. a. d. hist. litt. 24, 7 f. (die untersuchung ist mit sorgfalt und vorsicht geführt). — H. Künzels Grossherzogtum Hessen. 2. aufl. von F. Soldan (jsb. 1894, 7, 118) von A. R., Hessenland 10, 43 (einzelnes wertlose ist aufgenommen worden). — H. Detlefsen, Geschichte der holsteinischen Elbmarschen (jsb. 1893, 7, 86) Hamb. korresp. 1893, beibl. 4. — R. Nehlsen, Dithmarsche geschichte nach quellen und urkunden (jsb. 1895, 7, 66) kurz angez. Hist. jahrb. 16, 414 (in der einleitung kommt die quellenkritik nicht ganz zu ihrem rechte). — R. Beltz, Zur ältesten geschichte Mecklenburgs (jsb. 1893, 7, 84) kurz angez. von Volkmar, Mitt. a. d. hist. litt. 22, 15. — H. Kupfer, Norwegen und seine besiedelung (jsb. 1895, 7, 70) von F. Hirsch, Mitt. a. d. hist. litt. 24, 30 f. — G. Marina, Romania e Germania. 3. ed. Triest, Schimpff. XIII, 280 s. 6 m. (jsb. 1894, 7, 170) von R. Much, Litztg. 1896 (35) 1098 f. (völlig unwissenschaftlich). Bohm.

VIII. Kulturgeschichte.

1. Anzeiger des germanischen nationalmuseums. Nürnberg. verlagseigentum des germanischen nationalmuseums. 1896.

no. 1 (januar und februar). spricht zunächst über einen vergessenen schüler Dürers, der bisher völlig unbekannt war. in dem aufsatze 'aus der plakettensammlung des germanischen nationalmuseums' werden von F. Fuhse verschiedene plaketten beschrieben und behandelt. ein aufsatz über 'Oswald und Kaspar Krell', originale zu 2 Dürerporträts macht den schluss.

no. 2 (märz und april). 1. 'der meister der Nürnberger madonna'. 2. 'das gedenkbuch des Georg Friedrich Bezold, pfarrers zu Wildenthierbach im Rothenburgischen'. 3. die letzten tage des malers Georg Pentz. der katalog handelt über 'gewebe und wirkereien'.

no. 3 (mai und juni). 1. initialen in holzschnitt von dem
rechenmeister Paulus Frank (um 1600). 2. Albrecht Dürer und
der rahmen des allerheiligenbildes. (mit einem facsimilierten fragment
desselben.) 3. ein sehr interessanter aufsatz 'deutsche pilgerfahrten
nach Santiago de Compostella und das reisetagebuch des Sebald
Oertel' (1521—1522). 1494 war er geboren. interessant ist es, aus dem
reisebuche zu ersehen, was den Nürnberger kaufmannssohn hauptsächlich fesselt. im zweiten abschnitt wird das tagebuch abgedruckt.

no. 4 (juli und august). giebt zunächst die fortsetzung des
'reisetagebuches' und handelt dann 'über ein prosatraktätlein Hans
Folzens von der pestilenz'.

no. 5 (september und oktober) bespricht weiter einige stücke
der Nürnberger plakettensammlung (mit zahlreichen, zum teil schön
ausgeführten illustrationen) und handelt dann über 'das Nürnberger münzkabinett des freiherrn von Kress'. ein aufsatz über
'friesische häuser auf den Halligen', ein dankenswerter beitrag von
Träger schliesst die nummer.

2. Die kunst- und kulturgeschichtlichen denkmale der germanischen nationalmuseums in Nürnberg. eine sammlung von original-
abbildungen aus den verschiedenen gebieten der kultur. 6 abt.
Nürnberg, Stein. 90 photographische tafeln mit text am fusse.
gr. folio. in 4 mappen. 160 m.

eine reiche auswahl des vorzüglichsten und besten dieser
sammlung in vorzüglichen photographien. alle zeiten und alle
stile, die verschiedensten deutschen stämme und länder sind durch
hervorragende stücke vertreten.

3. F. v. Löher, Kulturgeschichte der Deutschen im mittelalter. III. bd. kaiserzeit. München, J. Schweitzer 1894. VII, 383 s.

vgl. jsb. 1892, 8, 3. 1893, 8, 4, wo frühere bände besprochen
sind. an fleiss lässt es auch dieser band nicht fehlen und mit
vieler pietät wird das vom vater gesammelte material vom sohne
ediert. aber strenge methode und namentlich zusammenfassende
übersichten des gewaltigen materials vermisst man oft. so ist auch
der stil häufig breit; ein fleissiger forscher wird aber auch in diesem
bande sehr viel schätzbares material finden.

4. F. von Hellwald, Kulturgeschichte. 4. aufl. Leipzig,
Friesenhahn.

5. R. Kleinpaul, Das mittelalter. bilder aus dem leben
und treiben aller stände in Europa. mit 176 illustrationen, 8 voll-
bildertafeln und farbendrucken. II. bd. Leipzig, Heinrich Schmidt
und Carl Günther. VIII, s. 414—728. — vgl. jsb. 1894, 8, 4, wo der
erste band angezeigt ist. auch der zweite zeichnet sich durch reiche,
prächtige ausstattung aus, wofür man der verlagshandlung dank

wissen muss. inhaltlich bietet er aber auch noch viele mängel des ersten, wenn auch der allzu flotte, stellenweise burschikose stil etwas gemildert erscheint und der vf. auch im urteilen vielfach vorsichtiger und zurückhaltender geworden ist. auch der zweite band ist für ein gebildetes laienpublikum recht empfehlens- und lesenswert.

6. G. Grupp, Kulturgeschichte des mittelalters. 2. bd. mit 35 abbildungen. Stuttgart, Roth 1895. VII, 466 s. 6,80 m. — vgl. jsb. 1894, 8, 5; 1895, 8, 3. der referent im Lit. cbl. 1894 (11) 348 wollte trotz seiner im ganzen wenig günstigen beurteilung keine abschliessende meinung geben, bevor nicht der zweite band vorläge. über diesen urteilt er nun, dass er die guten seiten des vfs., fleiss, klarheit, umsicht und urteil für kulturelle dinge zeigt, dass er aber auch dieselben schwächen, wie der erste, aufweist, trotzdem er bei weitem besser ist als dieser. der stoff ist nicht erschöpft, die einteilung des ganzen nicht recht glücklich. vgl. Lit. cbl. 1896 (15) 533.

7. K. v. Reinhardstöttner, Forschungen für kultur- und litteraturgeschichte Bayerns. 4. buch (1896). Ansbach, Eichinger. III, 299 s. mit 6 figuren. 6 m. — vgl. jsb. 1894, 8, 21.

Landschaften. 8. J. Starey, Beiträge zur geschichte der kultur Österreichs am ende des 13. jahrhs. nach 'Seifried Helbling'. I. staatsgymnasial-programm. Kaaden. 18 s.

dieser erste teil behandelt die abschnitte: zum österreichischen volkscharakter, tracht, rüstung, leibesnahrung, badewesen, vergnügen, spielleute, räuber, volkswohlstand, landwirtschaft, handel, gewerbe, bildung, erziehung und sittlichkeit.

9. Die landgüterverordnung Karls des grossen. hrsg. v. Gareis. Berlin 1895. — vgl. abt. 9, 42. um das jahr 812 verfasst hat das capitulare zum wahrscheinlichen verfasser den abt Ansegis von St. Wandrille. der kommentar setzt die bedeutung der schrift in sozialer, sozialpolitischer und landwirtschaftlicher bedeutung auseinander. die kurze inhaltsübersicht erleichtert den gebrauch.

10. Sommerfeld, Geschichte der germanisierung des herzogtums Pommern. — vgl. abt. 7, 112.

Städte. 11. Sieveking, Die rheinischen gemeinden Erpel und Unkel. — vgl. abt. 9, 76.

12. H. Averdunk, Geschichte der stadt Duisburg. abt. 1 und 2. Duisburg, Johann Ewich 1894—1895. 776 s. 12 m. vgl. abt. 7, 140 und jsb. 1895, 7, 84. — das im Duisburger ratsarchiv befindliche material ist nicht überall mit gleichem geschick durchgearbeitet, die einzelnen partien sind verschieden und die besten abschnitte sind die, welche sich mit der topographie der

alten pfalzstadt befassen und ihre waldmark behandeln. zusammen
mit den 'quellen, bearbeitungen und beschreibungen der stadt'
machen diese wertvollen betrachtungen wohl ein drittel des ganzen
aus; weniger gelungen sind die abschnitte über die inneren verhältnisse der stadt. hier hätten die alten rechnungen der stadt
mehr ausgenützt werden können, als es geschehen. auch ist es zu
bedauern, dass das buch mitten in den wirren der magistrats-
wahlen abbricht (1666). im ganzen ein sehr wertvolles buch.

13. Heil, Die gründung der nordost-deutschen kolonialstädte.
— vgl. abt. 7, 113.

14. R. Eckart, Geschichte des fleckens und der burg Salz-
derhelden. (geschichte südhannoverscher burgen und klöster. bd. 6.)
Leipzig, B. Franke. 39 s. 0,60 m.

15. H. Peter, Die alte stadtbefestigung Eisenachs. mit
1 lagenplan und 2 ansichten (auf 1 tafel). beiträge zur geschichte
Eisenachs I. Eisenach, H. Kahle. V, 34 s. 0,50 m.

16. L. Hänselmann, H. Brandis' diarium. Hildesheimische
geschichten aus den jahren 1471—1528. Hildesheim, Gersten-
berg'sche buchhandlung. III, LI, 370 s. 13,50 m., geb. 16 m.

17. S. Göbel, Würzburg. ein kulturhistorisches städtebild.
mit 80 abb., nach der natur aufgenommen. Würzburg, H. Stürtz.
VIII, 128 s. 1,50 m.

18. F. Wibel, Die alte burg Wertheim am Main. Freiburg i. Br. und Leipzig, J. C. B. Mohr (P. Siebeck) 1895.
357 s. 4⁰.

in ihren ruinen finden sich reste von bauten, die in der zeit
vom 12. bis 17. jahrh. entstanden sein sollen; im fünften abschnitte
des buches wurden die resultate der untersuchung zusammengefasst:
ihre gründung geht bis ins 12. jahrh. zurück und aus dieser zeit
rühren auch der hauptturm, die kapelle und der palas her. vgl.
Litztg. 1896 (4) 115. Lit. cbl. 1896 (5) 167.

19. L. Rösel, Altnürnberg, geschichte einer deutschen stadt
im zusammenhange der deutschen reichs- und volksgeschichte.
Nürnberg, Korn. X, 686 s. 7 m.

angez. Mitt. d. hist. ver. d. stadt Nürnberg 11, 246. vgl. jsb.
1895, 7, 90.

21. J. Laible, Geschichte der stadt Konstanz und ihrer
nächsten umgebung. Konstanz, Ackermann. XXIII, 317 s. mit
47 abb. und 2 plänen. 4 m., geb. 4,50 m.

22. Wustmann, Quellen zur geschichte Leipzigs. — vgl.
abt. 7, 153.

23. H. Markgraf, Die strassen Breslaus nach ihrer geschichte und ihren namen. mit 1 stadtplane (Mitt. aus dem stadtarchiv und der stadtbibliothek zu Breslau. 2. heft). Breslau, E. Morgenstern. XII, 244 s. 4 m.

Familien. 24. Jahrbuch des deutschen adels. hrsg. von der deutschen adelsgenossenschaft. 1. bd. Berlin, W. T. Bruer. XVI, 987 s. 10 m.

25. Genealogisches handbuch bürgerlicher familien. hrsg. unter leitung eines redaktionskomitees des vereins Herold. 4. bd. Berlin, W. T. Bruer. VIII, 482 s. mit wappenbildern und 8 zum teil farbigen tafeln. 6 m.

26. Vater, Die sächsischen herrscher. Rudolstadt 1895.
vgl. jsb. 1895, 8, 46. eine durchgängig fehlerlose übersicht über die genealogie der sächsischen herrscher, giebt eine einleitung mit überblick über die territorialen veränderungen der sächsischen gebietsteile und sieben chronologische übersichtstafeln.

27. H. E. F. v. Feilitzsch, Zur familiengeschichte der deutschen, insonderheit des Meissnischen adels von 1570 bis ca. 1820. kirchenbuch-auszüge der ganzen ephorie Grossenhain, sowie der orte Annaburg, Boritz, Canitz etc. Grossenhain, Starke. XII, 373 s. 12 m.

28. J. B. Witting, Beiträge zur genealogie des Krainischen adels. Jahrbuch der heraldischen gesellschaft Adler. n. f. 4 und 5, 162.
im ganzen werden die genealogien von 16 geschlechtern behandelt; die ausführungen sind eingehend. auch die wappen einzelner, besonders wichtiger familien werden beschrieben.

29. O. Redlich, Zur herkunft der Habsburger. Mitt. d. inst. f. österr. geschichtsf. 16, 379.

30. H. von Schullern zu Schrattenhofen, Über einige familien des tirolischen beamtenadels. ein beitrag zur geschichte der deutschen familie. Jahrbuch der heraldischen gesellschaft Adler. n. f. 5/6, 113.

31. A. v. Gernet, Forschungen zur geschichte des baltischen adels. 2. heft. die anfänge der livländischen ritterschaften. Reval, F. Kluge. 135 s. 4 m.

32. Th. Pyl, Pommersche genealogien. Greifswald, J. Bindewald in komm. bd. 4. Die genealogien der Greifswalder ratsmitglieder von 1250—1382 nach den urkunden und stadtbüchern des Greifswalder ratsarchivs hrsg. XXIV, 180 s. 2,40 m. bd. 5.

Die genealogien der Greifswalder ratsmitglieder von 1382—1647
nach der ratsmatrikel von 1382—1654 (lib. civ. XXI, f. 21—293
und aus stadtbüchern hrsg. mit einer chronologischen übersicht der
Greifswalder ratsmitglieder von 1648—1859 nach den verzeich-
nissen von A. G. Schwarz und C. Gesterding und den akten des
ratsarchivs (s. 185—191) und einem alphabetischen register der
ratsherren von 1250—1895). XII, s. 181—440. 2,80 m.

34. Geschichtsquellen des burg- und schlossgesessenen geschlechts von Borcke. im auftrage des familienvorstandes hrsg.
von G. Sello. 1. bd., 1. heft. bis zum ausgang des 13. jahrhs.
Berlin, J. A. Stargardt. 150 s. mit wappenabbildungen. 8 m.

35. H. Türler, Abriss einer bernischen adelsgeschichte.
Helvetia 14, 114.

36. A. J. Schmid, Beiträge zur genealogie Oberpfälzischer
adelsgeschlechter. Verhandl. d. hist. ver. d. Oberpfalz, 47, 157.

Buch- und schriftwesen. 37. A. von Jaksch, Zur geschichte
der buchdruckerkunst in Kärnten. Carinthia 85, 27.

38. W. Wattenbach, Das schriftwesen im mittelalter.
3. aufl. Leipzig, Hirzel. VI, 670 s. 14 m.

39. J. J. Tikkanen, Die psalterillustrationen im mittelalter.
1. bd. die psalterillustrationen in der kunstgeschichte. 1. heft.
Leipzig, Hiersemann. gr. 4⁰. 4 m.

40. Edm. Braun, Beiträge zur geschichte der Trierer buch-
malerei im früheren mittelalter. Westd. zs., heft 9. Trier, F. Lintz.

41. F. Keinz, Die wasserzeichen des 14. jahrhs. in handschriften der königl. bayr. hof- und staatsbibliothek. München,
Franz. 46 s. mit 38 tafeln. gr. 4⁰. 4 m.

42. Basler büchermarken bis zum anfange des 17. jahrhs.
hrsg. von P. Heitz und Chr. Bernoulli. Strassburg, Heitz. —
vgl. jsb. 1895, 8, 63. Schmid, Repert. f. kunstwiss. XVIII, 6.

43. Glarean's briefe an Johannes Aal, stiftspropst in Solo-
thurn aus den jahren 1538—1550. hrsg. und erläutert von
E. Tatarinoff. (Mitt. d. Solothurner histor. ver.) Solothurn,
Jent u. co. 60 s. mit 2 facsimiletaf. 1,50 m.

44. G. Steinhausen, 4 frauenbriefe aus dem endenden
mittelalter. Zs. f. kulturgesch. 3, 3.

Chronisten und urkunden. 45. Urkundenbuch der stadt Strassburg. von Witte und Wolfram. — vgl. abt. 7, 138.

46. **Basler chroniken.** 5. bd. bearb. von A. Bernoulli. Leipzig 1895. — vgl. jsb. 1895, 8, 72. die mitteilungen des buches berühren sich, nach der anzeige im Lit. cbl. 1896 (6) 182 vielfach mit Schönberg, Basels finanzverhältnisse; eine direkte ergänzung dazu bilden die verzeichnisse der ratsbesatzungen für die zweite hälfte des 14. jahrhs.

47. **Urkundenbuch von stadt und kloster Bürgel.** 1. teil. 1133—1454. bearb. von P. Mitzschke. Gotha, Perthes 1895. XXXVIII, 568 s. 12 m. (thüringisch-sächsische geschichtsbibliothek, begründet und revidiert von P. Mitzschke. bd. 3).

die stattliche ausgabe dieses ersten bandes behandelt nach des herausgebers andeutung erst ein drittel des gewaltigen materials. in der einleitung werden die geschichte der örtlichkeiten und die litteratur sorgfältig zusammengestellt. — vgl. Lit. cbl. 1896 (9) 293.

48. **S. Dietlers chronik des klosters Schönensteinbach.** auf wunsch mehrerer altertumsfreunde hrsg. von J. von Schlumberger. Gebweiler, J. Boltze'scher verlag. XXXVIII, 502 s. und 30 s. mit 3 taf. 10 m.

Gewerbe und zunft. 49. A. Rooper, Deutsche schmiedearbeiten aus fünf jahrhunderten, mit einem vorwort versehen von H. Bösch. München, Albert. 50 tafeln in photographie und lichtdruck mit 4 s. text. gr. folio. in mappe 30 m.

50. **Max Flemming,** Die Dresdner innungen von ihrer entstehung bis zum ausgang des 17. jahrhs. 1. teil. Dresden, Baensch. XI, 308 s. (Mitt. d. ver. f. d. gesch. Dresdens. 12.—14. heft).

51. **K. O. Harz,** Die seidenzucht in Bayern. 2. periode. die freie reichsstadt Augsburg und das fürstbistum Würzburg. Forsch. zur kultur- und litteraturgesch. Bayerns 3, 152. — vgl. jsb. 1895, 8, 80.

52. **E. Vopelius,** Entwicklungsgeschichte der glasindustrie Bayerns (nach seinem heutigen umfang) bis 1806. Stuttgart, Cotta. XII, 96 s. 2,40 m. [separat: Münchener volkswirtsch. studien, 11].

53. **H. Zintgraf,** Landsberger goldschmiede des 15. jahrhs. Monatsschr. d. hist. ver. f. Oberbayern 4, 67.

Gottesdienst und kirche. 54. L. Rösel, Unter dem krummstab. zwei jahrhunderte Bamberger geschichte. 1430—1630. ein beitrag zur geschichte Frankens. Bamberg, handelsdruckerei. IV, 196 s. 3 m.

55. **Johannes Jaeger,** Die cistercienser-abtei Ebrach zur zeit der reformation. nach den visitationsakten des Würzburger bischofs Konrad von Thüngen vom jahre 1531 und anderen urkundlichen

quellen. eine kirchen- und kulturgeschichtliche studie. Erlangen, Junge 1895. VIII, 163 s. 2 m.

im ganzen lobend mit ausstellungen im einzelnen im Lit. cbl. 1896 (16) 580 angezeigt.

56. Otto Grillenberger, Die ältesten totenbücher des cistercienserstiftes Wilhering in Österreich ob der Enns (quellen u. forsch., durch die Leo-gesellschaft hrsg. von Hirn und Wackernell. 2. bd.). Graz, Styria. VIII, 282 s.

die einleitung sagt, dass die namensverzeichnisse zum grössten teile aus einem nekrolog des 15. jahrh., zum kleinsten aus einem solchen des 14. jahrh. geschöpft sind; eine abschrift des 17. jahrh. blieb unbenutzt. es folgen 2 verzeichnisse von servitien aus den jahren 1345 und 1462, ein verzeichnis der jahrtage und ein sehr sorgfältiges register. vgl. die anz. von A. Schönbach in Litztg. 1896 (12) 365.

57. H. Türler, Beerdigungswesen der stadt Bern. Intelligenzblatt der stadt Bern 1895, 74—78; 80—84.

58. Riezler, Geschichte der hexenprozesse in Bayern. — vgl. abt. 9, 67.

59. Lochner von Hüttenbach, Die jesuitenkirche zu Dillingen, ihre geschichte und beschreibung mit besonderer berücksichtigung des meisters ihrer fresken, Christoph Thomas Scheffler (1700—1756). mit 19 abb. Stuttgart, Neff 1895. 76 s. 3,60 m. — anges. Lit. cbl. 1896 (16) 592.

Handel und verkehr. 60. Das handlungsbuch Vickos von Geldersen. hrsg. von Hans Nirrnheim. Hamburg, Voss 1895. LXXIX, 194 s. 6 m.

der verein für hamburgische geschichte hat zur feier seines fünfzigjährigen bestehens diese für die geschichte des deutschen handels sehr wichtige handschrift herausgegeben. sie entstammt dem ende des 14. jahrhs. und ist in mustergiltiger weise vom herausgeber bearbeitet. orts-, personen-, sach- und wörterverzeichnisse, sowie zwei lichtdrucktafeln, — proben der handschrift —, erhöhen den wert des werkes. vgl. Lit. cbl. 1896 (10) 333.

61. K. Wutke, Die schlesische Oderschiffahrt in vorpreussischer zeit. urkunden und aktenstücke (Codex diplomaticus Silesiae, bd. 17). VI, 336 s. Breslau, J. Max. 7 m.

62. A. Mordtmann, Eine deutsche botschaft in Konstantinopel anno 1573—1578. vortrag. mit einem plan von Konstantinopel und 4 abb. Bern (Konstantinopel, O. Keil). 50 s. 2,50 m.

63. Fr. Eulenburg, Städtische berufs- und gewerbestatistik Heidelbergs im 16. jahrh. Zs. f. gesch. d. oberrheins. n. f. 11, 1).

64. H. Türler, Peter Schopfer der jüngere gestorben 1485. Sammlung Berner biographien 2, 482.

enthält wichtige notizen zur handelsgeschichte.

65. R. Bettgenhäuser, Die Mainz-Frankfurter marktschiff-fahrt im mittelalter. [Leipziger studien aus dem gebiete der geschichte. hrsg. von Buchholz, Lamprecht, Marcks, Seeliger. II. bd., 1. heft]. Leipzig, Duncker und Humblot. VII, 105 s.

66. E. Ribeaud, Zur geschichte des salzhandels und der salzwerke in der Schweiz. Jahresbericht der höheren lehranstalten Luzerns 1894—1895. 4⁰. 50 s.

die geschichte der salzgrabungen in der Schweiz wird gegeben; die bedeutung des salzes bei abschlüssen von verträgen, so mit Frankreich, Burgund und Österreich wird charakterisiert. nach der anz. im jahrb. d. geschichtswissenschaft 1895, II, 123 (Tobler) aber nicht scharf und eingehend genug.

Haus. 67. Fr. Endl, Studien über ruinen, burgen, klöster und andere denkmale der kunst, geschichte und litteratur etc. des Horner bodens. 1. bd. Altenburg. Wien, St. Norbertus in komm.

68. Brinkmann, Die burganlagen bei Zeitz. — vgl. abt. 7, 44.

69. Fr. W. Cuno, Plesse. beschreibung und geschichte der burg und ihrer dynasten. (geschichte südhannoverscher burgen und klöster, bd. 7). Leipzig, B. Franke. 55 s. 1 m.

70. J. Naeher und H. Maurer, Die altbadischen burgen und schlösser des Breisgaues. beiträge zur landeskunde. 2. aufl. Emmerdingen, H. Dölter. XI, 116 s. mit abb. und 11 tafeln. 3,50 m.

71. M. J. Lehner, Mittelfrankens burgen und herrensitze. Nürnberg, Büching. IV, 322 s. 3 m.

72. B. Mazegger, Burgtürme im Vintschgau. Mitt. d. k. k. zentralkomm. zur erforschung d. denkm. n. f. 21, 69.

die Frölichsburg bei Mals und der Trostturm daselbst, aus der zeit des ausgehenden ma., werden besprochen.

73. O. Erber, Burgen und schlösser in der umgebung von Bozen. mit 44 abb. Innsbruck, Wagner. XX, 193 s. 2 m.

74. J. Bär, Das Walserhaus. mit abb. Jahrb. des vorarlberger gesch.-ver. 1894, 23, 7.

im kulturell interessanten Walserthale (bei Oberstdorf im Allgäu) wurde bis etwa zum ende des 16. jahrh. das haus aus unbehauenem rundholz gebaut, dann aus beschlagenen balken; später erst kamen zu- und anbau hinzu.

Krieg. 75. G. Liebe. Das kriegswesen der stadt Erfurt von anbeginn bis zum anfall an Preussen. nach archivalischen quellen. Weimar, E. Felber. VII, 101 s. 2 m.

76. W. Boeheim. Die zeughäuser des kaiser Maximilian I. Jahrb. der kunsthistor. sammlungen des allerhöchsten kaiserhauses 15, I. 295.

bringt wichtige nachrichten zur waffenkunde der zeit Maximilians I.

77. Löwe, Die organisation und verwaltung der wallensteinschen heere. — vgl. jsb. 1895, 8, 119. eine kurze recension im Lit. cbl. 1896 (2) 46 ist günstig gehalten.

78. A. Köberlin, Eine heerfahrt vor 400 jahren und ihre kosten. Forsch. zur kultur- und litteraturgesch. Bayerns 3, 1.

79. Th. Vulpinus, Ritter Friedrich Kappler, ein elsässischer feldhauptmann aus dem 15. jahrh. (separat: beiträge zur landes- und volkskunde von Elsass-Lothringen. 21. heft). Strassburg, J. H. Ed. Heitz. VIII, 111 s. 3 m.

Kunst. 80. H. Knackfuss, Allgemeine kunstgeschichte. in verbindung mit anderen hrsg. 1. bd. kunstgeschichte des altertums und des mittelalters bis zum ende der romanischen epoche von Max Georg Zimmermann. 1. abt. Bielefeld, Velhagen und Klasing. 2 m.

81. H. Semper, Studien zur kunstgeschichte Tirols. Zs. d. Ferdinandeums 39, 335.

82. J. Neuwirth, Geschichte der bildenden kunst in Böhmen. — vgl. jsb. 1894, 8, 143. günstige anzeige von Frey in Litztg. 1896 (12) 370.

83. J. Neuwirth, Forschungen zur kunstgeschichte Böhmens, veröffentlicht von der gesellschaft zur förderung deutscher wissenschaft, kunst und litteratur in Böhmen. I. mittelalterliche wandgemälde und tafelbilder der burg Karlstein in Böhmen. mit 50 lichtdrucktafeln und 16 abb. im texte. Prag, Calve. 114 s. 4°.

die blütezeit der böhmischen kunst unter Karl IV. ist in einer früheren, jsb. 1894, 8, 143 besprochenen arbeit in ihrer geschichte von demselben bekannten verfasser behandelt; ein zweiter band sollte seinem versprechen nach, plastik, malerei und kunstgewerbe Böhmens behandeln, sowie auch den einfluss böhmischer kunstanschauungen auf die kunstthätigkeit anderer länder darlegen. eine vorbereitung gleichsam zu diesem zweiten bande liegt nun in diesem werke vor. die alten kunstschätze des landes werden hier ganz systematisch inventarisiert; dann wird eine geschichte der 1348 gegründeten burg gegeben (kap. 1). von kap. 2 an werden die bilderschätze von Karlstein erörtert und analysiert; sie sind so umfangreich, dass sie mit den entsprechenden italienischen [Pisa (Camposanto), Florenz (Spagnuolikapelle)] an stoff und formengebung wetteifern können. C. Bellmann in Prag hat die trefflichen photographieen nach des verfassers aufnahmen besorgt. — kap. 7 behandelt die frage nach den meistern; verfasser stellt als solche fest: Tommaso da Modena, Theodorich von Prag (hofmaler Karls IV.) und Nikolaus Wurmser aus Strassburg (gleichfalls hofmaler des kaisers). vgl. die sehr gute anzeige von Frey, Litztg. 1896 (12) 370.

84. J. von Schlosser, Quellenbuch zur kunstgeschichte des abendländischen mittelalters. ausgewählte texte des 4. bis 15. jahrh. [Quellenschriften für kunstgeschichte und kunsttechnik des mittelalters und der neuzeit. im vereine mit fachgenossen begründet von R. Eitelberger von Edelberg, fortges. von A. Ilg. n. f. VII. bd.] Wien, Gräser. 6 m.

85. F. Geiges, Studien für baugeschichte des Freiburger münsters. Freiburg i. Br., Herder. 64 s. mit abb. und 1 taf. 1 komm. folio. 4 m.

86. Baugeschichte des Basler münster. hrsg. vom Basler münsterbauverein. Berlin, Wasmuth. VI, 416 s. mit 25 lichtdrucktafeln in folio und 29 tafeln in holzschnitt und kupferstich in gr. 4⁰ und gr. folio. 40 m.

87. O. Aufleger, Mittelalterliche bauten Regensburgs, photographisch aufgenommen. mit geschichtlicher einleitung von G. Hager. 25 lichtdrucktafeln. 1. abt. München, Werner. fol. 20 m.

88. G. Tobler, Notizen zur kunst- und baugeschichte aus dem bernischen staatsarchive. Anz. für Schweizer altertum 1895, 447.

89. Piper, Burgenkunde. München 1895. — vgl. jsb. 1895, 8, 108 erst seit der ersten hälfte dieses jahrhs. kann man von wissenschaftlicher erforschung dieser seite deutscher kulturgeschichte sprechen. die recension Lit. cbl. 1896 (15) 552 lobt das vorliegende werk als 'eine höchst zeitgemässe leistung, einen abschluss der seitherigen, eine grundlage der weiteren burgenforschung und zugleich als ein sehr willkommenes hilfsmittel der bau- und kulturgeschichte'.

90. Viktor Schultze, Archäologie der christlichen kunst. mit 120 abb. München, Beck 1895. XII, 382 s. 10 m.
ein buch, dessen anlage von 'umfassenden gesichtspunkten ausgeht mit mannigfaltigem und zuverlässigem litteraturnachweis'.

trotz ausstellungen im einzelnen ist der referent im Lit. cbl. 1896
(1) 30 der ansicht, dass das buch durchaus den an ein solches
werk zu stellenden anforderungen entspricht.

91. Clemen, Die kunstdenkmäler der Rheinprovinz. Düsseldorf 1891—1894. — vgl. jsb. 1895, 8, 120. eine, wie zu erwarten,
lobende anzeige findet sich noch im Lit. cbl. 1896 (9) 310.

92. Büttner Pfänner zu Thal, Anhalts bau- und kunstdenkmäler nebst wüstungen. mit illustrationen in heliogravüre, lichtdruck
und phototypie. ausgabe in 5 kreisen. gr. 4⁰. Dessau, Kahle. 30 m.

93. A. Ebner, Quellen und forschungen zur geschichte und
kunstgeschichte des missale romanum im mittelalter. iter italicum.
mit einem titelbilde und 30 abb. im texte. Freiburg i. B., Herder.
XI, 489 s. 10 m., geb. 12 m.

94. Lucas Cranach, Sammlung von nachbildungen seiner vorzüglichsten holzschnitte und seiner stiche, hergestellt in der reichs-
druckerei in Berlin und hrsg. von F. Lippmann. Berlin, Grote.
23 s. mit dem bildnis des künstlers in heliogravüre und 64 bildern
auf 55 tafeln.

95. B. Riehl, Studien zur geschichte der bayerischen malerei
des 15. jahrh. Oberbayr. archiv 49, 1.
     angez. Hist. jahrb. 17, 197. auf dem bisher wenig behandelten
gebiete geht vf. zurück bis auf die bücherillustratiönen und kommt
zu dem resultate, dass die quellen der bayerischen malerei heimische
sind, wenn auch zahlreiche anregungen von Tirol und Norditalien
ausgegangen sind.

96. Ludwig Scheibler und Karl Aldenhoven, Geschichte
der Kölner malerschule. 100 lichtdrucktafeln mit erklärendem text.
2. lief. (33 taf.). (publikationen der gesellschaft für rheinische
geschichtskunde XIII, 2. lief.). Lübeck, Johann Nöhring. in
mappe 40 m.

97. E. Firmenich-Richartz, Wilhelm von Herle und Hermann Wynrich von Wesel. eine studie zur geschichte der alt-
kölnischen malerschule. Düsseldorf, Schwann. 4 m.

98. C. Strompen, Madonnenbilder von Lucas Cranach in
Innsbruck. Zs. d. Ferdinandeums 39, 303.
     über des malers beziehungen zu Tirol handelt der aufsatz. er
war hofmaler des dort gefangen gehaltenen kurfürsten Johann
Friedrich von Sachsen und hat viele, in Innsbruck befindliche
bilder angefertigt.

99. W. Cl. Pfau, Das gotische steinmetzzeichen. mit 2 taf.
(Beiträge zur kunstgeschichte, n. f. 22). Leipzig, Seemann 1895.
IV, 76 s. 2,50 m. — vgl. die kurze titelangabe jsb. 1895, 8, 59.
eine recension Lit. cbl. 1896 (14) 506 erkennt an, dass die schrift
in 'ihren ausführungen und monumentalen belegen' eine erweiterte
kenntnis der 'spätmittelalterlichen bauzeichenkunde' bietet.

100. A. Goette, Holbeins totentanz und seine vorbilder. mit
95 abb. im text, 2 beil. und 9 taf. Strassburg, Karl J. Trübner.
X, 291 s. 20 m.

Münzen. 101. Numismatisch-sphragistischer anzeiger. zeitung
für münz-, siegel- und wappenkunde. hrsg. von Fr. Tewes.
27. jahrg. 1896. 12 no. Hannover, Schmorl und v. Seefeld nachf.
3 m., mit dem litteraturblatt 4 m.

102. A. Geigy, Gedruckte schweizerische münzmandate. ein
beitrag zur geschichte des schweizerischen münzwesens bis zum
19. jahrh. Basel, Alfred Geigy. mit titelvignette und 2 tafeln.
VIII, 120 s. 4 m.

103. Leodegar Coraggioni, Münzgeschichte der Schweiz.
Genf. (Basel, A. Geering). XI, 184 s. mit 50 lichtdrucktaf. 4⁰.
in leinwand geb. 30 m.

104. A. de Belfort, Description générale de monnaies mérovingiennes. tome I à IV. Paris, société française de numismatique.
125 frcs.

105. G. Pflümer, Die münzen der stadt Hameln. in 8 taf.
zusammengestellt. Hameln, Adolf Brecht. IV, 20 s. fol. kart 16 m.

106. P. Joseph und E. Fellner, Die münzen von Frankfurt a. M., nebst einer münzgeschichtlichen einleitung und mehreren
anhängen. — das mittelalter. — die neuzeit. mit 75 tafeln in
lichtdruck und 52 zeichnungen im texte. Frankfurt a. M., Carl
Jügels nachf. und J. Baer u. co. IX, 681 s. 60 m., geb. 70 m.

107. A. Forster und R. Schmid, Die münzen der freien
reichsstadt Augsburg von erlangtem münzrecht (1521) an bis zum
verluste der reichsfreiheit (1805), beschrieben nach originalen.
München, Eugen Merzbacher. VI, 50 s. mit 8 lichtdrucken. 4⁰.
4,50 m.

108. H. Grössler, Mansfelder münzen im besitze des vereins
für geschichte und altertümer der grafschaft Mansfeld zu Eisleben.
beilage zum 9. jahrg. der 'Mansfelder blätter'. Eisleben, G. Reichardt.
IV, 72 s. 2 m.

109. E. Bahrfeldt, Das münzwesen der mark Brandenburg
(2. bd.) unter den Hohenzollern bis zum grossen kurfürsten, von
1415—1640. mit 25 münztafeln und zahlreichen abb. im texte.
Berlin, W. H. Kühl. gr. 4⁰. VII, 570 s.

Politik. 110. F. Priebatsch, Politische korrespondenz des
kurfürsten Albrecht Achilles. 1. bd. 1470—1474 (Publikationen
aus den kgl. preuss. staatsarchiven, bd. 95). Leipzig, S. Hirzel 1894.
780 s. 25 m.

mehr als 1000 schriftstücke, von denen zwei drittel noch nicht
veröffentlicht sind, werden gegeben. die publikation wird durchgeführt nach den von Weizsäcker für die veröffentlichung der
reichstagsakten aufgestellten normen. das meiste material lieferte
das königliche kreisarchiv zu Nürnberg, sodann München, während
Weimar und Dresden reich waren an korrespondenz Albrechts mit
den sächsischen herzögen. — auch sprachlich sind die briefe
interessant. — vgl. Litztg. 1896 (6) 176 von Heidemann angez.

Schule und bildung. 111. Burdach, Vom mittelalter zur reformation. — vgl. abt. 6, 2.

112. Köhler, Luthers schrift an den christlichen adel. Halle
1895. — vgl. jsb. 1895, 15, 95. als gute brauchbare arbeit angezeigt im Lit. cbl. 1896 (1) 7.

113. W. Krampe, Die italienischen humanisten und ihre
wirksamkeit für die wiederbelebung gymnastischer pädagogik. ein
beitrag zur allgemeinen geschichte der jugenderziehung und der leibes-
übungen. Breslau, Wilh. Gottl. Korn 1895. VIII, 245 s. 3 m.

gelegentlich des 8. allgemeinen deutschen turnfestes in Breslau
veröffentlicht, schildert die arbeit in den abschnitten 4—11 leben
und wirken des Victorinus von Feltre, vorstehers der casa giocosa
zu Mantua, den lebensgang des Petrus Paulus Vergerius, den des
Maffeus Vegius und anderes. das 9 kap. handelt von dem bekannten kardinal Jacobus Sadoletus und seiner schrift 'de liberis
recte instituendis', im 10. kap. wird nachgewiesen, dass der berühmte, zu Forli geborene und gestorbene arzt Hieronymus Mercu-
rialis in seiner ars gymnastica zum ersten male eine vorbereitung
zu gymnastischer pädagogik giebt, und fernere kap. berichten über
Hieronymus Cardanus (de vita propria), kap. 7: de exercitatione,
besonders aber de subtilitate und de rerum varietate (17 bücher).

114. J. Loserth, Aus der protestantischen zeit der Steiermark. — vgl. jsb. 1895, 10, 426.

der auf diesem gebiete bekannte verfasser teilt aus dem stamm-
buche eines jungen adligen dessen aufzeichnungen mit, die er
während seiner studienzeit in Deutschland gemacht hat. sie be-

handeln den verkehr der steirischen protestanten mit den hoch-
schulen in Wittenberg, Rostock und Tübingen.

115. Fr. Heinemann, Geschichte des schul- und bildungs-
lebens im alten Freiburg bis zum 17. jahrh. (Freiburger geschichtsbl. 2, 1). sep.: Freiburg, universitätsbuchhandlung. 3,50 frcs.

die mitteilungen beginnen mit dem jahre 1181 und gewähren
einblicke in die einrichtungen der schulen, die methode, die lehr-
mittel, die besoldungen, schulordnungen u. s. w. interessant sind
auch angaben über die stellung der juden in Freiburg, den kampf
der deutschen sprache mit fremden idiomen, besonders dem französischen, über humanistische bestrebungen, einführung der buchdruckerkunst und anbahnungen von reformen des schulwesens.

116. J. N. Hollweck, Geschichte des volksschulwesens in
der Oberpfalz. Regensburg, Habbel 1895. VII, 452 s. 3 m.

der ultramontane standpunkt beeinträchtigt den wert des
buches nicht. Glasschröder im Jsb. f. geschichtswissenschaft
1895, II 138 bespricht das werk als eine äusserst wertvolle arbeit; die litteratur ist eingehend durchgearbeitet. vgl. die rec. im
Lit. handweiser 1895, 206; Lit. rundschau für das katholische
Deutschland 1895, 312.

117. J. Hürbin, Peter von Andlau, der verfasser des ersten
deutschen reichsstaatsrechts. ein beitrag zur geschichte des humanismus am Oberrhein im 15. jahrh. Strassburg, J. H. Ed. Heitz.
XII, 286 s. 6 m.

Soziales. 118. L. Löwenstein, Beiträge zur geschichte der
Juden in Deutschland. I. Kurpfalz. Frankfurt a. M., Kauffmann.
329 s. 4 m.

119. M. Brann, Geschichte der Juden in Schlesien. IV,
40 s. u. XIII s. Breslau, W. Jacobsohn und co. 1,60 m.

120. F. Danneil, Geschichte des Magdeburger bauernstandes.
1. teil. heft 12—23. — vgl. jsb. 1895, 8, 177.

121. W. Bode, Kurze geschichte der trinksitten und mässig-
keitsbestrebungen in Deutschland. München, J. F. Lehmann.
IV, 227 s. 2,40 m.

122. E. Welti, Die vier ältesten bernischen stadtrechnungen.
Arch. d. hist. ver. zu Bern 14, 389.

behandelt die finanzwirtschaft der stadt um 1375—1377.

123. S. Göbel, Die ratsschenke und der 'willkomm' der
stadt Würzburg. mit urkundlichen beilagen. Arch. d. hist. ver.
f. Unterfranken. 37, 103.

bietet kulturell interessante einblicke in die lebensgewohnheiten
der bürger, geistlichen und beamten zur fürstbischöflichen zeit.

124. K. Atz, Kirchliche gewänder aus der romanischen zeit
im benediktinerstift Marienburg im Vintschgau. Mitt. d. k. k.
zentralkommission zur erforschung der denkmale 21, 189.

reich gestickte gewänder, welche aus der zeit der gründung
des stiftes (12. jahrh.) herrühren sollen und den grössten selten-
heiten auf diesem gebiete zuzurechnen sind.

Universitäten. 125. G. Kauffmann, Die geschichte der deutschen universitäten. 2. bd. entstehung und entwicklung der
deutschen universitäten bis zum ausgang des mittelalters. Stuttgart, Cotta. XVIII, 587 s. 12 m.

126. Die matrikel der universität Leipzig. im auftrage der
königlich sächsischen staatsregierung hrsg. von G. Erler. 1. bd.
die immatrikulationen von 1409—1559. mit 8 tafeln in farbendruck. Leipzig, Giesecke und Devrient 1895. XCVII, 752 s. 4°.
50 m. (cod. diplom. Saxoniae regiae. im auftrage der königlich
sächsischen staatsregierung hrsg. von Posse und Ermisch. 2. hauptteil. 16. bd.).

die aufgabe des vfs. wurde durch den umstand erschwert,
dass zwei matrikeln vorhanden sind, deren verhältnis zu einander
überall festzusetzen war. seine aufgabe hat er glänzend gelöst,
auch eine längere, sehr gute einleitung geliefert. — viele univer-
sitätsrektoren haben ihren eintragungen künstlerischen bildschmuck
beigegeben, von welchem im ganzen acht stück in vorzüglicher
wiedergabe reproduciert sind. — vgl. Lit. cbl. 1896 (8) 253.

127. Urkundenbuch der stadt Leipzig. hrsg. von Jos. Förste-
mann, 3. bd. Leipzig, Giesecke und Devrient 1894. 4°. 20 m.
(cod. diplom. Saxoniae regiae, hrsg. von Posse und Ermisch.
2. hauptteil. 10. bd.).

dieser schlussband bringt die urkunden des nonnenklosters der
benediktinerinnen zu St. Georg, des dominikanerklosters zu St. Paul
und des Franziskaner(barfüsser)-klosters, im ganzen 395 nummern.
sehr lobende rec. im Lit. cbl. 1896 (16) 577.

128. P. W. Ullrich, Die anfänge der universität Leipzig.
1. heft. personalverzeichnis von 1409b—1419a. Leipzig, M. Spirgatis 1895. XV, 118 s. 4°.

in seiner ausgabe weicht der vf. vielfach von bisher befolgten
methoden bei der bearbeitung von matrikelausgaben ab; doch ist
die arbeit im ganzen verdienstlich, wie Kaufmann, Litztg. 1896
(8) 228 meint. — vgl. jsb. 1894, 8, 226.

129. K. Schrauf, Zur geschichte der studentenhäuser an der Wiener universität während der ersten jahre ihres bestehens. Mitt. d. ges. für deutsche erziehungs- und schulgeschichte 5, 141.

giebt die Wiener bursen des 14. und 15. jahrhs (1387—1481), im ganzen 32, an und behandelt das statut der sogenannten rosenburse vom jahre 1432, welches er auch abdruckt, eingehend.

130. Fr. Endl, Zwei auf die entwicklung der Wiener universität bezugnehmende urkunden aus den ersten zeiten der reformation. Mitt. d. ges. für deutsche erz.- und schulgesch. 5, 163.

veröffentlicht beiträge aus dem archive des stiftes Altenburg zur geschichte der Wiener universität, urkunden aus den jahren 1524 und 1551.

Wappen und siegel. 131. Otto von Alberti, Württembergisches adels- und wappenbuch. 6. heft. Holzgerlingen bis Kröwelsau. Stuttgart, Kohlhammer. s. 345—424.

vgl. jsb. 1892, 8, 221; 1893, 8, 208. die reiche, prächtige, äussere ausstattung entspricht dem inneren werte des buches. zahlreiche illustrationen sind dem texte beigegeben, der eine fülle archivalischen materials gründlich verarbeitet.

132. Otto Posse, Die siegel der Wettiner bis 1324 und der landgrafen von Thüringen bis 1247. (Mitt. d. inst. f. österr. geschichtsf., bd. 17).

133. R. Stiassny, Hans Baldung Griens wappenzeichnungen in Coburg. ein beitrag zur biographie des oberrheinischen meisters. (aus 'Jahrbuch d. k. k. heraldischen gesellschaft Adler') 2. aufl. Wien, C. Gerolds sohn. 75 s. mit 16 lichtdrucktaf. 12 m.

134. A. von Anthony von Siegenfeld, Innerösterreichische rosensiegel. Jahrbuch d. heraldischen ges. Adler. n. f. 5 u. 6, 461.

zur zeit des nachklassischen minnesanges tritt in den österreichischen alpenländern die sitte auf, das bild der rose verschiedentlich bei siegeln zu verwenden. nach den ausführungen des vfs. geht sie auf minnesang und frauendienst zurück, da die rose eben als sinnbild des frauendienstes verstanden wurde.

135. A. v. Jaksch, Die ältesten siegel des kapitels und der bischöfe von Gierk (mit 20 photographischen aufnahmen der siegel). (Mitt. d. archiv-sektion der k. k. centralkommission zur erforschung d. denkmale 1894, 2, 127).

giebt eine beschreibung und abbildung der siegel der bischöfe bis 1253 und die des kapitels bis ins 14. jahrh.

136. P. Schweizer und H. Zeller, Siegelabbildungen zum

urkundenbuch der stadt und landschaft Zürich. 3 lief. 14 s., 72 siegel auf 8 tafeln. Zürich, Fäsi. 3. frcs.

vgl. jsb. 1894, 8, 245. — angez. von Tobler im sonntagsblatt d. Bund 1896, 1. eine gute arbeit, die mit dem jahre 1264 schliesst.

Wirtschaft. 137. B. Studer, Beiträge zur geschichte der stadtbernischen apotheken. Bern, Stämpfli. 46 s.

138. A. Amrhein, Der Bergbau im Spessart unter der regierung des kurfürsten von Mainz. Arch. d. hist. ver. f. Unterfranken 37, 179.

des vfs. forschungen beruhen auf Mainzer archivalien im kreisarchive Würzburg. seine untersuchungen beginnen mit dem privileg des kurfürsten Adolf vom jahre 1470.

139. H. Türler, Beiträge zur wirtschaftsgeschichte des 15. jahrhs. Helvetia, 14, 176.

ein rechnungsbuch von 1426—1428 liefert das material; geld-, lebens- und arbeitspreise werden erörtert.

140. Tille, Die bäuerliche wirtschaftsverfassung des Vintschgaues. — vgl. jsb. 1895, 8, 178. als gute arbeit angezeigt von G. von Below, Lit. cbl. 1896 (2) 45.

141. A. Müllner, Das eisen in Krain, beiträge zur geschichte der krainischen eisenindustrie und des krainischen eisenhandels. Argo 4, no. 1—7.   Paul Mann.

IX. Recht.

1. L. v. Dargun, Mutterrecht und vaterrecht. 1. hälfte. — vgl. jsb. 1895, 9, 2. — angez. Cbl. f. rechtsw. 12, 147; ferner Nouv. rev. de l'hist. d. droit 17, 124; Hamb. korresp. 1893, beibl. 59; Jur. litb. 54, 86 (von fleiss, scharfsinn und juristischer folgerichtigkeit des denkens zeugend, aber auf unhaltbaren sätzen aufgebaut).

2. B. W. Leist, Alt-arisches jus civile. 2. abteilung. Jena, G. Fischer. XII, 415 s. 10 m.

vgl. jsb. 1893, 9, 13. — Leist versucht in seinen werken 'Alt-arisches jus gentium' und 'Alt-arisches jus civile' die lösung einer der schwierigsten aufgaben, nämlich die feststellung des allen Ariern gemeinsamen, schon vor der trennung in populi qui suis legibus vel moribus reguntur vorhanden gewesenen rechtes.

im vorliegenden werke behandelt er das dem menschlichen rechte (jus, δίκαιον) voraufgehende göttliche recht (dharma, ϑέμις, fas). als auf diesem beruhende proethnische institutionen sieht Leist u. a. an die haushalterordnung und die sich daraus ergebende regierung des haushalters (pati); die nebengeordnete stellung der gattin; als anfangspunkt der haushaltsgründung die in domum deductio, der die stufen der ehebegründung und der eheeinsetzung voraufgehen; die erbteilung nur unter die söhne; die institution der erbtochter; das haus als eine sakral gefestigte koinonie mit einem hauskultus; den weiteren kreis der gleichfalls monarchisch regierten fraternität mit dem recht und der pflicht der blutrache; den ebenfalls monarchisch geordneten stamm als die (in hundertschaften und tausendschaften gegliederte) militärordnung der gemeinsam verwandten bruderschaften; im hauskreise die selbsthilfe des hausherrn gegen schändung, tötung, diebstahl; diesen hauptunthaten gegenüberstehend ausser den pflichten des nichtschändens, nichttötens und nichtstehlens auch die des reinseins und treuseins; als private rechtsverfolgungen das nehmen der der hausherrnmacht unterworfenen gegenstände mit den worten 'aio meum esse' und das nehmen des zahlungssäumigen schuldners. die untersuchung wird so geführt, dass Leist diese gemeinsamen züge in der indisch-iranisch-armenischen, der griechisch-italisch-keltischen und der germanisch-nordisch-slavischen völkergruppe nachzuweisen und, wo sie fehlen, die gründe aufzufinden versucht, aus welchen das ursprüngliche fas sich hier zu einem abweichenden jus weitergebildet hat. die zahlreichen wiederholungen dienen zwar zur immer wieder erneuten einprägung der gewonnenen resultate, wirken aber andererseits auch ermüdend. wie hier manches besser gestrichen worden wäre, so hätte auch die vom vf. aufgestellte 'naturordnung' ohne schaden um etwa 30—40 seiten verkürzt werden können. sieht man von diesen kleineren mängeln ab, so muss anerkannt werden, dass das gross angelegte werk, wenn auch noch nicht 'eine festgebaute strasse', so doch 'einen zur not passierbaren pfad' in ein bisher noch nicht durchquertes, urwaldartiges gebiet bildet. drei zweifel werden dem leser hier und da aufsteigen: ob nicht gründliche einzeluntersuchungen in vielen punkten zu abweichenden ergebnissen führen und die schlüsse Leists dadurch hinfällig machen werden; ob die annahmen des vfs. auch da aufrecht zu erhalten sind, wo sich bei einzelnen arischen völkern keine spur von ihnen erhalten hat, und, im gegensatz dazu, ob nicht manches als arisch geltende vielmehr als allgemein menschlich angesehen werden muss. wenn der hauptunterschied zwischen arischen und semitischen einrichtungen darin gefunden wird, dass rechtsgeschäfte zu ihrer gültigkeit bei den Ariern einen nunkupativen charakter haben, bei den Semiten dagegen schriftlich abgeschlossen werden müssen, so kann diese unterscheidung· nur auf eine verhältnismässig späte zeit der geschichte der semitischen völker, nicht aber auf die schriftlose urzeit anwendung finden. — anz. des 1. bds. von P. v. Bradke, Anz. f. idg. sprachk. 6, 6—15 (Hehns Kulturpflanzen und die Leistischen arbeiten, welche einander ergänzen, bilden zusammen die grundlage für die wissenschaftliche erforschung des arischen altertums).

---

3. G. von Below, Das duell und der germanische ehrbegriff. 2. aufl. Kassel, Brunnemann. III, 78 s. 1,50 m.

wenngleich diese schrift in hinsicht auf ereignisse und zustände der jetztzeit verfasst und auf die gegenwart unmittelbar zu wirken bestimmt ist, so verdient sie doch wegen ihrer beziehung zum altdeutschen recht hier erwähnung. v. Below bemüht sich nämlich nachzuweisen, dass die schlichtung von ehrenhändeln durch zweikampf weder mit dem alten gerichtlichen zweikampf noch mit dem turnier im zusammenhang steht, überhaupt dem germanischen geist fremd, auf romanischem boden erwachsen und dort in innerem zusammenhang mit der herrschenden unsittlichkeit zur blüte gelangt ist. während das duell in Spanien schon 1473 durch ein provinzialkonzil verboten wird, stammt die erste das duell betreffende notiz in Deutschland aus dem jahre 1562 und lässt erkennen, dass es damals noch als etwas neues gegolten hat. es ist indessen doch zweifelhaft, ob damit in dieser frage das letzte wort gesprochen ist. so erwähnt Hegel, Chroniken der deutschen städte, Nürnberg 4, 374 einen fall, in dem 1485 zwei ritter in Nürnberg in streit geraten und nach stattgehabtem wortwechsel vor das thor reiten, wo sofort der zweikampf stattfindet, der für den einen der beiden tödlich endet. hier wird also schon achtzig jahre früher als v. Below zugeben will, auch in Deutschland ein ehrenhandel durch einen zweikampf entschieden. wenn aber v. Belows satz, dass das fehdewesen in Deutschland viel früher aufhöre (1495) als das duell anfange, also ein historischer zusammenhang zwischen beiden unmöglich sei, hinfällig wird, so verlieren seine ausführungen überhaupt an beweiskraft. es verdient übrigens in erwägung gezogen zu werden, ob nicht ein zusammenhang des duells mit den raufhändeln möglich ist, die — im gegensatz zum gerichtlichen zweikampf, der fehde und dem turnier ohne alle bindung und ordnung durch regeln und gesetz — auf der stelle durch kampf entschieden wurden und die sich zahlreich nachweisen lassen.

4. H. Siegel, Der handschlag und eid nebst den verwandten sicherheiten für ein versprechen im deutschen rechtsleben.

nicht geliefert. — vgl. jsb. 1894, 9, 6. — angez. von Horten, Zs. f. priv. u. öffentl. recht 23, 156—161 und Jur. litbl. 66, 139. — referierende anz. Hist. jahrb. 17, 380.

5. E. Huber, Die bedeutung der gewere im deutschen mittelalter. — vgl. jsb. 1894, 9, 4. — angez. von O. H. Geffcken, Lit. cbl. 14, 52 f. (hochinteressant); von O. Opet, Jur. litbl. 60, 225 ff. (mustergültig; die der gewere zugeschriebene bedeutung darf die höchste wahrscheinlichkeit beanspruchen).

6. R. Hübner, Jakob Grimm und das deutsche recht. — vgl. jsb. 1895, 9, 4. — angez. von A. B. Schmidt, Litbl. f. germ. u. rom. phil. 17 (9) 298 f.; ferner von A. Luschin v. Eben-greuth, Gött. gel. anz. 1896, 670 ff. (aus dem herzen quellend; auch für den forscher von wert).

7. R. Schröder, Lehrbuch der deutschen rechtsgeschichte. 2. aufl. — vgl. jsb. 1895, 9, 11. — angez. von L. v. Borch, Jur. litbl. 58, 175 f. (einzelheiten werden ergänzt und berichtigt).

8. J. Fr. v. Schulte, Lehrbuch der deutschen reichs- und rechtsgeschichte. 6. aufl. — vgl. jsb. 1895, 9, 12. — angez. Lit. cbl. 1893 (14) 486 f. (zahlreiche irrtümer sind stehen geblieben; die vielen druckfehler sind sehr störend); und Cbl. f. rechtsw. 12, 150.

9. H. Siegel, Deutsche rechtsgeschichte. 3. aufl. — vgl. jsb. 1895, 9, 11. — G. v. Below, Hist. zs. 77, 96 f. tadelt die un-gleichmässige behandlung der einzelnen verfassungsinstitute und vermisst zum teil die berücksichtigung der neueren forschungen.

10. G. Frommhold, Deutsche rechtsgeschichte. — vgl. jsb. 1895, 9, 13. — angez. Jur. litbl. 60, 224 f. (seinen zweck erfüllend; einzelne verbesserungen werden vorgeschlagen).

11. H. Brunner, Deutsche rechtsgeschichte. II. — vgl. jsb. 1894, 9, 10. — angez. Cbl. f. rechtsw. 12, 149; von G. Fromm-hold, Arch. f. öffentl. r. 9, 125—128; ferner Moy. Age 6, 196; von K. v. Amira, Gött. gel. anz. 1896, 188—211 (ref. nennt die abschliessenden ergebnisse und bezeichnet die fragen, die nicht ge-löst, sondern nur neu angeregt worden sind).

12. W. Altmann und E. Bernheim, Ausgewählte urkunden zur erläuterung der verfassungsgeschichte Deutschlands. 2. aufl. — vgl. jsb. 1895, 9, 15. — angez. von F. Hirsch, Mitt. a. d. hist.

litt. 24, 154 f. (die verbesserungen der neuen auflage werden aufgezählt); von O. H. Geffcken, Cbl. f. rechtsw. 14, 375 f. (anerkennend); ferner Jur. litbl. 66, 139. — die 1. aufl. wurde besprochen von G. v. Below, Mitt. d. inst. f. österr. gesch. 13,
635—638; und Arch. f. öffentl. r. 8, 179.

13. A. Zeerleder und O. Opet, Ausgewählte rechtsquellen
zum akademischen gebrauch. Bern, Göpper und Lehmann 1895.
92 s. 1,80 m.

nicht geliefert. — nach der anz. von O. H. Geffcken, Litztg.
1896 (24) 761 f. enthält die sammlung vorzugsweise dem privat-
recht angehörige rechtsquellen. — kurz angez. Lit. cbl. 1896 (11)
380 und von der red. des Cbl. f. rechtsw. 15, 162.

14. H. Wasserschleben, Deutsche rechtsquellen des mittelalters. — vgl. jsb. 1893, 9, 9. — angez. Zs. f. d. ges. strafrechtsw.
14, 144; Zs. f. gesch. d. Oberrh. n. f. 7, 735.

15. H. O. Lehmann, Quellen zur deutschen reichs- und
rechtsgeschichte. — vgl. jsb. 1893, 9, 10. — angez. Arch. f.
öffentl. r. 8, 178; Mitt. d. inst. f. österr. geschichtsf. 13, 637.

16. E. v. Schwind und A. Dopsch, Ausgewählte urkunden
zur verfassungsgeschichte der deutsch-österreichischen erblande.

vgl. jsb. 1895, 9, 61. — referierende anz. mit kleinen ausstellungen von F. v. Krones, Litztg. 1896 (28) 880 f. — ferner
angez. von A. Luschin v. Ebengreuth, Mitt. d. inst. f. österr.
geschichtsf. 17, 345—348 (auch für den forscher willkommen); von
J. Loserth, Zs. f. österr. gymn. 47, 1107 f. (zeitgemäss, gut geordnet, bedeutungsvoll); von Pražak, Cbl. f. rechtswiss. 15, 37 f.
(referierend); von Chroust, Gött. gel. anz. 1896, 590 ff. (fleissig
gearbeitet und brauchbar).

---

17. Untersuchungen zur deutschen staats- und rechtsgeschichte,
hrsg. von O. Gierke. Breslau, Koebner. vgl. jsb. 1895, 9, 16.
50. heft. H. Schreuer, Die behandlung der verbrechenskon-
kurrenz in den volksrechten. XII, 299 s. 9 m.

die arbeit ist für die untersuchung einer einzelfrage von
aussergewöhnlichem umfang, obgleich sie knapp und sachlich gehalten ist. wenn fast 300 seiten nötig sind, um nur die aus dem
stoff sich ergebenden thatsachen zusammenzustellen, so lässt sich
kaum der wunsch aussprechen, dass der vf. seinem stoffe noch
etwas hinzugefügt haben möchte: nämlich die zusammenstellung der
gleichartigen thatsachen und ihre zurückführung, soweit dies möglich ist, auf gemeinsame ursachen; ferner die erklärung der einzel-
thatsachen aus dem charakter des völkerstammes und seines rechtes.

die geringe berücksichtigung der skandinavischen quellen bleibt
deshalb zu bedauern, weil ohne diese lücke der stoff ziemlich vollständig wäre. doch auch wie sie ist, muss die arbeit als ebenso
fleissig wie wertvoll gerühmt werden. angez. von G. Frommhold, Jur. litbl. 77, 161 f. (ein selbständiges und scharfes urteil
ist zu erkennen). — von früheren aufsätzen wurden angezeigt:
35. heft (E. v. Schwind, Zur entstehungsgeschichte der freien
erbleihen; vgl. jsb. 1893, 9, 5) von G. v. Below, Jahrb. f. nat.-ök.
59, 126; von E. Rosenthal, Hist. zs. 69, 505 ff. (fleissig, selbst-
ständig, tüchtig). — 43. heft (E. Wetzel, Das zollrecht der deutschen könige, vgl. jsb. 1895, 9, 16) von A. Gottlob, Hist. jahrb.
15, 820—823 (Wetzel hat sich zu sehr auf die verfassungsrecht-
lichen gesichtspunkte beschränkt). — 46. heft (E. Lagenpusch,
Das germanische recht im Heliand) von R. Schröder, Cbl. f.
rechtswiss. 14, 12 f. (ein glücklicher gedanke; umsichtig ausgeführt) und von O. H. Geffcken, Litztg. 1896 (6) 169 f. (die
völlige unwissenheit des vf. in juristischen dingen wird hervorgehoben). — 49. heft (A. Schultze, Die langobardische treuhand
und ihre umbildung zur testamentsvollstreckung; vgl. jsb. 1895,
9, 16) von G. Frommhold, Jur. litbl. 74, 92 f. (eine hübsche
probe trefflicher juristischer kleinmalerei); von O., Lit. cbl. 1896
(9) 301 ff. (klar und fördernd).

18. Germanistische abhandlungen zum 70. geburtstage K. v.
Maurers.

vgl. jsb. 1893, 9, 6. — referierende anz. von H. Rosin, Jur.
litbl. 59, 203 f. und von K. Lehmann, Anz. f. d. a. 39, 5—11.

19. G. Waitz, Abhandlungen zur deutschen verfassungs- und
rechtsgeschichte. hrsg. von K. Zeumer. (a. u. d. t. G. Waitz,
Gesammelte abhandlungen. 1. bd.). Göttingen, Dieterich. XIII,
601 s. 12 m.

die herausgabe der in zeitschriften und akademieschriften zerstreuten abhandlungen und der wichtigsten recensionen ist von
L. Weiland angeregt und nach einem von E. Steindorff ent-
worfenen plane Zeumer und Holder-Egger übertragen worden. da
der wert der schriften von Waitz auch für die gegenwart feststeht,
so braucht auf die sammlung nur hingewiesen zu werden. die abhandlungen, von 1843—1886 reichend, sind: Die gründung des deutschen reiches durch den vertrag zu Verdun. zur deutschen verfassungsgeschichte. die altdeutsche hufe. die anfänge der vassallität.
die münzverhältnisse in den älteren rechtsbüchern des fränkischen
reiches. lehnwesen. die anfänge des lehnwesens. das alter der
beiden ersten titel der lex Bajuvariorum. die bedeutung des mun-

dium im deutschen recht. die Merkelschen formeln. die redaktion
der Lex Wisigothorum von könig Chindasuinth. über sogenannte
capitularia missorum. die recensionen, von 1848—1875 reichend,
behandeln schriften von Julius Grimm, Merkel, Arnold, Heinrich,
Bärwald, Phillips, Ficker, Nitsch, Hanssen, v. Sybel, Thudichum,
Berchtold, Faugeron, v. Richthofen, Seibertz, Fustel de Coulanges,
Deloche und Boutaric. — angez. Lit. cbl. 1896 (16) 613 f. (wertvoll,
da die forschung Waitz' arbeiten noch immer nicht entbehren kann).

20. A. H. Blumenstok, Entstehung des deutschen immo-
biliareigentums. 1. bd. grundlagen. Innsbruck, Wagner 1894.
I, 375 s. 7,20 m.

Blumenstok untersucht zuerst die gallorömischen bodenrechtsverhältnisse und bemüht sich klar zu stellen. welche wirkung die
römische okkupation auf keltischem boden ausübte und welche zustände die Franken vorfanden; dann geht er zur erforschung der
ältesten salfränkischen bodenrechtsverhältnisse über. als quellen
benutzt er in erster linie die Lex Salica, in geringerem grade die
kapitularien und die Lex Ribuaria. die erörterung ist ausserordentlich ausführlich — die doch nur einleitende untersuchung der
keltisch-römischen verhältnisse umfasst allein 164 seiten — und
verständnis und genuss werden an manchen stellen durch den ge-
wundenen, der knappheit und frische ermangelnden, gar zu
'papiernen' stil beeinträchtigt. andererseits müssen neben dem angewendeten fleisse die besonnenheit und der scharfsinn des vfs.
rühmend hervorgehoben werden, dessen vorsicht, sachlichkeit und
umsicht im schärfsten gegensatze zu der unmethodischen und vor-
eingenommenen art von Fustel de Coulanges stehen und der deshalb den letzteren fortwährend bekämpft. den mühsam gewonnenen
resultaten kann man fast in allen punkten zustimmen. — nach der
anz. von W. Schultze, Jsb. d. geschichtsw. 17, 2, 29 schlägt der
vf. in der untersuchung der eigentumsverhältnisse im römischen
Gallien wie der eigentumsrechtlichen bestimmungen der lex Salica
und lex Ribuaria selbständige und fruchtbringende wege ein. —
ferner angez. Lit. cbl. 1894 (50) 1805 (wertvoll, nur ist der ausdruck nicht immer kurz genug und namentlich die einleitung zu
breit angelegt). — nach G. v. Below, Hist. zs. 76, 459 sind die
untersuchungen, die nur durch den mangel einer übersichtlichen
und durchsichtigen darstellung verlieren, von allgemeinem kultur-
geschichtlichem interesse.

21. G. L. v. Maurer, Einleitung zur geschichte der mark-,
hof-, dorf- und stadtverfassung und der öffentlichen gewalt. 2. aufl.
mit einleitendem vorwort von H. Cunow. Wien, 1. Wiener volks-
buchhandlung. XLVI, 338 s. 5 m.

nicht geliefert. — das alte werk Maurers ist unverändert abgedruckt; durch das vorwort hat der herausgeber dem neueren
stande der wissenschaft rechnung tragen wollen. — C. Koehne,
Mitt. a. d. hist. litt. 24, 285 ff. begrüsst die 'unverbesserte und
unverfälschte' wiedergabe des textes als wertvoll, während J. Loserth, Zs. f. österr. gymn. 47, 1107 anerkennt, dass das einleitende
vorwort geschickt abgefasst sei. — referierende anz. von Ratzinger,
Hist. pol. bl. 117, 781—784; kurz besprochen Lit. cbl. 1896 (23)
831 und von G. v. B(elow), Hist. zs. 77, 360.

22. A. Meitzen, Siedelung und agrarwesen der Westgermanen
und Ostgermanen, der Kelten, Römer, Finnen und Slawen. 3 bde.
und 1 bd. atlas mit 125 karten und zeichnungen. Berlin, Hertz 1895.
XVIII, 623; XIV, 698; XXXII, 617 s. 48 m. (a. u. d. t
Wanderungen, anbau und agrarrecht der völker Europas nördlich
der Alpen. 1. abt.; 1.—3. bd. und atlas zu bd. 3.)
    nicht geliefert. — vgl. jsb. 1895, 18, 8. — nach der anz. Lit. cbl.
1896 (32) 1139 f. ist das werk noch nicht als abgeschlossen anzusehen, jedenfalls aber hat Meitzen uns den stoff nahe gebracht und
ihn in übersichtlicher weise zusammengefasst. — auf die 'vortreffliche
und geistvolle' besprechung von G. F. Knapp, Münch. allg. ztg.
1896, 27. oktober, beil., wird hingewiesen Hist. zs. 78, 331. —
ferner angez. von K. Th. v. Inama-Sternegg, Jahrb. f. nationalök.
67, no. 5.

23. F. Liebermann, Kesselfang bei den Westsachsen im
7. jahrhundert. Sitzungsber. d. preuss. akad. 1896, 829—835.
    das ordal des kesselgriffes findet sich schon in Ines gesetz 37
und 62, wo für die lesart ceac mit unrecht ceape gesetzt worden ist.

24. F. Dahn, Die könige der Germanen. 7. bd. — vgl. jsb.
1895, 9, 28. — angez. von O. H. F. Geffcken, Hist. zs. 76,
295—298 (der vf. scheidet nicht genug das unwesentliche aus; die
unendliche stofffülle ist nicht in geistvoller auffassung zu einer einheit verschmolzen worden); und von W. Sickel, Gött. gel. anz.
1896, 269—297 (eine reihe einzelner punkte wird genauer besprochen).

25. F. Görres, Kirche und staat im Vandalenreich. D. zs.
f. geschichtsw. 10, 14—70.

26. F. Görres, Kirche und staat im Westgotenreich von
Eurich bis auf Leovigild [466—567/9). Theol. stud u. krit. 2, 66,
708—734.

27. K. Zeumer, Leges Visigothorum antiquiores. — vgl.
jsb. 1895, 9, 18. — A. B. Schmidt, Zs. der Savigny-stift. f.

rechtsgesch. 16, germ. abt. 231—235 hebt die bedeutung und das verdienst der ausgabe hervor, namentlich für die Lex Visigothorum Reccessvindiana.

28. J. Ficker, Untersuchungen zur erbenfolge der ostgermanischen rechte. Innsbruck, Wagner. 2. bd., 2. abt. XV u. s. 401—665. mit einer tafel. 8 m. 3. bd., 1. abt. XII, 238 s. u. VIII s. 8 m.

nicht geliefert. — vgl. jsb. 1894, 9, 22. — die anz. Lit. cbl. 1896 (37) 1351 f. hebt hervor, dass, wenn der vf. seine behauptungen beweisen könne, die bisherige auffassung von der organisation der germanischen altfamilie fundamental umgestaltet werde.

29. K. Lehmann, Das langobardische lehnrecht (handschriften, textentwickelung, ältester text und vulgattext nebst den capitularia extraordinaria). Göttingen, Dieterich. X, 220 s. 8 m.

nachdem seit sechzig jahren für die textkenntnis der libri feudorum so gut wie nichts geschehen ist, hat Lehmann nach seinem eigenen ausdruck 'die aufgabe, eine kritische edition des langobardischen lehnrechtes zu liefern, der lösung nahe gebracht'. seine ausgabe ist vom grössten wert. er hat mehr als 130 handschriften nach streng philologischer methode verglichen und benutzt und vermag daher ein klares und überzeugendes bild der textentwickelung zu geben. der text ist unter dem titel: 'Consuetudines feudorum' (vgl. jsb. no. 112) von ihm schon besonders veröffentlicht worden. — angez. Lit. cbl. 1896 (23) 839 (dankenswert wegen der bisherigen vernachlässigung des gebietes); von O. H. Geffcken, Cbl. f. rechtsw. 15, 322 f. (als ein schönes geschenk zu begrüssen); von G. Frommhold, Jur. litbl. 76, 142) einstweilen kann man mit dem gebotenen recht wohl zufrieden sein).

30. P. Heck, Die altfriesische gerichtsverfassung. — vgl. jsb. 1895, 9, 21 und 18, 10. — R. His, Zs. f. rechtsgesch. 16, germ. abt. 217—227 hebt in seiner referierenden anzeige als wichtig den grundgedanken hervor, dass die von v. Richthofen behauptete umwandlung zu anfang des 13. jahrhs. nicht stattgefunden habe; der frana oder schelta der älteren quellen heisse in den jüngeren gretmann oder orator, der frühere asega heisse ehera, redjeva oder consul. — G. Frommhold, Cbl. f. rechtswiss. 14, 182 stimmt diesem grundgedanken zu; ebenso S. Gratama, Gött. gel. anz. 1895, 833—855, der das werk als bahnbrechend bezeichnet und namentlich auch den fränkischen ursprung der friesischen gerichtsverfassung als erwiesen ansieht; ferner O. Opet, Jur. litbl. 62, 33 f. (Heck bietet das erste wahre bild der friesischen gerichtsorganisation), und die kurze anz. Hist. jahrb. 16, 211. — G. v. Below, Hist. zs. 76, 476 f.,

der die arbeit als für die gesamte deutsche rechtsgeschichte wertvoll ansieht, betont die unvereinbarkeit der einungs- bezw. gilde-
theorie mit den vorliegenden untersuchungen. — dagegen erkennt
K. Lehmann, Krit. vierteljahrsschr. f. gesetzgeb. 38, 11—16 zwar
auch den wert des buches an; doch sei es zu einseitig, weil dem
vf. der hintergrund der nordischen, speziell norwegischen verhältnisse nicht vor augen stehe.

31. Norges gamle Love indtil 1387. Femte Binds 2det
Hefte, indeholdende Glossarium og Anhang samt Tillaeg og Rettelser,
udgivet efter offentlig Foranstaltning ved G. Storm og E. Hertzberg. Kristiania, Gröndahl und sohn 1895. XIII, 808 s. 4⁰.
angez. von M. Pappenheim, Litztg. 1896 (21) 663 ff. (das
vorliegende glossar leiht der rechtsgeschichtlichen forschung auf dem
gebiete des norwegischen rechtes die wertvollste unterstützung).

32. K. Maurer, Zur norwegischen rechtsgeschichte. Krit.
vierteljahrsschr. f. gesetzgeb. 38, 363—373.
enthält eine auf manche einzelheiten näher eingehende besprechung des 5. bds. der Norges gamle Love indtil 1387 (vgl.
oben no. 31).

33. H. Brunner, Forschungen zur geschichte des deutschen
und französischen rechtes — vgl. jsb. 1895, 9, 29. — angez. von
G. Frommhold, Jur. litbl. 53, 66 f. (der band erweckt den
wunsch nach dem baldigen erscheinen des nächsten bandes).

34. F. Thudichum, Sala. Sala-gau. lex salica. — vgl. jsb.
1895, 9, 26. — kurz angez. Lit. cbl. 1896 (28) 1007 f. (durch den
vom vf. versuchten erweis, dass sala immer herrschaft bedeute, werden
noch nicht alle rätsel gelöst). — ferner besprochen von G. Frommhold, Cbl. f. rechtsw. 101 f. und von O. H. Geffcken, Litztg.
1896 (1) 10—13 (die würdigung der beweisstellen ist nicht so
sorgfältig, dass das buch einen wirklichen fortschritt bedeutete).

35. H. Brunner, Zur lex Salica 44: De reipus. Sitzungsber.
d. Berl. akad. 1894, 1289—1297.

36. W. Sickel, Die privatherrschaften im fränkischen reiche.
Westd. zs. f. gesch. u. kunst 15, 111—171.
indem der vf. im einzelnen den ursachen nachgeht, welche im
laufe der jahrhunderte im fränkischen reiche millionen von freien zu
unfreien männern machten, zeigt er daran zugleich das allmähliche
eingehen der ursprünglichen fränkischen verfassung und die späteren
wandelungen in den fränkischen rechtsverhältnissen.

37. G. Kurth, Les origines de la France. Période mérovin-

8*

giene et carolingienne. — vgl. jsb. 1894, 9, 28. — angez. Rev. des quest. hist. 28, 208—219.

38. Fustel de Conlanges, Nouvelles récherches sur quelques problèmes d'histoire. Paris, Hachette 1891. IX, 487 s. 10 frcs.
behandelt u. a. einige streitige punkte in den leges barbarorum, z. b. in der lex Chamavorum, ferner das capitulare von Kiersy und den titel der merovingischen könige. die kurze besprechung von A. Molinier, D. zs. f. geschichtsw. 10, 138 hält die einwendungen Fustels gegen Havet in bezug auf den titel 'vir inluster' für durchaus unbegründet.

39. L. Gobin, Sur un point particulier de la procédure mérovingienne applicable à l'Auvergne: 'l'institution d'apennis'. Bull. hist. d'Auvergne 1894, no. 6 u. 7.
behandelt das angebliche fränkische ordal des flammenbegriffs.

40. P. Errera, Les waréchaix. — vgl. jsb. 1895, 9, 27. — kurze zustimmende anz. von R. Schröder, Zs. der Savigny-stift. f. rechtsgesch. 16, germ. abt. 264. — ferner angez. von Ch. Lécrivain, Rev. hist. 20 (59. bd.) 391 f. (lobende besprechung).

41. L. Wodon, La forme et la garantie dans les contrats francs. Thèse. Bruxelles. Larcier 1893. 237 s. 6 frcs.

42. K. Gareis, Die landgüterordnung kaiser Karls des grossen. — vgl. jsb. 1895, 9, 32. — kurz angez. Lit. cbl. 1896 (16) 575 und von der red. des Cbl. f. rechtsgesch. 14, 6 f. (wertvoll). — nach der anz. von H. Hahn, Mitt. a. d. hist. litt. 24, 276 ff. gewährt das buch dem forschenden gelehrten wie dem studierenden einen wesentlichen beistand.

43. O. Kämmel, Zur entwickelungsgeschichte der weltlichen grundherrschaften in den deutschen südostmarken während des 10. u. 11. jahrhs. Hist. unters. z. jubil. E. Förstemanns s. 57—70.

44. Sachsenspiegel oder das sächsische landrecht. hrsg. von C. Müller. Leipzig, Reclam 1895. 179 s. kl. 8°. 0,40 m.
Müller giebt nur die 1750 erschienene übersetzung von Ludovici, die in der form zum teil unlesbar und deren text veraltet ist, nebst einigen anmerkungen von geringem wert. — abfällig beurteilt von M. Fleischmann, Litztg. 1896 (52) 1651 ff.

45. G. Rotermund, Der Sachsenspiegel. — vgl. jsb. 1895, 9, 42. — angez. von O. H. Geffcken, Cbl. f. rechtsw. 14, 340 (nützlich und fleissig, wenn auch nicht fehlerfrei) und von M. Fleischmann, Litztg. 1896 (52) 1651 ff. (die übersetzung ist zum teil

unverständlich oder unrichtig; die anmerkungen sind weder einwandsfrei noch ausreichend).

46. H. Samson, Die bedeutung des Sachsenspiegels zur lösung kirchlicher und kulturgeschichtlicher fragen. Hist. pol. bl. 112, 305—323.

47. W. Becker, Der Sachsenspiegel und die weltlichen kurfürsten. D. zs. f. geschichtsw. 12, 297—311.

nach den ausführungen des vf. stimmt der Sachsensp. III, 57 § 2 geschilderte wahlvorgang, dem andere zeugnisse nicht widerstreiten, mit den um 1198 herrschenden anschauungen überein und entspricht dem verlaufe der wahl Konrads 1237.

48. Freiherr v. Borch, Zum sogenannten Schwabenspiegel. Zs. f. d. ges. staatswiss. 49, 284—289.

49. R. Kirchhöfer, Zur entstehung des kurkollegiums. — vgl. jsb. 1895, 9, 45. — die anz. Hist. pol. bl. 118, 70 ff. findet im gegensatz zu Kirchhöfer den hauptgrund zur entstehung des kurkollegiums teils darin, dass um 1250 die einflussreichsten fürstenhäuser ausstarben, wie die Hohenstaufen und Babenberger, die herzöge von Brabant und die landgrafen von Thüringen, und dass dafür Sachsen und Brandenburg sich erhoben, teils in der wahlmüdigkeit der fürsten.

50. Th. Lindner, Die deutschen königswahlen und die entstehung des kurfürstentums. — vgl. jsb. 1895, 9, 46. — angez. von Rodenberg, Jur. litbl. 56, 136 (die endergebnisse sind abzulehnen). — die 'entgegnung' Lindners Mitt. d. inst. f. österr. geschichtsf. 17, 537—583 richtet sich gegen Seeliger und andere kritiker.

51. B. v. Simson, Analekten zur geschichte der deutschen königswahlen. Freiburg i. Br., druck von Lehmann (Reden und programme der universität Freiburg i. Br., 9. sept. 1895). 36 s.

52. H. Triepel, Das interregnum. eine staatsrechtliche untersuchung. Leipzig, Hirschfeld 1892. 117 s. 3 m.

nicht geliefert. — angez. Arch. f. öffentl. r. 9, 153; Zs. f. litgesch. d. staatsw. 1, 342; Cbl. f. rechtsw. 12, 172; von (Loeni)ng, Lit. cbl. 1893 (30) 1047 (der vf., welcher das geschichtliche material fleissig zusammenstellt, ist der schwierigen aufgabe nicht ganz herr geworden).

53. M. Jansen, Die herzogsgewalt der erzbischöfe von Köln in Westfalen seit 1180 bis zum ausgang des 14. jahrhs. (Historische abhandlungen, hrsg. von Heigel und Grauert. VII). München, Lüneburg. 139 s. 4,60 m.

nicht geliefert. — der 1. teil (35 s.) erschien als **Münchener** dissertation. — kurz angez. von Wurm, Hist. jahrb. 17, 394 (die untersuchung Grauerts ist in glücklicher weise weitergeführt).

54. C. Heckmann, Zur entwickelungsgeschichte der deut- schen ministerialität. Hallenser diss. 62 s.

55. W. v. Brünneck, Zur geschichte des sogenannten **Magde**- burger lehnsrechtes. Zs. der Sav.-stift. 15, germ. abt. 53—122.

56. F. Frensdorff, Die lehnsfähigkeit der bürger im an- schluss an ein bisher unbekanntes niederdeutsches rechtsdenkmal. Nachr. v. d. k. ges. d. wiss. in Göttingen 1894, 403—458.

in einer Göttinger sammelhandschrift (liber antiquorum gesto- rum) findet sich eine aus dem anfang des 15. jahrhs. stammende aufzeichnung 'van lehengude unde dat to entfangende', in welcher ein rechtskundiger mann die frage behandelt, ob bürger lehen und zwar mit der vollen wirkung empfangen können, die sich an die belehnung lehnsfähiger personen knüpft.

57. L. Huberti, Studien zur geschichte der gottesfrieden und landfrieden. I. — vgl. jsb. 1895, 9, 30. — nach A. Molinier, D. zs. f. geschichtsw. 10, 142 wertvoll wegen der grossen menge von neuen oder nur wenig bekannten thatsachen. — ferner angez. von Wegele, Zs. f. d. priv. u. öffentl. r. 20, 748—754; von Maitland, Engl. hist. Rev. 8, 328—331; von Lot, Bibl. de l'éc. d. chart. 54, 132; und Rev. de l'hist. d. rélig. 27, 87.

58. O. v. Zallinger, Der kampf um den landfrieden in Deutschland während des mittelalters. Mitt. d. inst. f. österr. geschichtsf., ergänzungsband 4, 443—459.

59. O. Heuer, Der Binger kurverein 1424. — vgl. jsb. 1893, 9, 38. — erwiderung von Th. Lindner mit replik Heuers D. zs. f. geschichtsw. 9, 119—123.

60. E. Brandenburg, Der Binger kurverein in seiner ver- fassungsgeschichtlichen bedeutung. D. zs. f. geschichtsw. 14, 63—89. angez. Hist. jahrb. 16, 139.

61. H. Haupt, Ein oberrheinisches kolbengericht aus dem zeitalter Maximilians I. Zs. der Sav.-stift. f. rechtsgesch. 16, germ. abt. 199—213.

abdruck der darstellung einer schöffengerichtsverhandlung nach der Colmarer handschrift 50, fol. 95b—98b. den ausdruck 'kolben- gericht' für ein solches gericht, bei dem der kolben, d. h. die ge- walt, nicht das recht die entscheidung giebt, entlehnt Haupt aus der von ihm bearbeiteten oberrheinischen reformschrift aus dem anfang des 16. jahrhs. (vgl. jsb. 1895, 15, 5a).

62. E. Langwerth von Simmern, Die kreisverfassung Maximilians I. und der schwäbische reichskreis in ihrer rechtsgeschichtlichen entwickelung bis zum jahre 1648. Heidelberg, Winter. XIV, 456 s. 14 m.

nicht geliefert. — kurz angez. Lit. cbl. 1896 (25) 907 f. (vf. hätte sich viel kürzer fassen sollen).

63. M. Spahn, Verfassungs- und wirtschaftsgeschichte des herzogtums Pommern von 1478—1625. (Staats- und sozialwissenschaftliche forschungen, hrsg. von G. Schmoller. 14. bd., 1. und 2. heft). Leipzig, Duncker u. Humblot. XIX, 202 s. 4,60 m.

nicht geliefert. — angez. von K.-L., Lit. cbl. 1896 (44) 1600 f. (treffliche schulung und tief eindringendes verständnis schwieriger fragen werden gerühmt).

64. G. Frommhold, Zur überlieferung des rügischen landrechts. Zs. d. Sav.-stift. f. rechtsgesch. 16, germ. abt. 1—40.

als 'rügisches landrecht' bezeichnet Frommhold den in der 1. hälfte des 16. jahrhs. von Matthaeus von Normann verfassten 'wendisch-rügianischen landgebrauch'. — vgl. die folgende no.

65. Das rügische landrecht des Matthaeus Normann nach den kürzeren handschriften. bearb. von G. Frommhold. (a. u. d. t. Quellen zur pommerschen geschichte, hrsg. von der gesellschaft für pommersche geschichte und altertumskunde. III.) Stettin, L. Saunier. XII, 200 s. 10 m.

nicht geliefert. — vgl. oben no. 64.

vgl. auch abt. 7, no. 71, 94, 108, 112, 118, 131.

---

66. O. v. Zallinger, Das verfahren gegen die landschädlichen leute in Südwestdeutschland. — vgl. jsb. 1895, 9, 11. — referierende anz. von v. Weinrich, Österr. litbl. 5 (12) 373, von K. Beyerle, Hist. jahrb. 17, 349—355 (ein tüchtiger baustein zur geschichte des deutschen strafrechts), und von O. H. Geffcken, Cbl. f. rechtsw. 15, 162 ff. (sorgfältig und scharfsinnig).

67. S. Riezler, Geschichte der hexenprozesse in Bayern. im lichte der allgemeinen entwickelung dargestellt. Stuttgart, Cotta nachf. X, 340 s. 6 m. — vgl. abt. 10, 222.

nicht geliefert. — die anz. von H—n H—pt, Lit. cbl. 1896 (40) 1461 f. weist darauf hin, dass durch Riezlers nachweisungen die tendenziösen aufstellungen Janssens eine scharfe kritik erfahren.

68. O. Rieder, Nachschrift zu den totschlagsühnen im hochstift Eichstätt. — vgl. jsb. 1895, 9, 54. — angez. von L. Günther,
Jur. litbl. 63, 64 f. (die ergebnisse der untersuchungen von Frauen-
städt und Riedel werden verglichen).

69. H. Knapp, Das alte Nürnberger kriminalrecht. Berlin,
Guttentag. XVIII, 307 s. 6 m.

werke, wie das vorliegende, sind für die rechtskunde wie für
die kulturgeschichte von gleicher bedeutung. Knapp giebt nicht nur
an, welches die bestimmungen des rechtes waren, sondern auch,
wie sie ausgeführt wurden, und darin liegt hauptsächlich der geschichtliche wert der arbeit. zu wünschen wäre nur, dass auf viel
zahlreichere beläge verwiesen würde, damit man jeden einzelnen
satz nachprüfen könnte, was jetzt in einem sehr grossen teil aller
fälle nicht möglich ist. und doch ist eine nachprüfung oft erforderlich, weil bei Knapp der ausdruck nicht immer deutlich erkennen
lässt, um was es sich handelt. so wird s. 189 f. unter der überschrift 'zweikampf' zunächst auf das privileg von 1219 hingewiesen,
wonach der Nürnberger bürger eine herausforderung zum zweikampf
nicht anzunehmen braucht; hier handelt es sich bei 'duello impe-
tere' anscheinend um gerichtlichen zweikampf, was aber Knapp
nicht sagt. dann erwähnt er, dass trotzdem zuweilen patriziersöhne
in die schranken des landgerichtes des burggrafen traten; wie lange
dies geschah, ist aus den angeführten beispielen nicht zu erkennen,
da art und grund der aufgezählten kämpfe zum teil völlig dunkel
bleiben. nachdem dann noch 'renkontres zwischen patriziern und
bürgersöhnen' erwähnt und durch ein beispiel belegt sind, bei dem
es sich anscheinend gar nicht um einen zweikampf, sondern um
einen rowdyhaften überfall handelt, wird ein fall herangezogen, der
nur als ein regelrechter zweikampf infolge vorausgegangener be-
leidigung erklärt werden kann. da der vf. gerichtlichen zweikampf,
überfall auf der strasse und ehrenhandel ohne die geringste scheidung durcheinanderwirft und unmittelbar nach dem vorfall von
1485 ein duellgesetz von 1713 erwähnt, so ist hier also für die
frage, wie das duell (im heutigen sinne) sich in Nürnberg entwickelt habe, aus dem buche wenig zu erkennen. strengere scheidung wäre an manchen stellen am platze. — kurz angez. von
K. v. L., Lit. cbl. 1896 (42) 1540 (sorgfältig und nach wirklich
wissenschaftlichen gesichtspunkten gearbeitet).

70. O. Weerth, Die veme oder das freigericht im bereiche
des fürstentums Lippe. Detmold, Meyer 1895. 59 s.

vf. behandelt die freistühle, die einzelnen freigrafen, das verhältnis der freigrafen zum könig, dem Kölner erzbischof und den
edelherren bezw. grafen zur Lippe, die gerichtsbarkeit über aus-

wärtige und den allmählichen niedergang der freigerichte. diese
letzteren kapitel sind am ausführlichsten und am interessantesten.
vgl. auch abt. 9, no. 17.

---

71. G. v. Below, Der ursprung der deutschen stadtverfassung. — vgl. jsb. 1893, 9, 46. — angez. von Sommerlad, Jahrb.
f. nat.-ök. 60, 764—769; von F. Keutgen, Engl. hist. Rev. 8, 550.

72. F. Keutgen, Untersuchungen über den ursprung der
deutschen stadtverfassung. — vgl. jsb. 1894, 9, 67. — angez. von
C. Koehne, Mitt. a. d. hist. litt. 24, 164—167 (die fleissige, klare
und wertvolle arbeit hätte die ausserdeutschen städte und die
kaufmännischen genossenschaften nicht ausser acht lassen sollen).
— nach der anz. von Ilgen, Hist. zs. 77, 99—105 ist die schrift
Keutgens wegen ihres ruhigen, sachlichen tones und wegen ihrer
verständigen methode zur erreichung ihres zweckes vorzüglich geeignet. — kurz angez. Hist. jahrb. 16, 434 f.

73. S. Rietschel, Die civitas auf deutschem boden bis zum
ausgange der Karolingerzeit. — vgl. jsb. 1894, 9, 62. — angez. von
Prou, Moy. Age 7, 259 f.; von Knipping, Korrbl. d. westd. zs.
1894, 118 f. (fleissig und beachtenswerte ergebnisse bietend); von
G. Frommhold, Jur. litbl. 59, 204 (tüchtige vorkenntnisse,
scharfe beobachtung und gewandte darstellung sind zu rühmen).

74. G. Küntzel, Über die verwaltung des mass- und gewichtswesens in Deutschland während des mittelalters. (Staats- u.
sozialwissenschaftliche forschungen, hrsg. von G. Schmoller, 8, 2).
Leipzig, Duncker u. Humblot 1894. VIII, 102 s.
nicht geliefert. — die schrift verdient insofern an dieser stelle
erwähnt zu werden, als sie mittelbar einen beitrag zur frage
nach dem ursprung der deutschen stadtverfassung zu liefern bestimmt ist. indem K. nachweisst, dass die regelung des mass- und
gewichtswesens ursprünglich ein regal gewesen ist, bekämpft er
indirekt die ansicht v. Belows, der seiner theorie entsprechend die
kompetenz über mass und gewicht als eine erbschaft aus der land-
gemeinde erklärt. — Luschin v. Ebengreuth, Hist. zs. 77, 97 ff.
stimmt mit dem vf. darin überein, dass es unmöglich sei, eine einheitliche theorie der entwickelung der deutschen städteverfassung
aufzustellen.

75. R. Schröder, Marktkreuz und Rolandsbild. Festschr. f.
K. Weinhold. (Strassburg, Trübner. VII, 170 s. 4,50 m.)

76. H. Sieveking, Die rheinischen gemeinden Erpel und
Unkel und ihre entwickelung im 14. u. 15. jahrh. (Leipziger studien

a. d. gebiet der geschichte II 2.) Leipzig, Duncker u. Humblot. V, 70 s. 1,80 m.

nicht geliefert. — die fülle interessanter einzelheiten und die gefällige darstellung lobt die referierende anz. von E. Liesegang, Litztg. 1896 (33) 1033—1036.

77. Oberrheinische stadtrechte. hrsg. von der badischen historischen kommission. 1. abteilung. Fränkische rechte. 3. heft. Mergentheim, Lauda, Ballenberg und Krautheim, Amorbach, Walldürn, Buchen, Külsheim und Tauberbischofsheim. bearb. von R. Schröder. s. 167—298. 6 m.

nicht geliefert. — vgl. jsb. 1895. 9, 70. — kurze empfehlende anz. Lit. cbl. 1896 (1) 20. — ferner kurz angez. von K. B., Hist. jahrb. 18, 225 (glücklich und verdienstvoll).

78. F. Lau, Beiträge zur verfassungsgeschichte der stadt Köln. II. Westd. zs. f. gesch. u. kunst. 14, 315—334.

inhalt: Das Kölner patriziat bis zum Jahre 1396. der erste teil (Das schöffengericht des hochgerichts bis zum jahre 1396) erschien Westd. zs. 14, 172—195 und in der Festschr. f. Mevissen (vgl. jsb. 1895, 8, 34) s. 107—130.

79. R. Höniger, Die älteste urkunde der Kölner richerzeche. Beitr. z. gesch. Kölns, zum 80. geburtst. G. v. Mevissens (Köln 1895) s. 299—332.

vgl. jsb. 1895, 8, 34 und unten abt. 9, 99. — nach der anz. von K. Uhlirz, Mitt. d. inst. f. österr. gesch. 17, 323 ff. wird durch die hier besprochene urkunde der letzte beweis für die existenz einer alten gilde weggeräumt, an' der Höniger auch in der obigen untersuchung noch festhält.

80. S. Rietschel, Zur datierung der beiden ältesten Strassburger rechtsaufzeichnungen. D. zs. f. geschichtsw., n. f. 1, 24—47.

die ausführungen Rietschels, nach denen das erste Strassburger stadtrecht in den 80er oder 90er Jahren des 12. jahrhs., das zweite Strassburger Stadtrecht etwa zwischen 1214 und 1219 entstanden ist, sind für die geschichte der deutschen stadtverfassung insofern wichtig, als fast alle sich mit dieser beschäftigenden untersuchungen aus dem angeblichen hohen alter der Strassburger stadtrechte schlüsse gezogen haben.

81. W. Stein, Akten zur geschichte der verfassung und verwaltung der stadt Köln im 14. u. 15. jahrh. band 2. (Publikationen der ges. f. rhein. geschichtskunde, band 10, 2.) Bonn, Behrendt 1895. XXII, 798 s.

nicht geliefert. — angez. von F. Lau, Westd. zs. f. gesch. u. kunst 15, 328—331 (der vf. hat mit fleiss und vollem erfolg gearbeitet; doch hätte er manche kleinen mängel leicht vermeiden können). — nach der anz. von Th. Ilgen, Hist. zs. 77, 490 wird aus der hier vorliegenden veröffentlichung der verwaltungsakten Kölns im 14. und 15. jahrh. hauptsächlich die wirtschafts- und kulturgeschichte gewinn ziehen.

82. K. Friderich, Geschichte der entwickelung der reichsstädtischen verfassung Reutlingens. Reutl. geschichtsbl. 4, 33—39 u. 62 ff.

83. R. Schröder, Übersicht über das gedruckte und handschriftliche material für die herausgabe der badischen und elsässischen stadtrechte. I. das nördliche Baden und die benachbarten gebiete. Zs. f. d. gesch. d. Oberrh. 1895, 113—129.

84. F. Philippi, Zur verfassungsgeschichte der westfälischen bischofsstädte. — vgl. jsb. 1895, 9, 68. — angez. Mitt. d. v. f. gesch. v. Osnabrück 19, 215 — und von K. Uhlirz, Mitt. d. inst. f. österr. geschichtsf. 17, 334 ff., welcher der sehr verdienstlichen untersuchung zustimmt.

85. A. Knieke, Die einwanderung in den westfälischen städten bis 1400. — vgl. jsb. 1895, 9, 69. — W. Varges, Mitt. a. d. hist. litt. 24, 172—176 geht auf viele zum teil von seiner eigenen ansicht abweichende punkte näher ein. — wenig neues bietend nach K. Uhlirz, Mitt. d. inst. f. österr. geschichtsf. 17, 333 f. (vgl. unten no. 99).

86. W. Varges, Zur verfassungsgeschichte der stadt Wernigerode im mittelalter. Zs. f. d. kulturgesch. 3, 100—119 und 160—196.

87. W. Varges, Die gerichtsverfassung der stadt Braunschweig. — vgl. jsb. 1892, 9, 55. — angez. von G. Liebe, Korrbl. d. gesamt-v. 41, 31; ferner Jahrb. f. nat.-ök. 60, 914 und von K. Uhlirz, vgl. unten no. 99.

88. L. Hänselmann, Die ältesten stadtrechte Braunschweigs. Hans. geschichtsbl. 20, 1—57.

89. W. Varges, Verfassungsgeschichte der stadt Bremen im mittelalter. Zs. d. hist. v. f. Niedersachs. 1895, 207—289.

90. E. Dünzelmann, Beiträge zur Bremer verfassungsgeschichte. Bremer jahrb. 17, 1—46 und 194 f.

91. A. S. Miedema, Sneek en het Sneeker Stadtrecht. Sneek, J. F. van Druten 1895. VIII, 203 s.

nach der kurzen anz. Lit. cbl. 1896 (18) 661 will der vf. aus dem stadtbuch von 1456 und dem älteren stadtrecht eine skizze des gesamten rechtslebens einer mittelalterlichen friesischen stadt

geben. er behandelt die öffentlich-rechtliche organisation, die geistlichkeit, recht und rat, bürger und fremde, die gilden, die städtischen beamten, das städtische einkommen, die münze, die almende
und endlich das bürgerliche recht.

92. A. v. Bulmerincq, Der ursprung der stadtverfassung
Rigas. — vgl. jsb. 1895, 9, 80. — K. Uhlirz, Mitt. d. inst. f.
österr. geschichtsf. 17, 341 f.: aus der gründung von städten, auf
welche fertige einrichtungen übertragen werden, darf auf andere
städte nicht zu viel geschlossen werden; das vorhandensein einer
gilde ist auch in Riga nicht anzunehmen (vgl. abt. 9, 99). —
M. Perlbach, Litztg. 1895 (19) 593 f.: man kann den aufstellungen
des vf. nicht überall folgen. — F. Bienemann, Cbl. f. rechtswiss.
14, 211 f.: gut und anregend geschrieben, doch ist manchen aufstellungen nicht zuzustimmen.

93. J. Grunzel, Über die deutschen stadtrechte Böhmens
und Mährens. schluss. Mitt. d. v. f. gesch. d. D. in Böhmen 32,
348—357. — vgl. jsb. 1893, 9, 63.

94. Städte- und urkundenbücher aus Böhmen. hrsg. i. auftr.
d. vereins f. gesch. der Deutschen in Böhmen von L. Schlesinger.
Prag, H. Dominicus in komm. 3. band: Urkundenbuch der stadt
Aussig bis z. j. 1526. begonnen von W. Hieke, vollendet von
A. Horčička. X, 261 s. 4⁰ mit 2 lichtdrucktaf. 12 m. — nicht
geliefert. — vgl. jsb. 1893, 7, 108.

95. K. F. Rietsch, Das stadtbuch von Falkenau [1483—1528].
— vgl. jsb. 1895, 9, 77. — dieses stadtrecht wurde zuerst abgedruckt Mitt. d. v. f. gesch. d. D. in Böhmen 33, 242—263. — in
der einleitung (s. 5—22) giebt der herausgeber aus der geschichte
der stadtentwicklung in Böhmen und aus dem geltenden rechte das
für das verständnis des stadtbuches notwendige. auf eine beschreibung der handschrift folgt dann der abdruck des textes (s. 31—60).
— kurz angez. von O., Lit. cbl. 1896 (2) 50 f. und von O. H. Geffcken, Cbl. f. rechtsw. 15, 68.

96. Neubauer, Die schöffenbücher der stadt Aken. Geschichtsbl. f. stadt u. land Magdeburg 30, 251—328; 31, 148—212.
abdruck des textes mit bemerkungen über vor- und familiennamen, ortsnamen, handwerke u. s. w.

97. P. Rehme, Das Lübecker oberstadtbuch. — vgl. jsb.
1895, 9, 83. — angez. von G. Frommhold, Cbl. f. rechtsw. 15, 37,
und von F. Frensdorff, Hans. geschichtsbl. 1895.

98. Chr. Reuter, P. Lietz und O. Wehner, Das zweite
stralsundische stadtbuch [1310—1342]. teil I: Liber de heredi-

tatum obligatione. gemeinsames progr. (no. 150 u. 154) des gymn.
und des real-gymn. zu Stralsund. 52 s. 4°.

kurze einleitung und textabdruck. die noch fehlenden teile
werden enthalten: Liber de hereditatum resignatione. Liber de ar-
bitrio consulum et eorum specialibus negotiis. — in der kurzen
anz. Lit. cbl. 1896 (36) 1302 wird namentlich das umfassende
sachregister gelobt. — ferner angez. von F. Fabricius, Monatsbl.
d. ges. f. pomm. gesch. 1896 (6) 89—92 (methodisch richtig behandelt und dankenswert).

99. K. Uhlirz, Neuere litteratur über deutsches städtewesen.
Mitt. d. inst. f. österr. geschichtsf. 17, 316—342.

Uhlirz bespricht u. a. folgende werke. E. Kruse, Die Kölner
richerzeche (jsb. 1888, 9, 45): die scharfsinnige und treffliche abhandlung enthält vieles gute; doch kann man ihr in der hauptsache nicht zustimmen. — E. Kruse, Exkurs über die ältere gerichtsverfassung der stadt Köln (Zs. f. rechtsgesch. 9, germ. abt.
201 ff.): die ausführungen gegen Liesegang sind zu billigen. —
E. Liesegang. Zur verfassungsgeschichte der stadt Köln, vornehmlich im 12. und 13. jahrh. (Zs. f. rechtsgesch. 11, germ. abt.
1 ff.; vgl. jsb. 1890, 9, 53): die gegen Kruse vorgebrachten
gründe wiegen nicht schwer. — R. Höniger, Die älteste urkunde
der Kölner richerzeche (vgl. no. 79). — F. Reinhold, Verfassungsgeschichte Wesels im mittelalter (vgl. jsb 1890, 8, 320): ref. giebt
eine genauere inhaltsangabe. — E. Liesegang, Recht und verfassung von Rees (vgl. jsb. 1890, 9, 54): auch in den klaren und
einfachen vorgängen der Reeser stadtgeschichte hat die gilde verwirrung angerichtet. — H. Lövinson, Beiträge zur verfassungsgeschichte der westfälischen reichsstädte (vgl. jsb. 1892, 9, 46): die
genealogischen zusammenstellungen sind verdienstlich; dagegen hat
der vf. mehrere schwere irrtümer begangen. — F. Philippi, Zur
geschichte der Osnabrücker stadtverfassung. Hans. geschichtsbl.
1889, 155 ff.: diese untersuchungen sind sehr lehrreich. — W. Schröder, Die älteste verfassung der stadt Minden (vgl. jsb. 1890, 9, 56):
ein gelungener versuch, die sondergeschichte einer stadt unter der
neuen freieren auffassung darzustellen. — Th. Ilgen, Zur Her-
forder stadt- und gerichtsverfassung (vgl. jsb. 1892, 9, 47): wertvoll durch die aufzeichnung der rechte der äbtissin in der alt- und
neustadt Herford, die zwischen 1224 und 1256 verfasst ist. —
Th. Ilgen, Übersicht über die städte des bistums Paderborn im
mittelalter (vgl. jsb. 1895, 7, 85): dankenswert. — A. Knieke,
Die einwanderung in den westfälischen städten bis 1400 (vgl.
no. 85). — F. Philippi, Zur verfassungsgeschichte der westfälischen bischofsstädte (vgl. no. 84). — W. Varges, Die gerichts-

verfassung der stadt Braunschweig bis zum jahre 1374 (vgl. no. 87): die untersuchung fordert trotz des darauf verwendeten scharfsinnes gerade an den entscheidenden stellen zum widerspruch heraus. — G. Stoeckert, Beiträge zur verfassungsgeschichte der stadt Magdeburg. progr. (no. 89) des päd. zu Züllichau 1888; ders., Die reichsunmittelbarkeit der altstadt Magdeburg (vgl. jsb. 1891, 8, 385): inhaltsangabe. — G. Hertzberg, Geschichte der stadt Halle a. S. (vgl. abt. 7, 154); W. v. Bippen, Geschichte der stadt Bremen (vgl. abt. 7, 158). — A. Obst, Ursprung und entwickelung der hamburgischen ratsverfassung bis zum stadtrecht von 1272. Berliner diss. Hamburg 1890. 82 s.: dem vf. ist sein vorhaben, Sohms theorieen geltung zu verschaffen, nur zum teil gelungen. — A. v. Bulmerincq, Der ursprung der stadtverfassung Rigas (vgl. oben no. 92).

vgl. auch abt. 7, no. 113, 135, 138—160; abt. 9, no. 21, 69, 112.

---

100. G. Tumbült, Die grafschaft des Hegaus. Mitt. d. inst. f. österr. geschichtsf., ergänzungsband 3, 618—672.

101. P. G. Schmitt, Das vogteiwesen des mittelalters. Theol. prakt. monatsschr. 3, 245—251 u. 323—339.

102. W. Plattner, Die entstehung des freistaates der drei bünde. — vgl. jsb. 1895, 9, 55. — angez. von A. B(üchi), Hist. jahrb. 16, 184 (eingehendes studium, klares, ruhiges urteil und schöne darstellung sind zu loben).

103. M. Luther, Die entwickelung der landständischen verfassung in den Wettiner landen (ausgeschlossen Thüringen) bis zum jahre 1485. Leipziger diss. 59 s.

104. G. von der Osten, Zur verfassungs- und verwaltungsgeschichte des landes Wursten. — vgl. jsb. 1895, 9, 89. — kurz angez. F. Hirsch, Mitt. a. d. hist. litt. 24, 28 (lehrreich und auf urkundlichen quellen beruhend).

105. L. Gumplowicz, Compendium der österreichischen reichsgeschichte. 2. ausgabe der Einleitung in das staatsrecht. Berlin, C. Heymann. VII, 250 s. geb. 5 m.

106. A. Huber, Österreichische reichsgeschichte. — vgl. jsb. 1895, 9, 58. — angez. von L. Gumplowicz, Jur. litbl. 64, 74—77 (Hubers werk nimmt unter den veröffentlichungen über denselben gegenstand den ersten rang ein); von A. Pribram, Zs. f. österr. gymn. 47, 148 (zuverlässig und nicht nur für den juristen, sondern auch für den historiker erwünscht); von A. Zimmermann, Hist.

pol. bl. 118, 912 - 916 (ref. geht auf einzelne punkte genauer ein);
ferner von E. v. Schwind, Mitt. d. inst. f. österr. geschichtsf. 17,
no. 1 und Hist. jahrb. 16, 180; und von F. v. Krones, Litztg. 1896
(13) 397 f. (als erster spatenstich auf bisher unbebautem boden
gut gelungen).

107. Ad. Bachmann, Lehrbuch der österreichischen reichsgeschichte. Prag, Rohliček u. Sievers. geschichte der staatsbildung und des öffentlichen rechts. 1. bd. IV, 470 s. 7 m.
2. bd. 470 s. 4 m.

derselben veranlassung, welche kurz hintereinander die werke
von Huber, Luschin von Ebengreuth, Werunsky ins leben gerufen
hat, verdanken wir auch das werk Bachmanns. wie schon der
titel angiebt, wird für die einzelnen zeitabschnitte (vorgeschichte,
territoriale zeit 970—1500, Österreich als ständestaat 1500—
1740 u. s. w.) jedesmal nach einander die bildung und vereinigung
der einzelnen staaten und territorien und die geschichte des öffentlichen rechtes behandelt. unter dieser überschrift untersucht der vf.
u. a. für die deutsch-österreichischen länder das staatsrechtliche verhältnis und die fürstliche erbfolge, die geschichte der österreichischen
landstände, das verhältnis von staat und kirche, die gliederung der
gesellschaft, adel, bürgertum und bauern, die geschichte der gerichtsverfassung und verwaltung, die behördenorganisation Max' I.,
und zwar alles das auf noch nicht 60 seiten. da dem ref. die erste
hälfte, welche vorzugsweise in das gebiet dieses jahresberichtes
fällt, nicht vorgelegen hat, so muss er sich auf diese kurzen angaben beschränken. — angez. von σ., Lit. cbl. 1896 (25) 902 (übersichtlich und klar) und von F. v. Krones, Litztg. 1896 (51) 1613
(im rechtsgeschichtlichen teile könnte manches schärfer und tiefer er-
fasst und herausgearbeitet sein).

108. A. Luschin v. Ebengreuth, Österreichische reichsgeschichte. 2. teil. die zeit von 1526—1867. XVI u. s. 325—585.
Bamberg, C. C. Buchner. 5,60 m.

nicht geliefert. — vgl. jsb. 1895, 9, 59. — über den 1. teil
giebt ein eingehendes referat die lobende anz. von H. Schreuer,
Krit. vierteljahrsschr. f. gesetzg. 38, 335—363. — ferner angez.
von F. R. v. Sartori-Montecroce, Mitt. d. inst. f. österr. geschichtsf. 17, 342—345 (bedeutsam durch die fülle neuer gesichtspunkte und ergebnisse und durch die vortreffliche zusammenfassung
der bisherigen forschungen). — kurz angez. Lit. cbl. 1896 (5)
149 und (43) 1566. — der 1. teil wurde ferner besprochen von
L. Gumplowicz, Jur. litbl. 63, 77 (für das mittelalterliche musterhaft, grundlegend und eine willkommene ergänzung zu Huber).

109. E. Werunsky, Österreichische reichs- und rechtsgeschichte. Wien, Manz. 2. lief. s. 81—160. 1,60 m.

vgl. jsb. 1895, 9, 60. — anz. der 1. lief. Österr. litbl. 1895,
61 f. und von Pražák, Cbl. f. rechtswiss. 14, 258; ferner von
L. Gumplowicz, Jur. litbl. 63, 77 f. (es ist zu wünschen, dass
Werunsky sein weit angelegtes werk in demselben massstab zu
ende bringt).

110. F. R. v. Sartori-Montecroce, Beiträge zur österreichischen reichs- und rechtsgeschichte. über die reception der fremden
rechte in Tirol und die Tiroler landesordnungen. Innsbruck, Wagner
1895. VIII, 91 s. 2 m.

nach der kurzen anz. Lit. cbl. 1895 (52) 1871 f. löst der vf.
mit glück die aufgabe, aus der geschichte der reception der
fremden rechte die hauptmomente hervorzuheben, die wirksamen
faktoren zu bezeichnen und den verlauf der entwickelung in den
grundzügen zu charakterisieren.

vgl. auch abt. 9, no. 36, 43, 47, 49—53, 62, 63.

---

111. Grünenwald, Pfälzische weistümer, ihre geschichte
und reste. Pfälz. mus. 8, 28 u. 36 ff.

vgl. auch abt. 9. no. 112.

---

112. folgende in diese abteilung gehörigen anzeigen früher
erschienener werke mögen kurz erwähnt werden. es wurden angezeigt: L. Beauchet, Loi de Vestrogothie (jsb. 1894, 9, 20)
von G. Blondel, Cbl. f. rechtsw. 14, 13 ff. (anerkennend). —
L. Werner, Gründung und verwaltung der reichsmarken (jsb. 1895,
9, 35) von F. Hirsch, Mitt. a. d. hist. litt. 24, 9 f. (referierend).
— A. Diemand, Das ceremoniell der kaiserkrönungen von Otto I.
bis Friedrich II. (jsb. 1895, 9, 36) von J. Schn., Hist. jahrb. 15,
444. — K. Lehmann, Consuetudines feudorum (jsb. 1895, 9, 20;
vgl. 1896, 9, 29), Nouv. rev. hist. de droit 17, 144. — P. Uhlmann, König Sigmunds geleit für Hus (jsb. 1895, 9, 51) von
A. Starzer, Österr. litbl. 5 (10) 299. — O. Kallsen, Die deutschen städte im mittelalter (jsb. 1893, 9, 50) Zs. f. gymnw. 46,
576—581. — J. E. Kuntze, Die deutschen städtegründungen
(jsb. 1894, 9, 63) Rev. de l'instruct. publ. de Belg. 35, 56—59. —
S. Schwarz, Anfänge des städtewesens in den Elb- und Saale-
gegenden (jsb. 1894, 9, 80) Kwart. Hist. 7, 123. — F. Priebatsch,
Die Hohenzollern und die städte der Mark (jsb. 1894, 9, 81) Bär
19, 60. — A. Sach, Der ursprung der stadt Hadersleben (jsb. 1895,
9, 79) Dtsch. herold 24, 78. — E. Rummler, Die schulzen der

deutschrechtlichen dörfer Grosspolens (jsb. 1894, 9, 88) Kwart.
Hist. 7, 512. — J. Mayerhofer und S. Glasschröder, Weis-
tümer der Rheinpfalz (jsb. 1893, 9, 74) Zs. f. gesch. d. Oberrh. 8.
Bohm.

X. Mythologie und volkskunde.

Mythologie.

1. W. Golther, Handbuch der germanischen mythologie.
Leipzig 1895. — vgl. jsb. 1895, 10, 6. — rec. von E. H. Meyer,
Litbl. 17 (7) 217—225: G. hat sich im aufbau der mythologie an
die von Meyer aufgestellte anordnung und unterscheidung von
niederer und höherer mythologie gehalten, welche rec. ausführlich
gegen die Angriffe Kauffmanns verteidigt. — ferner von Th. v.
Grienberger, Zs. f. österr. gymn. 47, 999—1010 [besonders über
göttinnennamen aus römischen inschriften]; K. Landmann, Zs. f.
d. d. unterr. 10 (5/6) 362—371 und Zs. f. vergl. litgesch. 10, 267 – 277.
Much, Litztg. 1896 (16). G. Heinrich, Egyetemes philol. közlöny 20 (4) 349—358. A. de Cock, Volkskunde 9 (5/6) 112 f.;
Lit. cbl. 1896, 747 f.

2. K. Weinhold, Zur geschichte des heidnischen ritus.
Abhandl. d. akad. d. wiss. zu Berlin 1896, 1—50.
die rituelle nacktheit als gottesdienstlicher akt wird durch
eine reihe von belegen erwiesen. 'der nackte mensch versetzt sich
in den zustand des noch nicht bekleideten, von dem leben noch nicht
befleckten kindes'. daraus werden die deutschen bräuche erklärt,
bei denen nacktheit als vorbedingung zur erkenntnis der zukunft,
zauberei etc. erfordernis ist, ebenso fällt licht auf die pfingst-
umzüge, erntebräuche. nacktheit als mittel gegen schädigung
(vogelfrass, gewitter, krankheit etc.).

3. E. Caetani-Lovatelli, Der kultus des wassers und
seine abergläubischen gebräuche. Allg. ztg. 1896, beil. no. 138—139.

4. H. Usener, Götternamen. versuch einer lehre von der
religiösen begriffsbildung. Bonn, Fr. Cohen. X, 390 s. 9 m.
rec. von R. M. Meyer, Anz. f. d. altert. 23, 103—106: 'ein
herrliches buch'. das buch ist nicht eine mythographische darstellung sondern versucht eine 'geschichte der vorstellungen, welche
die vorzeit von den dingen ausser und in uns sich bildete'.

5. M. Müller, Natürliche religion. Physische religion.
Leipzig 1890. 1892. — vgl. jsb. 1892, 10, 1; 10, 2.
rec. E. Mogk, Idg. forsch. 6, Anz. (3) 175—178.

6. A. Bastian, Die verbleibsorte der abgeschiedenen seele. Berlin 1894. — vgl. jsb. 1894, 10, 19. — ferner rec. E. H. Meyer, Idg. forsch. 6, Anz. (1/2) 4 f.

8. A. Bastian, Die denkschöpfung umgebender welt aus kosmogonischen vorstellungen in kultur und unkultur. mit schematischen abrissen und 4 taf. Berlin, F. Dümmler. VI, 211 s. 5 m.
rec. von Th. Achelis, Arch. f. anthrop. 24, 348—354.

8a. A. Hahn, Demeter und Baubo, versuch einer theorie der entstehung unseres ackerbaues. Lübeck, selbstverlag des verfassers. in komm. bei M. Schmidt. 77 s.
die Adolf Bastian gewidmete untersuchung führt eine im grösseren kulturhist. werke des verfassers 'Die haustiere' 1895 gestreifte frage aus. die hypothese von den 3 stufen: jäger, hirten, ackerbauer wird verworfen und aus der verbreitung der hirse als kulturpflanze über das gebiet unseres ackerbaues hinaus erwiesen, dass schon vor unserem ackerbau im hackbau eine dem ersteren entsprechende bodenständige kulturstufe erreicht worden sei. den durch den pflug charakterisierten ackerbau lässt vf. nun aus kultischer grundlage entstehen: den wagen aus dem heiligen wagen, der die Götter führte; milchgenuss aus dem milchopfer, (kastrierte) zugochsen nach dem vorbilde kultischer kastration. — für die in mythologischen vorstellungen gegebenen zusammenhänge des ackerwirtschaftlichen und kultisch-sexuellen lebens, wie sie zum teil auch im nordischen mythus nachklingen (Frigg und die zwerge) sind in der abhandlung zahlreiche und schlagende belege zusammengetragen, doch erscheint der versuch, die sache auf den kopf zu stellen und den ackerbau vom kult abzuleiten, statt umgekehrt, nicht gelungen.

9. E. Mogk, Kelten und Nordgermanen. — vgl. abt. 7, 100.
bedeutungsvoll vor allem erscheint dem ref. der nachweis des anteils, den irische männer und frauen selbst an der besiedlung Islands oft in hervorragender sozialer stellung genommen haben. damit aber ist die geschichtliche grundlage auch für die eben erörterten grossen fragen der germanischen mythologie gewonnen. 'ich bin weit entfernt, alles, was S. Bugge oder gar E. H. Meyer unter dem einflusse des christentums und der antiken klassischen litteratur gedichtet sein lassen, aus der germanischen mythologie streichen zu wollen; mir kam es hier nur darauf an, vom geschichtlichen standpunkte aus zu zeigen, wie berechtigt Bugges skepsis ist'. wenn also Mogks abhandlung auch nicht direkt germanische mythologie berührt, so ist sie doch gerade für die jetzt im flusse befindlichen fragen von grundlegender bedeutung. — rec. von G. Heinrich, Egyet. philol. közlöny 20 (9) 817—821.

10. E. Mogk, Über die religion der alten Germanen. Bl. f. litt. unterhalt. 1896 (6).

11. W. Braune, Irmindeot und irmingot. P.-Br. beitr. 21 (1) 1—7. — vgl. abt. 13, 17.

12. F. Detter, Mûspilli. ebd. 21 (1) 107—110. — vgl. abt. 13, 8.

13. E. Mogk, Werwolf. ebd. 21 (3) 575 f.
verteidigt gegen Kögel die alte deutung 'mannwolf'.

Bernh. Schmidt, Windsbraut. ebd. 21 (1) 111—124. — vgl. abt. 1, 40.

14. E. S. Hartland, The legend of perseus. vol. III: Andromeda. Medusa. London, David Nutt (Grimm Library no. 5). XXXVIII, 225 s.
rec. von K. W(einhold), Zs. d. ver. f. volkskde. 6 (4) 451 f. vgl. jsb. 1895, 10, 88. — stellt danach im anschluss an Andromeda die erzählungen von errettung eines mädchens aus todesgefahr zusammen. menschenopfer, versteinerungen, haarzauber, böser blick. — ferner von A. G(aidoz), Melusine 8 (8) 190 f.

15. G. List, Deutsch-mythologische landschaftsbilder. neue [titel-]ausgabe. Leipzig, A. Warnecke. VII, 264 s. 2,40 m.

16. G. Eskuche, Heidentum und christentum im Chattenlande. freunden deutscher kulturgeschichte dargestellt. progr. Siegen. 1896. 42 s.
dient populärer unterhaltung. giebt im anschluss an Mogk eine übersicht über den germanischen götterglauben, soweit er für das Chattenland in betracht kommt, sowie über die christianisierung durch Winfrid.

17. E. Gnau, Mythologie und Kyffhäusersage. progr. Sangerhausen. 49 s.
polemisiert, um die beiden hauptstützen der mythischen grundlage der Kyffhäusersage zu retten, unter heranziehung einer wirren masse von litteraturangaben gegen Bugges auffassung des Balder- und Yggdrasilmythus. trotz der überreichen litteraturbenutzung ist dem vf. wie es scheint das neueste werk über die kaisersage (Kampers, vgl. jsb. 1895, 10, 80) entgangen. — rec. von Kirchhoff, Mitt. d. ver. f. erdkde. in Halle 1896, 105.

18. C. Rademacher, Germanische begräbnisstätten am Niederrhein. Nachr. über deutsche altertumsfunde 7 (1) 6—14.

19. F. Dahn, Über die göttinnen der Germanen. Nord und süd 1896, dez.

20. H. Schliep, Ur-Luxemburg. 2. bd.: die Siegfried- und
Genovefasage, der Siegfried-Herkules-kult im Kimberreiche, die
Nibelungen- oder heldengöttersagen, ihre wahre bedeutung, mit ausführlichen vergleichungen aus der mythologie der alten, nebst
andern mythologischen überlieferungen des landes u. a. Luxemburg, J. Beffort. 424 s.

Schierenberg redivivus. Genovefa = schöpfende natur [geno =
erzeugen, vefen = wirken, schöpfen]. Pfaffenthal = Drachenthal
[Fáfnir]. in der erzählung von Kriemhildes traum ist der falke
[falx = sichel, rundung, symbol des Uranus-Saturnus, des himmels]
ein attribut Siegfrieds [Siegfried ist wie der falke ein kreiser;
fried = einkreisung, einfriedigung] und die erzählung bedeutet: die
sonne [Siegfried] wird durch sonnenglanz erleuchtet. die luxem-
burgischen fürsten haben ihren ursprung der sage nach in Hund-
haus [wie Schlieps bemerkung 'gerichtshaus' angiebt, wohl als
hune-, gaugrafhaus zu fassen]. Schliep folgert nun: die Hundinge
sind das geschlecht Wodans. ein hund hiess auch Tyr [noch heute
Tirasse unter den hundenamen] und Tyr = sieg. haus = fried.
also die l. fürsten nachkommen Siegfrieds, sonnensöhne. auf diese
art werden unter voraussetzung des im 1. bde. aufgestellten götter-
volapüks, das zugleich als Skaldensprache mannigfacher deutung
fähig ist, die im titel bezeichneten sagen alle als solare mythen
erwiesen, sogar kartenmässig der tierkreis des sonnengottes Herkules-
Siegfried um Luxemburg dargestellt, wobei der 'tiergarten' von
Luxemburg auch nicht fehlt. — das buch ist übrigens ernst
gemeint.

21. A. Nutt, The voyage of Bran son of Febal to the land
of the living, an old Irish saga now first edited, with translation,
notes and glossary by Kuno Meyer, with an essay upon the Irish
vision of the happy otherwold and the celtic doctrine of rebirth.
section I. The happy otherwold. London 1895. XVII, 331 s.

rec. von E. Martin, Anz. f. d. altert. 23, 109 f. nach einer
übersetzung eines altirischen reiseromans im zweiten teil eine darstellung der altirischen vorstellungen vom jenseits, die als vor-
christlich erwiesen werden. das sagenmotiv vom mönch, der eine
weile dem sang eines vögleins zu lauschen glaubt und dabei jahrhunderte verträumt, hat hier seine quelle. das märchen vom
Schlaraffenland erscheint nur als komische wendung der alten
keltischen sage. [es wird dagegen doch auf orientalische motive
zu verweisen sein, so auf die messianischen weissagungen, z. b.
Amos, wo züge des goldnen zeitalters in die zukunft verlegt erscheinen. der übergang des messianischen zukunftsbildes zum bilde
des seelenparadieses ist allgemein altchristlich.]

22. O. Knoop, Höllen und höllenberge in Pommern. Bl. f. pomm. volksk. 4 (8) 115—117. (9) 132—134.

23. H. Wolf, Mythus, sage, märchen. progr. Düsseldorf. 64 sp. 4⁰.

der mythologische stoff des gymnasialunterrichts, wie er in prima auf grund der klassikerlektüre etc. zusammengefasst werden kann. zu grunde liegt vorzüglich Useners system (vgl. 10, 4). antike stoffe wiegen vor; die märchen leitet vf. durchwegs von alten mythischen vorstellungen ab.

24. F. A. Rief, Die geschichte der königlichen domäne Marzell. Schriften d. ver. f. gesch. d. Bodensee und umgebung. 24, 65—211.

im kapitel 'das volk der Alamannen' s. 71—74 auch bemerkungen über den glauben der Alamannen, wobei die 'Ansen oder Asen' und die Wanen als die zwei göttergruppen dieses stammes geschildert werden. hier nur angeführt, um an einem beispiel zu zeigen, wie gern solche in ihren übrigen teilen gut fundierte geschichtliche darstellungen in mythologischen dingen aus dritter und vierter hand schöpfen. die quelle zu diesem abschnitt ist F. L. Baumanns geschichte des Allgäus.

25. E. Lagenpusch, Walhallklänge im Heliand. Königsberg, Hartung. 18 s. 0,60 m. [aus der Festschrift zum 70. geburtstage Oskar Schade dargebracht].

26. C. Cohn, Zur litterarischen geschichte des Einhorns. progr. Berlin (11. städt. realschule). 30 s. 4⁰.

der hier veröffentlichte erste teil der abhandlung giebt die antiken überlieferungen vom 'Einhorn', dessen horn wunderkraft (z. b. giftvertreibend) besitzt. im gegensatz dazu die aus orientalischer überlieferung schöpfende darstellung im physiologus. dort als wilder indischer esel, pferd etc. aufgefasst, hier ein kleines, starkes tier, einem ziegenbock ähnlich. ein charakteristischer zug der überlieferung ist dabei, dass das Einhorn nur durch eine reine jungfrau gefangen werden kann. auch im Nidhoggr des Yggdrasilmythus kehrt das mittelalterliche bild des Einhorns wieder.

27. Zschiesche, Heidnische kultusstätten in Thüringen. Jahrb. d. k. akad. zu Erfurt 22, 51—87.

populäre zusammenfassung mit ausgiebiger namensdeutung von bergen, flüssen etc. auf germ. götter. — rec. von M. Roediger, Zs. d. ver. f. volksk. 6 (2) 225 f.

28. Benkert, Ein vermeintlicher heidentempel Westfalens. Zs. d. ver. f. gesch. u. altert. Westfalens 54, 103—139.

eine kapelle, zwei stunden von Soest, in den annalen des Stangefol [17. jahrh.] als alter heidentempel bezeichnet. es sei drin die statue der dreihauptigen göttin Trigla gestanden, aber im Truchsesskriege [1583] zerstört worden. B. vermutet in der kapelle eine von Gottfried II. von Arnsberg 1226/27 gestiftete heiliggrab-kapelle. eine abbildung zeigt das innere der kapelle, deren eine säule noch jetzt drei eingemeisselte gesichtsfratzen zeigt.

Sagenkunde.

Heldensage. 29. H. Lämmerhirt, Rüdeger von Bechlarn. Zs. f. d. altert. 41, 1—23.

Rüdeger ist nicht eine gestalt der alten sage, sondern ein typus der dichtung. den kern seiner person bildet der pflichten-konflikt, alle andern momente seines auftretens sind nur jüngere zusätze. dieser pflichtenkonflikt aber geht auf historische vor-bilder zurück, die als lehnsleute östlicher nachbarn gegen deutsche volksgenossen kämpfen mussten, ein konflikt, der sich des öftern im geschlechte Pilgrims von Passau wiederholt hat, so dass L. die vermutung wagt, Pilgrim selbst habe das lied von Rüdegers ende dem meister Konrad diktiert. die eingliederung der Rüdegerepisode in die Nibelungensage wird in die zweite hälfte des 10. jahrhs. gesetzt.

30. E. Schröder, Die heldensage in den jahrbüchern von Quedlinburg. Zs. f. d. altert. 41, 24—32.

setzt gegenüber den angriffen von Wattenbach und Kögel die heldensage - excerpte der Quedlinburger annalen wieder in ihren vollen wert ein, indem er nachweist, dass der Quedlinburger anna-list die auch durch ihre sprachform als englisch bezeugten zeug-nisse der heldensage (Ermanrich-)sage, Theoderic, Bletla etc. einem glossierten exemplar von Bedas weltchronik entnommen hat. neben die litterarisch gefundenen zeugnisse der heldensage, die er in der fremden form aufzeichnete, setzte alsdann der annalist aus eigner jugenderinnerung (de quo cantabant rustici olim) die volkstümlich deutsche (Thideric neben Theoderic).

31. J. Nover, Deutsche sagen in ihrer entstehung, fort-bildung und poetischen gestaltung. 2. bd.: deutsche sagen des mittelalters. Nibelungen, Gralsage und Parcival, Lohengrin. Giessen, E. Roth. X, 238; 102; 54 s.

vgl. jsb. 1895, 10, 54. — das buch will die resultate der ge-lehrten forschung allgemein zugänglich machen; die darstellung unterspickt daher die sagenerzählung mit litterarhistorischen und sagengeschichtlichen erläuterungen, sowie mit vorführung gelehrter kontroversen. als autorität gilt dabei für den vf. namentlich W. Golther. die sagenerzählung folgt den originalquellen, modernisiert aber die herbe dialogsform den alten saga. 'resigniert gab Brunhild zur antwort', 'leidenschaftlich versetzte Sigurd' etc. ansprechend ist die ausführliche würdigung der modernen behandlungen der heldensage, wobei Jordans Nibelungen und R. Wagners operndichtungen in erster reihe stehen. aber auch die übrigen bedeutenderen nachschöpfungen sind kurz charakterisiert. nach des ref. meinung würde eine schlichte, im geiste der originale gehaltene darstellung des sagenstoffes, der sich ein knapp und sicher die ergebnisse der historischen, mythologischen und litterargeschichtlichen forschungen enthaltendes kapitel angeschlossen hätte, vollkommener das ziel des buches, historisches verständnis für die modernen neuschöpfungen der heldensage zu schaffen, erreicht haben.

32. F. Sander, Das Nibelungenlied, Siegfried der schlangentöter und Hagen von Tronje. Berlin 1895. — vgl. jsb. 1895, 10, 11. — abgelehnt von Fr. Kauffmann, Anz. f. d. altert. 23, 197.

33. A. Krüger, Der klevische schwanenritter. Berichte d. freien d. hochstiftes zu Frankfurt a. M. n. f. 12 (2).

34. G. List, Die Lohengrinsage. Das zwanzigste jahrh. 7 (2).

35. Th. Schauffler, Die sage vom schwanenritter, ihre darstellungen in der mhd. litteratur und ihre mythologische bedeutung. Südd. bl. f. höheren unterr. 4 (2—4).

36. H. Althof, Das Waltharilied. — vgl. abt. 20.

36a. Fr. Kauffmann, Das Hildebrandslied. Philol. studien, festgabe für E. Sievers. s. 124—178. — vgl. abt. 13.
der 4. abschnitt enthält eine inhaltreiche erörterung des stoffes der dichtung. Otacher = Gibeche, Hildebrand = Heime der jüngeren überlieferung. s. 174 eine rekonstruktion der fabel.

St. Christoph. 37. A. Richter, Der deutsche St. Christoph. Berlin, Mayer u. Müller. VI, 243 s. [Acta germanica 5, 1].
rec. von A. Schönbach, Anz. f. d. altert. 23, 159—163. der 4. abschnitt der hauptsächlich litterarhistorischen untersuchung handelt über die nachwirkung der Christophlegende in der volksüberlieferung.

Faustsage. 38. W. Meyer, Nürnberger Faustgeschichten. — vgl. abt. 15, 37.

39. G. Milchsack, Historia D. Johannis Fausti des zauberers. vgl. unten abt. 15, 39.

Fortunat. 40. A. v. Chamisso, Fortunati glückseckel und wunschhütlein. ein spiel (1806) aus der handschrift zum erstenmal herausgegeben von E. F. Kossmann. Stuttgart, Göschen 1895. 1,20 m. [Deutsche litteraturdenkmale d. 18. und 19. jahrh. hrsg. von A. Sauer. n. f. no. 4/5].

die jugenddichtung Ch.'s, von der bisher nur einzelne fragmente veröffentlicht waren, wird hier zum erstenmal nach der handschrift des dichters abgedruckt. zu grunde liegt das volksbuch des Fortunatus, von dem Ch. jedoch nur den zweiten teil benutzte. die einleitung s. III—XVIII orientiert ausführlich über die entstehung, s. XVIII—XXXVI giebt eine analyse der dichtung. — rec. von O. F. Walzel, Euphorion 4 (1) 132—145; A. Leitzmann, Zs. f. d. phil. 29 (1) 137 f.

Frankensage. 41. O. Dippe, Die fränkischen Trojanersagen. ihr ursprung und ihr einfluss auf die poesie und die geschichtsschreibung im mittelalter. progr. Wandsbeck. 30 s. 4º.

D. unterscheidet 3 ursprüngliche formen der sage: A (im zweiten buch der chronik des Fredegar I; 613), worin der vf., anknüpfend an vorhandene gallisch-romanische Trojanersage, den volksnamen Frigi (Phrygi) seiner quellen als 'freie' = Franci umdeutete. B (Fredegar II; um 642), sonst eine verkürzte wiedergabe von A, fügt den namen der stadt Troja am Rhein hinzu (Xanten = colonia Trajana, als Troja minor von F. II gedeutet). im Liber historiae Francorum (727) eine von A und B unabhängige selbständige dichtung (die Franken an der Maeotis), die vom vf. des Liber h. F. als einleitung seines werkes, nach andeutungen der Sidonius Apollinaris und Gregors (auch Ammianus Marcellinus) völlig frei erfand. diese letztere fassung ist in karolingischer zeit politisch umgestaltet worden (Vassus bruder des Francus, der vasalle dem freien gleichgestellt). für die deutsche dichtung ist A und B massgebend geworden (der Hagen von Tronje, [pagus Troningorum am Zabernpass] wird im Waltharius zu H. v. Troja). in der geschichtsschreibung hat die Frankenchronik nachgewirkt. — rec. von G. Heinrich, Egyetem. philol. közlöny 20 (10) 923—925.

42. G. Kurth, Histoire poétique des Mérovingiens. Paris, Picard; Bruxelles, Soc. belge de librairie. Leipzig, Brockhaus 1895. IV, 552 s.

rec. von E. Heyck, Litbl. 17 (2) 55—63. danach enthält das werk grundlegende untersuchungen auch über die fränkische (merovingische) volkssage, die K. aus der fränkischen historiographie rekonstruiert.

43. C. Voretzsch, Das Merowingerepos und die fränkische

heldensage. Philologische studien, festgabe für Eduard Sievers.
s. 53—111.
weist im anschluss an Kurths buch für die meisten fälle die
epische provenienz der chronistischen überlieferungen zurück und
nimmt als grundlage sagen in prosaischer form (wahrscheinlich
fränkischen, nicht romanischen ursprunges) als grundlage an.

Kaisersage. 43. F. Kampers, Die deutsche kaiseridee in
prophetie und sage. München, H. Lüneburg. 231 s. 5 m.
rec. von P. B., Korrbl. d. gesamtver. d. d. gesch. u. altert. 45
(7) 92. erweiterte, aber von den gelehrten excursen entlastete
bearbeitung des buches 'Kaiserprophetien und kaisersagen im ma.'
(jsb. 1895, 10, 80), das auch von Koehne, Zs. f. kulturgesch.
4 (1/2) angezeigt wurde.

44. W. Maass, Der Kyffhäuser und die entwickelung der
deutschen kaisersage. Wissenschaftl. beil. zur Leipziger ztg. no. 72.

45. E. Mogk, Die sage vom kaiser Friedrich im Kyffhäuser.
Bl. f. litt. unterh. 1896 (25).

46. B. E. König, Der Kyffhäuser, seine deutschen kaisersagen und deren ruhmreicher abschluss. ein gedenkblatt an die
errichtung des kaiser Wilhelm-denkmals. den deutschen krieger-
verbänden gewidmet. Leipzig, Th. Weber. 24 s. 0,50 m.

47. R. Wohlfarth, Die sagen des Kyffhäusers. Franken-
hausen, C. Werneburg. 128 s. 0,80 m.

Karlsage. 48. S. Singer, Karl unter den weibern. Schweiz.
archiv f. volksk. 1 (1) 42 f.
Walliser sage von einem Karl, der allein im dorfe zurück-
geblieben, mit den weibern die herannahenden feinde vertreibt.
variante zur Kaiserchronik 14 915 ff. ed. Schröder.

Melusinensage. 49. J. Kohler, Der ursprung der Melusinensage. Leipzig 1895. — vgl. jsb. 1895, 10, 87. — ferner rec. von
M. Hippe, Zs. f. vgl. litgesch. 10 (2/3) 257—260. Euphorion
3 (1) 245.

Theophrast. 50. O. Heilig, Doktor Frastus. Alemannia 24 (2)
150—157.
sage von den zauberbüchern des Theophrastus Paracelsus.

51. H. Tardel, Quellen zu Chamissos gedichten. progr.
Graudenz. 22 s.
als quelle für eine reihe von epischen gedichten Ch.'s werden
die 'deutschen sagen' und die 'kinder- und hausmärchen' der brüder

Grimm nachgewiesen. für einige andere lieder haben volkslieder-
sammlungen, so auch Des knaben wunderhorn anregung gegeben.

52. A. Haas, Rügensche sagen und märchen. 2. aufl. Stettin,
J. Burmeister. XVI, 235 s. 2,50 m.

rec Br., Bl. f. pomm. volksk. 4 (11) 176; K. Weinhold, Zs.
d. ver. f. volksk. 6 (4) 454 f.

53. R. Reichhardt, Die Drostin von Haferungen. eine
sagengestalt aus der grafschaft Hohenstein. Zs. d. ver. f. volksk.
6 (1) 78—82.

hexensagen, die sich an die gestalt der drostin Helene von
Burchtorff († 1764) anschliessen.

54. W. Schwartz, Vom spuken. ebd. 6 (1) 94—96.
spukgeschichten aus Neu-Ruppin.

55. A. Knoop, Neue volkssagen aus Pommern. Bl. f. pomm.
volksk. 4 (1) 3—5. (2) 19—21. (3) 35 – 38. (5) 78—80. (6) 92—95.
(8) 124—128. (9) 141. (10) 145—148. (11) 161—164. (12) 184—187.

vgl. jsb. 1895, 10, 95. — XVIII: teufel, hausgeister und
hexen. 87 nummern.

56. W. Koglin, Till Eulenspiegel in Hinterpommern. Bl. f.
pomm. volksk. 4 (1) 12—14. (3) 41—43.

57. Blankenstein, Sagen und märchen des Harzgebirges.
Thale, Suderode. O. Zechel. 136 s. 2 m.

58. Th. Eckart, Burg Scharzfels in geschichte und sage.
2. aufl. Leipzig, Franke 1895. 25 s.

bespr. Reischel, Mitt. d. ver. f. erdkde. in Halle 1896, 107.

59. O. Hartung, Ackerbauliche altertümer um Anhalt. Mitt.
d. ver. f. Anhaltische geschichte u. altertumskde. 7, 247—375.

bespr. von A. Kirchhoff, Mitt. d. ver. f. erdkde. in Halle
1896, 108 f.

60. Reichardt, Sagen aus dem Helmegau. Aus der heimat.
sonntagsbeil. d. Nordh. kuriers 1895 (28—30).

61. F. Kunze, Volkssagen aus der Nordhauser gegend.
ebd. 1896 (9).

62. E. Damköhler, Sage vom teufelsbade. Braunschweigisches
magazin 2, 86 f.

auf die verbreitete vorstellung zurückgeführt, dass der verkehr
mit unterweltlichen wesen todbringend ist. — rec. Mitt. d. ver. f.
erdkde. in Halle 1896, 107.

63. R. Steinhoff, Die sage von der Harzer Rosstrappe.
Mitt. d. ver. f. erdk. zu Halle 1896, 27—55.

zuerst in chronologischer ordnung die sagenfassungen und angabe der varianten und verwandten stoffe. vf. findet nach eingehender sichtung der quellen als kern der sage den naturmythus
der wilden jagd, so dass der die wolkenfrau jagende sturmgott hier
lokalisiert erscheint.

64. Th. Voges, Sagen aus Braunschweig. Braunschweig
1895. — vgl. jsb. 1895, 10, 104. — ferner rec. Damköhler, ebd.
1896, 108.

65. H. Grössler, Sechste nachlese von sagen und gebräuchen
der grafschaft Mansfeld und deren nächster umgebung. Mansfelder blätter 10, 101—106.

Dankeröder sagen (von O. Schröter), aus wald und flur; oster-,
johannis- und herbstfeuer. kinderlieder (von W. Fricke).

66. K. Meyer, Sagen vom Hohenspiegel bei Nordhausen.
Aus der heimat 1895 (4. 5).

67. Fr. Fischbach, Lorelei und loren-mythen und sagen.
vortrag. Annalen d. ver. f. Nassauische altertumskde. 28, 319 f.

die sage geht vom fünffachen echo aus. luren = bronze-
trompeten, also trompetenberg. die jungfrau als schatzhüterin gehört zur elfenfamilie Luarins.

68. W. Ruland, Rheinisches sagenbuch. Köln, F. Heyn.
VI, 402 s. 3 m.

69. G. Schnorrenberg, Des Rheinlands sagenbuch. mit
einem titelbild. Köln a. Rh., Paul Neubner. 295 s. 1,50 m.

die sagen, nach orten geordnet, sind novellistisch bearbeitet,
wobei auch erläuternde und deutende bemerkungen eingeflochten
werden. die bearbeitung, zum teil etwas sentimental-süsslich, will
unterhaltlichen zwecken dienen. quellenangaben der 44, durchwegs bekannten sagen fehlen. die ausstattung ist hübsch.

70. A. H. Bernard, Eine sammlung von Rheinsagen. 10. aufl.
Wiesbaden, G. Quiel. VII, 319 s. mit 6 stahlst. 2,50 m.

71. H. Nentwig, Kunigunde von Kynast und andere
Kynastsagen. Warmbrunn, M. Leipelt. 25 s. 0,40 m.

nach der poetischen bearbeitung von J. Gesellhofen 'die jungfrau von Kynast' dargestellt. der kern der sage ist die bedingung,
um den preis der jungfrau einen umritt auf der schmalen burgmauer
zu wagen. einige sagenvarianten werden herangezogen. beigegeben
sind 4 hübsche abbildungen und ein situationsplan der burg.

72. K. Hessel, Sagen und geschichten des Moselthales. im auftrage des Mosel- und Saarvereins. Kreuznach, Ferd. Harrach. 184 s. 1 m.

eine reiche sammlung [168 nummern] von geschichtlichen anekdoten, chronikalischen aufzeichnungen und lebendiger volkssage. dazwischen eingestreut zusammenfassende kulturschilderungen (aus älterer zeit nach Caesar, Ausonius, Venantius Fortunatus). legende und sage knüpft vornehmlich an Trier und seine bischöfe an [Gesta Trevirorum]. aus der neueren zeit namentlich schilderungen des wirtschaftlichen lebens. im anhang ein litteraturverzeichnis. die darstellung ist schlicht, wo es angeht, wirklich den quellen entlehnt. als echt volkstümliche schrift für volks- und schulbibliotheken sehr empfehlenswert.

72a. H. Gierlichs, Die sage vom Römerkanal in der Eifel. Rhein. geschichtsbl. 2, 337 ff.

73. E. Pauls, Der Lousberg bei Aachen. Zs. d. Aachener geschichtsver. 18, 19—64.

in abschnitt II s. 37—53 'der Lousberg in sage und dichtung'. teufelssage vom münsterbau, wolfssage [wolfsseele als ersatz für menschenseele]. Ludwig der fromme in Lousberg [variante der Kyffhäusersage]. P. giebt eine übersicht der sagenlitteratur und sucht historische fixierung. den namen leitet vf. von altfr. lovesse, wölfin ab.

74. A. Stöber, Die sagen des Elsasses getreu nach der volksüberlieferung, den chroniken und andern gedruckten und handschriftlichen quellen. neue ausgabe besorgt von Curt Mündel. 2. teil: die sagen des Unterelsasses. Strassburg, Heitz und Mündel. XIII, 395 s.

entspricht völlig den erwartungen, welche der erste teil [vgl. jsb. 1892, 10, 109] erweckte. 318 nummern nach ortschaften geordnet, treu nach dem volksmunde oder nach den litterarischen quellen aufgezeichnet. in den anmerkungen reiche litteraturzusammenstellung, so zu no. 45: legende der heil. Odilia, patronin des Elsasses; zu no. 70: 'die riesentochter von Nideck' durch eine poetische bearbeitung der sage (aufgefunden von Charlotte Engelhardt, geb. Schweighäuser) 1814 an J. Grimm vermittelt. ein sach- und ortsregister orientiert über die ganze sammlung. damit ist eine der reichsten quellenschriften für die deutsche sagenkunde fertiggestellt. — rec. Zs. f. d. gesch. d. Oberrheins n. f. 11, 458.

75. L. Egler, Mythologie, sage und geschichte der Hohenzollernschen lande. Sigmaringen, Liehner 1894. 303 s. 3 m.

rec. von A. Holder, Alemannia 23 (1) 95 f.

76. F. Schleucher, Hohenstaufen. ein kranz der schönsten Hohenstaufen-sagen aus dem Kinzigthale. Gelnhausen, O. Wettig. 119 s. 1,20 m.

77. L. Sütterlin, Sagen und erzählungen aus Schwaben. Alemannia 24 (1) 1—7.

78. P. Beck, Eine alte kirchenbausage. ebd. 24 (2) 170.

79. K. Reiser, Sagen, gebräuche und sprichwörter des Allgäus. aus dem munde des volkes gesammelt. Kempten, J. Kösel. heft 6—7. s. 351—448. à 1 m.

vgl. jsb. 1895, 10, 110. — no. 417—450: rest der geister- und spuksagen [mittag- und feldgeister, 'geistende' hirten und sennen, verbannte geister]; 451—495: legenden und sagen von kirchen und kapellen [Christus und Petrus auf der wanderschaft, ewige jude, St. Magnus, wunder- und gnadenbilder, glockensagen]; 496—539 vermischte sagen und nachträge [gaul in der wiege: die lebendig begrabne wird durch leichenraub wieder erweckt, totenfrevel, nächtliche reiter]; mit no. 540 beginnen die historischen sagen [no. 542 Hildegard und Taland, aus einer handschriftlichen Kempter chronik des 15. jahrhs.: Hildegard, die gattin Karl des grossen, entgeht den anschlägen seines bruders Tallandus und baut das gotteshaus zu Kempten]. bearbeitung und ausstattung in derselben vortrefflichen art wie die ersten hefte. — rec. von K. W(einhold), Zs. d. ver. f. volksk. 6 (3) 331. die hefte 1—3 rec. von W. N(agl), Deutsche mundarten 1 (1) 79.

80. R. Schwenck, Über einige Fichtelgebirgssagen. bericht des nordoberfränk. vereins f. natur-gesch. u. landeskde. 1 (1896) 18—30.

aus Zapf, 'Sagen des Fichtelgebirges', besprochen die sage vom könig im berge [variante der Kyffhäusersage] und zwerg- und seelensagen. populär.

81. J. Frey, Sagen und volkslieder aus dem Wynenthale (1841). Taschenbuch d. histor. ges. d. kantons Aargau 1896.

82. E. Köhler, Quellen und brunnen in der deutschen sage. 65. und 66. jsb. des vogtländ. altertumsforsch. vereins 1896, 40—52. populär gehalten.

83. Stäsche, Sagen aus der gegend von Öls. Mitt. d. schles. ges. f. volksk. 3 (3) 40 f.

der teufel als bock. der feurige drache. der versunkene schatz.

84. A. Lincke, Die neuesten Rübezahlforschungen. ein blick

in die werkstatt dor mythologischen wissenschaft. vortrag. **Dres-**
den, Zahn u. Jaensch. VI, 51 s. 1,20 m.

rec. von F. V[ogt], Mitt. d. schles. ges. f. volksk. 3 (3) 42.
fester punkt in den schwankenden hypothesen ist der nachweis des
personennamens Rübezagel seit dem 13. jahrh. also = teuflischer
dämon [sauzagel = dämon des wirbelwindes]. die ältesten zeugnisse des namens weisen auf Süddeutschland. — ferner von
K. W(einhold), Zs. d. ver. f. volksk. 6 (3) 332.

85. R. Waizer, Schlosssagen von Liebenfels im **Glanthale.**
sage von der bösen kirche bei Grandenegg. Carinthia 86 (2) 63 f.

86. Fr. Franziszi, Kärtner-sagen. ebd. 86 (4) 121—124.
pestsagen. bergmännlein. seesagen.

87. Schüttelkopf, Hältersegen. ebd. 86 (3) 92.

88. Kühnau, Schlesische märchen und sagen II. **Mitt. d.**
schles. ges. f. volksk. 3 (2) 19—23.

vgl. jsb. 1895, 10, 163. żu viel weinen beim tode eines
menschen. wiederkommen der verstorbenen wöchnerin. teufel.
umgehen.

89. Stäsche, Sagen aus der gegend von Öls. **zweite reihe.**
ebd. 3 (5) 68 f.

91. M. Klapper, Sagen. Mitt. d. nordböhm. excurs.-clubs
19, 253—257.

weinbergsage; diebssegen; pilgers künste; hausmännchen.

92. G. Henning, Die waldnixe am scheidebache. **eine**
Kollmarsage. Gebirgsfreund 8, 163 f.

93. F. Storch, Die sagen und lieder des **Gasteinerthales,**
gesammelt und herausgegeben. 2. ergänzte aufl. Salzburg, **Mayr.**
IV, 119 s. 1,20 m.

rec. v. D., Zs. f. österr. volksk. 2, 92.

94. Leeb, Sagen aus dem Neunkirchner bezirk. ˙Neun-
kirchner bezirksbote 1896.

95. Weiser, Volkssagen aus der 'buckligen welt'. **Nieder-**
österreichischer landesfreund 4, 67.

96. — Niederösterr. volkssagen. ebd. 4, 52—54.

97. K. W(einhold), Steirische sagen vom Schratel. **Zs. d.**
ver. f. volksk. 6 (3) 322—324.

97a. H. Schukowitz, Mythen und sagen des **Marchfeldes.**
Zs. f. österr. volksk. 2, 67—76. 267—278. ·

97b. Franz Kraus, Höhlensagen aus Krain. ebd. 2, 142—149.

97c. W. Peiter, Der berggeist der erzgebirgischen bergleute. ebd. 2, 178—180.

97d. A. F. Dörler, Sagen aus Innsbrucks umgebung. Innsbruck, Wagner 1895. — vgl. jsb. 1895, 10, 144.
rec. W. Hein, Zs. f. österr. volksk. 2, 94.

98. J. Rastel, Drei sagen aus Urwegen. Korrbl. d. ver. f. siebenb. landesk. 19 (5) 67—69. — ebd. 19 (7/8) 82 f. sage vom hexenmeister. 19 (9) 109 hexensage.

Märchen. 99. A. Thimme, Lied und märe. studien zur charakteristik der deutschen volkspoesie. Gütersloh, C. Bertelsmann. 3 + 156 s. 2 m.

von den hier vereinigten 'studien' betreffen die drei ersten (Zur geschichte der volkspoesie. Zur charakteristik des volksliedes. Blumen und bäume) das volkslied, die übrigen (Land und leute im märchen. Geburt, hochzeit, tod und ewigkeit. Fabel- und wunderwesen. Antike märchen in deutschem gewande) mit ausnahme der letzten die Grimmsche märchensammlung. ansprechend geschrieben zeugen sie von liebevoller beobachtung eines dilettanten und vermögen ein grösseres publikum zu interessieren; eine förderung der wissenschaft bedeuten sie nicht, da T. durchaus auf dem standpunkte naiver freude und bewunderung steht und von der märchenforschung der letzten 40 jahre kaum notiz genommen hat, auch auf die historische entwicklung nirgends seinen blick lenkt, von den irrtümern im einzelnen zu schweigen. [Bolte.] — rec. A. Tille, Lit. cbl. 1897 (7) 242 f.

100. G. Amalfi, Die kraniche des Ibykus in der sage. Zs. d. ver. f. volksk. 6 (2) 115—129.

die erzählung von den vögeln als rächer wird als ein wanderndes novellenmotiv nachgewiesen, das sich an die namen des griechischen lyrikers geheftet hat, also nicht historisch ist.

101. O. Rohde, Die erzählung vom einsiedler und dem engel. Rostock 1894. — vgl. jsb. 1895, 10, 157.
ferner rec. von K. Euling, Anz. f. d. altert. 23, 54—56: 'unsichre und tastende untersuchung'.

102. R. Spiller, Zur geschichte des märchens vom Dornröschen. Frauenfeld 1893. — vgl. jsb. 1893, 10, 7; 1894, 10, 10. — ferner rec. von K. Wolfskehl, Litbl. (11) 371—374, der ebenfalls in der indischen version die urform des märchens erkennt.

103. H. Wagner, Die märchen von der ga ga guntsem frâ. Korrbl. d. ver. f. siebenb. landesk. 19 (9) 109.

104. K. W(einhold), Märchen vom hahnreiter. **Zs. d. ver. f. volksk.** 6 (3) 320—322.

steiermärkische variante des wettkampfes zwischen meister und lehrling.

104a. Adalb. Hein, Ein oberösterreichisches märchen. **Zs. f. österr. volksk.** 2, 213—217.

'Der höllische gortn', eine Linzer variante zu Grimm no. 97 'Das wasser des lebens'.

105. J. Fulz, Tiperusch-Vityâss. ein volksmärchen. **Korrbl. d. ver. f. siebenb. landesk.** 20 (6 u. 7).

106. Fr. Pfaff, Märchen aus Lobenfeld. **Alemannia** 24 (2) 179—183.

fortsetzung zu den märchen in jsb. 1895, 10, 160.

107. R. Pelz, Pommersche märchen. **Bl. f. pomm. volksk.** 4 (2) 21—24, (2) 38—41, (5) 65—69, (6) 89—92, (12) 183 f.

1. die falsche schwester. 2. schloss Golden-Perlstein. 3. der fischersohn.

108. V. Tolnai, Zur litteratur der matrone von Ephesus. **Egyetemes philolog. közlöny** 20 (10) 902—904.

inhaltsangabe einer magyarischen bearbeitung im anschluss an Petronius.

109. P. de Mont und A. de Cock, Dit zijn vlaamsche wonder-sprookjes, het volk naverteld. Gent, A. Siffer. 296 s.

rec. von J. Bolte, Zs. d. ver. f. volksk. 6 (2) 223—225. Kn., Bl. f. pomm. volksk. 4 (11) 170. J. Cornelissen, Ons volksleven 8 (4) 83 f. — Volkskunde 9 (3/4) 111 f.

110. R. Köhler, Zu den von Laura Gonzenbach gesammelten sizilianischen märchen. aus dem nachlasse hrsg. von J. Bolte. **Zs. d. ver. f. volksk.** 6 (1) 58—78; (2) 161—175.

reiche und wertvolle typenzusammenstellungen mit ergänzungen Boltes.

111. L. Bechstein, Märchenbuch. mit 84 holzschnitten nach originalzeichnungen v. L. Richter. 45. aufl. Leipzig, G. Wigand. VI, 233 s. und bildern. 1,20 m.

112. St. Prato, Sonne, mond und sterne als schönheitssymbole in volksmärchen und liedern. **Zs. d. ver. f. volksk.** 5 (1) 24—52.

vgl. jsb. 1895, 10, 166.

113. H. Cardauns, Die märchen Clemens Brentanos. [Görres-gesellschaft. vereinsschrift für 1895]. Köln, Bachem 1895. 116 s. 1,80 m.

eingehende litterarhistorisch-ästhetische untersuchung der entstehung sowie der quellen und quellenbenutzung der märchen B.'s. den 'kleineren italienischen märchen', wie dem Gockelmärchen und dem Fanferliesschen Schönefüsschen (3. teil) liegt im allgemeinen und einzelnen Basiles märchencyklus zu grunde [B. besass eine ausgabe von 1749]. die 'Rheinmärchen' sind frei erfunden [so namentlich das Loreleilied], wobei ältere motive [auch aus volksliedern] nur anhaltspunkte gegeben haben. im 'Schneider Siebentot auf einen schlag' sind die volksmärchen vom 'Däumling' und vom 'tapfern schneiderlein' verquickt. s. 4 die Grimmsche und Brentanosche auffassung der märchenbearbeitung gegenübergestellt. — vgl. R. Steig, Euphorion 3, 791—799.

114. O. Bleich, Entstehung und quellen der märchen Clemens Brentanos. Archiv f. d. stud. d. n. spr. 96 (1. 2) 43—96.

Legenden. 115. G. Binder, Geschichte der bayerischen Birgittenklöster. Verhandl. d. hist. ver. d. Oberpfalz u. Regensburg. 48, 1—348.

die klöster Gnadenberg, Maihingen und Altomünster werden behandelt und dabei eine reihe von gründungssagen und heiligenwundern mitgeteilt.

116. K. Helm, Die legende vom erzbischof Udo von Magdeburg. Neue Heidelberger jahrb. 7 (1) 95—120.

textabdruck des von Goedeke 1, 236 erwähnten mhd. gedichtes.

117. E. Schröder, Die tänzer von Kölbigk. ein mirakel des 11. jahrhs. Zs. f. kirchengesch. 17, 94—164.

rec. von K. Weinhold, Zs. d. ver. f. volksk. 6 (4) 455 f. mittelalterliche tanzepidemie, die einer litterarisch weitverzweigten, zuletzt aus jüngeren quellen in die 'Deutschen sagen' no. 232 aufgenommenen sage zu grunde liegt.

118. J. Hürbin, Die legende von Eucharius, Valerius und Maternus im 13. und 15. jahrh. Kath. Schweizerblätter 50.

119. A. Müller, Das martertum der thebäischen jungfrauen in Köln. (die hl. Ursula und ihre gesellschaft.) Köln, Schafstein u. co. 36 s.

rec. von Rauschen, Bonner jahrb. 100, 130 f. vf. will beweisen, dass die heldin der Ursulalegende mit ihren genossinnen der sogenannten thebäischen legion angehört habe und mit dieser gemartert worden sei. die abhandlung wird von R. als verfehlt bezeichnet. — auch O. R. R. im Korrbl. d. ges.-ver. d. d. altert. u. gesch.-ver. 45 (5) 67 bezeichnet die abhandlung als 'auf keiner sonderlich festen basis' stehend.

120. W. Wattenbach, Über die legende von den heiligen vier gekrönten. Sitzungsber. der Berliner akad. 1896, 1281—1302.

christenverfolgungslegende aus der zeit Diokletians. W. giebt einen abdruck der ältesten fassung aus einer Pariser handschrift mit facsimile.

121. M. Wallerstein, Die legende von der heiligen Eugenia. im urbild und in der umgestaltung durch Gottfr. Keller. Nord und süd 76, 72—88.

122. F. Vetter, Reinbot von Durne, der heil. Georg. mit einer einleitung über die legende und das gedicht. Halle a. S., Niemeyer. CXCII u. 298 s. 14 m.

nach der anerkennenden besprechung im Lit. cbl. 1896, 1198—1200 liegt das schwergewicht des buches in der die entstehung und entwicklung der Georgslegende behandelnden eingehenden einleitung des herausgebers.

123. O. Warnatsch, Schlesische legenden. Mitt. d. schles. ges. f. volksk. 3 (5) 69—71.

rosenkranzperlen des heil. Jacek. Glatzer Ernestus-legenden.

Fabel. 124. B. Königsberger, Aus dem reiche der altjüdischen fabel. Zs. d. ver. f. volksk. 6 (2) 140—161.

auszüge aus der fabellitteratur des Talmud.

Volkskunde.

Allgemeines. 125. Zeitschrift des vereins für volkskunde. im auftrag des vereins hrsg. von K. Weinhold. 6. jahrg., heft 1—4. Berlin, A. Asher u. co.

ausser den einzeln angeführten aufsätzen sind noch kleinere mitteilungen zu vermerken. s. 439 spukgeschichten aus Bayern; 441 geistermesse zu Köln; 443 die bestimmten familien zugeschriebene heilkraft; 444 miszellen von W. Schwartz.

126. Blätter für pommersche volkskunde. herausgegeben von O. Knoop und A. Haas. 4. jahrg., no. 1—12. Stettin, Burmeister.

vgl jsb. 1895, 10, 181. — enthält ausser den angeführten aufsätzen noch kleinere mitteilungen: sagen: s. 10 f. (von Bogislav X.); 11 f. frauentreue.

127. Mitteilungen der schlesischen gesellschaft für volkskunde. hrsg. von Fr. Vogt und O. Jiriczek. jahrg. 1896. heft 3. no. 1—5.

128. Mitteilungen und umfragen zur bayerischen volkskunde. red. von O. Brenner. 2. jahrg. (1896). no. 1—4.
darin u. a. (1) s. 1. Einige winke für volkstümliche arbeiten. (4) s. 1. K. Spiegel, Wie ich einmal sagen erfuhr. aufgeschrieben für angehende sagensammler [gute winke!]. Aus unseren sammlungen. Über den löffel balbieren; 2 (3) Zwergsage. Alte, abgekommene gebräuche; 2 (3) Das druckmännchen.

129. Zeitschrift für österreichische volkskunde. red. von M. Haberlandt. 2. jahrg. (1896) no. 1—12. Wien und Prag, Tempsky. — vgl. jsb. 1895, 10, 184.
rec. von Grassauer, Zs. f. österr. gymn. 46 (12). darin u. a. 3—5 J. A. v. Helfert, Volksnachbarliche wechselseitigkeit. — 85—88 F. P. Piger, Zur pflege der volkskunde in Österreich. — 338—352. 367—369 Bibliographie der österreichischen volkskunde 1895, von A. Schlossar, F. Ilwof, A. Hittmair, S. Laschitzer, A. Konrad, A. Hauffen.

130. Ethnologische mitteilungen aus Ungarn. red. v. A. Herrmann. 5. bd., 2. heft (1—4) Budapest. — vgl. jsb. 1895, 10, 185.

131. Am urquell. monatshefte für volkskunde. hrsg. von Fr. S. Krauss. — vgl. jsb. 1895, 10, 180a.
von der an kleineren volkskundlichen mitteilungen reichen monatsschrift ist erst 1897 in neuer folge (in vergrössertem format) ein neuer band erschienen.

132. Volkskunde, tijdschrift voor nederlandsche folklore, onder redactie van Pol de Mont en A. de Cock. 9. jaargang, 1—12. aflevering. Gent, Ad. Horte.
ausführlichere mitteilungen darin: A. de Cock, Spreuken, spreekwoorden en zegwijzen op de vrouwen. Teirlinck, Onze inlandsche boomen in den planten-kultus. A. de Cock, Volksliederen; tooverij; het vertelsel van den ezel die burgemeister werd.

133. Ons volksleven. tijdschrift voor taal-, volks- en oudheidkunde, onder leiding van J. Cornelissen et J. B. Vervliet. Brecht, L. Braeckmans. 8. jaargang, no. 1—12.
eingehendere mitteilungen daraus: A. G., Sagen. P. N. Panken, Volksgebruiken en gewoonten in Noord-Brabant. A. Harou, Spotnamen op steden en dorpen. J. Cornelissen, Het manneken in de man. F. Zand, Volksgebruiken in de Kempen; kempische sagen.

134. K. Knortz, Folklore. mit einem anhange: Amerikanische kinderreime. Dresden, Glöss. 87 s. 1 m.

ein bunt zusammengewürfelter vortrag über allerlei volksvor-
stellungen bei den verschiedensten nationen, z. b. über die flecken
im monde, kinderlieder, katze, hase, kettenlieder, rätsel, Wotans
schimmel, *bonfire*, sprichwörter. s. 59 folgen 52 englische kinderreime aus New York und 48 aus dem staate Indiana. — rec.
A. Hauffen, Euphorion 3 (2/3) 630 f. Fr. Branky, Litbl. 17
(5) 156.

135. F. Vogt, Was leistet und bezweckt die volkskunde?
Mitt. d. schles. ges. f. volksk. beiblatt zum 28. juni. s. 1—6.

136. F. Vogt, Vermächtnis der vorzeit in bräuchen, sagen
und liedern des schlesischen volkes. ebd. 3 (5) 57—68.

136a. F. Vogt, Volkskunde. in den Jahresberichten für
neuere deutsche litteraturgeschichte. hrsg. von J. Elias und
M. Osborn 5 (jahr 1894), abt. 1, 5.

137. G. Kossinna, Folklore Zs. d. ver. f. volksk. 6 (2)
188—192.

f. heisst 'volksüberlieferung' selbst und nicht 'volkskunde —
wissenschaft von der volksüberlieferung'. das wort ist 1846 von
W. J. Thoms zum erstenmal gebraucht.

138. M. R. Cox, An introduction to folk-lore. London, David
Nutt 1895. XV, 320 s.

rec. K. W(einhold), Zs. d. ver. f. volksk. 6 (1) 103: 'als
eine wirklich förderliche orientierung über die volkskunde möchten
wir das buch aber kaum bezeichnen'.

139. A. H. Post, Grundriss der ethnologischen jurisprudenz.
Oldenburg 1895. — vgl. jsb. 1895, 10, 244. — ferner anges. von
Th. Achelis, Archiv f. anthrop. 24, 156—160.

Sitte und brauch. 140. A. Hauffen, Einführung in die
deutsch-böhmische volkskunde nebst einer bibliographie. Prag,
J. G. Calve. 224 s. [Beiträge zur deutsch-böhmischen volkskunde,
hrsg. von der gesellschaft zur förderung deutscher wissenschaft,
kunst und litteratur in Böhmen. geleitet von prof. dr. A. Hauffen.
I. bd., 1. heft].

die einzelnen hefte der 'beiträge' sollen das grosse werk über
die deutsch-böhmische volkskunde vorbereiten und durch veröffentlichung von abgerundeten teilsammlungen entlasten. das vorliegende
heft bringt nach kurzer übersicht über die volkskunde in andern
deutschen ländern, sowie über die geschichte der Deutschen in
Böhmen eine besprechung der ausgesendeten sammel-fragebogen mit

hervorhebung der hauptsächlich in betracht kommenden fragen. sodann s. 97—215 die vollständige bibliographie, sachlich geordnet. — rec. von K. Weinhold, Zs. d. ver. f. volksk. 7 (1) 107 f. von F. V(ogt), Mitt. d. schles. ges. f. volksk. 4 (3) 74.

141. A. Hauffen, Dritter bericht über den fortgang seiner im auftrag der gesellschaft eröffneten sammlung der volkstümlichen überlieferungen in Deutsch-Böhmen (januar 1897). [Mitteilung VII der gesellschaft zur förderung deutscher wissenschaft, kunst und litteratur in Böhmen.]

142. G. Laube, Volkstümliche überlieferungen aus Teplitz und umgebung. Prag, J. G. Calve. 107 s. [Beitr. z. deutschböhm. volksk. I, 2.]

eine probebearbeitung der von A. Hauffen versendeten fragebogen, nach erinnerungen aus der eignen kinderzeit zusammengestellt, mit ergänzenden beobachtungen aus der gegenwart. reich die abschnitte über volksmedizin, lieder, kinderspiele. als anhang sagen, märchen ['mannl sponnelang', 'millerstöchter und de Reiwer', 'der olwerne Hons']. — rec. in den Mitt. d. nordböhm. excurs.-clubs 19, 273; von F. V[ogt], Mitt. d. schles. ges. f. volksk. 3 (3) 41 f.; K. W(einhold), Zs. d. ver. f. volksk. 6 (3) 331. W. Hein, Zs. f. österr. volksk. 2, 252—254.

143. R. Andree, Braunschweiger volkskunde. mit 6 tafeln und 80 abbildungen, plänen und karten. Braunschweig, Vieweg und sohn. XIX, 385 s. 7 m.

rec. A. de Cock, Volkskunde 9 (11/12) 244 f. K. Weinhold, Zs. d. ver. f. volksk. 6 (4) 453 f. Hn., Braunschw. magazin 2, 135 f., H. G[aidoz], Mélusine 8 (6) 144.

145. O. Wittstock, Volkstümliches der Siebenbürger Sachsen. Stuttgart 1895. — vgl. jsb. 1895, 10, 202. — rec. J. Schatz, Litztg. 1897 (9) 336.

146. A. Knötel, Aus der Franzosenzeit. Leipzig, Grunow. XVIII, 353 s.

rec. von R. M. Meyer, Zs. d. ver. f. volksk. 6 (2) 331. das buch enthält auch gute sammlungen zur volkskunde.

147. L. Sütterlin, Sitten, Gebräuche und abergläubische vorstellungen aus Baden. Alemannia 24 (2) 142—156.

148. W. v. Schulenburg, Volkskundliche mitteilungen aus der Mark. Verhandl. der Berliner ges. f. anthrop. 1896 (3) 187—190.

148a. W. Schwartz, Volkstümliches aus Lauterberg am Harz. Zs. f. ethnol. 28, 149—162.

149. M. Rehsener, Das leben in der auffassung der Gossen-
sasser. Zs. d. ver. f. volksk. 6 (3) 304—319. (4) 395—407. —
vgl. jsb. 1894, 10, 190.

150. F. Baumann, Kulturbilder aus dem schweizerischen
volksleben. volksfeste in der Schweiz. bd. 1. mit abbildungen
historischer denkmäler. Bern, A. Siebert. VIII, 78 s. 1 m.

150a. A. Müller-Guttenbrunn, Deutsche kulturbilder aus
Ungarn. mit 9 illustr. 1.—2. aufl. Leipzig, G. H. Meyer. VIII,
184 s.
enthält auch reiche angaben über sitten und gebräuche der
'Banater Schwaben'.

151. B. Ackermann, Zur volkskunde des Calauer kreises.
Niederlausitzer mitt. 4, 312—315.

152. L. Grünewald, Ein pfälzischer bauernkalender. beitrag
zur volkskunde der Hinterpfalz. Mitt. d. hist. ver. der Pfalz 20,
183—251.
brauch und sitte der einzelnen fesstage und jahreszeiten. zum
schlusse monats- und gesundheitsregeln aus einem kalendarium des
14. jahrh. [im ältesten missale des Speirer domschatzes].

153. B. Stehle, Volkstümliche feste, sitten und gebräuche
im Elsass. Jahrb. f. gesch. spr. u. litt. v. Elsass-Lothringen 12,
183—198.
vgl. jsb. 1894, 10, 339. weihnachten, neujahr, fastnacht, kar-
woche, pfingsten, Johannistag, kirchweih, allerseelen.

154. W. Nehring, Erster bericht über aberglauben, gebräuche, sagen und märchen in Oberschlesien. Mitt. d. schles. ges.
f. volksk. 3 (1) 3—18.
nach handschriftlichen quellen. polnischer aberglaube, märchen.

155. L. Gerbing, Thüringer fuhrmannsleben in vergangenen
tagen. Zs. f. kulturgesch. 3 (3).

156. R. R., Volksbräuche aus der Grafschaft Hohenstein.
Aus der heimat 1895 (51/52).
bespr. von Reischel, Mitt. d. ver. f. erdkunde in Halle
1896, 107.

157. F. Kunze, Volkskundliches aus der grafschaft Hohenstein. ebd. 1895 (23—27). 1896 (16/17).
bespr. von Reischel, ebd. 1896, 107.

158. C. Schumann, Beiträge zur lübeckischen volkskunde.
Mitt. d. ver. Lüb. gesch. 6 (11) 172—175. (12) 184—187. 7 (3)

44—48. (5) 58—63. (5) 74—79. (6) 89—94. (8) 126—128.
(9) 136—144. (10) 156—160. (11) 172—175. (12) 186—189.
IX. hausrat. X. stadt und dorf. volkstümliche bezeichnungen.
XI. erdoberfläche. XII. landwirtschaft. XIII. zeiten, wetter,
himmel, fischerei, schifferei. — forts. von jsb. 1894, 10, 203.

159. C. Schumann, Trinkrunde der lübischen fischer. ebd.
6 (11) 169 f.

ein trinkkomment mit einem glücksbecher. jetzt nicht mehr
gebräuchlich.

160. J. Maass, Fischer-krugtag zu Schlutup. ebd. 7 (11)
164—172.

bräuche beim richttag der fischer. hänseln auf dem krugtage.
sprüche dabei.

161. R. Pick, Aachener sitten und gebräuche in älterer zeit.
aus handschriftlichen quellen gesammelt. Rhein. geschichtsbl. 1, 8;
2, 177. 307.

162. E. Kiefner, Die öffentlichen feste des deutschen volkes.
wie sind sie zeitgemäss umzugestalten und zu wahren volksfesten
zu machen? Stuttgart, Ch. Belger. III, 47 s. 0,80 m. [Zeitfragen
des christlichen volkslebens, 152. heft].

163. W. Rolfs, Unsere volksfeste. gekrönte preisschrift.
Leipzig, Grunow. 47 s. 0,75 m.

163a. H. Stöckl und E. Walther, Die deutschen volksfeste. ein beitrag zur reform derselben. München, Ackermann.

rec. M. Haberlandt, Zs. f. österr. volksk. 2, 95.

164. O. Wittstock, Über den schwerttanz der Siebenbürger
Sachsen. Philol. studien, festgabe für E. Sievers s. 349—358.

der von den kürschnern bei festlichen gelegenheiten aufgeführte schwerttanz geht vermutlich auf die im 14. und 15. jahrh.
üblichen fechtübungen der Bürger zurück. dieselbe beschreibung
auch im Korrbl. d. ver. f. siebenb. landesk. 19 (10) 117—120 abgedruckt.

165. F. Kunze, Volkskundliches vom Thüringer walde. aus
der Wiedersbacher chronik des pfarrer Möbius. Zs. d. ver. f. volksk.
6 (1) 14—24; (2) 175—183.

1842 zusammengestellt. nahrung, kleidung, wohnung; kirchliche gebräuche.

166. J. Thirring-Waisbecker, Zur volkskunde der Hienzen.
Ethnol. mitt. aus Ungarn 5, 11—21. 98—104.

1. abstammung und name. volksglauben und brauch. mundartliches.

167. F. P. Piger, Geburt, hochzeit und tod in der Iglauer sprachinsel in Mähren. Zs. d. ver. f. volksk. 6 (3) 251—264. (4) 407—412.

168. H. Gierlichs, Kirmesbräuche in den Rheinlanden. Rhein. geschichtsbl. 1, 361.

169. Kühnau, Eine 'pauerhuxt' (bauernhochzeit) in Woitz bei Neisse ums jahr 1850. Mitt. d. schles. ges. f. volksk. 3 (4) 53—56.

170. J. Bolte, Schwäbische hochzeitsabrede. — vgl. abt. 5, 29.

171. H. Franz u. A. Archut, Hochzeitsgebräuche aus den kreisen Belgrad, Lauenburg und Bütow. Bl. f. pomm. volksk. 4 (3) 48.

171a. H., Ein hochzeitsbrauch aus dem anfange dieses jahrhunderts. ebd. 4 (5) 74.
aussteuern zur hochzeit.

172. O. Panizza, Die haberfeldtreiben im bayrischen gebirge. eine sittengeschichtliche studie. Berlin, S. Fischer. VII, 104 s. mit tafel und 1 beilage. 2 m.

173. F. Vogt, Die festtage im glauben und brauch des schlesischen volkes. Mitt. d. schles. ges. f. volksk. 3 (2) 23 f.
vgl. jsb. 1895, 10, 218. — pfingstbräuche, Johannisfeuer.

174. E. Heydenreich, Das Gregoriusfest im sächs. Erzgebirge. mit besonderer berücksichtigung der Freiberger verhältnisse. Mitt. vom Freiberger altertumsver. 33, 37—58.

175. P. Rothardus, Johannisfeuer. Gebirgsfreund 8, 133 f. [Niederlausitz].

176. Th. Unger, Aus dem deutschen volks- und rechtsleben in Alt-Steiermark. Zs. d. ver. f. volksk. 6 (2) 184—188. (3) 284—289. (4) 424—429.
1. Johannis-minne und Johannis-segen. 2. bahrrecht. 3. der speick und die speickstrafe (= keltische narde, valeriana celtica. gefängnis in der speickkammer). 4. das oster-laufen.

176a. A. Brunk, Beschreibung eines erntefestes aus dem vorigen jahrhundert. Bl. f. pomm. volksk. 4 (9) 138 f.

177. A. Archut, Sylvester- und neujahrsgebräuche aus dem kreise Lauenburg und Bütow. ebd. 4 (3) 44—46.

178. M. Wehrmann, Vom papageischiessen in Pommern. ebd. 4 (12) 177—179.

179. E. Manzeck, Das blasen am weihnachtsabend. ebd. (5) 75.
der hirte bläst vor jedem haus.

180. H. Gierlichs, Das Martinsfeuer in der Eifel und am ederrhein. Rhein. geschichtsbl. 1, 302.

180a. H. Widmann, Die Tamsweger prang mit dem Sam-1 im 18. jahrh. Zs. f. österr. volksk. 2, 138—142.
beschreibung des umzuges aus der hsl. chronik von A. Kocher 1786).

180b. F. Wilhelm, Das fahnenschwingfest der Egerer ischer. ebd. 2, 88—90.

180c. Heinr. Moses, Das festliche jahr im Semmeringgebiete. d. 2, 193—197.

180d. R. Waizer, Heiligentage in Kärnten. Von der Berch-baba. ebd. 2, 218.

180e. H. Schukowitz, Gfatter-bitten (Marchfeld). ebd. 2, . vgl. 192. — 's ratschn. ein kinderbrauch aus dem March-de. ebd. 2, 217 f.

180f. L. Pobisch, Volkskundliches von Schiltern in Mähren. d. 2, 76 f.

180g. J. Krainz, Sitten, bräuche und meinungen des deut-1en volkes in Steiermark. ebd. 1, 65 ff., 243 ff. 2, 299—307.

180h. A. Vrbka, Sitten und gebräuche im südwestlichen ihren. ebd. 2, 160—172. 308—319.
streut auch mancherlei volksreime in die darstellung ein.

181. P. R. Greussing, Der kirchtag in Stubai (Tirol). Zs. ver. f. volksk. 6 (1) 83—87.

182. R. Andree, Volkskundliches aus dem Boldecker und 1esebecker lande. ebd. 6 (4) 354—373.
hausbau, gebräuche, hochzeit; das jahr und seine feste.

183. O. Hartung, Zur volkskunde aus Anhalt. ebd. 6 (4) 9—438.
weihnachts- und neujahrsgebräuche.

Aberglaube. 184. G. Hellmann, Die bauern-praktik 1508. eudrucke von schriften und karten über meteorologie und erd-1gnetismus.] facsimiledruck mit einer einleitung. Berlin, A. Asher co. 72 s. 4⁰.
rec. K. W(einhold), Zs. d. ver. f. volksk. 6 (2) 228. O. Hart-1g, Cbl. f. bibl. wesen 13, 429 f.

185. F. W. E. Roth, Zur geschichte des aberglaubens in der grafschaft Nassau-Idstein im 17. jahrh. Zs. f. kulturgesch. 3 (3).

186. W. Mannhardt, Zauberglaube und geheimwissen im spiegel der jahrhunderte. Leipzig 1896. — vgl. jsb. 1895, 10, 273. — empfohlen Bl. f. pomm. volksk. 4 (1) 16.

187. Reichardt, Volksaberglaube und volksanschauungen über tiere und pflanzen (aus der grafschaft Hohenstein). Aus der heimat. sonntagsbeil. d. Nordh. kuriers 1896 (10 und 11).

188. H. Grössler, Altheilige steine in der provinz Sachsen. Halle, O. Hendel. 64 s.

rec. A. Kirchhoff, Mitt. d. ver. f. erdk. in Halle 1896, 101 f.

189. A. Haas, Brot und brotbacken. Bl. f. pomm. volksk. 4 (5) 72—74.

brauch und aberglaube dabei.

190. A. Haas, Diebsglaube in Pommern. ebd. 4 (8) 119 f. (9) 139—141. (10) 158—160. (11) 169—171.

191. J. Simm, Diebssegen. Mitt. d. nordböhm. excurs.-clubs 19, 170 f.

192. M. Klapper, Wundermänner und wunderkuren. ebd. 19, 341—346.

192a. A. F. Dörler, Zaubersprüche und sympathiemittel aus Tirol. Zs. f. österr. volksk. 2, 149—159.

192b. Maria Spanitz, D'aniweigt (ein umgehender, unerlöster geist). ebd. 2, 129—138. 197—203. 230—236.

192c. L. Pick, Der ausgebrütete teufel. ebd. 2, 111 f. vgl. 191.

192d. J. Huemer, Eine wand mit zaubernägeln. ebd. 363 f.

193. O. Hartung, Ein alter hirtensegen. Mitt. d. ver. f. anhaltische gesch. u. altert. 7, 469—471.

194. Baar, Kugelsegen. Bl. f. pomm. volksk. 4 (2) 31. (7) 110.

195. Fr. Schuller, Besprechungsformeln. Korrbl. d. ver. f. siebenb. landesk. 19 (2) 17 f.

196. Zauberspruch vom jahre 1388. Beiträge zur geschichte der stadt Rostock II, 2.

197. F. Holthausen, Rezepte, segen und zaubersprüche aus zwei Stockholmer hss. Anglia 19 (1).

198. Karo, Zur geschichte der Merseburger zaubersprüche. Zs. f. d. d. unterr. 10 (3) 218 f.

ein heilspruch gegen zahnweh aus Thüringen, nach dem schema der M. sprüche. — vgl. abt. 13, 9.

199. O. Glöde, Böten, dabei wieder etwas vom besprechen der krankheiten. ebd. 10 (4) 284—286. — vgl. jsb. 1893, 10, 211.

201. O. Scholz, Besprechungsformeln. Mitt. d. schles. ges. f. volksk. 3 (4) 45—49.

gegen krankheiten, wunden, feuer.

202. E. Pauls, Ein alchymistisches geheimmittel gegen krankheiten aller art. Zs. d. Bergischen gesch.-ver. 32, 129—132.

flugblatt aus dem 16. jahrh. in niederdeutscher sprache.

203. K. Gander, Zu dem kapitel der volksheilkunde. ein beitrag aus dem volksglauben und volksbrauch der Niederlausitz, besonders des Gubener kreises. Niederlausitzer mitt. 4, 292—307.

203a. J. Rieber, Alte bauernrecepte aus der Karlsbader gegend. 3. jsb. d. ver. f. volksk. in Prag. Prag 1895. 23 s. 4⁰.
rec. A. Hauffen, Zs. f. österr. volksk. 2, 186.

203b. K. W. v. Dalla Torre, Die volkstümlichen pflanzennamen in Tirol. Innsbruck 1895. — vgl. jsb. 1895, 10, 300. — rec. W. Hein, Zs. f. österr. volksk. 2, 186 f.

203c. J. Neubauer, Die tiere in sprache, brauch und glauben des Egerlandes. Zs. f. österr. volksk. 2, 204—213. 278—284. 320—332.

204. K. Müller, Volkstümliche namen der arzneimittel. Wissensch. beihefte z. zs. d. allg. d. spr.-ver. heft 11.

205. O. Knoop, Der wachholder. Bl. f. pomm. volksk. 4 (4) 54—57. (5) 69—71. (7) 101—104.

namen; in rätsel und legende; verwendung gegen krankheit; aberglaube.

206. E. Giehr, Himmelsbrief aus Greifswald. ebd. 4 (11) 171. — aus Martinsdorf (Siebenbürgen). Korrbl. d. ver. f. siebenb. landesk. 19 (5) 65 f.

207. M. Klapper, Gespenster. Mitt. d. nordböhm. excurs.-clubs 20 (1) 88—92.

umgehende geister. spuk.

208. A. Kögler, Aus grossmutters munde. ebd. 20 (1) 70—75. aberglaube mannigfacher art.

209. K. Weinhold, Beschwörung des alps. Zs. d. ver. f. volksk. 6 (2) 213—215.

210. O. Hartung, Zur volkskunde aus Anhalt. ebd. 6 (2) 215—217.
krankheitsbeschwörungen.

211. R. Sprenger, Zum fiebersegen. Zs. f. d. phil. 29 (1) 122.

212. M. Höfler, Der wechselbalg. Zs. d. ver. f. volksk. 6 (1) 52—57.

213. J. Bolte, Setz deinen fuss auf meinen. Zs. d. ver. f. volksk. 6 (2) 204—208.
nach R. Köhlers kollektaneen. übernatürliches sehen wird dadurch verschafft, dass man den rechten fuss auf den linken fuss eines mit höherem wissen begabten (geistlichen, hexenmeisters u. s. w.) setzt.

214. F. Vogt, Vom alp. Mitt. d. schles. ges. f. volksk. 3 (2) 25—27.

215. Kn., Betzairle (ein spukgeist). Bl. f. pomm. volksk. 4 (10) 148 f.

216. O. Knoop, Der pommersche hausgeist Chim. ebd. 4 (1) 1—3.

217. O. Knoop, Die molkentoverschen. ebd. 4 (2) 17—19.
milchzauberinnen (hexen).

218. O. Knoop, Allerhand vom wetter. ebd. 4 (4) 60—64. (8) 121 f. (11) 168 f.

219. H. F. Feilberg, Ein pakt mit dem teufel. Zs. d. ver. f. volksk. 6 (3) 326—328.
aus Glückstadt 1664.

220. A. Haas, Der teufel im pommerschen sprichwort. Bl. f. pomm. volksk. 4 (1) 5 f. (2) 21. (5) 78.

221. O. Knoop, Die namen des teufels in Pommern. ebd. 4 (3) 33—35; (5) 77 f.

222. S. Riezler, Geschichte der hexenprozesse in Bayern. im lichte der allgemeinen entwickelung darstellt. Stuttgart, J. G. Cotta. X, 340. 6 m. — vgl. oben 9, 67.

223. A. Haas, Aus pommerschen hexenprozessakten. ein beitrag zur geschichte des pommerschen volksglaubens. progr. Stettin. 18 s. 4⁰.
aus akten des 17. jahrh. eine reiche zusammenstellung zur

illustration des prozessverfahrens, der formen des hexenglaubens, namentlich auch nach der subjektiven seite, sowie der dem hexenglauben zu grunde liegenden volkstümlichen vorstellungen der helfenden und schädigenden geister ('Chim', 'Puk', 'Schnak', 'Drake' u. s. w.). — rec. v. M. W., Bl. f. pomm. volksk. 4 (8) 128.

224. Ch. Roder, Ein merkwürdiger hexenprozess in Villingen 1641. Schriften d. ver. f. gesch. u. naturgesch. in Donaueschingen 9, 79—89.

225. E. Einert, Ein hexenprozess aus der Ruhl Thüringer monatsbl. 4 (1/2).

226. Th. Walter, Hexenplätze der Rufacher hexenurkunden. Jahrb. f. gesch. u. litt. Elsass-Lothringens 12, 40—44.

227. J. Dennler, Ein hexenprozess im Elsass vom jahre 1616. ein beitrag zur kulturgeschichte des Elsass [Bausteine zur elsass-lothringischen geschichts- und landeskunde. 2. heft]. Zabern, A. Fuchs. 28 s.
aktenmässige darstellung des hexenprozesses von mutter und tochter, die auf der folter buhlschaft mit dem bösen 'Volant', verzauberungen von kühen u. s. w. gestehen. das ende ist das todesurteil.

228. M. Könnecke, Zwei hexenprozesse aus der grafschaft Mansfeld. Mansfelder blätter 10, 32—65.
von 1652 und 1655.

228a. A. Hauffen, Der hexenwahn einst und jetzt. auszug aus einem vortrage. Zs. f. österr. volksk. 2, 361—363.

Volkslied.

229. Karl Bücher, Arbeit und rhythmus. Abhandl. d. phil. hist. kl. d. kgl. sächs. ges. d. wiss. 17, 5. Leipzig, Hirzel. 130 s. 6 m.
ein nationalökonom gelangt bei einer untersuchung über die älteren formen der arbeitsvereinigung zu der fruchtbaren beobachtung, dass der rhythmus für die arbeitsentwicklung, namentlich in der ältesten zeit, wo die arbeit noch ungeschieden war von kunst und spiel, die höchste bedeutung hatte. uns interessiert neben dem abschnitte über den ursprung der poesie und musik (s. 74—79) die besprechung der arbeitsgesänge bei den naturvölkern und kulturnationen (s. 30—73). hier wird geschieden: a) einzelarbeit und gesellschaftsarbeit (mühlenlieder, beim flachsbrechen, spinnen, klöppeln, bastlösen, beiern, schmieden, wasserschöpfen), b) arbeiten im wechseltakt (dreschen, reis stampfen,

pflaster rammen), c) arbeiten im gleichtakt (seilziehen, zugramme,
segelhissen, rudern, marschieren). beispiele, teilweise mit musiknoten, sind in grosser anzahl gegeben.

A. Thimme, Lied und märe. s. oben no. 99.

230. O. Weddigen, Geschichte der deutschen volksdichtung.
Wiesbaden 1895. — vgl. jsb. 1895, 10, 310. — rec. Al. Tille, Lit.
cbl. 1896 (15) 550 f. Litztg. 1896, 922.

231. J. Winteler, Über volkslied und mundart. Aarau,
selbstverlag. 16 s. 0,50 m. — vgl. abt. 5, 11.

232. O. F. Walzel, Die wiedergeburt des deutschen volks-
lieds. Chronik des Wiener Goethe-vereins 10 (4).

233. R. Steig, Frau Auguste Pattberg, geb. von Kettner.
ein beitrag zur geschichte der Heidelberger romantik. Neue Heidelberger jahrbücher 6 (1) 62—122.
    Auguste Pattberg (1769—1850) hat, durch 'Des knaben wunder-
horn' angeregt, mit eifer und glück sagen und lieder im Oden-
walde gesammelt und teils Brentano übergeben, teils in der badischen wochenschrift 1806—1808 veröffentlicht, darunter das an
Bürgers Lenore anklingende, von Brentano umgemodelte lied.
Steig giebt ihr gedrucktes und hsl. erhaltenes material mit einer
kritischen würdigung wieder. — rec. Zs. f. d. gesch. d. Oberrheins
n. f. 11; 330.

234. W. Kreiten, Wie entstand Des knaben wunderhorn?
Stimmen aus Maria-Laach 1896 (1).
    beruht auf Steigs buch über A. v. Arnim.

235. Herm. Ritter, Volksgesang in alter und neuer zeit.
Bamberg, Handelsdruckerei. 46 s. 0,20 m. (= Volksschriften
zur umwälzung der geister 14).

236. F. M. Böhme, Deutscher liederhort. Leipzig, Breitkopf u. Härtel 1893—1894. — vgl. jsb. 1895, 10, 312. — rec.
A. Hauffen, Euphorion 3, 127—136 mit wertvollen nachträgen.

237. J. Pommer, Über das älplerische volkslied, und wie
man es findet. plauderei. Zs. d. deutsch. u. österr. Alpenvereins
27, 89—131.
    um alpentouristen zum sammeln von juchezern, jodelern und
schnaderhüpfeln anzuregen, erzählt P. etwas breit seine eigenen er-
fahrungen auf diesem gebiete, indem er einige theoretische äusserungen über den begriff 'volkslied' einflicht. — rec. A. Hauffen,
Zs. f. österr. volksk. 2, 367.

238. O. Brenner, Zum versbau der schnaderhüpfel. Festschrift zur 50jährigen doktorjubelfeier K. Weinholds (Strassburg, Trübner). s. 1—12.

239. M. Marold, Das Kärntner volkslied und Thomas Koschat. festgabe zum 8. august 1895. Leipzig, Leuckart. 0,60 m.

240. E. Schatzmayr, Kärntner liedeln. Zs. d. ver. f. volksk. 6, 96—98.

241. K. Weinhold, Kleine liedeln aus dem oberen Kainachthal in Steiermark. ebd. 6, 325.

241a. K. Reiterer, Alte volkstänze aus dem steirischen Ennsthale. Zs. f. österr. volksk. 2, 78—81. vgl. 191.
Schwabentanz, tommerltanz, siebenschritt, polsterltanz mit versen.

242. A. Hauffen, Die deutsche sprachinsel Gottschee. Graz 1895. — vgl. jsb. 1895, 10, 336. — rec. G. Witkowski, Litbl. 1896 (1) 3—6. S. M. Prem, Zs. f. d. d. unterr. 10 (3) 222—225. E. Hoffmann-Krayer, Anz. f. d. altert. 23, 13—21. A. Kasparet, Mitt. d. musikvereins f. Krain 8 (1) 31 f.

243. A. Hruschka und W. Toischer, Deutsche volkslieder aus Böhmen. Prag 1891. — vgl. jsb. 1891, 10, 344. 1892, 10, 393. — rec. Mitt. d. nordböhm. excurs.-clubs 18 (3) 289 f.

244. Bergmannslieder aus der Wernstädter gegend. Mitt. d. nordböhm. excurs.-clubs 19 (1).

245. A. Kögler, Volkstümliches aus Freudenberg. ebd. 19 (1). — dabei ein singspiel 'Der bauer und die bergleute'.

246. V. John, Egerländer rockenstubenlieder. Erzgebirgszeitung 17 (4).

247. M. Urban, Ein altes kirchweihlied. Zs. f. österr. volksk. 2, 182 f.
'All enk nachbasleutn', in Egerländer mundart.

248. J. Bartmann, Volksdichtungen. Das Riesengebirge in wort und bild 15, 55—57.

249. A. Ressel, Das deutsche volkslied im bezirke Friedland. Friedländer ztg. 1895, no. 20—23.

250. P. Dittrich, Sommerlieder aus Schlesien. Am urquell 6 (11) 208 f.

251. P. Drechsler, Ich mag sie nicht. Mitt. d. schles. ges. f. volksk. 1896 (4).

252. P. Drechsler, Geistliche volkslieder aus mündlicher überlieferung in Katscher (4 no.). Mitt. d. schles. ges. f. volksk. 2, 74—76. 99 f.

253. Ludw. Woas, Alte volkslieder (aus Breslau, Posen und Preussen). ebd. 2, 85—99.

254. A. Treichel, Volkslieder und volksreime aus Westpreussen. Danzig 1895. — vgl. jsb. 1895, 10, 347. — rec. Lit. cbl. 1896 (6) 196. A. Hauffen, Euphorion 3, 136 f. Zs. f. kulturgesch. 3, 359.

255. J. Schmidkonz, Der volksliederschatz eines Spessartdorfes (47 liederanfänge). Mitt. zur bayer. volksk. 2 (2) 1—3.

256. Spieser, Münsterthaler volkslieder. Jahrb. f. gesch. Elsass-Lothringens 12.

257. Gierlichs, Wiegenlieder aus Reifferscheidt. Rhein. geschichtsbl. 2 (9).

258. E. H. Wolfram, Nassauische volkslieder. Berlin 1894. — vgl. jsb. 1894, 10, 282. — rec. A. Hauffen, Euphorion 3, 136.

259. Volkslieder von der Mosel und Saar, mit ihren melodien aus dem volksmunde gesammelt von Carl Köhler, mit vergleichenden anmerkungen und einer abhandlung hrsg. von John Meier. 1. bd. texte und anmerkungen. Halle a. S., Niemeyer. VII, 474 s. 6 m.

die 368 nummern der trefflichen sammlung sind von K. genau, wie das volk singt, 'ohne retouche' samt den melodien aufgezeichnet; M. hat sie dem inhalt nach gruppiert und mit reichen, übersichtlich die lokale verbreitung darlegenden parallelen nachweisen versehen. mehr als in irgend einer neueren sammlung finden sich hier die 'volkstümlichen' lieder vertreten, d. h. die kunstdichtungen, die in den volksmund übergegangen sind, von Miller, Pfeffel, Kotzebue, Uhland, Schenkendorf, Gerhard, Eichendorff und vielen in keiner litteraturgeschichte zu findenden dichtern. der 2. bd. soll eine abhandlung von Meier bringen.

260. P. Bahlmann, Münsterische lieder und sprichwörter in plattdeutscher sprache. Münster, Regensberg. LX, 160 s. 2,40 m.

enthält 8 kirchenlieder nach den 'Kerckengeseng' (Münster 1629), 50 volks- und kinderlieder zumeist nach den Münsterischen geschichten (Münster 1825), 9 lieder der Münsterschen bänkelsänger Flör und Köster (1838—1839), endlich 1068 sprichwörter und redensarten, alphabetisch geordnet, gleichfalls zumeist aus gedruckten quellen. die einleitung giebt einen gedrängten überblick über Münsters niederdeutsche litteratur.

261. A. Hauffen, Die arme und die reiche braut im volksliede. Deutscher volkskalender 27 (Prag). — vgl. jsb. 1895, 10, 319.

262. F. W. Seraphim, Die volksballade von der nonne (Ich stand auf hohen bergen). Korrbl. d. ver. f. siebenb. landesk. 19 (7) 92 f.

263. A. Schullerus, Nochmals die tochter des kommandanten von Grosswardein. ebd. 19 (10) 120 f.

264. H. Eschenburg, Die prinzessin von England (vom Rhein). Am urquell 6 (11) 211. — die ballade von der wiedergefundenen schwester. vgl. ebd. 1, 14. 3, 46. 111.

265. F. Himmelbauer, Der streit zwischen sommer und winter. Kalender des deutschen schulvereins 11.

266. E. Wetzel, Zu 'Da drobn aufm berge'. Zs. f. d. d. unterr. 10, 289.

267. K. Freytag, 'Soldate nimm den bettelsack, soldat bist du gewest'. ebd. 10, 443 f.

268. O. Streicher, 'Drei lilien, drei lilien die pflanzt ich auf mein grab'. ebd. 10, 503—508. — zu C. Franke, Festschrift für Hildebrand s. 34.

269. H. H. Mönch, Altes volkslied (Danz, danz, quiselche). Zs. f. d. d. unterr. 10, 781.

270. A. Englert, Zum volkslied, spruch und kinderreim. Zs. d. ver. f. volksk. 6, 296 - 303.
1. reiche nachweise über das uneinige ehepaar (Will er saur, so will sie süss). — 2. 'Gestern abend in der stillen ruh' 1744 citiert. — 3. scherzgespräch 'Ich auch'.

271. A. Heintze, Drei volkslieder. Zs. f. d. d. unterr. 10, 665—670.
1. Im rosengarten will ich deiner warten. 2. Eine heldin wohlerzogen war fräulein Isabell. 3. Jetzt ist die zeit und stunde da (Amerikalied).

272. R. Sprenger, Zu Uhlands volksliedern. Zs. f. d. d. unterr. 10, 71 f.
hacht in no. 56 = habicht; nach J. Peters ebd. 10, 144 vielmehr = hache.

273. L. Nagel, Ein altes volkslied über das ende des grafen Wichmann. Zs. f. d. d. unterr. 10, 74—76.
ein ursprünglich nd. lied auf den tod des grafen Wichmann

v. Lindow (1524) nach M. Dieterichs geschichte dieser familie (1725 s. 138).

274. Th. Wiedemann, Die Pienzenauer. Oberbayer. archiv 49 (2) 370: Hans von P., der schlosshauptmann von Kufstein, ist der Benzenauer des liedes bei Erk-Böhme no. 256 = Liliencron no. 246.

275. E. Kroker, Leipzig in liedern und gedichten des dreissigjährigen krieges. Schriften d. ver. f. d. gesch. Leipzigs 5, 31—99.

mehrere dichtungen der Leipziger buchdrucker Justus Janson und Gregorius Ritzsch, der studenten Georg Gloger und Paul Fleming, des pfarrers Martin Rinckart und ungenannter verfasser werden ausführlich besprochen und proben daraus mitgeteilt.

276. Rich. Müller, Über die historischen volkslieder des dreissigjährigen krieges (schluss). Zs. f. kulturgesch. 2, 284—301. — vgl. jsb. 1895, 10, 355.

277. Fr. Schmidt, Deutsche handschriften in Maihingen. Alemannia 24, 80—85 druckt ein lied auf die schlacht bei Tuttlingen (1643) ab. — ebd. s. 71 f. ein trinklied des 15. jahrh. und Hans Wispecks lied auf könig Lasla (Liliencron no. 107).

278. A. Nic. Harzen-Müller, Das alte geschichtliche volkslied vom seeräuber Klaus Störtebecker. Neue zs. f. musik 1896 (12. 13) 133—135. 145—147. — zusammenstellung des bekannten materials.

279. Th. Hampe, Das gedenkbuch des G. F. Bezold, pfarrers zu Wildenthierbach im Rothenburgischen. Mitt. a. d. germ. nationalmuseum 1896, 32—43.

enthält u. a. historische dichtungen aus dem siebenjährigen kriege.

280. P. Glässer, Das deutsche volkslied seit dem siebenjährigen kriege. Leipziger ztg. 1896, wissensch. beil. no. 105—111.

281. J. E. Bauer, Tiroler kriegslieder aus den jahren 1796 und 1797. gesammelt und zur jahrhundertfeier hrsg. Innsbruck, Edlinger. 3 m.

282. L. Fränkel, Zu 'Napoleon der schustergeselle'. Zs. f. d. d. unterr. 10, 156.

283. E. R. Freytag, Die soldatenpoesie. J. v. Pflugk-Harttung, Krieg und sieg 1870—1871, kulturgeschichte 1, 523—540 (Berlin, Schall und Grund).

ausgewählte proben mit verbindendem text.

284. Mart. Wagner, Soldatenlieder aus dem deutsch-französischen kriege von 1870/71. Hamburg, A. G. 48 s. 1 m. (= Sammlung gemeinverst. wiss. vorträge 241).

entwirft auf grund der Ditfurthschen sammlung ein bild des bei den soldaten herrschenden corpsgeistes, der anschauungen von militärischen aktionen, der gefühle gegenüber den verwundeten, des gegen Napoleon sich äussernden humors, der religiösen stimmung.

285. Max Runze, Beim königsregiment 1870—71. feldzugserinnerungen eines kriegsfreiwilligen. Berlin, Mittler und sohn. XII, 164 s., 4 tafeln.

s. 157—162 'Sangeslust und sangesweisen bei freund und feind'; u. a. die älteren lieder 'Mama, papa, o sehn sie doch den knaben', 'Es gingen zwei mädchen im walde spazieren' mit melodie.

286. O. Mokrauer-Mainé, Die entstehungsgeschichte patriotischer lieder verschiedener völker und zeiten. Leipzig und Baden-Baden, Wild 1895. 103 s. 1 m.

unvollständig und fehlerhaft nach R. F. Arnold, Euphorion 3, 560 f.

287. Th. Krausbauer, Die preussisch-deutsche volkshymne und die nationalhymne der Engländer und Franzosen. Praxis der volksschule 5 (2. 3).

288. Fl. van Duyse, Het eenstemmig fransch en nederlandsch wereldlijk lied in de belgische gewesten van de 11. eeuw tot heden, uit een muzikaal oogpunt beschouwd. Gent, Vuylsteke. XI, 440 s. [aus: Bekroonde verhandelingen der koninklijke academie van België 49].

stellt in sechs abschnitten die entwickelung des weltlichen liedes in Belgien auf grund umfassender forschungen dar. von besonderem interesse sind die kapitel über das 16. (souterliedekens, rederijkers, Fruytiers, Geuzenlieder, fremdländische melodien) und 17. jahrh. (weltliche weisen in geistlichen gesangbüchern, italienische, französische, englische melodien, glöcknerbücher); auch der einfluss der französischen oper bis auf die neueste zeit und die praktischen wirkungen der beschäftigung von Willems, Coussemaker u. a. mit dem alten volksliede werden behandelt. zahlreiche notenbeispiele sind beigegeben.

289. F. van Duyse, Het Wilhelmuslied uit een muzikaal oogpunt beschouwd. 38 s. (aus: Tijdschrift d. ver. voor Noordnederlands muziekgeschiedenis 5, stuk 3).

stellt mit hilfe sämtlicher überlieferten aufzeichnungen und mit beobachtung des sprachlichen rhythmus die ursprüngliche melodie fest, die dem französischen liede auf die belagerung von Chartres (1568) entlehnt war. die weise von Chartres ging wohl aus einem

trompetensignal hervor; die bekannten jagdfanfaren aber sind jünger
als das Wilhelmuslied.

290. F. van Duyse, La chanson 'Est-ce Mars le grand dieu
des alarmes'. Bull. de l'académie roy. de Belgique 3. série 27.
978—1001. 31, 217—234.

weist die älteste aufzeichnung der in den Niederlanden und
Deutschland ungemein verbreiteten melodie (Böhme, Volkstümliche
lieder no. 730) aus einer Brüsseler hs. und den vor 1610 ge-
dichteten französischen text nebst melodie in G. Batailles lauten-
melodien (1613) nach.

291. F. M. Böhme, Volkstümliche lieder der Deutschen im
18. und 19. jahrh. Leipzig 1895. — vgl. jsb. 1895, 10, 390. —
rec. G. Thouret, Litztg. 1896 (6). B. Schnabel, Litbl. 1896
(7) 226 f. R. Eitner, Monatsh. f. musikgesch. 27, 172. J. Bolte.
Zs. d. ver. f. volksk. 6, 104—106.

292. L. Erk, Taschenliederbuch. volks-, vaterlands-, sol-
daten-, jäger- und studentenlieder für eine singstimme. auszug aus
Erks Deutscher [!] liederschatz. Leipzig, Peters. IV, 162 s. 0,60 m.
(Edition Peters no. 2816).

293. Rob. Linnarz, Alte und neue volkslieder für männerchor. Minden, Marowsky. III, 52 s. 0,40 m.

294. Das singende Deutschland. eine sammlung der schönsten
volkslieder. Düsseldorf, Bagel. VII, 160 s. 0,75 m.
Im frohen kreise. ebd. VIII, 232 s. 1 m.
Das deutsche lied. ebd. 96 s. 0,40 m.

295. A. Hauffen, Vom deutschen volksgesang-verein in Wien.
Zs. f. österr. volksk. 2, 83—85.

296. Frz. Herfurth, Sächsisches volksliederbuch. Hermannstadt, W. Krafft. VIII, 156 s. 16⁰. 0,60 m.
290 weltliche und geistliche lieder, in 6 gruppen geordnet.
auch siebenbürgische dichter in hochdeutscher und volksmundart
sind vertreten. aus dem eigentlichen volksliederschatze sind nur
die bekanntesten stücke aufgenommen.

297. J. Bolte, In dulci iubilo. ein jubiläumsbeitrag aus der
geschichte der lateinisch-deutschen mischpoesie. Festgabe an Karl
Weinhold (Leipzig 1896) s. 91—124.
14 lateinisch-deutsche mischlieder des 16.—19. jahrhs. aus
hss. und drucken, nebst einem alphabetischen verzeichnis aller dem
herausgeber bekannten stücke dieser gattung.

298. R. Wolkan, Geistliches aus einer deutsch-böhmischen hs. des 15. jahrh. Mitt. d. ver. f. gesch. d. Deutschen in Böhmen 34 (3) 272—276.

neben prosagebeten auch ein mischlied: 'Venite, uns gesellen besweret sorgen'.

299. W. Bäumker, Über die melodie des liedes 'Ach, wann kommt die zeit heran' von A. Silesius. Musica sacra 1896 no. 24.

Angelus Silesius hat das 1657 gedruckte lied einem weltlichen liede aus der Schäfferey von Amaena und Amandus (1641) nachgedichtet; seine melodie stimmt zu Erk-Böhme no. 816b: 'Jetzund bricht die nacht herein'. ursprünglich gehört sie (was B. nicht erwähnt) zu dem Opitzschen liede 'Itzund fällt die nacht herein' (1624 s. 92). — vgl. S. Kümmerle, Monatsschr. f. gottesdienst u. kirchl. kunst 1 (4).

300. R. v. Liliencron, Gabriel Voigtländer. Allgem. d. biogr. 40, 213 f.

301. M. v. Waldberg, Rudolf Wasserhuhn. ebd. 41, 235.

302. A. Köster, Der dichter der Geharnschten Venus. eine litterarhistorische untersuchung. Marburg, Elwert 1897. VIII, 114 s.

die 1660 in Hamburg unter dem pseudonym Filidors des Dorfferers erschienene gedichtsammlung 'Geharnschte Venus' ist bisher dem untergeordneten poeten Jacob Schwieger zugeschrieben worden. Köster beweist in streng methodischer und zugleich graziöser weise, dass der weit über die durchschnittslyriker des 17. jahrh. hervorragende verfasser weder in der sprache noch im rhythmischen gefühl und in der dispositionsweise mit Schwieger übereinstimme, sondern nach sprache, dichterischem charakter und persönlichen beziehungen nur in dem Erfurter Kaspar Stieler wiedergefunden werden könne. nicht nur für die erkenntnis der eigenart dieses später (1691) als lexikograph hervorgetretenen schriftstellers, sondern auch für den sprachschatz, die metrik, den motivkreis der Leipziger und der Königsberger dichterschule ergeben sich viele fruchtbare beobachtungsresultate.

303. R. Eitner, Johann Krieger (versah 1684 eine liedersammlung Chr. Weises mit melodien). Monatsh. f. musikgesch. 27, 129—143.

304. Als der grossvater die grossmutter nahm. ein liederbuch für altmodische leute (hrsg. von G. Wustmann). 3. aufl. Leipzig, Grunow. XVI, 656 s. geb. 7 m.

rec. Lit. cbl. 1896 (32) 1158 f. Euphorion 3, 321.

305. J. Suter, Das volkslied und sein einfluss auf Goethes epik. Aarau, Sauerländer. 52 s. 0,80 m.

306. A. Englert, Zu dem volksliede 'Ufm bergli bin i gsesse'. Mitt. z. bayer. volksk. 2 (1).

307. A. Frey, Sagen und volkslieder aus dem Wynenthale (1841 von Jacob Frey gesammelt). Taschenb. d. histor. ges. d. kantons Aargau 1896. [oben 10, 81.] no. 9: 'Uf em bergle bin i gsesse'.

308. E. Schmidt und M. Friedländer, Kleine blumen kleine blätter. Archiv f. neuere spr. 97 (1) 1—16.
S. bespricht die mannigfachen umgestaltungen und zusätze, die Goethes gedicht im volksmunde erfahren hat; F. weist die verbreitete melodie, auf die auch Gottfr. Keller im 'Sinngedicht' anspielt, als eine 1816 entstandene komposition von Karl Blum nach. — vgl. E. Schmidt, Zs. d. ver. f. volksk. 6, 343 f. Friedländer, Goethe-jahrbuch 17, 178.

309. P. Glässer, Zwei invalidenlieder. Zs. f. d. d. unterr. 10, 836—838. — Erk-Böhme, Liederhort 3, 271 no. 1406 f. beruhen auf einem gedichte Schubarts.

310. H. Crämer, Zu F. Kuglers lied 'An der Saale hellem strande'. Zs. f. d. d. unterr. 10, 625 f.

311. K. V., Das jägerlied: Ich schiess den hirsch im wilden forst (von Fr. v. Schober). Korrbl. d. ver. f. siebenb. landesk. 19 (3) 40. — vgl. Kluge und Schullerus ebd. 19, 56 und 122.

312. K. E. Reinle, Zur metrik der schweizerischen volks- und kinderreime. Basel 1894. — vgl. jsb. 1895, 10, 369. — A. Heusler, Anz. f. d. altert. 22, 87 f.

313. A. Renk, Kinderreime aus Tirol. Zs. f. österr. volksk. 2, 97—104.
148 nummern.

314. H. Moses, Kinderreime beim pfeiferlmachen im nordöstlichen Schneeberggebiete. ebd. 2, 77 f.

315. A. Schullerus, Bastlösereime. Korrbl. d. ver. f. siebenb. landesk. 19 (6) 76 f.

316. H. Ankert, Bastlösereime aus Deutsch-Böhmen. Mitt. d. nordböhm. excurs.-clubs 19 (1).

317. F. Hübler, Bastlösereime aus dem gebiete des Iser- und Jeschkengebirges. Jahrb. des d. gebirgsvereins f. das Jeschken- und Isergebirge 6.

318. J. Stelzig, Ein rückblick in vergangene zeiten [reime und spiele]. ebd. 6.

319. A. Englert, Bastlösereime. Am urquell 6 (11) 215.

320. O. Hartung, Bastlösereime aus Anhalt. Über ortsspottnamen. Mitt. d. ver. f. Anhalt. gesch. 7 (5) 450—463.

321. Reichardt, [38] bastlösereime aus heimat und provinz. Aus der heimat 1896 (17). [sonntagsbeilage des Nordhäuser kuriers.]

322. W. Fricke, Kinderlieder aus Helfta. Mansfelder blätter 10.

323. K. E. Haase, Bastlösereime [aus der mark Brandenburg und Thüringen]. Zs. d. ver. f. volksk. 6, 99—101.

324. H. Schukowitz, Kinderreime aus dem Marchfelde. ebd. 6, 290—296.

325. L. Mátyás, Schwäbische kinderspiele aus der Ofener gegend. Am urquell 6 (11) 210 f.

326. F. Ilwof, Abzählreime aus Steiermark. Zs. d. ver. f. volksk. 6, 101 f.

327. E. Boerschel, Abzählreime aus dem Posenschen. ebd. 6, 196—199.

328. F. Spälter, Humor im kinderliede. Zs. f. d. d. unterr. 10, 585 f.

329. E. Bernheim, Zum verwunderungsliede. Zs. d. ver. f. volksk. 6, 209 f.

330. K. Weinhold, Zum sogenannten verwunderungsliede und dem liede von den drei jungfern. ebd. 6, 345 f.

331. A. Schullerus u. a., Das kinderspiel Dame von Ninive. Korrbl. d. ver. f. siebenb. landesk. 19 (6) 80. (7) 93—96.

332. J. Bolte, Nochmals das kinderlied vom herrn von Ninive. Zs. d. ver. f. volksk. 6, 98 f.

teilt einen um 1750 gedruckten text des mönch- und nonnenspieles mit, aus dem das verbreitete kinderlied entsprungen ist.

K. Knortz, Folklore. oben 10, 134.

Volksschauspiel.

333. F. Vogt, Reste der alten spiele [weihnachts- und dreikönigsspiele]. Mitt. d. schles. ges. f. volksk. 2, 60—66.

334. L. Dietel, Ein weihnachtsspiel im Erzgebirge. Erzgebirgs-zeitung 17 (2).

335. Fr. Baumgarten, Ölberg und osterspiel im südwestlichen Deutschland. Zs. f. bild. kunst n. f. 8 (1. 2).

336. J. Ammann, Das passionsspiel des Böhmerwaldes. Krumau, selbstverlag 1892. — vgl. jsb. 1895, 10, 411. — rec. A. Hauffen, Euphorion 3, 631 f.

337. W. Creizenach, Die dramatischen darstellungen der Faustsage vor Goethe. Chronik des Wiener Goethe-vereins 10 (6).

337a. W. Creizenach, Zur geschichte des volksschauspiels vom doktor Faust. Euphorion 3, 710—722. — über J. van Rijndorps ndl. drama (1731).

338. J. W. Bruinier, Faust vor Goethe. I. Halle, Niemeyer 1894. — vgl. jsb. 1894, 10, 358. 1895, 10, 416. — rec. A. Köster, Anz. f. d. altert. 22, 239—240.

339. J. W. Bruinier, Untersuchungen zur entwicklungsgeschichte des volksschauspiels von dr. Faust. I. Der grosse monolog. Zs. f. d. phil. 29 (2) 180—195. — II. Die erste geisterstimmenscene. III. Die studenten mit den zauberbüchern. ebd. 29 (3) 345—372.

B. ermittelt aus einer sorgsamen vergleichung der entstellten jungen texte die fassung des archetypus, die natürlich in vielem mit Marlowes drama übereinstimmt, aber auch selbständige züge aufweist. der grosse monolog des helden kann nicht direkt aus Marlowe abgeleitet sein; die überbringung der zauberbücher stimmt mit Widmanns bericht überein, der nach s. 189 die naive sage treuer widerspiegelt als die Spiessche historia. s. 190 eine hypothese über die entfernung des historischen Faust aus Würzburg im jahre 1537 und seinen aufenthalt in Wittenberg.

340. Alex. Tille, Moderne Faustspiele. Zs. f. vgl. litgesch. 9, 326—333.

das Plagwitzer stück (jsb. 1891, 10, 406) ist von einem Leipziger studenten aus den in Scheibles Kloster gedruckten puppenspieltexten zusammengesetzt. Tille hat 1892 in Glasgow ein englisches puppenspiel bearbeitet und aufgeführt.

341. Handschriftliche erwerbungen. Zs. d. Ferdinandeums f. Tirol. 3. folge, heft 39.

volkschauspiele: Kuno von Drachenfels, Ecbert von Schenkenstein, Eustachius, Elfira und Almansor, Absalon, Paradiesspiel, Julian, Genovefa.

342. H. Moses, Lichtmesslied. 's burschna, ein faschingspiel. Anz. d. ver. f. österr. volksk. 1 (5).

Sprüche und sprichwörter.

343. J. Fischer und A. Paudler, Poesie der handwerker. Mitt. d. nordböhm. excurs.-clubs 18, 344 f.

344. H. Willert, Zur deutschen handwerkerpoesie. Archiv f. neuere spr. 96 (3) 331—333.

weist unter den von A. Schmidt (jsb. 1895, 10, 425) veröffentlichten Frankfurter aufzeichnungen strophen aus bekannten kirchenliedern und aus Freidank nach.

345. Xanthippus [= Sandvoss], Gute alte deutsche sprüche. Preuss. jahrbücher 85, 149—162. 344—367. 555—583. 86, 87—115. — auch besonders erschienen. Berlin, Stilke. XVIII, 156 s. 1,50 m.

346. Starck, Ein stammbuch aus dem letzten viertel des vorigen jahrh. Monatsbl. f. pomm. gesch. 1896 (4) 52—57.

347. W. Unseld, Allerlei reimsprüche aus Schwaben. Alemannia 24 (2) 171—174.

348. A. Wiechowsky und A. Kögler, Aus dem volksmunde. Mitt. d. nordböhm. excurs.-clubs 19 (3).

349. K. Reiterer, Jugendsprüche. aus den Ennsthaler Alpen gesammelt. Heimgarten 1896 (juli). — Bauernhumor aus dem Ennsthale. ebd. 1896 (april).

350. K. Reiterer, Volkssprüche aus dem Ennsthal. Zs. d. ver. f. volksk. 6, 129—139.

zimmer-, gassel- (am fenster des mädchens), glöckel- (am dreikönigsabend), wunsch- und wettersprüche, hausinschriften.

351. Nöldeke, Haus- und denkinschriften in Celle. 4. jahresbericht des museumsvereins in Celle 1895—1896.

352. F. Mertens, Zu einem bauspruch. Zs. f. d. d. unterr. 10, 286—288 (Die stub is mein un doch nicht mein). — dazu S. M. Prem ebd. 10, 709 f.

353. K. Weinhold, Der tod der ist ein grober mann (Tiroler wandinschrift). Zs. d. ver. f. volksk. 6, 211.

354. F. Riebeling, Ernst und scherz in inschriften der häuser im Schwalmgrund. Hessenland 10 (10). — Hausinschriften aus Oberhessen. ebd. 10 (11).

355. J. Wichner, Zwei kachelöfen aus der 1. hälfte des 18. jahrh. in Bludenz [mit sprüchen]. Zs. f. österr. volksk. 2, 33—40.

356. L. v. Hörmann, Grabschriften und marterln. 3. folge. Leipzig, Liebeskind. XV, 192 s. 32⁰. 1,50 m.

357. J. Schwarzbach, Totendichtung [auf holzschnitten und farbendrucken]. Zs. f. österr. volksk. 2, 180—182.

358. R. Sieger, Marterln im italienischen sprachgebiet Tirols. ebd. 2, 333.

359. E. H. Meyer, Totenbretter im Schwarzwald. Festschrift zur 50jähr. doktorjubelfeier Karl Weinholds (Strassburg, Trübner) s. 55—61.

360. A. Treichel, Inschriften auf holzkorken (d. h. pantinen, aus Preussen). Verhandl. d. Berliner anthrop. ges. 1895, 481—484.

361. P. Piger, Das osterei in der Iglauer sprachinsel. Zs. f. österr. volksk. 2, 23—30.
149 sprüche, die als aufschriften von ostereiern dienten.

362. Borchardt-Wustmann, Die sprichwörtlichen redensarten im volksmunde. Leipzig 1895. — vgl. jsb. 1895, 10, 445. — rec. Wl., Österr. litbl. 1896 (4). F. Kluge, Alemannia 24 (2) 183—185 mit verschiedenen nachträgen.

363. A. Pohl, Sprichwörter und redensarten im Isergebirge. Jahrb. d. deutschen gebirgsver. f. d. Jeschken- u. Isergebirge 5, 49—60.

365. Fr. Krönig, Volkstümliche redensarten aus Nordthüringen. Aus der heimat (Nordhäuser kurier) 1895 (1—4. 6).

366. H. Haupt, Oberrheinische sprichwörter und redensarten des ausgehenden 15. jahrhs. Zs. f. d. philol. 29 (1) 109 f.
aus der jsb. 1893, 15, 8 erwähnten Kolmarer hs.

367. Fritz Hönig, Sprichwörter und redensarten in kölnischer mundart, gesammelt und hrsg. Köln, P. Neubner. IV, 166 s. 2 m.
eine reiche sammlung, alphabetisch geordnet. einiges scheint älteren schriftlichen quellen entlehnt. die erläuterungen könnten eingehender gehalten sein. — ein besonders erschienener nachtrag von 13 s. enthält die derberen sprichwörter, die der herausgeber dem grossen publikum vorenthalten musste.

368. Koulen, Der stabreim im munde des volkes zwischen Rhein und Ruhr. — vgl. oben 5, 49a.

369. C. Dirksen, Meidericher rechtssprichwörter. Zs. d. ver. f. volksk. 6, 211—213.

370. H. Gierlichs, Sprichwörter aus der Eifel. Rhein. geschichtsbl. 2 (9) 278 ff. 334 ff.

371. Fr. Walter, Plattdeutsche sprichwörter und sprichwörtliche redensarten aus der stadt Recklinghausen. Zs. d. ver. f. heimatskunde in Recklinghausen 5.

372. P. Bahlmann, Altmünsterische bauernpraktik. eine sammlung münsterländischer sprichwörter und erfahrungssätze über witterung und landwirtschaftlichen betrieb. Münster, Regensberg. 32 s. 12⁰. 0,50 m.

P. Bahlmann, Münsterische lieder und sprichwörter. oben 10, 260.

373. R. Sprenger, Sinnspruch. Zs. f. d. d. unterr. 9 (11) 771. — Zier all dein thun mit retlichkeit, bedenck zum end den letzten bescheit (1751).

374. J. Franck, Blut ist dicker als wasser. Preuss. jahrbücher 85, 584—594.
dies zuerst im Reinhart Fuchs des Glîchezaere v. 266 begegnende sprichwort soll ursprünglich bedeuten, dass die christliche taufe die alte pflicht der blutrache nicht aufhebe. — Pechuel-Loesche ebd. 87, 348 weist es in Loango (Westafrika) nach.

375. M. Hartmann, Blut ist dicker als wasser. Zs. d. ver. f. volksk. 6, 442 f.
da dieselbe redensart in einem um 1500 aufgezeichneten arabischen romane begegnet, bezweifelt H., dass an das wasser der taufe zu denken sei.

376. F. Kuntze, Grenzboten 55, 4, 340 weist sie in einem dänischen romane von Igemann nach. — ebd. 55, 4, 437 auch englisch.

377. J. Beyhl, Etwas auf dem kerbholz haben. Mitt. z. bayer. volksk. 2 (3) 1 f.

Volkswitz.

378. F. Gerhard, Joh. Peter de Memels Lustige gesellschaft. Halle, Niemeyer 1893. — vgl. jsb. 1893, 10, 302. 1895, 10, 462. — rec. W. Scheel, Anz. f. d. altert. 22, 363—365. R. Schlösser, Zs. f. kulturgesch. 3, 473—475.

379. J. Sembrzycki, J. P. de Memel. Euphorion 3, 650 f.
— verweist zur stütze von Gerhards ansicht, der Altmärker
Joh. Prätorius habe die schwanksammlung von 1656 verfasst,
darauf, dass 1631—1673 in Memel der Märker Christoph Prätorius
als geistlicher lebte, der vermutlich ein verwandter des Joh. Prätorius war. vgl. Altpreuss. monatsschrift 33, 303.

380. U. Karbe u. a., Schwank und streich aus Pommern.
Bl. f. pomm. volksk. 4 (4) 58—60. (7) 104—106. (10) 149—151.

381. O. Glöde, Sprechen kann er nicht, aber er denkt desto
mehr. Zs. f. d. d. unterr. 9, 774 (ebd. 8, 259). — K. Prahl, ebd.
10, 625.

382. R. Schlösser, Zum dialoge von Lollius und Theodericus. Zs. f. vgl. litgesch. 9, 235 f. (ein gedicht Gotters von 1774).

383. A. Wünsche, Das rätsel vom jahr und seinen zeitabschnitten zu der weltlitteratur. Zs. f. vgl. litgesch. 9, 425—456.
bespricht die orientalischen und europäischen rätsel, in denen
das jahr mit einem wagen, vater, gewebe, palaste oder baume verglichen wird.

384. V. Valentin, Ein französisches rätsel. ebd. 10, 255 f.
deutet ein von Wünsche (no. 383) citiertes rätsel auf die
tagesstunden.

385. Heinr. Carstens, Volksrätsel, besonders aus Schleswig-
Holstein. Zs. d. ver. f. volksk. 6, 412—423.
mit reichen parallelnachweisen.

386. B. Schüttelkopf, Deutsche volksrätsel aus Kärnten.
Carinthia 85, 1 (3). 86 (1) 19—21.

A. Schullerus (no. 1—228).   J. Bolte (no. 229—386).

XI. Gotisch.

1. G. H. Balg, The first germanic bible. Milwaukee, Wis.
1891. — vgl. jsb. 1893, 11, 2. — F. Wrede, Anz. f. d. a. 22
(1) 89, billigt die verwendung des Bernhardtschen textes nicht
und notiert die daraus übernommenen druckfehler, weist aber auf
die syntax, die nicht übersehen werden dürfe, hin und lobt das
sorgfältig gearbeitete glossar.

2. S. Friedmann, La lingua gotica. Grammatica, esercizi, testi, vocabulario comparativo con ispecial riguardo sul Tedesco, Inglese, Latino e Greco. Milano, Hoepli = Manuali Hoepli 214, 215. XIV u. 336 s. 3 lire.

angez. Revue critique 1896 (12) von V(ictor) H(enry). — Zs. f. d. österr. gymn. 47 (7) von F. Khull, Lit. cbl. 1896 (29) 1047 'entspricht allen billigen anforderungen'. — von F. Detter, Litztg. 1896, 45, 1416 f., der einige ausstellungen macht.

3. Friedr. Ludw. Stamms Ulfilas oder die uns erhaltenen denkmäler der gotischen sprache, neu hrsg. text und wörterbuch von Moritz Heyne, grammatik von F. Wrede. 9. aufl. XV u. 444 s. = Bibliothek der ältesten deutschen litteratur-denkmäler. 1. bd. Paderborn, F. Schöningh. 5 m.

in sehr geschickter weise ist das bewährte handbuch durch die neue bearbeitung den seit elf jahren beträchtlich veränderten bedürfnissen wieder angepasst worden. der im wesentlichen unveränderte text hat reichlichere hinweise auf die eigentümlichkeiten der hss. und genaue angaben über die lesarten Bernhardts und Balgs erhalten; die grammatik ist in ganz neuer weise bearbeitet und entspricht, ohne auf alle modetheorien einzugehen, durchaus dem heutigen standpunkte, wenn auch der vf. seine abhängigkeit von Braune entschuldigen zu müssen glaubt. in der einleitung finden sich die vervollständigten hinweise auf die kleineren gotischen reste; vielleicht bringt die 10. auflage ausser der versprochenen selbständigeren grammatik und syntax auch einen vollständigen abdruck der Salzburger bruchstücke. das wörterbuch wäre wohl bequemer an seinem früheren platze verblieben. — angez. von W. Braune, Lit. cbl. 1896 (26) 94 f., die grammatik Wredes sei eine gute einführung in die sprache des Ulfilas, der text korrekt und konservativ, das handwörterbuch unentbehrlich.

4. W. Braune, Gotische grammatik. 4. aufl. Halle, Niemeyer 1895. — vgl. jsb. 1895, 11, 1. — angez. von H. Schmidt-Wartenberg, Mod. lang. notes 11 (1).

5. W. Streitberg, Gotisches elementarbuch = Sammlung von elementarbüchern der altgermanischen dialekte. no. 2. Heidelberg, Carl Winter 1897. XII u. 200 s. 3 m.

eine einleitung giebt litteraturangaben und die nötigsten notizen über stellung des gotischen, herkunft der Goten, schrift, denkmäler, dann folgt eine auf die urgermanische grammatik (vgl. abt. 3 no. 88) aufgebaute laut- und formenlehre, eine verhältnismässig umfangreiche syntax, 24 s. text und ein auf den text und die grammatik zugeschnittenes wörterbuch. obwohl in der für den

lernenden zugeschnittenen fassung Streitbergs eigentümlicher standpunkt weniger scharf hervortritt als in der urgermanischen grammatik,
ist doch für seine betonung durch litteraturangaben überall gesorgt.
zahlreiche verweisungen erleichtern die orientierung über alle auf
das gotische bezüglichen untersuchungen.

6. W. A. Zache, Wulfila. abriss des gotischen für anfänger.
Leipzig-Reudnitz, M. Hoffmann. 97 s. 1,25 m.

7. Fr. Kauffmann, Beiträge zur quellenkritik der gotischen
bibelübersetzung. Zs. f. d. phil. 29 (3) 306—337.

vorbemerkungen geben eine übersicht über den heutigen stand
der kritik des griechischen bibeltextes und weisen auf die wichtigkeit hin, die besonders die selteneren namen für die beurteilung der
zusammengehörigkeit und filiation der hss. haben. abschnitt I,
'Die alttestamentlichen bruchstücke' zeigt, wie die erhaltenen reste
aus Nehemia, zu denen Bernhardt u. a. sich vergebens gemüht
hatten den ursprünglichen griechischen text zu finden, mit der von
P. de Lagarde herausgegebenen recension des Lucianus martyr
(Librorum veteris testamenti canonicorum pars prior Göttingen 1883)
in überraschender weise übereinstimmen. auch für das stück
Esra II, das sich scheinbar nicht der vergleichung fügen will,
findet er den passenden text, und zwar Nehemia VII. indes betont auch er, dass man mit einem reinen Luciantext nicht aus-
komme, wenn auch die Zittauer hs. (Lagarde *s*, Holmes 44) den
gotischen bruchstücken, besonders denen der Wiener Genesis sehr
nahe stehe. an diese darlegungen schliesst sich der abdruck der
bruchstücke mit dem griechischen text und dessen wichtigsten
varianten, und eine polemik gegen die abhandlung Ohrloffs (Zs. f.
d. phil. 7, 293 ff.).

K. vindiciert die übersetzung auf grund seiner ergebnisse dem
Wulfila und meint, die fortschreitende bibelforschung mache es wahrscheinlich, dass keine lateinischen einwirkungen auf die gotische
übersetzung stattgefunden hatten.

8. Th. v. Grienberger, Die germanischen runennamen.
1. Die gotischen buchstabennamen. Paul-Braune beitr. 21 (1)
185—224.

lehrreiche erörterung der in der Salzburger hs. (Wien 795)
enthaltenen gotischen reste mit ausnahme der zahlen aus der
Genesis. die den schriftproben beigefügten umschriften werden als
ein zwischending zwischen phonetischer wiedergabe und übersetzung
erwiesen, die buchstabennamen im ganzen überzeugend gedeutet.
der vf. hält die hs. für eine kopie von aufzeichnungen eines
Franken aus der umgebung Alchwines, der den angaben eines süd-

französischen Goten folgte. die niederschrift sei nach 910 entstanden.

9. H. Hirt, Zur gotischen lautlehre. P.-Br. beitr. 21 (1)
159—161.

zählt die 78 fälle auf, wo *ei* oder *i* für *e* geschrieben ist,
und verweist, darauf dass vielfach *j*, *i*, *ei* oder *u* in der folgenden
silbe stehe.

10. C. C. Uhlenbeck, Kurzgefasstes etymologisches wörterbuch der gotischen sprache. Amsterdam, J. Müller. VIII, 174 s.
4,80 m.

das werk soll, der vorrede zufolge, Feists grundriss der got.
etymologie vervollständigen und ersetzen. es giebt den vollständigen wortschatz, sogar die composita, in alphabetischer anordnung und orientiert im allgemeinen ausreichend über die mutmass-
liche zugehörigkeit der gotischen wörter zu denen verwandter
sprachen. in der gutturalfrage teilt der vf. Bezzenbergers standpunkt und leugnet mit Bartholomae übergang von gutturalen in
labiale. die arbeit von Zupitza war ihm noch nicht bekannt. das
verzeichnis der benutzten litteratur müsste die stärksten bedenken
erwecken, wenn man nicht bald bemerkte, dass der vf. auch sonst
die wichtigsten werke der sprachwissenschaftlichen litteratur zu
rate gezogen hat. die eigenen etymologien des vfs. werden, wie
schon bisher, vielfach auf widerspruch stossen; der deutsche ausdruck bedarf an mehreren stellen der besserung.

11. A. Kock, Kleine gotische beiträge. P.-Br. beitr. 21 (3)
429—436.

1. 'Zum vokalischen auslautgesetz' bestreitet in übereinstimmung mit van Helten, Grammatisches no. XLIX (= abt. 3 no. 98)
dass *u* nur in zweisilbigen wörtern mit kurzer wurzelsilbe erhalten
sei, obgleich nur auf der zweiten silbe der kurzsilbigen, nicht auch
der langsilbigen ein starker nebenton geruht habe. 2. 'Zum
wechsel von *u* und *áu* im vocativ der *u*-stämme' nimmt an, dass
die unbetonte aussprache des vocativs den übergang in *aú* be-
günstigt habe. 3. 'Krimgot. *rintsch*' wird wegen der bedeutung
'mons' mit norw. *rinde* verglichen.

12. G. A. Hench, Gotisch *guþ*. Paul-Braune beitr. 21 (3)
562—568.

beweist, dass die abkürzungen *gþs*, *gþa gudis*, *guda* aufzulösen
sind, der plur. *guda* kommt nur im christlichen sinne vor.

13. E. Sievers, Das todesjahr des Wulfila. P.-Br. beitr. 20
(1/2) 302—322.

S. verteidigt sich gegen Martin und Kögel, die seine an-
setzung des todesjahrs in Pauls grundriss auf 383 bekämpft haben.
eine eingehende untersuchung der quellen ergiebt ein überraschend
klares bild der letzten bisher recht verschwommen erscheinenden
lebensschicksale Wulfilas. seine weihe zum bischof glaubt S. auf
340 ansetzen zu müssen. die mit biblischen parallelen verglichenen relativen zeitangaben des Auxentius seien nicht als genaue
anzusehen.

14. E. Martin, Wulfilas todesjahr. Zs. f. d. altert. 40 (2)
223 f.

richtet sich gegen no. 13, und stellt zusammen, was für die
Bessellsche zeitbestimmung und gegen Sievers spricht. zum schluss
verlangt er eine genaue revision und neuausgabe der schrift des
Maximinus.

15. E. Sievers, Nochmals das todesjahr des Wulfila. P.-Br.
beitr. 21 (1) 247—251.

antwort auf die vorige no. (14). S. weist darauf hin, dass
das 40jährige bischoftum des Wulfila bei Auxentius sogar bis auf
die zerlegung in 7 und 33 jahre dem königtum Davids nachgebildet ist; er beharrt deshalb dabei, dass diese zahlen unsicher
seien. für die Bessellsche ergänzung im Maximinus *psathyro-
politas* schlägt er dem sinne nach *prepositos hereticos* vor.

16. R. Loewe, Die Krimgoten. in: Die reste der Germanen
am schwarzen meere. Halle, Niemeyer. s. 111—257. — vgl.
abt. 3, 95.

in der sehr eingehenden nachprüfung der auf die Krimgoten
und die Gothi minores bezüglichen nachrichten giebt der vf. auch
einen vollständigen abdruck der von Busbeck gesammelten krim-
gotischen sprachbeispiele, die er nach laut- und formenlehre an
unseren sonstigen kenntnissen der germanischen sprachen misst.
diese umsichtige untersuchung führt ihn in übereinstimmung mit
den historischen nachrichten über die herkunft der Krimgoten zu
der ansicht, dass diese westgermanische, den Nordgermanen ursprünglich sehr nahe wohnende Heruler gewesen seien.

F. Hartmann.

XII. Skandinavische sprachen.

Bibliographie.

1. E. H. Lind, Bibliografi för år 1894. Ark. f. nord. fil. 12 (n. f. 8) 284—313.

2. Nordisk bokhandlertidende 1896. 30. aarg. hrsg. von J. L. Lybecker. København. 3 kr.

3. Norsk bokhandlertidende, udg. af den norske bokhandler-forening ved M. W. Feilberg. 17. aarg. 26—49; 18. aarg. 1—24. Kristiania. 2,50 kr.

4. Svensk bokhandelstidning 1896. utg. af J. A. Bonnier. Stockholm. 3 kr.

5. Nya bokhandelstidning. 9. årg. 52 no. Stockholm, See-lig & comp.

6. Årskatalog för svenska bokhandeln 1895. 90 s. 8⁰. Stock-holm, Bokförläggareföreningen. 0,75 kr.

7. Kvartalskatalog over norsk litteratur, udg. af den norske bokhandlerforening ved en komite. 4. aarg. jährl. 1 kr.

8. Dansk bogfortegnelse for 1896. med en alfabetisk og et fagregister. 46. aarg. 21 no. Kopenhagen, Gad. 1,50 kr.

9. Ólafur Davíðsson, Islandsk bogfortegnelse 1895. Nord. boghandlertidende 30 no. 40—41.

10. Ólafur Davíðsson, Bókskrá 1895. Skírnir. tíðindi hins íslenzka bókmentafjelags. 91 s. 1. rit íslenzkra manna á öðrum málum og rit eptir útlenda menn, sem snerta Ísland, 1894 og 1895. 2. helztu bækur íslenzkar.

11. Bibliotheka danica, systematisk fortegnelse over den danske litteratur fra 1482—1830 efter samlingerne i det store kongelige bibliothek i Kjøbénhavn; med supplementer fra univer-sitetsbibliothek i Kjøbenhavn og Karen Brahes bibliothek i Odense. udg. fra det store kongl. bibliothek ved C. V. Bruun. 9. hefte (III. bd., 3. heft): historie II. fortsættelse. dansk personalhistorie. 344 s. 4⁰. Kopenhagen (Gyldendal). 3,75 kr. (bd. 1—3. 21,55 kr.)

12. Universitets-bibliothekets aarbog for 1893. 1. og 2. hefte. 104 und 77 s. gr. 8. Kristiania, in komm. bei Aschehoug & comp. 2 kr.

Zeitschriften. Sammelwerke.

13. Arkiv för nordisk filologi, udg. under medvärkan af S. Bugge, G. Cederschiöld, F. Jónsson, K. Kålund, N. Linder, A. Noreen, G. Storm, L. Wimmer genom Axel Kock. 12. bd. (n. f. 8. bd.) 3.—4. heft und 13. bd. (n. f. 9. bd.) 1.—2. heft. Lund, Gleerup und Leipzig, Harrassowitz. jährl. 6 kr. — 8 m.

14. Aarbøger for nordisk oldkyndighed og historie, udg. af det kongelige nordiske oldskrift-selskab. 2den række. 10de bind. 4 hefter. 8⁰. Kopenhagen, in komm. bei Gyldendal. 4 kr.

15. Nordisk tidsskrift for filologi. 3die række. redigeret af K. Hude. 4die bind. 3.—4. hæfte. Kopenhagen, Gyldendal. das heft 1,25 kr.

16. Museum. tidsskrift for historie og geografi. redaction: C. Bruun, A. Hovgaard og P. F. Rist. 1.—2. halvbind. 12 hefter. 8⁰. Kopenhagen, Gyldendal. 9,60 kr.

17. Aarbog for danske kulturhistorie 1896 udg. af P. Bjerge. 208 s. 8⁰. Kolding. 2 kr.

18. Nordisk tidskrift för vetenskap, konst och industri, utg. af Letterstedtska föreningen. redigerad af O. Montelius under medverkan af C. M. Guldberg och J. Lange. ny följd. 9. årg. Stockholm, Norstedt & söner. jährl. 10 kr.

19. Finsk tidskrift för vitterhet, vetenskap, konst och politik. utg. af M. G. Schybergson och R. F. v. Willebrand. Stockholm, Samson & Wallin. jährl. 12 kr.

20. Tímarit hins íslenzka bókmentafjelags. 1896. sautjándi árgangur. 236 s.
inhalt: Einarr Hjörleifsson, Um lestur bóka; Þorkell Bjarnason: Þáttur úr sögu Íslands á síðari helming 16. aldar; Sæmundr Eyjólfsson: Um minni í brúðkaupsveizlum og helztu brúðkaupssiði á Íslandi á 16. og 17. öld; Björn Magnússon Ólsen, Um kaffi; Svar til sjera Þorkels Bjarnasonar frá Ólafi Sigurðssyni (entgegnung auf jsb. 1895, 12, 175); Jón Helgason, Útdráttur úr brjefum sjera Tómásar Sæmundssonar; Kvæði (isländische übertragungen von Byrons Mazeppa und einigen lyrischen gedichten von Goethe, Heine, Körner, Björnson).

21. Dania. Tidsskrift for folkemål og folkeminder udg. for Universitets-jubilæets danske samfund af O. Jespersen og K. Nyrop. bind 3, heft 5—7. [Kopenhagen, Schubothe. jährl. 3 kr.

22. Nyare bidrag till kännedom om de svenska landsmålen ock svenskt folklif. tidskrift utgifven på uppdrag af landsmålsföreningarna i Uppsala, Helsingfors ock Lund genom J. A. Lundell. 57. u. 58. heft (bd. XI. 2—10 und X. 6, 87—166). Stockholm, Samson & Wallin. im buchhandel 4,50 kr.

23. Svenska fornminnesföreningens tidskrift. 9. bd., 3. heft s. 216—350. Stockholm, Samson & Wallin. 3 kr.

inhalt: E. Vigström, Två blad ur folkets dolda kunskap; J. Nordlander, Några norrländska ortnamns etymologie; E. Brate, De nya nordiska runverkan; vgl. abt. 7, 30, wo das fehlerhafte citat hiernach zu verbessern ist.

24. Upplands fornminnesförenings tidskrift. udg. på föreningens bekostnad af R. Arpi. 18 (3. bds., 3. heft). med 1 plansch, 2 planer och 47 figurer i texten. s. 235—361.

inhalt: B. Salin, Ornamentstudier til belysning af några föremål ur Vendelfynden; C. M. Kjellberg, Gamla Uppsala kyrka. resultatet af gräfningarna därstädes (med 1 plan); E. Lewenhaupt, Uppsala och des omgifningar 1660; E. von Ehrenheim, Grönsö under 1600-talet; O. Janse, Om Läby kyrka och dess arkiv; Th. Lindblom, Salstaborg; R. Arpi, Meddelanden från Uppsala universitets museum för nordiska fornsaker; E. von Ehrenheim, Gröneborg; R. Arpi, Ur Upplands fornminnesförenings och dess styrelses protokoll; ders. Upplands fornminnesförening 1894—1896.

25. Meddelanden från Nerikes fornminnesförening, utg. genom sekretaren K. G. Grandinson. 15 no. 148 s. 8⁰. 7 taf. Stockholm, Fritze. 2,50 kr.

26. Samfundet för nordiska museets främjande 1893 och 1894. meddelanden utg. af A. Hazelius. 236 s. 8⁰. Stockholm, Nordiska museet. 2 kr.

27. Antiqvarisk tidskrift för Sverige utg. af Kongl. vitterhets historie och antiqvitets akademien genom H. Hildebrand. trettonde delen. andra och tredje häftena. Stockholm. 2 kr.

enthält die fortsetzung von Montelius' arbeit 'Orienten och Europa' (s. 81—240). vgl. jsb. 1894, 12, 260. es werden die grabformen der vorzeit besprochen.

28. Svenska akademiens handlingar ifrån år 1896. 10. delen. 337 s. 8⁰. Stockholm, Norstedt & söner. 4,25 kr.

handlingar rörande svenska akademiens högtidsdag den 20. december 1895.

29. Árbók hins íslenzka fornleifafjelags 1896. 58 s. 8⁰.
5 tafeln. Reykjavik.

inhalt: Brynjúlf Jónsson, Rannsóknir byggðaleifa upp frá
Hrunamannahreppi sumarið 1895 (á Flóamanna-afrjetti, á Hruna-
manna-afrjetti, á Biskupstungna-afrjetti); ders., Rannsókn eyðibyggða
í Mýrasyslu sumarið 1895 (Langavatnsdalur, Sanddalur, Melkor-
kustaðir, Hella, Sverðhóll); Fornleifar á Fellsströnd, skoðaðar af
Br. Jónssyni sumarið 1895; Jón Jónsson, Um 'Goðatættur' í
Freysnesi í Múlarýslu; B. Jónsson, Um nokkur vafasöm atriði
í Íslendingasögum; ders. Athugasemd um Langavatnsdal; Palmi
Pálsson, Um myndir af gripum í forngripasafninu (Legsteinn
frá Hofi í Vopnafirði, kirkjustaðir fra Laufási).

30. Foreningen til norske fortidsmindesmerkers bevaring. aar-
beretning for 1895. 139 s. 8⁰. Kristiania.

inhalt: O. Nicolaissen, Undersøgelser i Tromsø amt 1895;
E. Bendixen, Fornlevninger i Søndhordland; N. Nicolaysen,
Udgravninger i 1895; E. Bendixen, Udgravninger paa Nikolas-
kirkens tomt i Bergen; Oldsager indkomne 1895 til Trondhjems
samling. Tromsø museum, Arendals museum, Bergens museum:
N. Nicolaysen, Antikvariske notiser; aarsberetning for 1895 fra
den bergenske og trondhjemske filialafdeling; centralforeningens
aarsoversigt for 1895.

31. Historisk tidsskrift. sjette række, udg. af den danske
historiske forening ved dens bestyrelse. redigeret af C. F. Bricka.
6. bds., 2. hefte. Kopenhagen, in komm. bei Schubothe. 3 kr.

32. Historisk tidskrift, utg. af svenska historiska föreningen
genom E. Hildebrand. 16. årg. Stockholm, (Fritzes hofbokh.)
jährl. 8 kr. für mitglieder der Hist. fören. 5 kr.

33. Historisk tidsskrift udg. af den norske historiske forening. 3. række. 4. bds., 1. hefte. 197 s. — wird nur an die
mitglieder der Norske hist. forening abgegeben; jahresbeitrag der
mitglieder 4 kr.

34. Samlinger til jydske historie og topografi. 3. række.
1. binds, 1. hefte. udg. af det jydske historisk-topografisk selskab.
112 s. Kopenhagen. Kleins efterf. 2 kr.

35. Samlaren. tidskrift utg. af svenska literatursällskapets
arbetsutskott. sjuttonde argang. 196 + 14 s. 8⁰. Uppsala.
inhalt: E. Tegnér, Ur Kil. Stobæi, E. G. Lidbecks och
J. J. Björnståhls brefväxlingar; L. Bygdén, Några studier rörande
Disasagan; J. A. Almquist, Werner von Rosenfelt; R. Steffen,
Anteckningar till Bellmansdiktens historia III. IV.; O. Sylvan,

J. H. Kellgrens lärospån som kritiker; K. Warburg, Ett och
annat om Lidner; W. Söderberg, Nicolaus Ragvaldis tal i Basel
1434; — E. H. Lind, Svensk literaturhistorisk bibliografi XIV. 1894.

36. Sproglig-historiske studier tilegnede Professor C. R. Unger.
226 s. u. 1 facs. Kristiania, Aschehoug & comp.

inhalt: Amund B. Larsen, Om de norske dialekters forhold
til nabosprogene; S. Bugge, Oldnorske sammensætninger paa
-nautr; O. Rygh, Norske fjordnavne, H. J. Huitfeldt-Kaas, Om
falske diplomer; A. Taranger, Abúð jarðar heimilar tekju;
G. A. Gjessing, Sæmund frodes forfatterskab; M. Nygaard,
Den lærde stil i den norröne prosa; A. Torp, Bidrag til germansk,
fornemmelig nordisk ordforklaring; E. Hertzberg, Endnu et
kristenretsudkast fra det 13de aarhundrede; Hj. Falk, Om indskud
af j med forsterkende og navnlig nedsættende betydning i nordiske
ord; G. Storm, En gammel gildeskraa fra Trondhjem (med en planche).

Sprachliches.

Wörterbücher. 37. J. Fritzner, Ordbog over det gamle
norske sprog. omarbeidet, forøget og forbedret udgave. 3. bd.
s. 961—1108. *virðingarbœn — öxultré* nebst rettelser og trykfeil.
— forts. v. jsb. 1895, 12, 43.

mit diesem hefte ist das grosse altnord. wörterbuch, das beste,
das wir haben, vollendet. der schlusslieferung ist Fritzners bild
beigegeben. nach Fritzners tode (17. dez. 1893) hat Unger die
herausgabe des werkes geleitet. angefügt sind dem wörterbuche
zusammenstellungen von S. Bugge, die über die wiedergabe einzelner buchstaben des wörterbuches in den hss. und bei den
neusten grammatiken handeln.

38. J. Þorkelsson, Supplement til islandske ordbøger. tredje
samling. 12. og. 13. hefte. s. 881—1040. *rúmgóður — stábóta-
lega.* — forts. von jsb. 1895, 12, 44.

39. O. Kalkar, Ordbog til det ældre danske sprog (1300—
1700). trykt paa Carlsbergfondets bekostning ifølge foranledning
af Universitets-jubilæets dankse samfund. 24. hefte. 3. bd. s. 257—336.
nærværende — opheld. — forts. von jsb. 1895, 12, 47. buch-
händlerpreis 2,50 kr.

40. H. F. Feilberg, Bidrag til en ordbog over jyske almuesmål. udg. af Universitets-jubilæets danske samfund. 14. hefte.
2. bd. s. 177—256. *klavre — komediantspiller.* buchhändler-
preis 2,50 kr.

41. H. Ross, Norsk ordbog. tillæg til ,Norsk ordbog' af
I. Aasen. ny subskription. 20 u. 997 s. Kristiania, A. Cammermeyer. 11,90 kr.

42. Ordbok öfver svenska språket utg. af svenska akademien.
5.—6. heft. bd. 1 sp. 593—912. *afstånð — alf.* — forts. von jsb.
1895, 12, 51. — die ersten hefte sind angez. von F. Detter,
Litztg. 1896 (21).

43. F. Tamm, Etymologisk svensk ordbok. fjärde häftet.
s. 177—224. *fräknar —gnabbas.* — forts. von jsb. 1894, 12, 54.

44. K. F. Söderwall, Ordbok öfver svenska medeltidsspråket. 2. bd., 16. heft. s. 409—488. *skyrþ — stakkoter.* 5 kr.
— forts. von jsb. 1895, 12, 50.

45. J. Brynildsen, Tysk-norsk (dansk) ordbog. 8.—12. heft.
s. 337—576. *heissen — nachlassen.* — forts. von jsb. 1895, 12, 55.

46. Th. Hjelmqvist, Modern lexikografi. några anteckningar
om de historiska ordböckerna i Tyskland, Holland och England.
Lund, Gleerup. 138 s. 8⁰. 1,50 kr.
   nach dem tode Wiséns ist ausser anderen Th. Hjelmqvist in
die redaktion von Svenska akademiens ordbok eingetreten. im
dienste dieser arbeit hat er die werkstätten europäischer wörter-
bucharbeiten besucht und giebt in der vorliegenden schrift seine
beobachtungen. er bespricht zunächst die deutschen wörterbücher
bis Grimm und die geschichte des Grimmschen wörterbuches, dann
das niederländische wörterbuch von de Vries und endlich Murrays
grosses englisches wörterbuch. wie die deutsche, ist auch die
niederländische und englische lexikographie im eingang historisch
dargestellt. über die einrichtung und den plan der drei grossen
wörterbücher wird am schlusse jedes kapitels gesprochen, und bei
dieser gelegenheit werden zugleich diese werke kritisiert.

47. E. Lidén, Strödda anteckningar om svenska ord hos
Olaus Magnus. Ark. f. nord. fil. 13 (1) 30—46.
   ein verzeichnis schwedischer wörter, die sich in der Historia
de gentibus septentrionalibus des Olaus Magnus finden. den einzelnen wörtern sind eingehende erklärungen beigefügt.

Personennamen. 48. H. F. Feilberg, Navneskik. Dania 3 (6)
289—336.
   interessante mitteilungen und zusammenstellungen vom aufkommen der namen, besonders der beinamen im dänischen volksmunde.

49. M. F. Lundgren, Personnamn från medeltiden. De

svenska landsmålen 10, 6, 87—166. (*Gøtar — Libært*). — forts. von jsb. 1892, 12, 47.

50. E. Lind, Några anmärkningar om nordiska personnamn. Ark. f. nord. fil. 13 (1) 66—72.

3. ytterligare om betoningsförhållandet mällan för- och äfter-namn. gegen A. Kock führt L. von neuem den nachweis, dass in der älteren, wenigstens westnordischen sprache, familiennamen auf -*son*, wie heute, nicht vorhanden gewesen sind, und dass demgemäss auch nicht von einer tonlosigkeit der vornamen die rede sein kann. vgl. jsb. 1895, 12, 59. dagegen wendet sich wieder A. Kock, Ark. f. nord. fil. 13 (2) 189—195, der die betonung *Per Svénsson* mit fortis auf *Svensson* und infortis auf *Per* verteidigt.

51. E. H. Lind, Namnhistoriska bidrag till frågan om den gamla norska konungaättens härstamning. Sv. hist. tidskr. 1896 s. 237—254.

an der hand gründlicher untersuchung der nordischen eigen-namen in der wikingerzeit kommt L. zu ähnlichem resultate wie Noreen, dass nämlich das Ynglingengeschlecht und das diesem ent-sprossene norwegische königshaus nicht schwedischen ursprungs ist, sondern dänischen. die namen, die vor allem sich öfter im norweg. königsgeschlechte finden, wie *Halfdan, Guðrøðr, Ragnarr, Sigrøðr, Ragnfrøðr, Fróði, Hrørekr, Gormr, Sigtryggr, Agnarr, Haraldr* sind nicht volkstümlich norwegisch, dagegen zur zeit der wikingerzüge durchaus dänisch. das geschlecht der Ynglingen war wahrscheinlich ein ostdänisches oder schonisches königsgeschlecht, das im gegensatz zu dem inseldänischen geschlechte der Skjol-dungen stand.

Ortsnamen. 52. O. Rygh, Norske fjordnavne. Sprogl. hist. stud. s. 30—86.

R. liefert durch eine historische zusammenstellung der nor-wegischen fjordnamen einen beitrag zur geschichte der bildung von ortsnamen und zeigt, wie sich viele im laufe der zeit ver-ändert haben.

Wortforschung. 53. A. Torp, Bidrag til germansk, fornemlig nordisk ordforklaring. Sprogl. hist. stud. 171—188.

54. S. Bugge, Germanische etymologien. P.-Br. beitr. 21 (3) 421—428. — vgl. abt. 3, 123.

altn. *dęll* 'leicht, umgänglich' gehört lautgesetzlich zu lat. *facilis*; norw. dial. *eil* 'eine rinnenförmige aushöhlung' ist verwandt mit litt *eilé* 'reihe, furche', griech. 'ἰσϑμὸς'; altnorw. *Herjann* = griech. κοίρανος 'heerführer, herrscher'; altnorw. *hǫfir*, 'stier, ochse'. verwandt mit lit. *kópiu, kópti* 'steigen, klettern, bespringen'; altn.

jarfr 'gulo borcalis' gehört zu griech. ἔριφος, irisch *erb, earb* 'reh-bock'; *Scadinavia*: der erste teil geht zurück auf ein **skaðanas* 'der hirte', das wort bedeutet 'hirtenaue'; norw. dial. *skvetta* 'spritzen' = altind. *skándati* 'schnellen, springen, spritzen'; norw. *tíra* 'stieren, gucken' = lit. *dyru* 'gaffen, gucken': die wörter ge-hören zur wrz. *dī* 'strahlen, scheinen'; altnorw. *topt* 'platz, worauf ein gebäude gestanden hat oder steht', gehört zu griech. δάπεδον 'fussboden, erdboden'; altn. *tróða, róða* 'rute' gehört wie *tré* zu idg. **déru* 'holz, baum'; germ. **wiðus*, altn. *viðr* 'baum, wald' ge-hört zu lat. *medius*, weil der wald oft länder von einander trennt.

55. A. Kock, Bemerkungen zum altnordischen sprachschatz. Z. f. d. a. 40, 193—206.

isl. *af-* 'allzu': *af* ging neben *of* in der bedeutung 'allzu' neben her, man wählte *af*, wenn der stammvokal des kompositionsgliedes *a* war (*afbraþer*), war der vokal ein anderer, so konnte man ebenso gut *af* wie *of* nehmen (*ofdrikkia*). — isl. *-at, -a,* 'nicht'. *at* ist ton-loses *eitt* 'ein, etwas'; *-a* dagegen geht auf *at* zurück und ist er-schlossen aus verbalformen mit bragarmál: *mākatk > mākakk > mākak* 'ich kann nicht'; **sērat-þu > seraô-þu > seraðu.* — isl. *blæia,* altschw. *blea*: isl. altschw. *blēia*: das wort gehört etymol. zu *blár* 'dunkel, blau'; dies hatte formen mit und ohne umlaut (n. sg. m. *blǫr,* acc. sg. m. **blāwan*); aus jenen ging *blēia,* aus diesen *blæia, blēa* hervor. — *Gefion = *Geðfiōn: geþ* = 'sinnliches ver-langen, liebesgenuss', *fiōn* = 'hass' (zu *fiā* 'hassen'); *Gefiōn* 'die den liebesgenuss hassende'. — isl. *hynótt,* urspr. *hynnótt* ist die 'jammer-volle nacht'; *hy* = altschw. *hwin* 'der jammer'. — isl. *illr, illr* geht zurück auf ein urgerm. compositum *inuðilan* 'sehr böse' zurück. das *i* ist ursprünglich lang, doch trat in den synkopierten formen die verkürzung ein. noch heute hat das wort bald langen, bald kurzen stammvokal. *-lösa, -løse* in nord. ortsnamen ist aufs engste verwandt mit agls. *læs* 'wiese'. — isl. *meirr* 'berühmt', altschw. *mer* ist niederd. lehnwort '*mēre*'. das nd. *ē* wurde im isl. mit *ei* wiedergegeben, wie auch in *greifi* = mnd. *grēve.* — isl. *purk* heisst 'zank, zänkischer neid', wie die neunordischen dialekte lehren. — *Rán < Ráðn* und gehört zu *ráþa,* 'die über das meer herrschende' = schwed. *sjörån.* — isl. *reformr* 'flechte' = dän. *ringormr*: der erste teil des compositums *ref-* gehört zu isl. *reifar.* f. pl. 'die windel'.

56. S. Bugge, Oldnorske sammensætninger paa *nautr.* Sprogl. hist. stud. s. 12—29.

B. bespricht hier die sprachlich interessanten composita auf *nautr,* deren erster teil, scheinbar ganz gegen die regeln nordischer zusammensetzungen auf *u* endet (*fǫrunautr, þingunautr, skuldu-*

nautr u. s. w.). in diesem *u* fand man bisher allgemein eine kasusendung, den genetiv, eine auffassung, gegen die sich zuerst H. Falk gewendet hat. dagegen findet B. mit Falk in dem *u* des compositum das alte präfix *ga.* dies präfix *ga* war in compositis ganz schwach betont, das *a* konnte also vor folgendem stammhaftem *o* oder *ou* zu *o* werden. dies *o* lautete dann das vorangehende *a* zu *o* um. so wurde urgerm. **faraganautaR > faragonautaR > farogonautaR > fǫrognautR > fǫronautr.*

57. B. Kahle, Noch einmal der beiname *skald.* Ark. f. nord. fil. 12 (n. f. 8) 272—273.

K. verteidigt seine ansicht (vgl. jsb. 1895, 12, 107) gegen die einwände von A. Olrik (jsb. 1895, 12. 108).

58. Eiríkr Magnússon, 'Edda' (its derivation and meaning). a separate issue from 'The saga-book of the wiking club', of a paper read to that club on nov. 15th. 1895. 23 s. 8⁰. London.

E. M. trennt zunächst mit recht den buchtitel 'Edda' von dem worte der Rigsþúla *edda* ═ urgrossmutter. er fasst ersteres auf als 'Buch von Oddi'. *edda* verhält sich zu *Oddi,* wie *Vatnshyrna* zu *Vatnshorn, Esphœla* zu *Esphǫll* u. dgl. Oddi war als besitz Sæmunds, als sitz gelehrter forschung, als erziehungsort Snorris bekannt. Snorri hat sein buch selbst Edda genannt. allein die überschrift des cod. Uppsal., in dem dies wort zum erstenmal steht, setzt ein älteres werk mit gleichem titel voraus, und dies, meint E. M., sind die Eddalieder, die er dem Sæmund zuschreibt und von denen Snorri in der Gylfaginning eine paraphrase geben soll. der titel *Edda* geht demnach von haus aus auf die liedersammlung Sæmunds. — nun hat aber Snorri diese liedersammlung thatsächlich nicht gekannt (vgl. P.-Br. beitr. VII, 203 ff.), folglich kann Snorri unter der Edda die liedersammlung nicht verstanden haben. *Edda* als 'Buch von Oddi' mag zu rechte bestehen, allein es kann nur auf das werk Snorris gehen, für das M.'s untersuchung von weitergehender bedeutung ist. auch das *edda* der Rigsþúla mit dem nomen proprium *Oddr* zusammenzubringen (s. 22) ist nicht glücklich.

59. F. Jónsson, Hǫrgr. Festschrift zur 50 jähr. doktorfeier K. Weinholds am 14. jan. 1896. s. 13—20.

nachdem F. J. alle stellen, in denen sich *hǫrgr* in der altnord. litteratur findet, zusammengestellt hat, kommt er zu dem ergebnis, dass der *hǫrgr* nur ein tempel für die göttinnen sein kann, während den göttern im *hof* geopfert wurde.

60. G. Storm, Hvítabjǫrn og bjarndýr. Ark. f. nord. fil. 13 (1) 47—53.

gegen R. Anderson, der da meint, die Isländer verständen

unter *bjǫrn* den braunen bären, zeigt G. Storm an der hand zahlreicher quellennachweise, dass die Isländer mit *bjǫrn* ebenso wie
mit *hvítabjǫrn* und *bjarndýr* immer den eisbären bezeichnen. der
norwegische landbär heisst bei ihnen *skógbjǫrn*, *viðbjǫrn*, *híðbjǫrn*,
urðbjǫrn, *grábjǫrn*.

61. Skeat, The etymology of Thule. The academy 1896 (1246).

62. K. Nyrop, *Gnav*. Dania 3 (7) 373.
das wort für das dänische spiel *gnav* ist italienischen ursprungs. im italienischen kartenbild, das die katze darstellt, steht
das wort als *gnao* oder *gnau*, und dies ist ein onomatopoetisches
wort für katze.

63. F. L. Grundtvig, *Tævel*. Dania 3 (7) 373—374.
tævel bezeichnet im dänischen zuweilen den schmetterling
und zwar wahrscheinlich wegen seiner farben, denn in der dänischen bibelübersetzung giebt '*tæbild*' das *chamæleon* der vorlage
wieder.

Volkssprache. 64. A. Smedberg, Några tankar rörande svenska
allmogespråkets ordförråd. De svenska landsmålen 11, 9. 28 s.

Sprachgeschichte. 65. A. Kock, Om språkets förändring. Popu-
lärt vetenskapliga föreläsningar vid Göteborgs högskola III. 171 s.
8⁰. Göteborg, Wettergren & Kerber. 1,75 kr.
ein trefflicher vortrag über sprachentwicklung, spec. über die
der schwedischen sprache. K. behandelt die sprachmischungen und
geht dabei ausführlicher auf das charakteristische beispiel der europäischen kultursprachen. auf das englische ein, indem er zugleich
zeigt, auf welchen gebieten die alten Angelsachsen ihre heimischen
worte behalten und auf welchen das von süden eindringende französisch die herrschaft erlangt hat. bei behandlung der schwedischen
sprache wird besonders der einfluss erörtert, den das deutsche auf
das schwedische gehabt hat. es folgt beantwortung der frage:
welcher art und wie neue wörter in die schwedische sprache gekommen sind. dieses sind internationale kulturwörter, übersetzungen
fremder, onomatopoetische. die übertragung findet namentlich
durch die litteratur statt. aber die sprache verliert auch im laufe
der zeit einen grossen teil des alten wortschatzes — es folgen beispiele aus allen perioden der schwed. sprache. — der nächste abschnitt behandelt den bedeutungswandel der worte: der wortinhalt
kann entweder erweitert oder verengt, specialisiert werden (namentlich wird der natürliche hintergrund eines sprachlichen bildes oft
vergessen und verschoben); worte mit konkreter bedeutung nehmen
abstrakte bedeutung an; einzelne worte sinken von ihrer edlen bedeutung herab, andere heben sich in ihrer bedeutung. auch etymologisch

rschiedene, aber ähnlich klingende worte veranlassen zuweilen einen deutungswandel; hierbei spielt die volksetymologie eine wichtige lle. — der 2. hauptabschnitt behandelt die veränderung der wort- rmen, die entweder nach bestimmten lautgesetzen oder infolge der alogie erfolgt sind. auch hierin finden sich viele beispiele aus len zeiten der schwed. sprache und aus vielen schwed. dialekten. mentlich dieser abschnitt enthält eine reihe feiner bemerkungen er das sprachleben. — angez. von H. Pedersen, Nord. tidskr. fil. ny f. 5 (1/2).

66. P. Svensson, Svenska språkets ställning inom den ger- anska språkgruppen. etymologiska studier. 118 s. 8⁰. Stock- lm, Norstedt & söner. 2 kr.

67. T. E. Karsten, Studier öfver de nordiska språkens imära nominalbildning. — vgl. jsb. 1896, 12, 71. — angez. im t. cbl. 1896 (29) 1046; von F. Kluge im Litbl. 17 (1) 1; von Heusler, Litztg. 1896 (10); eingehend von H. Falk, Ark. f. rd. fil. 13 (2) 196—205, wo viele fehler gerügt werden.

68. K. R. Wiklund, Entwurf einer urlappischen lautlehre. einleitung, quantitätsgesetze, accent, geschichte der hauptbetonten kale. Uppsal. diss. 307 s. 8⁰.

W. bespricht u. a. die lappischen wörter, die aus den nor- schen bezirken eingewandert sind. im gegensatz zu Qvigstad, r diese erst im 9. und 10. jahrh. eingewandert sein lässt, ver- idigt W. die alte ansicht von Thomsen, dass diese lehnwörter be- its aus den ersten jahrhunderten unserer zeitrechnung stammen.

Dialekte. 69. Amund B. Larsen, Om de norske dialekters rhold til nabosprogene. Sprogl. hist. stud. 1—11.

L. giebt einen überblick über die verwandtschaft, namentlich r norwegischen und schwedischen dialekte und zeigt, wie nirgends renge abgrenzungen, sondern überall allmähliche übergänge vor- gen. es giebt kein merkmal, das alle norwegischen dialekte um- annt, keines, das nicht wenigstens einige dänisch-schwedische rkmale habe. so kann auch keine genaue abgrenzung des be- iffs 'norwegisch' gegeben werden.

70. J. Storm, Norsk sprog. Kraakemaal og landsmaal. 115 s. Kjøbenhavn, Gyldendal.

J. Storm vereinigt in diesem heftchen zwei reihen besprechungen, e im Kristianiaer Morgenblad erschienen sind. die erste nennt 'Kraakemaal', ein wort, womit Knudsens gegner dessen sprache zeichneten, während Knudsen selbst die durch unnordische örter verunstaltete norwegische sprache so nannte. Kraakemaal ist ne kritik von H. Knudsens 'Norsk målvækst' und desselben

379. J. Sembrzycki, J. P. de Memel. Euphorion 3, 650 f.
— verweist zur stütze von Gerhards ansicht, der Altmärker
Joh. Prätorius habe die schwanksammlung von 1656 verfasst,
darauf, dass 1631—1673 in Memel der Märker Christoph Prätorius
als geistlicher lebte, der vermutlich ein verwandter des Joh. Prätorius war. vgl. Altpreuss. monatsschrift 33, 303.

380. U. Karbe u. a., Schwank und streich aus Pommern.
Bl. f. pomm. volksk. 4 (4) 58—60. (7) 104—106. (10) 149—151.

381. O. Glöde, Sprechen kann er nicht, aber er denkt desto
mehr. Zs. f. d. d. unterr. 9, 774 (ebd. 8, 259). — K. Prahl, ebd.
10, 625.

382. R. Schlösser, Zum dialoge von Lollius und Theodericus. Zs. f. vgl. litgesch. 9, 235 f. (ein gedicht Gotters von 1774).

383. A. Wünsche, Das rätsel vom jahr und seinen zeitabschnitten zu der weltlitteratur. Zs. f. vgl. litgesch. 9, 425—456.
bespricht die orientalischen und europäischen rätsel, in denen
das jahr mit einem wagen, vater, gewebe, palaste oder baume verglichen wird.

384. V. Valentin, Ein französisches rätsel. ebd. 10, 255 f.
deutet ein von Wünsche (no. 383) citiertes rätsel auf die
tagesstunden.

385. Heinr. Carstens, Volksrätsel, besonders aus Schleswig-Holstein. Zs. d. ver. f. volksk. 6, 412—423.
mit reichen parallelnachweisen.

386. B. Schüttelkopf, Deutsche volksrätsel aus Kärnten.
Carinthia 85, 1 (3). 86 (1) 19—21.

A. Schullerus (no. 1—228). J. Bolte (no. 229—386).

XI. Gotisch.

1. G. H. Balg, The first germanic bible. Milwaukee, Wis.
1891. — vgl. jsb. 1893, 11, 2. — F. Wrede, Anz. f. d. a. 22
(1) 89, billigt die verwendung des Bernhardtschen textes nicht
und notiert die daraus übernommenen druckfehler, weist aber auf
die syntax, die nicht übersehen werden dürfe, hin und lobt das
sorgfältig gearbeitete glossar.

merkungen über die rimurdichtung fehlen, da von dieser sich im
lesebuche keine proben finden. der grössere teil der lesestücke
ist aus der klassischen prosa geschöpft, von der dichtung enthält
das buch einige leichtere skaldengedichte, da eddalieder ausgeschlossen waren. an die lesestücke schliessen sich sprachliche und
sachliche anmerkungen und ein glossar, das durch den steten hinweis auf die entsprechenden gotischen wörter besondere beachtung
verdient. angez. von F. Jónsson, Ark. f. nord. fil. 12 (n. f. 8)
378—381.

77. F. Holthausen, Altisländisches elementarbuch. — vgl.
jsb. 1894, 12, 75. — angez. von E. Mogk, Anglia, beiblatt 6 (9)
265 f.; A. Heusler, A. f. d. a. 23 (1) 38—40; von O. Jiriczek,
Engl. stud. 22 (2); von O. Jespersen, Nord. tidskr. f. fil. 3. r.
4 (4); von O. Brenner, Litbl. 17 (10) 329—331.

Westnordische lautlehre. 78. B. Kahle, Die sprache der skalden
auf grund der binnen- und endreime. — vgl. jsb. 1895, 12, 74. —
ferner angez. von G. Morgenstern, Idg. forsch., Anz. 6, 94—96.

79. A. Kock, Studier i väst- och östnordisk grammatik. Ark.
f. nord. fil. 13 (2) 162—191.
1. till växlingen $tt : t$ i isländskan: die lautverbindung ht $>$ t
in relativ wenig betonten silben, sowie in hochtonigen silben,
wenn auf t ein konsonant folgt, sonst wird ht $>$ tt assimiliert.
2. R-omljud av $\bar{æ}$ i nord. språk: in den nord. sprachen kann ein
durch i-umlaut entstandenes $\bar{æ}$ von einem unmittelbar folgenden R
in $\bar{e}$ umgelautet werden. 3. till växlingen $ia : iæ$ i fornnorskan:
wie im altschwed. steht auch im altnorw. fest: 'dialektisch kann
ia in $iæ$ übergehen, wenn der a-laut kurz ist, bleibt aber unverändert, wenn er lang ist'. 4. till frågan om vokalkvantiteten vid
hiatus i isländskan: im westnordischen war in der prosaaussprache
die quantität der vokale vor unmittelbar darauf folgendem vokale
dialektisch verschieden. so ist in der St. homb. u vor folgendem
vokal kurz, o dagegen lang. 5. till uppkomsten av bestämda formens dat. pl. i de nordiska språken: altschwed. $b\bar{o}ndumin$ ist unmittelbar aus $b\bar{o}nduminum$ entstanden, altisl. $b\bar{o}ndunum$ dagegen
geht zurück auf *$b\bar{o}ndunnum$ und dies auf *$b\bar{o}ndum(i)num$.

80. A. Kock, Fornnordisk språkforskning. Ark. f. nord. fil
12 (n. f. 8) 241—269.
1. till förlusten av midljudande w i isländskan. regel: 'in
worten mit langem wurzelvokal schwindet w nach einem gutturale,
wenn der wurzelvokal u oder o ist, sonst bleibt es nach guttural
erhalten'. 2. wechsel von e und $æ$ in der altnord. ableitungssilbe
-*legr*: in einzelnen norw. handschriften gilt die regel, dass in offener

silbe *e*, in geschlossener bald *œ*, bald *e* steht.   3. zur frage über
den vokalverlust und den umlaut im ersten teile von kompositis:
nach Bugges nachweis ist im allgemeinen der stammcharakter im
ersten teile der komposita früher geschwunden als beim simplex
(also: *ǫsmund* < **ǫsumund* früher als *vǫll* < **wallu*). dieser ge-
schwundene vokal in kompositis verhält sich nun zum auslaut: geschwundenes *i* im 1. teile der komposita hat oft den umlaut nicht
bewirkt, mag der wurzelvokal kurz oder lang sein, geschwundenes
u hat den umlaut meistenteils nicht hervorgerufen in langer wurzelsilbe, in kurzer wurzelsilbe findet sich bald der umlaut, bald nicht;
bei der brechung finden wir in jenem falle meist *ia*, in diesem
bald *ia*, bald *io*. die chronologische entwicklung von umlaut und
vokalschwund ist: I. *α*) nach einer starkbetonten silbe des 1. kompositionsgliedes schwindet *i* vor eintritt des umlauts (*Haraldr* < *Hari-
waldr*); *β*) im simplex schwindet *i* erst nach eintritt des umlauts,
wenn die stammsilbe lang ist (*kvæn* < *kwāni*); *γ*) nach dem
schluss der *i*-umlautsperiode schwindet *i* nach kurzer wurzelsilbe in
einfachen wörtern, ohne umlaut zu erzeugen (*staþ* < *staði*); *δ*) nach
dem eintritt der jüngeren *i*-umlautsperiode bewirkt erhaltenes *i* den
umlaut (*synir* < *sunir*). II. *α*) *u* schwindet im 1. teil der komposita mit starkbetonter stammsilbe vor eintritt des älteren *u*-um-
lautes (*vallgangr* < **wallugangr*); *β*) nach eintritt des älteren *u*-um-
lautes schwindet *u* und bewirkt beim simplex umlaut (*vǫllr* < **walluʀ*);
γ) nach eintritt der jüngeren *u*-umlautsperiode bewirkt erhaltenes
u umlaut (*lǫgum* < *lagum*); *δ*) fiel der hauptton auf das zweite
glied des kompositums, so erhielt sich im ersten *u* bis zur um-
lautsperiode und bewirkte den umlaut (*Óleifr* < **Anulaiϸʀ*). 4. in
weiteren untersuchungen zur frage über die betonung altnordischer
personennamen verteidigt A. K. gegen Lind seine annahme, dass
sich verschiedene lauterscheinungen nur aus der proklitischen betonung der vornamen erklären.

81. E. Wadstein, Die entwicklung von urnord. *ga* > *w*.
BB. 20 (1/2).

82. B. Kahle, Der *u*-brechungsdiphthong des *e*. Ark. f. nord.
fil. 12 (n. f. 8) 374—377.

Wadstein hat gezeigt, dass in den hss. die *u*-brechung des *e*
fast durchweg *io*, aber fast nie *iǫ* geschrieben werde, und dass dem
entsprechend diese brechung auch in den normalisierten texten eingeführt werden solle. dem gegenüber zeigt K., dass die skalden
wohl häufig *io* mit *ǫ*, aber fast nie *io* mit *o* reimen. er meint, man
könne Wadsteins vorschlag wohl folgen, bezweifelt aber, dass *io*
den wahren lautgehalt treffe. — die frage bedarf einer neuen,
gründlichen untersuchung. in einer anmerkung bemerkt A. Kock,

dass schon vor Wadstein L. Larsson u. a. die forderung Wadsteins durch die that erfüllt hätten.

83. M. Kristensen, En bemærkning om dentaler og supradentaler i oldnorsk-islandsk. Ark. f. nord. fil. 12 (n. f. 8) 313—314.

K. zeigt an der hand der Stock. hb., dass *ll* und *nn* vor *d* und *t* nicht längen bezeichnen, sondern dass durch diese verdoppelung der dentale charakter des *l* und *n* ausgedrückt werden soll, während sonst *l* und *n* supradentaler natur sind.

Syntax. 84. M. Nygaard, Den lærde stil i den norrøne prosa. Sprogl. hist. stud. 153—170.

der gelehrte stil zeigt sich in der nordischen prosa: 1. in der erweiterung des gebrauchs des part. praes., das im volkstümlichen stile nicht allzu häufig angewendet wird. auf den gebrauch dieses part. hat im gelehrten stil das lat. part. praes. und das gerundivum eingewirkt. 2. auch der gebrauch des part. praet. ist in dem gelehrten stil wesentlich erweitert. namentlich wird das part. praet. häufig mit praepositionen (*at, eptir*) verbunden, wir haben hier eine konstruktion, die dem lat. abl. absol. entspricht. 3. im volkstümlichen stile hat im allgemeinen das verb. reflexivum auch reflexive bedeutung, unter dem einflusse der lat. sprache nimmt dies jedoch in sehr umfassender weise passive bedeutung an. 4. ein eigentliches relativpronomen kennt der volkstümliche stil nicht, die anknüpfung der sätze geschieht hier durch partikeln (*er, sem*). beim gelehrten stil dagegen zeigt sich das streben nach dem pronomen, indem man entweder das demonstrativum der partikel vorsetzt (*þeir er*) oder das fragepronom (*hverr, hveim, hvat*) als relativum verwendet.

85. A. Gebhardt, Beiträge zur bedeutungslehre der altwestnordischen präpositionen mit berücksichtigung der selbständigen adverbia. Leipziger diss. 114 s. 8⁰. Halle a. S., M. Niemeyer.

G. sucht den nachweis zu führen, dass im westnordischen wie in anderen altgermanischen dialekten beim gebrauch der präpositionen und adverbien eine viel grössere anschaulichkeit herrscht, als in den neueren sprachen. er sucht infolgedessen in einer grossen anzahl beispielen in die geistigen vorstellungen des volkes einzudringen, aus denen heraus der gebrauch der präpositionen entstanden ist, und zwar behandelt er 1. die präpositionen, die zum ausdruck sowohl der richtung als der ruhe dienen (*á, í, við, of-um, fyr, undir, at*); 2. die, welche nur die richtung ausdrücken (*til, af, ór, frá*) und 3. die, welche nur die ruhe bezeichnen (*með, eptir, hjá, án*). am schlusse werden bei jeder präposition auch die präpositionsadverbien erörtert und dem ganzen ein abschnitt über die adverbien des ortes und der zeit angefügt.

Schwedische lautlehre. 86. E. Björkman, Till växlingen *fn*: *mn* i fornsvänskan. Ark. f. nord. fil. 12 (n. f. 8) 270—271.

B. bringt aus dem cod. Skokloster 155. 4⁰. (hs. von Magnus Erikssons landslag) weitere beispiele, die A. Kocks regel bestätigen. dass in der lautverbindung *ðn*, *ð* in den nasal *m* übergeht, ausser wenn dem wurzelvokal ein nasal vorangeht; in diesem falle bleibt *ð* erhalten.

87. A. Kock, Studier i svensk grammatik. De svenska landsmålen 11, 8. 52 s.

vokalausgleich ist dialektisch eingetreten: *o* in kurzer wurzelsilbe wird vor dem *a* der endung zu *a*; in worten, deren stammsilbe kurzes *o* hat, wird das *u* der endung > *o*. — in einigen altschwed. schriften haben adjekt. wie *öfrige, liuflige, sådane* in der endung *e*. nicht *a*, und zwar lautgesetzlich. — isländ. *ei* entspricht im allgemeinen altgutländ. *ai*, doch zeigt sich auch hier *ei* unmittelbar nach *w* und in wenig betonten silben; dialektisch ist im ostnordisch *ei* früher zum langen vokal geworden als *au*.

88. E. Björkman, Smålandslagens ljudlära. De svenska landsmålen 11, 5. 64 s.

88a. R. Larsson, Om det nyfunna fragmentet af Södermannalagen. Ark. f. nord. fil. 13 (1) 53—66.

lautlehre der in Göttingen gefundenen und von K. Maurer veröffentlichten fragmente des Södermannalag.

Dänische sprache. 89. V. Dahlerup, Det danske sprogs historie i almenfattelig frenstilling. 158 s. 8⁰. København, J. Salmonsen.

eine erweiterung des abrisses der dänischen sprachgeschichte, den Dahlerup in Salmonsens konversationslexikon gegeben hat. D. geht von der sprache der runendenkmäler aus, von der er mehrere proben giebt, behandelt dann die sprache der gesetze, vergleicht sie mit dem altisländischen, geht auf grammatik, wortbildung, wortvorrat ein und zeigt, wie gering damals noch der einfluss fremder sprachen war. in gleicher weise wird das altdänisch ('gammeldansk' von 1350—1500) behandelt, wo sich der fremde einfluss ungleich stärker zeigt; ebenso die sprache des reformationszeitalters und das ältere neudänisch (1500 1550; 1550—1700). besonders eingehend ist die sprache Holbergs dargestellt, die durch D. in ein ganz anderes licht gestellt wird. die periode der sprachreiniger (1745—1770) bildet den übergang zum neuesten dänisch (1770 bis zur gegenwart). in diesem kapitel wird auch auf die rechtschreibung, die lautlehre, die syntax, die wissenschaftliche behandlung der sprache eingegangen. ein überblick über die dänischen dialekte schliesst das treffliche buch. — anges. von

J. Ottosen, Nord. tidskr. f. vetensk., konst och industri 1896 (5); von O. Jespersen, Dania 3 (7) 380—383.

90. P. Groth, A danish and dano-norwegian grammar. Kristiania 1895. 143 s. 8⁰. — ausführlich besprochen von F. Dyrlund, Ark. f. nord. fil. 13 (1) 72—93, wo zahlreiche ergänzungen gegeben sind.

91. V. Boberg, Undersøgelser om de danske vokalers kvantitet. Ark. f. nord. fil. 12 (n. f. 8) 315—366.

nach Wimmer ist das neue quantitätsgesetz, d. h. die verlängerung ursprünglich kurzer vokale vor einfachem konsonanten, im dänischen und den anderen nord. sprachen um 1300 eingetreten. dagegen B: im dänischen wird kurzer vokal vor einfachem konsonanten in geschlossener silbe (d. i. in einsilbigen wörtern) bewahrt, aber in offener silbe (d. i. in mehrsilbigen wörtern) verlängert. ebenso bleibt der vokal kurz vor mehreren konsonanten (mit ausnahme der bindungen *nd, ng, ld, rð, rt*). ausnahmen: 1. der vokal vor intervokalischem *m* blieb kurz, da dies schon zeitig gedehnt wurde. 2. *ōv* wurde im auslaut zu *åw*. 3. nach altd. *æ, ø* wurde *gh > j*, dies verschmolz mit dem vokal zu *æj, øj*. 4. vor sonantischem ṇ und ṛ (älterem *æn, ær*) der endung bleibt oft im stamme die kürze, als ob zwischen stammauslaut und der sonantischen endung kein vokal gestanden hätte. 5. in ganz unbetontem worte wird der vokal immer gekürzt. — regel des stosstones im neudänischen: 'in einsilbigen wörtern steht stosston, wenn der vokal ursprünglich lang war oder dem kurzen vokal mehrere konsonanten folgten, endet das wort nur auf einen konsonant, so fehlt der stosston, doch haben einsilbige wörter mit kurzem vokal + *m* (ausser *som* und *kom!*) alle den stosston. ursprünglich mehrsilbige wörter haben in der regel keinen stosston. diese regeln sind nicht ausnahmslos. es folgt nach einer genauen prüfung der altdänischen hss. eine übersicht, wie die quantitätsverhältnisse sich im neudänischen herausgebildet haben.

92. H. Falk, Om indskud af *j* med forsterkende og navnlig nedsættende betydning i nordiske ord. Sprogl. hist. stud. s. 205—216.

F. stellt 76 wörter aus allen nordischen sprachen zusammen, die fast durchweg eine herabsetzende bedeutung haben. diese lauten mit *b, f* oder *p* an. hinter diesen anlautenden konsonanten hat sich ein *j* entwickelt, das gewissermassen das verächtliche lautlich bezeichnet.

93. Bemærkninger til afhandlingen 'En sproglig værdiforskydning'. I. af O. Siesbye, Dania 3 (5) 239—242; II. af Kr. Mikkelsen, ebd. 242—248; af O. Jespersen, ebd. 248—258.

unter *bjǫrn* den braunen bären, zeigt G. Storm an der hand zahlreicher quellennachweise, dass die Isländer mit *bjǫrn* ebenso wie
mit *hvítabjǫrn* und *bjarndýr* immer den eisbären bezeichnen. der
norwegische landbär heisst bei ihnen *skógbjǫrn, viðbjǫrn, híðbjǫrn.
urðbjǫrn, grábjǫrn.*

61. Skeat, The etymology of Thule. The academy 1896 (1246).

62. K. Nyrop, *Gnav.* Dania 3 (7) 373.

das wort für das dänische spiel *gnav* ist italienischen ursprungs. im italienischen kartenbild, das die katze darstellt, steht
das wort als *gnao* oder *gnau*, und dies ist ein onomatopoetisches
wort für katze.

63. F. L. Grundtvig, *Tævel.* Dania 3 (7) 373—374.

tævel bezeichnet im dänischen zuweilen den schmetterling
und zwar wahrscheinlich wegen seiner farben, denn in der dänischen bibelübersetzung giebt '*tæbild*' das *chamæleon* der vorlage
wieder.

Volkssprache. 64. A. Smedberg, Några tankar rörande svenska
allmogespråkets ordförråd. De svenska landsmålen 11, 9. 28 s.

Sprachgeschichte. 65. A. Kock, Om språkets förändring. Popu-
lärt vetenskapliga föreläsningar vid Göteborgs högskola III. 171 s.
8⁰. Göteborg, Wettergren & Kerber. 1,75 kr.

ein trefflicher vortrag über sprachentwicklung, spec. über die
der schwedischen sprache. K. behandelt die sprachmischungen und
geht dabei ausführlicher auf das charakteristische beispiel der europäischen kultursprachen. auf das englische ein, indem er zugleich
zeigt, auf welchen gebieten die alten Angelsachsen ihre heimischen
worte behalten und auf welchen das von süden eindringende französisch die herrschaft erlangt hat. bei behandlung der schwedischen
sprache wird besonders der einfluss erörtert, den das deutsche auf
das schwedische gehabt hat. es folgt beantwortung der frage:
welcher art und wie neue wörter in die schwedische sprache gekommen sind. dieses sind internationale kulturwörter, übersetzungen
fremder, onomatopoetische. die übertragung findet namentlich
durch die litteratur statt. aber die sprache verliert auch im laufe
der zeit einen grossen teil des alten wortschatzes — es folgen beispiele aus allen perioden der schwed. sprache. — der nächste abschnitt behandelt den bedeutungswandel der worte: der wortinhalt
kann entweder erweitert oder verengt, specialisiert werden (namentlich wird der natürliche hintergrund eines sprachlichen bildes oft
vergessen und verschoben); worte mit konkreter bedeutung nehmen
abstrakte bedeutung an; einzelne worte sinken von ihrer edlen bedeutung herab, andere heben sich in ihrer bedeutung. auch etymologisch

verschiedene, aber ähnlich klingende worte veranlassen zuweilen einen bedeutungswandel; hierbei spielt die volksetymologie eine wichtige rolle. — der 2. hauptabschnitt behandelt die veränderung der wortformen, die entweder nach bestimmten lautgesetzen oder infolge der analogie erfolgt sind. auch hierin finden sich viele beispiele aus allen zeiten der schwed. sprache und aus vielen schwed. dialekten. namentlich dieser abschnitt enthält eine reihe feiner bemerkungen über das sprachleben. — angez. von H. Pedersen, Nord. tidskr. f. fil. ny f. 5 (1/2).

66. P. Svensson, Svenska språkets ställning inom den germanska språkgruppen. etymologiska studier. 118 s. 8°. Stockholm, Norstedt & söner. 2 kr.

67. T. E. Karsten, Studier öfver de nordiska språkens primära nominalbildning. — vgl. jsb. 1896, 12, 71. — angez. im Lit. cbl. 1896 (29) 1046; von F. Kluge im Litbl. 17 (1) 1; von A. Heusler, Litztg. 1896 (10); eingehend von H. Falk, Ark. f. nord. fil. 13 (2) 196—205, wo viele fehler gerügt werden.

68. K. R. Wiklund, Entwurf einer urlappischen lautlehre. I. einleitung, quantitätsgesetze, accent, geschichte der hauptbetonten vokale. Uppsal. diss. 307 s. 8°.

W. bespricht u. a. die lappischen wörter, die aus den nordischen bezirken eingewandert sind. im gegensatz zu Qvigstad, der diese erst im 9. und 10. jahrh. eingewandert sein lässt, verteidigt W. die alte ansicht von Thomsen, dass diese lehnwörter bereits aus den ersten jahrhunderten unserer zeitrechnung stammen.

Dialekte. 69. Amund B. Larsen, Om de norske dialekters forhold til nabosprogene. Sprogl. hist. stud. 1—11.

L. giebt einen überblick über die verwandtschaft, namentlich der norwegischen und schwedischen dialekte und zeigt, wie nirgends strenge abgrenzungen, sondern überall allmähliche übergänge vorliegen. es giebt kein merkmal, das alle norwegischen dialekte umspannt, keines, das nicht wenigstens einige dänisch-schwedische merkmale habe. so kann auch keine genaue abgrenzung des begriffs 'norwegisch' gegeben werden.

70. J. Storm, Norsk sprog. Kraakemaal og landsmaal. 115 s. 8°. Kjøbenhavn, Gyldendal.

J. Storm vereinigt in diesem heftchen zwei reihen besprechungen, die im Kristianiaer Morgenblad erschienen sind. die erste nennt er 'Kraakemaal', ein wort, womit Knudsens gegner dessen sprache bezeichneten, während Knudsen selbst die durch unnordische wörter verunstaltete norwegische sprache so nannte. Kraakemaal ist eine kritik von H. Knudsens 'Norsk målvækst' und desselben

'Grænsestrid om dansk, dansknorsk og folkenorsk', worin der verfasser u. a. auch für die ausmerzung der fremdwörter eintritt, die
Storm in gewissem grade verteidigt. der zweite aufsatz kämpft
namentlich gegen die sprachstreber an, die den vorschlag gemacht
hatten, dass das 'Landsmaal' als obligatorisches fach in den höheren
schulen eingeführt werde.

Grammatiken und Lesebücher.

71. A. Noreen, Abriss der altnordischen (altisländischen,
grammatik. Halle a. S., M. Niemeyer. 60 s. 8⁰. 1,80 m.
das heftchen giebt einen kurzen, klaren überblick über die
laut- und formenlehre der altisländischen sprache und ist für die
erste einführung in diese viel geeigneter als Noreens ausführliche
grammatik. angez. von E. Mogk, Lit. cbl. 1896 (19) 706; von
R. Boer, Museum 4 (2).

72. O. Brenner, Altnordisches handbuch. litteraturübersicht, grammatik, texte und glossar. neue (titel-)ausgabe in 2 teilen.
1. Grammatik. 8 und 158 s.; 2. Chrestomathie. s. 159—248.
Leipzig, Tauchnitz. 1: 4,50 m.; 2: 2,50 m.

73. M. Nygaard, Oldnorsk læsebog for begyndere. 4. udg.
Bergen, Gjertsen. 0,50 kr.

74. L. Wimmer, Oldnordisk læsebog med anmærkninger og
ordsamling. femte genomsete udgave. Kopenhagen, Pio. 378 s.
8⁰. 4,75 kr.

75. R. Kahle, Altisländisches elementarbuch. Heidelberg,
C. Winter. 12 u. 238 s. 8⁰. 4 m.
nach einem überblick über die grammatische litteratur, die
stellung der altisländischen sprache und ihre quellen behandelt K.
die laut- und accentlehre, die formenlehre, die syntax. von letzterer
finden sich nur einzelne abschnitte. die laut- und formenlehre
schliesst sich im allgemeinen an Noreen an. der grammatik sind
einige lesestücke mit wörterverzeichnis angefügt; erstere sind nach
den handschriften normalisiert, denen sie entlehnt sind. — angez.
The academy 1896 (1275); von Henry, Rev. crit. 1896 (42).

76. F. Holthausen, Altisländisches lesebuch. Weimar,
Felber. 27 u. 197 s. 8⁰.
das lesebuch H.'s bildet den 2. teil vom Lehrbuch der altisländischen sprache (vgl. jsb. 1894, 12, 75). wie jenes in die
sprache, so soll dieses in die litteratur einführen. den lesestücken geht
ein abriss der altisländischen metrik voraus, bei dem nur be-

merkungen über die rimurdichtung fehlen, da von dieser sich im lesebuche keine proben finden. der grössere teil der lesestücke ist aus der klassischen prosa geschöpft, von der dichtung enthält das buch einige leichtere skaldengedichte, da eddalieder ausgeschlossen waren. an die lesestücke schliessen sich sprachliche und sachliche anmerkungen und ein glossar, das durch den steten hinweis auf die entsprechenden gotischen wörter besondere beachtung verdient. angez. von F. Jónsson, Ark. f. nord. fil. 12 (n. f. 8) 378—381.

77. F. Holthausen, Altisländisches elementarbuch. — vgl. jsb. 1894, 12, 75. — angez. von E. Mogk, Anglia, beiblatt 6 (9) 265 f.; A. Heusler, A. f. d. a. 23 (1) 38—40; von O. Jiriczek, Engl. stud. 22 (2); von O. Jespersen, Nord. tidskr. f. fil. 3. r. 4 (4); von O. Brenner, Litbl. 17 (10) 329—331.

Westnordische lautlehre. 78. B. Kahle, Die sprache der skalden auf grund der binnen- und endreime. — vgl. jsb. 1895, 12, 74. — ferner angez. von G. Morgenstern, Idg. forsch., Anz. 6, 94—96

79. A. Kock, Studier i väst- och östnordisk grammatik. Ark. f. nord. fil. 13 (2) 162—191. 1. till växlingen *tt*:*t* i isländskan: die lautverbindung ht > t in relativ wenig betonten silben, sowie in hochtonigen silben, wenn auf *t* ein konsonant folgt, sonst wird ht > tt assimiliert. 2. *R*-omljud av $\bar{æ}$ i nord. språk: in den nord. sprachen kann ein durch *i*-umlaut entstandenes $\bar{æ}$ von einem unmittelbar folgenden *R* in *ẽ* umgelautet werden. 3. till växlingen *ia* : *iæ* i fornnorskan: wie im altschwed. steht auch im altnorw. fest: 'dialektisch kann *ia* in *iæ* übergehen, wenn der *a*-laut kurz ist, bleibt aber unverändert, wenn er lang ist'. 4. till frågan om vokalkvantiteten vid hiatus i isländskan: im westnordischen war in der prosaaussprache die quantität der vokale vor unmittelbar darauf folgendem vokale dialektisch verschieden. so ist in der St. homb. *u* vor folgendem vokal kurz, *o* dagegen lang. 5. till uppkomsten av bestämda formens dat. pl. i de nordiska språken: altschwed. *bōndumin* ist unmittelbar aus *bōnduminum* entstanden, altisl. *bōndunum* dagegen geht zurück auf **bōndunnum* und dies auf **bōndum(i)num*.

80. A. Kock, Fornnordisk språkforskning. Ark. f. nord. fil 12 (n. f. 8) 241—269. 1. till förlusten av midljudande *w* i isländskan. regel: 'in worten mit langem wurzelvokal schwindet *w* nach einem gutturale, wenn der wurzelvokal *u* oder *o* ist, sonst bleibt es nach guttural erhalten'. 2. wechsel von *e* und *æ* in der altnord. ableitungssilbe -*legr*: in einzelnen norw. handschriften gilt die regel, dass in offener

silbe *e*, in geschlossener bald *œ*, bald *e* steht. 3. zur frage über
den vokalverlust und den umlaut im ersten teile von kompositis:
nach Bugges nachweis ist im allgemeinen der stammcharakter im
ersten teile der komposita früher geschwunden als beim simplex
(also: *ǫsmund* < *ǫsumund* früher als *vǫll* < *wallu*). dieser ge-
schwundene vokal in kompositis verhält sich nun zum auslaut: geschwundenes *i* im 1. teile der komposita hat oft den umlaut nicht
bewirkt, mag der wurzelvokal kurz oder lang sein, geschwundenes
u hat den umlaut meistenteils nicht hervorgerufen in langer wurzelsilbe, in kurzer wurzelsilbe findet sich bald der umlaut, bald nicht;
bei der brechung finden wir in jenem falle meist *ia*, in diesem
bald *ia*, bald *io*. die chronologische entwicklung von umlaut und
vokalschwund ist: I. *α*) nach einer starkbetonten silbe des 1. kompositionsgliedes schwindet *i* vor eintritt des umlauts (*Haraldr* < *Hari-
waldr*); *β*) im simplex schwindet *i* erst nach eintritt des umlauts,
wenn die stammsilbe lang ist (*kvæn* < *kwāni*); *γ*) nach dem
schluss der *i*-umlautsperiode schwindet *i* nach kurzer wurzelsilbe in
einfachen wörtern, ohne umlaut zu erzeugen (*staþ* < *staði*); *δ*) nach
dem eintritt der jüngeren *i*-umlautsperiode bewirkt erhaltenes *i* den
umlaut (*synir* < *sunir*). II. *α*) *u* schwindet im 1. teil der komposita mit starkbetonter stammsilbe vor eintritt des älteren *u*-um-
lautes (*vallgangr* < *wallugangr*); *β*) nach eintritt des älteren *u*-um-
lautes schwindet *u* und bewirkt beim simplex umlaut (*vǫllr* < *walluR*);
γ) nach eintritt der jüngeren *u*-umlautsperiode bewirkt erhaltenes
u umlaut (*lǫgum* < *lagum*); *δ*) fiel der hauptton auf das zweite
glied des kompositums, so erhielt sich im ersten *u* bis zur um-
lautsperiode und bewirkte den umlaut (*Óleifr* < *AnulaibR*). 4. in
weiteren untersuchungen zur frage über die betonung altnordischer
personennamen verteidigt A. K. gegen Lind seine annahme, dass
sich verschiedene lauterscheinungen nur aus der proklitischen betonung der vornamen erklären.

81. E. Wadstein, Die entwicklung von urnord. *ga* > *w*.
BB. 20 (1, 2).

82. B. Kahle, Der *u*-brechungsdiphthong des *e*. Ark. f. nord.
fil. 12 (n. f. 8) 374—377.

Wadstein hat gezeigt, dass in den hss. die *u*-brechung des *e*
fast durchweg *io*, aber fast nie *iǫ* geschrieben werde, und dass dem
entsprechend diese brechung auch in den normalisierten texten eingeführt werden solle. dem gegenüber zeigt K., dass die skalden
wohl häufig *io* mit *ǫ*, aber fast nie *io* mit *o* reimen. er meint, man
könne Wadsteins vorschlag wohl folgen, bezweifelt aber, dass *io*
den wahren lautgehalt treffe. — die frage bedarf einer neuen,
gründlichen untersuchung. in einer anmerkung bemerkt A. Kock,

dass schon vor Wadstein L. Larsson u. a. die forderung Wadsteins durch die that erfüllt hätten.

83. M. Kristensen, En bemærkning om dentaler og supradentaler i oldnorsk-islandsk. Ark. f. nord. fil. 12 (n. f. 8) 313—314.

K. zeigt an der hand der Stock. hb., dass *ll* und *nn* vor *d* und *t* nicht längen bezeichnen, sondern dass durch diese verdoppelung der dentale charakter des *l* und *n* ausgedrückt werden soll, während sonst *l* und *n* supradentaler natur sind.

Syntax. 84. M. Nygaard, Den lærde stil i den norrøne prosa. Sprogl. hist. stud. 153—170.

der gelehrte stil zeigt sich in der nordischen prosa: 1. in der erweiterung des gebrauchs des part. praes., das im volkstümlichen stile nicht allzu häufig angewendet wird. auf den gebrauch dieses part. hat im gelehrten stil das lat. part. praes. und das gerundivum eingewirkt. 2. auch der gebrauch des part. praet. ist in dem gelehrten stil wesentlich erweitert. namentlich wird das part. praet. häufig mit praepositionen (*at, eptir*) verbunden, wir haben hier eine konstruktion, die dem lat. abl. absol. entspricht. 3. im volkstümlichen stile hat im allgemeinen das verb. reflexivum auch reflexive bedeutung, unter dem einflusse der lat. sprache nimmt dies jedoch in sehr umfassender weise passive bedeutung an. 4. ein eigentliches relativpronomen kennt der volkstümliche stil nicht, die anknüpfung der sätze geschieht hier durch partikeln (*er, sem*). beim gelehrten stil dagegen zeigt sich das streben nach dem pronomen, indem man entweder das demonstrativum der partikel vorsetzt (*þeir er*) oder das fragepronom (*hverr, hveim, hvat*) als relativum verwendet.

85. A. Gebhardt, Beiträge zur bedeutungslehre der altwestnordischen präpositionen mit berücksichtigung der selbständigen adverbia. Leipziger diss. 114 s. 8º. Halle a. S., M. Niemeyer.

G. sucht den nachweis zu führen, dass im westnordischen wie in anderen altgermanischen dialekten beim gebrauch der präpositionen und adverbien eine viel grössere anschaulichkeit herrscht, als in den neueren sprachen. er sucht infolgedessen in einer grossen anzahl beispielen in die geistigen vorstellungen des volkes einzudringen, aus denen heraus der gebrauch der präpositionen entstanden ist, und zwar behandelt er 1. die präpositionen, die zum ausdruck sowohl der richtung als der ruhe dienen (*á, i, við, ofum, fyr, undir, at*); 2. die, welche nur die richtung ausdrücken (*til, af, ór, frá*) und 3. die, welche nur die ruhe bezeichnen (*með, eptir, hjá, án*). am schlusse werden bei jeder präposition auch die präpositionsadverbien erörtert und dem ganzen ein abschnitt über die adverbien des ortes und der zeit angefügt.

Schwedische lautlehre. 86. E. Björkman, Till växlingen *fn*: *mn* i fornsvänskan. Ark. f. nord. fil. 12 (n. f. 8) 270—271.

B. bringt aus dem cod. Skokloster 155. 4⁰. (hs. von Magnus Erikssons landslag) weitere beispiele, die A. Kocks regel bestätigen. dass in der lautverbindung *ðn*, *ð* in den nasal *m* übergeht, ausser wenn dem wurzelvokal ein nasal vorangeht; in diesem falle bleibt *ð* erhalten.

87. A. Kock, Studier i svensk grammatik. De svenska landsmålen 11, 8. 52 s.

vokalausgleich ist dialektisch eingetreten: *o* in kurzer wurzelsilbe wird vor dem *a* der endung zu *a*; in worten, deren stammsilbe kurzes *o* hat, wird das *u* der endung > *o*. — in einigen altschwed. schriften haben adjekt. wie *öfrige, liuflige, sådane* in der endung *e*, nicht *a*, und zwar lautgesetzlich. — isländ. *ei* entspricht im allgemeinen altgutländ. *ai*, doch zeigt sich auch hier *ei* unmittelbar nach *w* und in wenig betonten silben; dialektisch ist im ostnordisch *ei* früher zum langen vokal geworden als *au*.

88. E. Björkman, Smålandslagens ljudlära. De svenska landsmålen 11, 5. 64 s.

88a. R. Larsson, Om det nyfunna fragmentet af Södermannalagen. Ark. f. nord. fil. 13 (1) 53—66.

lautlehre der in Göttingen gefundenen und von K. Maurer veröffentlichten fragmente des Södermannalag.

Dänische sprache. 89. V. Dahlerup, Det danske sprogs historie i almenfattelig frenstilling. 158 s. 8⁰. København, J. Salmonsen.

eine erweiterung des abrisses der dänischen sprachgeschichte, den Dahlerup in Salmonsens konversationslexikon gegeben hat. D. geht von der sprache der runendenkmäler aus, von der er mehrere proben giebt, behandelt dann die sprache der gesetze, vergleicht sie mit dem altisländischen, geht auf grammatik, wortbildung, wortvorrat ein und zeigt, wie gering damals noch der einfluss fremder sprachen war. in gleicher weise wird das altdänisch ('gammeldansk' von 1350—1500) behandelt, wo sich der fremde einfluss ungleich stärker zeigt; ebenso die sprache des reformationszeitalters und das ältere neudänisch (1500 1550; 1550—1700). besonders eingehend ist die sprache Holbergs dargestellt, die durch D. in ein ganz anderes licht gestellt wird. die periode der sprachreiniger (1745—1770) bildet den übergang zum neuesten dänisch (1770 bis zur gegenwart). in diesem kapitel wird auch auf die rechtschreibung, die lautlehre, die syntax, die wissenschaftliche behandlung der sprache eingegangen. ein überblick über die dänischen dialekte schliesst das treffliche buch. — angez. von

J. Ottosen, Nord. tidskr. f. vetensk., konst och industri 1896 (5); von O. Jespersen, Dania 3 (7) 380—383.

90. P. Groth, A danish and dano-norwegian grammar. Kristiania 1895. 143 s. 8⁰. — ausführlich besprochen von F. Dyrlund, Ark. f. nord. fil. 13 (1) 72—93, wo zahlreiche ergänzungen gegeben sind.

91. V. Boberg, Undersøgelser om de danske vokalers kvantitet. Ark. f. nord. fil. 12 (n. f. 8) 315—366.

nach Wimmer ist das neue quantitätsgesetz, d. h. die verlängerung ursprünglich kurzer vokale vor einfachem konsonanten, im dänischen und den anderen nord. sprachen um 1300 eingetreten. dagegen B: im dänischen wird kurzer vokal vor einfachem konsonanten in geschlossener silbe (d. i. in einsilbigen wörtern) bewahrt, aber in offener silbe (d. i. in mehrsilbigen wörtern) verlängert. ebenso bleibt der vokal kurz vor mehreren konsonanten (mit ausnahme der bindungen *nd, ng, ld, rð, rt*). ausnahmen: 1. der vokal vor intervokalischem *m* blieb kurz, da dies schon zeitig gedehnt wurde. 2. *ōv* wurde im auslaut zu *åw*. 3. nach altd. *œ, ø* wurde *gh* $>$ *j*, dies verschmolz mit dem vokal zu *œj, øj*. 4. vor sonantischem n und r (älterem *œn, œr*) der endung bleibt oft im stamme die kürze, als ob zwischen stammauslaut und der sonantischen endung kein vokal gestanden hätte. 5. in ganz unbetontem worte wird der vokal immer gekürzt. — regel des stosstones im neudänischen: 'in einsilbigen wörtern steht stosston, wenn der vokal ursprünglich lang war oder dem kurzen vokal mehrere konsonanten folgten, endet das wort nur auf einen konsonant, so fehlt der stosston, doch haben einsilbige wörter mit kurzem vokal + *m* (ausser *som* und *kom*!) alle den stosston. ursprünglich mehrsilbige wörter haben in der regel keinen stosston. diese regeln sind nicht ausnahmslos. es folgt nach einer genauen prüfung der altdänischen hss. eine übersicht, wie die quantitätsverhältnisse sich im neudänischen herausgebildet haben.

92. H. Falk, Om indskud af *j* med forsterkende og navnlig nedsættende betydning i nordiske ord. Sprogl. hist. stud. s. 205—216.

F. stellt 76 wörter aus allen nordischen sprachen zusammen, die fast durchweg eine herabsetzende bedeutung haben. diese lauten mit *b, f* oder *p* an. hinter diesen anlautenden konsonanten hat sich ein *j* entwickelt, das gewissermassen das verächtliche lautlich bezeichnet.

93. Bemærkninger til afhandlingen 'En sproglig værdiforskydning'. I. af O. Siesbye, Dania 3 (5) 239—242; II. af Kr. Mikkelsen, ebd. 242—248; af O. Jespersen, ebd. 248—258.

bemerkungen, ergänzungen und streitigkeiten über jsb. 1895,
12, 85, wo Jespersen den nachweis zu führen gesucht hatte, dass
at beim infinitiv infolge seiner aussprache å oft durch *og* ersetzt
worden sei.

94. K. Larsen, Dansk soldatensprog til lands og til vands.
andet oplag. — vgl. jsb. 1895, 12, 87. — angez. von K. Weinhold, Zs. d. ver. f. volksk. 6 (1) 107.

95. K. Larsen, Om dansk argot og slang. Dania 3 (5)
229—237.

forts. von jsb. 1895, 12, 88. behandelt wird die jägersprache
und gezeigt, wie von ihr mancher ausdruck in die umgangssprache
gekommen ist. auch die technischen ausdrücke der jäger werden
angeführt. — daran schliessen sich beobachtungen über theater-
argot, das man besonders noch in den provinzen findet und von
dem ein grosser teil gemeingut des volkes geworden ist (z. b.
lampefeber, 'lampenfieber').

96. Kr. Nyrop, En katakrese. Dania 3 (5) 279. dasselbe
thema J. M. Jensen, Dania 3 (6) 334—336.

N. weist auf eine stelle prof. Sars' hin, wo dieser von
P. A. Munch erzählt, dass er es fertig gebracht habe, ein leserliches
manuskript mit den füssen zu schreiben. weitere beispiele ähnlicher katachresen giebt Jensen.

Metrik. 97. E. Rosengren, Språkliga undersökningar. Öster-
sund, Wisén. 39 s. 4°. 1 kr.

behandelt 1. das verhältnis zwischen antikem und modernem
versbau und 2. die melodie und den rhythmus in der sprache.

98. F. Wulff, Om värsbildning. rytmiska undersökningar.
Lund, Gleerup. 13 u. 130 s. 8". 3,50 kr.

Runen.

99. Th. v. Grienberger, Die germanischen runennamen.
P.-Br. beitr. 21 (1) 185—224. — vgl. abt. 11, 8.

100. G. Hempl, Wimmers runenlehre. Philologische studien.
festgabe für Ed. Sievers.

H. sucht nachzuweisen, dass Wimmers herleitung der runenzeichen aus dem lateinischen alphabete nicht haltbar ist.

101. R. M. Meyer, Runenstudien. P.-Br. beitr. 21 (1)
162—184. 1. Die urgermanischen runen. — vgl. abt. 3, 96.

auch M. hält Wimmers auffassung, dass die germanischen

runenzeichen den lateinischen buchstaben einfach nachgebildet seien, nicht mehr für richtig, nimmt vielmehr ein urgermanisches futhark an, aus dem verschiedene zeichen in die germanischen runenreihen herübergenommen sind. verschiedene mittel glaubt M. gefunden zu haben, die das aussehen der urgermanischen runen erschliessen lassen, wie sie z. b. Germania c. 10 vorausgesetzt werden. — diesen ergebnissen ist entgegenzuhalten: die nordischen und deutschen funde mit runeninschriften rühren alle erst aus der zeit des römischen einflusses her; die runen werden im norden nur zum zauber gebraucht, nie zur weissagung; Germ. c. 10 ist nur von weissagung die rede, auch die nord. teinar und der blótspánn sind nie mit runenzeichen versehen gewesen.

102. L. Wimmer, Om undersøgelse og tolkningen af vore runemindesmærker. — vgl. jsb. 1895, 12, 100. — angez. von E. Mogk, Lit. cbl. 1896 (30) 1072; E. Brate, Ark. f. nord. fil. 13 (1) 93—98.

103. De danske runemindesmærker undersøgte og tolkede af L. Wimmer. I. De historiske runemindesmærker. — vgl. jsb. 1895, 12, 101. anerkennend besprochen von E. Mogk, Lit. cbl. 1896 (30) 1072; von B. Kahle, Litbl. 17 (11) 369—371; von E. Brate, Ark. f. nord. fil. 13 (1) 93—98.

104. L. Wimmer, Les monuments runiques de l'Allemagne. extrait des Mémoires de la société des antiquaires du nord. (s. 225—300). Kopenhagen, Thiele.

105. F. Sander, Marmorlejonet från Piræus med nordiska runinskrifter. en undersökning och förklaring. Stockholm, Norstedt & söner. 48 s. 8° u. 2 taf. 2,50 kr.

Litteraturgeschichte.

Handschriften. 106. Katalog over den AM. håndskriftsamling udg. af kommissionen for det AM. legat. 2. bind. — vgl. jsb. 1894, 12, 120. — ferner angez. von F. Burg, Anz. f. d. a. 22 (3) 260—266.

107. Eiríkr Magnússon, Codex Lindesianus. Ark. f. nord. fil. 13 (1) 1—14.
eine neuentdeckte handschrift in der bibliotheca Lindesiana des Lord Crawford. die hs. besteht aus 94 bl. und ist schwerlich nach 1400 geschrieben. inhalt: 1. bl. 1—38a, dieselbe komputistische abhandlung, die den älteren teil vom cod. reg. 1812. 4° ausmacht, doch fehlen im cod. Lind. verschiedene stellen, die im

cod. reg. 1812 sicher interpoliert sind, so dass unsere hs. den
älteren text repräsentiert. 2. bl. 38b—48a: eine abhandlung über
die mystische bedeutung der kirchlichen ceremonien, ein auszug
aus Honorius Augustodunepsis 'Sacrumentarium, seu de causis et
significatu mystico rituum divini in ecclesia officii', 3. 48b—66a:
eine abhandlung in 4 abschnitten, deren kern die bearbeitung
einer lat. übertragung von Aristoteles 'τὰ Φυσιογνωμονικά', ist.
4. 66b—78a: ein altes kalendarium. 5. 78b—79a: eine ostertafel
von 1140—1671. 6. 79b: regeln zur benutzung einer auf s. 80a
befindlichen tabelle, die später ausradiert ist, nach der man die
wochen zwischen weihnachten und fastnacht u. s. w. berechnen
konnte. — am schlusse giebt M. ein verzeichnis der wörter, durch
die die hs. den nordischen wortschatz bereichert.

108. K. Kålund, Nyfundet brudstykke of en gammel-norsk
homilie. Ark. f. nord. fil. 12 (n. f. 8) 367—369.

drei pergamentstreifen aus dem anfang des 14. jahrh., die fast
zusammen gehören. die sprache ist rein norwegisch. inhalt ist
eine predigt über abgötterei oder die verehrung der elemente.

109. Ders., Tillægsbemærkning til gammel-norsk homilie-
brudstykke. Ark. f. nord. fil. 13 (1) 100.

110. Det arnamagnæanske haandskrift 310. 4⁰. Saga Olafs
konungs Tryggvasonar, er ritaði Oddr muncr. en gammel norsk
bearbeidelse af Odd Snorresøns paa latin skrevne saga om kong
Olaf Tryggvason. udg. for det norske historiske kildeskriftfond
af P. Groth. — vgl. jsb. 1895, 12, 125. — angez. von B. Kahle,
Litbl. 17 (10) 331—334, wo K. eingehender über das verhältnis
der hs. zu den Kock'schen regeln über den nordischen u-umlaut
spricht; von E. Mogk, Lit. cbl. 1896 (38) 1396.

111. Hauksbók udg. efter de arnamagnæanske håndskrifter
no. 371, 544 og 675 4⁰ samt forskellige papirhåndskrifter af det
kgl. nord. oldskriftselskab. 3. hæfte. s. 507—560 + 139 s. nebst
2 facs. — schluss von jsb. 1894, 12, 122.

dieser band beendet den von Eiríkur Jónsson und Finnur
Jónsson geleiteten literalen abdruck der Hauksbók. auch in ihm hat
Finnur den grösseren teil der arbeit gehabt; von ihm rührt nicht
nur die gehaltreiche einleitung her, sondern auch das verzeichnis
der städtenamen, während Eiríkur nur das personennamenregister
zusammengestellt hat. die einleitung bringt eine neue biographie
des Hauk Erlendsson, die geschichte der Hauksbók, eine eingehende
beschreibung der einzelnen teile und der rechtschreibung der verschiedenen schreiber, die an dem werke gearbeitet haben, endlich
untersuchungen über die einzelnen stücke, die sich in der grossen

sammelhs. finden. Hauks arbeit war eine rein kompilatorische: er trug alles zusammen, was er auftreiben konnte; system und ordnung herrscht in der sammlung nicht. Die Landnáma ist eine verschmelzung von Sturlas und Styrmers werk; in ersterem war die Kristnisaga bereits an sie gekettet. von der Fóstbrœðrasaga bietet die Hb. den besseren und älteren text; auch von der Eiriksaga rauða gehört Hb. vor AM. 557 der vorzug. das liebesabenteuer der skalden Haralds hárfagri ist freie erdichtung des 13. jahrhs.; der abschnitt von den Upplandskönigen geht zum teil auf das Ynglingatal, zum teil auf mündliche überlieferung zurück. der Hemingsþáttr ist die verschmelzung eines teiles der saga Haralds harðráði mit altem märchenstoffe. der Ragnarssonaþáttr, die fortsetzung der Ragnarssaga, will das norwegische und dänische königshaus von Ragnar abstammen lassen. die fassung der Hervararsaga in der Hb. ist voller fehler und widersprüche und ist kaum vor dem ende des 13. jahrhs. entstanden. — Die Trojumannasaga und die Bretasögur gehören zusammen: jene geht auf das werk des Dares Phrygius zurück, im eingange auf die Ecloga des Theodulus. die Bretasögur sind eine übersetzung von Geoffroy von Monmouths englischer geschichte, mit der die übersetzung der Prophetiæ Merlini, die der mönch Gunnlaugr hergestellt hat, verschmolzen ist. — die anderen teile der Hb. sind schriften gelehrten inhalts, die auf lat. schriftsteller des mittelalters zurückgehen. von einigen sind die quellen nicht bekannt.

112. Håndskriftet no. 748, 4⁰, bl. 1—6, i den arna-magnæanske samling .(Brudstykke af den ældre edda) i fototypisk og diplomatisk gengivelse. udg. for Samf. til udg. of gamm. nord. litt. ved Finnur Jónsson. VIII, 12 s. + 10 fotot. tafeln. Kbh.

der facsimileausgabe des cod. reg. der eddalieder schliesst sich diese facsimileausgabe der arnamagn. bruchstücke würdig an, so dass wir nun von der ganzen eddischen dichtung (mit ausnahme der Rigsþula) facsimilia besitzen. über die handschrift selbst bringt F. J. zu dem, was wir durch Bugge, Kålund und dem herausgeber selbst bereits wissen, nichts neues; auch wegen der schreibweise der hs. verweist F. J. auf Bugges einleitung zu den eddaliedern.

113. De bevarade brudstykker af skindbøgerne Kringla og Jöfraskinna i fototypisk gengivelse udg. for Samf. til udg. af gamm. nord. litt. ved F. Jónsson. — vgl. jsb. 1895, 12, 124. — angez. von E. Mogk, Lit. cbl. 1896 (17) 627.

Isländisch-norwegische Litteraturgeschichte. 114. L. Duvau, Les poètes de cour islandais et scandinaves. extrait de la Revue celtique (17). Paris, Bouillon. 6 s.

115. F. Jónsson, Den oldnorske og oldislandske litteraturs-
historie.

vgl. jsb. 1895, 12, 106. der erste band dieses trefflichen
werkes ist besprochen von E. Mogk, Ark. f. nord. fil. 12 (n. f. 8) f.
273—283. hier werden J.'s zeugnisse für die vorgeschichtliche
dichtung im norden verworfen und dafür andere (sprachliche) aufgestellt. ebenso wird der ansicht F. J.'s über die heimat der
eddalieder und über die auffassung einiger eddalieder, besonders
der Vǫlsp., widersprochen; ferner von F. Niedner, Anz. f. d. a. 22
(4) 337—342; von W. Golther, Litbl. 17 (9) 291—296.

116. H. Schück, Smärre bidrag til nordisk litteraturhistoria.
Ark. f. nord. fil. 12 (n. f. 8) 217—240.
I. Den svenska krönikan i Hervararsagan. der schluss der
isl. Hervararsaga enthält die schwedische geschichte von Ingjald
Illráði bis zu Philipp Hallsteinsson tod (1118). dieser ist erst
später an den kern der saga angefügt; es ist die arbeit eines historikers ex professo, wahrscheinlich des Ari. die nachrichten über
Ingi den älteren, die besonders ausführlich sind, hatte Ari von
Markus Skeggjason, der sich unter Ingi längere zeit in Schweden
aufgehalten hatte. diese arbeit Aris liegt in der Hervararsaga
in überarbeiteter gestalt vor. — II. Var Saxo praepositus i Roeskilde? der praepositus Saxo in Roeskilde war nicht, wie man nach
Paludan Müller anzunehmen pflegt, der dänische historiker, vielmehr war dies der domherr von Lund. dass man im späten mittelalter in jenem den geschichtsschreiber fand, hat darin seinen
grund, dass um 1180 ein Saxo praepositus in Roeskilde thatsächlich gelebt, der aber mit Saxo grammaticus weiter nichts als den
namen gemein hat. — III. Ynglingatals inledningsstrofer. Noreen
hat in der strophe über Dómar im Yngt. den Yngvi-Freyr wiederfinden wollen. das ist falsch. dagegen lassen sich aus Snorris
prosa in der Ynglingasaga die verlorenen eingangsstrophen des Yngt.
wiederfinden. hier sind zwei quellen zusammengearbeitet, von
denen die eine vom gotte Frey, die andere vom stammheros
Ingunarfrey handelt: über jenen hatte Snorri die angaben der
isländ. mythologischen dichter, über diesen Thjóðólfs strophen:
jener war Njörðs sohn und fiel im Ragnarökk, dieser war es, der
den Schweden den frieden brachte, der als Fróðafrið in der Ftb.
vorkommt. Ingunarfreyr ist also = Frotho bei Saxo. wo also
Snorri über Ingunarfrey, den schwedischen stammheros spricht,
hat ihm sicher eine strophe Thjóðólfs vorgelegen.

117. H. Jæger, Illustreret norsk litteraturhistorie bd. I.
449—592 und Videnskabernes litteratur i det nittende aarhundrede.
306 s. — schluss von jsb. 1895, 12, 134.

dass schon vor Wadstein L. Larsson u. a. die forderung Wadsteins durch die that erfüllt hätten.

83. M. Kristensen, En bemærkning om dentaler og supradentaler i oldnorsk-islandsk. Ark. f. nord. fil. 12 (n. f. 8) 313—314.

K. zeigt an der hand der Stock. hb., dass *ll* und *nn* vor *d*
und *t* nicht längen bezeichnen, sondern dass durch diese verdoppelung der dentale charakter des *l* und *n* ausgedrückt werden soll,
während sonst *l* und *n* supradentaler natur sind.

Syntax. 84. M. Nygaard, Den lærde stil i den norrøne prosa.
Sprogl. hist. stud. 153—170.

der gelehrte stil zeigt sich in der nordischen prosa: 1. in der
erweiterung des gebrauchs des part. praes., das im volkstümlichen
stile nicht allzu häufig angewendet wird. auf den gebrauch dieses
part. hat im gelehrten stil das lat. part. praes. und das gerundivum
eingewirkt. 2. auch der gebrauch des part. praet. ist in dem gelehrten
stil wesentlich erweitert. namentlich wird das part. praet. häufig mit
praepositionen (*at, eptir*) verbunden, wir haben hier eine konstruktion,
die dem lat. abl. absol. entspricht. 3. im volkstümlichen stile hat
im allgemeinen das verb. reflexivum auch reflexive bedeutung,
unter dem einflusse der lat. sprache nimmt dies jedoch in sehr umfassender weise passive bedeutung an. 4. ein eigentliches relativpronomen kennt der volkstümliche stil nicht, die anknüpfung der
sätze geschieht hier durch partikeln (*er, sem*). beim gelehrten stil
dagegen zeigt sich das streben nach dem pronomen, indem man
entweder das demonstrativum der partikel vorsetzt (*þeir er*) oder das
fragepronom (*hverr, hveim, hvat*) als relativum verwendet.

85. A. Gebhardt, Beiträge zur bedeutungslehre der altwestnordischen präpositionen mit berücksichtigung der selbständigen
adverbia. Leipziger diss. 114 s. 8º. Halle a. S., M. Niemeyer.

G. sucht den nachweis zu führen, dass im westnordischen wie
in anderen altgermanischen dialekten beim gebrauch der präpositionen
und adverbien eine viel grössere anschaulichkeit herrscht, als in
den neueren sprachen. er sucht infolgedessen in einer grossen anzahl beispielen in die geistigen vorstellungen des volkes einzudringen, aus denen heraus der gebrauch der präpositionen entstanden ist, und zwar behandelt er 1. die präpositionen, die zum
ausdruck sowohl der richtung als der ruhe dienen (*á, í, við, of-
um, fyr, undir, at*); 2. die, welche nur die richtung ausdrücken
(*til, af, ór, frá*) und 3. die, welche nur die ruhe bezeichnen (*með,
eptir, hjá, án*). am schlusse werden bei jeder präposition auch die
präpositionsadverbien erörtert und dem ganzen ein abschnitt über
die adverbien des ortes und der zeit angefügt.

barden, nur ist diese zunächst von einem dänischen dichter umge-
bildet worden (so liegt sie bei Saxo vor), während später ein nor-
wegischer am hofe eines fürsten auf Irland mit dem alten stoffe
neue motive verschmolzen hat, worauf die Helgilieder zurückgehen.
die heimat der Helgisage ist Dänemark. Helgi, der sohn des Halfdan,
ist ein dänischer könig, der gegen einen am südlichen gestade der
Ostsee wohnenden könig mit seiner flotte kämpft, weil dieser feind-
lich gegen Helgis verwandte aufgetreten ist. dieser historische
Helgi lebte in mehreren historischen sagen fort; er findet sich auch
in der angelsächsischen dichtung. neben diesem Helgi, dem sohne
Halfdans, schuf ein dänischer dichter in England einen zweiten
Helgi und zwar mit benutzung angelsächsischer und dänischer
sagenelemente aus der Skjoldungensage. dieser Helgi war eine
poetische gestalt, er wurde der ideale repräsentant der Skjoldungen
und der sieger über Hunding und Hodbrodd, die die dänischen
feinde verkörperten. diese dichtung kam nach Dänemark zurück
und wurde hier mit mehr historischen sagen von Helgi, dem sohne
Halfdans, verknüpft. in dieser gestalt überliefert Saxo gramm. die
sage. auf der anderen seite wurde dieselbe dichtung in Britannien
mit irischen stoffen verquickt, vor allem aber mit der Wolfdietrichsage,
die hier in angelsächsischer und irischer fassung bekannt war, und
so entstanden die uns erhaltenen Helgilieder, die sprachlich spuren
irischer und angelsächsischer quellen zeigen. die ältere norwegische
dichtung ist die von Helgi dem Hundingstöter. H. Hb. II. 19—22
hat die dänische vorlage fast rein erhalten, während die ganze
H. Hb. I. besonders stark unter irischem einflusse steht: ihr vf.
benutzte u. a. die irischen erzählungen von der schlacht bei Ross na
Rig, von der zerstörung Trojas, von Cormacs geburt u. a. der vf.
dieses gedichtes war ein Norweger aus dem südwestlichen Norwegen, der am hofe des nordischen königs zu Dublin lebte und
sein gedicht 1020—1035 verfasste. — die übrigen teile des zweiten
Helgiliedes gehören zusammen: hier ist die Helgidichtung tragisch
geworden, der dänische nationalgedanke ist durch den Valhall-
glauben verdrängt; mit der Helgidichtung ist die Sigrundichtung
verschmolzen. die quellen dieser neuen Helgidichtung sind die
Hjadningensage, die Sigurössage, die antiken sagen von Protesilaus
und Laodamia, von Meleager, die der dichter aus der irischen und
angelsächsischen litteratur kannte. auch der dichter dieses liedes war
ein Norweger in Irland. — eine ganz neue dichtung ist auch das gedicht von Helgi Hjǫrvarðsson. die hier eingeschobenen Hrimgerð-
armál sind von demselben dichter, der H. Hb. II. verfasst hat.
der dichter des eigentlichen liedes, ein Norweger in England, hat
vor allem fränkische sagen von Chlodwig und seinen söhnen gekannt und benutzt; auf diese geht die Hjǫrvarðdichtung zurück.

in der Helgidichtung hat er aus heimischen und irischen sagen-
elementen in anlehnung an Helgi den Hundingstöter eine neue
poetische Helgigestalt geschaffen. — B.s geistreiche kombinationen
und entwürfe sind eine reihe von möglichkeiten, die fast nirgends
den boten der wahrscheinlichkeit berühren.

121. H. Gering, Glossar zu den liedern der edda (Sæmundar-
edda). 2. auflage. Paderborn, F. Schöningh. 15 u. 212 s.

G. hat die gesamte litteratur der letzten jahre verwertet, damit
sein treffliches glossar in der neubearbeitung auf der höhe der zeit
bleibe. von besonderem werte wird das buch durch das verzeichnis
der stellen, wo sich der Hildebrandsche text, zu dem ja das glossar
eigentlich gehört, schwerlich noch halten lässt (s. XII ff.). dadurch wird die neue auflage auch für jede andere ausgabe der
eddalieder verwertbar.

122. H. Gering, Zur liederedda II. Zs. f. d. phil. 29 (1)
49—63.

Alv. 5⁶ ist zu lesen: *hver hefr þik baga of borit* 'welche vettel
brachte dich zur welt'; Háv. 106⁶ ist mit F. Jónsson zu lesen: *á vé
alda japars* 'in die wohnung des herrn der geschlechter, d. h. nach
Valhǫll'; Hyndl. 8¹⁻² lies: *senn ní ór sǫþlum sígask lǫtum* 'lassen
wir uns herabgleiten'; Vlk. 10⁵⁻⁶: *gekk brúnnar beru hold steikja*
'er ging um der braunen bärin fleisch zu braten'; Fm. 6⁵ ist f.
hrǫðaz zu lesen *frævask* 'samen erlangen, mannbar werden'; Gðr. I.
19 ist mit Bugge *í ǫlstrum* beizubehalten; Gðr. I. 21¹⁻²: *svá at
lýþum land of eyþiþ* 'so werdet ihr das land von leuten leer machen,
der leute berauben'; Gðr. II. 2⁶ lies: *of hvǫtum dýrum*, wobei unter
den *hvǫtum dýrum* 'die schnellen rehe' zu verstehen sind; Gðr. II.
25¹⁻⁴ ist zu lesen:

> *En þá gleymþak,   es getet hafþak*
> *ǫlveig, jǫfurs   jarnbþýgs, í sal;*

Gðr. II. 43 1: *fyr dag litlu   drótt mun bergja*; Akv. 18¹⁻²:
nars nornir (kenning für kriegerische jungfrauen) *létir nauþfǫlva*
('die in todesnot erblichenen') *gráta*; Am. 29¹: *litu es tók lýsa*;
Am. 31⁵: *veitkak hvárt verþ launiþ* 'ich weiss nicht, ob ihr die
kost lohnen werdet'; Am. 49⁵⁻⁶: *Hniflunga kvǫþu meþan heilir
lifþu*; Gðv. 2¹ 1: *hví sitiþ kyrrir.*

123. F. Niedner, Zur liederedda. programm des Friedrichs-
gymnasiums zu Berlin. Berlin, Gaertner. 32 s. 4⁰.

1. Hávamál. N. verwirft Bugges ansicht, dass in Hávm. das
Rúnatal und Ljóðatal ursprünglich unmittelbar nach v. 111 gestanden und die eigentlichen Hávm. ausgemacht haben könnten.
gleichwohl zeigt der 1. teil des Rúnatal entschieden beziehung

zum Ljóðatal: die bindestrophe ist v. 140. trotzdem ist der Ljóðatal einmal ein gedicht für sich gewesen. das vereinte Runatal-
Ljóðatal enthielt eine offenbarung von Óðins ganzer herrlichkeit.
christlicher einfluss, den Bugge annimmt, wird bekämpft. 2. Hár-
barðsljóð. Rydbergs hypothese, dass unter Hárbarð Loki zu verstehen sei, wird widerlegt. abgesehen von einer reihe interpolationen und den prosazusätzen, die nicht zum gedichte gehören, sind
die Hárblj. ein abgerundetes ganze in málaháttrstrophen. das gedicht muss in dreifachem zusammenhange betrachtet werden: 1. in
mythologischem: Óðinn ist die kraft des gedankens im dienste des
willens, Thor ebenso die kraft der that, des handelns; 2. in poli-
tischem: der Óðinsglaube, den der jarlstand vertritt, triumphiert
über den Thorsglauben des bauerntums; und 3. in litteraturgeschicht-
lichem: es ist in humoristisch-dramatischer form gedichtet und
steht am anfange der entwicklungsreihe, die in der Lokasenna
ihren höhepunkt erreicht. in diesem dreifachen zusammenhange
zeigt sich Óðins souveränität über den täppisch-lüsternen Thor in
der senna. der wechsel der versarten (málaháttr und ljóðaháttr)
ist daher vollständig berechtigt. 3. Vǫlundarkviða. N. verteidigt gegen
W. Müller und Golther den germanischen ursprung der Wielandsage
in der Völkv., gegen F. Jónsson die athetese von v. 6—10. —
Helgakviða Hundingsbana II. mit Sijmons gegen F. Jónsson nimmt
N. an, dass in Hkv. Hb. II. bruchstücke dreier lieder vorlagen,
die aber ein redaktor zu einem neuen trefflichen gedichte verschmolzen habe. — bespr. von Ranisch, Litztg. 1896 (38).

124. F. Niedner, Eddische fragen. Zfda. 41 (n. f. 29)
33—64.
1. Vǫluspá. N. steht ganz auf Müllenhoffs standpunkte über
die rekonstruktion der Vsp., nimmt aber an zwei stellen eine
'diskrete überarbeitung' an und zwar an den beiden angelpunkten
des gedichtes, den episoden von Baldrs tode und dem erscheinen
des höchsten gottes: die erstere geht auf eine verloren gegangene
ältere Vegtamskv. zurück, die letztere auf den schluss der Vafþrm.
2. Reginsmál, Fáfnismál und Sigrdrifumál bilden ursprünglich ein
zusammenhängendes gedicht, das bald in fornyrðislag, bald in
ljóðaháttstrophen verfasst war. vor allem muss die ansicht Grundt-
vigs, dass die Fuglamál (Fáfm. 32—44) in ihrem doppelten versmasse
zusammengehören, und dass die aufreizenden ljóðaháttvisur von ein-
und demselben dritten vogel gegenüber den in fornyrðislag ge-
dichteten weissagungen der beiden ersten vögel gesprochen zu
sein denken, zu rechte bestehen. falsch erklärt dünken mich die
schlussstrophen der Fáfm. (40—44): die grossen schwierigkeiten
dieser schwinden, sobald man annimmt, worauf mich Sievers zuerst

aufmerksam machte, dass v. 41 an den schluss nach v. 44 gehört.
3. Sigurðarkviða in skamma ist nicht, wie F. Jónsson annimmt,
grönländischen ursprungs. das erhaltene gedicht hat interpolationen,
die eine jüngere sagenform voraussetzen, der eigentliche kern aber
ist gut und alt und nicht in Grönland, sondern in Norwegen entstanden.

Skaldendichtung. 125. K. Gíslason, Efterladte skrifter. første
bind. Forelæsninger over oldnordiske skjaldekvad. — vgl. jsb.
1895, 12, 111. — angez. von Th. Hjelmqvist, Ark. f. nord. fil.
12 (n. f. 8) 381—385; von E. Mogk, Lit. cbl. 1896 (39)
1434—1435; von B. Kahle, Litbl. 17 (12) 403—404; F. Jónsson,
Zs. f. d. phil. 29 (1) 140—142.

126. Register til Njála andet bind og K. Gílasons andre
afhandlinger. udg. af det kgl. nordiske oldskriftselskab. Kbh.
40 s.

Gíslasons scharfsinnige, aber überall zerstreute bemerkungen
über die nordische sprache und einzelne stellen der dichtung werden
erst durch dieses heftchen, das F. Jónsson zusammengestellt hat,
allgemein und leichter zugänglich. nach einem verzeichnis von
Gíslasons abhandlungen enthält das heft: 1. die erklärungen, die
G. zu einzelnen stellen der skaldengedichte und der eddalieder gegeben hat (in alphabetischer ordnung) s. 9—28; 2. Gíslasons
grammatische und syntaktische bemerkungen s. 29—33; 3. worte,
die er lexikalisch oder etymologisch zu erklären versucht hat,
s. 34—37; einzelne bemerkungen über umschreibungen, über den reim
und die metrik, den poetischen stil, litterarhistorische bemerkungen,
berichtigungen von prosaischen stellen s. 38—40. — zu bedauern ist,
dass F. J. die älteren arbeiten Gíslasons nicht berücksichtigt hat,
die namentlich über sprachliche und etymologische dinge manch
feine bemerkung bringen; ich meine vor allem Um frumparta isl.
túngu, die Oldnord. formlære, die ausgaben der Droplaugarsonasaga und der bruchstücke des isländischen Elucidarius.

127. E. Wadstein, Bidrag till tolkning ock belysning av
skalde- ock edda-dikter. Ark. f. nord fil. 13 (1) 14—29.
Hǫfuðlausn 2¹ 1: *buðom hilme hloð* 'ich bot die last dem
fürsten'; 3² 1: *hvatt fylker vá* 'tapfer kämpfte der fürst'; 4⁵⁻⁸: *þar
heyrðoð þá: þaut mæke á malmhríðar spá   su vas mest of lá* 'so
höret denn: des waffensturmes sang klang auf dem schwerte; das
war der blutigste streit'; 5⁴⁻⁸: *þarsi blóðe, brimess móðe, valr
of þrumðe; und umm glumðe* 'dort lagen die gefallenen, müde
zum streit, unbeweglich in ihrem blute; der wundenstrom brausete
über sie hin'; 7⁵ 1: *œstosk under* 'der wundenstrom brauste';

cod. reg. 1812 sicher interpoliert sind, so dass unsere hs. den
älteren text repräsentiert. 2. bl. 38b—48a: eine abhandlung über
die mystische bedeutung der kirchlichen ceremonien, ein auszug
aus Honorius Augustodunepsis 'Sacrumentarium, seu de causis et
significatu mystico rituum divini in ecclesia officii', 3. 48b—66a:
eine abhandlung in 4 abschnitten, deren kern die bearbeitung
einer lat. übertragung von Aristoteles 'τὰ Φυσιογνωμονικά', ist.
4. 66b—78a: ein altes kalendarium. 5. 78b—79a: eine ostertafel
von 1140—1671. 6. 79b: regeln zur benutzung einer auf s. 80a
befindlichen tabelle, die später ausradiert ist, nach der man die
wochen zwischen weihnachten und fastnacht u. s. w. berechnen
konnte. — am schlusse giebt M. ein verzeichnis der wörter, durch
die die hs. den nordischen wortschatz bereichert.

108. K. Kålund, Nyfundet brudstykke of en gammel-norsk
homilie. Ark. f. nord. fil. 12 (n. f. 8) 367—369.

drei pergamentstreifen aus dem anfang des 14. jahrh., die fast
zusammen gehören. die sprache ist rein norwegisch. inhalt ist
eine predigt über abgötterei oder die verehrung der elemente.

109. Ders., Tillægsbemærkning til gammel-norsk homilie-
brudstykke. Ark. f. nord. fil. 13 (1) 100.

110. Det arnamagnæanske haandskrift 310. 4⁰. Saga Olafs
konungs Tryggvasonar, er ritaði Oddr muncr. en gammel norsk
bearbeidelse af Odd Snorresøns paa latin skrevne saga om kong
Olaf Tryggvason. udg. for det norske historiske kildeskriftfond
af P. Groth. — vgl. jsb. 1895, 12, 125. — angez. von B. Kahle,
Litbl. 17 (10) 331—334, wo K. eingehender über das verhältnis
der hs. zu den Kock'schen regeln über den nordischen u-umlaut
spricht; von E. Mogk, Lit. cbl. 1896 (38) 1396.

111. Hauksbók udg. efter de arnamagnæanske håndskrifter
no. 371, 544 og 675 4⁰ samt forskellige papirhåndskrifter af det
kgl. nord. oldskriftselskab. 3. hæfte. s. 507—560 + 139 s. nebst
2 facs. — schluss von jsb. 1894, 12, 122.

dieser band beendet den von Eiríkur Jónsson und Finnur
Jónsson geleiteten literalen abdruck der Hauksbók. auch in ihm hat
Finnur den grösseren teil der arbeit gehabt; von ihm rührt nicht
nur die gehaltreiche einleitung her, sondern auch das verzeichnis
der städtenamen, während Eiríkur nur das personennamenregister
zusammengestellt hat. die einleitung bringt eine neue biographie
des Hauk Erlendsson, die geschichte der Hauksbók, eine eingehende
beschreibung der einzelnen teile und der rechtschreibung der verschiedenen schreiber, die an dem werke gearbeitet haben, endlich
untersuchungen über die einzelnen stücke, die sich in der grossen

sammelhs. finden. Hauks arbeit war eine rein kompilatorische: er trug alles zusammen, was er auftreiben konnte; system und ordnung herrscht in der sammlung nicht. Die Landnáma ist eine verschmelzung von Sturlas und Styrmers werk; in ersterem war die Kristnisaga bereits an sie gekettet. von der Fóstbrœðrasaga bietet die Hb. den besseren und älteren text; auch von der Eiríksaga rauða gehört Hb. vor AM. 557 der vorzug. das liebesabenteuer der skalden Haralds hárfagri ist freie erdichtung des 13. jahrhs.; der abschnitt von den Upplandskönigen geht zum teil auf das Ynglingatal, zum teil auf mündliche überlieferung zurück. der Hemingsþáttr ist die verschmelzung eines teiles der saga Haralds harðráði mit altem märchenstoffe. der Ragnarssonaþáttr, die fortsetzung der Ragnarssaga, will das norwegische und dänische königshaus von Ragnar abstammen lassen. die fassung der Hervararsaga in der Hb. ist voller fehler und widersprüche und ist kaum vor dem ende des 13. jahrhs. entstanden. — Die Trojumannasaga und die Bretasögur gehören zusammen: jene geht auf das werk des Dares Phrygius zurück, im eingange auf die Ecloga des Theodulus. die Bretasögur sind eine übersetzung von Geoffroy von Monmouths englischer geschichte, mit der die übersetzung der Prophetiæ Merlini, die der mönch Gunnlaugr hergestellt hat, verschmolzen ist. — die anderen teile der Hb. sind schriften gelehrten inhalts, die auf lat. schriftsteller des mittelalters zurückgehen. von einigen sind die quellen nicht bekannt.

112. Håndskriftet no. 748, 4°, bl. 1—6, i den arna-magnæanske samling .(Brudstykke af den ældre edda) i fototypisk og diplomatisk gengivelse. udg. for Samf. til udg. of gamm. nord. litt. ved Finnur Jónsson. VIII, 12 s. + 10 fotot. tafeln. Kbh. der facsimileausgabe des cod. reg. der eddalieder schliesst sich diese facsimileausgabe der arnamagn. bruchstücke würdig an, so dass wir nun von der ganzen eddischen dichtung (mit ausnahme der Rigsþula) facsimilia besitzen. über die handschrift selbst bringt F. J. zu dem, was wir durch Bugge, Kålund und dem herausgeber selbst bereits wissen, nichts neues; auch wegen der schreibweise der hs. verweist F. J. auf Bugges einleitung zu den eddaliedern.

113. De bevarade brudstykker af skindbøgerne Kringla og Jöfraskinna i fototypisk gengivelse udg. for Samf. til udg. af gamm. nord. litt. ved F. Jónsson. — vgl. jsb. 1895, 12, 124. — angez. von E. Mogk, Lit. cbl. 1896 (17) 627.

Isländisch-norwegische Litteraturgeschichte.
114. L. Duvau, Les poètes de cour islandais et scandinaves. extrait de la Revue celtique (17). Paris, Bouillon. 6 s.

115. F. Jónsson, Den oldnorske og oldislandske litteraturs-
historie.

vgl. jsb. 1895, 12, 106. der erste band dieses trefflichen
werkes ist besprochen von E. Mogk, Ark. f. nord. fil. 12 (n. f. 8) f.
273—283. hier werden J.'s zeugnisse für die vorgeschichtliche
dichtung im norden verworfen und dafür andere (sprachliche) aufgestellt. ebenso wird der ansicht F. J.'s über die heimat der
eddalieder und über die auffassung einiger eddalieder, besonders
der Vǫlsp., widersprochen; ferner von F. Niedner, Anz. f. d. a. 22
(4) 337—342; von W. Golther, Litbl. 17 (9) 291—296.

116. H. Schück, Smärre bidrag til nordisk litteraturhistoria.
Ark. f. nord. fil. 12 (n. f. 8) 217—240.

I. Den svenska krönikan i Hervararsagan. der schluss der
isl. Hervararsaga enthält die schwedische geschichte von Ingjald
Illráði bis zu Philipp Hallsteinsson tod (1118). dieser ist erst
später an den kern der saga angefügt; es ist die arbeit eines historikers ex professo, wahrscheinlich des Ari. die nachrichten über
Ingi den älteren, die besonders ausführlich sind, hatte Ari von
Markus Skeggjason, der sich unter Ingi längere zeit in Schweden
aufgehalten hatte. diese arbeit Aris liegt in der Hervararsaga
in überarbeiteter gestalt vor. — II. Var Saxo praepositus i Roeskilde? der praepositus Saxo in Roeskilde war nicht, wie man nach
Paludan Müller anzunehmen pflegt, der dänische historiker, vielmehr war dies der domherr von Lund. dass man im späten mittelalter in jenem den geschichtsschreiber fand, hat darin seinen
grund, dass um 1180 ein Saxo praepositus in Roeskilde thatsächlich gelebt, der aber mit Saxo grammaticus weiter nichts als den
namen gemein hat. — III. Ynglingatals inledningsstrofer. Noreen
hat in der strophe über Dómar im Yngt. den Yngvi-Freyr wiederfinden wollen. das ist falsch. dagegen lassen sich aus Snorris
prosa in der Ynglingasaga die verlorenen eingangsstrophen des Yngt.
wiederfinden. hier sind zwei quellen zusammengearbeitet, von
denen die eine vom gotte Frey, die andere vom stammheros
Ingunarfrey handelt: über jenen hatte Snorri die angaben der
isländ. mythologischen dichter, über diesen Thjóðólfs strophen:
jener war Njörðs sohn und fiel im Ragnarökk, dieser war es, der
den Schweden den frieden brachte, der als Fróðafrið in der Ftb.
vorkommt. Ingunarfreyr ist also = Frotho bei Saxo. wo also
Snorri über Ingunarfrey, den schwedischen stammheros spricht,
hat ihm sicher eine strophe Thjóðólfs vorgelegen.

117. H. Jæger, Illustreret norsk litteraturhistorie bd. I.
449—592 und Videnskabernes litteratur i det nittende aarhundrede.
306 s. — schluss von jsb. 1895, 12, 134.

die schlusslieferungen von Jægers werk enthalten zunächst die
geschichte der litteratur von 1750—1814. an sie schliesst sich die
geschichte der einzelnen wissenschaften, die von fachleuten bearbeitet sind: die theologie und philosophie von Horn, die geschichte von Taranger, die philologie von H. Falk, die rechtswissenschaft von F. Beichmann, die mathematik von Holst, die botanik
von Johan-Olsen, die zoologie von Kr. Bonnevie, die mineralogie
und geologie von L. Vogt, die chemie von A. Backe, die physik
von Kr. Birkeland, die astronomie von Schroeter, die meteorologie
von J. Nielsen, die medizin von E. Schønberg.

118. H. Jæger, Illustreret norsk litteraturhistorie. folke-
subskription. 45.—57. heft. Kristiania, Bigler. heft je 0,30 kr. —
forts. von jsb. 1895, 12, 135.

119. C. Küchler, Geschichte der isländischen dichtung der
neuzeit (1800—1900). 1. heft. Novellistik. Leipzig, H. Haacke. 85 s.
2,40 kr.
dies heft eröffnet eine neuisländische litteraturgeschichte des
19. jahrhs. es bringt zunächst die novellistik; die beiden folgenden
hefte sollen lyrik und drama bringen. im allgemeinen wird von
den neuisländ. novellen eine inhaltsangabe gebracht; eine biographie
der dichter enthält das heft nicht. — angez. von F. Jónsson,
Eimreiðin 2 (3) 234—236; von A. Heusler, Arch. f. d. stud. d.
n. spr. 97 (3/4) 392—393.

Eddalieder. 120. S. Bugge, Helgedigtene i den ældre edda,
dereshjem og forbindelser. Kjøbenhavn, Gad. 355 s. (Studier
over de nordiske gude-og heltesagns oprindelse. anden række).
B. sucht in diesem heft einen schon früher von ihm wiederholt ausgesprochenen gedanken zu beweisen, dass nämlich ein teil
der eddalieder unter den nordischen Wikingern auf den inseln des
westmeeres, in Irland oder England, entstanden seien. B. greift
zunächst die Helgilieder heraus. sprache und sagengestalt dieser
lieder zeigen keltischen und angelsächsischen einfluss; der dichter
muss dieser beiden sprachen mächtig gewesen sein und hat nicht
nur die irische, sondern auch die angelsächsische litteratur in seinen
gedichten verwertet: von ersterer kannte er die irische nachbildung
von der zerstörung Trojas, die erzählung von Cormaks geburt,
der die fränkische Wolfdietrichsage zu grunde liegt, die übertragung der Meleagersage, von den Angelsachsen die Skyldingensage,
die Ylfingensage, die ebenfalls auf die Wolfdietrichsage zurückgeht, u. a. die angelsächsische dichtung von den Skyldingen kommt
den historischen thatsachen am nächsten. der kern der Helgisage
ist die angelsächsische dichtung von den Skyldingen und Hadho·

barden, nur ist diese zunächst von einem dänischen dichter umge-
bildet worden (so liegt sie bei Saxo vor), während später ein nor-
wegischer am hofe eines fürsten auf Irland mit dem alten stoffe
neue motive verschmolzen hat, worauf die Helgilieder zurückgehen.
die heimat der Helgisage ist Dänemark. Helgi, der sohn des Halfdan,
ist ein dänischer könig, der gegen einen am südlichen gestade der
Ostsee wohnenden könig mit seiner flotte kämpft, weil dieser feind-
lich gegen Helgis verwandte aufgetreten ist. dieser historische
Helgi lebte in mehreren historischen sagen fort; er findet sich auch
in der angelsächsischen dichtung. neben diesem Helgi, dem sohne
Halfdans, schuf ein dänischer dichter in England einen zweiten
Helgi und zwar mit benutzung angelsächsischer und dänischer
sagenelemente aus der Skjoldungensage. dieser Helgi war eine
poetische gestalt, er wurde der ideale repräsentant der Skjoldungen
und der sieger über Hunding und Hodbrodd, die die dänischen
feinde verkörperten. diese dichtung kam nach Dänemark zurück
und wurde hier mit mehr historischen sagen von Helgi, dem sohne
Halfdans, verknüpft. in dieser gestalt überliefert Saxo gramm. die
sage. auf der anderen seite wurde dieselbe dichtung in Britannien
mit irischen stoffen verquickt, vor allem aber mit der Wolfdietrichsage,
die hier in angelsächsischer und irischer fassung bekannt war, und
so entstanden die uns erhaltenen Helgilieder, die sprachlich spuren
irischer und angelsächsischer quellen zeigen. die ältere norwegische
dichtung ist die von Helgi dem Hundingstöter. H. Hb. II. 19—22
hat die dänische vorlage fast rein erhalten, während die ganze
H. Hb. I. besonders stark unter irischem einflusse steht: ihr vf.
benutzte u. a. die irischen erzählungen von der schlacht bei Ross na
Rig, von der zerstörung Trojas, von Cormacs geburt u. a. der vf.
dieses gedichtes war ein Norweger aus dem südwestlichen Norwegen, der am hofe des nordischen königs zu Dublin lebte und
sein gedicht 1020—1035 verfasste. — die übrigen teile des zweiten
Helgiliedes gehören zusammen: hier ist die Helgidichtung tragisch
geworden, der dänische nationalgedanke ist durch den Valhall-
glauben verdrängt; mit der Helgidichtung ist die Sigrundichtung
verschmolzen. die quellen dieser neuen Helgidichtung sind die
Hjadningensage, die Sigurðssage, die antiken sagen von Protesilaus
und Laodamia, von Meleager, die der dichter aus der irischen und
angelsächsischen litteratur kannte. auch der dichter dieses liedes war
ein Norweger in Irland. — eine ganz neue dichtung ist auch das gedicht von Helgi Hjǫrvarðsson. die hier eingeschobenen Hrimgerð-
armál sind von demselben dichter, der H. Hb. II. verfasst hat.
der dichter des eigentlichen liedes, ein Norweger in England, hat
vor allem fränkische sagen von Chlodwig und seinen söhnen gekannt und benutzt; auf diese geht die Hjǫrvarðdichtung zurück.

in der Helgidichtung hat er aus heimischen und irischen sagen-
elementen in anlehnung an Helgi den Hundingstöter eine neue
poetische Helgigestalt geschaffen. — B.s geistreiche kombinationen
und entwürfe sind eine reihe von möglichkeiten, die fast nirgends
den boten der wahrscheinlichkeit berühren.

121. H. Gering, Glossar zu den liedern der edda (Sæmundar-
edda). 2. auflage. Paderborn, F. Schöningh. 15 u. 212 s.

G. hat die gesamte litteratur der letzten jahre verwertet, damit
sein treffliches glossar in der neubearbeitung auf der höhe der zeit
bleibe. von besonderem werte wird das buch durch das verzeichnis
der stellen, wo sich der Hildebrandsche text, zu dem ja das glossar
eigentlich gehört, schwerlich noch halten lässt (s. XII ff.). dadurch wird die neue auflage auch für jede andere ausgabe der
eddalieder verwertbar.

122. H. Gering, Zur liederedda II. Zs. f. d. phil. 29 (1)
49—63.

Alv. 5⁶ ist zu lesen: *hver hefr þik baga of borit* 'welche vettel
brachte dich zur welt'; Háv. 106⁶ ist mit F. Jónsson zu lesen: *á vé
alda jaþars* 'in die wohnung des herrn der geschlechter, d. h. nach
Valhǫll'; Hyndl. 8¹⁻² lies: *senn nú ór sǫþlum sígask lǫtum* 'lassen
wir uns herabgleiten'; Vlk. 10⁵⁻⁶: *gekk brúnnar beru hold steikja*
'er ging um der braunen bärin fleisch zu braten'; Fm. 6⁵ ist f.
hrǫðaz zu lesen *frœvask* 'samen erlangen, mannbar werden'; Gǒr. I.
19 ist mit Bugge *i jǫlstrum* beizubehalten; Gǒr. I. 21¹⁻²: *svá at
lýþum land of eyþiþ* 'so werdet ihr das land von leuten leer machen,
der leute berauben'; Gǒr. II. 2⁶ lies: *of hvǫtum dýrum*, wobei unter
den *hvǫtum dýrum* 'die schnellen rehe' zu verstehen sind; Gǒr. II.
25¹⁻⁴ ist zu lesen:

> *En þá gleymþak, es getet hafþak*
> *ǫlveig, jǫfurs   jarnbjúgs, i sal;*

Gǒr. II. 43 1: *fyr dag litlu   drótt mun bergja*; Akv. 18¹⁻²:
nars nornir (kenning für kriegerische jungfrauen) *létir nauþfǫlva*
('die in todesnot erblichenen') *gráta*; Am. 29¹: *litu es tók lýsa*;
Am. 31⁵: *veitkak hvárt verþ launiþ* 'ich weiss nicht, ob ihr die
kost lohnen werdet'; Am. 49⁵⁻⁶: *Hniflunga kvǫþu meþan heilir
lifþu*; Gǒv. 2¹ 1: *hví sitiþ kyrrir.*

123. F. Niedner, Zur liederedda. programm des Friedrichs-
gymnasiums zu Berlin. Berlin, Gaertner. 32 s. 4⁰.

1. Hávamál. N. verwirft Bugges ansicht, dass in Hávm. das
Rúnatal und Ljóðatal ursprünglich unmittelbar nach v. 111 gestanden und die eigentlichen Hávm. ausgemacht haben könnten.
gleichwohl zeigt der 1. teil des Rúnatal entschieden beziehung

zum Ljóðatal: die bindestrophe ist v. 140. trotzdem ist der Ljóðatal einmal ein gedicht für sich gewesen. das vereinte Runatal-
Ljóðatal enthielt eine offenbarung von Óðins ganzer herrlichkeit.
christlicher einfluss, den Bugge annimmt, wird bekämpft. 2. Hár-
barðsljóð. Rydbergs hypothese, dass unter Hárbarð Loki zu verstehen sei, wird widerlegt. abgesehen von einer reihe interpolationen und den prosazusätzen, die nicht zum gedichte gehören, sind
die Hárblj. ein abgerundetes ganze in málaháttrstrophen. das gedicht muss in dreifachem zusammenhange betrachtet werden: 1. in
mythologischem: Óðinn ist die kraft des gedankens im dienste des
willens, Thor ebenso die kraft der that, des handelns; 2. in poli-
tischem: der Óðinsglaube, den der jarlstand vertritt, triumphiert
über den Thorsglauben des bauerntums; und 3. in litteraturgeschicht-
lichem: es ist in humoristisch-dramatischer form gedichtet und
steht am anfange der entwicklungsreihe, die in der Lokasenna
ihren höhepunkt erreicht. in diesem dreifachen zusammenhange
zeigt sich Óðins souveränität über den täppisch-lüsternen Thor in
der senna. der wechsel der versarten (málaháttr und ljóðaháttr)
ist daher vollständig berechtigt. 3. Völundarkviða. N. verteidigt gegen
W. Müller und Golther den germanischen ursprung der Wielandsage
in der Völkv., gegen F. Jónsson die athetese von v. 6—10. —
Helgakviða Hundingsbana II. mit Sijmons gegen F. Jónsson nimmt
N. an, dass in Hkv. Hb. II. bruchstücke dreier lieder vorlägen,
die aber ein redaktor zu einem neuen trefflichen gedichte verschmolzen habe. — bespr. von Ranisch, Litztg. 1896 (38).

124. F. Niedner, Eddische fragen. Zfda. 41 (n. f. 29)
33—64.
1. Voluspá. N. steht ganz auf Müllenhoffs standpunkte über
die rekonstruktion der Vsp., nimmt aber an zwei stellen eine
'diskrete überarbeitung' an und zwar an den beiden angelpunkten
des gedichtes, den episoden von Baldrs tode und dem erscheinen
des höchsten gottes: die erstere geht auf eine verloren gegangene
ältere Vegtamskv. zurück, die letztere auf den schluss der Vafþrm.
2. Reginsmál, Fáfnismál und Sigrdrifumál bilden ursprünglich ein
zusammenhängendes gedicht, das bald in fornyrðislag, bald in
ljóðaháttstrophen verfasst war. vor allem muss die ansicht Grundt-
vigs, dass die Fuglamál (Fáfm. 32—44) in ihrem doppelten versmasse
zusammengehören, und dass die aufreizenden ljóðaháttvisur von ein-
und demselben dritten vogel gegenüber den in fornyrðislag ge-
dichteten weissagungen der beiden ersten vögel gesprochen zu
sein denken, zu rechte bestehen. falsch erklärt dünken mich die
schlussstrophen der Fáfm. (40—44): die grossen schwierigkeiten
dieser schwinden, sobald man annimmt, worauf mich Sievers zuerst

aufmerksam machte, dass v. 41 an den schluss nach v. 44 gehört. 3. Sigurðarkviða in skamma ist nicht, wie F. Jónsson annimmt, grönländischen ursprungs. das erhaltene gedicht hat interpolationen, die eine jüngere sagenform voraussetzen, der eigentliche kern aber ist gut und alt und nicht in Grönland, sondern in Norwegen entstanden.

Skaldendichtung. 125. K. Gíslason, Efterladte skrifter. første bind. Forelæsninger over oldnordiske skjaldekvad. — vgl. jsb. 1895, 12, 111. — angez. von Th. Hjelmqvist, Ark. f. nord. fil. 12 (n. f. 8) 381—385; von E. Mogk, Lit. cbl. 1896 (39) 1434—1435; von B. Kahle, Litbl. 17 (12) 403—404; F. Jónsson, Zs. f. d. phil. 29 (1) 140—142.

126. Register til Njála andet bind og K. Gíslasons andre afhandlinger. udg. af det kgl. nordiske oldskriftselskab. Kbh. 40 s.

Gíslasons scharfsinnige, aber überall zerstreute bemerkungen über die nordische sprache und einzelne stellen der dichtung werden erst durch dieses heftchen, das F. Jónsson zusammengestellt hat, allgemein und leichter zugänglich. nach einem verzeichnis von Gíslasons abhandlungen enthält das heft: 1. die erklärungen, die G. zu einzelnen stellen der skaldengedichte und der eddalieder gegeben hat (in alphabetischer ordnung) s. 9—28; 2. Gíslasons grammatische und syntaktische bemerkungen s. 29—33; 3. worte, die er lexikalisch oder etymologisch zu erklären versucht hat, s. 34—37; einzelne bemerkungen über umschreibungen, über den reim und die metrik, den poetischen stil, litterarhistorische bemerkungen, berichtigungen von prosaischen stellen s. 38—40. — zu bedauern ist, dass F. J. die älteren arbeiten Gíslasons nicht berücksichtigt hat, die namentlich über sprachliche und etymologische dinge manch feine bemerkung bringen; ich meine vor allem Um frumparta isl. túngu, die Oldnord. formlære, die ausgaben der Droplaugarsonasaga und der bruchstücke des isländischen Elucidarius.

127. E. Wadstein, Bidrag till tolkning ock belysning av skalde- ock edda-dikter. Ark. f. nord. fil. 13 (1) 14—29.

Hǫfuðlausn 2¹ l: *buðom hilme hloð* 'ich bot die last dem fürsten'; 3² l: *hvatt fylker vá* 'tapfer kämpfte der fürst'; 4⁵⁻⁸: *þar heyrðoð þá: þaut mæke á malmhríðar spá su vas mest of lá* 'so höret denn: des waffensturmes sang klang auf dem schwerte; das war der blutigste streit'; 5⁴⁻⁸: *þarsi blóðe, brimess móðe, valr of þrumðe; und umm glumðe* 'dort lagen die gefallenen, müde zum streit, unbeweglich in ihrem blute; der wundenstrom brausete über sie hin'; 7⁵ l: *œstosk under* 'der wundenstrom brauste';

12³⁻⁴ ist zu übersetzen 'Eirikr bot den wölfen leichen jenseits des meeres'; 14¹⁻⁴ l: *Bregðr broddflete með baugsete hiorleiks hvate*: *hann's þióðskate* 'der streitkühne schwingt seinen schild mit dem arm; er ist ein gewaltiger sieger'; 17³ l: für *hodd-dofa*: *hǫddofu* d. i. 'trägheit im kampf'; v. 3—4 heisst: 'der ringbrecher lobt nicht schlaffheit im streit'.

128. H. K. Friðriksson, Egilssaga 1886—1888, bls. 423. Ark. f. nord. fil. 12 (n. f. 8) 372—374.

Sonatorrek 15 bedeutet *alþjóð elgjar gálga* — die Isländer. *elgr* ist hier = *krap* 'mit wasser durchdrungener schnee', *gálgi* = 'das holz, an dem etwas hängt'; *galgi elgjar* = der baum, an dem der schnee hängt, d. i. Island.

Rímur. 129. Fernir fornislenskir rímnaflokkar, er Finnur Jónsson gaf út. eign hins isl. bókmentafjelags. 8 u. 59 s. 8⁰. Kph.

F. J. giebt in dieser ausgabe vier rímur, die mythologisches und saggeschichtliches interesse haben: die *Lokrur*, die Thors fahrt zu Utgarðaloki nach der Snorra edda enthalten und nach Loki genannt sind; die *Þrymlur*, die auf die Þrymskviða der eddischen dichtung zurückgehen, die *Griplur*, die den inhalt der Hrómundarsaga Gripssonar poetisch darstellen, und die *Völsungsrímur*, eine paraphrase der ersten acht kapitel der Vǫlsungasaga. von diesen gedichten, die alle um 1400 entstanden sind, waren bisher nur die Þrymlur und Völsungsrímur in Möbius' ausgabe der eddalieder veröffentlicht; über die Griplur hatte Kölbing in seinen Beiträgen zur vergleichenden geschichte der romantischen poesie und prosa des mittelalters gehandelt. — in der einleitung handelt F. J. kurz über die bedeutung der älteren rímurdichtung. angebracht wären bemerkungen über die sprache dieser späteren dichtung oder ein wörterbuch zu den gedichten gewesen, da diese nicht immer leicht verständlich sind und hilfsmittel fehlen.

130. Die Bósa-rímur hrsg. von O. L. Jiriczek. — vgl. jsb. 1894, 12, 139. — ferner angez. von L. Larsson, Anz. f. d. a. 23 (1) 106—107; von F. Detter, Österr. litbl. 1896 (2).

131. Kvädet om Skide och andra dikter från nordens medeltid fritt tolkade af A. U. Bååth. Stockholm, C. & E. Gernandt. 82 s. 2 kr.

Islandingasögur. 132. Laxdœlasaga hrsg. von Kr. Kålund. (Altnord. sagabibl. hrsg. von G. Cederschiöld, H. Gering und E. Mogk. heft 4.) Halle a. S., M. Niemeyer. 14 u. 276 s. 8 m.

in der einleitung giebt K. zunächst einen überblick über den inhalt der eigentlichen Laxdœlasaga, die er mit der willkürlich erdichteten fortsetzung, dem Bollaþáttr, nach dem rekonstruierten texte seiner grossen ausgabe mit sprachlichem und sachlichem kommentare herausgiebt. die hs., die K. zu grunde legt, ist der cod. AM. 132 fol. aus der 1. hälfte des 14. jahrhs. sie gehört zur handschriftenklasse y, die allein den Bollaþáttr als fortsetzung gehabt hat, während er in der gruppe z nie dagewesen ist. aufgezeichnet ist die Laxdœlasaga um 1230. durch hinzufügung des Bollaþáttr ist ein teil der saga um 1290 wesentlich umgeändert worden, wodurch eine reihe historische fehler in das werk gekommen ist. der vf. stammte wahrscheinlich aus dem westlichen Island und scheint ein geistlicher gewesen zu sein. er hat es vortrefflich verstanden, vor allem die weiblichen personen darzustellen, besonders die Guðrún. als geschichtliche quelle ist die Laxdœlasaga mit vorsicht zu benutzen. unter den anmerkungen zeichnen sich besonders die geographischen durch ihre vortrefflichkeit aus. — angez. Lit. cbl. 1896 (31) 1114.

133. Höskuld Kollsson und Olaf Pfau. aus der Laxdœlasaga übersetzt von F. Khull. — vgl. jsb. 1895, 12, 119. diese programmarbeit Khulls enthält die ersten 27 kap. der Laxdœlasaga. von dem späteren teile der saga wird demnächst eine übersetzung von v. Lenk erscheinen. auch diese übertragung K.'s ist treu und liest sich gut. angez. Zs. f. d. realschw. 21, 633.

134. Hávarðs saga Ísfirðings. búið hefir til prentunar Vald. Ásmundarson. Reykjavík, Sigurður Kristjánsson. 6 und 84 s. 12⁰.
handliche ausgabe der Hávarðarsaga nach dem texte von Gunnlang Þórðarson in den Nord. oldskr.; mit kurzer einleitung und erklärung der skaldenstrophen.

135. Fljótsdæla saga. búið hefir til prentunar Vald. Ásmundarson. Reykjavík, Sigurður Kristjánsson. 7 u. 168 s. 12⁰.
diese ausgabe enthält die längere Fljótsdæla- oder Droplaugarsonasaga, die bisher nur in dem von Kålund für das Samf. til udg. af germ. nord. litt. besorgten texte vorlag. Kålunds ausgabe liegt dieser zu grunde.

136. Ljósvetninga saga. búið hefir til prentunar Vald. Ásmundarson. Reykavík, Sigurður Kristjánsson. 150 s. 12".
abdruck des textes nach der von Guðmund Þorláksson in den Íslendingasögum hergestellten ausgabe.

Norwegische konungasögur. 137. G. A. Gjessing, Sæmund frodes forfatterskab. Sprogl. hist. stud. s. 125—152.

Sæmund hat nach G. eine ausführliche geschichte der norwegischen könige geschrieben, die neben Aris ausführlicher Islendingabók die hauptquelle der späteren geschichtswerke ist. sie ist benutzt von Theodoricus in seiner Historia Norwegiae, von Odd, in der Fagrskinna, im Agrip. Sæmunds Noregs konungatal enthielt die mythe von Norr, eine geographisch-politische übersicht über Norwegen, eine kurze königsgeschichte von Harald svarti bis auf Harald hardráði mit einzelnen exkursen (z. b. die Jomsvikingerfahrt, den bericht über Naddoðs reise nach Island u. a.). dies werk bildet auch die grundlage der späteren Jomsvikingasaga und der beiden Ólafssagas. diese specialarbeiten benutzte neben Sæmunds werk auch der vf. der Fagrskinna. ob Sæmunds werk lateinisch oder isländisch geschrieben war, lässt sich nicht entscheiden.

138. Heimskringla. Nóregs konungasǫgur af Snorri Sturluson. udg. for Samfund til udg. af gamm. nord. litt. ved F. Jónsson. 4. hæfte. 2. bd. s. 129—488. — forts. von jsb. 1895, 12, 123. enthält die Ólafs saga helga kap. 75—201.

139. Snorri Sturluson, The stories of the kings of Norway, called the round world (Heimskringla). Done out of the Icelandic by Wm. Moris and Eiríkr Magnússon. vol. 3. (Saga library vol. 5). London, Quaritch. 514 s. 7, 6 sh.

140. Snorre Sturlassøn, Norges kongesagaer i oversættelse ved G. Storm. illustreret af Chr. Krogh, G. Munthe, Erl. Petersen og E. Werenskiold. pragtudgave. 1. hefte. Kristiania, Stenersen & co. 24 s. 4°. 0,80 kr.

mit diesem hefte beginnt eine norwegische übersetzung der Heimskringla, die die beste zu werden verspricht, die wir haben. der fliessenden übersetzung sind sachliche anmerkungen, situationspläne, facsimilia u. dgl. beigegeben. die künstlerischen beilagen haben keinen historischen wert und sind meist ganz geschmacklos.

141. — Dasselbe. Folkeudgave. 1. hefte. 16 s. 0,30 kr.

142. Snorre Sturlassøn, Norges kongesagaer. nationalt pragtværk, oversat af F. Winkel-Horn med 300 illustrationer af L. Moe og ti kunstbilag i chromotypogravure, samt 1 kunstbilag i facsimiletryk. 1. heft. Kopenhagen, Christiansen. das heft 0,30 kr.

143. Kr. Kålund, Kan *Historia de profectione in terram sanctam* regnes til Danmarks litteratur? Aarb. f. nord. oldk. 2 r. 11 (2) 79—96.

K. bespricht die Historia de profectione in terram sanctam (Langebeck, Script. rer. Danic. V.), den anonymen bericht über einen von mehreren Dänen mit norwegischen kreuzfahrern nach 1187 unternommenen zug nach dem heiligen lande. dieser reisebericht, den man bisher allgemein für einen dänischen hielt, kann unmöglich einen Dänen zum verfasser haben, vielmehr muss er von einem Norweger verfasst sein. dieser war aller wahrscheinlichkeit nach derselbe, der auch die Historia Norwegiae verfasst hat, der mönch Theodoricus: er hat diese schrift wohl erst nach 1203 verfasst, nachdem er sich längere zeit während der unruhen unter könig Sverrir in Dänemark aufgehalten und hier mit der höheren geistlichkeit verkehrt hatte. hieraus erklärt sich die genaue kenntnis der dänischen verhältnisse.

Romantische sagas. 144. Flóres saga ok Blankiflúr hrsg. von E. Kölbing. (Altnord. sagabibl. hrsg. von G. Cederschiöld, H. Gering und E. Mogk. heft 5). Halle a. S., Max Niemeyer. 24 u. 87 s. 3 m.

die erste kommentierte ausgabe einer romantischen saga. in den anmerkungen verweist K. öfter auf die franz. quelle und den sprachgebrauch in den romantischen sagas. — die einleitung bringt zunächst einen überblick über die romantischen sagas oder die Fornsǫgur suðrlanda, worin gezeigt wird, wie eng sich die vf. dieser sagas an ihre ausländischen quellen gehalten haben. K. meint, dass durch politische gesandte diese quellen nach dem norden gekommen seien; wahrscheinlicher will es mich dünken, dass sie nordische geistliche in den südlichen ländern kennen gelernt und sie schon hier in ihre heimische sprache übertragen haben, da wir nicht die geringste spur südländischer geisteserzeugnisse im norden handschriftlich besitzen. die blüte der romantischen litteratur im norden war unter Hákon Hákonarson (1217—1263); es war eine ausgesprochene höfische prosadichtung. quellen waren besonders französische und lateinische werke. — im 2. abschnitt giebt K. einen kurzen, aber klaren überblick über die entwicklung der sage von Flore und Blanscheflur in der abendländischen litteratur. die übertragung ins nordische hat wohl in Norwegen stattgefunden, obgleich die überlieferung isländisch ist, und zwar auf alle fälle vor 1319. sie geschah ziemlich treu nach einer französischen vorlage; erst durch den isländischen bearbeiter sei mancherlei verkürzt und verändert worden. die norwegische prosa diente auch der schwedischen umdichtung als vorlage, die die königin Eufemia wahrscheinlich 1311 herstellen liess. diese schwedischen gedichte wurden dann im letzten viertel des 15. jahrhs. ins dänische übertragen — angez. The academy 1896 (1275).

Didaktische prosa. 145. L. Daae, Studier angaande konge-
speilet. Aarb. f. nord. oldk. 2. r. 11 (3) 171—196.

D. weist zunächst die alte ansicht, dass könig Sverrir der
verfasser des Speculum regale sei, energisch zurück, ohne dabei
jedoch die gründe ins auge zu fassen, die K. Maurer für diese auffassung vorgebracht hat. mit Storm und Blom setzt er dann die
ausarbeitung des werkes in die jahre zwischen 1250 und 1260.
aus dem buche selbst schliesst Daae: das werk ist unter Hákon
dem alten entstanden. sein verfasser war ein mann vornehmer
herkunft, zugleich ein gelehrter von profession, der verschiedene
sprachen, besonders latein und französisch, beherrschte. wahrscheinlich war er am hofe Hákons eine art kanzler, der den briefwechsel des königs versorgte. vielleicht war er auch erzieher der
söhne des königs, Hákon und Magnús, für die das buch bestimmt
war. der vf. war ferner ein weitgereister mann; er befand sich
aller wahrscheinlichkeit in der gesandtschaft, die könig Hákon an
kaiser Friedrich II. nach Italien schickte, da die auffassungen von
staatsverfassung im Spec. reg. auffallende ähnlichkeit mit den
staatseinrichtungen Friedrichs II. zeigen, wie dieser sie in Italien
einführte. möglicherweise ist der in den quellen mehrfach erwähnte *meistari Vilhjalmr* der verfasser, zu dem auch die heimat
des werkes, Haalogaland, passen dürfte.

Schwedische litteraturgeschichte. 146. H. Schück, Bibliografiska
och litteraturhistoriska anteckningar. 164 s. 4°. — nicht im
buchhandel. nur in 100 exemplaren gedruckt.

147. H. Schück och K. Warburg, Illustrerad svensk
litteraturhistoria. afdelning I. heft 3—8, II. heft 3—8. — forts.
von jsb. 1895, 12, 142. der erste band, der die von Schück
bearbeitete ältere schwedische litteraturgeschichte enthält, ist abgeschlossen, er geht bis zum beginn der freiheitszeit (—1718).
der 2. bd. geht zur zeit bis zur geschichte des schwedischen
theaters unter Gustav III. dieser band wird doppelt so stark
werden, als ursprünglich beabsichtigt war. die beigefügten illustrationen sind alle nach alten originalen und haben nicht nur litterarhistorischen, sondern meist auch kulturgeschichtlichen wert.

148. E. Wrangel, Frihetstidens odlingshistoria ur litteraturens häfder 1718—1733. 4. heft (schlussheft) s. 257—368
Lund, Gleerup. 1,25 kr. — forts. von jsb. 1895, 12, 144.

149. H. Lindgren, Sveriges vittra storhetstid 1730—1850.
förra delen. II. Gustaf III. tid och' eftergustavianerna. Stockholm, Norstedt & söner. 300 s. 3,75 kr.

150. B. Lundstedt, Sveriges periodiska litteratur. bibliografi enligt publicistklubbens uppdrag utarbetad. II. Stockholm 1813—1894. Stockholm, Klemmings antiqvariat. 324 s. 7,50 kr.

151. O. Sylwan, Svenska pressens historia till statshvälfningen 1772. Lund, Gleerup. 498 s. 7 kr.

fortsetzung von Sylwans werk 'Sveriges periodiska litteratur under frihetstidens förra del' (vgl. jsb. 1892, 12, 132) und, wie dieses, vorzüglich. die geschichte der schwedischen presse wird eingehend dargestellt bis zum staatsakt Gustav III. (1772) an der hand umfangreichen, namentlich dem Nichtschweden sehr schwer zugänglichen materials. ausser der tageslitteratur wird auch die wissenschaftliche periodische litteratur behandelt und der grosse einfluss, den das ausland (besonders Deutschland, England und Frankreich) auch auf diesem gebiete auf Schweden gehabt hat, dargestellt. das buch ist auch für die geschichte der deutschen presse und kultur von bedeutung.

152. Östnordisk och latinska medeltidsordspråk. Peder Låles ordspråk och en motsvarande svensk samling, utg. av A. Kock och C. af Petersens. — vgl. jsb. 1895, 12, 153. — ferner angez. P. K. Thorsen, Nord. tidskr. f. fil. 3. r. 4 (4); von O. Jiriczek. Zs. f. d. phil. 28 (4) 545—550.

153. K. Kålund, Peder Låle på Island. Ark. f. nord. fil. 12 (n. f. 8) 387.

K. weist aus einer hs. des 16. jahrhs. ein sprichwort nach, das zweifellos auf die sammlung des Peder Låle zurückgeht (no. 177—178 in der ausgabe von A. Kock und C. af Petersen).

154. E. Wadstein, Medeltidsordspråk tolkade eller belysta. De svenska landsmålen 11, 6. 71 s.

100 zum teil sprachliche, zum teil sachliche erklärungen einiger sprichwörter aus Peder Låles sprichwörtersammlung. zu grunde gelegt ist die ausgabe von A. Kock und C. af Petersens, Östnordiska och latinska medeltidsordspråk.

155. Holofernes och Judit. ett drama från reformationstiden. utg. med en inledning om dess utländska förebilder af O. Sylwan. (Skrifter utg. af Svenska litteratursällsk. 16). 16 u. 53 s. gr. 8º.

156. Jungfru Marie Örtagård. Vadstenanunnornas veckoritual i svensk öfversättning från år 1510. efter kungl. bibliothekets hs. A. 12, med tillfogande af lat. originaltexten och hist. inledning utg. af. R. Geete. Stockholm, Norstedt & söner. 6,25 kr.

157. J. Kruse, Hedvig Charlotta Nordenflycht. ett skaldinneporträtt från Sveriges rococotid. — vgl. jsb. 1895, 12, 145. — angez. Lit. cbl. 1896 (24) 878.

158. O. Levertin, Joh. Wellander. litteraturhistorisk studie öfver skiftet mellan frihetstiden och den Gustavianska åldern. I. (Skrifter utg. af Svenska litteratursällsk. 15, 1). s. 1—112.

Dänische litteraturgeschichte. 159. Kr. Kålund, Fra skånske håndskrifter. Ark. f. nord. fil. 12 (n. f. 8) 369—372.

1. in der hs. 1325, 4⁰. gl. kgl. saml. zu Kopenhagen finden sich als spätere einlagen stücke in schonischer sprache aus dem 14. jahrh., von denen ein alter segen abgedruckt ist. 2. ein verspaar aus der pergamenths. AM. 37. 4⁰, die bruchstücke des schonischen gesetzes enthält und c. 1300 geschrieben ist: ein zeugnis für das selbstbewusstsein der Schonen.

160. P. Hansen, Illustreret dansk litteraturhistorie. anden udgave. 2.—11. levering. Kopenhagen, Nordiske forlag. — forts. von jsb. 1895, 12, 138.

161. P. Hansen, Den danske skueplads. illustreret theaterhistorie. 35.—37. heft. Kopenhagen, Nordiske forlag. — forts. von jsb. 1895, 12, 139.

162. A. Aumont og E. Collin, Det danske nationaltheater 1748—1889. en statistisk fremstilling af det kongelige theaters historie fra skuepladsens aabning paa Kongens Nytorv 18. dez. 1748 til udgang af sæsonen 1888—1889. udg. med statsunderstøttelse. 2.—5. heft. Kopenhagen. — forts. von jsb. 1895, 12, 140.

163. K. Schmidt, Meddelelser om skuespils og theaterforhold i Odense i anledning af hundredaarsdagen for den første danske komedies opførelse paa Odense theater. den 18. nov. 1896. Odense, Hempel. 4 kr. 262 s.

164. Danmarks litteratur i middelalderen, med henblik til det øvrige nordens. som grundlag for universitetsundervisning fremstillet af J. Paludan. udg. med bidrag af professorernes fritryksconto. Kjøbenhavn, Prior. 4 kr. 272 s.

165. Danmarks litteratur mellem reformationen og Holberg, med henblik til den svenske. som grundlag for universitetsundervisning fremstillet af J. Paludan. udg. med. bidrag af professorernes fritryksconto. Kjøbenhavn, Prior. 356 s. 5 kr.

in diesen beiden bänden, denen ein dritter folgen soll, giebt Paludan einen überblick über die dänische litteratur bis zum auftreten Holbergs. die litteratur wird im zusammenhange mit der

ganzen kulturentwicklung behandelt und die gleichzeitige litteratur
der anderen nordischen völker überall mit besprochen. besonders
hervorzuheben ist an den beiden bänden die reiche litteraturangabe,
die sich am ende jedes abschnittes findet. das urteil über die ansichten der einzelnen forscher überlässt allerdings P. meist den
lesern, was hier umsoweniger am platze ist, als die litteraturgeschichte in erster linie für studenten bestimmt ist, die sich auf
die staatsprüfung vorbereiten.

166. S. Birket-Smith, Studier paa den ældre danske litte-
raturs, særlig skuespillets, omraade. Kopenhagen, Gyldendal.
216 s. 2 kr.

bilden die fortsetzung von des vfs. buch 'Studier på det gamle
danske skuespils område' (1893). die abhandlungen sind früher
als einleitung zu den betreffenden werken schon gedruckt; es sind:
Peder Hegelunds Susanna og Calumnia (geht zurück auf das lat.
stück des Augsburger rektors Sixt Birck); Tobiæ komedie; Comœ-
dia de mundo et paupere; Materialier til skuespillets historie i Danmark før kalmarkrigen; Niclaus Manuels satire om den syge messe
i dansk bearbejdelse fra reformations tiden.

167. The first nine books of the danish history of Saxo
Grammaticus translated by Oliver Elton. with some considerations
on Saxo sources, historical methods and folklore by F. York Powell. — vgl. jsb. 1895, 12, 150. — ferner ausführlich besprochen
von O. Jiriczek, Afda. 22 (4) 343—351; von M. Rödiger, Zs.
d. ver. f. volksk. 6 (2) 452.

168. Saxo Grammaticus, Danmarks krønike. oversat af
F. Winkel Horn, med 300 illustrationer af L. Moe og to kunstbilag. 1.—18. heft. Kopenhagen, A. Christiansen. heft je 0,30 kr.

169. Johannes Steenstrup, Saxo grammaticus og den danske
og svenske oldtids historie. i anledning af dr. A. Olriks skrift
'Kilderne til Sakses oldhistorie'. Ark. f. nord. fil. 13 (2) 100—161.

St.'s aufsatz ist eine eingehende kritik von A. Olriks werk
über die quellen zu Saxos dänischer geschichte. St. verlangt, dass
zunächst der sprachschatz genau durchforscht werde, da Saxo viele
wörter in ganz besonderer bedeutung gebraucht. Saxo teilt nie
seine quelle mit, sondern er giebt diese ganz frei wieder. erwähnt
werden von ihm nur je einmal Dudo, Beda und Paulus Diaconus,
allein diese werke hat er sicher nur durch hörensagen gekannt.
Saxos hauptquelle sind die heimischen nordischen berichte, sowohl
mündliche als schriftliche. die sagas, die Olrik zum vergleich mit
Saxo heranzieht, sind nicht zum vergleich geeignet, da zwischen ihnen
und Saxo der grosse einfluss ritterlichen wesens und ritterlicher dich-

tung (auch der folkeviser) liegt. auch die dänischen volkssagen
der gegenwart sind kein gutes vergleichungsmaterial. manches,
was Olrik äusserem einfluss zuschreibt, hat seine quelle in Saxos
ästhetischem standpunkte. besonderen sinn hat Saxo für die darstellung lebensvoller gestalten, nicht aber, wie die Isländer, für eine
darstellung der äusserlichkeiten der personen (der gestalt, kleidung u. s. w.); die charakteristik und seelische kleinmalerei ist
eine seiner hauptstärke. auch den volkscharakter weiss er trefflich
zu schildern, und diese bilder sind durchaus nicht aus norwegischen
quellen geschöpft. auch die alten sitten, deren Saxo so oft ge-
denkt, sind der volksüberlieferung, nicht norwegischen quellen entlehnt. desgleichen ist Saxos bericht über alte gesetzgebung sicher
dänischen ursprungs. weiter hat S. zweifellos eine ausgedehnte
dänische volksdichtung gekannt und benutzt; auch die lausavísur,
die in die prosa eingestreut sind, waren den Dänen nicht unbekannt. die lokalisierung der sagen, auf die Olrik so grosses gewicht
legt, ist mit grösster vorsicht für historische schlüsse zu verwenden,
zumal wenn sie sich auf namensähnlichkeit gründet. die königsreihe, die Saxo aufführt und die von späteren geschichtsschreibern
benutzt ist, ist nicht von ihm selbst zusammengestellt, wie Olrik
annimmt, sondern geht auf eine ältere königsreihe zurück, die Saxo
benutzt hat. neben dieser älteren, längeren königsreihe benutzte
er noch die kürzere. aus alledem geht hervor, dass Saxo seine geschichte in viel höherem grade auf heimische, d. h. dänische
tradition und dänische gewährsmänner aufgebaut hat, als A. Olrik
annimmt und dass kein grund vorliegt, so viele erzählungen von
der dänischen und schwedischen geschichte loszureissen und sie
Island zuzuschreiben, zumal der schauplatz der ältesten helden-
dichtung nicht Norwegen, sondern Dänemark und Schweden ist,
wo auch der sitz der alten nordischen kultur war.

170. Danmarks gamle folkeviser. danske ridderviser efter
forarbejder af Sv. Grundtvig udg. af A. Olrik. trykt og udgivet
paa Carlsbergfondens bekostning. 1. bd., 2. heft. s. 145—304. 4⁰.
Kopenhagen, in komm. bei Wroblewski. 2,50 kr. — forts. von
jsb. 1895, 12, 151.

171. Den gamle danske dødedans udg. med indledning og
ordforklaring for universitets-jubilæets danske samfund af Raphael
Meyer. 91 s. 8⁰. København.
    erster literaler abdruck des dänischen totentanzes, der in einem
einzigen exemplar auf der königl. bibliothek zu Kopenhagen sich
befindet. entstanden ist der dänische totentanz aller wahrscheinlichkeit in den 30er jahren des 16. jahrhs. (gegen Bruun, der ihn
in die 70er jahre setzt) und zwar nach mehreren lübischen toten-

tänzen, aber er ist nicht eine einfache wiedergabe einer ganz bestimmten
lübischen fassung, wie man bisher annahm.

Mythologie. Sage. Volkskunde.

172. Th. A. Müller, Sammenlignende mythologiske studier
i israelitisk folkeoverlevering. Dania 3 (5) 259—277.

die ersten beiden abschnitte haben wert für die vergleichende
mythologie. in ihnen sucht M. die fragen zu beantworten: 1. was
ist in der mythologie die hauptsache und was ist nebensächlich?
und 2. wie verhält sich das alter des mythus zu dem der quelle,
die den mythus überliefert hat? jede mythe sucht nach M. einen
vorgang in der natur, eine erscheinung, einen kult u. dgl. zu erklären. die mythen sind ihm erzählungen aus frühester zeit der
völker, die erfunden sind, um phänomene zu erklären; sie stehen
im gegensatz zum märchen, die ganz allgemein nur zur unterhaltung ersonnen sind. in beantwortung der 2. frage verteidigt M.
den alten Schwartz'schen grundsatz: das alter der mythologischen
quelle spielt gar keine rolle; auf keinen fall dürfen wir uns bei
der altersbestimmung des mythus von dem alter der quelle leiten
lassen.

173. D. A. Sundén, Öfversikt af nordiska mytologien.
4. omarb. uppl. Stockholm, Beckman. 102 s. 1,25 kr.

174. O. Thyregod, Lovstridigt hedenskab i norden. uddrag
af gamle love. Dania 3 (7) 337—355.

Th. stellt aus den nordischen gesetzen die dinge zusammen,
die im heidentume ihre wurzel haben. es sind zum grössten teil
dieselben, die auch in den bussordnungen und den dekreten in
England und Deutschland verboten und als heidnisch bezeichnet
werden.

175. Eiríkr Magnússon, Odins horse Yggdrasill. — vgl.
jsb. 1895, 12, 162. — angez. von O. Beauvois. Rev. crit. 1896
(17); von F. Detter, Ark. f. nord. fil. 13 (1) 99—100, der
Magnússons deutung angreift, worauf sich eine polemik zwischen
M. und Detter entwickelt hat. vgl. Ark. f. nord. fil. 13 (2)
205—208.

176. O. Warnatsch, *Sif.* Germ. abhandl. hrsg. von Fr. Vogt.
XII (Beiträge zur volkskunde. festschr. f. K. Weinhold) s. 239—245.

W. bringt den namen der gemahlin Thors mit got. *sifan* = gau-
dere zusammen und deutet ihn 'die frohmachende, erfreuende'.

Sagenbildung. 177. A. Ahlström, Om folksagerna. — vgl. jsb. 1895, 12, 167. — angez. von Th. A. Müller, Dania 3 (7) 384—386.

178. P. Fløe, Sagnfornyelse. Dania 3 (5) 278—279.
ein beispiel, wie sagen entstehen und sich erneuern.

Hamletsage. 179. O. L. Jiriczek, Die Amlethsage auf Island. Germ. abhandl. hrsg. von F. Vogt. XII (Beiträge zur volkskunde. festschr. für K. Weinhold zum 50 jähr. doktorjubiläum am 14. jan. 1896 dargebracht im namen der Schles. gesellschaft für volkskunde) s. 59—108.

die Amlethsage Saxos ist in isländischen papierhandschriften aus dem 17. jahrh. als Ambalessaga erhalten. von dieser saga, die bisher noch nicht herausgegeben ist, giebt J. s. 69—98 eine ausführliche inhaltsangabe. alsdann wird, nach abzug alles mythischen, der isländische text mit der Amlethsage Saxos verglichen und die abweichungen zum teil dem einflusse des isländ. märchens von Brjám zugeschrieben, das manche ähnlichkeit mit der Amlethsage hat. die quelle des sagaschreibers für die eigentliche geschichte von Amlóði kann nur eine mündliche tradition gewesen sein. dass diese mündliche überlieferung die direkte fortpflanzung der dänischen volkssage ist, die Saxo benutzte, ist wenig wahrscheinlich, vielmehr geht sie aller wahrscheinlichkeit nach in letzter linie auf Saxo zurück. somit hat die isländ. saga keinen saggeschichtlichen, wohl aber litterarhistorischen wert und ist vor allem für die entwicklung einer sage von bedeutung.

Volkssagen. 180. Íslenzkar þjóðsögur. safnað hefir Ólafur Davíðsson. — vgl. jsb. 1895, 12, 170. — angez. von K. Maurer, Zs. d. ver. f. volksk. 6 (4) 453.

181. T. C. Asbjørnsen, Norske folke- og huldre-eventyr i udvalg. med omkring 100 illustrationer efter originaltegninger af P. N. Arboe, H. Gude, V. S. Lerche, E. Petersen, A. Schneider, O. Sinding, A. Tidemand og E. Werenschiold. andet oplag. Kopenhagen, Gyldendal.

182. A. Stille, En folksägen från norra Skåne. en undersökning. De svenska landsmålen 11, 7. 24 s.

Pflanzensagen. 183. E. Wigström, Växtlifvet i folkets tro och diktning. Ord och bild 1896 (1).

Sprichwörter. 184. E. H. Lind, Värmländska ordspråk, ordstäv ock talesätt. De svenska landsmålen 11, 2. 48 s.

185. H. V. Rasmussen, Danske ordsprog. fjerde oplag.

ved udvalget for folkeoplysnings fremme. (Særtryk no. 30 af Folkelæsning). 30 s. 8°. Kopenhagen, Gad in komm. 0,20 kr.

Kinderreime und -spiele. 186. E. T. Kristensen, Danske børnerim, remser og lege udelukkende efter folkemunde samlede og til dels optegnede. 1. hefte. 144 s. Aarhus. 1,75 kr.

Volkssitte. 187. K. Maurer, Die königslösung. Zs. d. ver. f. volksk. 6 (1) 92—94.

M. weist darauf hin, dass in den von E. T. Kristensen herausgegebenen 'Danske sagn' die schatzsagen eine besondere rolle spielen, nach denen der schatz so gross sei, dass ein könig damit ausgelöst werden könne. eine solche 'königslösung' ist eine summe geldstücke, die den knieenden könig vollständig bedeckt. diese auffassung geht zurück auf eine altgermanische rechtssitte.

188. M. Lehmann-Filhés, Kulturgeschichtliches aus Island. Zs. d. ver. f. volksk. 6 (3) 235—250 und (4) 373—395.

eine freie widergabe des aufsatzes von Thorkell Bjarnason 'Vor 40 jahren', der 1892 in der isländischen zeitschrift Tímarit erschienen ist (vgl. jsb. 1892, 12, 201). die übersetzung ist zugleich vermehrt durch die kritischen glossen, die Ólafur Sigurðsson in derselben zs. 1894 gebracht hat. wir erhalten demnach einen überblick über die häuser, die kleidung, reinlichkeit, nahrung, die wirtschaft und arbeit, den handel, die bildung, den aberglauben, die belustigungen, das auftreten der bettler und ähnliches unter den Isländern in den 50er jahren unseres jahrhunderts.

189. T. S. Haukenæs, Gammelt og nyt fra Voss og Vossestranden. 11. og sidste del af 'Natur, folkeliv og folketro'. med forfatterens portræt. Bergen, in komm. bei Floor. 496 s. 4,50 kr.

190. E. Tegnér, Svenska bilder från sextonhundratalet. anteckningar ur gamla papper. Stockholm, F. & G. Beijer. 315 s. 6 kr.

191. G. Nerman, Småherrskap för femtio år sedan, deras lif och bedrifter i helg- och hvardagslag. skildrade af en bland dun. Stockholm, Norman. 213 s. 1,75 kr.

192. Bilder från Skansen. skildringar af svensk natur och svenskt folklif. under medverkan af författere och konstnärer utg. af A. Hazelius. 1. heft. 8 s. und 3 taf. Stockholm. 1 kr.

193. A. Kullander, Några drag ur det forna skogsbyggarelivet i Edsvedens skogstrakter. De svenska landsmålen 11, 10. 50 s.

194. P. R. Dam, Folkeliv og indstiftelser paa Bornholm.

optegnelser, skildringer og minder fra den første halvdel af vort
aarhundrede. 60 s. 8⁰. Neskø, Gornitzka. 0,65 kr.

195. E. T. Kristensen, Fra bindestue og kølle. jyske
folkeæventyr, samlede og optegnede. anden samling. 168 s. 8ᵘ
und 2 portraits. Kopenhagen, Rom. 2 kr.

196. F. Dyrlund, Om pråsekage og om landsbypigernes
tidsfordriv. Dania 3 (7) 356—372.

197. O. Jespersen, Knude på lommetørklædet. Dania 3
(5) 282.
die sitte, einen knoten ins taschentuch zu machen, um sich
einer sache zu erinnern, ist allgemein verbreitet, doch scheint das
taschentuch erst später an die stelle anderer dinge (z. b. des
gürtels; beispiel aus dem jahre 1225) getreten zu sein.

198. K. Nyrop, Paradisspillet. Dania 3 (5) 280.
ein hinweis auf Feilbergs abhandlung über das dänische
paradiesspiel in Folk-lore 6, 359—372.

199. J. Skytte, At trække handsker. Dania 3 (5) 238.
dasselbe thema bespricht K. Nyrop ebd. s. 280—282;
P. Verrier ebd. (6) 375—376; O. Thyregod ebd. 377—379.

200. P. Verrier, Drenge gaa af skole. Dania 3 (7) 375.

Aberglaube. 201. A. Lehmann, Overtro og trolddom fra de
ældste tider til vore dage. IV. del. de magiske sindstilstande.
anden halvdel. Kopenhagen, Frimodt. 216 s. 2,75 kr.
forts. und schluss von jsb. 1895, 12, 168.

202. K. Maurer, Die bestimmten familien zugeschriebene
besondere heilkraft. Zs. d. ver. f. volksk. 6 (4) 443—444.
M. zeigt, namentlich durch ein beispiel aus der isländ.-norweg.
saga von Magnús dem guten, dass die heilkunst erbschaft einer
familie werden kann.

203. K. Maurer, Zum wettkampf des zauberers mit seinem
lehrling. Zs. d. ver. f. volksk. 6 (4) 444.
M. weist auf die zweite redaktion der Ögmundarsaga hin (aus
dem 13. jahrh.), nach der Sæmund seinen meister im süden hinter-
gangen habe.

204. V. Bang, Hexevæsen og hexeforfølgelser især i Danmark. Kopenhagen, Frimodt. 144 s. 1,75 kr.

205. Kr. Sandfeld Jensen, Himmelbreve. Dania 3 (5)
193—228.

J. teilt zunächst einen dänischen, einen rumänischen und einen russischen schutz- und himmelsbrief mit und zeigt, wie diese briefe bei allen europäischen völkern zu finden sind. er versucht dann eine geschichte, besonders der dänischen und deutschen himmels- briefe zu geben. dieser brief findet sich bereits in der ältesten christlichen kirche und lässt sich durch die jahrhunderte bis auf die gegenwart verfolgen. im grunde geht er zurück auf eine legende der altchristlichen kirche und fand sehr schnell verbreitung. besonders viel beigetragen haben zur ausbreitung der himmels- briefe die flagellanten. der älteste deutsche himmelsbrief, den wir kennen, stammt vom Strassburger geschichtsschreiber Closener († 1384). an die ursprüngliche form, nach der er vom himmel ge- kommen ist und hauptsächlich zur heilighaltung des sonntags mahnt, knüpft sich aller möglicher aberglaube, im kerne bleibt aber der brief derselbe, wie wir ihn bereits aus dem jahre 788 kennen.

Geschichte. Rechts- und Kirchengeschichte. Kultur- geschichte.

Quellen. 206. Diplomatarium islandicum. Íslenzkt fornbréf- safn, sem hefir inni að halda bréf og gjörninga, dóma og máldaga, og aðrar skrár, er snerta Ísland eða íslenzka menn. gefið út af hinu Ísl. bókmentafélagi. 3. bd., 5. heft. s. 769—990.

enthält ausser dem verbot Heinrich VI. von England, dass kein Engländer zum fischfang nach Island fahre (vom 28. nov. 1415), einige nachträge, das register zum 3. bd. und ein kurzes vorwort. 4. bd., 2. heft. s. 385—768 bringt auf Island und seine bewohner bezügliche urkunden aus den jahren 1429—1449. — forts. von jsb. 1895, 12, 222.

207. Diplomatarium norvegicum. Oldbreve til kundskab om Norges indre og ydre forhold, sprog, slægter, sæder, lovgivning og rettergang i middelalderen. samlede og udgivne af C. R. Unger og H. J. Huitfeldt-Kaas. 15de samling. første halvdel. 416 s. 8⁰. Kristiania, Malling. 6 kr.

208. H. J. Huitfeldt-Kaas, Om falske diplomer. Sprogl. hist. stud. 87—107.

bespricht eine reihe falscher urkunden im Diplomatarium nor- vegicum, die zu ihrer zeit als echt galten.

209. Íslenzkar ártíðaskrár eða obituaria islandica með athu- gasemdum. XXV. ættaskrám og einni rímskrá eptir Jón Þor-

kelsson (jun.). gefn. út af hinu Islenzka bókmentafél. IV. (for-
mali og registr). — forts. von jsb. 1895, 12, 200.

ausser dem register, das den grösseren teil des heftes füllt,
finden sich in diesem nachträge und verbesserungen zu den früheren
heften sowie das vorwort, das u. a. eine zeittabelle älteren stils
von 1000—1699 bringt.

210. G. Storm, Om Magnus Erlingssøns privilegium til
Nidaros kirke 1164. Videnskabsselskabets skrifter II. historisk-
filosofiske klasse 1895. no. 2. udg. for A. Bennecbes fond. 1895.
in komm. bei J. Dybwad. 28 s. 8⁰. 1,20 kr.

211. Claus Pavels's dagbøger for aarene 1817—1822. udg.
for den norske historiske forening af dr. L. Daae. 2det hefte.
s. 161—288.

Wikingerzeit. 212. O. A. Øverland, Vikingetog og vikinge-
færder. med titelbillede. Kristiania, A. Cammermeyer. 195 s.
1 kr.

213. E. Mogk, Kelten und Nordgermanen. — vgl. abt. 7,
100, 10, 9.

an der hand der quellen soll gezeigt werden, wie eng der verkehr zwischen den Nordgermanen und den Kelten der brittischen
inseln im 9. und 10. jahrh. gewesen ist. die annahme ist durchaus
falsch, dass nur kriegerische beziehungen zwischen diesen beiden
völkern bestanden hätten. zugleich wird ein bild von dem kultur-
zustande dieser völker gegeben, damit man wisse, was jedes dem
andern geben kann. auch die geschichte der wikingerkriege nach
dem westen wird berührt. diese beziehungen, die auf verschiedenen
gebieten ihre frucht getragen haben, muss man kennen, um die
Buggeschen ansichten über den gehalt der eddalieder und ihre
quellen zu verstehen, denn die eddalieder sind nicht vor dem
9. jahrh. gedichtet und sind nur bei dem volke zu hause, das mit
den Iren in solch engen verkehr getreten ist, bei dem norwegisch-
isländischen stamme. — angez. in den Mitt. a. d. hist. litt. 25, 9 f.

Schweden. 214. Historiska texter för akademiska öfningar.
medeltidens statsskick omkr. 809—1350. valda texter utg. af
H. Hjärne. Uppsala, Historiska föreningen. 21 u. 426 s. 8⁰. 9 kr.

215. Handlingar rörande Sveriges historia. med unterstöd af
statsmedel i tryck utg. af Kongl. riksarchivet. 1. serien: konung
Gustaf den förstes registratur, utg. genom V. Granlund. 1545.
Stockholm, Norstedt & söner. 644 u. 60 s. 9 kr.

216. H. Hildebrand, Sveriges medeltid. kulturhistorisk skildring. andra delen IV. s. 433—602. Stockholm, Norstedt & söner. 3,50 kr.

forts. v. jsb. 1895, 12, 230a. — dieser teil enthält zunächst die fortsetzung der entwicklung der agrarischen verhältnisse in Schweden, die ausbreitung des grossgrundbesitzes, die ritterlichen übungen, die geistige bildung, das familienleben des adels. ein weiterer abschnitt bringt ein lebhaftes bild über die vergnügungen im alltagsleben und an festlichen tagen, die ritterlichen spiele, tanz, brettspiel, jagd. das vierte kapitel ist der heraldik gewidmet. eingehend wird darin besonders über die schwedischen königsschilde gehandelt, so wie über die entwicklung des heraldischen stiles.

Dänemark. 217. Regesta diplomatica historiæ Danicæ. cura Societatis regiæ scientiarum Danicæ. series secunda. tomus posterior. III. ab anno 1574 ad annum 1607. 284 s. 4⁰. Kbh., Høst. 5 kr.

218. Repertorium diplomaticum regni danici mediævalis. Fortegnelse over Danmarks breve fra middelalderen med udtog af de hidtil utrykte. udg. ved K. Erslev i forening med W. Christensen og A. Hude af Selskabet til udgivelse af kilder til dansk historie. 2. binds, 1. hæfte (1351—1382). 240 s. 8⁰. Kopenhagen, Gad in komm. 2 kr. — forts. von jsb. 1895, 12, 206.

219. Danmarks riges historie af Joh. Steenstrup, Kr. Erslev, A. Heise, V. Mollerup, J. A. Fredericia, E. Holm, A. D. Jørgensen. historisk illustreret. 6 bände in heften zu je 0,60 kr. København, Det nordiske forlag.

diese neugeplante illustrierte dänische geschichte verspricht die beste dänische geschichte zu werden. die vorzüglichsten historiker Dänemarks haben sich in die arbeit geteilt: I. Joh. Steenstrup hat die älteste zeit übernommen (—1241), II. Erslev das spätere mittelalter (1241—1481), III. rektor Heyse in gemeinschaft mit Mollerup das reformationszeitalter (1481—1588), IV. Fridericia die zeit von 1588—1699, V. Holm die von 1699—1814 und endlich VI. reichsarchivar Jørgensen die neuzeit (1814—1864). von der letzten abteilung ist bisher am meisten erschienen (8 lieferungen s. 1—192); ausserdem ist nur noch vom 4. und 5. bande die erste lieferung herausgekommen. die beigegebenen illustrationen sind nicht willkürliche erfindungen, sondern haben alle historischen wert, wodurch das werk ungemein gewinnt. überhaupt bringt dieses nicht nur die politische entwicklung Dänemarks, sondern eine geschichte der ganzen dänischen kultur.

220. K. Erslev, Oversigt over middelalderens historie. udg.

som grundlag for examinatorier og forelæsninger. I den ældre
middelalder. anden udg. Kopenhagen. 128 s. 1,50 kr.

221. Joh. Steenstrup, Nogle undersøgelser over Danmarks
ældste inddeling. Oversigt over det kgl. danske videnskab. selsk.'s
forhandl. 1896. s. 375—404. hertil et kort.

auf grund der ältesten und besten quellen, namentlich Walde-
mars Jordebog, untersucht St. die älteste einteilung Dänemarks.
ausschliesslich der halbinsel Jütland eigen ist die einteilung in
sysler. sysl ist ein bezirk, der die darin wohnenden zu gemein-
samem thinge vereinte; dann erscheint das wort als einheit bei der
höheren verwaltung des landes und endlich als geistlicher distrikt:
er ist ein mittelglied zwischen provinz und *herred*, er entspricht
dem germanischen gau, dem norwegischen fylke. die einteilung
des landes in sysler ist in einer relativ späten zeit vor sich gegangen; sie ist von dem könig zu administrativen zwecken eingeführt und zwar wahrscheinlich nach dem vorbilde Englands oder
Norwegens. vielleicht sind die sysler im 10. jahrh. aufgekommen.
ein beamter über den ganzen kreis findet sich nirgends. aus der
administrativen einheit ist dann das bewusstsein der zusammengehörigkeit der sysselbewohner entsprossen, so dass diese auch zu
gemeinsamer beratung in rechtlichen dingen zusammenkamen und
gemeinsame kirchliche interessen hatten. — uralt ist die einteilung
des landes in *herreder*. die namen dieser sind nicht, wie man so oft
annimmt, in anlehnung an küstenpunkte entstanden. es ist vielmehr zu beachten: 1. mehrere herreder sind geographisch abge-
grenzte gebiete und sind dementsprechend genannt. 2. das herred
hat den namen nach seinen äusseren umrissen, nach seiner topo-
graphischen figur. 3. das herred hat seinen namen nach seiner
naturbeschaffenheit. 4. der name des herred weist auf einen hoch-
gelegenen punkt im bezirke hin. 5. am häufigsten jedoch hat das
herred den namen nach einem ort, der jetzt pfarrort ist. nun
sind aber die herreder älter als die kirchspiele, sie sind entschieden heidnischen ursprungs. es giebt drei bezirke, die nach
Oðin, zwei, die nach Frey genannt sind. in älterer zeit befand sich
dort, wo die kirche entstand, die thingstätte, denn die kirchen
lehnten sich an diese an, und so erklärt es sich, dass später die
kirche der mittelpunkt des herred geworden ist und dass die namen
der meisten herreder sich mit namen von pfarrorten decken.

222. Joh. Steenstrup, Quelques études sur l'histoire de
nos villages et de la colonisation du Danemark. Bulletin de
l'academie royale des sciences et des lettres de Danemark, Copen-
hague, pour l'année 1894 (no. 3) 267—302.
vgl. Globus 58 (15) 239—241.

223. P. Lauridsen, Om gamle danske landsbyformer et omrids. Aarb. f. nord. oldk. 2. r. 11 (2) 97—170.

die dänischen dörfer und dorffluren, wie man sie vor der länderverteilung und aus den provinzialgesetzen kennt, haben ihre form und gestalt durch eine mittelalterliche regulierung erhalten, die *solskifte* oder *solrebning* hiess.

Skandinavisches recht. 224. Norges gamle love indtil 1387.

femte binds 2det hefte, indeholdende glossarium og anhang 1—3 samt tillæg og rettelser, udg. efter offentlig foranstaltning ved G. Storm og E. Hertzberg. 864 s. fol. Kristiania 1895.

mit diesem bande ist die sammlung altnorwegischer gesetze abgeschlossen. er enthält das von Hertzberg bearbeitete wörterbuch zur altnorwegischen rechtslitteratur. in den anhängen befindet sich ein verzeichnis der wichtigeren in den texten angewendeten lateinischen bezeichnungen und ausdrücke, ein namensregister und eine übersicht der in den verschiedenen gesetzen vorkommenden parallelstellen. zusätze und verbesserungen aller 5 bände schliessen den band. — lobend besprochen von E. Mogk, Lit. cbl. 1896 (34) 1115. — vgl. abt. 9, 31.

225. Hirdskraa i fotolithografisk gjengivelse efter Tønsbergs lovbog fra c. 1320. — vgl. jsb. 1895, 12, 224. — angez. von E. Mogk, Lit. cbl. 1896 (20) 745.

226. E. Hertzberg, Endnu et kristenretsudkast fra det 13de aarhundrede. Sprogl. hist. stud. 189—204.

das christenrecht des neueren Gula- und Borgarthings nimmt eine mittelstellung zwischen den älteren provinzialrechten (Frosta-, Gula-, Eidsiva- und Borgarthinggesetz) und dem jüngeren christenrechte Jóns ein: in rein kirchlichen angelegenheiten steht er auf dem standpunkte von Jóns kirchenrecht, in dingen aber, die das verhältnis zwischen staat und kirche betreffen, auf dem standpunkte der älteren provinzialgesetze. jene beiden christenrechte gehören der früheren zeit der gesetzgeberischen thätigkeit des Magnus Lagabœtir an. soweit schon K. Maurer und P. A. Munch. H. geht nun weiter und sucht den nachweis zu führen, dass eine reihe von bestimmungen, in dem das jüngere Gula- und Borgarthinggesetz den übergang zur Jónsbók bilden, nicht von könig Magnús herrühren, sondern auf eine bereits vorhandene fassung zurückgehen, die Magnús benutzt hat.

227. M. L. Aubert, La Norvège devant le droit international. extrait de la Revue de droit international et de législation comparée. Kristiania, in komm. bei Cammermeyer. 40 s. 1 kr.

228. E. Wadstein, Forklaringar ock anmärkningar till fornnordiska lagar II. Nord. tidskr. fil. (ny f. 5. 1/2).

229. K. Maurer, Zwei rechtsfälle aus der Eyrbyggja. Sitzungsber. der philos.-philol. und der hist. klasse der kgl. bayr. akad. der wiss. 1896. 1. heft. 48 s.

M. bespricht zwei interessante prozesse der Eyrbyggia, die in dem seelenglauben der alten Isländer ihre wurzel haben. dabei fallen verschiedene wichtige bemerkungen über die historische entwicklung der isländischen rechtsinstitutionen mit ab.

230. A. Taranger, *Ábúð jarðar heimilar tekju.* Sprogl. hist. stud. s. 108—124.

dies mittelalterliche norwegische rechtssprichwort deutet T. 'die erfüllung der anbauungspflicht leistet dem pächter gewähr für die ausnutzung des pachtkontraktes', d. h. der pächter bleibt im ungestörten besitze von grund und boden bis zum ablauf der mietzeit.

231. G. Storm, En gammel gildeskraa fraa Trondhjem. Sprogl. hist. stud. 217—226.

fragment einer alten gildeordnung, das erst nach der drucklegung des 5. bandes von Norges gamle love gefunden worden ist. es stammt aus der 2. hälfte des 13. jahrhs. dem abdruck der ordnung sind übersetzung und anmerkungen beigefügt.

232. E. Hildebrand, Svenska statsförfattningen historiska utveckling från äldsta tid till våra dagar. 30 u. 684 s. Stockholm, Norsted & söner. 3,50 kr.

233. C. G. E. Björling, Den svenska rättens exstinktiva lagafång till lösören på grund af god tro. Uppsal. diss. 204 s. behandelt s. 56—105 das altschwedische recht.

234. H. Matzen, Forelæsninger over den danske retshistorie. privatret. IV. tingsret. obligationsret. 252 s. 8°. — forts. von jsb. 1895, 12, 226.

235. Samling af Danmarks lavsskraaer fra middelalderen med nogle tilhørende beslægtede breve. udg. ved C. Nyrop af Selskabet for udgivelse af kilder til dansk historie. 2. heft. Kopenhagen (Gad). 256 s. 2 kr.

Kirchengeschichte. 236. V. Bang, Den danske kirkes historie i tiden fra 1559—1699. med 7 billeder. ved udvalget for folkeoplysnings fremme (Folkelæsning no. 209). 216 s. 8°. Kopenhagen (Gad). 1,35 kr.

237. Kirkehistoriske samlinger, fjerde række, udg. af Sel-

skabet for Danmarks kirkehistorie ved. H. F. Rørdam. 4. binds,
2. hefte. 192 s. 8⁰. Kopenhagen, in komm bei Gad. 2 kr. —
forts. von jsb. 1895, 12, 217.

238. Dasselbe. 4. binds, 3. hefte. 224 s. 2 kr.

239. H. Olrik, Deux documents danois de 1230, concernant
des privileges accordés aux moines des Clairvaux par le roi Valdimar II. traduite par E. Beauvois. (extrait des Mem. de la Soc.
roy. des antiq. du nord. 1894.) 28 s. 8⁰ u. 2 taf.

Landes- und Ortskunde. 240. Thorvaldr Thoroddsen. Landfræðissaga Islands. hugmyndir manna um Ísland, náttúruskoðun-
þess og rannsóknir, fyrr og siðar. gefin út af hinu íslenzka bók-
menntafjelagi. I. (siðara hepti). 75 u. s. 239—260. II. 1 s. 1—112.
forts. von jsb. 1893, 12, 313. das schlussheft des 1. bandes
bringt eine reihe nachträge und berichtigungen. der anfang des
2. bandes enthält dann das geistige leben und den zustand der
Isländer im 17. jahrh. ganz besonders eingehend wird der aberglaube und die zauberei jener tage erörtert. erst die naturwissenschaften bringen andere lebensanschauungen ins volk; mit ihnen
haben sich besonders die Isländer Jón Guðmundsson und Jón
Daðason beschäftigt. so kam auch für Island die zeit der aufklärung.

241. Historisk-topografiske skrifter om Norge og norske
landsdele, forfattede i Norge i det 16de aarhundrede. udg. for det
norske historiske kildeskriftfond ved G. Storm. — vgl. jsb. 1895,
12, 201. — angez. von B. Kahle, Litbl. 17 (9) 296—298.

242. J. Vibe, Norges land og folk. XII. topografisk-historisk-
statistisk beskrivelse over Søndre Bergenhusamt, udg. med. bidrag
af de offentlige. Kristiania, Norli. 7 kr.

243. J. Vibe, Norges land og folk. XIII. topografisk-
historisk-statistisk beskrivelse over Akershus amt. 1.—3. heft.
heft je 1 kr.

244. H. Mathiesen, Det gamle Throndhjem. byens historie
fra dens anlæg til erkestolens oprettelse 997—1152. med karter
og tegninger. 4. heft. — forts. von jsb. 1895, 12, 250.

245. L. J. Vogt, Dublin som norsk by. fra vort ældste
kjøbstadsliv. historisk fremstilling. med illustrationer og 3 karter.
Kristiania, Aschehoug & co. 409 s. 6,25 kr.

246. C. Bruun, Kjøbenhavn. en illustreret skildring af dets
historie, mindesmærker og institutioner. 44.—45. levering. — forts.
von jsb. 1895, 12, 251.

Handelsgeschichte. 247. A. Bugge, Handelen mellem England og Norge indtil begyndelsen af de 15de aarhundrede. Norsk Hist. tidsskr. 3. r. IV (1) 1—149.

eine stete handelsverbindung zwischen England und Norwegen beginnt erst seit dem 11. jahrh., besonders nachdem Ólafr kyrri Bergen angelegt hatte. gegen schluss des 12. jahrhs. finden wir den handel zwischen den beiden ländern in vollster blüte; er wird von den regierenden fürsten in Norwegen sowohl wie in England thatkräftig unterstützt, wie überhaupt damals sich die freundschaft dieser beiden länder auch auf anderem, namentlich kirchlichem gebiete zeigte. ja, es hat aller wahrscheinlichkeit nach sogar ein politisches bündnis zwischen englischen und norwegischen königen bestanden. noch intimer wurde der verkehr unter Hakon Hakonarson und herzog Skuli, ja im jahre 1222 oder 1223 wurde zwischen den norwegischen und englischen königen ein förmlicher handelsvertrag geschlossen. das ziel der Engländer war besonders Bergen, das der Norweger Lynn. in Norwegen trieb diesen handel anfangs der adel und die geistlichkeit, aber beide stände zogen sich im laufe des 13. jahrhs. immer mehr davon zurück, da der von süden gekommene ritterstand neue anschauungen nach dem norden brachte. so bildete sich unter Hakon in Norwegen, vor allem in Bergen, ein besonderer handelsstand, der jedoch wegen des auftretens der Hansa nicht zur entfaltung kam. dem verkehr mit England verdankt Bergen seinen aufschwung. auch unter den folgenden königen war im allgemeinen das verhältnis zwischen England und Norwegen ein freundschaftliches. unter Eirik Magnusson wird dann der einfluss der Hanseaten immer mächtiger, wenn sie anfangs auch nur das privilegium des heringshandels an der küste von Bohuslän ausschliesslich haben, während sie in Bergen mit den Engländern konkurrieren. erst unter Hakon V. müssen die Engländer den Hanseaten weichen. hierzu kommt, dass der könig und seine mannen offen partei gegen die Engländer nehmen. die Norweger schliessen sich jetzt mehr den Hanseaten an, und dadurch wird die blüte des norwegischen handels geknickt, wenn auch noch im 14. jahrh. die Norweger handel treiben. doch bald kam es zu heftigerer erbitterung gegen die Deutschen, und nun suchte man wieder mit den Engländern anzuknüpfen. doch es war zu spät, die Deutschen waren schon zu mächtig und hatten den ganzen handel in händen, namentlich von Bergen nach England. der handel der Engländer mit Norwegen wurde im ausgange des 14. jahrhs. mit gewalt unterdrückt. nun warfen sich die Engländer auf den handel mit Island. — während der zeit, wo Norwegen mit England besonders handel trieb, wurden eingeführt in Norwegen: weizen und kleiderstoffe, (wein); dagegen brachten die Norweger besonders tierfelle, pelzwerk, jagdfalken, wachs, thran, schwefel und vor allem fische auf den englischen markt.

Münzkunde. 248. L. B. Stenersen, Om et myntfund fra Helgeland i Hole. med 4 plancher. Videnskabsselskabets skrifter II. historisk- filosofiske klasse 1895. no. 5. udg. for Hans A. Benneches fond. Kristiania, in komm. bei J. Dybwad. 32 s. 2,40 kr.

Bauwesen. 249. H. Petersen, Den paabegyndte udgravning af Vitskøl klosterkirke ved Løgstør. en foreløbig beretning fra nationalmuseets 2den afdeling. Aarb. f. nord. oldk. 2. r. 11 (1) 65—78.

250. F. Uldall, De jydske granitkirkers alder. Aarb. f. nord. oldk. 2. r. 11 (3) 197—302.

Biographien.

251. J. B. Halvorsen, Norsk forfatter-lexikon 1814—1880. paa grundlag af J. E. Krafts og Chr. Langes 'Norsk forfatter-lexikon 1814—1856', samlet, redigeret og udg. med understøttelse af statskassen. 41.—43. heft. *Roggen — Schiøtz.* — forts. von jsb. 1895, 12, 258.

252. C. F. Bricka, Dansk biografisk lexikon, tillige omfattende Norge for tidsrummet 1537—1814. 73.—80. heft. *Laale — Løvenørn.* Kph., Gyldendal. — forts. von jsb. 1895, 12, 259.

Konrad Maurer. 253. Finnur Jónsson, K. Maurer. Eimreiðin 2 (3) 223—226.

254. Björn Magnússon Ólsen, Minningarit fimtíu ára afmælis hins lærða skóla í Reykjavík.

diese schrift, vom jetzigen rektor des gymnasiums zu Reykjavík verfasst, enthält einen kurzen lebensabriss der lehrer und ein verzeichnis der schüler, die seit der übersiedlung von Bessastaðir (1846) an der schule gewirkt und sie besucht haben. u. a. findet sich ein überblick über leben und wirken von Sveinbjörn Egilsson, Jón Þorkelsson sen., Björn Magnússon Olsen, Halldór Kristján Friðriksson, Steingrimur Thorsteinsson, Benedikt Gröndal, Thorvaldur Thóroddsen, Palmi Pálsson, Páll Melsteð.

E. Mogk.

XIII. Althochdeutsch.

1. H. Garke, Prothese und aphärese des *h* im Althochdeutschen. Strassburg, Trübner 1891. — vgl. jsb. 1891, 13, 4. — angez. von Wilh. Bruckner, Anz. f. d. altert. 22 (2) 164—172. eingehende inhaltsangabe; Garkes versuch, die prothese als durch den nachfolgenden konsonanten hervorgerufen zu erklären, lehnt B. ab, weist selbst auf mancherlei äussere veranlassung zu irriger schreibung des *h* hin und bleibt bei der alten ansicht, dass romanischer einfluss vorliege; der abschnitt über die aphärese und die beispielsammlungen werden gutgeheissen.

2. J. Franck, Der diphthong *ea, ie* im Althochdeutschen. Zs. f. d. altert. 40 (1) 1—60. — dazu nachtrag Anz. 22 (1) 128.

F. geht von den formen des demonstrativpronomens aus und sucht nachzuweisen, dass in diesen $ê^2$ nicht ursprünglich, sondern durch kontraktion entstanden sei; sodann nimmt er eine ähnliche entstehung für die ursprünglich reduplicierten präterita mit hellen vokalen an, zeigt wie in fremdwörtern $ê^2$ einem diphthongischen romanischen laute entspreche und verknüpft die echt germanischen wörter mit stammhaften $ê^2$ mit solchen stämmen, die eine ableitung aus *éi* wahrscheinlich machen sollen. er betont, dass ahd. as. *ê* den lautwert *ea* gehabt haben könne und also ein geschleiftes *ē* gewesen sei, nimmt aber im gegensatz zu den meisten andern forschern mit Möller ursprünglich offne aussprache an. vgl. abt. 3 no. 98 und 104.

3. P. E. Lindström, Die palatale der lateinischen lehnwörter im Althochdeutschen. diss. Upsala. 43 s.

3a. Oskar Fleischer, Neumen-studien. abhandlungen über mittelalterliche gesangs-tonschriften. teil 1. über ursprung und entzifferung der neumen. Leipzig, F. Fleischer 1895. 5 bl., 132 s. 4°.

die aus langjährigen studien hervorgegangene schrift über die schwierige neumenfrage fasst eine reihe von verschiedenartigen erscheinungen zu einer überraschend klaren entwicklungsreihe zusammen. die neumen haben ihren ursprung in der altgriechischen dirigierkunst (cheironomie) und sind handbewegungen (νεύματα, winke), die zu schriftlichen zeichen erstarrten, recitationszeichen, nicht tonzeichen. die schule des Aristophanes von Byzanz (um 200 vor Chr.) kennt aber nicht bloss drei recitationszeichen, accente (acutus, gravis, circumflexus), sondern auch beziehungen der zeit (longa, brevis), des hauches (asper, lenis) und des vortrages und stimmt darin auffällig mit den altindischen grammatikern überein,

denen F. die priorität dieser lehre zuerteilen möchte. dies accen-
tuationssystem ging zu den Armeniern und Römern über und fand
in der liturgischen recitation der lateinischen kirche verwendung,
die accente wurden mit einer abwandlung ihrer bedeutung zu
neumen (lehre vom mittelton und pneuma). auch in den für den
leseton der kirche (accentus im gegensatz zum concentus) geltenden sieben 'accentus ecclesiastici', deren bedeutung F. vom 16. jahrh.
rückwärts bis zum 9. verfolgt, sind die alten prosodiezeichen
wiederzuerkennen (immutabilis = longa + brevis; interrogativus =
spiritus lenis; moderatus = asper; medius = circumflexus; acutus
beim komma verwandt, gravis beim punkt); der finalis ist aus der
intonationsformel entstanden, die als gruppenneuma für die lesung
der übrigen neumen von entscheidender bedeutung ist. unter dem
einfluss der griechischen 'tropen' entstand die mischform der
sequenzen (Notker Balbulus), in denen die alte recitationsweise der
psalmodie zu einer rhythmischen und melodischen cantillation und
die accent-neumen zu tonzeichen umgestaltet wurden. diese nur
kurz skizzierte umwandlung wird hoffentlich der 2. band durch
eine anzahl von beispielen darlegen, die zugleich eine probe auf
die entwickelte deutung abgeben. [Bolte].

Glossen. 4. E. Steinmeyer und E. Sievers, Die althochdeutschen glossen. 3. bd. Berlin, Weidmann 1895. — vgl. jsb.
1895, 13, 3. — angez. von W. Braune, Lit. cbl. 1896 (7) 233 f.
der hervorhebt, dass die bearbeitung an philologischer akribie und
umsichtigster, eindringender forschung den höchsten anforderungen
entspricht.

5. P. Marchot, Les gloses de Cassel, le plus ancien texte
réto-roman. = Collectanea Friburgensia fasc. III. Friburgi Helve-
tiorum apud bibliopolam universitatis MDCCCXCV. 67 s. —
angez. von W. Meyer-Lübke, Litbl. 1895 (11) 373—377, der die
oberflächliche arbeitsweise des vfs. tadelt.

6. P. Marchot, Les gloses de Vienne, vocabulaire réto-
roman du XIme siècle. Fribourg (Suisse) 1895, librairie de l'université. 48 s.
angezeigt von W. Meyer-Lübke, Litbl. 1895 (11) 377.

Denkmäler. 7. G. Bötticher und K. Kinzel, Denkmäler der
älteren deutschen litteratur, für den litteraturgeschichtlichen unterricht an höheren lehranstalten im sinne der amtlichen bestimmungen hrsg. I, 1. Die deutsche heldensage. 1. Hildebrandslied
und Waltharilied, nebst den Zaubersprüchen und Muspilli als beigaben, übersetzt und erläutert. 4. aufl. Halle, Waisenhaus. IX,
65 s. 0,60 m. — vgl. jsb. 1889, 6, 32.

8. F. Detter, Mûspilli. P.-Br. beitr. 21 (1) 107—110.

ahd. *mûspilli,* as. *mudspelli, mutspelli,* an. *muspell* werden auf *munþspilli* zurückgeführt; das ahd. sei lehnwort aus as. **mûôspilli,* dies eine freie übersetzung von *prophetia.* danach müsse die beziehung auf den weltbrand christlich sein. D. vermutet, dass das wort, obwohl ae. nicht nachweisbar, mit *zódspell* gemeinsam nach dem norden und nach Deutschland gekommen sei.

9. Karo, Zur geschichte der Merseburger zaubersprüche. Zs. f. d. d. unterr. 10 (3) 218 f.

zwei parallelen zu no. 2, eine zur einkleidung in eine geschichte, die andere zum eigentlichen segen. — vgl. abt. 10, 198.

9a. J. B. Krallinger, Der Ezzoleich. mit einleitung und erklärenden anmerkungen herausgegeben. progr. München. 30 s.

W. Mettin, Die ältesten deutschen pilgerlieder. in: Philol. studien. festgabe für Eduard Sievers. — vgl. abt. 14, 173.

10. Priebsch, An old english charm and the Wiener Hundsegen. The academy 1255.

Hildebrandslied. 11. W. Luft, Zur handschrift des Hildebrandsliedes. Festgabe an Karl Weinhold, dargebracht von der gesellschaft für deutsche philologie. Leipzig, Reisland. s. 20—27.

nimmt nur einen schreiber an, der aus dem gedächtnis schrieb. er sei gegen den vorwurf der nachlässigkeit in schutz zu nehmen; die lücken habe er am rande durch punkte bezeichnet.

12. Fr. H. Wilkens, The manuscript, orthography, and dialect of the *Hildebrandslied.* Publications of the mod. lang. assoc. of America 12 (2). 25 s.

nimmt fünf (!) schreiber an und konstruiert zwei ältere hss.; das nd. gedicht sei von einem bayrischen schreiber aufgezeichnet worden. feine einzelbeobachtungen, im ganzen nicht überzeugend.

13. Fr. A. Wood, The dialect of the Hildebrandslied. Publications of the mod. lang. association of America 11 (3).

14. W. Luft, Zum dialekt des Hildebrandsliedes. Festgabe an Weinhold. s. 27—30.

erklärt sich für Holzmanns ansicht, dass ein nd. schreiber ein oberdeutsches gedicht aufgezeichnet habe.

15. Fr. Kauffmann, Zum Hildebrandslied. in: Philologische studien. festgabe für Eduard Sievers. Halle, Niemeyer. 441 s.

16. W. Luft, Die entwickelung des dialoges im alten Hildebrandsliede. Berl. diss. 1895. — vgl. jsb. 1895, 13, 4a. —

angez. von Ernst Martin, Anz. f. d. altert. 22 (3) 280—282, der
der ansicht des vfs. über den dialekt (vgl. auch no. 14) nicht zustimmt. syntax und wortwahl seien nd., und die unterschiede vom
as. seien zeichen eines grenzdialekts. Martin erklärt *bi huldi* 'um
deine liebe zu gewinnen', belässt v. 46—48 dem Hildebrand und
schliesst daran 55—57. er erläutert die bedeutung von *hregil,*
die Lachmanns *hruomen* notwendig mache, und macht darauf
aufmerksam, dass in v. 37 der zweite halbvers *geba intfāhan* zu
kurz sei.

17. W. Braune, *Irmindeot* und *irmingot.* P.-Br. beitr. 21
(1) 1—7.

irmindeot heisst nicht 'die ganze welt', 'alle leute', wie *al irmin-
thiod* im Heliand, sondern 'die heldensippen der germanischen
stämme', *irmingot* 'der allgott' und daher der christliche gott;
überhaupt sei heidnischer heldengesang im achten jahrh. ganz un-
denkbar. demnach könne auch die verbreitete ansicht über Lud-
wigs des frommen abneigung gegen deutsche gedichte nicht aufrecht erhalten werden, Thegan spreche vielmehr grade von werken
des altertums. no. 12 in Grimms heldensage sei zu streichen. —
ein nachtrag auf s. 251 f. stellt fest, dass französische gelehrte die
gleiche auffassung von der Theganstelle haben.

Notker. 18. J. Kelle, Über die grundlage, auf der Notkers
erklärung von Boethius De consolatione philosophiae beruht.
Sitzungsber. d. philos.-philol. kl. d. bayr. akad. d. wiss 1896. III,
s. 349—356. — sep.-abdr. München, Straub.

'Notker benutzte . . . eine nicht mehr nachweisbare handschrift, die aus jenem codex geflossen ist, auf den auch die von
Froumund geschriebene handschrift I. 2 (latein) 4⁰ no. 3 in der
fürstlich Oettingen-Wallersteinischen fideikommissbibliothek zu Maihingen . . . zurückgeht'. Notkers lateinische erklärungen finden
sich sämtlich, die deutschen grossenteils darin wieder.

Otfrid. 19. Anton E. Schönbach, Otfridstudien IV. Zs. f
d. altert. 40 (1) 103—123.

der wiederum ausserordentlich lehrreiche aufsatz erläutert zuerst die art, wie zu Otfrids zeiten dichtungen und gelehrte werke
zu stande kamen, definiert die ausdrücke *dihtōn* und *edere,* erläutert die verwendung der *schedulae* zum excerpieren, und nimmt
von der so gewonnenen anschauung über Otfrids arbeitsweise aus
stellung zu den fragen, die Loeck (vgl. jsb. 1891, 13, 18) über die
abhängigkeit des evangelienbuchs von den homilien des Paulus
Diaconus und Tesch (vgl. jsb. 1890, 13, 17) über die reihenfolge
der entstehung der einzelnen teile des werkes angeregt haben.

S. kommt zu dem ergebnis, dass Otfrids werk sich ausser durch die deutsche sprache in keiner weise von den werken seiner theologischen zeitgenossen unterscheide. auch der reim sei nicht aus den hymnen entlehnt, sondern habe schon deutsche vorbilder gehabt und sei wiederum in der für O. vorbildlichen gelehrten lateinischen poesie in gebrauch gewesen; eine spezielle anweisung Bedas wird als Otfrid bekannt nachgewiesen.

20. Fr. Saran, Über vortragsweise und zweck des evangelienbuches Otfrids von Weissenburg. Einladungsschrift. Halle a. S., Ehrhardt Karras. 32 s.
'Otfrid wollte einer art von deutschem lektionar abfassen, ... er bietet geistlichen lesestoff in metrischer form'. es war also sprech-, nicht gesangsvortrag beabsichtigt, nur zwei verse im Palatinus sind neumiert, die neumen wahrscheinlich spätere zuthat. der schluss giebt eine von Kelle und Erdmann nicht unwesentlich abweichende übersetzung der stelle Liutb. 1—28.

21. F. Saran, Zur metrik Otfrids von Weissenburg. in: Philologische studien. festgabe für Eduard Sievers. Halle, Niemeyer.

22. Friedr. Kauffmann, Metrische studien. 2. Dreihebige verse in Otfrids evangelienbuch. Zs. f. d. philol. 29 (1) 17—49.
Otfrids verse seien recitiert, durch sprechgesang vorgetragen worden, ihr vortrag und ihre rhythmische struktur von der alliterierenden dichtung beträchtlich verschieden gewesen. mit Möller-Heusler unterscheidet er, auf grundlage der rhythmik der kinderlieder, volle und stumpfe verse, überträgt dies aber auch auf die verstakte und unterscheidet daneben männliche und weibliche reime; letztere stehen stets in vollen, erstere nach seiner annahme in vollen oder in stumpfen versen. beachtenswert ist, wie K. den prinzipien von O.'s accentuation nachgeht und namentlich in der abweichung der hss. eine regelmässigkeit aufweist. indes die daraus gezogenen schlüsse, die sich auf die anzahl der hebungen beziehen, stehen auf schwachen füssen und werden gewiss auf starken widerspruch stossen, auch wenn die dreihebigkeit Otfridischer verse in beschränktem masse anzuerkennen ist. in solchen dreihebigen versen des Otfrid erblickt K. den ausgangspunkt ähnlicher in jüngeren perioden auftretender versbildungen.

23. W. Luft, Die abfassungszeit von Otfrids evangelienbuch. Zs. f. d. altert. 40 (3) 246—253.
sucht aus der vergleichung der zeitgeschichte mit Otfrids widmung an könig Ludwig nachzuweisen, dass der abschluss erst nach dem vertrage von Mersen stattfand, und auf diese weise

einigen scheinbar ganz allgemeinen redensarten des vfs. inhalt und leben einzuflössen.

24. A. Evers, Über Otfrids gebrauch der verallgemeinernden partikeln und pronomina. ein beitrag zur deutschen syntax. progr. M. Schönberg. 70 s.

Tatian. 25. V. E. Mourek, Zur syntax des ahd. Tatian. Prag, Řivnáč 1894.

26. V. E. Mourek, Weitere beiträge zur syntax des ahd. Tatian. ebd. 1894. — vgl. jsb. 1894, 13, 10 und 11. — angez. von Arens, Zs. f. d. phil. 29 (1) 123 f., der für die mühsamen, vollständigen und übersichtlichen zusammenstellungen noch grössere beachtung des lateinischen originals wünscht.

27. Karl Förster, Der gebrauch der modi im ahd. Tatian. Kieler diss. Einbeck, druck von Johs Schroedter 1895. 62 s.
nach einer kurzen einleitung behandelt der vf. zuerst kurz den gebrauch der modi im hauptsatze, dann recht ausführlich den des nebensatzes. er beachtet besonders das verhältnis des übersetzers zur vorlage; es zeige selbständige und bewusste befolgung des deutschen sprachgebrauchs. auch die fehler in der übersetzung werden gebührend in betracht gezogen.

28. Arens, Studien zum Tatian. 1. Fehler und missverständnisse im Tatian. Zs. f. d. phil. 29 (1) 63—73.
A. unterscheidet in sehr klarer darstellung 1. fehler, die den schreibern von G zur last fallen, 2. solche, in denen absichtliche abweichungen vorliegen können, 3. eigentliche übersetzungsfehler, die ihrerseits entweder durch verlesen oder durch flüchtigkeit oder endlich durch mangelhafte kenntnis des lateinischen hervorgerufen sind. sämtliche fehler werden unter anführung der einschlägigen litteratur behandelt.

29. Ed. Lauterburg, Heliand und Tatian. Berner diss. 34 s.

30. J. Krejči, Heliand a jeho poměr k Tatianovi. progr. Prag. 21 s.   Felix Hartmann.

XIV. Mittelhochdeutsch.

1. Fr. Panzer, Personennamen aus dem höfischen epos in Bayern. Philol. studien. festgabe f. E. Sievers s. 205—220. vgl. abt. 21, 42.
namen aus Hartmann, Wirnt, Wolfram u. s. fortsetzern, dem

jüngeren Titurel, den Rolandsgedichten und Tristan und Isolde u. a. in bayerischen urkunden besonders der Ahaimer, Frauenberger. Stauffer und Zenger als zeugnis für die bekanntheit und beliebtheit der gedichte.

2. Brenner, Grundzüge der geschichtlichen grammatik der deutschen sprache. — vgl. abt. 3, 91.

vf. bezeichnet sein buch als ausführung zu den mhd. grammatiken und lehrbüchern, die zu selbständiger erklärung grammatischer dinge anregen soll. vf. giebt nicht nur die erklärung der herkunft der laute und wortformen, sondern verfolgt auch die einzelnen mit besonderer rücksicht auf oberd. leser durch die jahrhunderte bis zum heutigen stande nhd. schriftsprache; wichtig ist, dass er auch kurz über die schreibungen in den mhd. hss. orientiert. ein doppelter anhang giebt ausser einer übersicht über die metrik sprachproben von der alts. zeit bis zur mundart der gegenwart.

Heinzel, Abhandlungen zum altdeutschen drama. — vgl. abt. 15, 165.

3. Michels, Studien über die älteren deutschen fastnachtsspiele. — vgl. abt. 15, 161. — angez. Wirth, Museum 4 (9). Lit. cbl. 1896 (51) 1849—1851.

4. Jantzen, Geschichte des deutschen streitgedichtes. (1. teil. diss. Breslau. 40 s.) — vgl. abt. 6, 6. die anzeige im Lit. cbl. 1896 (49) 1773 spricht der arbeit nur wert als materialsammlung zu; zu historischer betrachtung nirgends ein rechter ansatz.

5. E. Benezé, Das traummotiv in altdeutscher dichtung (bis ca. 1250). diss. Jena. (Leipzig, Fock). 58 s.

6. Dom. Comparetti, Virgil in the middle ages. Transl. by E. F. M. Benecke. with an introduction by Rob. Ellis. London, Sonnenschein. XVI, 376 s. 7,6 sh.

7. Schlosser, Quellenbuch zur kunstgeschichte. XXV, 407 s. vgl. abt. 8, 84.

8. K Burdach, Zum nachleben antiker dichtung und kunst im mittelalter. Verhandl. der 43. versammlung deutscher philologen und schulmänner in Köln. vgl. abt. 21, 72.

9. A. Baumeister, Die mittelalterliche ritterburg in Faust II, 3. Goethe-jahrb. 1896 (17).

10. Litterarische und künstlerische thätigkeit in deutschen nonnenklöstern im ausgehenden mittelalter. Histor. polit. bll. 118, 9.

11. G. Liebe, Ritter und schreiber, eine kulturgeschichtliche parallele. Zs. f. kulturgesch. n. f. 3 (6).

12. St. Beissel, S. J. Die verehrung unserer lieben frau in Deutschland während des mittelalters. (Stimmen aus Maria-Laach, erg.-heft 66.) Freiburg, Herder. 8⁰. VII, 154 s. 2 m. — angez. Österr. litbl. 1896 (15) 451—452.

13. Dippe, Die fränkischen Trojanersagen. Wandsbek, Matthias Claudius-gymn. progr. [no. 293]. — vgl. abt. 10, 41.

14. Ph. Aug. Becker, Die altfrz. Wilhelmsage und ihre beziehung zu Wilhelm dem heiligen. Studien über das epos vom Moniage Guillaume. Halle a. S., M. Niemeyer. V, 175 s. 4,40 m. angez. A. Jeanroy, Revue critique 1896 (18).

15. Kohler, Der ursprung der Melusinensage. — vgl. abt. 10, 49.

16. Devantier, Der Siegfried-mythus. — vgl. jsb. 1894, 12, 220. — angez. Österr. litbl. 1896 (5) 145.

---

17. Felsmann, A kalocsai codex. Budapest, St. Stefangesellschaft 1895. 0,60 kr. — vgl. jsb. 1895, 14, 14.
in 4 abschnitten: 1. beschreibung des codex. 2. abdruck des index, mit nummern und nummernindex dazu in kurzer übersicht über die behandelten stoffe. 3. zur geschichte des codex. 4. [flüchtige] übersicht der ansichten über das verhältnis des Kalocsaer und Heidelberger codex. — rec. von A. Schullerus, Korrbl. d. ver. f. siebenbg. landeskde. 20 (1) 14 f.

18. R. Priebsch, Deutsche handschriften in England. I. Ashburnham, Cambridge, Cheltenham, Oxford, Wigan. mit einem anhange ungedruckter stücke. Erlangen, Fr. Junge. — vgl. abt. 15, 4a. — angez. Leendertz jun., Museum 4 (8). vgl. auch Gallée, Deutsche hss. in England. Nederlandsche spectator 1896 (11). The Athenæum no. 3578.

19. Schmidt, Deutsche handschriften in Maihingen. — vgl. abt. 10, 277. nachtrag zu Bartschs artikel in der Germ. 8 (1863) 48 ff.

20. J. Bolte, Zu den Maihinger hss. Alemannia 24 (2) 179.

21. L. Grobe, Die schätze der herzoglichen öffentlichen bibliothek in Meiningen. progr. d. herzogl. realgymn. [no. 724] 1896. 18 s. 4.

darunter eine sogenannte 'armenbibel' (s. 9—11) aus dem ende des 15. jahrhs.

22. O. v. Heinemann, Die hss. der herzogl. bibliothek zu Wolfenbüttel. 2. abt. Die augusteischen hss. II. Wolfenbüttel, Zwissler 1895. 364 s. roy. 8. 15 m. — angez. Lit. cbl. 1896 (7) 231 (enthält u. a. aus dem 14. jahrh. die bilderhss. Wolframs, Ulrichs v. d. Türlîn und Ulrichs von Türheim).

23. E. Martin, Zwei alte Strassburger hss. Zs. f. d. altert. 40, 220—223.
giebt aus abschriften des 18. jahrhs. von jetzt verlorenen Strassburger hss. auskunft über den inhalt; es war in der ersten hs. unter anderem das leben der heiligen, Konrad von Würzburg, Gregorius auf dem steine enthalten; die zweite hs. gab die psalmen.

24. R. Kautzsch, Notiz über einige elsässische bilderhss. aus dem ersten viertel des 15. jahrhs. vgl. abt. 21, 42, s. 287—293.
notiz über die werkstatt eines unbekannten schreibmeisters, eines vorläufers von Diebolt Lauber in Hagenau, aus der eine gruppe von bilderhss. hervorgegangen ist z. b. von Veldeke, Trimberg, Rud. v. Ems u. a. m.

25. Keinz, Die wasserzeichen. aus den Abhandlungen d. kgl. bayer. akad. d. wiss. 1. cl. XX. bd., III. abt. — vgl. abt. 8, 41. wichtig für alters- und echtheitsbestimmung von hss. angez. Lit. cbl. 1896 (42) 1532—1533.

26. Denkmäler der älteren deutschen litteratur für den unterricht. hrsg. von Bötticher und Kinzel. Halle, Waisenhaus. anhang: Geschichte der deutschen litteratur mit einem abriss der deutschen sprache und metrik. 2. aufl. XII, 178 s. 1,80 m.

27. Denkmäler der älteren deutschen litteratur für den unterricht. hrsg. von Bötticher und Kinzel. Halle, Waisenhaus. 1. Die deutsche heldensage. 2. Kudrun. hrsg. von H. Löschhorn. zweite aufl. 1896. 126 s. 0,90 m. — angez. E. Martin, Anz. f. d. altert. 22, 320—321.

28. J. Hense, Deutsches lesebuch für die oberen klassen höherer lehranstalten. auswahl. I. dichtung des mittelalters. 3. aufl. Freiburg 1896.

29. K. Fischer, Volks- und kunstepen der ersten klassischen blütezeit (= schulausgaben deutscher klassiker 12). Trier 1895. — angez. von F. Spengler, Zs. f. österr. gymn. 47 (2) 147.

Anno. 30. Das Annolied hrsg. von Roediger. — vgl jsb. 1895, 14, 21. — angez. Lit. cbl. 1896 (27) 978—979 (sehr anerkennend).

Amelungenlied. vgl. abt. 21, 44.

Anthyrlied. 31. H. Möller, Anthyrlied. — vgl. jsb. 1895 14, 22. — angez. O. Glöde, Arch. f. d. stud. d. n. spr. 96, 201—205.

Lehren des Aristoteles. vgl. no. 33, 1.

Armenbibel. vgl. no. 21.

Barlaam und Josafat. vgl. no. 33, 2.

Bruchstücke. 32. E. Martin, Colmarer bruchstücke aus dem 12. jahrh. Zs. f. d. altert. 40, 305—331.
drei bruchstücke aus dem bezirksarchiv zu Colmar, 12. jahrh., abgelöst von den innenseiten eines urbars von Andolsheim, von einer hand geschrieben: I. Crescentia, entspricht, die verstümmelung durch beschneiden abgerechnet, der Kaiserchronik 11 553—12 377; II. betitelt M. *Der scopf von dem lône*; III. 'Cantilena de conversione sancti Pauli'; II. stammt aus Alemannien ungef. aus der mitte des jahrhs. im ganzen ca. 460—520 verse; III. ist älter und umfasst nur 93 verse. es folgt der abdruck aller drei stücke.

33. W. Scheel, Die Berliner sammelmappe deutscher fragmente. (Ms. germ. fol. 923) = Festgabe an Karl Weinhold s. 31—90. — vgl. abt. 21, 56.
katalogisierung der Berliner sammelmappe, die neben bekanntem auch einige noch nicht bestimmte bruchstücke enthält: 1. Lehren des Aristoteles. 2. Barlaam und Josafat. 3. Kleine erzählungen. 4. 5. Gottfried v. Strassburg. 6. Gregorius Magnus, Dialogi. 7. Hartmann v. Aue, Der arme Heinrich. 8. Heinrich Hesler, Offenbarung Johannis. 9. Heinrich v. d. Türlîn, Der abenteuer krone. 10. Hugo v. Trimberg, Der renner. 11. Johann v. Würzburg, Wilhelm v. Österreich. 12. Kaiserchronik. 13. Konrad v. Fussesbrunnen, Kindheit Jesu. 14. Konrad v. Würzburg, Trojanerkrieg. 15.—17. Passional. 18. Pleier, Garel. 19. Reinmar v. Zweter. 20. König Rother. 21.—24. Rudolf v. Ems, Weltchronik. 25. Wilhelm v. Orlens. 26. Stricker, Karl d. grosse [vgl. jetzt W. Scheel,

Zs. f. d. altert. 41, 188—192]. 27. Der jüngere Titurel. 28.—30.
Ulr. v. Türheim, Willehalm. 31.—32. Ulr. v. d. Türlîn, Willehalm.
33. Veterbuch. 34. Weltchronik. 35. Wirnt, Wigalois. 37.—41.
Wolfram, Parzival. 42.—46. Wolfram, Willehalm. 47. Athenor (?).
48. Marienleben [nach frdl. mitteilung von prof. Steinmeyer aus
dem Marienleben bruder Philipps]. 49. Marienlied (?). 50. Ulr. v.
Türheim, Willehalm (?). 51. Varia. den schluss bildet der abdruck von unbekannten stücken: 1. Gregorius Magnus (no. 6).
2. Register zum Renner (no. 10). 3. Johann v. Würzburg, Wilhelm v. Österreich (no. 11).

Brun von Schonebeck. 34. F. Bech, Zur kritik und erklärung
des Brun von Schonebeck. Zs. f. d. altert. 40, 63—101.

ausführliche auslegung einzelner stellen und ergänzungen zu
Fischers ausgabe (jsb. 1894, 14, 24).

35. Edw. Schroeder, Kasseler bruchstück des Brun von
Schonebeck. Zs. f. d. altert. 40, 101—102.

enthält v. 3930—4071 und gehörte mit dem bei Bartsch, Beitr. z.
quellenkunde der altdeutschen litt. s. 168 ff. abgedruckten bruchstücke zu einem blatte.

Christoph. 36. Konrad Richter, Der deutsche S. Christoph.
eine historisch-kritische untersuchung (= Acta Germanica hrsg. v.
R. Henning u. Jul. Hoffory (†) V, 1). Berlin, Mayer u. Müller.
VI, 243 s. 8 m.

giebt nach einer vorgeschichte der Christophlegende eine übersicht über ihre ausbreitung in Deutschland und ihre verschiedenen
bearbeitungen und danach eine darstellung der legende. den
schluss macht ein kapitel über den niederschlag der legende in
volksbrauch und volksmeinung.

Erzählungen (vgl. auch no. 33, 3).

37. Schmidt, Historie von einem ritter, wie er buesset.
Publications of the modern language association 11 (2).

38. Lucifers mit seiner gesellschafft val. Und wie derselben
geist einer sich zu einem Ritter verdingt, und ym wol dienete.
Bamberg 1493. nach dem unikum des germ. nationalmuseums hrsg.
vgl. unten 15, 54.

Ezzoleich. 40. J. B. Krallinger, Der Ezzoleich. mit einl.
u. erklär. anmerkungen hrsg. progr. München. 30 s.

Fabel. 41. G. C. Keidel, Romance and other studies 2, 1.
A manual of Aesopic fable literature. A first book of reference
for the period ending a. d. 1500. Baltimore, Friedenwald co.

erster teil einer übersicht über die aesopische fabellitteratur bis zum jahre 1500. hier zu erwähnen sind Ulrich Boner (s. 9), Hainricus Stainhöwel (s. 17 ff.) u. a. m.

42. Keidel, An early german edition of Aesop's fables. Modern language notes 11 (1).

Der heilige Georg. vgl. no. 103.

Gottfried v. Strassburg (vgl. auch no. 33, 4. 5).

43. K. Marold, Zur handschriftl. überlief. des Tristan Gottfrieds v. Strassburg. Festschrift zum 70. geburtstage Oskar Schade dargebracht s. 177—186 (vgl. abt. 21, 41).

nicht nur in MF und in MW, sondern auch in FH und HW sind gemeinsame fehler in grösserer anzahl vorhanden. eine neue gründliche behandlung des hs.verhältnisses ist also trotz der an sich guten überlieferung sehr zu wünschen.

44. P. Rothe, Konditionalsätze in Gottfrieds v. Strassburg Tristan. — vgl. jsb. 1895, 14, 36. H. Reis, Litbl. 1896 (3) 75—76 tadelt besonders die anordnung des stoffes.

45. J. Minor, Wahrheit und lüge auf dem theater und in der litteratur. [vortrag gehalten am 17. dezember 1895 in der Wiener Grillparzer-gesellschaft.] Euphorion 3 (1896), s. 265 ff.

das liebesverhältnis zwischen Tristan und Isolde wird als ein beispiel für den gegensatz verschiedener weltanschauungen angeführt. die liebenden machen sich keine vorwürfe über ihren heimlichen betrug, sie halten alles für erlaubt, um Marke zu betrügen. der zwerg, der dem könig die augen öffnet, wird von dem dichter der 'unhövescheit' geziehen. der dichter macht den liebenden keinen vorwurf; nach seiner meinung thut der eifersüchtige gatte sogar unrecht, so eifrig auf die wahrheit zu pürschen. ein moderner dichter würde den bund zwischen Marke und Isolt als ehelichen betrug und als den ausgangspunkt aller lügen betrachten. [G. Minde-Pouet.]

Hartmann von Aue (vgl. auch no. 23 und 33, 7).

46. Schönbach, Über Hartmann von Aue. — vgl. jsb. 1895, 14, 42. E. Martin, Anz. f. d. altert. 22, 47—50 (sehr anerkennend); Seeberg, Theol. litbl. 16 (50).

47. Hartmann von Aue im lichte der neuesten untersuchung. Hist. pol. blätt. 117 (2) 15—26, 81—91. (nach Schönbach, dessen standpunkt der ref. teilt, wird ein charakterbild Hartmanns gezeichnet).

48. Th. Schön, Die heimat Hartmanns von der Aue. Reutlinger geschichtsbll. 3 (7).

49. B. J. Vos, The diction and rime-technic of Hartmann von Aue. New York und Leipzig, Lemcke u. Büchner. 74 s.

giebt alphabetische zusammenstellungen über wortgebrauch in den werken Hartmanns unter steter berücksichtigung des vorkommens im reim (s. 1—41) und behandelt dann (s. 42—68) ausführlich die reimtechnik. zum schluss (s. 69—73) werden die resultate für die festlegung der chronologie von Hartmanns werken benutzt.

50. Starr Williard Cutting, Der konjunktiv bei Hartmann von Aue. Germanic studies edited by the department of germanic languages and literatures. Chicago 1894. diss. — H. Reis, Litbl. 1896 (7) 226 tadelt besonders, dass die im reim stehenden formen ohne unterschied unter die übrigen gemischt werden.

51. A. Wallner, Erec 7906. Zs. f. d. altert. 40, 60—62.

zuo der winstern hant wird für die la. der hs. *zuo der vinstern want* empfohlen und durch beispiele, die die bedeutung 'rechts' und 'links' gleich 'gut' und 'böse' schon im mittelalter belegen, erläutert.

52. Henrici, Iwein. Halle 1893. — vgl. jsb. 1895, 14, 40. K. Zwierżina, Anz. f. d. altert. 22, 180—196, giebt eine reihe von nachträgen und bemerkungen besonders über die textgestaltung, in denen er mit H. nicht übereinzustimmen vermag.

53. Edw. Schroeder, Fragmente der Iweinhs. M. Zs. f. d. altert. 44, 242—245.

4 blatt einer Iweinhs., zu der auch das fragment M (Henrici) gehört, enthaltend vers 2564—2581. 2605—2622. 6099—6130. 6138—6171. 6631—6639. 6664—6671. 7821—7861. 7863—7904. sie befinden sich in Kassel und stammen aus ehemaligen Schaumburgischen archivalien; die hs. ist einspaltig; 14. jahrhundert; 190 × 145 mm.; merkwürdige ausnutzung des raums.

54. U. Friedländer, Metrisches zum Iwein Hartmanns von Aue. Festschrift zum 70. geburtstage Oskar Schade dargebracht s. 365—374. — vgl. abt. 21, 41 und den sonderabdr. jsb. 1895, 14, 41.

55. K. Zwierżina, Allerlei Iweinkritik. Zs. f. d. altert. 40, 225—242.

einzelerklärungen, besonders auf lesarten und hs.kritik bezüglich (reminiscenzlesarten).

56. Aus dem nachlasse R. Hildebrands: zu Iwein 4874 Zs. f. d. d. unterr. 10, 737—738. vgl. unten no. 136.

57. G. Rosenhagen, Die episode vom raube der königin in Hartmanns Iwein. vgl. abt. 21, 42, s. 231—236.

Hartmann hat den Conte de la Charette des Crestien nicht unmittelbar gekannt; seine kenntnis der episode ist durch indirekte übermittelung frz. epischer stoffe zu erklären, die vf. grösser annehmen will, als man bisher einzuräumen geneigt war.

58. Bernh. Gaster, Vergleich des Hartmannschen Iwein mit dem löwenritter Crestiens. diss. Greifswald. 152 s.

Heinrich von Freiberg. 59. S. Singer, Die quellen von Heinrichs von Freiberg Tristan. Zs. f. d. phil. 29, 73—86.

will gegen F. Wiegandt (1879) nachweisen, dass Heinrich neben Ulrichs von Türheim fortsetzung und Gottfried auch Eilhart und weiter einen frz. prosaroman benutzt hat, der vielleicht der verlorene des Crestien war.

Heinrich Hesler. vgl. no. 33, 8.

Heinrich v. d. Türlîn. vgl. no. 33, 9.

Heinrich von Veldeke (vgl. auch no. 24).

60. J. H. Kern, Zur sprache Veldekes. vgl. abt. 21, 42, s. 221—230.

behandlung der personalpronomina Veldekes auf grund der neuen bruchstücke des Servatius in München (W. Meyer, Zs. f. d. altert. 27, 146 ff.) und Leipzig (B. Schulze, Zs. f. d. altert. 34, 218 ff.) als nachtrag zu und gegen Behaghel.

Heinrich der Vogler. 61. W. Uhl, Allg. d. biogr. 40, 787—790.

Heinz der Kellner. 62. M. Landau, Zur quelle der Turandotdichtung des kellners. Zs. f. vergl. litgesch. n. f. 9 (4. 5). — vgl. jsb. 1895, 14, 47.

Heinzelein. 63. Fr. Höhne, Die gedichte des Heinzelein von Konstanz. — vgl. jsb. 1895, 14, 48. C. Kraus, Anz. f. d. altert. 22, 234—236, stimmt mit den resultaten der arbeit durchaus nicht überein und tadelt auch stil und drucklegung.

Seifrit Helbling. 64. Starey, Beitr. z. gesch. d. kultur Österreichs 1895. — vgl. abt. 8, 8. — angez. Zs. f. d. realschulw. 21, 572.

Hentz von den Eychen. 65. R. Priebsch, Der krieg zwischen dem lyb vnd der seel. Zs. f. d. phil. 29, 87—98.

aus dem Additional ms. no. 32 447 des British museum; copie von L. Sterner aus dem 16. jahrh. [vgl. Allg. d. biogr. 36, 119 fg.]; be-

sprechung und abdruck des kleinen gedichtes, das in vers und darstellung der blüteperiode nicht allzufern zu stehn scheint; als
dichter nennt sich Hentz von den Eychen (v. 183), wohl ein
Schweizer, worauf auch der wortschatz führen kann. — vgl. abt.
15, 36.

Herzog Ernst. 66. W. Uhl, Der waise. in der Festschrift zum
70. geburtstage Oskar Schade dargebracht s. 297—308 (vgl. abt.
21, 41).

über · die herkunft und benennung des edelsteins 'der waise'
besonders aus 'Herzog Ernst'.

Hugo v. Trimberg. vgl. no. 24 und 33, 10.

Jagdallegorie. 67. F. Schulz, Jagdallegorie. Festschrift zum
70. geburtstage Oskar Schade dargebracht. s. 233—238 (vgl. abt.
21, 41).

erneuter sorgfältiger abdruck der Königsberger jagdallegorie
eines alemannischen dichters aus der mitte des 13. jahrhs., die zum
erstenmale K. Stejskal nach Schulz' abschrift in der Zs. f. d. altert.
24, 254—268 veröffentlicht hatte. 316 verse.

Johann v. Würzburg. vgl. no. 33, 11.

Kaiserchronik (vgl. auch no. 33, 12).

68. Zs. f. österr. gymn. 47 (5) 479 mitteilung über C. Kraus'
vortrag: beziehungen der deutschen kaiserchronik zum Trierer
Sylvester.

Konrad von Fussesbrunnen. vgl. no. 33, 13.

Konrad von Würzburg (vgl. auch no. 23 und 33, 14).

69. Sigall, Konrad von Würzburg und der fortsetzer seines
Trojanerkrieges. — vgl. jsb. 1894, 14, 51; anerkennend bespr. Zs.
f. d. realschw. 21, 121 von S. Oberländer.

Kudrun (vgl. auch no. 86. 89).

70. Fécamp, Le poème de Gudrun 1892. — vgl. jsb. 1895,
10, 67. 14, 54. — angez. E. Martin, Anz. f. d. altert. 22, 392—394.

71. L. Schepelewitsch, Kudrun. Historisch - litterarische
studien (in russ. sprache). Charkow 1894. 132 s.

behandelt 1. handschrift, ausgaben, inhalt. 2. heimat des
Kudrun. 3. erzählungen von Hilde-Kudrun 4. historische und
mythologische elemente. 5. herkunft, bestand und kritik des gedichts. 6. künstlerische und kulturhistorische bedeutung des gedichts.

Kudrun hrsg. v. Löschhorn. vgl. oben no. 27.

72. Gudrunlied, das, in auswahl und übertragung für den schulgebrauch hrsg. von Walter Hübbe. Leipzig, Freytag. 112 s. 12⁰. 0,60 m.

Lamprecht. 73. H. Christensen, Die vorlagen des byzantinischen Alexandergedichtes. Sitzungsber. d. Münch. akad., philos.-histor. cl. 1897 (1) 33—118.

das 1881 aus W. Wagners nachlass edierte Alexandergedicht ist in der zeit 1200—1350 vermutlich von einem geistlichen in Konstantinopel verfasst. zu grunde liegt das werk des Pseudo-kallisthenes und zwar in einer fassung, die anfangs der älteren und dann der jüngeren recension folgt; daneben sind auch andere quellen, besonders der chronist Georgios Monachos (9. jahrh.) benutzt. aus der sorgfältigen vergleichung sämtlicher älterer Alexander-historien ergiebt sich, dass das byzantinische gedicht zusammen mit der Leidener hs. des Pseudokallisthenes (teilweise auch der Pariser hs. C) und der altslavischen übersetzung (ed. Istrin 1893) einen bestimmten typus mit eigentümlichen abweichungen darstellt.

Laurin. 74. K. Černý, Staročeská báseň o Laurinovi a její originál (das altböhmische gedicht von Laurin und sein original). progr. Pardubitz 1893.

vergleich der altböhmischen dichtung der 2. hälfte des 14. jahrh. mit dem deutschen originale. quelle ist eine unbekannte deutsche hs. gewesen, nahe verwandt ist gruppe B und die hs. w. (richtige wiedergabe deutscher namen!) — angez. J. Kaňka, Zs. f. österr. gymn. 47 (3) 272.

Lorengel. 75. E. Elster, Das verhältnis des Lorengel zum Lohengrin. vgl. abt. 21, 42, s. 252—276.

weiterführung der Lohengrinstudien in P.-Br. beitr. 10, 81 ff. besonders gegen Panzer (vgl. jsb. 1895, 14, 57) gerichtet.

Mai und Bêaflôr. 76. R. Sprenger u. F. Schultz, Zu Mai und Bêaflôr. Zs. f. d. phil. 28, 437—447.

besserungen und beiträge zur erklärung als nachträge und ergänzungen zu Pfeiffers ausgabe.

Moriz von Craon. 77. F. Bech, Zu Moriz von Craon. Zs. f. d. phil. 29, 165—170.

bemerkung zur textgestaltung.

78. Schroeder, Zwei altdeutsche rittermären. — vgl. jsb. 1895, 14, 31. — angez. Zs. d. ver. f. volksk. 5 (4) 463.

Mönch von Heilsbronn. 79. Wimmer, Beiträge zur kritik und erklärung der werke des mönches von Heilsbronn. — vgl. jsb. 1895, 14, 60. S. Vogl, Österr. litbl. 1896 (9) 274.

Neithartspiel. 80. A. E. Schönbach, Ein altes Neithartspiel.
Zs. f. d. altert. 40, 368—374.

aus einem codex der stiftsbibl. von St. Paul in Kärnten (vgl.
J. Loserth, Das St. Pauler formular. Prag 1896, s. 12—14)
bl. 166ab, aus dem 14. jahrh. in schwäbischer mundart, dessen höheres
alter durch die thatsache bezeugt wird, dass jede unflätige beziehung des scherzes fehlt. abdruck des stückes s. 368—370. —
vgl. abt. 15, 163.

Nibelungen. 81. R. Nadrowski, Über die entstehung des
Nibelungenliedes. Festschrift zum 70. geburtstage Oskar Schade
dargebracht s. 229—232. (vgl. abt. 21, 41.)

will Grotes ansicht von der entstehung der Homerischen gedichte auf die Nibelungen anwenden.

82. Carl Franke, Die Nibelungenliedfrage im briefwechsel
der gebrüder Grimm mit Lachmann. Zs. f. d. d. unterr. 10, 802—808.

die Grimms gegen L.'s theorie von einzelliedern und zwar
Wilhelm noch bestimmter als Jacob. die rede Jacobs 1851 ist
nicht als beginn des streites um die entstehung des Nibelungenliedes zu betrachten.

83. Das Nibelungenlied. mit benutzung von Simrocks übersetzung hrsg. von G. Rosenhagen. [Deutsche schulausgaben von
F. Schiller und V. Valentin no. 8/9.] Dresden, L. Ehlermann 1895.
188 s. 8°. geb. 1,20 m.

vgl. jsb. 1895, 14, 66. in der einleitung zu dieser ausgabe
unterrichtet der herausgeber über die vorgeschichte des Nibelungenliedes, den plan der dichtung, die art der darstellung und die
metrische form. die sachlichen angaben sind selbst für eine schulausgabe zu knapp und oberflächlich. der übersetzung liegt die
Simrocks zu grunde. an einigen stellen sind nur kurze inhaltsangaben gegeben. dagegen lässt sich nichts einwenden. aber die
vereinfachung des textes durch auslassen und gar verschmelzen von
strophen halte ich für unerlaubt. am schluss sind ein paar proben
im urtext nach Lachmanns ausgabe angefügt. [G. Minde-Pouet.]

84. Das Nibelungenlied. übersetzt und mit einleitung, anmerkungen und sprachproben aus dem mittelhochdeutschen, gotischen, althochdeutschen und altnordischen versehen von L. Freytag. 3. aufl. Berlin, Friedberg u. Mode. LIX, 421 s. 8°. 4 m.
— textausgabe 3. aufl. IX, 351 s. 8°. 3 m. — übers. und für
die deutsche frauenwelt eingerichtet. 2. aufl. IV, 319 s. 8°. 2,50 m.

die vollständige ausgabe angez. Rob. Schneider, Zs. f. d. d.
unterr. 10, 454—455.

85. Das Nibelungenlied. übers. und bearb. von G. Bornhak.

2. aufl. Leipzig, Teubner. X, 106 s. 12⁰. 0,80 m. (= Teubners sammlung deutscher dicht- und schriftwerke für höhere töchterschulen, unter mitwirkung von Baumann u. a. hrsg. von G. Bornhak. 1.)

86. Nibelungenlied und Gudrun. Übertragen und hrsg. von G. Legerlotz. Auszug für den unterricht an höheren mädchenschulen. mit beigaben aus Jordans Nibelungen, Hebbels Nibelungen und Geibels gedichten, sowie einem vorwort von J. Wychgram. (Sammlung deutscher schulausgaben 55.) Bielefeld, Velhagen u. Klasing. IV, 164 s. 12⁰. 0,90 m.

87. Die Nibelungen. metrisch übersetzt und erläutert von H. Kamp. 1. heft. metrische übersetzung, nebst proben aus dem urtext. 5. aufl. Berlin, Mayer u. Müller. II, 155 s. 8⁰. 1,50 m.

89. Hartung, Die deutschen altertümer des Nibelungenliedes und der Gudrun 1894. — vgl. jsb. 1895, 14, 69. Rich. Müller, Österr. litbl. 1896 (9) 272—273 wünscht für neue auflagen die entfernung des entbehrlichen und nicht streng zur sache gehörigen sowie die beseitigung einzelner namhaft gemachter versehen. — F. Detter, Zs. f. d. österr. gymn. 45, 1112 f.: dem vf. fehlt es an quellenkenntnis; die etymologischen ableitungen enthalten manches irrige. — sehr gründlich und nützlich nach W. Golther, Bl. f. bayr. gymnw. 30, 737 ff.

90. O. v. Zingerle, Etzels burg in den Nibelungen. — vgl. abt. 21, 57.

giebt ein bild von der 'burg', die in wirklichkeit eine ansehnliche stadt darstellt, auch keine befestigungen hatte. einzelne gebäude werden näher erörtert, besonders der saal, in welchem die Burgunden verbrannt werden sollen. es wird zu zeigen versucht, wie sich die rettung der eingeschlossenen bei diesem brande erklären lasse.

91. K. Wehrmann, Zur heimat Hagens. Zs. f. d. d. unterr. 10, 559—560.

verweist auf namenanklänge und bemerkenswerte orte auf dem Hunsrück.

92. Gruener, The Nibelungenlied and sage in modern poetry. Publications of the modern language association 11 (2).

93. Nover, Deutsche sagen. 2,50 m. — vgl. abt. 10, 31. Josef Frank, Zs. f. d. realschulwesen 21 (1896) s. 423 ff.

94. Wagenführ, Die lektüre des Nibelungenliedes. — vgl. jsb. 1895, 14, 70. P. Blunk, Zs. f. d. d. unterr. 10, 294—298.

95. Bleibtreu,. Die bedeutung des Nibelungenliedes. Kritik hrsg. von Wrede 3, 95. 96.

Orendel. 96. Tardel, Untersuchungen zur mhd. spielmanns-poesie. — vgl. jsb. 1895, 14, 71. Singer, Anz. f. d. altert. 22, 43—47 giebt eine reihe von ausstellungen und zusätzen und weist auf eine eigene demnächst erscheinende arbeit hin. Fr. Ahl-grimm, Zs. f. d. phil. 28, 535—537. F. Vogt, Arch. f. d. stud. d. n. spr. 96, 205—206 (anerkennend).

Passional (vgl. auch no. 33, 15—17).

97. Edw. Schröder, Zwei editionen des Passionals. Zs. f. d. altert. 40, 301—304.

bespricht ein Kasseler fragm. aus dem 3. teile des Passionals und zwar der legende von St. Gregorius, das deshalb grösseres interesse beansprucht, weil darin enthaltene plusverse gegenüber dem von Köpke veröffentlichten texte persönliche auslassungen des dichters geben, die auf eine zweite edition, wenigstens vom 3. teile des Passionals, führen können.

Bruder Philipp (vgl. auch no. 33, 48).

99. C. Schiffmann, Bruchstücke. — vgl. jsb. 1895, 14, 73. C. Kraus, Anz. f. d. altert. 22, 321—322, giebt die vom hrsg. mehrfach verfehlte zählung und gruppierung der fragm. nach Rückerts ausgabe und citiert den bibliothekar des stiftes Schlägl G. Vielhaber, der bereits 1895 die zugehörigkeit der fragm. zu Philipp erkannt hat. hinweis auf ein fragm. in St. Petersburg, das v. 3815 mit lücken bis v. 4892 enthält. K. Helm, Litbl. 1896 (8) 260, giebt ebenfalls an, dass die gefundenen stücke dem Marienleben des bruder Philipp angehören (v. 6364—6990) und bessert die bei Sch. fehlerhafte anordnung; der dialekt ist mittel-deutsch, doch rührt die hs. von einem oberdeutschen schreiber her.

Pleier (vgl. auch no. 33, 18).

100. Walz, Garel v. d. blüenden tal 1892. — vgl. jsb. 1892, 14, 74. K. Zwieržina, Anz. f. d. altert. 22, 353—363 (parallelstellen aus den klassischen dichtern der höfischen zeit; motivvermischung).

101. K. Bünte, Beiträge zur sittengeschichte aus Tandareis etc. — vgl. jsb. 1893, 14, 53. O. v. Zingerle, Anz. f. d. altert. 22, 283—285 (ablehnend; ref. wünscht an stelle der wiedererzählung von allbekannten dingen nur das wesentliche und der erklärung bedürftige hervorgehoben, wodurch platz gewonnen wäre, ein all-seitiges kulturbild zu zeichnen).

Recht. 102. Edw. Schröder, Zu Zs. f. d. phil. 28, 423 (*ærdisen*). Zs. f. d. phil. 29, 223.

verweist auf G. Ehrismann, Germ. 33, 372 (1888); (vgl. jsb. 1895, 14, 74).

Reinbot von Durne. 103. Der heilige Georg des Reinbot von Durne. mit einer einleitung über die legende und das gedicht hrsg. und erklärt von Ferd. Vetter. Halle, Niemeyer. CXC, 298 s. 8⁰. 14 m.

in der gross angelegten einleitung giebt V. eine darstellung der entwicklung der legende vom heiligen Georg, ausgehend von ihrer ursprünglichsten fassung des 4.—5. jahrhs. (s. I—XVII), deren schicksale und vermutlicher inhalt s. XVII ff. festgestellt werden. es folgen die verschiedenen überarbeitungen der urlegende unter dem einfluss des bereits eingewurzelten Georgskultus (s. LI ff.), sowohl im morgen- wie im abendlande und ihre redaktionen. besonders behandelt ist der drachenkampf des heil. Georg, der sich erst an die legende als allegorie des besiegten heidentums angeschlossen hat (s. LXXV ff.). der zweite teil der arbeit behandelt den mhd. dichter und sein werk, bringt zuerst das wenige über Reinbot selbst und giebt dann eine beurteilung des wertes nicht nur seines gedichtes, sondern der ganzen ritterlichen litteratur des 13. jahrhs., der nicht allgemeine berechtigung zugestanden werden kann, der auch der recensent im Lit. cbl. 1896 (33) 1198—1200 bei aller anerkennung des vfs. selbst entgegentreten zu müssen glaubt. — der inhalt des gedichtes wird s. CXVI—CXXVIII erzählt. s. CXXIX ff. behandelt die überlieferung und die sprache des dichters und der handschriften. s. CXLIX ff. giebt rechenschaft über orthographie und metrik des vorliegenden textes. text und reiche anmerkungen machen den beschluss. — vgl. abt. 10, 122.

König Rother. vgl. no. 33, 20.

Rudolf von Ems (vgl. auch no. 24 und 33, 21—25).

104. Fr. Krüger, Stilistische untersuchungen über Rudolf von Ems als nachahmer Gottfrieds von Strassburg. progr. d. Katharineums zu Lübeck. [no. 759.] 36 s. 4⁰. 1 m.

die vorliegende arbeit betritt ein weniger angebautes feld der untersuchung; sie will zeigen, wie Rudolf von Ems seinen meister Gottfried nachgeahmt hat und welche stelle er in dem kreise der schüler Gottfrieds einnimmt, von denen des raumes wegen nur die drei hervorragendsten vertreter Heinrich von Freiberg, Konrad Fleck und Konrad von Würzburg herangezogen sind. von Rudolfs werken werden meist der 'gute Gerhard' und 'Barlaam' behandelt. in drei kapiteln bespricht der vf. 'gleichnisse und bilder', 'antithese' und 'wortspielerei' und kommt zu dem resultat, dass Rudolf unter den behandelten Gottfriedschülern sich am engsten an seines meisters vorbild und kunstübung angeschlossen, besonders in antithese und wortspielen. Heinrich von Freiberg steht Gottfried im bildlichen ausdruck freilich näher, eigene wege schlagen Fleck und Konrad von Würzburg ein.

105. Zeidler, Untersuchung des verhältnisses der handschriften von R.'s von E. Wilhelm v. Orlens. — vgl. jsb. 1895, 14, 78. G. Rosenhagen, Zs. f. d. phil. 29, 124—126. G. Schatzmann, Zs. f. d. realschulw. 21, 443.

106. S. Singer [Bemerkung zu Zs. f. d. altert. 38, 271 ff.]. Anz. f. d. altert. 22, 240.

akrosticha bei R. scheinen schon von Vilmar gekannt zu sein.

107. V. Zeidler, Das ist die sag von wilhalm von orlenz und von seiner lieben amalya. eine spätmittelalterliche umdichtung von Rudolfs Wilhelm v. Orlens, aus einer Münchener pap. hs. abgedruckt. progr. Waidhofen. 42 s. 8°.

Salman-Morolf. vgl. oben no. 96.

Silvester. 108. C. Kraus, Trierer Silvester. — vgl. jsb. 1895, 14, 82. Litcbl. 1896 (27) 978—979 (sehr anerkennend).

Peter von Staufenberg. 109. K. Schorbach, Jüngere drucke des ritters von Stauffenberg. Zs. f. d. altert. 40, 123—125.

bespricht im anschluss an Edw. Schröder, Zwei altd. rittermaeren s. XXXV zwei jüngere drucke der dichtung von Peter Diemringer: der eine erschien ca. 1500 in Strassburg zweifellos bei M. Hupfuff, ein nachdruck der Schottschen ausgabe (d²); ins 16. jahrh. führt die spur einer verlorenen ausgabe, von der Sch. zwei holzstöcke von illustrationen, der Strassburger buchdruckerei von Heitz gehörig, auffand; sie stammt ungefähr aus dem jahre 1550 etwa von Jak. Fröhlich oder Chr. Müller in Strassburg.

Stricker (vgl. auch no. 33, 26).

110. R. Dürnwirth, Ein bruchstück aus des Strickers Karl. — vgl. jsb. 1895, 14, 85. S. Oberländer, Zs. f. d. realschulw. 21, 445.

Thomasin von Zirkläre. vgl. no. 150.

Der jüngere Titurel (vgl. auch no. 33, 27 und 143).

111. Al. Tille, Ein Xantener bruchstück des jüngeren Titurel. Zs. f. d. phil. 29, 172—177.

abdruck eines pergamentblatts des 14. jahrhs. aus dem pfarrarchiv

zu Xanten mit 27 strophen des jüngeren Titurel (Hahn 1996—2018);
zusatzstrophen nach 1998 und 2009. die rückseite stark beschädigt.

112. Eine Titurel-hs. aus dem 14. jahrh. Allgem. ztg. 1896,
beil. 6.

Tristan als mönch. 113. F. Bech, Zur kritik und erklärung
des von H. Paul hrsg. gedichtes: Tristan als mönch. Zs. f. d. phil.
29, 338—345.

einzelbeiträge vorzüglich zur textgestaltung. — vgl. jsb. 1895,
14, 89.

Udo. 114. K. Helm, Die legende vom erzbischof Udo von
Magdeburg. Neue Heidelb. jahrb. 7, 95—120.

abdruck und besprechung der legende aus cgm. 5, bl. 218a bis
223a in bayr. dialekt, die sich mit historischen ereignissen der zeit
Burchards III. (1307—1325) in zusammenhang bringen lässt. vf.
ist wohl ein in der legendenlitteratur wohlbewanderter geistlicher.

Ulrich v. Lichtenstein. vgl. no. 175.

Ulrich v. Türheim. vgl. no. 22 und 33, 28—30.

Ulrich v. d. Türlin (vgl. auch no. 22 und 33, 31—32).

115. Singer, Willehalm. — vgl. jsb. 1894, 14, 93. 1895, 14,
92. C. Kraus, Anz. f. d. altert. 22, 50—63 (ausführliche rec. mit
besserungsvorschlägen, vorzüglich zum texte und gegen die annahme von fehlern in O; dabei sehr anerkennend). — Seemüller,
Gött. gel. anz. 1896 (6).

Veterbuch. vgl. no. 33, 33.

Hans Vintler. 116. O. v. Zingerle, Allg. d. biogr. 40, 5—7.

Stephan Vohburk. 117. G. Roethe, Allg. d. biogr. 40, 196.

Volmar. 118. W. Uhl, Allg. d. biogr. 40, 259—261.

Volrat. 119. G. Roethe, Allg. d. biogr. 40, 275.

Vriolsheimer. 121. L. Fränkel, ebd. 40, 374.

Vrône botschaft. 122. R. Priebsch, Diu vrône botschaft. —
vgl. jsb. 1895, 14, 97. K. Helm, Litbl. 1896 (8) 258—259
weist in textgestaltung und lautlehre einige ungenauigkeiten nach,
lobt den sachlichen teil. ebenso G. Rosenhagen, Zs. f. d. phil.
29, 126—131. R. Piffl, Österr. litbl. 1896 (14) 427—428.

Walther von Rheinau. 125. J. Seemüller, 1. Pfunderer bruchstück aus Walthers von Rheinau Marienleben. Sep.-abdr. aus der
Ferdinandeums-zs. III. folge, 40. heft. 11 s. 8⁰.

perg.-doppelblatt 21 (22) $\times$ 15,75 cm., zweispaltig, jede spalte
44 zeilen, verse abgesetzt, versanfänge nicht eingerückt; schrift um
1300. enthält auf bl. 1 226, 35—229, 50, bl. 2 182, 33—185, 32
(Keller); tritt zu C, S und Z als rest einer vierten hs. P., bietet
für 226, 35—228, 27 die einzige parallelüberlieferung zum Stuttgarter texte. s. 4—11 abdruck des fragmentes.

Warnunge. 126. A. Wallner, Die entstehungszeit des mhd.
memento mori die warnunge. progr. Laibach, Fischer. 41 s. 1 m.

Weltchronik. vgl. no. 33, 34.

Weltgerichtsdichtung. 127. Karl Reuschel, Untersuchungen zu
den deutschen weltgerichtsdichtungen des 11.—15. jahrhs. I: gedichte des 11.—13. jahrhs. Leipziger diss. 44 s. 8⁰.

Werner d. gärtner. 128. M. Schlickinger, Zur Helmbrechts-
hoffrage. Zs. f. d. phil. 29, 218—223.

gegen die recension von F. Keinz, Anz. f. d. altert. 20,
258—262 (jsb. 1894, 14, 94).

Der sünden widerstreit. vgl. no. 33, 3.

128a. das sog. stück 'Christi ritterschaft' ist von Ph. Strauch,
Anz. f. d. altert. 23, 280 als zu dem gedichte 'Der sünden widerstreit' vers 3449—3524 (Zeidler) gehörig erkannt worden.

Wirnt von Grafenberg (vgl. auch no. 33, 35).

129. F. Saran, Über Wirnt von Grafenberg und den Wigalois. P.-Br. beitr. 21, 253—420.

handelt in ausführlicher weise s. 254—280 über die person
des dichters, namen, heimat und stand, sowie bildung und lebensverhältnisse, indem er vorzüglich die angaben des dichters selbst
und der späteren, die ihn erwähnen, heranzieht. — der Wigalois
ist zu zwei dritteln ca. 1204, der rest zweifellos vor 1209 gedichtet. — sodann handelt S. über Wirnts verhältnis zu den Mera-
niern und die späteren lebensverhältnisse des dichters. — der
zweite teil der abhandlung (s. 281—420) wendet sich der quelle
des Wigalois zu und kommt zu dem resultat, dass W., wie die
ähnlichkeit der komposition u. a. beweist, mit Renauts Desconëu
zwar in nebenpartieen eine gewisse verwandtschaft habe, aber
keineswegs direkt aus ihm geflossen sei, sondern dass die verwandtschaft der ähnlichen teile in beiden werken mindestens durch
zwei französische romane (O und X) vermittelt ist. dies wird noch
dadurch erhärtet, dass die inkongruenten teile im Wigalois nicht von
Wirnt erfunden sind, sondern gerade in dem hauptabenteuer in
gleicher disposition und ordnung in einem prosaroman des 15. jahrhs.
wiederkehren; doch auch nicht dessen direkte vorlage, sondern ein

uns verlorener Artusroman des 12. jahrhs. hat dem dichter als quelle gedient, ist ihm von dem knappen mit seinem inhalte und seinen widersprüchen getreulich überliefert worden.

Wolfram von Eschenbach (vgl. auch no. 22. 33, 36—46 u. no. 93).

130. Franz Panzer, Bibliographie zu Wolfram von Eschenbach. mit 1 karte und 1 wappentafel. München, Th. Ackermann. VI, 37 s. mit 1 stammtafel. 1,20 m.

131. Sattler, Die religiösen anschauungen Wolframs von Eschenbach. — vgl. jsb. 1895, 14, 104. — angez. Litcbl. 1896 (19) 707—708 von J. Minor, anerkennend mit einigen nachträgen und gelegentlicher neuer erklärung von Parz. 462, 11. Archiv f. d. stud. d. n. spr. 97 (1) von M. Roediger im ganzen anerkennend.

132. Joh. B. Wimmer, S. J. Über den dialekt Wolframs von Eschenbach (im jsb. d. privatgymn. d. ges. Jesu in Kalksburg 1894—1895). Kalksburg 1895. 24 s.

vf. will den bayrischen dialekt Wolframs aus den reimen erweisen. W. kannte die md. monophthongierung von *ie, uo, üe, iu* nicht, während ihm die bayr. diphthongierung von *î, û, ü* geläufig war, entscheidend aber ist der umstand, dass W. nie $i:i$ und $u:\hat{u}$ in deutschen wörtern gereimt hat, weil er *î* und *û* bereits diphthongisch (*ei, ou*) hörte. — angez. S. Vogl, Österr. litbl. 1896 (9) 273—274.

133. L. Wiener, French words in Wolfram von Eschenbach. American journal of philology 16 (3).

134. E. Wechssler, Zur beantwortung der frage nach den quellen von Wolframs Parzival. — vgl. abt. 21, 42; s. 237—251.

macht im anschluss an Heinzel (vgl. jsb. 1891, 10, 123. 1894, 14, 99) wahrscheinlich, dass Wolfram neben Crestien noch andere frz. quellen benutzt hat, da sich fast alles, was er über Crestien hinaus vom Gral erzählt, auch bei Franzosen findet.

135. G. Rosenhagen, *Muntane cluse* (Parz. 382, 24). Zs. f. d. phil. 29, 150—164.

will als gemeinsame grundlage für die stelle im Parz. und eine episode im Tandareis des Pleiers ein deutsches verschollenes gedicht von Lanzelot nachweisen und stellt prinzipiell fest, dass die direkte bekanntschaft mit den frz. epen in Deutschland doch seltener war, als man anzunehmen geneigt ist, und dass an der selbständigen erfindungskraft der deutschen dichter nicht zu zweifeln ist, wenn ein fremdes original nicht klar und bestimmt vorliegt.

136. Aus dem nachlasse R. Hildebrands: zu Parz. 742, 21. Zs. f. d. d. unterr. 10, 737—738. — vgl. oben no. 56.

137. A. Wallner, Zu Parzival 826, 29. Zs. f. d. phil. 28, 565—566.

behandelt das von Wolfram hier scherzend gemeinte *mit rede sich rechen* Erecs, der seiner frau nur mit worten droht, ohne zur that zu schreiten; gegen Stosch, Zs. f. d. phil. 28, 50 ff. (s. jsb. 1895, 14, 100).

138. Alb. Freybe, Faust und Parzival. eine nacht- und eine lichtgestalt von volksgeschichtlicher bedeutung. Gütersloh, Bertelsmann. XXVIII, 366 s. 4,40 m.

angez. Lit. cbl. 1896 (25) 917 (für die litteraturgeschichte unbrauchbar).

139. K. Knortz, Parzival. litterarhistorische skizze. mit dem anhange: der einfluss und das studium der deutschen litteratur in Nordamerika. Glarus, Schweizerische verlagsanstalt. 60 s. 0,50 m.

140. W. Hertz, Kondwiramur. aus Wolframs Parzival nachgedichtet. Deutsche dichtung hrsg. von Franzos 19 (7. 8).

141. F. Panzer, Zu Wolframs Willehalm. P.-Br. beitr. 21, 225—240.

bemerkungen zur textkritik und erklärung des Willehalm mit benutzung aller neu seit Lachmanns ausgabe ans licht getretenen hss. und bruchstücke. behandelt folgende stellen: 2, 9 ff. 15, 27 ff. 16, 10 ff. 17, 11 ff. 18, 7. 25, 21. 26, 25 ff. 27, 10. 33, 18. 43, 22 ff. 44. 11. 44, 24 ff. 48, 16. 75, 7. 97, 6. 102, 7 ff. 104, 14. 106, 14 ff. 124, 22 f. 151, 2 ff. 157, 7. 164, 26, 165, 5. 169, 10 f. 199, 24. 215, 4. 216, 23. 217, 19. 219, 18 ff. 238, 24 ff. 241, 21 f. 242, 18 f. 247, 26 ff. 253, 12 f. 255, 3. 268, 24. 292, 20. 296, 21. 299, 13 ff. 302, 18 ff. 303, 6 f. 316, 19 f. 340, 7 f. 343, 4. 381, 23 f. 386, 22 ff. 392, 10 ff. 394, 9 f. 417, 22 ff. 438, 22 ff. 458, 12 f.

142. C. Kraus, Zu Wolframs Willehalm. P.-Br. beitr. 21, 540—561.

bringt ebenso wie F. Panzer (vgl. no. 141) beitr. und bemerkungen zur textkritik, wendet sich jedoch in vielen fällen ausdrücklich gegen dessen besserungsvorschläge, indem er Lachmanns werk in schutz nimmt.

143. C. Borchling, Der jüngere Titurel und sein verhältnis zu Wolfram von Eschenbach. diss. und gekrönte preisschrift. Göttingen, Univ.-buchdruckerei. 188 s. 4⁰.

die Göttinger fakultät hatte als preisaufgabe die fragen gestellt, in welchem masse der dichter des jüngeren Titurel nach inhalt und sprache von seinem vorbilde abhängig sei, und ob wir zu der annahme genötigt seien, dass Albrecht für sein epos noch andere wesentliche quellen benutzt habe als Wolframs dichtungen. die letztere frage erörtert der vf. zuerst (s. 1—109) indem er stück für stück den jüngeren Titurel durchgeht und nachweist, dass Wolframs Parzival und Titurel die einzige vorlage ist, die Albrecht für sein ganzes gedicht gleichmässig heranzieht. freie ausspinnung der handlung ist überall mit nachahmungen Wolframscher scenen und motive auch aus dem Willehalm durchsetzt, daneben auch mit 'einer unsumme von kleineren zügen und anspielungen' aus der zeitgenössischen litteratur. nur für einzelne kleinere in sich abgeschlossene abschnitte (z. b. vom priester Johann) sind auch zusammenhängende quellen neben Wolfram zu erkennen. eine nähere kenntnis der nordfranzösischen Gralromane ist nicht festzustellen, und von einer bearbeitung des dem Provenzalen Kiot zugeschriebenen gedichts kann keine rede sein. dieses verhältnis zu Wolfram wird durch die untersuchung der sprache des gedichts (s. 110—186) bestätigt. hier verwendet der vf. die in den arbeiten von Jänicke, Kinzel, Bötticher, Förster, Kant u. a. über die sprache Wolframs gegebenen gesichtspunkte. die arbeit ist als preiswürdige lösung der gestellten aufgabe von der fakultät anerkannt worden.

Wunder. 144. J. Felsmann, Unser frauen wunder. Budapest, buchdruckerei - aktiengesellschaft 1894. 15 s. [magyarisch].

abdruck der 13 no. aus dem Kalocsaer codex, mit umschreibenden noten in der anmerkung. s. 9 ff. ein inhaltsverzeichnis des codex. vgl. no. 17.

Lyrik.

145. Joh. Örtner, Betrachtungen über die deutsche lyrik. Jsb. d. königl. gymn. zu Gross-Strehlitz [no. 211], s. I—XX.

berührt auch ältere deutsche gedichte.

146. Thimme, Lied und märe. — vgl. abt. 10, 99.

147. G. Eitner, Die höfische lyrik des mittelalters. hrsg. und zum teil übersetzt. Deutsche schulausgaben 17. 18. Dresden, Ehlermann. VI, 156 s. 1 m.

kurze einleitung über den minnesang und seine art; sprachliches, metrisches; beschränkte auswahl aus der ganzen höfischen zeit beginnend mit Dietmar v. Eist bis zu Heinrich Frauenlob; dann folgen, freilich unchronologisch, als hauptmasse des gebotenen die bekanntesten lieder Walthers von der Vogelweide. vielleicht hätten unbeschadet der prinzipien der sammlung noch mehr ge-

dichte auch im originaltexte gegeben werden können. instruktiv
und für schüler recht brauchbar sind die kurzen bemerkungen vor
jedem einzelnen gedicht.

148. Wisser, Das verhältnis der minneliederhandschriften
A und C. — vgl. jsb. 1895, 14, 105. — angez. G. Ehrismann,
Litbl. 1896 (12) 401. R. M. Meyer, Litztg. 1896 (23) 730.
Schönbach, Österr. litbl. 1896 (8) 235—236.

149. W. Bäumker, Liederbuch. — vgl. jsb. 1895, 15, 66.
R. Wolkan, Mitt. d. ver. f. gesch. d. Deutschen in Böhmen 34
(1896) 84—86. — vgl. abt. 15, 68.

150. A. v. Öchelhäuser, Die miniaturen der universitäts-
bibliothek zu Heidelberg. 2. teil. mit 16 tafeln. Heidelberg,
Köster 1895. 420 s. 4⁰. 60 m. (beh. u. a. besonders die
Manessische hs. und die hs. des Wälschen gastes.) — angez. Lit.
cbl. 1896 (18) 669—670. Schnütgen, Westd. zs. f. gesch. u.
kunst 15 (2). Zs. f. christl. kunst 9 (7).

151. Die Jenaer liederhandschrift. hrsg. von K. K. Müller.
in mappe 200 m., in schweinsleder geb. 250 m. — vgl. jsb. 1893,
14, 98.
ausserordentlich gelungene prächtige facsimilierung der schönen
hs. und ihrer noten, die einen genauen einblick nicht nur in den
text, sondern auch die melodien der lieder gestattet. nur in 140 ab-
zügen hergestellt. — angez. R. Kralik, Österr. litbl. 1896 (22)
685—686. Jenaische ztg. 1896 no. 215.

152. P. Runge, Die singweisen der Colmarer handschrift
und die liederhandschrift in Donaueschingen. s. unten 15, 129.

153. Schläger, Studien über das tagelied. — vgl. jsb. 1895,
14, 110. — angez. C. Voretzsch, Zs. f. frz. spr. u. litt. 18,
183—188 (ausführliche besprechung, die auch die auf die mhd.
lyrik und das volkslied bezüglichen stellen eingehend berücksichtigt.) M. Hippe, Zs. f. vergl. litgesch. n. f. 9 (4. 5) 374—376.

154. Schreiber, Die vagantenstrophe. — vgl jsb. 1895, 14,
109. Marold, Anz. f. d. altert. 22, 27—33 (zustimmend).

155. Th. Lennich, Die epischen elemente in der mhd. lyrik.
diss. Göttingen. 72 s.

156. F. Heuck, Die temporalsätze und ihre konjunktionen
bei den lyrikern des 12. jahrhs. diss. Berlin. Leipzig, Fock.
47 s. 8⁰.

157. R. Becker, Der mittelalterliche minnedienst. — vgl. jsb. 1895, 14, 107. Schönbach, Österr. litbl. 1896 (18) 558—560 kann sich mit den resultaten des aufsatzes nicht einverstanden erklären und verweist auf seinen vortrag in Bettelheims biogr. blätt. I.

158. F. A. Hofstetten, Maria in der deutschen dichtung des mittelalters (= Frankf. zeitgemässe broschüren n. f., hrsg. von J. M. Raich. 16, 6.) Frankfurt a. M., A. Foesser nachf. 1895. 34 s. 0,50 m.

nach einleitenden kapiteln besprechen abschnitt 3 und 4 das thema 'Maria in der mhd. epik und lyrik'. — angez. A. Salzer, Österr. litbl. 1896 (21) 657.

159. Heckmann, Ministerialität. — vgl. abt. 9, 54.

160. T. Lenschau, Gesellschaftl. verhältnisse zur zeit der minnesinger I. die entwicklung der stände. progr. Charlotten-burg. 16 s. 4⁰.

161. Fr. Grimme, Freiherrn, ministerialen und stadtadelige im 13. jahrh. mit besonderer berücksichtigung der minnesinger. Alemannia 24 (2) 98—141.

162. Th. Hampe, Sittenbildliches aus meisterliederhss. vgl. abt. 15, 125.

163. Roth(-Wiesbaden), Zur geschichte der meistersänger zu Mainz und Nürnberg. Zs. f. kulturgesch. 3 (4. 5). vgl. abt. 15, 126.

Johann von Eisenberg. vgl. no. 170.

Hans Foltz. 164. H. Foltz, Meistersänger und barbier. — vgl. abt. 15, 61.

Freidank. 165. P. Schlesinger, Ursprüngliche anordnung von Freidanks bescheidenheit. — vgl. jsb. 1894, 14, 119. — angez. R. M. Meyer, Litztg. 1896 (6) 184—185.

Gebet. 166. J. Werner, Zu Anz. f. d. altert. 17, 177. Anz. f. d. altert. 22, 92.

das von Kukula aus einer Klagenfurter hs. hrsg. gebet findet sich vollständiger in der 1436 geschriebenen St. Galler papierhs. 520 s. 204.

Geistliches lied. 167. Wolkan, Geistliches aus einer deutsch-böhmischen handschrift des XV. jahrhunderts. sep.-abdr. aus Mitt.

d. ver. f. gesch. d. Deutschen in Böhmen. 34, 272—276. — vgl.
abt. 10, 298.

geistliches lied aus dem kreise der vaganten, bereits von Graff
und Hoffmann veröffentlicht, hier in genauer lesung des textes gegeben; sprachlich interessant, ebenso wie die aus derselben Wiener
hs. im folgenden abgedruckten gebete.

Heinrich von Mügeln. 168. K. Helm, Zu Heinrich von Mügeln.
P.-Br. beitr. 21, 240—247.

kritik der schon an sich geringen kenntnis vom leben und
wirken des dichters, die wir seinen werken entnehmen müssen.
1. M. war keineswegs kaiserlicher rat. 2. leben und werke.

Hermann von Salzburg. vgl. no. 172.

Kürnberger. 169. E. Joseph, Die frühzeit des deutschen
minnesangs. I. die lieder des Kürenbergers. quellen u. forschungen
zur sprach- und kulturgeschichte der germanischen völker heft 79.
Strassburg, Trübner. VII, 88 s. 2,50 m.

behandelt in ausführlicher darstellung die oft besprochenen
strophen des Kürnbergers. im ersten kapitel bespricht J. die beziehungen zwischen frauen- und mannesstrophen und entdeckt,
dass diese gruppen fast strophenweise korrespondieren. das zweite
kapitel untersucht die frage der autorschaft für die einzelnen lieder,
das dritte versucht räumliche und zeitliche umgrenzung des dichters.
im anhange bespricht vf. noch einiges hierher gehörige: u. a. kritisiert er scharf die von Schenk (Zs. f. d. phil. 27, 474—505; vgl.
jsb. 1895, 14, 115) vertretene ansicht, dass Heinrich (VII.), nicht
Heinrich VI. der vf. des liedes in MSF. sei. ebenso wendet
sich J. gegen die von A. Wallner, Zs. f. d. altert. 40, 290—294
(vgl. no. 171) gebotene deutung des Falkenliedes, dass die ausstattung des vogels wie das ganze motiv dem spielmannsgedicht
von St. Oswald entlehnt wäre. — Schönbach, Österr. litbl. 1896
(21) 655—657 vermag nur dem ersten kapitel zuzustimmen, lobt
jedoch die eindringliche und feinsinnige untersuchung.

Minnelieder. 170. W. Lippert, Zwei höfische minnelieder des
14. jahrhs. Zs. f. d. altert. 40, 206—211.

in reiserechnungen des markgrafen Friedrichs II. des ernsten
von Meissen (vgl. Lippert, Mitt. d. inst. f. österr. geschichtsf. 13,
598 ff.) finden sich wahrscheinlich von dem markgräflichen notar
Johann v. Eisenberg selbst 1330 geschrieben zwei minnelieder: 1. 'Von
der mich nicht scheiden mag' (2. strophe beginnt: 'Ich habe als mins
herzin gunst'). 2. 'Ich wante, ich wold in vroiden stete bliben'.
zum schluss wird eine jetzt in Dresden befindliche urkunde für die
familie Eisenberg abgedruckt (s. 210. 211), die jedenfalls von

Johann v. Eisenberg ebenfalls 1330 geschrieben ist und denselben sprachlichen charakter zeigt, wie die beiden lieder.

Minnesangs frühling (vgl. auch no. 174).

171. A. Wallner, *Ich zôch mir einen valken.* Zs. f. d. altert. 40, 290—294.

erklärt die hübschen strophen in MSF. 8, 33 ff. als entlehnung aus dem spielmannsgedicht von St. Oswald (Zs. f. d. altert. 2, 92), wo ein rabe als liebesbote ausgesandt wird, der acht jahre dazu erzogen ist; sein gefieder und schnabel wird vergoldet, die klauen versilbert, sein haupt trägt eine goldene krone. ganz ähnlich ist auch der falke des minneliedchens ausgestattet. — vgl. abt. 14, 169.

Mönch von Salzburg. 172. F. Arn. Mayer u. Heinr. Rietsch, Die Mondsee-Wiener liederhandschrift und der Mönch von Salzburg. E. untersuchung zur litteratur- und musikgeschichte, nebst den zugehörigen texten aus der hs. und mit anmerkungen. Berlin, Mayer und Müller (Acta Germanica hrsg. von R. Henning und Jul. Hoffory III, 4 und IV) 1896. XVI, 568 s. mit 9 facsimileblättern. 18 m.

die beiden herausgeber erfüllen durch ihre dankenswerte publikation von text und melodien der Mondsee-Wiener hs. eine langgehegte absicht Scherers aus seiner Wiener und Strassburger zeit. Mayer hat die philologische, Rietsch die musikwissenschaftliche arbeit übernommen. — nach einer orientierenden abhandlung über die hs. selbst geht M. im 2. kapitel auf den Mönch von Salzburg ein, der als verfasser der meisten geistlichen lieder in der hs. bezeugt ist. sein name muss Hermann gewesen sein; er ist scheinbar konventual zu St. Peter gewesen, wenn er auch nicht sicher identifiziert werden kann. die weltlichen gedichte der hs. weisen zum teil sicher nach Salzburg, wo unter Pilgrim am erzbischöflichen hofe eine stätte geistlicher und weltlicher dichtkunst erstanden war. im 3. kapitel wird die autorschaft der weltlichen lieder untersucht und als der dichter ihres hauptteiles ebenfalls Hermann von Salzburg erkannt. seine litterarhistorische stellung erörtert der nächste abschnitt. den beschluss machen die melodien, ein abschnitt, der für weitere behandlung der musikwissenschaftlichen aufgaben grundlegende vorarbeit liefert. darauf folgen texte und noten mit anmerkungen zu beiden.

Pilgerlieder. 173. W. Mettin, Die ältesten deutschen pilgerlieder. vgl. abt. 21, 42, s. 277—286.

· pilgerlieder, die erhalten oder wenigstens aus mhd. denkmälern nach ihren anfängen bekannt sind, reichen nur bis zum 11. jahrh.

hinauf. ein früheres zeugnis für ihre existenz sucht vf. in dem
bittgesang an den heil. Petrus aus dem 9. jahrh.

Burggraf von Regensburg. 174. R. Schneider, Die minnelieder
des burggrafen von Regensburg erläutert und ins neuhochdeutsche
übertragen. festschrift des realgymn. in Halberstadt (beigabe zum
jsb.). Halberstadt 1896, s. 9—11. progr. [no. 267].

reimlose übersetzung der strophen des burggrafen von Regensburg und anmerkungen dazu, die ein weiteres publikum interessieren
sollen.

Ulrich von Lichtenstein. 175. A. E. Schönbach, Über den
steierischen minnesänger Ulrich von Lichtenstein. Biogr. bll. 2 (1).

Hans Viol. 176. Meyer v. Knonau, Allg. d. biogr. 40, 8 f.

Günther von dem Vorste. R. M. Meyer, ebd. 40, 311 f.

Walther von Breisach. R. M. Meyer, ebd. 41, 33.

Walther von Griven. 177. G. Roethe, Allg. d. biogr. 41, 126.

Walther v. d. Vogelweide. 178. Die gedichte Walthers v. d.
Vogelweide. hrsg. von H. Paul. 2. aufl. (Altd. textbibl. 1.)
Halle, Niemeyer. IV, 201 s. 2 m.

berichtigung zu jsb. 1895, 14, 131: für einleitung und anmerkungen ist die neueste litteratur nachgetragen; der text selbst ist
an einigen stellen geändert (z. b. 2, 23. 28. 4, 13. 14. u. a.), wozu
die von Milchsack gefundenen Wolfenbüttler fragmente veranlassung gaben. das glossar ist etwas erweitert.

179. K. Burdach, Walther v. d. Vogelweide. Allg. d. biogr.
41, 35—92. auch separat. Leipzig, Duncker u. Humblot. 2,40 m.

orientiert in ausführlicher weise über Walthers leben und
dichten unter besonderer bezugnahme auf die neueste litteratur auf
diesem gebiete: vortrefflicher überblick über alle Walther betreffenden fragen und controversen.

180. Hoffmann-Krayer, Walther. — vgl. jsb. 1895, 14, 127.
L. Fränkel, Zs. f. d. d. unterr. 10, 153.

181. W. A. Phillips, Walther v. d. Vogelweide. The nine-
teenth century 1896 (juli).

182. L. Fränkel, Neuestes über Walthers v. d. Vogelweide
heimat. Zs. f. d. d. unterr. 10, 151—153.

zusammenstellung der ansichten von Th. Uhle (vgl. jsb. 1894,
14, 136) und L. Wattendorf (Frankfurter zeitgemässe broschüren,
n. f., hrsg. von J. M. Raich 15, 6. 1894) in ihren Walther-
biographien über seine heimat.

183. A. Wallner, Zu Walther v. d. Vogelweide. Zs. f. d.
altert. 40, 335—340.

fortsetzung der bemerkungen Zs. f. d. altert. 39, 184 (jsb.
1895, 14, 134 f.); behandelt Walther 23, 31. 29, 14. 32, 11 ff.
35, 28. 36, 3. 84, 20.

184. F. Bech, [Bemerkung]. Anz. f. d. altert. 22, 128.
Zu den Waltherkonjekturen von Wallner, Zs. f. d. altert.
39, 429 ff. und Schönbach s. 349. — vgl. jsb. 1895, 14, 133 ff.

Jakob von Wart. 185. R. M. Meyer, Allg. d. biogr. 41, 184 f.

Veit Weber. 186. Meyer von Knonau, ebd. 41, 357.

Heinrich Hezbolt von Weissensee. 187. R. M. Meyer, ebd. 41, 609 f.

Huc von Werbenwâc. 188. R. M. Meyer, ebd. 41, 743 f.

Reinmar von Zweter. vgl. no. 33, 19.

Prosa.

Erhard Wahraus (chronist). F. Roth, Allg. d. biogr. 40, 596.

Walther (prediger). L. Keller, ebd. 41, 33 f.

189. R. Schellhorn, Über das verhältnis der Freiberger
und der Tepler bibelhs. zu einander und zum ersten vorlutherischen bibeldrucke I. progr. des gymn. zu Freiberg 1896 [no. 548].
23 s. II. dass. 1897 [no. 558] 40 s.

im 1. teile stellt der vf. fest, dass die ausgabe des Tepler codex viele fehler · enthält infolge falscher lesung von abkürzungen, die dadurch entstand, dass dieselben abkürzungen ver-
schiedenes bedeuten. durch vergleichung der Tepler hs. mit der
Freiberger und der vulgata zeigt er an verschiedenen stellen die
unzuverlässigkeit des druckes. im 2. teile folgt eine nebeneinander-
stellung der texte des druckes, der Tepler hs. und der Freiberger
hs. vom 1. kapitel des Römerbriefes mit eingehendem gelehrtem
kommentar auch nach der sprachlichen seite, darauf das 4. kapitel
des Jakobusbriefes mit beschränkungen auf die textkritischen bemerkungen. die hier stärker auftretenden abweichungen zwischen
T und F beruhen nur auf den mundarten der schreiber oder auf
versehen. endlich ergiebt auch Act. 9 dasselbe, wo sich wieder
andere schreiber gegenüberstehen. aber auch auf die randnotizen
verbreitet sich der vf. zum teil gegen Walther (vgl. jsb. 1891, 14,
133) polemisierend. das ergebnis ist, dass der druck ganz unzuverlässig ist und dass (gegen Walther) T und F abschriften ein
und derselben vorlage sind.

190. Wessely, Über den gebrauch der kasus bei Albrecht
von Eyb. Leipzig, Fock 1892. Berl. diss. — vgl. jsb. 1892, 14,

144. anerkennend mit einigen berichtigungen angez. Anz. f. d. altert. 22, 258—260 von H. Seedorf.

191. Hermann, Albrecht von Eyb. — vgl. jsb. 1892, 14, 143. — angez. Revue critique 1896, 46.

192. J. Kjederqvist, Untersuchungen über den gebrauch des konjunktivs bei Berthold von Regensburg. I. Der konjunktiv in hauptsätzen indirekter rede und absichtsätzen. diss. Lund. 120 s.

193. M. Scheinert, Der Franziskaner Berthold von Regensburg als lehrer und erzieher des volkes. diss. Leipzig. 44 s.

194. E. Steinmeyer, Berthold von Regensburg. Realency-klopädie für protestantische theologie und kirche 3, 649—652.
kurze charakteristik Bertholds durch zusammenfassung der ergebnisse der neueren forschung nebst einem verzeichnis der einschlägigen litteratur, soweit sie irgend bedeutung hat.

195. A. E. Schönbach, Studien zur geschichte der altdeutschen predigt. 1. stück: Über Kelles 'speculum ecclesiae' [Sitzungsberichte der k. k. akademie in Wien. philos.-hist. klasse bd. 135, no. 3]. Wien, Gerold. 142 s.
vf. macht den versuch, die lateinische vorlage des speculum ecclesiae, der sammlung altdeutscher predigten aus dem kloster Benediktbeuren, von Kelle 1858 herausgegeben, zusammenzustellen, indem er die gefundenen lateinischen vorlagen, so weit sie von dem deutschen bearbeiter benutzt worden waren, zusammenträgt und in stetem vergleiche mit dem deutschen texte abdruckt. damit ist die urkundliche grundlage für das studium dieser sammlung gegeben.

196. F. R. Albert, Die geschichte der predigt in Deutschland bis Luther. Gütersloh, Bertelsmann. 3 teile. 3. teil. Die blütezeit der deutschen predigt im mittelalter 1100—1400. VIII, 210 s. 2,80 m.
vgl. jsb. 1893, 14, 126. die ersten beiden teile haben die lateinische predigt behandelt. wie in diesen so zeigt vf. auch im 3. teile überall den charakter der predigt und ihr verhältnis zur bibel in theologischem interesse. aber auch so ist das ganze werk eine wertvolle ergänzung zu Schönbachs ausgabe der predigten (jsb. 1893, 14, 127). es berührt auch den streit zwischen Preger und Denifle über die mystiker. vf. steht im wesentlichen auf Pregers seite aus inneren gründen. auf die philologische kritik lässt er sich nicht ein.

197. Wilhelm Preger und die geschichte der deutschen mystik. Allg. evang.-luth. kirchenztg. 1896 (9).

199. W. Preger, Über eine noch unbekannte schrift Seuse's. Sitzungsber. der philos.-philolog. und hist. klasse d. kgl. bayr. akad. d. wiss. zu München. 1895, heft 4.

200. Des gottesfreundes im Oberland (= Rulman Merswins) buch von den zwei mannen. nach der ältesten Strassburger hs. hrsg. von Friedrich Lauchert. Bonn, Hanstein. XI, 95 s. 2 m.

der neue druck des zweimannenbuches rechtfertigt sich dadurch, dass der von Karl Schmidt in seinem 'Nikolaus von Basel' veröffentlichte eine bearbeitung des originals ist, während hier eine genaue abschrift des von Merswin selbst geschriebenen originals vorliegt. die abweichungen vom texte Schmidts hat der herausgeber in den anmerkungen verzeichnet. der herausgeber erkennt Denifles aufstellungen über Merswin gegenüber Preger im vollen umfange an. den wert seines textes sucht er daher nicht in seiner geschichtlichen bedeutung für das leben der leitenden personen sondern 'als authentische und höchst wichtige urkunde für den specifischen geist der frömmigkeit, der in diesen kreisen herrschte'. — beigegeben ist ein namen- und sachregister. — angez. Lit. cbl. 1896 (43) 1578.

201. Rud. Langenberg, Über das verhältnis meister Eckarts zur niederdeutschen mystik. eine litterarhistorische untersuchung. diss. Göttingen. 43 s. 8º.

202. Fr. Jostes, Meister Eckart. — vgl. jsb. 1895, 14, 138. angez. von Kralik, Österr. litbl. 1896, 16, 487. Ph. Strauch, Litztg. 1896 (8) 233—236. Lit. cbl. 1896 (41) 1514—1515. The academy 1896, 1244.

203. E. Martin, Zwei alte Strassburger hss. Zs. f. d. altert. 40, 220—223.

zwei verlorene hss., die eine zum grössten teile mystische prosa (u. a. auch predigten von Eckart), die andere eine psalmenübersetzung enthaltend, sind in abschriften des vorigen jahrhs. erhalten, die M. näher beschreibt. — vgl. oben no. 23.

204. Fr. Schmidt, Deutsche hss. in Maihingen. Alemannia 24, 51—86. — vgl. abt. 10, 277. 14, 19.

aus dem 15. jahrh., enthalten auch geistliche prosa.

205. J. Seemüller, Über die angeblich älteste deutsche privaturkunde. Mitt. d. inst. f. österr. geschichtsf. 17, 310—315.

weist nach, dass ein von F. v. Mülinen und M. Vancsa als älteste deutsche privaturkunde im Anz. f. schweiz. gesch. 1888, 230 bezeichnetes diplom aus dem familienarchiv Mülinen nicht 1221, sondern 1321 ausgestellt ist und nicht in Vienne, sondern in Wien.

206. J. Seemüller, Friedrichs III. Aachener krönungsreise. Mitt. d. inst. f. österr. geschichtsf. 17, 584—665.

vf. giebt eine vollständigere hs. des von Liebenau im jahrbuch der k. k. heraldischen gesellschaft Adler XI (1884) 13 ff. veröffentlichten, angeblich von Clemens Specker verfassten itinerars über die krönungsreise Friedrichs III. aus dem Britischen museum (no. 16 592) mit genauer untersuchung des verhältnisses der beiden texte und beschreibung der hs. der text ist übersichtlich durch paragraphen und heraushebung der zeitangaben am rande gegliedert, sowie mit ausführlichen lesarten und mit anmerkungen zur prüfung der zeitangaben versehen.

no. 130—143 und 189—206 G. Bötticher.   W. Scheel.

XV. Das 16. jahrhundert.

Allgemeines. 1. Jahresberichte für neuere deutsche litteraturgeschichte, mit unterstützung von Erich Schmidt, hrsg. von J. Elias und M. Osborn 5 (jahr 1894). Leipzig, Göschen 1897.

die 2. abteilung behandelt den zeitraum von der mitte des 15. bis zum anfang des 17. jahrh., und zwar 1. allgemeines von M. Osborn; 2. lyrik von G. Ellinger; 3. epos von A. Hauffen; 4a. drama von W. Creizenach; 4b. Hans Sachs von K. Drescher; 5. didaktik (1893—1894) von A. Hofmeister; 6. Luther und die reformation von G. Kawerau; 7. humanisten und neulateiner von G. Ellinger.

2. R. Wolkan, Geschichte der deutschen litteratur in Böhmen. Prag 1894. — vgl. jsb. 1895, 6, 3. 15, 3. 1896, 6, 8.

rec. A. Jeitteles, Zs. f. d. phil. 29 (2) 236—243. A. Benedict, Mitt. d. ver. f. gesch. der Deutschen in Böhmen 34 (3) litt. beilage.

3. W. Toischer, Die deutsche litteratur [Böhmens] bis zum ende des dreissigjährigen krieges. Die österr.-ungar. monarchie in wort und bild, Böhmen 2, 126—139.

4. A. Horčička, Das geistige leben in Elbogen zur zeit der reformation. progr. d. deutschen staatsgymn. in Prag-Neustadt-Graben 1895. 44 s.

angez. Zs. f. d. realschulw. 21, 701.

4a. K. Lechner, Verzeichnis der in der markgrafschaft Mähren im jahre 1567 zum druck und verkauf erlaubten bücher. Cbl. f. bibl. wesen 13, 158—170.

s. 166 f. deutsche volkslitteratur wie Sieben weise meister, Reineke Fuchs, Esopus, Wendunmut, Eulenspiegel, Markolf etc. s. 169 schauspiele von Hans Sachs; auch viele böhmische übersetzungen (Galmy, Melusine, Fortunatus, Magelone etc.).

4b. Rob. Priebsch, Deutsche handschriften in England, beschrieben. 1. teil. Erlangen, Junge. vgl. oben 14, 17.

unter den trefflich beschriebenen 192 hss. aus Ashburnhamplace, Cambridge, Cheltenham, Oxford und Wigan gehören in unsere abteilung besonders no. 127 lieder von Mich. Behaim, 2 Lohier und Maller, 5 Brants Pange lingua, 107 Joh. Sieders verdeutschungen aus Lucian und Apulejus (Würzburg 1500), 113 Schmiehers wolfsklage, 181 Luthers sprichwörtersammlung, 109 liederbuch der herzogin Amalia von Cleve, 68 historische lieder, 141 und 175 liebeslieder, 99 und 151 nld. versionen zu Erk-Böhme, Liederhort no. 64. 85. 17. 272.

5. Casp. Löners briefbuch, mitgeteilt von L. Enders. Beitr. z. bayer. kirchengesch. 2, 34—43. 89—94. 132—137. 261—265. 301—309.

6. W. Friedensburg, Beiträge zum briefwechsel der katholischen gelehrten Deutschlands im reformationszeitalter. aus italienischen archiven und bibliotheken mitgeteilt. Zs. f. kirchengesch. 16, 470—499.

15 lateinische briefe von Ludwig Ber (an Aleander), Otto Brunfels (an Jakob Spiegel), Wolfg. Capito (an Aleander) aus den jahren 1521—1538.

7. Die matrikel der universität Leipzig hrsg. von G. Erler. — vgl. abt. 8, 126. — rec. G. Kauffmann, Litztg. 1896 (20) 611—613.

8. Wittenberger ordiniertenbuch hrsg. von G. Buchwald. Leipzig, Wigand 1894—1895. — vgl. jsb. 1895, 15, 13. — rec. Enders, Theol. litbl. 1896 (14) 172 f. Lit. cbl. 1896 (9) 295.

9. Basler chroniken bd. 5. — vgl. abt. 8, 46. — rec. R. Fester, Zs. f. d. gesch. d. Oberrheins n. f. 11, 656—658.

10. Die chroniken der deutschen städte vom 14.—16. jahrh. hrsg. durch die histor. kommission der kgl. akademie der wissenschaften 25: Die chroniken der schwäbischen städte. Augsburg. 5. bd. Leipzig, Hirzel. VIII, XV, 459 s. 14 m.

der schlussband der Augsburger chroniken, von Fr. Roth bearbeitet, enthält die aufzeichnungen von Wilhelm Rem (1512—1527), von Joh. Frank (1430—1462) und beilagen zu der im 4. bande gedruckten chronik des Clemens Sender. — über bd. 4 vgl. jsb. 1895, 15, 191. 1896, 7, 143.

11. **Paulus**, Der dominikaner Joh. Faber und sein gutachten über Luther. Histor. jahrb. 17, 39—60.

11a. Max **Lenz**, Geschichtsschreibung und geschichtsauffassung im Elsass zur zeit der reformation. Halle, Niemeyer 1895. 32 s. (Schr. d. ver. f. reformationsgesch. 49).

   rec. Zs. f. gesch. d. Oberrheins n. f. 11, 153 f.

12. G. **Heine**, Reformatorische flugschriftenlitteratur als spiegel der zeit. Deutsch-ev. bl. 1896 (7) 441—462.

13. J. **Smend**, Die evangelischen deutschen messen bis zu Luthers deutscher messe. Göttingen, Vandenhoeck u. Ruprecht. XII, 283 s. 8 m.

   rec. W. **Walther**, Theol. litbl. 1896 (46) 553—556. (47) 561—564. (48) 577—580.

13a. [F. **Cohrs**], Zur ausgabe und bibliographie evangelischer katechismusversuche von Luthers Enchiridion. Mitt. d. ges. f. dtsch. schulgeschichte 5, 138—140.

14. K. **Borinski**, Noch einmal von Honorificabilitudinitatibus. Anglia 19 (1) 135 f. — vgl. ebd. 18, 450—454: Dante und Shakespeare; dazu M. Herrmanns artikel (jsb. 1894, 15, 18).

15. F. W. E. **Roth**, Johann Haselberg von Reichenau, verleger und buchführer 1515—1538. Archiv f. gesch. d. deutschen buchhandels 18, 16—28.

   giebt auch ein verzeichnis von 26 lat. und deutschen drucken.

16. Viktor **Hantzsch**, Deutsche reisende des 16. jahrhs. Leipzig, Duncker u. Humblot 1895. VII, 140 s. 3,20 m. (Leipziger studien aus dem gebiet der geschichte 1, 4).

   eine sehr nützliche übersicht über die reisebeschreibungen der Indien- und Amerikafahrer, der kaufleute in den Mittelmeerländern, der vergnügungs- und forschungsreisenden und der glaubensboten. beiseite gelassen sind die pilger- und gesandtschaftsschriften. — rec. Lit. cbl. 1896 (39) 1424.

17. John **Meier**, Eine populäre synonymik des 16. jahrh. Festgabe für Sievers (Halle, Niemeyer) s. 401—441.

   abdruck einer anonymen gereimten deutschen synonymik für schüler von ca. 1530 'Der leyen disputa'. den vf. sucht M. nach den reimen in rheinfränkischem gebiet, namentlich in der Wetterau, weist aber den gedanken an ein jugendwerk von E. Alberus zurück. sorgsame anmerkungen weisen die beziehungen zu andern vokabularien und mundarten nach.

18. K. **Helm**, Zur rhythmik der kurzen reimpaare. Karls-

ruhe 1895. — vgl. jsb. 1895, 15, 5. — rec. O. Brenner, Litbl.
1896 (6) 189, der für die Sieverssche freie messung der verse eintritt.

J. Agricola. 19. H. Rosenburg, Johann Agricola von Eisleben. Mansfelder blätter 10.

Ph. Agricola. 20. F. Holtze, Ein leichenbegängnis zu Berlin
im jahre 1588. Schriften d. ver. f. d. gesch. Berlins 33, 1—13.
abdruck von Philipp Agricolas gedicht auf den tod des kanzlers
Lampert Distelmeyer mit historischen erläuterungen.

Alberus. 20a. F. Schnorr von Carolsfeld, Erasmus Alberus.
Dresden 1893. — vgl. jsb. 1893, 15, 16. 1895, 15, 22. — rec.
M. Herrmann, Litztg. 1896 (43) 1352—1354.

21. G. Kawerau, Herr Grickel, lieber domine. ein kirchen-
musikalisches kuriosum vom jahre 1548. Siona 21 (3) 43 f.
teilt eine vierstimmige melodie zu dem wahrscheinlich von
Alberus herrührenden spottliede auf Agricola aus einer Leipziger
hs. mit.

Althamer. 21a. Th. Kolde, Andreas Althamer. Erlangen 1895.
— vgl. jsb. 1895, 15, 23. — rec. Loesche, Litztg. 1896 (2) 33.

Anshelm. 22. Valerius Anshelm, Berner chronik. hrsg. vom
histor. ver. des kantons Bern. 5. bd. Bern, Wyss. 400 s. 6 m.

23. A. Fluri, Zur biographie des chronisten Valerius Anshelm. Anz. f. schweiz. gesch. 27 (5) 380—384.

Apiarius. 24. A. Fluri, Mathias Apiarius, der erste buchdrucker Berns, 1537—1554. Neues Berner taschenbuch auf das
jahr 1897, 196—253.
M. Biener oder Apiarius aus Berchingen war in Nürnberg,
Basel, Strassburg und zuletzt in Bern als buchbinder und buchdrucker thätig. F. liefert eine gründliche darstellung seines lebens
und beschreibt seine drucke, namentlich das Interlachnerlied von
1538 (hier genauer als in Liliencrons Histor. volksliedern no. 407
abgedruckt), die Interimslieder von 1552 und die musikdrucke.
eine fortsetzung soll folgen.

Ayrer. 25. E. Pistl, Die quellen für Jakob Ayrers Römer-
dramen. progr. d. öffentl. unterrealschule im 7. bezirk Wiens
1895. 30 s.
angez. Zs. f. d. realschulw. 21, 568.

Birck. 26. M. Radlkofer, Die dramatische thätigkeit des
Xystus Betulejus. Allg. ztg. 1896, beil. 299 u. 300.

inhaltsübersichten der deutschen und lateinischen stücke, mit eingeflochtenen proben.

Bock. 27. J. Mayerhofer, Beiträge zur lebensgeschichte des [botanikers] Hieronymus Bock, genannt Tragus (1498—1554). Histor. jahrb. 17 (4) 765—799.

Boner. 28. G. Wethly, Hieronymus Boner. Strassburg, Trübner 1892. — vgl. jsb. 1893, 15, 32. — rec. M. Herrmann, Anz. f. d. altert. 22, 280—296 (stark tadelnd).

Brant. 29. K. Varrentrapp, Sebastian Brants beschreibung von Deutschland und ihre veröffentlichung durch Kaspar Hedio. Zs. f. d. gesch. d. Oberrheins n. f. 11 (2) 288.

bespricht ausführlich die 1539 im anhange zu Hedios Welt-chronik veröffentlichte arbeit Brants.

30. L. Singer, Die wirtschaftlichen und politischen tendenzen des Narrenschiffes und einiger andern dichtungen des Seb. Brant. progr. Prag.

Bugenhagen. 31. M. Wehrmann, Zur geschichte der familie Bugenhagen in Wollin. Monatsbl. d. ges. f. pomm. gesch. 1896 (5) 66—69.

32. E. Göhrig, Johannes Bugenhagen und die protestan-tisierung Pommerns. Mainz, Kirchheim 1895. — vgl. jsb. 1895, 15, 29. — rec. G. Bossert, Theol. litztg. 1896 (4) 108—110.

Dohna. 33. A. Chroust, Abraham von Dohna, sein leben und sein gedicht auf den reichstag von 1613. München, Franz. XII, 338 s. 8 m.

Dürer. 34. K. Lange, War Dürer ein papist? Grenzboten 1896 (2).

34a. Fuhse, Dürer. kleine mitteilungen. Mitt. a. d. germ. nationalmuseum 1896, 120. — Th. Hampe, Notiz aus den rats-protokollen 1527. ebd. 1896, 96.

Eberlin. 35. J. Eberlin von Günzburg, Ausgewählte schriften hrsg. von L. Enders. 1. bd. Halle, Niemeyer. VII, 228 s. 1,80 m. [Braunes Neudrucke d. litt. werke no. 139—141: Flug-schriften aus der reformationszeit 11].

unter den schriften des sprachgewaltigen publicisten, denen ein neudruck längst zu wünschen war, lässt E. hier zunächst die 15 bundesgenossen erscheinen, die Eberlin 1521 als Franziskaner in Ulm anonym herausgab, und in denen er die grossen religiösen und socialen fragen der zeit in lutherischem sinne, hoffnungsreich zu Karl V. hinblickend, behandelt. dank verdienen die beige-

gebenen erläuterungen. — rec. G. Kawerau, Litztg. 1896 (18)
556. Lit. cbl. 1896 (23) 846 f. G. Bossert, Theol. litztg. 1896
(9) 248 f. Th. Kolde, Theol. litbl. 1896 (36) 433—436 und Zs.
f. kirchengesch. 17, 305.

Eich. 36. R. Priebsch, Der krieg zwischen dem lyb und
der seel. Zs. f. d. phil. 29 (1) 87—98.

abdruck eines von einem Schweizer 'Hentz von den Eichen'
verfassten gedichten aus einer hs. des Brit. museums (add. no. 32 447),
die Ludw. Sterner in Biel 1518 schrieb. vgl. oben 14, 65.

Faustbuch. 37. W. Meyer, Nürnberger Faustgeschichten.
München 1895. — vgl. jsb. 1895, 15, 47. — rec. Creizenach,
Lit. cbl. 1896 (1) 26.

38. Erich Schmidt, Faust und Luther. Sitzungsber. der
Berliner akademie 1896, 567—591.

belegt seine von W. Meyer (no. 37) etwas voreilig bestrittene
behauptung von der lutherischen gesinnung des vf. des Faustbuches von 1587 durch reiche parallelen von theologischen anschauungen und ausdrücken. auch direkte benutzung von Luthers
tischreden bei einzelnen Faustabenteuern, besonders bei der Innsbrucker beschwörung Alexanders und seiner gemahlin, nimmt S.
an. — rec. M[ilchsa]ck, Lit. cbl. 1896 (25) 917—919.

39. Historia des Johannis Fausti des zauberers. nach der
Wolfenbütteler hs. nebst dem nachweis eines teils ihrer quellen
hrsg. von G. Milchsack. Wolfenbüttel, Zwissler 1892 (bis 1896).
CCCXCIV, 124 s. 7,50 m.

abdruck einer in Wolfenbüttel entdeckten kopie des vermutlich schon um 1575 verfassten und hsl. verbreiteten Faustbuches.
die hs. enthält mehrere kapitel (31. 62. 70), die in dem Spiesschen
drucke von 1587 fehlen, namentlich eine weissagung über das
papsttum; auch die reihenfolge der kapitel und einzelheiten des
textes weichen ab. die sehr gründliche und scharfsinnige einleitung
weist als hauptquellen des unbekannten vf. Schedels Weltchronik
und Milichius Zauberteufel, nach; mittelbar benutzt sind der Belial
des Jacobus a Theramo, die Quatuor novissima und der Spiegel
der sündigen seele. die tendenz des frei komponierten romans
bestimmt M., nachdem er die bisher ausgesprochenen ansichten
darüber übersichtlich dargelegt hat, in übereinstimmung mit
E. Schmidt und im gegensatze zu W. Meyer als eine lutherische
und antikatholische. nicht reiner wissensdurst, sondern fürwitz,
frechheit und leichtfertigkeit treiben Faust dem teufel, der nicht
umsonst die mönchskutte trägt und die katholische auffassung von
der reue vertritt, in die hände. M. verspricht, die schwierige unter-

suchung, die noch nicht bis zur besprechung des neuen textes gelangt, demnächst fortzusetzen.

39a. F. Jostes, Die einführung des Mephistopheles in Goethes
Faust. Euphorion 3, 390—397. 739—758.

druckt s. 743—758 einen gereimten dialog aus einer Nürnberger hs. des 15. jahrh. ab, in dem ein fahrender (in der weise
des Lucidarius) einen in ein glas gebannten teufel über geographische dinge befragt.

40. H. Heidenheimer, Zum historischen Faust. Goethe-
jahrbuch 17, 222.

in einem bericht des nuntius Minucci (Köln 1583) werden
Faust und Agrippa, die einst vom grafen Hermann v. Wied aufgenommen wurden, erwähnt.

41. F. Kluge, Vom geschichtlichen doktor Faust. Allgem.
ztg. 1896, beil. 9.

42. F. Kluge, Fausts zauberross. Zs. f. vgl. litgesch. 10,
349 f.

Pfeiffering ist nicht ortsname, sondern name des pferdes.

43. E. Flügel, The irreverent doctor Fawstus. Anglia 18 (3)
332—334.

eine stelle in John Haringtons 'Treatise on playe' (um 1597)
führt Faust als hasardspieler an: 'the irreverent doctor Fawstus or
some such grave patron of great play'.

44. Friedr. Mayer, Ein rezept Faustens für einen feldherrn.
Chronik des Wiener Goethe-vereins 10 (4).

45. J. Minor, Das älteste Faustbuch und Hans Sachs.
Vossische ztg. 1896, sonntagsbeilage no. 23 (7. juni).

im Faustbuch ist Sachsens lobspruch auf Nürnberg (1530) und
auf Wien (1567) benutzt.

Fischart. 46. Fischarts werke hrsg. von A. Hauffen. 1. bd.
Stuttgart [1895]. — vgl. jsb. 1895, 15, 50. — rec. Lit. cbl. 1896
(5) 165 f. A. Englert, Euphorion 3, 510—512.

47. A. Hauffen, Das glückhafte schiff von Zürich 1576.
3. jsb. d. dtsch. ges. für altertumsk. in Prag.

48. A. Hauffen, Fischart-studien I. Zur familien- und lebensgeschichte Fischarts. Euphorion 3, 363—375. — II. Zur beschreibung des astronomischen uhrwerks. ebd. 3, 705—710.

aus Strassburger archivalien zeigt H., dass Fischart als sohn
des Hans Fischer von Trier, genannt Mentzer, der seit 1528 wurz-
krämer, hausbesitzer und bürger zu Strassburg war, und der Bar-

bara Kyrmanin zwischen 1545 und 1550 geboren wurde. seine
jüngeren schwestern Anna und Barbara heirateten 1567 und 1573
Bernhard Jobin und Georg Kirchhoffer, seine mutter nach dem um
1560 erfolgten tode des vaters den Niclaus Schmidt. F. ging
1583 von Speier als amtmann nach Forbach, wo er vielleicht
1590 starb.

49. A. Englert, Eine vorrede von Fischart. mitgeteilt.
Euphorion 3, 23—32.

von der schon von Meusebach beachteten verdeutschung
dreier traktate des Joh. Rivius (Wolsicherend auffmunterung.
Strassburg 1588) hat E. ein exemplar in Zweibrücken gefunden
und druckt daraus die von B. Jobin unterzeichnete, aber dem stile
nach von seinem schwager F. herrührende vorrede ab.

50. R. Siegemund, J. Fischart als patriot und politiker.
Zs. f. d. d. unterr. 10 (4) 233—242.

51. J. J. A. A. Frantzen, Kritische bemerkungen zu
Fischarts übersetzung von Rabelais Gargantua. Strassburg 1892. —
vgl. jsb. 1892, 15, 41. 1893, 15, 53. — rec. A. Hauffen, Anz. f.
d. altert. 23, 75—78.

52. Ellmer, Rabelais' Gargantua und Fischarts Geschichts-
klitterung. Weimar 1895. — vgl. jsb. 1895, 15, 52. — rec.
L. Fränkel, Archiv f. n. spr. 96 (3) 365 f.

52a. Bücherzeichen Fischarts. Cbl. f. bibl.-wesen 13, 50.

Fischer. 53. Sebastian Fischers chronik besonders von Ulmi-
schen sachen hrsg. von K. G. Veesenmeyer. Mitt. d. ver. f.
kunst u. altert. in Ulm 5—8. Ulm, Nübling. X, 278 s.

des Ulmer schuhmachers F. (1513—1555) hauschronik erfährt
hier einen dilettantischen abdruck. — vgl. G. Tobler, Aus der
chronik des Ulmers Fischer. Neues Berner taschenbuch auf das
jahr 1897, s. 185—195.

Flugschriften. 54. Lucifers mit seiner gesellschafft val. (1493).
Frankfurt a. M., J. Baer 1895. — vgl. jsb. 1895, 15, 55. — rec.
Kossmann, Museum 4 (2). Cbl. f. bibl.-wesen 13, 138. 186.

55. P. Schwenke, Hans Weinreich und die anfänge des
buchdrucks in Königsberg. Altpreuss. monatsschr. 33, 67—109.

ergänzt Tschackerts Urkundenbuch zur reformationsgeschichte
von Preussen (1890) und Lohmeyers Geschichte des buchdrucks
(Archiv f. d. gesch. d. buchh. 18, 29) durch chronologische nachweise und giebt ein verzeichnis von 41 Königsberger drucken von

1524—1527. — vgl. Wetzel, Cbl. f. bibl.-wesen 13, 326.
Schwenke, ebd. 13, 407—412.

56. J. Bolte und A. Brückner, Zwei böhmische flugblätter
des 16. jahrh. Archiv f. slav. philol. 18, 126—138.

1. eine tschechische gereimte nachbildung von Jörg Schans
Niemand (jsb. 1895, 15, 179) auf einem druckblatte aus der ersten
hälfte des 16. jahrhunderts. 2. ein 1594 zu Prag erschienenes
gedicht vom altweiberofen, dessen hier gleichfalls abgedruckte
vorlage ein deutscher um 1550 zu Augsburg hergestellter bilderbogen war. über die fabelhafte verjüngung von greisen durch
umschmelzen und umschmieden werden notizen beigebracht.

57. Th. Hampe, Aus der alten ratsbibliothek zu Rothenburg
ob der Tauber. Cbl. f. bibl.-wesen 13, 256—259

47 flugschriften von 1524—1607. die 'Caluinische rotte' (1598)
verrät Fischarts einfluss.

58. K. Häbler, Die neuwe zeitung aus Presilg-land im
fürstlich Fuggerschen archiv. Zs. d. ges. f. erdkunde 30.

59. Th. Distel, Ein hohnlied auf die Calvinisten im tone
des Lindenschmidts (1605). Euphorion 4, 102.

hinweis auf ein 1605 in einer verteidigungsschrift N. Krells
gedrucktes gedicht.

60. Die bauernpraktik 1508. hrsg. von G. Hellmann. —
vgl. abt. 10, 184.

Foltz. 61. H. Foltz, Dises puchlein saget uns von allen
paden die von natur heiss sein. (Nürnberg 1480.) facsimiledruck.
Strassburg, J. H. E. Heitz. 15 s. fol. 1 m.

durch das von Paul Heitz besorgte facsimile erhalten wir das
Foltzsche gedicht richtiger und vollständiger als in Kellers (Fastnachtspiele 3, 1249) wiederholung eines späteren nachdruckes. —
rec. Lit. cbl. 1896 (38) 1396—1397.

62. Th. Hampe, Über ein prosatraktätlein Hans Folzens von
der pestilenz. Mitt. a. d. germ. nationalmuseum 1896, 83—90.

Frischlin. 63. R. Krauss, Zur biographie einiger württem-
bergischer dichter 4. Zs. f. d. altert 41, 89 f.

Jakob F. ist schon 1556 geboren und erst nach 1621 gestorben; auch seine verschiedenen lebensschicksale werden beleuchtet.

Haimonskinder. 64. Die Haimonskinder in deutscher übersetzung des 16. jahrhs. hrsg. von Albert Bachmann. Tübingen
1895. XXIII, 310 s. (= Bibl. des litt. vereins in Stuttgart 206).

die 1531 beendigte übersetzung rührt von demselben unbekannten Schweizer her wie der 1890 veröffentlichte Morgant (jsb. 1892, 15, 113) und ist in derselben Aarauer hs. erhalten. seine französische vorlage stand dem Pariser drucke von 1521 nahe; er hat sie mehrfach gekürzt und namentlich stellen, die auf den katholischen glauben bezug haben oder gemütsbewegungen (weinen, ohnmachten, küssen) schildern, gestrichen. s. 263 anmerkungen (vergleichung des französischen textes). s. 278 ausführliches namen- und wörterverzeichnis.

Hayneccius. 65. M. Zech, Eine schulkomödie aus dem 16. jahrhundert. Mitt. d. gesch.-ver. zu Leisnig 10, 54—62.

bespricht den Almansor des Hayneccius, für dessen widmung der autor vom rate zu Leisnig zwei kronen erhielt. laut den stadtrechnungsbüchern ward ebenda 1552 ein lateinisches stück des Terenz gespielt, 1553 zur fastnacht Susanna, 1560 Isaak und Rebekka; 1596 erhielt mag. G. Heinricius in Bischofswerda einen goldgulden für übersendung seiner 'Entführung Ernesti und Alberti von Sachsen' (wohl nach D. Cramers Plagium).

Herman. 66. Nic. Herman, Die sonntags-evangelia (1561) hrsg. von R. Wolkan. Wien, Tempsky 1895. — vgl. jsb. 1895, ·15, 62. — rec. R. Kralik, Österr. litbl. 1896 (17) 525.

Hunger. 67. M. Rubensohn, Eines der ältesten im auslande gedruckten deutschen bücher. Cbl. f. bibl.-wesen 13 (7) 332 f.

Alciatos Emblemata, deutsch von Wolfg. Hunger (Paris 1542).

Kirchenlied. 68. W. Bäumker, Ein deutsches geistliches liederbuch mit melodien. Leipzig 1895. — vgl. abt. 14, 149 und jsb. 1895, 15, 66. rec. R. Eitner, Monatsh. f. musikgesch. 28, 23. P. Wagner, Lit. rundschau 1896 (5) 143 f. R. Kralik, Österr. litbl. 1896 (13) 401.

69. Wolfrum, Nachträge und berichtigungen zu Joh. Zahns quellenmitteilungen (Die melodien der dtsch.-ev. kirchenlieder). Siona 21 (3) 45—51.

69a. F. Bernau, Das Leitmeritzer gesangbuch. Mitt. des nordböhm. excurs.-clubs 18, 113 ff. — vgl. Cbl. f. bibl.-wesen 13, 51.

70. P. Bahlmann, Das älteste katholische gesangbuch in niederdeutscher sprache. Cbl. f. bibl.-wesen 13, 232—239.

Catholische geistlicke kerckengeseng, Münster 1629. die anfänge der 116 lieder samt den melodien werden verzeichnet. vgl. abt. 10, 260. 17, 47.

71. F. W. Seraphin, Zur geschichte der siebenbürgischen Bulgaren. Korrbl. d. ver. f. siebenb. landesk. 19 (11) 143—146.

weist aus einer schrift von L. Miletič 39 lutherische kirchenlieder nach, die um 1600 ins bulgarische übertragen wurden.

Knopken. 72. F. Hörschelmann, Andreas Knopken, der
reformator Rigas. ein beitrag zur kirchengeschichte Livlands.
Leipzig, Deicherts nachf. XII, 257 s. 4 m.

rec. J. Haussleiter, Theol. litbl. 1896 (19) 232—234.

Linck. 73. Wenzel Lincks werke hrsg. von W. Reindell 1.
Marburg, Ehrhardt 1894. — vgl. jsb. 1894, 15, 68. 1895, 15, 82.
— rec. Th. Kolde, Histor. zs. 75 (2) 298 f.

Luther. Bibliographie. 74. G. Loesche, Kirchengeschichte von
1517—1648. Theol. jsb. 15, 237 ff. (über die 1895 erschienene
litteratur.)

G. Kawerau, Luther. oben 15, 1.

Werke. 75. M. Luther's Sämmtliche schriften, hrsg. von
J. G. Walch. aufs neue hrsg. im auftrage des ministeriums der
deutschen ev.-luth. synode von Missouri, Ohio u. a. staaten bd. 3.
auslegung des alten testaments (fortsetzung). predigten über das
erste buch Mosis und auslegungen über die folgenden biblischen
bücher bis zu den psalmen excl. St. Louis Mo.; Zwickau, schriften-
verlag der ev.-luth. gemeinden in Sachsen. E. Braun in komm.
1894. VII s., 1 bl., 1661 sp. 4⁰.

bespr. v. B., Theol. litbl. 1896, 180—181.

Dass. bd. 5. auslegung des alten testaments (fortsetzung).
auslegungen über die psalmen (fortsetzung), den prediger und das
hohe lied Salomonis. ebd. 1896. VII s., 1 bl., 1661 sp. 4⁰.

Dass. bd. 9. St. Louis Mo.; Zwickau 1893. — vgl. jsb. 1894,
15, 72.

bespr. v. B., Theol. litbl. 1896, 180—181.

76. Luther's Primary works, together with his shorter and
larger catechisms, translated into english. edited with theological
and historical essays by Henry Wace and C. A. Buchheim.
London, Hodder a. Stoughton. XI, 492 s. 7 s. 6 d.

77. G. Buchwald, Die letzten Wittenberger katechismus-
predigten vor dem erscheinen des kleinen katechismus Luthers.
Beiträge zur reformationsgeschichte, Köstlin gewidmet. (Gotha,
Perthes.) s. 49—59.

78. Buchwald, Selige pilgerschaft. goldene worte für den
christlichen lebensweg, aus dr. M. Luthers werken ausgewählt.
Leipzig, Wigand. IV, 132 s. 0,70 m.

79. Burkhardt, Unbekannte bibelinschriften der reformatoren. Theol. studien u. kritiken 69, 351—355.

u. a. eine deutsche eintragung Luthers aus dem jahre 1537 in einer bibelausgabe von 1536.

80. C. Dieterich, Institutiones catecheticae, d. i. gründliche auslegung des katechismus dr. M. Luthers in frage und antwort und mit anmerkungen versehen. aus dem latein. übers. von prof. dr. F. W. A. Notz. 2. verb. u. verm. aufl. St. Louis Mo.; Leipzig, Bredt in komm. XVI, 526 s. mit bildn. 5 m.

81. Die einweisung des ersten evangelischen bischofs von Naumburg, Nicolaus von Amsdorf, und Luther's Festrede in der Domstiftskirche am 20. januar 1542. nach einem auf der herzogl. sächs. bibliothek zu Gotha befindlichen originalbericht. Allg. ev.- luth. kirchenztg. 29, 145—149.

82. M. Luthers Disputationen, in den jahren 1535—1545 an der universität Wittenberg gehalten. zum erstenmale hrsg. von P. Drews. (in 2 hälften.) Göttingen, Vandenhoeck u. Ruprecht 1895—1896. XLIV, 999 s. 35 m. — vgl. jsb. 1895, 15, 90.

das buch ist eine der bedeutsamsten erscheinungen auf dem gebiete der neueren Lutherforschung und von der kritik ein-stimmig günstig aufgenommen. — bespr. v. G. Loesche, Litztg. 1896 (34), 1060—1063. A. H., Lit. cbl. 1896, 961—963. Theol. tijdschrift (Leiden) 30, 440. Theol. studiën (Utrecht) 14, 194—196 u. 386. — vergleichende nachträge aus zwei handschriften in Riga, die D. zwar gekannt, aber nicht hatte erlangen können, giebt Haussleiter mit dem ergebnis, dass der gesamte inhalt der einen von D. benutzten Münchener handschrift aus der einen rigaischen geschöpft sei, im Theol. litber. 1896, 47—49 u. 245—248.

83. (M. Luther.) Enchiridion. Geistliker Leder vnde Psal-men, na ordeninge der Jartydt, vppet nye mit velen schönen Ge-sengen gebetert vnde vormehret. D. Mart. Luther. Gedrücket tho Magdeborch (dorch Andreas Duncker, In vorlegginge Ambrosij Kirchners. Anno M. D. XCVI.). 237 s.

ein auf mechanischem wege hergestellter neudruck, hrsg. von den besitzern der Faberschen buchdruckerei, Friedrich Alexander Faber und Wilhelm Robert Faber, in Magdeburg zum jubelfest ihrer druckerei und zum 300 jährigen jubiläum des von einem ihrer urahnen gedruckten buches selbst. es war eine neuausgabe des bereits im jahre 1584 erschienenen 'Enchiridion Geistliker Leder vnde Psalmen na ordeninge der Jartydt . . . D. Mart. Luther. Gedrucket tho Magdeborch dorch Wolffgang Kirchner', und gehört zu jener klasse der evangelischen kirchengesangbücher, die etwa

·seit der mitte des 16. jahrhs. eine bestimmte einteilung der lieder nach ihrem inhalte vornahmen, indem sie mit den fest- und katechismusliedern begannen und mit den liedern für die tageszeiten schlossen. es ist für die geschichte des deutschen kirchengesanges sowohl als auch namentlich in sprachlicher beziehung für die geschichte des verhältnisses des hochdeutschen zum niederdeutschen von bedeutung.

84. M. Luther, Erklärung der heil. schrift. zusammengestellt von pastor E. Müller. V. die beiden briefe an die Korinther. Gütersloh, Bertelsmann. 621—752 s. 1,50 m. — vgl. jsb. 1895, 15, 87.

Dass. VI. die (kleineren) paulinischen briefe an die Galater Epheser, Philipper, Kolosser, Thessalonicher. ebd. 753—948 s 1,50 m.

85. M. Luthers katechismen. hrsg. von d. Carl Bertheau. Hamburg, Niedersächs. ges. z. verbreitung christl. schriften. VIII, 167 s. 4⁰. 1 m.

ein in moderner schreibweise, aber unter gewissenhafter benutzung der originalausgaben ausgeführter abdruck des kleinen und grossen katechismus. jenem ist die ausgabe letzter hand (1542), diesem die erste (1529) zu grunde gelegt; verglichen sind andere alte drucke und die nd. übersetzung des grossen katechismus (1529); die varianten und worterklärungen stehen eingeklammert im texte. — bespr. v. E. L., Theol. litbl. 1896, 594 ('höchst sorgfältig ausgearbeitet').

86. M. Luther's deutsche sprüche, in chronologischer reihenfolge hrsg. von P. Ketzscher. Altenburg, Schnuphase 1896. — vgl. jsb. 1895, 15, 97. — bespr. v. Bossert, Theol. litztg. 1896, 247—248 mit nachträgen und verbesserungen im einzelnen.

87. Schott, Ein autographon von Luther und von Melanchthon. Theol. studien u. kritiken 69, 162—164.

eine noch nicht veröffentlichte handschriftliche eintragung Luthers aus dem jahre 1545, übersetzung von Matth. 7, auf dem innendeckel eines in der königl. öffentl. bibliothek zu Stuttgart befindlichen bandes.

88. O. Albrecht, Beiträge zum verständnis des briefwechsels Luthers im jahre 1524. Beitr. z. reformationsgesch., Köstlin gewidmet. (Gotha, Perthes.) s. 1—36.

89. Th. Brieger, Über die handschriftlichen protokolle der Leipziger disputation. ebd. s. 37—48.

90. W. Claudius, Luthers lehre vom sonntag in ihrem zusammenhang mit seinem verständnis von gesetz und evangelium. (fortsetzung.) Zs. f. prakt. theologie 18, 23—52.

91. W. E. Köhler, Luthers schrift an den christlichen adel deutscher nation. — vgl. abt. 8, 112. — fleiss und reiches wissen des vfs. werden anerkannt, der weg und die ergebnisse der untersuchung aber einmütig, zum teil in schärfster form, von der kritik abgelehnt. — bespr. v. A. Berger, Lit. cbl. 1896 (1) 7—9. Bossert, Theol. litztg. 1896, 189—192. W. Walther, Allg. evang.-luth. kirchenztg. 1896, 97—100: Zur neuesten Lutherforschung.

92. G. Koffmane, Zu Luthers arbeiten an den psalmen. Beiträge z. reformationsgesch., Köstlin gewidmet. (Gotha, Perthes.) s. 81—93.

93. G. Krüger, Textkritisches zu Luthers schrift: An die pfarrherrn wider den wucher zu predigen 1540. Zs. f. kirchengeschichte 16, 675—680.
ein exemplar dieser schrift in Giessen hat hsl. vielleicht von Rörer herrührende nachträge, die vielleicht zum druck der neuen auflage benutzt werden sollten, aber nicht sämtlich verwendung gefunden haben.

94. Luther und die kindererziehung, I—VIII. Allg. evang.-luth. kirchenztg. 29, 25 ff.

95. W. Meyer, Über Lauterbachs und Aurifabers sammlungen der tischreden Luthers. Abhandl. d. königl. ges. d. wissenschaften zu Göttingen, phil.-hist. klasse, n. f., bd. 1, no. 2. Berlin, Weidmann. 43 s.

96. G. Rietschel, Luthers lehre von der kindertaufe und das lutherische taufformular. Beiträge z. reformationsgesch., Köstlin gewidmet. (Gotha, Perthes.) s. 158—191.

97. E. Roderich, 'Gottes wort und die lutherische bibelübersetzung, zwei grundverschiedene dinge!' notwendige erwägung, um aus den religiösen wirren unserer zeit herauszukommen. Berlin, Wiegandt 1895. III, 56 s. 1,20 m.
bespr. v. Malo in der Zs. f. prakt. theologie 18, 365—368, gänzlich abweisend: statt, wie auf dem titelblatt steht 'notwendige erwägung, um aus den religiösen wirren unserer zeit herauszukommen', würde richtiger stehen 'ein höchst unangebrachter versuch, die religiösen wirren unserer zeit zu vermehren'.

98. E. Schäfer, Luther als kirchenhistoriker. ein beitrag

zur geschichte der wissenschaft. teil 1. Rostocker inaugural-
dissertation. Gütersloh, Bertelsmann. 2 bl., 110 s.

die dissertation 'bildet den ersten, allgemeinen teil eines
binnen kurzem unter dem gleichen titel erscheinenden buches, das
in seinen beiden weiteren teilen eine genauere besprechung von
Luthers historischen quellen, sowie eine zusammenstellung seiner
kirchenhistorischen kenntnisse aus seinen schriften enthält'. das
angekündigte bedeutsame buch ist inzwischen erschienen; s. d.
nächsten jahresber.

Luthers verdienste um die erziehung in der schule, I—IX.
Allg. evang.-luth. kirchenztg. 29, 673 ff.

99. G. Bossert, Noch einmal zu den Lutherana bd. 26, 30.
Zs. f. d. phil. 29 (3) 372—374.

Biographisches. 100. J. Baier, Dr. Martin Luthers aufenthalt
in Würzburg. Würzburg, Stahel. — vgl. jsb. 1895, 15, 105. —
bespr. Lezius, Theol. litber. 19, 365 f.

101. A. E. Berger, Die kulturaufgaben der reformation. einleitung in eine lutherbiographie. Berlin, Hofmann u. co. 1895. —
vgl. jsb. 1895, 15, 98. — bespr. K. Burdach, Lit. cbl. 1896,
116—119.

102. A. E. Berger, Martin Luther in kulturgeschichtlicher
darstellung. 1. Berlin, Hofmann 1895. — vgl. jsb. 1895, 15, 99.
— bespr. F. Lezius, Theol. litbl. 1896, 484 f. K. Burdach,
Lit. cbl. 1896, 116—119.

103. G. Buchwald, Wann hat Luther die erste ordination
vollzogen? Theol. studien u. kritiken 69, 151—157.
der tag dieser ersten ordination wird auf den 20. oktober 1535
bestimmt.

104. Burkhardt, Luthers häusliche verhältnisse. ebd. 69,
158—162.
mitteilungen über Luthers bezüge an naturalien vom kur-
fürstlichen hofe, ausschliesslich nach rechnungsnotizen aus dem
S. Ernest. gesamtarchive.

105. A. Hausrath, Luthers bekehrung. Neue Heidelberger
jahrbücher 6, 163—186.
unter L.s bekehrung versteht H., wie es eine mittelalterliche
lebensbeschreibung L.s bezeichnet haben würde, 'seinen plötzlichen
eintritt ins kloster, die seelenkämpfe, die er in seiner zelle durch-
focht, und die durch Staupitzens belehrung bei ihm eintretende

beruhigung seines tief aufgewühlten gemütslebens'. demgemäss erörtert er die thatsachen, erwägungen und empfindungen, die L.
veranlasst haben, wissenschaft, freunde und eltern zu verlassen, und
verfolgt eingehend, wie die gleichen empfindungen auch nach
diesem schritt L. noch erfüllt haben.

106. Ph. Horbach, Die nachkommen Luthers. (aus: Quell-
wasser fürs deutsche haus.) Leipzig, Wiegand. 32 s. 0,50 m.

107. G. Kawerau, Beiträge zur geschichte des antinomisti-
schen streites. Beiträge z. reformationsgesch., Köstlin gewidmet.
(Gotha, Perthes.) s. 60—80.

108. J. A. Kleis, Luthers 'heiliges' leben und 'heiliger' tod.
Aus d. norweg. übers. v. J. Olaf. Mainz, Kirchheim. VIII, 248 s.
8⁰. 3 m.

der inhalt ist im wesentlichen Majunke entnommen, und wird
selbst von katholischer seite abgelehnt; siehe die mitteilung über
eine besprechung der Köln. volksztg. in der Allg. evang.-luth.
kirchenztg. 1896 (34).

109. G. König u. J. Köstlin, Martin Luther. dem deutschen volke geschildert in 48 bildlichen darstellungen (v. G. König)
und in geschichtlicher ausführung (v. J. Köstlin). 35. tausend der
Königschen bilder. Berlin, Reuther u. Reichard. IX, 108 s.,
48 taf. 4. (8.) 12,50 m.

die bekannten 'ebenso gemütvollen wie schönen bilder Königs',
zum ersten male nicht bloss mit erläuterndem text zu den einzelnen
bildern, sondern mit einer kurzen eigens hierzu geschriebenen
darstellung von L.s ganzem leben aus Köstlins feder versehen.

110. Th. Kolde, Der tag von Schleiz und die entstehung
der Schwabacher artikel. Beiträge z. reformationsgesch., Köstlin
gewidmet. (Gotha, Perthes.) s. 94—115.

111. H. Kremers, Martin Luther, der deutsche christ.
Leipzig, Braun. (Flugschriften des evang. bundes. H. 125) 8 s. 8⁰.

112. Die Lutherfeier in Eisleben am 18. februar 1896. vor-
bericht und ansprachen. festbericht d. h. gen.-superint. Vieregge,
gedächtnisrede d. h. superint. Rothe. 1. u. 2. aufl. Eisleben,
Reichardt. 39 s. 0,50 m.

113. N. Paulus, Luthers lebensende und der Eislebener
apotheker Johann Landau. Mainz, Kirchheim. IV, 25 s. 8⁰.
0,60 m.

der katholische vf. will mit dieser schrift den versuchen
anderer katholischer schriftsteller, Luthers lebensende mit selbst-

mord in verbindung zu bringen, möglichst ein ende machen. siehe die voranzeige im Theol. litbl. 1896, 464.

114. G. Plitt, Dr. Martin Luthers leben und wirken, vollendet von hauptpastor E. F. Petersen. 4. (titel-)ausg. Leipzig, Hinrichs. VIII, 562 s. m. bildn. 4 m.

115. W. Rein, Das leben dr. Martin Luthers, dem deutschen volke erzählt. 2. aufl. Leipzig, Reichardt. X, 209 s. m. bildn. 8°. 1,20 m.

titelaufl. der im jahre 1883 zuerst erschienenen schrift.

116. F. Specht, Luther und seine geschwindschreiber. Salonfeuilleton 1896 (44).

aus der art der geschwindschreiberei jener zeit erklärt sich die häufige und grosse verschiedenheit der handschriftlichen überlieferungen einer und derselben predigt Luthers.

E. Schmidt, Faust und Luther. s. oben 15, 38.

Mair. 117. K. v. Reinhardstöttner, Des lederschneiders und poeten Johann Mayr von München lobspruch von München und Landshut. Forsch. z. kulturgesch. Bayerns 3, 255—259.

R. druckt beide gedichte ab, indem er für die biographie auf das Jahrb. f. Münch. gesch. 2, 282. 4, 416 verweist.

Manuel. 118. R. Wustmann, Briefe Niclaus Manuels. Zs. f. kulturgesch. 3, 145—196.

119. L. Hölscher, Satire auf die katholische messe vom jahre 1529. Nd. jahrb. 21, 147—155.

120. Fritz Burg, Dichtungen des Niclaus Manuel. Neues Berner taschenbuch auf das jahr 1897, 1—136.

aus einer Bächtold unbekannt gebliebenen hs. der Hamburger stadtbibliothek, die um 1523 von einem Nichtberner geschrieben ist, druckt B. in peinlich genauer wiedergabe Manuels 1522 aufgeführte fastnachtspiele 'vom papst und seiner priesterschaft' und 'vom papst und Christi gegensatz', sowie ein frisches, bisher nur dem titel nach bekanntes strophisches traumgedicht Manuels und den anfang eines fastnachtspiels 'von nonnen und von mönchen' ab. Bächtolds bibliographie wird ergänzt und ein neuer stammbaum der drucke aufgestellt.

Maria von Ungarn. 121. Th. Kolde, Zum glaubensliede der königin Maria von Ungarn. Beitr. z. bayer. kirchengesch. 2, 142. — vgl. jsb. 1895, 15, 115.

Mathesius. 122. Joh. Mathesius, Ausgewählte werke, 1. bd. Leichenreden, in auswahl hrsg., erläutert und eingeleitet von

G. Loesche. Prag u. Wien, Tempsky. XXXVII, 383 s. 2 m. [Bibliothek deutscher schriftsteller aus Böhmen 4.]

der erste der vier bände, auf die diese auswahl berechnet ist, enthält mehrere leichenreden aus der 3. ausgabe (1565). die einleitung handelt über Joachimsthals geschichte und das leben des autors, die anmerkungen bringen biographische nachweise und biblische citate. — rec. R. Wolkan, Mitt. d. ver. f. gesch. d. Deutschen in Böhmen 35, lit. beil. s. 33 f. A. Hübl, Österr. litbl. 1896 (8) 228. Lit. cbl. 1896 (25) 898 f.

123. G. Loesche, Johannes Mathesius. Gotha 1894—1895. — vgl. jsb. 1894, 15, 113. 1895, 15, 117. — rec. Ermisch, N. archiv f. sächs. gesch. 17, 209 f. A. Baur, Litztg. 1896 (14) 417. A. Hübl, Österr. litbl. 1896 (8) 227 f. W. Walther, Theol. litbl. 1896 (8) 97—99. K. P., Theol. litber. 1896 (3). R., Revue crit. 1896 (7). Sanders, Zs. f. deutsche spr. 10 (4). W. Kawerau, Zs. f. kirchengesch. 17, 307—309. G. Kawerau, Gött. gel. anz. 1896 (3) 257—264.

124. K. Amelung, J. Mathesius. Gütersloh 1894. — vgl. jsb. 1895, 15, 116. — rec. G. Kawerau, Zs. f. kirchengesch. 17, 309 f.

Meisterlied. 125. Th. Hampe, Sittenbildliches aus meisterliederhandschriften. Zs. f. kulturgesch. 4 (1) 42—53.

aus den vom trinken und baden handelnden liedern werden mehrere texte in modernisierter schreibung mitgeteilt: Der schuster mit seinem haushalten, Die weiber sollen keinen wein trinken, drei badlieder.

126. F. W. E. Roth, Zur geschichte der meistersänger zu Mainz und Nürnberg. ebd. 3, 261—290.

127. A. Hartmann, Deutsche meisterliederhandschriften in Ungarn. München, Kaiser 1894. — vgl. jsb. 1895, 15, 119. — rec. F. Streinz, Zs. f. d. österr. gymn. 47 (1). F. Vogt, Arch. f. neuere spr. 96 (1) 206—208. Wl., Österr. litbl. 1896 (11) 336 f.

128. K. Drescher, Vom Nürnberger meistergesang im 17. jahrh. Euphorion 3, 467 f.

notizen Georg Hagers im Weimarer ms. O. 152 über anfertigung von kleinodien und gemälden, namentlich der 1620 entstandenen meistersingertafel, die Hampe (jsb. 1894, 15, 114) zuletzt besprochen hat.

129. Paul Runge, Die sangesweisen der Colmarer handschrift und die liederhandschrift Donaueschingen hrsg. Leipzig. Breitkopf u. Härtel. XX, 200 s. fol. 20 m. oben 14, 152.

ein sehr willkommener abdruck der 106 melodien aus den hss.
C und D, die im 15. jahrh. aus einer älteren Mainzer hs. kopiert sind
(Bartsch, Meisterlieder 1862 s. 92 sah in D einen auszug aus C).
die neumierung ist in der nota quadrata wiedergegeben und nach
den textzeilen abgeteilt, da der rhythmus der melodien lediglich
vom texte bestimmt wird; eine kontrolle wird durch mehrere treffliche facsimiles einzelner seiten ermöglicht. die töne stammen aus
der zeit 1200—1400, die ältesten rühren von Walther und Wolfram
her, dann folgen Konrad von Würzburg, Reinmar von Zweter
(Roethes ausgabe ist nirgends erwähnt), der mönch von Salzburg,
Frauenlob etc. varianten der melodien aus andern hss. sind beigegeben; die texte sind nur dann vollständig abgedruckt, wenn sie
in C und D stehen. — rec. W. Bäumker, Litterar. handweiser 35
(24) 753—755.

Murner. 130. Thomas Murners Gäuchmatt (Basel 1519).
hrsg. von W. Uhl mit einleitung, anmerkungen und exkursen.
Leipzig, Teubner. VII, 290 s. 2,80 m.
     sorgfältiger neudruck, doch ohne die holzschnitte. die ein-
leitung verweist im wesentlichen nur auf die vorgänger, statt deren
resultate zusammenzufassen. s. 198 ziemlich ausführliche anmerkungen; s. 243 exkurse: Murners übersetzung der institutionen;
M. und das sprichwort; M. und der Ulenspegel etc. s. 268 abdruck von E. Jeeps aufsatz über die bedeutung des namens Eulenspiegel. — rec. Lit. cbl. 1896 (27) 979. M. Spanier, Zs. f. d.
phil. 29 (3) 417—424. G. Kawerau, Litztg. 1896 (28) 875—878.

     131. Murners Narrenbeschwörung hrsg. von M. Spanier.
Halle, Niemeyer 1894. — vgl. jsb. 1895, 15, 122. — rec. V. Michels, Anz. f. d. altert. 22, 285—289.

     132. K. Ott, Über Murners verhältnis zu Geiler. Heidel-
berger diss. Bonn, Hanstein 1896. 103 s. 1,50 m.
     abdruck aus Alemannia 23 (vgl. jsb. 1895, 15, 123).

     133. E. Voss, Antwurt und klag mit entschuldigung doctor
Murners wider bruder Michel Stifel. Publications of the modern
language association of America 11 (3). — vgl. M. Poll, Euphorion
4, 390.

     134. R. Durrer, Die inschriften im Salzherrenhaus su
Sarnen. Anz. f. schweiz. altertumsk. 29, 25.
     die ebd. 1891, 6, 579 beschriebenen fresken tragen unter-
schriften aus Murners Narrenbeschwörung c. 4 und 8.

Nazarei. 135. Judas Nazarei, Vom alten und neuen gott,
glauben und lehre (1521). mit abhandlung und kommentar hrsg.

von E. Kück. Halle, Niemeyer. XIV, 134 s. 1,20 m. (= Braunes neudrucke no. 142— 143).

die geistvolle und gelehrte verteidigung der lutherischen lehre, die 1521 zu Basel unter dem namen des Judas Nazarei erschien und ins lateinische, nd., ndl., englische und dänische übersetzt wurde, schreibt K. mit überzeugenden gründen dem St. Galler humanisten Vadian zu. er giebt auf s. 69—134 eine ausführliche vergleichung zwischen dieser schrift, dem den gleichen verfasser-namen tragenden 'Wolfgesang' und den übrigen werken Vadians, beleuchtet die quellen und nachwirkungen des buches und hängt einen sehr dankenswerten kommentar an.

Nigrinus. 136. John Meier, Des Nigrinus schrift Wider die rechte bacchanten. Zs. f. dtsch. phil. 29 (1) 110—117.

hebt gegen Hauffen (Vjs. f. litgesch. 2, 501) hervor, dass N. (eigentlich Jörg Schwartz) in seiner gewandten und lebensvollen schrift vom jahre 1559 in erster linie S. Franck und nur nebenher Friderichs Sauffteuffel benutzte.

Örtel. 137. Th. Hampe, Deutsche pilgerfahrten nach San-tiago de Compostella und das reisetagebuch des Sebald Örtel (1521—1522). Mitt. a. d. german. nationalmuseum 1896, 61—82.

Paumgartner. 138. Briefwechsel Balthasar Paumgartners des jüngeren mit seiner gattin Magdalena geb. Behaim (1582—1598). hrsg. von G. Steinhausen. Tübingen 1895. IX, 302 s. (= Bibl. des litt. ver. in Stuttgart 204).

172 briefe eines Nürnberger kaufmanns, der oft zur Frank-furter messe und nach Italien reiste, und seiner braut und frau, interessant wegen des einblicks in das alltagsleben einer wohl-habenden bürgerfamilie und in mancherlei zeitverhältnisse (s 9 komödianten in Lucca und Nürnberg, s. 176 englische komödianten). der herausgeber hat kurze anmerkungen und ein nützliches register beigefügt.

Pleningen. 139. Wilh. Vilmar, Dietrich von Pleningen. ein übersetzer aus dem Heidelberger humanistenkreis. dissert. Mar-burg. 69 s.

der schwäbische ritter D. v. P. (geb. 1450—1455, gest. 1519), der 1475 in Pavia unter Rud. Agricolas führung humanistische studien trieb und dann als jurist und diplomat in pfälzischen und bayrischen diensten thätig war, ist im alter zu seinen klassischen studien zurückgekehrt und hat mehrere schriften von Sallust, Cicero, Seneca, Plinius d. j., Horaz, Juvenal und Lucian gewandt verdeutscht. V. untersucht s. 40—69, um seine übersetzungskunst zu zeigen, genau und geschickt die übersetzung von Sallusts

Catilina und vergleicht das verfahren des Niclas v. Wyle und
Hier. Boner. die von A. Schmidt (jsb. 1895, 15, 133) entdeckte
Darmstädter hs. hat V. nicht benutzt.

Rösslin. 140. F. W. E. Roth, Eucharius Rösslin der ältere.
bibliographisch geschildert. Cbl. f. bibl.-wesen 13, 289—311.

der Wormser arzt R. († 1526) gab 1513 'Der swangern frau-
wen vnd hebammen rosegarten' heraus.

Roth. 141. A. Reifferscheid, Der schulkomödiendichter
Simon Roth als lexikograph. Mitt d. ges. f. dtsch. erziehungs-
und schulgeschichte 5 (4) 245—253.

giebt auszüge aus dem Teutschen dictionarius (1572).

142. P. Mitzschke, Stephan Roth, ein geschwindschreiber
des reformationszeitalters. Berlin, Verband Stolzescher stenographen-
vereine 1895. 20 s. 0,50 m. — rec. Lit. cbl. 1896 (43) 1564 f.

Sachs. 143. K. Drescher, Schriften zum Hans Sachs-jubiläum III (schluss). Euphorion 4, 107—112. — vgl. oben 15, 1.

144. J. Sahr, Zur Hans Sachs-litteratur. Zs. f. vgl. litgesch.
10, 354—379.

in dieser fortsetzung zu Bechsteins bericht (jsb. 1894, 15, 136)
bespricht S. die werke von W. Kawerau (1889) und Ch. Schweitzer
(1887).

145. Hans Sachs hrsg. von A. v. Keller und E. Goetze.
23. bd. hrsg. von E. Goetze. Tübingen 1895. 612 s. (Bibliothek
des litterarischen vereins in Stuttgart 207).

enthält gleich dem 22. bande eine reihe von spruchdichtungen,
die in der alten gesamtausgabe fehlen, aus den jahren 1525—1573,
darunter zwei fastnachtspiele, eine tragödie von Artoxerxes (1560),
die verse zu Ammans handwerkerbildern, auch nachträge zu früheren
bänden. — rec. M. Rachel, Zs. f. d. phil. 29 (3) 393. Lit. cbl.
1896 (51) 1851.

146. Hans Sachs, Sämtliche fabeln und schwänke hrsg. von
E. Goetze. Halle, Niemeyer. 1893—1894. — vgl. jsb. 1894, 15,
137. 1895, 15, 141. — rec. M. Rachel, Zs. f. d. phil. 29 (3)
392 f. Th. Hampe, Zs. f. d. d. unterr. 10, 757—763 mit einzelnen nachträgen.

147. Hans Sachs-forschungen. festschrift. hrsg. von A. L.
Stiefel. Nürnberg, Raw 1894. — vgl. jsb. 1894, 15, 151. 1895,
15, 146. — rec. L. Fränkel, Litbl. 1896 (4) 116—123. Wl,
Österr. litbl. 5 (11) 337. M. Rachel, Zs. f. d. phil. 29 (3)

385—392. — auf Seufferts im jsb. 1895 erwähnte recension erwidert Stiefel, Zur abwehr, Zs. f. vgl. litgesch. 9, 418—422.

148. J. Minor, Stichreim und dreireim bei Hans Sachs, Euphorion 3, 692—705.
macht gegen M. Herrmann (jsb. 1894, 15, 151) geltend, dass die statistische behandlung nicht passe, wo es sich um die individuelle wechselbeziehung zwischen inhalt und form handle, und hier auch zu sehr künstlichen annahmen geführt habe. — vgl. Lit. cbl. 1896, 895. 925 f. 991 f. Litztg. 1896, 1593—1596. 1659 f.

149. Festschrift zur Hans Sachs-feier, gewidmet von herausgeber und verleger der Zeitschrift für vergleichende litteraturgeschichte. Weimar 1894. — vgl. jsb. 1894, 15, 155. 136. 157. 120. 132. — rec. L. Fränkel, Litbl. 1896 (4) 123—125. Wl., Österr. litbl. 5 (11).

150. Mummenhoff, Hans Sachs. Nürnberg, Korn 1894. — vgl. jsb. 1894, 15, 140. — rec. Wl., Österr. litbl. 5 (11) 336.

151. E. Goetze, Hans Sachs. festrede. Nürnberg, Raw 1894. — vgl. jsb. 1894, 10, 145. — rec. L. Fränkel, Litbl. 1896 (4) 113—116. Wl., Österr. litbl. 5 (11) 336.

152. A. L. Stiefel, Zu den quellen der Hans Sachsischen schwänke. Zs. f. vgl. litgesch. 10, 17—30.
ergänzungen und nachträge zu jsb. 1894, 15, 151.

153. J. Bolte, Stoffgeschichtliches zu Hans Sachs. nach Reinhold Köhlers kollektaneen. Euphorion 3 (2. 3) 351—362.
1. Die vier jungfrauen. — 2. Amor und tod. — 3. Die 15 christen und 15 Türken.

154. Th. Hampe, Über Hans Sachsens traumgedichte. Zs. f. d. d. unterr. 10 (9) 616—624.
über drei meisterlieder: die klage der frau Societas (1518), das rad der frau Glück (1528), die schwelger und der tod (1530). H. stellt die traumgedichte in bezug auf poetische empfindung am höchsten.

155. A. Wünsche und M. Landau, Zu Hans Sachs' quellen. Zs. f. vgl. litgesch. 10, 281—286.
1. Neun haut eines bösen weibes. 2. Rat dreier heirat halben.

156. H. Zimmerer, Hans Sachs und sein gedicht von den 110 flüssen des deutschen landes (1559) mit einer zeitgenössischen landkarte hrsg. und erläutert. progr. des Maximilians-gymnasiums in München. 54 s. und karte.

Z. druckt das 1559 entstandene gedicht aus dem 13. spruch-
buche ab und notiert wesentliche abweichungen der folio (2, 112).
in sorgsamer untersuchung weist er die benutzung der chronisten
Seb. Franck, Pirckheimer (Germania 1530, Ptolemaeus 1525),
Münster und Schedel sowie einer landkarte nach, die 1501 von
Erh. Etzlaub gezeichnet und von Georg Glockendon gedruckt
wurde und von der hier ein Nürnberger nachdruck von 1569 reproduciert wird.

157. A. Bauch, Barbara Harscherin, Hans Sachsens zweite
frau. beitrag zu einer biographie des dichters. Nürnberg, Raw.
112 s. 2,50 m.

Barbara H. war kein 17jähriges mädchen, sondern eine
27jährige witwe, als sie sich 1561 mit dem dichter vermählte. ihr
erster mann war der kandelgiesser Jakob Endres, ihr dritter der
bader Hans Leutkirchner. auch auf die nachkommen des H. S.
fällt neues licht. — rec. [V. Michels], Lit. cbl. 1896 (39) 1435 f.
Beitr. z. bayer. kirchengesch. 2, 267 f.

158. J. Schmidhuber, Hans Sachs ein lehrer seines volkes.
Zs. f. d. österr. volksschulwesen 7 (2).

Salat. 159. A. Büchi, Ende und nachlass des chronisten
Hans Salat. Anz. f. schweiz. gesch. 27 (5) 385—387.

S. starb erst 1561 in Freiburg in der Schweiz, wie aus seinem
hier mitgeteilten nachlassinventar hervorgeht.

Schauspiel. 160. Rich. Heinzel, Abhandlungen zum altdeutschen drama. Sitzungsber. d. Wiener akad. phil.-hist. cl. 134, 10.
Wien, Gerold. 118 s. 2,60 m.

eine reihe von beobachtungen mit umfangreichen statistischen
nachweisen aus der dramatischen litteratur des 15.—16. jahrh.:
1. spielanweisungen, musiknoten, widersprüche in den geistlichen
schauspielen. 2. die schauspieler (geistliche, schüler, rollenver-
teilung, schauspielerinnen). 3. die bühne. 4. raum und zeit auf
der alten bühne. 5. das medicusspiel und die lustige person.
6. beziehungen zum altfranzösischen drama. 7. das mantellied
Magdalenens. 8. die Goliardenverse.

161. V. Michels, Studien über die ältesten deutschen fastnachtsspiele. Strassburg, Trübner. XI, 248 s. 6,50 m. (— Quellen
und forschungen 77). vgl. 14, 3.

nicht geliefert. nach der anzeige von Creizenach, Lit. cbl.
1896 (51) 1849—1851 scheidet M. aus Kellers ausgabe die no. 53,
54, 56, 57 und 128 als eine gruppe bayrisch-österreichischen ursprunges aus, geht auf die Sterzinger und Lübecker spiele ein,

während er das Antichristspiel in die Schweiz verlegen will. dann untersucht er die Nürnberger spiele und ihren zusammenhang mit den aufzügen und schwerttänzen der handwerker und behandelt namentlich Hans Rosenplüts dichterische eigenart eingehend.

162. Eine notiz aus den Nürnberger ratsprotokollen vom 28. februar 1497 über ein von Wolf Ketzel und Oswald, der gesellschaft von Rafenspurg diener, steht in den Mitt. a. d. germ. nationalmuseum 1896, 24. — vgl. auch oben 15, 138 (Paumgartner).

163. A. E. Schönbach, Ein altes Neidhartspiel. Zs. f. d. altert. 40, 368—374.
das 58 verse umfassende spiel von Neidhart mit dem veilchen, das hier aus einer hs. des 14. jahrhs. in St. Paul in Kärnten abgedruckt und mit den späteren Neidhartspielen verglichen wird, ist nicht bloss als älteste fassung dieses schwankes, sondern auch als zeugnis für die ältere geschichte des fastnachtspieles sehr beachtenswert. vgl. 14, 30.

164. R. Froning, Das drama der reformationszeit. Stuttgart, Union [1895]. — vgl. jsb. 1895, 15, 180. — rec. Lit. cbl. 1896 (10) 350.

165. J. Bächtold, Schweizerische schauspiele des 16. jahrh. 3. bd. Frauenfeld, Huber 1893. — vgl. jsb. 1894, 15, 164. 1895, 15, 181. — rec. A. v. Weilen, Anz. f. d. altert. 22, 238.

166. W. Köppen, Beiträge zur geschichte der deutschen weihnachtspiele. Paderborn 1893. — vgl. jsb. 1894, 15, 163. 1895, 15, 183. — rec. J. E. Wackernell, Anz. f. d. altert. 25, 66—74.

167. F. Schroeder, Aus dem mittelalterlichen Essen. Beitr. z. gesch. von Essen 17, 21 (dramatische aufführung 1504).

168. Friedr. Schmidt, Ein festspiel der Münchener Jesuitenschule im 16. jahrh. Forschungen zur kultur- und litteraturgeschichte Bayerns 3.
über das lateinische schauspiel Hester vom jahre 1577.

169. J. Bolte, Das Danziger theater im 16. u. 17. jahrh. Hamburg 1895. — vgl. jsb. 1895, 15, 185. — rec. Creizenach, Lit. cbl. 1896 (1) 26 f. A. v. Weilen, Litztg. 1896 (3) 73 f. J. Minor, Mag. f. litt. 1896 (9) 299. Neue revue (Wien) 8 (6) 185 f. Grenzboten 55 (13) 644. Vossische ztg. 1896, no. 533, 1. beilage. J. A. Worp, Museum 8, no. 11.

170. J. Schwering, Zur geschichte des niederländischen und spanischen dramas. Münster 1895. — vgl. jsb. 1895, 15, 188.

— rec. Creizenach, Lit. cbl. 1896 (3) 94. A. Dessoff, Zs. r.
vgl. litgesch. 10, 110 f. A. Farinelli, Revista crit. de historia
y litteratura españolas 1 (12).

171. J. Bolte, Die singspiele der englischen komödianten.
Hamburg 1893. — vgl. jsb. 1895, 15, 186. — rec. C. Schüdde-
kopf, Euphorion 3, 512 f. B. Hönig, Anz. f. d. altert. 22,
296—319. R. M. Meyer, Mag. f. litt. 63, 926. L. Fränkel,
Engl. stud. 23, 125—129.

172. H. Logeman, Johannes de Witt's visit to the Swan
theatre. Anglia 19, 117—134.
    bezieht die 1888 von Gaedertz veröffentlichte zeichnung einer
Londoner theatervorstellung auf Shakespeares 'Was ihr wollt' und
setzt die entstehung dieses stückes zwischen 1596 und 1598.

173. Rud. Schwartz, Das Esther-drama des Chrysostomus
Schultze 1636. Zs. f. vgl. litgesch. 9, 334—351.
    das hsl. prosastück ist namentlich in den komischen partien
abhängig von der Esther der englischen komödianten.

174. W. Bottermann, Die beziehungen des dramatikers
A. v. Arnim zur altdeutschen litteratur. vgl. oben 6, 10.
    weist für die 'Päpstin Johanna' die benutzung Schernberks
nach (s. 10—20) und behandelt auch s. 42—67 die überarbeitungen
einzelner stücke Ayrers und der englischen komödianten.

175. R. Faust, Proben deutscher reden im älteren englischen
drama. Zs. f. d. d. unterr. 10, 371—385. — über Chapmans
Alphonsus.

Schede. 176. Die psalmenübersetzung des P. Schede, Melissus (1572) hrsg. von M. H. Jellinek. Halle, Niemeyer. CLX,
203 s. 3 m. (= Braunes neudrucke no. 144—148).
    die psalmenübersetzung, die S. 1572 im auftrage des pfälzischen
kurfürsten Friedrich III. unternahm, beruht auf der 1562 erschienenen französischen übertragung von Marot und Beza, wenn
sie auch daneben den hebräischen grundtext zu rate zieht und
ausser der metrischen eine prosaübertragung des letzteren giebt.
sie enthält aber nur 50 psalmen und ward daher durch Lobwassers
vollständige übertragung (1573) alsbald verdrängt. für uns hat sie
als der erste und mit auffallender sachkenntnis unternommene versuch, romanische versmasse im nhd. nachzubilden, grosses interesse,
zumal da wir uns Schedes reform der orthographie nach dem verluste seiner 'Introductio in linguam germanicam' und seines
'Dictionarium germanicum' nur aus ihr eine vorstellung machen

können. der herausgeber J. hat nicht nur den text mit seinen besonderen typen und accenten sorgfältig wiederholt (nur die melodien Goudimels sind fortgelassen), sondern auch ausführliche und
wichtige untersuchungen über das verhältnis S.s zu seiner französischen vorlage, seine verskunst (silbenzählung, verschluss und
cäsur, reim, hiatus) und orthographie (buchstabenverdoppelung,
stumme buchstaben, majuskeln, bindestrich, apostroph, accente etc.),
auch über sein verhältnis zu andern orthographiereformern des 16.
und 17. jahrhs. beigegeben.

Schumann. 177. E. Kroker, Historia von Erhard Braunen;
Michael Lindener; Valentin Schumann. Schriften d. ver. f. d.
gesch. Leipzigs 5, 191—213.

K. druckt aus einer hs. der Leipziger stadtbibliothek einen gereimten schwank ab, in dem der wirt zum goldenen bären (um
1541) einen groben fuhrmann foppt. den vf. vermutet er in dem
Leipziger Valentin Schumann, der in seinem Nachtbüchlein no. 32
eine andere Leipziger skandalgeschichte verwertet.

Schwabe. 178. M. H. Jellinek, Ernst Schwabe von der
Heide. Euphorion 3, 468 f.

Zesen citiert 1647 Schwabes 'überaus schöne wiewohl sehr
alte getichte', offenbar ohne sie je gesehen zu haben.

Speratus. 179. P. Tschackert, Nachträge zur preussischen
reformationsgeschichte. Zs. f. kirchengesch. 17 (3) 410—412.

nimmt seine vermutung zurück, S. habe die flugschrift 'Abzug
Lucifers' (1524) verfasst, und weist den früher F. v. Heideck zu-
geschriebenen 'Warnungsbrief des heil. geistes' (1526) dem Joh. v.
Schwarzenberg zu.

Stainhöwel. 180. Boccaccio de claris mulieribus, deutsch übersetzt von Stainhöwel, hrsg. von K. Drescher. Tübingen 1895.
LXXVI, 341 s. (= Bibl. d. litt. ver. in Stuttgart 205).

abdruck der Ulmer editio princeps von 1473 mit den abweichungen der fünf folgenden ausgaben. die einleitung untersucht das verhältnis der lat. und deutschen hss. und drucke
(stammbaum s. XXIV). Stainhöwels vorlage war nicht der
Zainersche druck von 1478, sondern eine dem Münchner cod. lat.
14443 nahestehende hs. der übersetzer verfuhr frei und vereinfachte oft. seine sprache stellt D. s. XLIII—LXIV auf grund der
originalhs. seiner verdeutschung des Speculum vitae humanae
(cgm. 1137) dar und misst daran die orthographie des Ulmer
druckes, die wenig abänderungen des setzers aufweist. untersuchungen über St.s stil verheisst D. anderwärts zu veröffentlichen.

181. Fr. Vogt, Arigos blumen der tugend. Zs. f. d. phil.
28 (4) 448—482.

V. teilt proben aus der 1468 angefertigten verdeutschung der
'Fiori di virtù' sowie aus der bisher kaum beachteten Hamburger
hs. mit und weist aus der sprache nach, dass der am schlusse genannte Arigo mit dem übersetzer des Decameron identisch ist, in
dem man früher fälschlich Heinrich Stainhöwel wiedererkennen
wollte. vgl. Vogt, Gött. gel. anz. 1895, 325 (über Herrmann
A. v. Eyb).

Steindorffer. 182. C. Müller, Ein lustspiel aus dem jahre
1540. Zs. f. d. d. unterr. 10 (5) 395—413.

eine besprechung von Steindorffers comödia von der ehe, die
M. in bezug auf dramatischen bau, sittlichen ernst und gewandte
sprache sehr hoch stellt.

Sudermann. 183. L. Keller, Zur erinnerung an Daniel Sudermann. Monatsh. d. Comenius-gesellsch. 5 (7. 8).

Tappe. 184. L. Fränkel, Über Eberhard Tappe. Zs. f. d.
d. unterr. 10, 156 f.

Tharäus. 185. Andreas Tharäus, Klage der gerste und des
flachses. hrsg. von J. Bolte. Schriften d. ver. f. d. gesch. Berlins
33, 35—68.

das 1609 erschienene gereimte gespräch des brandenburgischen
landpfarrers schildert mit breitem humor die menschlichen thätig-
keiten, die zur bereitung des bieres, der leinwand und des papiers
erforderlich sind. B. weist die benutzung von H. Bocks kräuter-
buch und einer anonymen scherzrede 'De hordei miseria' nach,
geht auf verwandte dichtungen ein und erläutert die schwierigeren
ausdrücke.

Theatrum diabolorum. 186. M. Osborn, Die teufellitteratur
des 16. jahrh. Berlin 1893. — vgl. jsb. 1893, 15, 246. 1894, 15, 202.
— rec. G. Ellinger, Euphorion 3, 785—789.

Vadian s. unten 15, 217 f. (Watt) und oben 15, 135 (Nazarei).

Virdung. 187. Günther, Johann Virdung (astronom). Allg.
d. biogr. 40, 9 f.

188. R. Eitner, Sebastian Virdung (musiker). ebd. 40, 11.

Vischer. 189. [C. Bertheau], Christoph Vischer (kirchen-
liederdichter). ebd. 40, 30 f.

Vogel. 190. F. Eichler, Jakob Vogel. ebd. 40, 110 f. —

derselbe, Jakob Vogel. ein blick in die litterarische betriebsamkeit des 17. jahrh. Cbl. f. bibl.-wesen 13, 387—406.

191. L[iliencron], Johannes Vogel. ebd. 40, 111.

192. Roethe, Die meistersänger Niklas, Hans und Michael Vogel. ebd. 40, 120 f.

Vogelgesang. 193. Reusch, Johannes Vogelgesang (Avicinius). ebd. 40, 139.

Vogelhuber. 194. R. Eitner, Georg Vogelhuber (komponist). ebd. 40, 139 f.

Vogtherr. 195. K. Schorbach, Heinrich Vogtherr der ältere. ebd. 40, 192—194. (maler, buchdrucker und geistlicher dichter.)

Voigt. 196. E. Jacobs, Balthasar Voigt (dramatiker). ebd. 40, 198—200.

197. E. Jacobs, Balthasar Voigt (Voidius, kirchenlieder-dichter). ebd. 40, 200—202.

Voith. 198. H. Holstein, Valten Voith. ebd. 40, 223.

Vulpius. 199. [C. Bertheau], Hermann Vulpius. ebd. 40, 386 f.

200. R. Eitner, Melchior Vulpius (musiker). ebd. 40, 388 f.

Wagner. 201. J. Bolte, Gregorius Wagner. Allg. d. biogr. 40, 501 f.

Walasser. 202. W. Bäumker, Adam Walasser. ebd. 40, 640—643.

Waldis. 203. W. Kawerau, Burkard Waldis. ebd. 40, 701—709.

204. L. Arbusow, Beitrag zur lebensgeschichte des B. Waldis (brief vom 31. mai 1531). Sitzungsber. d. kurländ. ges. f. litt. 1895, 811. sitzung.

Waldner. 205. [C. Bertheau], Martin Waldner. Allg. d. biogr. 40, 720.

Walliser. 206. R. Eitner, Christoph Thomas Walliser. ebd. 40, 754 f.

Walther. 207. Bolte, Daniel Walther. ebd. 41, 99.

208. R. Eitner, Johann Walther. ebd. 41, 110—113.

Wanckel. 209. H. Pröhle, Matthias Wanckel. ebd. 41 137 f.

Wannenmacher. 210. R. Eitner, Johann Wannenmacher (Vennius). ebd. 41, 158 f.

Wanning. 211. R. Eitner, Johannes Wanning. ebd. 41, 159.

Warbeck. 212. Die schöne Magelone, übersetzt von Veit Warbeck. hrsg. von J. Bolte. Weimar 1894. — vgl. jsb. 1895, 15, 212. — rec. C. S—r, Lit. cbl. 1896 (7) 234 f. F. Pfaff, Euphorion 3, 509 f. S. Singer, Anz. f. d. altert. 22, 236—238. G. Kawerau, Zs. f. kirchengesch. 17, 316 f.

213. J. Bolte, Veit Warbeck. Allg. d. biogr. 41, 165 f.

Warnberg. 214. [C. Bertheau], Caspar von Warnberg. ebd. 41, 174.

Watt. 215. Roethe, Benedikt von Watt. ebd. 41, 238 f.

216. Th. Hampe, Benedikt von Watt. Euphorion 4, 16—38.

217. E. Götzinger, Joachim von Watt (Vadian). Allg. d. biogr. 41, 239—244.

218. E. Götzinger, Joachim Vadian. Halle, Niemeyer 1895. — vgl. jsb. 1895, 15, 202. — rec. Zs. f. d. gesch. des Oberrheins. n. f. 11, 326. Hist. zs. 76, 549.

Weckherlin. 219. H. Fischer, G. R. Weckherlin. ebd. 41, 375—379.

Wedel. 220. v. Bülow, Joachim von Wedel. ebd. 41, 409 f.

221. Max Bär, Lupold von Wedel. ebd. 41, 413 f.

Weidensee. 221a. W. Kawerau, Eberhard Weidensee. ebd. 41, 448—450.

Weigel. 222. G. Müller, Valentin Weigel. ebd. 41, 472—476.

Weingärtner. 223. [C. Bertheau], Sigismund Weingärtner. ebd. 41, 504.

Weisse. 224. R. Wolkan, Michael Weisse. ebd. 41, 597—600.

Weissgärber. 225. [C. Bertheau,] Christoph Weissgärber. ebd. 41, 613.

Weltliches lied. 226. K. Zwieržina, Drei lieder aus Wiener handschriften. Zs. f. d. altert. 41, 65—76. 96. 401.

1. soldatenlied aus den Türkenkriegen des 15. jahrh. aus der Wiener hs. 3027. — 2. Wer, Els, wer! ebendaher (= Alemannia 6, 337). — 3. eine geistliche umdichtung des Habersacks, aus einer hs. des 15. jahrh. in privatbesitz.

Wenck. 227. R. Eitner, Johann Wenck. Allgem. d. biogr. 41, 709.

Westermann. 228. E. Knodt, Johann Westermann, der reformator Lippstadts und sein sogenannter katechismus, das älteste litterarische denkmal der evangelischen kirche Westfalens. Gotha, Schlossmann 1895. 170 s. 2 m.

die 1524 erschienenen nd. fastenpredigten über die zehn gebote werden abgedruckt; eine biographie des durch Luther gewonnenen Lippstadter mönches Westermann geht vorauf. — rec. F. Cohrs, Theol. litztg. 1896 (4) 110 f. G. Bossert, Theol. litbl. 1896 (13) 160 f. Josephson, Theol. litber. 1895 (10). N. P[aulus], Histor. jahrb. 17 (1).

Zimmersche chronik. 229. F. Lauchert, Beiträge zur geschichte der kirchlichen und religiösen zustände in Oberschwaben und benachbarten deutschen ländern im reformationszeitalter, aus der Zimmerischen chronik. im besondern von den verhältnissen in Messkirch und der grafschaft Zimmern. Alemannia 24 (3) 193—237.

230. [A. Barack], Eine fast kurzweilige histori von der schönen Elisa, eines königs tochter aus Portugal und grave Albrechtus von Werdenberg, wie der dieselbe aus ires vaters hof entführet und nach vil ausgestandenen abentheuern glücklich in seine heimat nach Sargans gebracht hat. gedruckt in diesem jahr. [Strassburg, Heitz u. Mündel]. 96 s. 3 m.

ist, wie E. Martin, Anz. f. d. altert. 22, 90 zeigt, eine bearbeitung nach der Zimmerschen chronik 3, 103—115.

Zwingli. 231. R. Stähelin, Huldreich Zwingli. 1. Basel 1895. — vgl. jsb. 1895, 15, 227. — rec. A. Bauer, Gött. gel. anz. 1896 (3) 177—188. G. Kawerau, Hist. zs. 76 (3) 459—462. Lezius, Theol. litbl. 1896 (9) 114 f. A. Büchi, Hist. jahrb. 1895 (4). Th. Kolde, Zs. f. kirchengesch. 17, 327 f.

232. E. Nagel, Zwinglis stellung zur schrift. Freiburg i. Br., Mohr. XI, 113 s. 1,80 m.

J. Bolte (no. 1—73. 117—232). J. Luther (no. 74—116).

XVI. Englisch.

A. Allgemeines.

1. Verhandlungen des sechsten allgemeinen deutschen neuphilologentages am 14.—17. mai 1894 zu Karlsruhe, hrsg. von dem
vorstande der versammlung. Hannover, C. Meyer (1896). 136 s.
enthält s. 33—46 den vortrag A. Schröer's über neuere
engl. lexikographie und die daran sich anschliessende debatte (vgl.
jsb. 1894, 16, 19), s. 101—120: Banner, Die neuesten strömungen
auf dem gebiete der modernen philologie (vgl. jsb. 1894, 16, 4)
und debatte.

Verhandlungen des siebenten allgemeinen deutschen neuphilologentages am 26. und 27. mai 1896 zu Hamburg. Hannover,
C. Meyer (1896). 133 s.
darin: Münch, Welche ausrüstung für das neusprachliche
lehramt ist vom standpunkte der schule aus wünschenswert?
s. 14—25. Mühlefeld, Die lehre von der bedeutungsverwandtschaft in ihrem verhältnis zur rhetorik, semasiologie, wortbildungslehre, stilistik und synonymik s. 48—53. W. Vietor, Was ist im
auslande zur praktischen förderung der (dortigen) neuphilologen in
letzter zeit geschehen? s. 53—56.

2. Archiv für das studium der neueren sprachen und litteraturen. begründet von L. Herrig, hrsg. von Aloys Brandl und
Adolf Tobler, bd. 96 und 97. — nach Zupitzas tode ist A. Brandl
in die redaktion des blattes eingetreten. über den inhalt vgl. die
folgenden abschnitte.

3. Studies and notes in philology and literature. vol. II.
published under the direction of the modern language departments
of Harvard university by Ginn and co. Boston 1893. 220 s. —
vgl. jsb. 1893, 16, 255. 485. — bespr. von F. Dieter, Anglia
beibl. 7 (3) 74—76. bd. 1 angez. von M. Kaluza, Litbl. 1896 (5)
156—158.

4. P. Lange, Übersicht über die im jahre 1893 auf dem
gebiete der englischen philologie erschienenen bücher, schriften und
aufsätze. supplementheft zu Anglia 1895—1896. 86 s. 1,50 m.
— vgl. jsb. 1895, 16, 6.

5. F. Liebermann, Verzeichnis der von Reinhold Pauli
verfassten bücher, aufsätze und kritiken. Halle, druck von E. Karras.

1895. 24 s. — angez. von H. F. Helmolt, Anglia beibl. 6 (11) 329 f.

6. Facsimiles of royal, historical, literary and other autographs in the department of manuscripts, British museum. London, first series (nos. 1—30) 6 sh., second series (nos. 1—30 ed. by G. F. Warner) 7 sh. 6 d. — vgl. über diese sammlung, welche hss. des Britischen museums durch gute reproduktionen in photolithographie wiedergiebt, Anglia beibl. 7 (6) 175—178 (H. F. Helmolt).

7. M. R. James, A descriptive catalogue of the manuscripts in the library of Eton college, of Jesus college, Cambridge, and of King's college, Cambridge. Cambridge, University press. 3 vols.

8. J. Storm, Englische philologie. anleitung zum wissenschaftlichen studium der englischen sprache. vom vf. für das deutsche publikum bearbeitet. zweite, vollständig umgearbeitete und sehr vermehrte aufl. I. die lebende sprache. 2. abt. rede und schrift. Leipzig, Reisland. XXI einl. und s. 485—1098 text. 11 m.

abschluss des jsb. 1894, 16, 120. 1893, 16, 323 angezeigten werkes. es behandelt kap. 3. die wörterbücher, eine besprechung und oft ins einzelne gehende begutachtung der vorhandenen litteratur auf diesem gebiete mit einschluss der historisch-etymologischen wbb. und der wbb. des slang und cant. kap. 4. 'Synonymik, phraseologie, praktische hilfsmittel' behandelt in ähnlicher weise die auf diesen gebieten vorhandenen lehrbücher, kap. 5. lektüre und litteraturstudium, kap. 6. die umgangssprache (mit lehrreichen selbständigen beobachtungen), kap. 7. sprachrichtigkeit (die grenzen der umgangssprache und der vulgärsprache, eigenheiten einiger englischer schriftsteller), kap. 8. die vulgärsprache, kap. 9. englische dialekte (litteratur; balladen, volkslieder; koloniales englisch), kap. 10. amerikanisches englisch (lesefrüchte; eigenheiten der gebildeten sprache), kap. 11. achtzehntes jahrh. (litteratur, sprache dieses zeitraumes, letzterer abschnitt wiederum mit wertvollen einzelheiten), kap. 12. das 17. jahrh. und der schluss des 16. kap. 13. litteraturgeschichte und kap. 14. grammatik (nebst metrik, sprachgeschichte), enthalten kurze andeutungen über die litteratur dieses gebietes, wenig vollständig; endlich folgen nachträge und register. das werk bietet eine fülle von trefflichen einzelbeobachtungen auf dem gebiete der ne. sprache, doch fällt eine gänzliche ungleichmässigkeit in der behandlung der einzelnen teile, ein vollständiger mangel an künstlerischem ebenmass auf. — angez. von K. D. Bülbring, Litbl. 1896 (10) 338 f., von E. Nader,

19*

Engl. stud. 23 (2) 293—295 'für den studierenden eine fundgrube
der belehrung auf fast allen gebieten des ne.' N. fügt einige 'an-
spruchslose bemerkungen' zu einzelheiten bei. — angez. Romania 25,
349. — 1. abt. (phonetik und aussprache) angez. von W. Vietor,
Indogerm. forsch. 6, anz. 197 f.

9.   L. Türkheim, Zu J. Storms engl. philologie. I, 2. abt.
'rede und schrift'. progr. Fürth. 37 s.

10.   C. Stoffel, Studies in English written and spoken. —
vgl. jsb. 1895, 16, 7. — auch von J. Hoops, Litbl. 1896 (4)
125—129 gelobt. zu manchen einzelheiten giebt H. ergänzungen.

11.   Dictionary of national biography. edited by S. Lee. —
vgl. jsb. 1895, 16, 8. bd. 40—44 bespr. Athenæum (1895, 2)
no. 3551, 676 f. 1896 erschienen: bd. 45: Pereira — Pockrich,
bd. 46: Pocock — Puckering, bd. 47: Puckle — Reidfurd,
bd. 48: Reilly — Robins. (Robert of Gloucester behandelt
E. Maunde Thompson s. 370 f.)

B. Sprachliches.

Wörterbücher (vgl. oben 16, 8).
12.   A new English dictionary on historical principles. ed. by
J. A. H. Murray and H. Bradley. — vgl. jsb. 1895, 16, 9.
vol. II, part. VII — vol. IV (*consignificant — field*) eingehend gewürdigt von A. Schröer, Engl. stud. 23 (1) 171—183. er rühmt
das systemat. ausschöpfen der quellen an dem wb., das in dieser
hinsicht von keinem der vorhandenen grösseren wbb. des engl. erreicht werde. durch vergleichung einzelner stellen mit dem Century dictionary, dem Encyclopædic dict. und Muret zeigt S. die
überlegenheit des N. E. D. für unbegründet hält der rec. eine gewisse schüchternheit, die die herausgeber in der erklärung an-
stössiger wörter und ausdrücke zeigen und empfiehlt ihnen die benutzung von Muret, da es dringend zu wünschen wäre, die berechtigung mancher bedeutungsansätze in diesem wertvollen werke
zu erfahren. zum schluss giebt S. ein paar fälle etymologischer
aufklärung, von denen das N. E. D. eine fülle bietet. — *crouchmas — Czech, d — deject, everybody—esod, f—fee* lobend angez.
Athenæum (1895, 2) no. 3542, 347, wo auf einige auslassungen
und irrtümer hingewiesen wird. — vgl. Bradley über das wb.
(Philological soc.), ebd. (1896, 1) no. 3560, 91; auch Academy
no. 1209, 14. no. 1222, 276. no. 1238, 81. no. 1248, 287. no. 1261,
13. no. 1273, 225 f.. gelobt auch American journal of phil. 16
(1895) 97—99 von J. M. Garnett.

13. Leo Wiener, English lexicography. Modern lang. notes 11, 352—366.

prüft das New English dictionary (16, 12) in bezug auf die benutzung der ältesten wörterbücher und kommt zu dem ergebnis: 'It is to be sorely regretted that the Oxford dict. does not incorporate the results of a thorough study of the old dictionaries, cyclopedias and word books'.

14. J. Stormonth, A dictionary of the English language, pronouncing, etymological, and explanatory. new edition. London, Blackwood and sons. — nach Athenæum (1895, 2) no. 3540, 290 im ganzen brauchbar, wennschon im etymologischen teile fehlerhaft.

15. C. A. M. Fennell, The Stanford dictionary of anglicised words and phrases. — vgl. jsb. 1893, 16, 215. nach J. M. Garnett, American journal of phil. 16 (1895) 93—97 'no mere compilation, but a large number of works have been read specially for this dict., and most of the examples are cited at first hand'.

---

16. Chr. Fr. Grieb's Englisch-deutsches und deutsch-englisches wörterbuch. 10. aufl. neu bearb. von A. Schröer. — vgl. jsb. 1895, 16, 12. — lief. 1—16 lobend angez. von R. W(ülker), Lit. cbl. 1896 (33) 1197 f., lief. 9—12 von J. Ellinger, Anglia beibl. 6 (11) 327 f., lief. 4—16 von M. Krummacher, Engl. stud. 23 (1) 183—185 und von K. Luick, Zs. f. d. österr. gymn. 47, 1098. inzwischen ist diese treffliche arbeit bis heft 20 (—*slumber*) fortgeschritten.

17. E. Muret, Encyklopädisches wörterbuch der englischen und deutschen sprache. — vgl. jsb. 1895, 16, 13. mit dem 24. hefte ist der englisch-deutsche teil erledigt. auch vom deutsch-englischen teile sind bereits zwei hefte erschienen. der tod des bearbeiters dieses teiles, des prof. D. Sanders, soll, wie die verlagshandlung verspricht, keine stockung in dem erscheinen des werkes verursachen. bis zum buchstaben *f* liegt das ms. von Sanders druckfertig vor, die fortsetzung hat Immanuel Schmidt übernommen. dieser name leistet für die gediegenheit des kommenden gute gewähr. — lief. 3—18 bespr. von E. Koeppel, Engl. stud. 23 (1) 197 f. er betrachtet 'diese bewundernswürdige leistung rastlosen und sorgfältigsten sammelfleisses mit aufrichtigem respekt'. — gelobt Zs. f. d. österr. gymn. 47, 1098 von K. Luick.

18. I. Schmidt und G. Tanger, Wörterbuch der englischen sprache. unter besonderer benutzung von Flügels wb. bearbeitet. — vgl. jsb. 1895, 16, 14. — nach Ad. Müller, Arch. f. d. stud.

d. n. spr. 96 (1. 2) 218 f. 'ein buch, wie es seinem zweck ent-
sprechender nicht hat verfasst werden können'. der zweite teil des
buches (deutsch-englisch) sei von überraschender reichhaltigkeit.
M. Krummacher, Engl. stud. 23 (1) 185—195: 'vergleichen wir
Schmidt-Tanger mit Thieme-Pr.-W. (vgl. no. 19), so soll für gewisse spezialfächer (z. b. naturwissenschaften, technologie, verkehrs-
wesen) die überlegenheit des letzteren nicht bestritten werden, für
den *general reader* aber, sowie für schüler oberer klassen und
studierende der philologie ist zweifellos S.—T. vorzuziehen. K. fügt
verschiedene 'kritische einzelbemerkungen' bei. — angez. von H. C. G.
Brandt, Mod. lang. notes 11, 425—428. nach ihm ist das werk für
englisch-sprechende, die noch nicht viel deutsch verstehen, nicht
geeignet. gelobt von E. Hausknecht, Litztg. 1896 (30) 940—942,
doch weist er auf einzelne lücken und versehen hin.

19. Thieme-Preusser, Wörterbuch der englischen und deutschen sprache. neue, vollständig umgearbeitete auflage, bearbeitet
von J. E. Wessely. jubiläums-ausgabe. Hamburg, Händcke u.
Lehmkuhl. — bespr. von Glauning, Anglia beibl. 7 (5) 144—155,
mit einigen ausstellungen, im ganzen aber als eines der besten
handwbb. der engl. spr. empfohlen. M. Krummacher, Engl. stud.
23 (1) 185—187 weist auf die kurze und treffende unterscheidung
der synonyma im englisch-deutschen teil und die zweckmässige
ausnutzung des raumes durch abkürzungen hin. im einseitigen
streben nach vollständigkeit bringe das wb. indes zu viel an veralteten wörtern. im einzelnen werden manche berichtigungen
gegeben.

20. A. Matthias, Neues ausführliches taschenwörterbuch der
englischen und deutschen sprache. 3. aufl. Berlin, Friedberg u.
Mode. VIII, 745 und 746 s. 4,50 m.

21. K. ten Bruggencate, Engelsch woordenboek. tweede
deel: Nederlandsch-engelsch. Groningen, J. B. Wolters. 2, 50 f. —
vgl. jsb. 1895, 16, 16. — angez. von P. Roorda, Museum 4, 86 f.

---

22. F. Ballauf, Technologisches wörterbuch in deutsch-eng-
lischer und englisch-deutscher sprache. (schiffsmaschinen, maschinen-
betrieb u. s. w. umfassend). 2. aufl. Flensburg. 80 s. 2 m.

23. James A. Liebmann, Vocabulary of technical military
terms: English-German, German-English. for the use of military
students. with a preface by William Gordon Cameron. London,
Gale and Polden. 216 s. 5 sh.

Phraseologie (vgl. oben 16, 8).

24. F. Jenkinson, Some 'vulgar' idioms. Academy (48) s. 438.

behandelt *different to, later on, in these circumstances.* — vgl. auch A. W. Benn, ebd. no. 1231, 485.

---

25. Ph. H. Dalbiac, Dictionary of quotations. — vgl. jsb. 1895, 16, 21. — bespr. von A. B(randl), Arch. f. d. stud. d. n. spr. 96 (3. 4) 399 f. 'überraschend vollständiges nachschlagebuch'. Athenæum (1896, 1) no. 3576, 619 'consists too much of saws and maxims and too little of ordinary quotations'. — angez. von M. F. Mann, Anglia beibl. 7 (4) 109—111; von Br. Schnabel, Engl. stud. 23 (1) 198 f.

26. John Barten, A select collection of English and German proverbs, proverbial expressions, and familiar quotations with translations. Hamburg, C. Kloss. VIII, 323 s. 5 m.

eine sammlung von mehr als 4000 englischen und ebenso viel deutschen sprichwörtern und aussprüchen in alphabetischer anordnung mit steten verweisen auf inhaltlich übereinstimmende sätze oder gegenstücke in den beiden sprachen.

27. A. Cheviot, Proverbs, proverbial expressions and popular rhymes of Scotland. collected and arranged, with introduction, notes, and parallel phrases. London, A. Gardner. XII, 434 s. 6 sh.

Wortforschung. 28. Uhlenbeck, Etymologisches. P.-Br. beitr. 21 (1896) 98—106. — vgl. oben 3, 136, fürs engl. kommen in betracht: ae. *heafoc* (ne. *hawk*), ae. **hyppan* me. *hyppen*, ae. *hoppian* (ne. *to hop*), ae. **fala* 'brett', (vgl. Sievers, anm.), ae. *hǽste* 'heftig', ae. *hasu* 'graubraun', ne. *spar* 'sparren', ae. *welig wilig* (ne. *willow*).

29. S. Bugge, Germanische etymologien. P.-Br. beitr. 21 (3) 421—428. vgl. oben 3, 123. behandelt aus engl. gebiet: ae. *berie* (ne. *berry*), ae. *Scedenīg*, ae. *tīr* 'ruhm, ehre', ae. *rōd* 'kreuz' ne. *rod* 'rute' rood 'kreuz', ae. *widu wudu*.

30. E. Mogk, Werwolf. P.-Br. beitr. 21 (3) 575 f.

über die ae. form *werewulf.* — vgl. abt. 10, 13.

31. O. B. Schlutter, Notes on Hall's concise Anglo-Saxon dictionary. I. Mod. lang. notes 11, 321—335. II. s. 408—419 und 511 f. — vgl. auch 16, 182.

bringt mancherlei aufklärung über ae. in den gll. begegnende wörter.

32. A. L. Mayhew, The various forms of O. E. 'ceaster'.
Academy no. 1240, 117 f.

ein versuch, die (neben —*chester* bestehenden) ne. formen
—*cester* (*Leicester*), und —**ceter* (wie in *Exeter*) zu erklären.

33. J. E. Wülfing, The Anglo-Saxon *geðæf.* Mod. lang.
notes 11, 320. — vgl. 16, 169.

34. J. A. H. Murray, An unrecorded English verb. Academy
no. 1241, 138 f.

belegt ein ae. schw. verbum *dēcan gedēcan* 'beschmieren', das
auch me. als *deche,* ne. dialektisch mit kürze als *ditch* begegnet.
ebd. no. 1242, 158 behauptet H. Sweet, dass Murray sich mit
'erborgten philologischen federn' schmücke, da er seine auskunft
über ae. *dēcan* einer privatmitteilung Sweets entlehnt habe. A. S. Napier, ebd. hingegen zeigt, dass S. Bugge *dēc(e)an < *dôkjan* bereits
P.-Br. beitr. 12, 430 erkannt und mit lit. *daśyti* zusammengestellt
habe. vgl. Murray, Mark H. Lidell, R. McLintock, Academy
no. 1243, 178.

35. E. Nicholson, The rood and the furlong. Academy
no. 1275, 264 f.

über die grösse der so bezeichneten landstrecken, vgl. Furnivall, ebd. no. 1272, 204 (The contents of a yard and hide of land).

36. W. W. Skeat, English words borrowed from French
before the Conquest. Academy (48) no. 1221, 252.

weist auf Kluges jsb. 1895, 16, 38 angezeigten aufsatz.

———

37. W. W. Skeat, 'Archil' or 'orchel'. Academy (48)
no. 1212, 73.

will das wort von *orichalcum* ableiten.

38. W. W. Skeat, F. Chance, 'Arsenic'. Academy (48)
no. 1211, 53 f. no. 1213, 93. — vgl. jsb. 1895, 16, 29.

39. J. A. H. Murray, 'Bench' = 'bank'. Academy (48)
no. 1231, 484 f.

40. W. W. Skeat, 'Boisterous'. Academy (48) no. 1213, 93.
variante von me. *boistous < afz. boistous (= boiteux).*

41. F. Chance, 'Briar', 'choir', 'friar'. Academy no. 1238, 79.

will *friar* auf provenz. *fraire* zurückführen, *briar* aus vermischung von me. *brere* und frz. *bruyère* (älter auch *brière*), *choir*
aus solcher vor me. *quere* mit *quire* (= 24 sheets of paper) erklären. A. L. Mayhew, ebd. no. 1239, 98 dagegen sucht zu

zeigen, dass in der nachbarschaft von *r* frz. *e* oft im engl. zu *i* geworden sei.

42. A. E. H. Swaen, Callet, minx, gixie. Engl. stud. 22 (2) 325—329. — S. giebt den inhalt eines vortrages von A. Kluyver wieder, der die angegebenen wörter aus dem zigeunerischen ableitet.

43. H. Toynbee, 'Caroon' in the New English dictionary. Academy no. 1244, 201.
beleg aus dem jahre 1759.

44. W. W. Skeat, The etymology of 'chum'. Academy no. 1254, 407.
Sk. ist geneigt, in dem wort einen versuch zu sehen, den 'niederdeutschen studentenausdruck' *kump* (< *kumpan*) zu naturalisieren; vgl. V. Spiers u. K. Blind, ebd. no. 1255, 429.

45. J. Platt, Welsh 'darnio': English 'darn'. Academy (48) no. 1215, 132 f.
ersteres sei vom letzteren abgeleitet, nicht umgekehrt.

46. M. H. Scott, The original meaning of 'dunce'. Mod. lang. notes 11, 59 f.
dunce in der bedeutung 'philosoph' belegt aus Marston's What you will.

47. J. M. Hart, To drink *eisel*. Mod. lang. notes 11, 58.

48. H. Bradley, 'Focile' in anatomy. Academy no. 1236, 40.

49. G. Sarrazin, Zur etymologie von 'gossip', 'godfather', 'godson' u. s. w. Engl. stud. 22 (2) 329. — die erste silbe sei ursprünglich ae. *gōd*.

50. W. W. Skeat, The etymology of 'loop'. Academy no. 1256, 448 f.
leitet das wort von an. *hlaup* ab. (*loop-hole* refers to the course of light, as being a place where the light may 'leap' in.) vgl. S. O. Addy, no. 1257.

51. W. W. Skeat, The 'prenzie' Angelo. Academy no. 1248, 285.
prenzie (in Measure for Measure 3, 94) sei druckfehler für *preuzy*, das Sk. mit fz. *preux* zusammenstellt. vgl. Mark Liddell, ebd. no. 1250, 325. Skeat, W. Worrall, ebd. 1251, 346 f. 1253, 385.

52. H. A. Evans, 'Scamels'. Academy no. 1260, 530.

53. J. S. C., The Wykehamical 'scob'. Academy no. 1263, 50 f.
belege aus dem 15. jahrh. für das in Winchester gebräuchliche *scob* 'a large box'. vgl. C. W. Holgate. ebd. no. 1265, 83.

54. G. Sarrazin, Der ursprung von ne. 'she'. Engl. stud. 22
(2) 330 f.

ae. *hēo* sei unter dem einfluss der accentverschiebung des
diphthongs zu *hjó*, *ʒho* geworden, das neben me. *ʒhe* auftritt. aus
ʒhe, *ʒho* habe sich *sche* (ne. *she*), *scho* entwickelt.

55. W. W. Skeat, 'Tennis'. Athenæum (1896, 1) no. 3571, 447.

das wort, welches zuerst bei Gower (1399 oder 1400) vor-
komme, stamme vom frz. *teneʒ* (imperat. in der bedeutung 'take
heed', 'mark').

_____

56. E. L. Fischer, Verba nominalia.   Engl. stud. 23 (1)
70—73.

zusammenstellung der ne. wörter, die von eigennamen herrühren
(*to boycot* u. ä.).

57. W. A. Merrill, Some specimens of Modern English.
American. philol. assoc., Proceeding for July 1895, LXIX f.

über neubildungen des sermo familiaris, besonders von namen
für arzneien.

58. K. Schmidt, Die gründe des bedeutungswandels. —
vgl. abt. 3, 39. nach J. Ellinger, Engl. stud. 22 (2) 321—323 ein
wichtiger beitrag zur semasiologie.

Namenforschung. 59. A. Erdmann, Über die heimat und der
namen der Angeln.   Upsala 1890—1891. — vgl. jsb. 1894, 7, 66.
eingehend bespr. von H. Möller, Anz. f. d. altert. 22, 129—164.

60. Th. Miller, Place names in the English Bede. — vgl.
16, 165.

M. will aus der schreibung der namen in den Beda-hss. 'the
range of local knowledge possessed by the scribes' feststellen, da
man annehmen könne, dass die schreiber die namen der ihnen vertrauten orte gewöhnlich richtig angeben, aber über weniger bekannte orte straucheln werden, oder ihre form solchen aus ihrer
eigenen gegend angleichen. M. stellt daher die in den gleichzeitigen urkunden, in der chronik, in Orosius und Ælfric vorkommenden formen der namen mit denen in den Beda-hss. zusammen. das ergebnis ist, dass die schreiber sämtlich dem mittellande oder süden angehören.

61. A. S. Napier and W. H. Stevenson, The Crawford
collection of early charters and documents. — vgl. 16, 183. die
reichhaltigen anmerkungen (s. 37—152) enthalten wertvolle erläuterungen zu altengl. namen (u. a. über *Grendeles pytt* s. 50).

_____

62. A. L. Mayhew, The etymology of 'Shottery'. Academy
(48) no. 1209, 12. — vgl. jsb. 1895, 16, 52.

63. W. W. Skeat, The etymology of 'Thule'. Academy no. 1246, 241.

weist auf altirisch *tuath* 'links', 'nördlich'.

---

64. F. H. Habben, London street names: their origin, signification and historic value. with divers notes and observations. London, T. Fisher Unwin. 6 sh.

65. Janus Tait and J. H. Round, Wirral place-names. Athenæum (1895, 2) no. 681 f. über namen nordischen ursprungs auf -*by* in Cheshire. vgl. no. 3552, 718. 3554, 792. 3555, 835.

66. W. J. N. Liddall, Place names of Fife and Kinross. Edinburgh, W. Green and sons. 55 s. 3/6.

---

67. H. Bradley, 'Edyllys be'. Academy no. 1276, 285.

versuch einer erklärung des titels eines buches über gute sitte (Furnivall, Manners and meals in olden time II, 101).

Dialekte des neuenglischen, slang (vgl. no. 16, 8).

68. Joseph Wright, The English dialect dictionary. part. 1, *a—ballot*. Clarendon press. 144 s. 4⁰. 15 sh.; hand-made paper 30 sh.

voranzeige: Academy no. 1248, 287. erst im nächsten jahrgang kann auf das gross angelegte und bedeutende werk näher eingegangen werden.

69. Joseph Wright, A grammar of the dialect of Windhill. — vgl. jsb. 1894, 16, 68. lobend bespr. von K. D. Bülbring, Idg. forsch. 6, anz. 198—202.

70. W. W. Skeat, Nine specimens of English dialects. — English dialect soc. — London, Trübner and co.

zwei 'Yorkshire dialogues in rhyme' (aus den jahren 1673 und 1684), ein weiterer Yorkshire dialogue in prose (von 1801) und einer in reimen (1833), ein gedicht 'Jim and Nell' (Devonshire dial. 1867 von W. F. Rock verfasst), Norfolk dialogue (1800), Account taken down from the mouth of a fisherman in Shetland; endlich ein gedicht im Essex dialekt 'John Noakes and Mary Styles' by Ch. Clark (1839). — lobend angez. Athenæum (1896, 1) no. 3576, 616 f.

71. W. Rye, A glossary of words used in East Anglia. Engl. dial. soc. London, Trübner and co. — angez. Athenæum (1896, 1) no. 3576, 617 'not very skilfully compiled, but by no means without value'.

72. F. M. T. Palgrave, A list of words and phrases in
every-day use by natives of Hetton-le-Hole (Durham). Engl. dial.
soc. London, Trübner and co. 52 s.

Athenæum (1896, 1) no. 3576, 617 'contains little that may
not be found in Heslop's Northumberland glossary. The pronunciation, however, is carefully noted'.

73. Dialect notes. part. 1. · published by the American dialect soc. Boston 1890. — vgl. jsb. 1890, 16, 193. — angez. von
O. Brenner, Engl. stud. 23 (1) 158.

---

74. Cleishbotham the Younger, A dictionary of the Scottish
language. Glasgow, D. Bryce. 68 s. 2/3.

75. J. S., 'Leeze me'. Academy no. 1272, 264.
schott. ausdruck, den S. vom altnord. herleiten will.

76. W. Franz, Vulgärenglische studien. Engl. stud. 23 (2)
339—344.

gegen J. Storm gerichtet, der in seiner Engl. philologie
Franz (in seiner dialektspr. bei Ch. Dickens) des plagiats bezichtigt
(s. oben 16, 8).

77. W. C. Gore, Notes on slang. Mod. lang. notes 11,
385—395.

ergebnis einer umfrage bei den studenten der University of
Michigan über den gebrauch von slang-ausdrücken. At what age
did you begin to use slang? what effect do you seek to produce
by the use of slang? under what circumstances do you make use
of slang? what effect do you think the use of slang had had upon
your vocabulary u. ähnliche fragen.

Sprachgeschichte und grammatik (vgl. oben 16, 8).

78. O. Jespersen, Progress in language. with special reference to English. — vgl. jsb. 1895, 3, 22. 16, 61 und oben
3, 27. nach J. Hoops, Anglia beibl. 6 (10) 289—296 zu dem
originellsten und bedeutendsten gehörig, was seit jahren auf diesem
gebiete erschienen ist. J. M. Garnett, American journal of phil.
16 (1895) 362—368 stimmt mit den grundanschauungen des vf.
nicht überein, lobt aber einzelnes, besonders die drei kapitel über
engl. grammatik. — empfohlen von C. Stoffel, Museum (Groningen)
3 (1895) 41—44.

79. V. Henry, Précis de grammaire comparée de d'anglais
et de l'allemand. — vgl. jsb. 1894, 16, 82 und 1895, 16, 67. —
angez. Athenæum (1895, 2) no. 3547, 530 'clear and graceful'.
einige versehen werden daselbst berichtigt.

80. O. F. Emerson, The history of the English language. — vgl. jsb. 1895, 16, 63. — F. Holthausen, Litbl. 1896 (8) 264—266 erkennt an, dass der vf. seine aufgabe (ein brauchbares handbuch für amerikanische 'college classes' zu liefern) trefflich gelöst hat. im einzelnen giebt er mancherlei berichtigungen.

81. O. F. Emerson, A brief history of the English language. New York, The Macmillan company. (London, Macmillan and co.). XI, 267 s. 4/6.

das vorhergehende werk in verkürzter und (besonders in teil 4 und 5) umgearbeiteter gestalt. es behandelt recht übersichtlich in 5 teilen: 1. English and other languages (the Indo-European family, the Teutonic languages), 2. The standard language and the dialects, 3. The English vocabulary (native element, borrowed element, relation of the borrowed and native element), 4. Changes in the forms of words (phonetic changes, analogy in English, the English accent), 5. The history of English inflections. dazu appendix: Specimens of Old, Middle and Early Modern English und index. das büchlein empfiehlt sich anfängern durch korrektheit des gebotenen; die lautlehre ist freilich etwas dürftig ausgefallen, das ganze auch wohl mehr zur belehrung für den allgemein gebildeten leser als zur einführung in das philolog. studium bestimmt.

82. R. Morris, Historical outlines of English accidence revised by L. Kellner, with the assistance of H. Bradley. — vgl. jsb. 1895, 16, 65. eine reihe von berichtigenden und ergänzenden bemerkungen giebt K. D. Bülbring, Anglia beibl. 7 (8) 226—233 'viele einzelheiten sind richtig gestellt, aber die revision ist nicht sorgfältig genug durchgeführt'. 'kann den studierenden nicht empfohlen werden'. A. E. H. Swaen, Engl. stud. 23 (2) 299—304 hingegen kennt kein buch über diesen gegenstand, das 'verlässlicher wäre oder besser dem zwecke diente, den studenten einen guten einblick in die geschichte der engl. sprache zu gewähren'. gelobt auch von J. Baudisch, Zs. f. d. realschulw. 21, 221. manche ausstellungen macht F. Holthausen, Lit. cbl. 1896 (43) 1577.

83. H. Sweet, A new English grammar, logical and historical. — vgl. jsb. 1892, 16, 253. — angez. von F. Holthausen, Idg. forsch. 6 anz. 99—101.

84. Karl Luick, Untersuchungen zur englischen lautgeschichte. Strassburg, K. J. Trübner. XVIII, 334 s.

im gegensatz zu den bisherigen grammatischen arbeiten, die nur die ne. schriftsprache in den bereich ihrer untersuchung zogen,

werden in diesem wertvollen werke zuerst die mundarten des neuenglischen berücksichtigt, wird die entwickelung der me. vokale
innerhalb bestimmter mundartlicher gebiete mit vielen neuen ergebnissen für die historische grammatik untersucht. die ne. mundarten sind dabei wesentlich nach dem 5. bande von Ellis' treff-
lichem werke 'On early English pronunciation' dargestellt. der vf.
behandelt I) die me. längen und diphthonge in den lebenden mundarten (innerhalb des germanischen sprachgebiets), II) die me.
kurzen ĭ und ŭ in offener silbe mit dem ergebnis, dass ae. ĭ und ŭ
im Nordhumbrischen vor dem ende des 13. jahrhs. zu ē und ō
gedehnt wurden. eine reihe von etymologien zur beleuchtung dieses
satzes ist zum schluss beigegeben. (dazu anhänge: I. über gäl. ao,
II. zu give, III. zum ne. subst. come und endlich allgemeine
schlussbemerkung über die beiden me. typischen grundlagen für
die ausgestaltung der me. dialekte [d. h. südhumbr. und nordhumbr.]
und den zusammenhang zwischen einzelnen parallel gehenden lautwandlungen.) — enthält nach M. Trautmann, Lit. cbl. 1896 (49)
1771 f. 'sichere ergebnisse in stattlicher fülle', zeugt 'von ge-
diegenem wissen und grossem scharfsinn'. lobend angez. von
V. Henry, Revue critique 1896 (1) 302 f.

85. E. Penner, Tabelle der entwickelung der englischen betonten vokale. Leipzig, Renger. 16 s. 0,40 m.
bespr. von K. Luick, Anglia beibl. 7 (6) 173 f.

86. E. W. Bowen, An historical study of the ō-vowel in
accented syllables in English. Boston, D. C. Heath and co. 1895.
VI, 101 s. — abgelehnt von K. D. Bülbring, Engl. stud. 28 (1)
157 'völlig überflüssige arbeit ohne neue gedanken'.

—————

87. E. Sievers, Abriss der angelsächsischen grammatik. —
vgl. jsb. 1895, 16, 74. — lobend angez. von F. Klaeber, Mod.
lang. notes 11, 375—379.

88. J. W. Bright, An outline of Anglo-Saxon grammar. —
vgl. jsb. 1895, 16, 75. — nach A. Brandl, Arch. f. d. stud. d. n.
spr. 96 (1. 2) 214 'im allgemeinen ein auszug aus Sievers, für
schulzwecke kurz und kundig zusammengestellt'. B. äussert einige
abweichende ansichten. ebenso E. Nader, Engl. stud. 23 (1)
156 f. — angez. von K. Luick, Anglia beibl. 6 (12) 353 f.

89. J. E. Wülfing, Die syntax in den werken Alfreds des
grossen. erster teil. — vgl. jsb. 1894, 16. 101. F. Holthausen,
Litbl. 1896 (10) 334—338. 'vergebens sucht man in dem buche,
das wie ein gewaltiger lastwagen aus alten zeiten langsam und be-
dächtig auf den tief ausgefahrenen geleisen des sog. 'bewährten

schemas' dahinfährt, neue ideen und anregungen'. 'den meisten vorteil zieht schliesslich noch die texterklärung aus der untersuchung, denn der fleissig und gründlich arbeitende vf. kann an recht vielen stellen falsche übersetzungen der herausgeber verbessern'. die inzwischen erschienene erste hälfte des 2. teiles (XIV, 250 s., 8 m.) behandelt die syntax des verbums. in diesem teil zieht W. in beschränktem masse auch belege aus der Chronik, den Blickling homilies, Wulfstan, Ælfric u. a. heran. er behandelt mit vollständigem belegmaterial für das altwestsächsische. die verschiedenen arten des zeitwortes, genus, tempus, modus, infinitiv, partizip und das verbalsubstantiv auf *-ing*, *-eng*, *-ung*, dazu bildungen auf *-nes*.

90. Frank H. Chase, A biographical guide to Old English syntax. Leipzig, G. Fock. 27 s. 1 m.

eine ziemlich überflüssige, im wesentlichen nach Wülfing (vorhergehende) angefertigte zusammenstellung der bisher erschienenen arbeiten über die syntax altenglischer denkmäler, die nicht einmal vollständig ist. die bibliographie ist vierfach angeordnet, alphabetisch nach den namen der autoren, chronologisch, nach den universitäten, von denen die arbeiten (die ja zumeist doktordissertationen sind) ausgingen, und alphabetisch nach den denkmälern, welche die arbeiten behandeln. zum schluss giebt Ch. seine ansicht einer idealen dissertation über ae. syntax.

91. G. Caro, Zur lehre vom altenglischen perfectum. Anglia 18 (3. 4) 389—449.

behandelt 1. das verhältnis der anwendung von perfectum und praeteritum im perfect-sinne. der gebrauch des praet. im perfectsinne ist allgemein ae. sprachgebrauch, doch ist er ungleich seltener als das perf., besonders in der poesie. in sätzen von allgemeinem sinne (sog. abstrakten sätzen) überwiegt das perf. praet. und perf. werden oft unterschiedslos gebraucht, oft aber stellt das praet. wie im ne. die handlung oder thatsache schlechthin als vergangen ohne beziehung auf die gegenwart dar. das perf. ist das eigentliche temp. der gesprochenen rede. C. behandelt ferner formelhaften gebrauch des perf., gebrauch bei adverbien und conjunctionen. 2. handelt von der flexion oder flexionslosigkeit des partic. in der zusammengesetzten zeit, wortstellung der einzelnen glieder, gebrauch des perfectums als ersatz für das futurum exactum. ausführliche statistische tabellen sind beigegeben.

92. C. Pessels, The present and past periphrastic tenses in Anglo-Saxon. a dissertation presented to the board of university studies of the Johns Hopkins university. Strassburg, Trübner. 82 s.

93. K. D. Bülbring, Vokativformen im altenglischen. Idg.
forsch. 6, 140. F. Kluge, ebd. 341.

B. erkennt in viermal zu belegenden formen auf -en (*walden*,
sceppen) eine besondere vokativform zu subst. auf -end (*sceppend*,
ägend). dies lehnt Kluge mit recht ab, indem er auf das
häufige verklingen dieses auslautenden *d* nach *n* hinweist.

94. U. Lindelöf, Beiträge zur kenntnis des altnordhum-
brischen. — vgl. jsb. 1893, 16, 301. — angez. von K. D. Bülbring, Idg. forsch. (6) anz. 96—99. 'eine sorgfältige und lehrreiche abhandlung über die schwankungen des nominalgeschlechtes
und die flexion der feminina in den altnordhumbr. interlineargll. der
hss. Lindisfarne und Rushworth, woran sich einige wichtige folgerungen bezüglich des verhältnisses der mundarten der beiden
schreiber schliessen'.

95. W. W. Skeat, The Frisian origin of the Mercian dialect.
Academy no. 1245, 221.

Sk. meint 'There are many reasons for concluding that Mercian was more influenced by Frisian than the other dialects'.

95a. O. Bremer, Relative sprachchronologie, Idg. forsch. 4,
8—31. — vgl. jsb. 1894, 3, 30. — behandelt die relative chronologie der ältesten ae. lautwandlungen: 1. schwund der nasale vor
s, *f* und *þ*, 2. nasaliertes *ā* und *ān* > nasal *ō* und *ōn*, 3. westgerm.
ā > *œ*, *a* > *œ*, 4. die westsächs. diphthongierung nach palatalen,
5. brechung, 6. *i*-umlaut, 7. *a* vor nasalen > *o*, 8. metathesis,
4—8 germ. *ai* > *ā*, 7—8 synkope. 1 und 2 fällt v. Chr. geb.,
3—8 ins 2. bis 7. jahrh. n. Chr.

96. Lorenz Morsbach, Mittelenglische grammatik. erste
hälfte. [Sammlung kurzer grammatiken germanischer dialekte hrsg
von W. Braune, no. VII]. Halle, M. Niemeyer. VIII, 193 s. 4 m.

M. geht in diesem grundlegenden und vortrefflichen werke
über den rahmen hinaus, in den die übrigen arbeiten dieser sammlung
gefasst sind. der bisher erschienene teil reicht nur bis zum beginn des vokalismus und enthält eine einleitung über 1. begriff
und umfang des me., 2. die verschiedenen elemente des me., 3. die
quellen des me. (mit einer wertvollen übersicht über die für die
dialektforschung wichtigen denkmäler), 4. zeitliche und örtliche einteilung des me. auf grund der wesentlichsten merkmale (die sehr
eingehend und klar dargestellt sind). die s. 25 einsetzende 'lautlehre'
bringt zunächst einleitendes über schriftzeichen und schreibung, behandelt dann I. das germanische element des me. (mit eingehender
untersuchung über den wort- und satzaccent), II. die vokale.

1. quantität der vokale (sehr eingehend und lehrreich, in einzelnen punkten, besonders s. 88 ff., durch Luicks untersuchungen (16, 84) ergänzt), 2. qualität der vokale; vom ae. lautstande ausgehend, behandelt M. ausführlich und mit eingehen auf alle me. dialekte I. die kurzen vokale, ae. *a* und gekürztes älteres ae. *ā*, ae. *œ* (*e*) und gekürztes älteres *æ*̄, ae. *ë*, *ę* (*œ*) und gekürztes älteres *ē̆*, *ēo* (*wërod* n. < *werhād* m. ist verfehlt, vgl. altsächs. *werod* n.), ae. *i*, *o*, *u*, *y* (kent. *e*), II. die langen vokale, ae. *ā*, mit welchem laute das heft abbricht.

97. H. Sweet, First Middle English primer. extracts from the Ancren Riwle and Ormulum. with grammar, notes and glossary. Clarendon press series. Oxford. 108 s. 2/6.

98. Ch. H. Ross, The absolute participle in Middle and Modern English. — vgl. jsb. 1894, 16, 100. F. Pabst, Anglia beibl. 7 (4) 101—103 fasst mit einigen ergänzenden bemerkungen die resultate der untersuchung zusammen.

99. E. Gerber, Die substantivierung des adjektivs im 15. und 16. jahrh., mit besonderer berücksichtigung des zu adjektiven hinzutretenden *one*. Göttinger diss. 1895. Leipzig, Fock. 59 s.
behandelt nach einem kurzen überblick über die substantivierung des adj. im ae. und me. den ursprung des zu einem substantivierten adj. hinzutretenden *one* und über *one* bei einem auf ein vorhergehendes substantiv zurückweisenden adj. II. das substantivierte adj. in dem angegebenen zeitraume 1. als persönliches substantiv im sing. und plur. ohne *s*, 2. mit *s* (wirkliche substantiva), 3. substantivierte adj. auf ein vorhergehendes substantiv zurückgehend, 4. dasselbe zur bezeichnung abstrakter begriffe im singular, 5. im plur auf -*s*, endlich 6. das substantiv. adj. zur bezeichnung konkreter sachnamen. III. giebt belege für die substantiv. des adj. durch *one*. 'während im ae. die substantivierung noch unbeschränkt war, führte im me. der verfall der formen allmählich zu einem neuen aufbau, zum übergang in die analytische form. im 15. und 16. jahrh. bilden sich die verhältnisse, wie sie jetzt herrschen, heraus'.

100. F. Holthausen, Die engl. aussprache bis zum jahre 1750 nach dänischen und schwedischen zeugnissen. — vgl. jsb. 1895, 16, 84. bespr. von K. Luick, Anglia beibl. 7 (6) 175. 'liefert nur material und zwar solches, das der interpretation von kundiger hand gar sehr bedarf'. der inzwischen erschienene 2. teil (Göteborgs högskolas årsskrift 1896; 67 s.) behandelt das material, welches 4 schwedische lehrbücher über das engl. aus den jahren 1741—1750 bieten, in derselben weise wie heft 1 die dänischen

zeugnisse. dazu fügt H. das von Luick gewünschte kap. 'ergebnisse', nach denen die dänischen grammatiken aus dem 17. jahrh.
für einzelne erscheinungen die bisher bezeugten daten etwas herauf-
rücken, im ganzen aber ebenso wie die schwed. zeugnisse des
18. jahrh. nur 'die schon anderweitig bekannten thatsachen bestätigen'.

101. Edwin W. Bowen, The history of a vulgarism. Mod.
lang. notes 11, 370—375.

über die in Amerika — und sonst — als 'vulgarism' geltende
aussprache von *oi* (z. b. *join, spoil* u. s. w.) = *ai*. B. weist diese
aussprache für das 17. und 18. jahrh. nach. (Pope reimt *join* mit
divine, shine, line).

---

102. J. C. Nesfield, Idiom, grammar, synthesis: a manual
of practical and theoretical English for high school and university
students. in 5 parts. London, Macmillan. 2/6.

103. J. Ellinger, Darstellung der lautlichen und syntaktischen eigentümlichkeiten der englischen umgangssprache im anschluss an True und Jespersen's 'Spoken English'. Zs. f. d.
realschulw. 21, 402—405.

104. O. Schulze, Beiträge zur englischen grammatik. Engl.
stud. 22 (2) 254—261.

fortsetzung des jsb. 1894, 16, 115 u. 118 angez. aufsatzes. die
fortsetzung handelt 2. über den artikel vor titeln, 3. über trennung
eines genetivs von seinem regierenden worte durch andere satzteile (*the arrival at Cowes of the German Emperor* u. ä.).

105. H. Dietze, Das umschreibende *do* in der neuenglischen
prosa. Jenaer diss. 1895 (Jena, Pohle). 83 s.

nach G. Schleich, Arch. f. d. stud. d. n. spr. 97 (1. 2)
168—173 ein 'dankenswerter beitrag zur lehre von der engl.
syntax'. die ausdrucksweise des 19. jahrhs. sei von denen der
früheren jahrhunderte sorgfältig geschieden, für das 19. jahrh. habe
zwar der vf. kaum neues gebracht, doch verdiene der historische
teil grössere beachtung. im einzelnen werden mancherlei ergänzungen und besserungen gegeben.

106. G. Sarrazin, *I dare* als präteritum. Engl. stud.
22 (2) 334.

S. zeigt, dass *I dare* neben *I dared* als praet. bei guten
modernen autoren vorkommt. — vgl. A. E. H. Swaen, ebd. 23
(1) 219 f.

107. H. Bradley, A question of colloquial English. Academy 1262, 33.

über die weglassung von *do* in ausdrücken wie *I did not go, though I meant to*, die B. auf amerikanischen einfluss zurückführen will, von F. H. ebd. no. 1264, 66 f. indes schon aus dem 17. jahrh. belegt wird. vgl. auch C. L. Pirkis, ebd. no. 1263, 51. J. Earle, no. 1264, 66.

108. F. H., '*Write me* when you have leisure. Academy no. 1266, 100.

belege für den dat. ohne *to* nach *to write* aus den jahren 1611—1852.

109. F. Palmgren, An essay on the use in present English prose of *when, after, since*, as introducing temporal clauses. Upsala, diss. 57 s.

110. R. O. Williams, *Till* in the sense of *before*. Modern lang. notes 11, 105—111.

111. C. Bierwirth, *Noch* — its English equivalents and the relative frequency of their occurrence. Modern lang. notes 11, 335—348.

Phonetik (vgl. abt. 3, 1—13), **aussprache.**

112. G. Hempl, The stress of German and English compound geographical names. Modern lang. notes 11, 232—239.

interessante zusammenstellung über die aussprache zusammengesetzter namen.

113. B. Dawson, The pronunciation of 'princess'. Academy (48) no. 1211, 54; L. C. Casartelli, no. 1212, 73.

der accent liege heute auf der zweiten silbe.

Schreibung. 114. G. Hempl, The Old-English runes for *a* and *o*. Modern lang. notes 11, 348—352.

sucht den zusammenhang der runenzeichen für *œ, a, ō* aus der gemeinsamen ug. herkunft von *a* zu erklären.

115. W. H. Hulme, Qantity marks in Old-English mss. Modern lang. notes 11, 17—24.

H. prüft mss. des Brit. museums und der Bodleiana, sowie die in facsimile-ausg. vorliegenden texte in bezug auf die accente, die nach ihm zu beginn des 8. jahrh. aufkommen, später mit wachsender häufigkeit gebraucht werden und versucht eine erklärung ihres gebrauchs, wo sie nicht vokallänge bezeichnen. — vgl. auch American. philological assoc. (proceedings for July 1895) s. LII f.

Metrik (vgl. abt. 3, 141—147).

116. J. Schipper, Grundriss der englischen metrik. — vgl. jsb. 1895, 16, 98. gelobt von J. Ellinger, Anglia beibl. 7 (2) 36 f. nach J. Koch, Arch. f. d. stud. d. n. spr. 97 (3. 4) 406—409 'aufs beste zu empfehlen'. einige kleinere ausstellungen K.'s betreffen die doppelte senkung als auftakt oder in der epischen cäsur bei Chaucer u. a. Kaluza, Litbl. 1896 (7) 227—234 geht vornehmlich auf Schippers behandlung der allitt.-poesie ein. nach ihm reicht die zweihebungstheorie zur erklärung des ae. und me. allitt.-verses nicht aus und Sievers' typensystem habe 'nur dann berechtigung, wenn es auf die basis der Lachmannschen vier hebungen übertragen wird'. angez. von W. Wilke, Engl. stud. 23 (2) 295—299, von L. Kellner, Zs. f. d. österr. gymn. 47, 601.

117. M. Kaluza, Der altenglische vers. 1. u. 2. teil. — vgl. jsb. 1895, 16, 99 und oben abt. 3, 146. — nach H. Hirt, Litbl. 1896 (1) 7—9 enthalten K.'s arbeiten nichts, was 'geeignet wäre, unsere kenntnis vom bau des a.-v. zu fördern'. seine theorie bestehe nur in einer zustutzung der von Sievers gefundenen thatsachen, die er seinen metrischen anschauungen entsprechend gleichsam 'auf vier hebungen gezogen habe.' — vgl. Kaluzas entgegnung Litbl. (5) 182 f. und Hirts antwort darauf ebd.

118. F. Graz, Die metrik der sog. Cædmonschen dichtungen. — P. J. Cosijn, Museum (Groningen) 3 (1895) 203 f. urteilt scharf ablehnend.

119. Max Kaluza, Zur betonungs- und verslehre des Altenglischen. Königsberg, Hartung. 33 s. (separat-abdruck aus der Festschrift zu O. Schades 70. geburtstag, vgl. 21, 41).

120. K. Luick, Zu den altengl. schwellversen. eine thatsächliche berichtigung. Engl. stud. 22 (2) 332. — gegen M. Kaluza gerichtet, der ebd. 332—334 erwidert. weitere polemik ebd. 23 (1) 218 f.

121. A. Heusler, Über germanischen versbau. — vgl. jsb. 1895, 3, 126 und oben 3, 143. M. Trautmann, Anglia beibl. 6 (10) 299—302 erkennt in H. einen 'eindringenden forscher, scharfen beobachter, einen mann von feinem rhythmischem sinn'.

Litteraturgeschichte (vgl. oben 16, 8).

122. B. ten Brink, Geschichte der englischen litteratur. bd. 2 bis zur reformation. hrsg. von A. Brandl. — vgl. jsb. 1894, 16, 143. 144. — J. Schipper, Anz. f. d. altert. 22, 13—22.

rühmt dem werke feinheit und gründlichkeit der untersuchung,
scharfe und lichtvolle, aus weiter umschau hervorgegangene charakteristik der personen, denkmäler und zeiträume, schönheit und reinheit der darstellung nach. doch findet er in dem werke einen
widerspruch zwischen inhalt und form. letztere sei ausgesprochener-
massen für einen grossen kreis allgemein gebildeter leser bestimmt.
für diese sei aber die mittelalterliche zeit viel zu eingehend dargestellt. zwischen dem 5. und 6. buche nimmt S. trotz der fort-
laufenden paginierung im ms. des verstorbenen vfs. eine lücke an,
da Wyntowns reimchronik, Blind Harry's Wallace und Jacobs I.
Kingis Quair u. a. schottische denkmäler ganz fehlten.

123. B. ten Brink, History of English literature. edited by
Alois Brandl. translated from the German by L. Dora Schmitz.
vol. 3. from the fourteenth century to the death of Surrey. —
Bohn's Standard library. — London, G. Bell. 300 s. 3/6.

124. Richard Wülker, Geschichte der englischen litteratur
von den ältesten zeiten bis zur gegenwart. mit abbildungen,
facsimilebeilagen u. s. w. Leipzig und Wien, Bibliographisches
institut. 14 lief. (1 m. das heft). zusammen XII, 632 s. geb.
16 m. — lobend bespr. von G. Binz, Anglia beibl. 7 (6) 161—169.
näher geht B. nur auf die in dem werke verhältnismässig eingehend dargestellte ae. (ags.) litteratur ein, indem er hie und da von
W. abweichende ansichten ausspricht. nach E. Kölbing, Engl.
stud. 23 (2) 304—311 repräsentiert das werk 'die erste vollständige engl. litt.-gesch., welche, auf wissenschaftlicher grundlage
ruhend, den bedürfnissen eines allgemein gebildeten leserkreises
entgegenkommen will.' eine anzahl berichtigungen, besonders zu
den 'reichlichen und klar gehaltenen' inhaltsangaben bringt ref. bei.

125. J. J. Jusserand, Histoire littéraire du peuple anglais.
— vgl. jsb. 1894, 16, 147 (1895, 16, 107). — gelobt Revue critique
1895 (2) 367—369.

126. Stopford A. Brooke, The history of early English literature. — vgl. jsb. 1892, 16, 309; 1893, 16, 358. — nach O. Glöde,
Engl. stud. 22 (2) 264—270 verbindet sich in dem werk 'echte
gelehrsamkeit mit gewandter, anmutiger darstellung'.

127. W. J. Courthope, M. A., A history of English poetry.
vol. I. the middle ages: influence of the Roman empire – the
encyclopædic education of the church — the feudal system. London, Macmillan and co. XXIX, 474.
Athenæum (1895, 2) no. 3535, 119 f. 'will take its place in
the front rank of works of the kind'. getadelt wird, dass das werk
eigentlich erst mit Chaucer beginne und für die vorhergehende zeit

geringes verständnis zeige. A. Nutt, ebd. no. 3536, 162 weist auf unrichtigkeiten im 11. kap. des werkes (The decay of English minstrelsy) hin. antwort Courthope's ebd. no. 3537, 192 f. weitere kontroverse über The sources of the 'machinery' of love in Arthurian romance no. 3538, 224 f. 3539, 260 f. 3540, 292. 3543, 387. — mängel in der behandlung der mittelalterlichen periode berührt auch J. W. Tupper, Modern lang. notes 11. 311—315, der die verdienste des buches erkennt in 'its unfailing interest, its attractive style, and the admirable scheme on which it is planned'.

128. H. Breitinger, Grundzüge der englischen litteratur- und sprachgeschichte. — vgl. jsb. 1895, 16, 110. — angez. von M. K(onrath), Arch. f. d. stud. d. n. spr. 96 (3. 4) 368.

129. F. J. Bierbaum, History of the English language and literature. — vgl. jsb. 1895, 16, 109. — bespr. von F. Dieter, Anglia beibl. 6 (9) 261—263.

130. J. Siedler, History of English literature. leitfaden für den unterricht in der englischen litteraturgeschichte für höhere mädchenschulen. 6. aufl. Weimar, Krüger. IV, 114 s. 1,60 m.

131. Elizabeth Lee, A school history of English literature. with an introduction by Edmund K. Chambers. vol. 1, Chaucer to Marlowe. London, Blackie and son. 206 s. 1/6.

132. J. Diehl, Compendium of English literature. München, Lindauer. IX, 58 s. 1 m.
bespr. von M. Löwisch, Anglia beibl. 7 (3) 87 f.

133. A. Brandt, Outline of English literature. Bamberg, Hübscher. IV, 49 s. 0,90 m.

134. J. M. D. Meiklejohn, An outline of the history of English literature. 12th ed. London, A. Holden. 110 s. 1/6.

135. A. Picnot, Outlines of English literature. Groningen, J. B. Wolters 1895, 1 f. — kurze litteraturgeschichte für schulzwecke, gelobt von B. C. Brennan, Museum 3 (1895) 182—184.

136. G. White, Outline of the philosophy of English literature. part. I: The middle ages. Boston and London, Ginn and co. 1805. VI, 266 s.
übergeht nach A. B(randl), Arch. f. d. stud. d. n. spr. 96 (1. 2) 213 die hauptfragen und zeigt auch im einzelnen viele mängel.

137. Jul. Hart, Geschichte der weltlitteratur und des theaters aller zeiten und völker. in 2 bdn. (illustr.). Neudamm, Neumann. VI, 847; VIII, 1037 s. 15 m.
'wohlgelungen': Lit. cbl. 1896 (46) 1671 f.

138. P. Norrenberg, Allgemeine litteraturgeschichte. 2. aufl., neu bearbeitet von K. Macke. (3 bde.). 1. bd. Münster, Russell. XV, 459 s. und LXVIII s. 5 m.

139. J. Scherr, Illustrierte geschichte der weltlitteratur. ein handbuch in 2 bdn. 9. aufl. von O. Haggenmacher. Stuttgart, Franckh. X, 452 und VI, 506 s. 16 m., geb. 18 m.

140. W. Creizenach, Geschichte des neueren dramas. — vgl. abt. 6, 9.
auch lobend bespr. von W. Wetz, Anglia beibl. 7 (1) 4—7.

141. D. Abegg, Zur entwickelung der historischen dichtung bei den Angelsachsen. — vgl. jsb. 1895, 16, 116. — anerkennend bespr. von G. Sarrazin, Anz. f. d. altert. 22, 176—180; von F. Dieter, Anglia beibl. 6 (9), 257—260; von F. Holthausen, Litbl. 1896 (9) 299—301; von R. W(ülker), Lit. cbl. 1896 (7) 232 f.

142. R. Wülker, Die Arthursage in der englischen litteratur. Leipzig, Edelmann. progr. 39 s. 4⁰. 1 m.
nach E. Kölbing, Engl. stud. 22 (2) 299—303 'eine dankenswerte übersicht'. K. giebt einige ergänzungen.

143. S. Humphreys Gurteen, The Arthurian epic: a comparative study of the Cambrian, Breton and Anglo-Norman versions of the story, and Tennysons 'Idylls of the king'. London, Putnam's sons.
Athenæum (1895, 2) no. 3552, 716 'as a scholarly study of the Arthur legend worthless, as a miscellaneous collection of dissertations upon Arthurian literature it is often interesting and sometimes intelligent'. abgelehnt dagegen von A. Waugh, Academy 48 no. 1211, 47.

Chrestomathien, sammlungen. 144. R. Wülker, Codex Vercellensis. — vgl. jsb. 1895, 16, 120. — angez. von K. D. Bülbring, Museum (Groningen) 3 (1895) 93 f.

145. H. Sweet, First Middle English primer. — vgl. oben 16, 97.

146. A. J. Wyatt and W. L. Low, The intermediate text-book of English literature vol. 1, to 1580. (University tutorial series). London, Clive. VIII, 202 s. 3/6.

147. E. Flügel, Neuenglisches lesebuch. 1. die zeit Heinrichs VIII. — vgl. jsb. 1895, 16, 124. im ganzen anerkennend bespr. Athenæum (1896, 1) no. 3576, 617.

no. 1—147 F. Dieter.

Denkmäler.

a. Altenglisch.

Poesie.

Andreas. 148. P. J. Cosijn, Zu Andreas v. 575. P.-Br. beitr. 21, heft 1.

149. M. Trautmann, Wer hat zuerst die 'schicksale der apostel' für den schluss des Andreas erklärt? Anglia beibl. 7, 372 f.

vgl. jsb. 1895, s. 362. — T. erklärt, dass nicht, wie dort angegeben ist, Gollancz (1892) zuerst obige ansicht aufgestellt habe, sondern vor ihm schon Sweet (1871) und ausführlicher Sarrazin (Anglia 12, s. 375 f.).

Apostel. Schicksale der, vgl. no. 149.

Beowulf. 150. Beowulf hrsg. von Holder. IIb (wortschatz). — jsb. 1895, 16, 130. — angez. von Cosijn, Museum IV, 1. von F. Dieter, Anglia beibl. 6, 260 f. im Litbl. 1896, s. 266 f. von Holthausen, Zs. f. d. altert. 40, 1 und 41, 1 von Brandl im allgemeinen alle günstig.

151. G. Sarrazin, Neue Beowulf-studien. Engl. stud. 23 (2) 221—267.

1. könig Hrodhgeier und seine familie. 2. das Skjöldungen-epos. 3. das Drachenlied. 4. das Beowulflied und Kynewulfs Andreas.

152. E. Kölbing, Zum Beowulf (v. 1028 ff.). Engl. stud. 22 (2) 325.

152a. Prosser Hall Frye, The translation of Beowulf. Mod. lang. notes 12 (3) 157—163.

der vf. kommt nach betrachtung der verschiedenen Beowulf-übersetzungen zur ansicht, dass der blankvers am geeignetsten für eine Beowulf-übersetzung sei.

153. Beowulf. übersetzt von P. Hoffmann. — jsb. 1893, 16, 390. — angez. Österr. litbl. 5, 9 von Detter.

Der sog. Cædmon. 154. F. Graz, Beiträge zur textkritik der sog. Cædmonschen Genesis. Festschrift für O. Schade, s. 101—134; vgl. abt. 21, 41 und oben 16,118.

155. V. Humphreys Gurteen, The epic of the fall of men. a comparative study of Cædmon, Dante and Milton. New York und London.

anerkennend angezeigt von Will. Hand Browne, Modern lang. notes 12, 181 f.

Cynewulf. 156. M. Trautmann, Der sog. Crist. Anglia 18, 382—388.

T. zerlegt das gedicht 'Crist' in 3 teile, wovon nur der 2. (himmelfahrt) von Cynewulf sein soll. die beiden andern sollen selbständige dichtungen von verschiedenen verfassern sein.

157. T. A. Blackburn, Is the 'Crist' of Cynewulf a single poem? Anglia 19, 89—98. — unabhängig von Trautmann erklärt B. den 'Crist' als aus drei selbständigen stücken bestehend.

Dichtungen, historische. 158. O. Abegg, Zur entwicklung der historischen dichtung bei den Angelsachsen. — s. oben 16, 141.

Höllenfahrt Christi. 159. J. Cramer, Quelle, verfasser und text des altenglischen gedichtes 'Christi höllenfahrt'. Bonner diss. 1896. — auch Anglia bd. 19, 137—174 erschienen.

Judith. 160. Foster, Judith. — vgl. jsb. 1893, 16, 402. — angez. Litbl. 1896, 301 f. von F. Holthausen.

Phönix. 161. Edward Fulton, On the authorship of the Anglo-Saxon Poem 'Phenix'. Modern lang. notes 11, 146—169. gegen Cynewulfs verfasserschaft.

Psalmen. 162. J. D. Bruce, The Anglo-Saxon version of the Book of the psalms. — vgl. jsb. 1895, 16, 168. — Engl. stud. 23, 78—85, günstig bespr. von O. Glöde.

Waldere. 163. P. J. Cosijn, De Waldere fragmenten. verslagen en mededeelingen der kon. akad. van Weetenschapen III. Reeks XII, 1.

Prosa.

Adrian und Ritheus. 164. M. Förster, Das altenglische prosagespräch 'Adrian und Ritheus'. Engl. stud. 23, 431—436.

Ælfreds übersetzungen. 165. Bede: Thomas Miller, Place names in the English Bede and the localisation of the mss. — (Q. F. 78). Strassburg. 80 s. s. oben 16, 61. angez. Zs. f. d. philol. 29, 13 von G. Binz. — von Cosijn, Museum 4, 157 f.

166. G. Hempl, The misrendering of numerals, particularly in the Old English version of Bede's history. Modern lang. notes 11, 402—404.

167. J. E. Wülfing, Die syntax in den werken Ælfreds des grossen. I. teil. II. teil, 1. hälfte. s. oben 16, 89.

168. J. E. Wülfing, Zum altenglischen Boetius. Anglia 19, 99 f.

aus dem exemplar, das Cardale von seiner ausgabe Bosworth zum geschenk machte, druckt W. hier einige bemerkungen und zwei briefe von Cardale an Bosworth und von B. an Fox ab

169. F. A. Blackburn, Note on Alfred's Cura pastoralis. Modern lang. notes 11, 115 f. — vgl. J. E. Wülfing, ebd. 11, 320.

Apollonius von Tyrus. 170. J. Zupitza, Die altenglische bearbeitung der erzählung von Apollonius von Tyrus. Arch. f. d. st. d. n. spr. 97, 17—35.

Byrhtferð. 171. K. M. Classen, Über das leben und die schriften Byrhtferðs. Leipziger diss. und Dresdener progr. 1896. 39 s. 4⁰.

im ganzen günstig angez. von F. Liebermann, Arch. f. d. stud. d. n. spr. 97, 166. — der vf. betrachtet das 'Handbuch' als das letzte unter Byrhtferðs werken.

Chronik, Angelsächsische. 171a. K. Horst, Zur kritik der altenglischen annalen. Strassburger diss. Darmstadt, G. Otto. 39 s. — ablehnend angez. von F. Liebermann, Arch. f. d. stud. d. n. spr. 97, 167 f.

172. K. Horst, Die reste der hs. G. der altenglischen annalen. — Engl. stud. 22, 447—450.

173. Ch. Plummer, Two emendations of the Anglo-Saxon chronicle. Academy (48) no. 1226, 366.

Evangelien. 174. R. Handke, Über das verhältnis der westsächsischen evangelien-übersetzung zum latein. original. Hallesche diss. 34 s. — nicht eingeliefert.

Genealogie. 175. A. Napier, Two Old English fragments. Modern lang. notes 12, 105—113. — das eine stück ist ein bruchstück einer genealogie der westsächsischen könige, die sich in vier andern hss. findet.

Gesetze. 176. F. Liebermann, Über die Leges Edwardi Confessoris. Halle a. S.

sehr anerkennend angez. Engl. stud. 23, 74—78, von K. Maurer, Athenæum no. 3589.

177. F. Liebermann, Über Pseudo-Cnuts Constitutiones de foresta. Halle a. S.

angez. Anglia beibl. 7, 144, von H. Helmolt, Engl. stud. 22, 57—63, von K. Maurer, recht günstig.

Isidorus. 178. A. Napier, Two Old English fragments.

Modern lang. notes 12, s. 105—113. vgl. genealogie. das zweite bruchstück enthält ein stückchen aus einer noch unbekannten übertragung von Isidors De ecclesiasticis officiis (bd. II, kap. 1); eine andere übersetzung ging voraus.

Runen. 179. W. Vietor, Die nordhumbrischen runensteine. beiträge zur textkritik, grammatik und glossar. Marburg. — vgl. jsb. 1895, 16, 152. — angez. Litbl. 1897, 14 f., von G. Binz. Litztg. 1897 no. 4, von Ranisch.

180. W. Vietor, The Collingham runic inscription. Modern lang. notes 12 s., 120 ff. gegen einen artikel in der juni-nummer von prof. Hempl gerichtet.

181. Georg Hempl, The Collingham runic inscription. Mod. lang. notes 12 s., 123 f. erwiderung hierauf.

Texts, Oldest. 182. Otto Schlutter, Zu Sweet's Oldest English Texts. I. — Anglia 19, 101—116.

Urkunden. 183. A. S. Napier and W. H. Stevenson, The Crawford collection of early charters and documents now in the Bodleian library. [Anecdota Oxoniensia. mediæval and modern series, part. VII]. Oxford, Clarendon press. XI, 167 s. — vgl. oben 16, 61. — gelobt von O. Glöde, Engl. stud. 23 (2) 315—318; von F. Liebermann, Arch. f. d. stud. d. n. spr. 96 (1. 2) 214—216; von H. Bradley, Academy no. 1251, 347 f.

Zaubersegen. 184. Priebsch, An Old English charm, and the Wiener hundesegen. Academy no. 1254. — vgl. no. 199 und abt. 13, 10.   no. 148—184 R. Wülker.

b. Mittelenglisch.

Ältere religiöse und weltliche litteratur.

Orm. 185. M. Trautmann, Orms doppelzeichen bei Sweet und bei Morsbach. Angl. 18, 371—381.

186. F. Weyel, Der syntaktische gebrauch des infinitivs im Ormulum. beilage zum bericht der städt. realschule in Meiderich. 58 s.

Geistl. lyrik. 187. Religious poems from ms. Digby 2 hrsg. von F. Furnivall. Arch. f. d. stud. d. n. spr. 97, 309—312.
1. Christ on the cross. 2. Hail Mary. 3. A resolve to reform.

St. Katharina. 188. H. Stodte, Über die sprache und heimat der 'Katharina-gruppe'. ein beitrag zur me. dialektkunde. Göttingen, diss. 79 s.
genaue darlegung der lautverhältnisse; am schluss eine übersicht der dialektanzeichen, aus der sich ergiebt, dass Morsbach mit recht mittelsüdliche und zugleich mercische elemente konstatiert hatte.

St. Brandan. 189. A. Nutt, The voyage of Bran. — vgl. abt. 10, 21.

Barlaam. 190. Barlaam and Josaphat, English lives of Buddha, edited and introduced by Joseph Jacobs. London, D. Nutt. [Bibliothèque de Carabas.]
enthält einen stammbaum der Barlaam-geschichte durch alle abendländischen sprachen, sowie der Barlaam-parabel von den drei kästchen (in Shakespeares 'Merchant of Venice'); dann einen genauen abdruck von Caxtons version der Barlaam-geschichte (1483), und von einem volksbüchlein in versen über denselben gegenstand (1783).

R. Rolle. 191. K. D. Bülbring, Zu den hss. von Richard Rolles 'Pricke of conscience'. Engl. stud. 23 (1) 1—30.

192. Yorkshire writers. Richard Rolle of Hampole, an English father of the church, and his followers, ed. by C. Horstman. (Library of early English writers, vol. I.) London 1895. XIV, 442 s.
vgl. jsb. 1895, 16, 176. — bespr. von F. Holthausen, Lit. cbl. 1896 (10) 349. K. D. Bülbring, Litbl. 1896 (12) 404—406.

G. Binz, Anglia beibl. 6 (12) 354—357. M. Konrath, Arch. f. d. stud. d. n. spr. 96, 368—399.

193. Yorkshire writers. Richard Rolle of Hampole and his followers. edited by C. Horstman. [Library of early English writers]. vol. II. London, Swan Sonnenschein and co. XLIII, 458 s.

nach einer eingehenden, warmen einleitung über Rolles leben und werke folgen texte: 1. Poems and treatises of ms. reg. 17 B XVII (c. 1370; ein gedicht steht auch in Rolle's 'Form of living'). 2. (traktate aus) Early editions of works of R. Rolle (von Wynkyn 1506, 1508 u. 1509). 3. The psalter in verse, ms. Vespas. D VII ('Surtees psalter'; ganze verse sind in Rolle's prosapsalter über-gegangen). 4. Poems of ms. Tiber. E VII (by William Nassyngton?) nämlich: St. Mary's lamentation on the passion of Christ, The form of living (in verse) und Spiritus Guydonis. appendix: W. Nassyn-ton's Tractatus de trinitate et unitate (aus ms. Thornton). 5. Pieces of ms. Vernon (prosa). 6. Works wrongly attrituted to R. Rolle (aus verschiedenen hss., meist in prosa). — bespr. Academy (1279) II, 34. 7.

Wiclif. 194. W. W. Skeat, On the dialect of Wycliffe's bible. Transactions of the philol. soc. 1895. auszug in Athenæum no. 3581, s. 782.

Huchown. 195. Huchown's Pistil of swete Susan. kritische ausgabe von Hans Köster. (Q. und F. 76. heft). Strassburg, Trübner 1895.

vgl. jsb. 1895, 16, 183. E. Kölbing, Engl. stud. 23 (1) 85—95. F. Holthausen, Lit. cbl. 1896 (7) 231—232.

————

Plays. 196. The Digby plays with an incomplete 'morality' of Wisdom, who is Christ (part of one of the Macro-moralities). re-issued from the plates of the text edited by F. J. Furnivall for the New Shakespeare society in 1882. London. (E. E. T. S. extra se. LXX.)

————

Hereward. 197. Lieut.-General Harward, Hereward, the Saxon patriot. London, E. Stock.

bespr. Academy (1283) II, 484 als dilettantischer angriff auf Freeman's darlegung in 'Norman conquest'.

Leechdoms. 198. Peri didaxeon, eine sammlung von recepten in englischer sprache aus dem 11.—12. jahrh. nach einer hs. des

Brit. mus. hrsg. von M. Loweneck. Erlangen, Junge. [Er-
langer beiträge zur englischen philologie, 12. heft]. VIII, 57 s.

neudruck (aus Cockayne's Leechdom's III, 82 ff.) nach hs.
Harley 6258b. quelle: Petrocellus, Practica (1035). der lat. text
ist neben dem engl. gedruckt.

Zauberspruch. 199. R. Priebsch, An old English charm and
the 'Wiener hundesegen'. Academy (1255) I, 428.

in einer hs. des XII. jahrhs. (in Lord Ashburnhams bibliothek)
steht ein zauberspruch beginnend mit den worten God was iborin
in bedlem, iborin he was to ierusalem, ifolewid in þe flum iordan:
þer nes inemned ne wolf ne þef. die vergleichung mit dem Wiener
hundesegen (hrsg. von Karajan, Wiener sitzungsber. XXV, 308 f.;
vgl. Kögel I, 260) zeigt, dass beiden ein germanischer spruch zu
grunde lag, von ungefähr dieser ae. form: wæs Woden geboren ǽr
wulfe oþþe þeofe (d. h. vor jedem übel, vor der welt).

Wade. 200. A. N. Jannaris, The tale of Wade, and
M. R. James, The song of Wade. Academy (1241 und 1242) I,
137 und 157.

James fand in einer lat. homilie (ms. Peterhouse, früh 13. jahrh.)
ein fragment über Wade, dessen geschichte noch Chaucers Pan-
darus der Criseide erzählt. Adam und alle menschen seien eigentlich in nichtmenschen verwandelt worden, ita quod dicere possunt
cum Wade: summe sende (st. sinde) ylues, and summe sende
nadderes; summe sende nikeres, the bi den patez (Liddell vermutet
glücklich: wateres) wunien; nis ter man nenne, bute ildebrand onne.
Gollancz erkannte den zusammenhang, und Jannaris setzt 'the tale
of Wade' in die zeit des Layamon 'about 1300' (wohl druckfehler
für 1200). — dazu noch A. N. Jannaris, J. Gollancz und
M. R. James, The song of Wade. Athenæum no. 3564 s. 218,
no. 3565 s. 254 und no. 3566 s. 282.

Medizinisches. 201. F. Holthausen, Medizinische gedichte
aus einer Stockholmer handschrift. Anglia 18, 293—331.

hs. spät XIV. jahrh. gedruckt bereits in Archaeologia XXX,
349 ff. kurzreimpare.

Havelok. 202. J. Gollancz, On the Scottish 'ablach', a fool.
Athenæum no. 3603 s. 687.

Havelok, der skandinavische Anlaf Curan, erscheint u. a. im
Irischen als Amlaidhe und Amlaibb, in Giraldus Cambrensis als
Amalacus. offenbar wurde er verwechselt mit skand. Amlothi —
Hamlet. die engl. form erscheint in 'Wars of Alexander': Am-
laghe = ape.

Otuel. 203. J. Gragger, Zur me. dichtung 'Sir Otuel'. (aus: Festschrift d. deut. akad. philol.-vers. in Graz.) Graz, Leuschner und Lubensky. 8 s.

Langland. 204. Piers Plowman. polog and passus 1—7. text B. ed. by J. F. Davis. London, Clive. 212 s. 4 sh. 6 d. nicht gesehen.

Barber. 205. The Bruce or the book of the most excellent and noble prince Robert de Broys, king of Scots, compiled by master John Barbour. ed. by W. W. Skeat. part III. vol. 1. containing the preface. (Scottish text society 33.) Edinburgh and London, Blackwood 1894—1896. CXI s.

206. Legends of the saints in the Scottish dialect of the fourteenth century. ed. by W. M. Metcalfe part 5, 6. (Scottish text society 35, 37.) Edinburgh and London, Blackwood 1894—1895, 1895—1896. s. 97—592.

enthält den rest der anmerkungen, ein glossar, ein verzeichnis der eigennamen und der benützten bücher.

Chaucer, sein kreis und seine schule.

Chaucer. 207. The complete works of G. Chaucer ed. by W. W. Skeat. 6 vols. Oxford 1894.

vgl. jsb. 1895, 16, 196. — bespr. von J. Hoops, Angl. beibl. VI (11) 321—323.

208. The works of G. Chaucer ed. by F. S. Ellis. ornamented with pictures designed by Sir Edward Burne-Jones, and engraved on wood by W. H. Hooper. (Kelmscott press.)

bespr. Athenæum no. 3597 s. 444—445. Ellis hielt sich bei jedem gedicht an das ms., das für das beste galt, und neigte sich selten den änderungen Skeats zu.

209. A. W. Ward, Chaucer. (Men of letters, ed. by J. Morley). London, Macmillan and co. 1895.

neudruck (zuerst ersch. 1879). bespr. von Th. Vetter, Angl. beibl. VII (3) 77.

210. F. J. Furnivall, Chaucer's grandfather. Academy (1240) I, 117.

211. Frank J. Mather, An inedited document concerning Chaucer's first Italian journey. Mod. lang. not. 419—425, 510—511.

die schatzkammeranweisung für Chaucer, durch die ihm die erste italienische reise gezahlt wurde, ist hier veröffentlicht.

die reise dauerte vom 1. dez. 1372 bis 23. mai 1373. in Italien
konnte er nur von ende januar bis höchstens ende märz sein. um
von Genua nach Florenz und zurück zu reisen, brauchte er wenigstens 20 tage, so dass ihm für amtsgeschäfte und sich selbst
wenig mehr als ein monat blieb. ungleich mehr musse hatte er
bei der reise von 1378: von letzterer sei daher seine 'italienische
periode' erst zu datieren.

212. P. Bellezza, Chaucer s'e trovato col Petrarca? Engl.
stud. 23 (2) 335—336.
    gegen Jusserands ansicht, dass die beiden sich trafen.

213. Mark Liddell, Two Chaucer notes. II. Academy (1267)
II, 116.
    dass Chaucer's widerruf am schluss der C. t. unecht ist, ver-
räth sich auch durch die angabe, er habe in der L. g. w. 'XXV
ladies' behandelt: eine falsche angabe, die sich aber auch in ms.
Bodley 546 'The maistre of the game' (geschrieben für den prinzen
von Wales noch unter Heinrich IV.) findet.

214. P. Bellezza, Introduzione allo studio dei fonti Italiani
di G. Chaucer. Milano 1895.
    vgl. jsb. 1895, 16, 200. F. Pabst. Anglia beibl. 7 (4)
103—104. Fränkel, Arch. f. d. stud. d. n. spr. 97, 230—232.

215. F. Heath, On the text and metre of Chaucer's early
minor poems. Athenæum no. 3570 s. 418.
    'in Chaucer's early work and specially in his foor-beat lines,
his metrical canon was less strict than in his five-beat and
later work'.

216. E. Flügel, Über einige stellen aus dem Almagestum
Cl. Ptolemei bei Chaucer und im rosenroman. Angl. 18 (1)
133—140.

217. Louise Pound, The romaunt of the rose: additional
evidence that it is Chaucer's. Mod. lang. not. 11, 193—204.
    giebt eine statistik der wörter, prädikate, einfachen sätze, ein-
gangs- und zwischenconjunctionen für mehrere echte und unechte
Chaucer-dichtungen, mit vagem resultat.

218. W. W. Skeat, 'Lydgate's testimony to the romaunt of
the rose'. Athenæum no. 3580 s. 747.
    Lydgate im eingang zum 'Black knight' v. 36—112 ahmt den
rosenroman nicht nach dem original, sondern nach fragment A der
übersetzung nach, das demnach um so eher von Chaucer ist.

219. M. Kaluza, Der reim *love: behove*. Rom. of the rose v. 1091 f. Engl. stud. XXIII (2) 336 s.

gegen Luick, der diesen nördlichen reim für ein sicheres zeichen unchaucerscher herkunft hält.

220. M. Liddell, The roman de la rose. Academy (1247) I, 264.

in Chaucer's übersetzung v. 22 sei corage aus carage (= frz. paage, lat. pedeticum, zoll) verderbt.

221. M. Liddell, Chaucer's Boethius translation. Academy (1244) I, 199—200.

hs. Auct. F. 3, 5 in der Bodleiana ist nicht eine von Chaucer's übersetzung verschiedene (Skeat II, 18), sondern eine bloss oberflächlich geänderte kopie.

222. M. Liddell, A new Chaucer ms. Academy (1260) I, 529. (ende 15. jahrh.; enthält die Boethius-übersetzung.)

223. Thomas Price, Troilus and Criseyde: a study in Chaucer's method of narrative construction. Publ. of the mod. lang. ass. XI, 307—322.

224. Minor poems ed. by W. W. Skeat. 2. and enlarged edition. Oxford, Clarendon press. 590 s.

225. C. G. Child, Chaucer's legend of good women and Boccaccio's De genealogia deorum. Mod. lang. not. 276—290.

eine wichtige ergänzung zu Skeats quellenuntersuchung.

226. W. Roberts und F. Norgate, The Canterbury tales. Athenæum no. 3566 s. 282 und no. 3568 s. 346.

über erhaltene exemplare von Caxtons ausgabe.

227. Selections from Chaucer's Canterbury tales (Ellesmere text): ed. with introduction, notes, and glossary by H. Corson. New York, Macmillan. 54, 277 s.

228. The book of the tales of Canterbury. prolog 1—858. mit varianten zum gebrauch bei vorlesungen hrsg. von J. Zupitza. 2. aufl. Berlin, Weidmann. 32 s.

229. F. J. Furnivall, Time taken in the Canterbury pilgrimage. Academy (1261) II, 14.

230. George Stipley, Additional note on the order of the Canterbury tales. Mod. lang. not. 290—293.

verteidigung von S.'s früherem aufsatz über diesen gegenstand in Mod. lang. not. mai 1895.

231. W. W. Skeat, The singed cat' in Chaucer (Wife of Bath, D, 348). Academy (1288) II, 100.

eine parallele begegnet in Les contes moralisés de Nicole Bozon. Paris 1889. s. 74.

232. John M. Manly, Marco Polo and the squire's tale. Publ. of the mod. lang. ass. XI, 349—362.

233. J. W. Hales, Chaucer's 'Of a temple'. Athenæum no. 3571 s. 446—447.

manciple ist 'of a temple', denn es gab damals schon zwei temples.

234. W. W. Skeat und E. H., Chanticler's song. Athenæum no. 3600 s. 566 und no. 3603 s. 677.

das liedchen steht in ms. Trinity R. s. 19, fol. 154: My lefe ys faren in lond; alas, why ys she so? And I am so sore bound I may not com her to. She hath my hert in hold, where ever she ride or go, with trew love a thousandfold.

235. M. Liddell, The source of Chaucer's 'Person's tale'. Academy (1256) I, 447—448 und (1259), 509.

ähnlicher noch als Lorens' 'Somme des vices et des vertues' (1279) ist eine homilie in ms. Bodley 90: von einem extract aus beiden scheint Chaucer geborgt zu haben.

236. W. W. Skeat, Merlin's prophecy. Athenæum no. 3608 s. 874.

parallelen zu 'Chaucer's prophecy' (Works I, 46).

237. E. Legouis, Quomodo Edmundus Spenserus ad Chaucerum se fingens in eclogis 'The shepheardes calender' versum heroicum renovarit ac refecerit. Paris, Masson 1896.

warm empfohlen von C. A. Herford, Academy (1262) II, 28.

---

238. Chaucerian and other pieces, edited from numerous mss. by the Rev. W. W. Skeat. being a supplement to the complete works of G. Chaucer. Oxford, Clarendon press.

enthält von texten: 1. Thomas Usk, The testament of Love (1—146). 2. The plowman's tale (147—196). 3. Jack Upland (197—204). 4. John Gower, The praise of peace (205—216). 5. Thomas Hoccleve, The letter of Cupid (217—232) und 6. To the king's most noble grace, und To the lords and knights of the garter (233—236). 7. Henry Scogan, A moral ballad (237—244). 8. John Lydgate, The complaint of the knight (245—265) und 9. The flower of curtesye (266—274) und 10—15, 22—23: mehrere kürzere gedichte (275—298, 405—408). 16. Sir Richard Ros, La belle dame sans mercy (299—326). 17. Robert Henryson, The testament of Cresseid (327 - 346). 18. The cuckow and the nightingale, by Clanvowe (347 — 358). 19. An envoy to Alison (359—360) 20. The flower and the leaf (361 — 379). 21. The assembly of ladies (380—404). 24. The court of love (409 – 447). 25. A virelay (448). 26. Prosperity, by John Walton (449). 27. Leaulte vault richesse (449). 28. Sayings printed by Caxton (450). 29. Ballad in praise of Chaucer (450). — dazu eine einleitung von 84 s., anmerkungen (451—504) und drei indices für seltene wörter, eigennamen und die anmerkungen. — seit dem ersten bd. Chalmers, British poets, sind die unmittelbaren schüler Chaucers nicht mehr in so stattlicher auswahl vereinigt worden, und dabei erhalten wir hier die texte in philologisch genauer wiedergabe samt erläuterung.

239. W. W. Skeat, Some ghost-words in poems once attributed to Chaucer. Transact. of the philol. soc. 1895—1898.

Gower. 240. Morton W. Easton, Readings in Gower. (Publications of the university of Pennsylvania. series in philology, literature, and archaeology. vol. IV, no. 1.) Boston, Ginn and co. 1895.
bespr. von R. Brotanek, Angl. beibl. VI (11) 324—326.

Lydgate. 241. E. Gattinger, Die lyrik Lydgates. Wien und Leipzig, Braumüller 1896. [Wiener beiträge zur engl. philologie, heft 4.] 85 s.
nach kurzer orientierung über hss. und ausgaben charakterisiert G. die gattungen von Lydgates lyrik: die satyrische, lehrhafte, panegyrische, religiöse. dann forscht er lateinischen, französischen und Chaucerschen einflüssen nach, wobei wir mancherlei neues erfahren. auch stil, reim und echtheitsfragen werden in verständiger weise berührt.

242. The assembly of gods, or the accord of Reason and Sensuality in the fear of Death, by John Lydgate. edited from the mss. with introduction, notes, index of persons and places, and glossary, by O. L. Triggs. London [E. E. T. S. extra ser. LXIX. LXXVI, 116 ss.]
die einleitung behandelt: die hss., titel und entstehung, versmass und sprache, die verwandten gedichte von der furcht des todes und vom kampf der tugenden und laster, die auf englischem boden im 15. jahrh. bekannt waren.

Charter. 243. Memorials of St. Edmund's Abbey. edited by Th. Arnold. London. III. vol. [Rerum Britannicarum scriptores.]
enthält in englischer sprache: 1. Cartae versificatae (regis Canuti, Hardicnuti, Edwardi confessoris, Wilhelmi I.) et gedicht, im rhyme royal (s. 210—237) c. 1440, erhalten in ms. addit.

14,848. der herausgeber vermutet Lydgate als verfasser. 2. Fifteenth
century letters, in prosa, teils von Heinrich VI., teils vom abt Cur-
teys, 1440—1446, aus ms. addit. 7096 (241—275).

Clanvowe. 244. W. W. Skeat, The author of 'The Cuckow
and the nightingale'. Academy (1252) I, 365; und M. Liddell,
Two Chaucer notes. I (1267) II, 116.

in einer der 5 hss. heisst es am schluss 'explicit Clanvowe':
Thomas Clanvowe aber war einer von den jugendkameraden des
prinzen Heinz und ein lollarde; seine familie war an der wali-
sischen grenze begütert. das metrum 'is copied from Chaucer's
envoy to The complaint to his purse', und der ms.-titel 'The book
of Cupid imitated (?) from Hoccleves Letter of Cupid' 1402. die
anspielung auf 'the Queen of Woodstock' wird auf Heinrich's V. stief-
mutter, königin 1403—1413, bezogen, zu deren witwentum Woodstock gehörte. im jahre 1410 hatte sich Heinz von den lollarden
bereits abgewendet und liess Th. Badby in seiner gegenwart hin-
richten. Clanvowes gedicht wäre demnach zwischen 1403 und
1410 anzusetzen. — die in ms. Tanner 348 und den gedruckten
ausgaben darauf folgende ballade 'O lewde booke' scheint dazu zu
gehören und zeigt im envoy ein acrostichon 'Alison': wohl die dame
des dichters.

Jakob I. 245. J. T. T. Brown, The authorship of the kingis
quair. a new criticism. Glasgow, MacLehose. X, 99 s.
bespr. von F. Holthausen, Angl. beibl. VII (4) 98.

246. A. H. Millar, W. W. Skeat, Angelina F. Parker,
J. J. Jusserand und J. T. Brown: The kingis quair. Athenæum
no. 3585 s. 66, no. 3587, 128—129, no. 3588 s. 164—165,
no. 3589 s. 193—194, no. 3590 s. 225—227 und no. 3592 s. 291.

Rondel. 247. G. Schleich, Ein mittelenglisches rondel. Arch.
f. d. stud. d. n. spr. 96, 191—194.
geschrieben zur begrüssung Heinrichs VI. 1432.

Palladius. 248. The middle-English translation of Palladius
de re rustica. ed. with critical and explanatory notes by Mark
Liddell. part I. text. Berlin, Ebering. VIII, 290 s. 8 m.
ein grosser fortschritt gegenüber Herrtage's ausgabe. — bespr.
Lit. cbl (36) 1317. F. Holthausen. Angl. beibl. VII (4) 97—98.
A. Brandl, Arch. f. d. stud. d. n. spr. 97, 409—410.

Skelton. 249. Jäde, Über John Skelton und seine metrischen
dichtungen. Marburger diss. nicht gesehen.

250. H. Bradley, Two puzzles in Skelton. Academy (1265)
II, 83.

Wyatt. 251. E. Flügel, Die handschriftliche überlieferung der dichte von Sir Thomas Wyatt. Angl. XVIII, 263—290. 455—516.

Schott. Alexander. 252. A. Herrmann, Untersuchungen über s schottische Alexanderbuch. Berlin 1893. — vgl. jsb. 1893, ̦, 517. F. Holthausen, Litbl. (1) 9—11.

Cleges. 253. A. Treichel, Sir Cleges. eine mittelenglische manze. Engl. stud. XXII (3) 345—389.

ausgabe nach zwei hss. (beide spät 15. jahrh., eine bisher un- druckt) mit abhandlungen über verwandte sagenstoffe, das hss.- rhältnis, die metrik und den dialekt.

The wright's chaste wife. 254. F. Holthausen, Zu alt- und ittelenglischen dichtungen. VIII. Angl. XVIII (2) 169—174.

Audelay. 255. J. E. Wülfing, Der dichter John Audelay ̦d sein werk. Angl. XVIII, 175—217.

Ratis raving. 256. A. Bertram, Essay on the dialect, language ̦d metre of Ratis Raving. progr. der realschule zu Sondershausen. ̦ s. 4⁰.

behandelt fremdwörter und lautlehre. 'to be continued': hoffent- ̦h mit weniger schiefheiten.

Ryman. 257. J. Zupitza, Anmerkungen zu J. Rymans ge- ̦chten. XII. - IX. teil. Arch. f. d. stud. d. n. spr. 97, 129—153. ̦, 157—178, 311—330 und 97, 129—153.

Huff a galawnt. 258. F. J. Furnivall, A fifteenth century ̦llant. Academy (149) II, 146.

12 strophen aus ms. Rawl. poet. 34.

Ballads. 259. Old English ballads. selected and edited by B. Gummere. (The Athenæum press series). Boston, Ginn ̦d co. XCVIII, 380 s.

der (contaminierenden) textbehandlung ist nicht viel lob zu ̦enden. — freundlich bespr. von M. Förster, Angl. beibl. VII (1) ̦- 4.

260. F. J. Child und W. H. Browne, English ballads. od. lang. not. 315—318.

Ch. weist auf eine reihe dunkler wörter hin, Br. weiss einige erklären.

261. E. Kölbing, Beiträge zur textkritik und erklärung der ̦derdichtung des 16. jahrhs. Engl. stud. XXIII (2) 267—286.

collation der von Böddeker aus hs. Vesp. A 25 hrsg lieder und balladen (in Lemckes jahrbuch bd. XIV und XIV), sowie von Böddekers Benediktinerregel des XIV. jahrh. (Engl. stud. II, 60 – 93).

Children's book. 262. Henry Bradley, Edyllys be. Academy (1276) II, 285.

diese worte aus 'Little children's little book' (in Furnivall's Manners and meals in olden time) werden gedeutet als æðelu bêah = adelsring. vgl. oben no. 67.

Scott. 263. The poems of Alexander Scott. ed. by J. Cranstoun. [Scottish text soc. 36.] Edinburg 1895—1896. XXII, 218 s.

Paston letters. 264. The Paston letters, 1422 - 1509. a new edition containing upwards of 400 letters etc. hitherto unpublished, ed. by J. Gairdner. 3 vols. London, Constable. 12⁰.

265. W. Roberts, F. Norgate und J. Gairdner, The Paston letters. Athenæum no. 3571 s. 447—458, no. 3573 s. 515 und no. 3574 s. 544—545.

Medizinbuch. 266. Ein mittelenglisches medizinbuch hrsg. von Fritz Heinrich. Halle a. S., Niemeyer. 234 s.

geschrieben um 1430—1450, hier gedruckt nach hs. additional 33, 296 mit varianten aus fünf andern hss. und einer (wenig verlässlichen) sprachlichen einleitung. bespr. von F. Holthausen, Lit. cbl. (46) 1674 – 5; von demselben, Angl. beibl. VII (8) 233—8.

Misyn. 267. The fire of love, and the mending of life or the rule of living. the first Englisht in 1435 from the De incendio amoris, the second in 1434 from the De emendacione vitae, of Richard Rolle, hermit of Hampole, by Richard Misyn, bachelor of theology, prior of Lincoln, carmelite. edited with introduction and glossary from ms. CCXXXVI in Corpus Christi college, Oxford, by R. Harvey. London. XIV, 138 ss. [E. E. T. S. orig. ser. 106]

über Fifteenth century letters in 'Memorials of St. Edward's Abbey'. vgl. no. 243.

Malory. 268. T. W. Williams, Sir Thomas Malory. Athenæum no. 3585 s. 64—65 und no. 3586 s. 98 - 90.

von einer amnestie Eduards IV., gegeben 'anno regni 8', wird Thomas Maloric, miles', samt einer reihe walisischer 'gentilmen' ausgenommen. Malory hatte demnach als anhänger Heinrichs VI. nach dem continent zu fliehen, wo er leicht mit Caxton in Brügge zusammentreffen konnte.

Caxton. 269. E. J. Scott, Caxtoniana. Athenæum no. 3581 s. 779 und no. 3587 s. 129. (Caxton's Vita patrum, erwähnt jsb. 1895, 15, 235, war zwar geplant, ist aber nicht erschienen.)

Guy of Warwick. 270. W. P. Reeves, The so-called prose-version of Guy of Warwick. Mod. lang. not. 404—408.

H. Morley's prosaromanze Guy of Warwick, gedruckt in Carisbrooke library 1889, ist nicht eine alte, sondern eine Morleysche compilation.

Spousals. 271. Spousals of the princess Mary in 1508. The solempnities and triumphes doon and made at the spouselles and mariage of the kynges doughter the ladye Marye to the prynce of Castilie archeduke of Austrige. first printed by Pynson. edited by J. Gairdner. [The Camdon miscellany vol. IX. Camden society 1895.] XVI, 38 ss.

Martiloge. 272. Richard Whytford, of Syon monastery, The martiloge in Englysshe after the use of the chirche of Salisbury, and as it is redde in Syon, with addicyons, reprinted from the edition of Wynkyn de Worde of 1526, with notes and introduction by F. Procter and E. S. Dewick. 1893. (Henry Bradschaw society.]

273. Clement Maydeston, Tracts, with the remains of Caxton's ordinale, edited with introduction by Chr. Wordsworth 1894. [Henry Bradshaw society.]

nicht gesehen.

Prayer book. 274. The first prayer book of king Edward VI. exact facsimile, privately reproduced by photo-lithography (1549). 4⁰. (aus J. Parker's katalog, Oxford).

Morus. 275. Sir Thomas Morus, The Utopia in Latin from the edition of 1518, and in English from R. Robinsons translation in 1551, with notes etc., ed. by J. H. Lupton. Oxford, Clarendon press 1895. 437 s. 10,6 sh.

bespr. Lit. cbl. 1896 (7) 221. Athenæum no. 3573 s. 507.

276. Utopia, hrsg. von V. Michels and Th. Ziegler (Lateinische Litteraturdenkmäler des 15. und 16. jahrhs. hrsg. von Merrmann 11). Berlin 1895. — vgl. abt. 20, 49.

bespr. Lit. cbl. 1896 (31) 1109. G. Louis, Litztg. 31 (1000—1002. P. S. Allen, Academy (1259) I, 505. Ph. Aronstein, Arch. f. d. stud. d. n. spr. 97, 410—402. Athenæum no. 3573—3576 s. 507.

277. W. H. Hutton, Sir Thomas Morus. London, Methuen, 1896. bespr. Athenæum no. 3573 s. 567—568.

no. 185—277 A. Brandl.

13. Gallée, Sprachdenkmäler. — vgl. jsb. 1895, 17, 26.
anz. v. Kern, Ndl. spectator 1896 no. 12; Kluge, Engl. stud. 22,
262—264 (hinweis auf die übersehenen von Finke 1889 in der
Zs. f. vaterl. gesch. [Westfalens] 47, 214 mitgeteilten glossen, sie
neu abdruckend, und vermutet dass im Hildebrandsliede t für zu z
sich verschiebendes t steht). B(raune), Lit. cbl. 1896 (22);
Jellinek, Litztg. 1896 (24).

14. F. Jostes, Saxonica. Zs. f. d. altert. 40, 129—192.
sehr wichtige, teilweise grundlegende untersuchungen: 1. die
vatikanischen fragmente. eine untersuchung des kalenders erweist, dass er aus Mainz stammt. eine jüngere hand hat in den
Mainzer einen Magdeburger kalender hineingearbeitet. — 2. die as.
denkmäler in den Essener hss. sie stammen, wie aus dem
kalender sich erweisen, andernteils wahrscheinlich machen lässt,
aus Hildesheim. die beichte sei von Scherer weder örtlich, noch
zeitlich richtig angesetzt, stellenweise auch falsch erklärt. —
3. heimat des Heliand. den biblischen städtenamen wird öfter
-burg angehängt; es allitterieren g und j; der wortschatz bietet
eine anzahl wörter, welche sich nicht im Westfalen, sondern nur
in denkmälern oder der ma. des östlichen Sachsens wiederfinden;
es erscheint ft statt westf. ht (z. b. safto). alles das weist auf
Ostsachsen. da der Cotton. uo für o bietet, kann er nicht in
Werden, wohl aber in Magdeburg, wie der Monac. in Hildesheim
geschrieben sein. den mit dem meere und den schrecken des
westwindes v. 1820 vertrauten dichter wird man für einen
Nordalbinger halten können, der im auftrage bischof Ebbos
dichtete. — 4. das Abcdarium stammt aus dem bistum Bremen
oder Verden. taufgelöbnis und indiculus gehören in die jahre
800—802. die hs. hat vielleicht der nordalb. mission gedient.
die altniederfränkischen psalmen sind gar nicht ndl., die hs.
ist auf der thüring.-sächs. grenze geschrieben, ihre vorlage war ost-
oder rheinfränkisch.

15. Jostes, Die heimat der altsächs. denkmäler. Verhandlungen d. 43. philol.-versammlung s. 137—141.
auszüge aus der arbeit no. 14.

Bibeldichtung. 16. Zangemeister und Braune, Bruchstücke.
— vgl. jsb. 1895, 17, 27. — anz. von G. A. Hench, Modern lang.
notes 9, sp. 488 - 496.

17. Vetter, Bibeldichtung. Genesisbruchstücke. — vgl. jsb.
1895, 17, 29. Jellinek, Anz. f. d. altert. 22, 351—353.

18. J. Franck. Zur as. Genesis. Zs. f. d. altert. 40, 211—220.
betr. v. 180. 287 f. 322 ff. 46. 68. 90. 234 f. u. a.

19. Kögel, Genesis. — vgl. jsb. 1895, 17, 28. Th. Siebs, Zs. f. d. phil. 29, 394—414.

20. J. Ries, Zur altsächs. Genesis. II. zur wortstellung. Zs. f. d. altert. 40, 270—290.

ergänzender nachtrag zu des vfs. arbeit Q. F. 41. die wortstellung im Heliand und der Genesis zeige grosse übereinstimmung, die abweichungen in der letzteren lasse jedoch ein etwas altertümlicheres gepräge erkennen.

Heliand. 21. P. Piper, Die Heliandhandschriften. Ndd. jahrb. 21, 17—60.

vf. hat sämtliche hss. einschliesslich der bruchstücke in Prag und Rom, sowie die ags. Genesis v. 235 ff. neu verglichen und verzeichnet alle auch die geringfügigsten, oft wertlosen abweichungen und besonderheiten der schreibung, buchstabenform u. dgl.

22. M. H. Jellinek, Zum Heliand. Zs. f. d. altert. 40, 331—335.

v. 3 wird *maritha* als apposition zu *giruni* aufgefasst, da nicht selten die apposition in einen relativsatz hineingestellt werde. ferner werden zu einer reihe von stellen parallelen aus kirchenvätern beigebracht und wird ausgeführt, dass die benutzung von Alcuins kommentar zum Johannisevangelium unerwiesen sei.

23. F. Jostes, Der dichter des Heliand. Zs. f. d. altert. 40, 341—368.

vf. erörtert eine anzahl stellen, aus denen hervorgehe, dass der dichter keine theologische bildung besessen habe, und folgert, dass er ein laie oder laienbruder war, dem der evangelische und theologische inhalt seiner dichtung von einem geistlichen, wahrscheinlich durch homilien, übermittelt worden ist.

24. E. Lagenpusch, Walhallklänge im Heliand. Festschrift Schade dargebracht s. 135—152. — vgl. abt. 10, 25. 21, 41.

ausdrücke, in denen beziehungen auf die deutsche mythologie vermutet werden, sind aus Vilmars 'deutschen altertümern im Heliand' ausgezogen und um einige ergänzungen vermehrt. ferner sind die ausdrücke für gastmahl, meer, seewesen u. a. zusammengestellt. auf anklänge an andere as. bezw. ahd. dichtungen ist vielfach hingewiesen.

Lagenpusch, Recht im Heliand. — vgl. abt. 9, 17 und jsb. 1895, 17, 43.

25. Ed. Lauterburg, Heliand und Tatian. (Berner diss.) Zürich, Verlags-magazin. VIII, 34 s. 0,50 m.

es wird dargelegt, was der dichter aus Tatian nicht übernommen, zu ihm hinzugefügt und was er verändert hat. gründe hierzu waren das streben nach einheit und zusammenhang der darstellung, die rücksicht auf das verständnis und die auffassung seiner leser, die umsetzung des stoffes aus prosa in dichtung. s. 8 eine ausführung über robon v. 5497 gegen Gering.

Krejči, Heliand und Tatian. — vgl. abt. 13, 30.

26. A. E. Schönbach, Deutsches christentum vor tausend jahren. Cosmopolis, internationale revue, vol. 1, 605—621.

ein aufsatz für weitere kreise, in dem der vf. einige ergebnisse noch ungedruckter studien über den Heliand vorträgt. der dichter halte sich anfangs streng an seine vorlagen, in den ersten tausend versen gebe es wenige adjektiva oder adverbien, die nicht aus anlass seiner quellen eingesetzt sind; erst später verfahre er freier; das gelesene verwerte er aus dem gedächtnis; er habe den lat. Tatian unmittelbar benutzt; sein vorbild war des Juvencus Historia evang. für die erste hälfte der arbeit.

27. R. Windel, Sachliches und sprachliches aus dem Heliand. Zs. f. d. d. unterr. 10, 740—753.

der dichter soll mehrfach aus pfäffischer tendenz von seiner quelle abgewichen sein, z. b. 2705 angeblich von Tatian, um — wird Rückert nachgeredet — die kanonischen ehehindernisse den neubekehrten Sachsen einzuschärfen. weil er die beschneidung Jesu übergehe und aus andern gründen sei anzunehmen, dass er judenhasser gewesen sei. als kunstwerk dürfe der Heliand nicht herabgesetzt werden. die sprachlichen bemerkungen sind ohne belang.

Psalmen. 28. P. Tack, Het handschrift der Wachtendoncksche psalmen en dat der Lipsiaansche glossen. Tijdschr. v. ndl. taalkde. 15, 137–145.

äussere beschreibung der hss.; in beiden finden sich gleiche wasserzeichen. eine neue vergleichung ergab eine anzahl berichtigungen zum abdruck Heynes, in dessen zweiter auflage die gl. Lips. 17, 19, 653, wie Cosijn in einer 'naschrift' anmerkt, durch druckfehler entstellt sind.

28a. W. van Helten, Een en ander over en naar aanleidning van de oudnederlandsche psalmvertaling. Tijdschr. v. ndl. taalkde. 15, 146—171. 269.

Jostes zustimmend, dass der wortschatz ahd. ursprungs sei, verzeichnet vf. die wörter, welche aus ndl. gebiete sonst zu belegen sind. im übrigen verwirft er die aufstellungen Jostes und führt aus, dass die Wachtendonksche hs. von einem Ostniederfranken herrührt, der eine südmittelfränkische vorlage benutzt habe, die aus einem allemannischen originale umgesetzt war, wie durch *toufĕres* (Notker *ʒoufer*) und *welimo* (gl. 1313, cf. Braune ahd. gr. § 292) erwiesen werde. letzteres, das erst seit dem 10. jahrh. erscheine, sei auch für die zeitbestimmung wichtig.

28b. P. J. Cosijn, De oudnederfrankische psalmen. Tijdschr. v. ndl. taalkde. 15, 316—323.

gegen Jostes und gegen van Helten, insbesondere gegen die annahme einer ahd. vorlage.

Mittelniederdeutsche dichtung.

29. E. Damköhler, Zu mnd. gedichten. Ndd. jahrb. 21, 123—130.

konjekturen u. dgl. zu Reinke Vos, Valentin und Namelos, zum Sündenfall und zu Konemann.

30. R. Sprenger, Zu niederdeutschen dichtungen. Ndd. jahrb. 21, 132—144.

zum Redentiner osterspiel. zu den fastnachtsspielen. zu den nd. schauspielen älterer zeit. zu den nd. bauernkomödien. zu Gerhard von Minden. zu Botes boek van veleme rade.

Drama. 31. Freybe, Die hs. des Redentiner osterspiel. — vgl. jsb. 1892, 17, 20. Wackernell, Österr. litbl. 1896 no. 4.

32. Kawerau, Burkard Waldis. — vgl. abt. 15, 203.

Eulenspiegel. 33. R. Sprenger, Zum volksbuche von Eulenspiegel. Ndd. jahrb. 21, 130—132.

konjekturelle besserungen und hinweise auf die ursprünglichen ndd. lesungen.

Lied. 34. Ludw. Schröder, Chronika van Saust [Soest]. (Bibliothek ndd. werke bd. 17.) Leipzig, O. Lenz (1896). s. 103 ff.

abdruck eines mnd. 'Sauster laiweslied iut 'm 15. joarhunaert', das von dr. Stute auf dem umschlage eines Soester rechnungsbuche gefunden ist. 4 strophen zu je 5 versen. anfang: My is en vensterken worden kunt. beigefügt ist eine nhd. bearbeitung von Legerlotz.

Reimchronik. 35. U. Hölscher, Eine alte chronik Goslars. Zs. d. Harzvereins 28, 641—646.

140 verse, mitgeteilt aus den kollektaneen des Goslarschen chronisten v. d. Hardt das mnd. gedicht giebt sich für ein meisterlied aus, das an Rudolf von Habsburg gerichtet ist. dass

eine fälschung v. d. Hardt's vorliege, hält W. S(eelmann) in der
anzeige Nd. korrbl. 19, 47 f. für wahrscheinlich.

Totentänze. 36. W. Seelmann, Der Lübecker totentanz von
1520. Ndd. jahrb. 21, 108—122.

abdruck des textes mit einigen besseren lesungen. untersuchung über sein verhältnis zu den übrigen und dem dänischen
totentanze, dessen vorbild jener nicht allein gewesen sein kann.
(zu dem gleichen ergebnisse kommt auf grund selbständiger untersuchung Raph. Meyer in seinem gleichzeitig erschienenem 'Gamle
danske dödedans. Köbenhavn 1896'.)

37. W. Seelmann, Der Berliner totentanz. Ndd. jahrb. 21,
81—108.

vielfach berichtigter und erläuterter abdruck des textes nach
neuer lesung. die ausführliche einleitung stellt seine mittelbare
abhängigkeit vom totentanze des jahres 1463, sein verhältnis zu
dem jüngeren Lübecker totentanze und die märkische heimat des
dichters fest.

Wampen. 38. Roethe, Eberhard von Wampen. Allg. d. biogr.
41, 132 f.

Kölnisches gedicht. 39. J. Bolte, Zu der warnung vor dem
würfelspiel. Ndd. jahrb. 21, 144—147.

vgl. jsb. 1894, 17, 35. zur stoffgeschichte.

Mittelniederdeutsche prosa.

40. Riemann, Die Chronica Jeuerensis. geschreuen tho
Varel dorch Eilerdt Springer anno 1592. — vgl. abt. 7, 130. 18, 35.

nach der originalhs. Springers, der nur der abschreiber, nicht
der vf. der chronik gewesen sei. die chronik, welche von 1148—1576
reicht, ist von hd. formen frei. angez. von Jellinghaus, Nd.
korrbl. 19, 16.

41. L. Hölscher, Satire auf die katholische messe vom
jahre 1529. Ndd. jahrb. 21, 147—155.

wiederholt nach einem alten drucke. ndd. umsetzung von
Niklaus Manuels Krankheit der messe (vgl. Bächtold's ausgabe
s. CLXXXIII) nach F. Burg, Nd. korrbl. 19, 47.

42. A. Wormstall, Eine westfälische briefsammlung des ausgehenden mittelalters. Zs. f. vaterl. gesch. Westfalens 53.

aus dem frauenkloster Langenhorst, die meisten briefe sind
mnd. und an die äbtissin gerichtet. aus dem jahre 1470—1495.

43. Grotefend, Neun frauenbriefe aus der wende des 16. u. 17. jahrhs. Jahrbücher f. meckl. gesch. 60, 184—198.

familienbriefe aus dem jahre 1584—1606 und aus Dömitz in Meckl., die mehrzahl ist nd. mit einzelnen hd. formen.

Neuniederdeutsche litteratur.

44. C. Regenhardt, Die deutschen mundarten. auserlesenes aus den werken der besten dichter alter und neuer zeit. (bd. 1) niederdeutsch. Berlin, Regenhardt. XVI, 401 s. und 2 bildnisse. 2 m., geb. 3 m.

proben aus den werken von mehr als 70 schriftstellern mit einigen erläuterungen und kurzen biographischen daten. von dichtern des 16.—18. jahrh. sind nur einige berücksichtigt. die auswahl ist mit guter litteraturkenntnis veranstaltet, zeugt aber nicht von hinreichender sprachkenntnis, so dass einige mitteldeutsche stücke aufgenommen sind.

45. Bolte und Seelmann, Niederdeutsche schauspiele. — vgl. jsb. 1895, 17, 64. Glöde, Zs. f. d. d. unterr. 10, 847—850.

46. Bahlmann, Münsterische lieder. — vgl. abt. 10, 260.

die einleitung bietet eine die denkmäler in erreichbarer vollständigkeit verzeichnende übersicht von der altsächs. zeit ab bis zur jüngsten gegenwart, die s. XXVIII beginnenden anmerkungen sind fast durchweg bibliographisch. die abgedruckten texte wiederholen ziemlich wertlose nd. umschreibungen hd. kirchenlieder aus alten nd. gesangbüchern. über die dann folgenden lieder, sprichwörter u. s. w.

47. Bahlmann, Das älteste katholische gesangbuch. — vgl. abt. 15, 70.

"Catholische geistlicke kerckengeseng ... Münster in Westph. bey Bernardt Raszfeldt im jahr 1629'. 254 s., 3 bl. 12⁰. in der Paulin. bibliothek in Münster. sämtliche liedertexte sind übertragungen aus dem hochdeutschen.

Reuter (auswahl der litteratur seit 1894). 48. Briefe von Fritz Reuter an seinen vater aus der schüler-, studenten- und festungszeit (1827—1841). hrsg. von Frz. Engel. mit 12 facsimilebriefen. 2 bde. Braunschweig, Westermann 1896. VIII, 232 und VIII, 267 s. geb. 6 m.

49. Unterhaltungsblatt für beide Mecklenburg und Pommern, redigiert von Fritz Reuter. geschichten und anekdoten. mit ein-

leitender studie hrsg. von A. Römer. Berlin, Mayer u. Müller 1897.
LIX, 158 s. 2 m.

der titel trügt. es ist nicht das ganze unterhaltungsblatt neu
gedruckt, sondern es sind nur auszüge gegeben und kleinere stücke
mitgeteilt. gerade die wichtigeren grösseren sachen fehlen, vielleicht weil der nachdruck gesetzlich noch nicht erlaubt ist.

50. Rich. Schröder, Eine selbstbiographie von Fritz Reuter.
Neue Heidelberger jahrbücher 5 (1) 18—22.

ein brief vom jahre 1861, der das material für den aufsatz
Grenzboten bd. 20, 1, 441 ff. bot.

51. Gust. Raatz, Wahrheit und dichtung in F. Reuters
werken. urbilder bekannter Reutergestalten. mit porträts, skizzen,
ansichten etc. zum teil nach originalen von Reuters hand. Wismar,
Hinstorff 1894. XIII, 169 s. 3 m.

ein sehr verdienstvolles werk, in welchen die persönlichkeiten
geschildert und zum teil abgebildet sind, denen Reuter einzelne
züge für die helden seiner erzählungen entlehnt hat oder die ihn
zur schöpfung dieser angeregt haben. die beiden nachstehend verzeichneten bücher sind augenscheinlich durch die von Raatz gegebene anregung entstanden und ahmen ihn zum teil nach.

52. A. Römer, Fritz Reuter in seinem leben und schaffen.
mit erinnerungen persönlicher freunde des dichters und anderen
überlieferungen zeichnungen von F. Reuter. Berlin, Mayer u.
Müller. III, 249 s. 4 m.

das buch zeigt zu sehr das bestreben unterhaltend zu sein,
die kritik und das richtige urteil sind dabei zu kurz gekommen.
Gädertz, Nachrichten aus dem buchhandel 1895 no. 279,
vgl. no. 283. 292. 299, weist nach, dass viele bekannte briefe
Reuters von Römer als angeblich unbekannte veröffentlicht sind.

53. K. Th. Gädertz, Aus Fritz Reuters jungen und alten
tagen. neues über des dichters leben und werden, an der hand
ungedruckter briefe und kleiner dichtungen mitgeteilt. mit Reuters
selbstporträt aus seiner haft, sowie zahlreichen bildnissen. folge
(1) 2. Wismar, Hinstorff 1895—1896. XIV, 154; XV, 170 s.
je 3 m.

darin kleine glückliche fünde oder aufspürungen, die bei
fleissigem suchen gelangen, allerdings darunter vieles, was wenig
oder gar nicht in wirklicher beziehung zu Reuters leben steht.
folge 1 ist inzwischen in 2. aufl. erschienen.

54. Ad. Wilbrandt, Hölderlin. Reuter. 2. aufl. (= Geisteshelden, hrsg. von Bettelheim. bd. 2. 3.) Berlin, E. Hofmann.
155 s. 3,20 m.

auf s. 49—155 darstellung des lebens Reuters und kurze charakteristik des dichters und seiner werke.

55. Fritz Reuter und die juden. Dresden, druckerei Glöss.
29 s. 0,50 m.

56. Beckmann, Fritz Reuter als turnlehrer. Zs. f. turnen
5, h. 6.

57. Groth verzeichnet Jahrbücher f. mecklenb. geschichte 59,
s. 64 no. 34, ebd. s. 83 no. 277—281 und 60, s. 96 no. 266—278
die in zeitungen erschienenen beiträge zur Reuterlitteratur.

58. P. Bahlmann, Mundartliches aus dem Münsterlande.
Westf. geschichtsblätter hrsg. von Hettler. Bielefeld 1895. bd. 1,
53—58.

59. Fr. Walther, Plattdeutsche sprichwörter und sprichwörtliche redensarten aus der stadt Recklinghausen. Zs. d. ver. f.
ortskunde in Recklinghausen 5.   Seelmann.

XVIII. Friesisch.

A. Zeitschriften.

1. Achtenzestigste verslag der handelingen van het Friesch
Genootschap van geschied-, oudheid- en taalkunde te Leeuwarden,
over het jaar 1895—1896. 44 s. — Lijst van voorwerpen aan
het Friesch Genootschap van gesch.-, oudh.- en taalk. geschonken,
in bruikleen gegeven, of aangekocht. 1895—1896. 18 s., 3 bl.
    s. 1—20 bericht über die vergaderingen en werkzaamheden
der gesellschaft und über die vorträge von: C. D. Donath, Ver-
keersmiddelen van vroeger dagen (s. 2—5); M. E. van der
Meulen, Het stadhuis van Bolsward (s. 5—8); D. C. Nijhoff,
Napoleon en de vrouw (s. 10—13); L. Knappert, Heidendom en
christendom in Beda's kerkgeschiedenis (s. 13—16). — s. 21—43
alphabetische naamlijst der mitglieder. — s. 3—17 aanwinsten
van het museum.

2. Friesche volksalmanak voor het jaar 1895. Leeuwarden,
Meijer en Schaafsma, o. j. 7 bl., 232 s., kl. 8⁰. — nicht geliefert.
    ausser gedichten (s. 99—100, nwfrs. s. 41—43 und 66—70)
und einem nwfrs. prosatext (s. 64—65) enthält der Volksalmanach
folgendes: Johan Winkler, Friesche jonkvrouwen als 'maechden

in den Hoeck' te Haarlem, s. 1—40; W., Schilderachtige gezichten
in Friesland, s. 44—49; Geuzeliedekens, die op Friezen of Friesland betrekking hebben, ed. B[uitenrust] H[ettema], s. 50—61;
Johan Winkler, Limburgsch en Friesch, s. 62—63; J[ohan]
W[inkler], Vlaamsch en Friesch, s. 63; Jan van Wageningen
thoe Dekama, Hopman Rienck van Dekama en zijne verdediging
van het Blokhuis te Staveren in 1581, s. 71—94; H. Mohrmann,
Op zijn elf en dertig, s. 95; H. Mohrmann, Friesche vrijheidszin,
s. 96—98; H. Mohrmann, Friesche sjibbolets, s. 101—102; C. D.
Donath, Bijdrage tot de geschiedenis der straatverlichting, s. 103—
145; Age S. Miedema, Iets over het wapen van Sneek, s. 146—
154; B[uitenrust] H[ettema], Fryske bybleteek, s. 155—174 (=
jsb. 1895, 18, 26, ohne die anmerkungen); Ph. van Blom, Wat de
terpen ons leeren, s. 175—225 (unter den ausgrabungen sei besonders auf die ags. münzen von 600—734 hingewiesen); C. D. Donath, Een mislukte vrijagie, s. 226—228; J. van Looé Jz., Facsi-
milë van het schrift van Gysbert Jacobs, 229—231.

2a. Friesche volksalmanak voor het schrikkeljaar 1896.
Leeuwarden, Meijer en Schaafsma, o. j. 8 bl., 226 s.

ausser nwfrs. gedichten (s. 85—87 und 151) und ausser erzählungen (s. 176—216 und 217—226, nwfrs. s. 44—57) enthält der
Volksalmanach folgendes: J. Hepkema, Het Oranjewoud, als voor-
malig vorstelijk buitenverblijf, s. 1—43; B[uitenrust] H[ettema],
De twaalf hemeltekens, s. 57; S. Haagsma, Een Harlinger fregat
naar Algiers, s. 58—69; H. Mohrmann, Friesche invloed of
Govert Flinck, s. 70—72; Age S. Miedema, Over Sneeker straat-
namen, s. 73—84; C. Cannegieter, Goslinga-State de Hallum, en
hare bewoners, s. 88—136; T. J. de Boer, Jacob Andeles Palsma,
zes maanden Garde d'honneur, s. 137—150; B. F. W. von Brucken
Fock, Een tak van het geslacht van Aylva, s. 152—157; J. van
Loon Jzn., De bevolking van Friesland, gemeentes- en dorps-
gewijze, in de jaren 1815, 1855 en 1895 (1815: 176 554, 1855:
261 413, 1895: 338 285 einwohner), s. 158—175.

Zeitschriften in landfriesischer sprache.

3. Forjit my net! tydskrift útjown fen 't Selskip for Fryske
tael en skriftenkennisse. XXVIste boek. printe by W. A. Eisma
Cz. to Ljouwert. 2 bl., heft 1: 48 s., heft 2: 48 s.
enthält erzählungen und gedichte.

B. Allgemeines.

4. Johan **Winkler**, Van vrije Friesen en van Standfriesen. De tijdspiegel 1896, s. 1—21.
charakteristik der Friesen.

5. H. **Möller** handelt in seiner anzeige von A. Erdmann, Über die heimat und den namen der Angeln, Afda XXII, 129—164, s. 137 anm. 147. 150 f. 150 f. anm. über die ältesten sitze der Friesen; s. 148 über die sprachgeographische stellung des Friesischen (wichtig ist der hinweis auf englisch-nordische übereinstimmungen, welche das mit dem Deutschen zusammengehende Friesische seit alters nicht teilt); s. 157 f. über die sprachliche stellung des Nordfriesischen.

6. Ph. **Heck**, Die altfriesische gerichtsverfassung. — vgl. jsb. 1894, 9, 24 und 18, 6 und 1895, 9, 21 und 18, 10. — angez. von Otto **Opel**, Jurist. litbl. (no. 62), VII (no. 2) 33 f.; weitere anzeigen s. abt. 9, 30.

Westfriesisch.

7. Age S. **Miedema**, Sneek en het Sneeker stadrecht. (Das zweite titelblatt mit dem zusatz: proefschrift ter verkr. v. d. graad van doctor in de rechtswetenschap, aan de rijks-universiteit te Leiden.) Sneek, J. F. van Druten 1895. VIII, 203 (die diss. XVI, 208) s. 2,50 f.
inhalt: 1. bronnen: de handschriften (s. 1—5 über das jetzt in der kgl. bibliothek in Berlin befindliche Jus municipale Frisonum), de oorsprong van het stadrecht (schliesst sich Heck an), het geestelijk recht, het keysersrecht. 2. de stad en hare staatsrechtelijke indeeling: Sneek, de hoofdelingen, de geestelijkheid, recht en raed, de burgers en de vreemdelingen, de gilden, stedelijke beamten, de inkomsten der stad, de munt, het mene land. 3. burgerlijk recht: personenrecht, zakenrecht, verbintenissenrecht, familie-, vermogens- en erfrecht. dazu 4 beilagen (litteraturangaben und urkunden). zu grunde gelegt ist das stadtbuch von 1456 und das ältere stadtrecht. — vgl. abt. 9, 91. — angez. Lit. cbl. 1896, s. 661.

8. Waling **Dykstra**, Uit Friesland's volksleven van vroeger en later. I. Leeuwarden, Hugo Suringar, o. j. [1896]. VIII, 424 s. gr. 8º. mit 14 tafeln. — II. ebd. o. j. [1896]. VI, 444 s. gr. 8º. mit 2 tafeln.

in den Hoeck' te Haarlem, s. 1—40; W., Schilderachtige gezichten
in Friesland, s. 44—49; Geuzeliedekens, die op Friezen of Friesland betrekking hebben, ed. B[uitenrust] H[ettema], s. 50—61;
Johan Winkler, Limburgsch en Friesch, s. 62—63; J[ohan]
W[inkler], Vlaamsch en Friesch, s. 63; Jan van Wageningen
thoe Dekama, Hopman Rienck van Dekama en zijne verdediging
van het Blokhuis te Staveren in 1581, s. 71—94; H. Mohrmann,
Op zijn elf en dertig, s. 95; H. Mohrmann, Friesche vrijheidszin,
s. 96—98; H. Mohrmann, Friesche sjibbolets, s. 101—102; C. D.
Donath, Bijdrage tot de geschiedenis der straatverlichting, s. 103—
145; Age S. Miedema, Iets over het wapen van Sneek, s. 146—
154; B[uitenrust] H[ettema], Fryske bybleteek, s. 155—174 (=
jsb. 1895, 18, 26, ohne die anmerkungen); Ph. van Blom, Wat de
terpen ons leeren, s. 175—225 (unter den ausgrabungen sei besonders auf die ags. münzen von 600—734 hingewiesen); C. D. Donath, Een mislukte vrijagie, s. 226—228; J. van Looé Jz., Facsi-
milë van het schrift van Gysbert Jacobs, 229—231.

2a. Friesche volksalmanak voor het schrikkeljaar 1896.
Leeuwarden, Meijer en Schaafsma, o. j. 8 bl., 226 s.
    ausser nwfrs. gedichten (s. 85—87 und 151) und ausser er-
zählungen (s. 176—216 und 217—226, nwfrs. s. 44—57) enthält der
Volksalmanach folgendes: J. Hepkema, Het Oranjewoud, als voor-
malig vorstelijk buitenverblijf, s. 1—43; B[uitenrust] H[ettema],
De twaalf hemeltekens, s. 57; S. Haagsma, Een Harlinger fregat
naar Algiers, s. 58—69; H. Mohrmann, Friesche invloed of
Govert Flinck, s. 70—72; Age S. Miedema, Over Sneeker straat-
namen, s. 73—84; C. Cannegieter, Goslinga-State de Hallum, en
hare bewoners, s. 88—136; T. J. de Boer, Jacob Andeles Palsma,
zes maanden Garde d'honneur, s. 137—150; B. F. W. von Brucken
Fock, Een tak van het geslacht van Aylva, s. 152—157; J. van
Loon Jzn., De bevolking van Friesland, gemeentes- en dorps-
gewijze, in de jaren 1815, 1855 en 1895 (1815: 176 554, 1855:
261 413, 1895: 338 285 einwohner), s. 158—175.

        Zeitschriften in landfriesischer sprache.

    3. Forjit my net! tydskrift útjown fen 't Selskip for Fryske
tael en skriftenkennisse. XXVIste boek. printe by W. A. Eisma
Cz. to Ljouwert. 2 bl., heft 1: 48 s., heft 2: 48 s.
    enthält erzählungen und gedichte.

4) übersicht über die neuere Fabricius-litteratur. 5) des Ubbo
Emmius karte von Ostfriesland. am schluss nachbildung der karte
von Ostfriesland von 1590 (1592. 1613).

14. G. Sello, Der denkmalsschutz im herzogtum Oldenburg.
Bericht üb. d. thätigkeit d. Oldenbg. ver. f. altertumskunde u.
landesgesch., heft VII. Oldenburg 1893. 90 s.

abschnitt C: übersicht über die litteratur der altertumskunde
des herzogtums Oldenburg, insbesondere die älteren lokalzeit-
schriften berücksichtigend. § 2 ämter Brake und Butjadingen.
§ 4 amt Elsfleth. § 5 amt Friesoythe. § 6 amt Jever. § 9 amt
Varel.

15. G. Sello, Übersicht über die bisher beschriebenen und
aufgenommenen steindenkmäler im herzogtum Oldenburg. als
manuscript für die zwecke der inventarisation der altertums-, bau-
und kunstdenkmäler im herzogtum Oldenburg gedruckt. Oldenburg 1895.

nur die ämter Friesoythe (Saterland) und Jever sind darin
spärlich vertreten.

Ostfriesische geschichte und kulturgeschichte.

16. F. W. Riemann, Der Schakelhaver·berg. (mit plan.)
Jahrb. f. d. gesch. d. herzogtums Oldenburg V (1896) s. 5—26.

die annahme, dass der sieg, welchen die Östringer nach den
Annales Stederburgenses und andern authentischen quellen 1153
über ein sächsisches heer davongetragen, auf dem moor bei dem
Schakelhaver berg erfochten werden sei, beruht lediglich auf einer
ungehörigen interpolation der von Riemann herausgegebenen
schlechten recension der Jeverschen chronik und deren sippe. nach
der lesart der für die textbehandlung einzig in betracht kommenden
ältesten handschriftengruppe fand der kampf auf der heide bei
Östringfelde statt.   [G. Sello.]

17. O. Kähler, Die grafschaften Oldenburg und Delmenhorst in der 1. hälfte des XV. jahrh. Jahrb. f. d. gesch. d.
herzogtums Oldenburg III (1894) 1—112. — darin: abt. I A, § 2:
kämpfe in Rüstringen 1400—1414. § 3: beziehungen des grafen
Moritz zu Friesland. § 5: neue kämpfe in Rüstringen 1419—1420.
abt. I B, § 2: kämpfe und eroberungen Dietrichs in Friesland
1426—1436. I excurs: Edo Wiemken.

18. Sello, Der letzte freiheitskrieg der Friesen zwischen
Weser und Jade. Weser-zeitung, no. 17270, 25. dez.; 17272,

28. dez.; 17273, 29. dez. 1894; 17276, 1. jan. 1895; 17279, 4. jan. 1895.

19. A. Franz, Ostfriesland. — s. jsb. 1895, 18, 13. rec. Lit. cbl. 1896, s. 1264 f.

20. Max Heynacher, Festschrift zur 250 jährigen stiftungs-feier des kgl. gymn. zu Aurich. Aurich, H. W. H. Tapper u. sohn. enthält nachrichten über den grafen Ulrich II. und seine zeit, sowie über den stifter der schule Brandanus Dätrius.

21. Robert Allmers, Die unfreiheit der Friesen zwischen Weser und Jade. eine wirtschaftsgeschichtliche studie. (Münchener volkswirtschaftl. studien, hrsg. von L. Brentano und W. Lotz, stück 19.) Stuttgart, Cotta. XII, 132 s. 8⁰. 3 m.
einleitung: die entstehung des landes, seine besiedelung und bewirtschaftung. I. die zeit der wirtschaftlichen und politischen selbständigkeit der Butjadinger und Stadländer (13. jahrh. bis 1514). II. die herabdrückung der freien Friesen zu hörigen durch die grafen von Oldenburg (1514—1603). III. die bewirtschaftung des gräflichen grundbesitzes. IV. die ansätze zur bauernbefreiung und ihre ursachen (1603—1667). V. die bauernbefreiung (1667—1694 bezw. 1873).

22. K. Meinardus, Die kirchliche einteilung der grafschaft Oldenburg im mittelalter (mit einschluss der friesischen propsteien). Jahrb. f. d. gesch. d. herzogtums Oldenburg I (1892) 101—131.

23. W. Hayen, Die Johanniter im Oldenburgischen. Jahrb. f. d. gesch. d. herzogtums Oldenburg IV (1895) 1—36.

24. Sello, Die kirchenbücher im herzogthum Oldenburg. Korrbl. d. gesamtver. d. d. gesch.- und altertumsvereine 1894 (no. 12), 146—148.
die drei ältesten der vorhandenen kirchenbücher gehören den friesischen landesteilen an: Butjadingen (1573. 1578), Jever (1591).

26. Die ältesten lehnsregister der grafen von Oldenburg und Oldenburg-Bruchhausen, hrsg. u. erläutert von H. Oncken. Olden-burg 1893.
darin s. 33. 84 friesische rechte, s. 41—91 land Würden.

27. Klinkenborg, Geschichte der ten Broks. Norden, Braams 1895. — vgl. Sello (unten no. 30) s. IV—VII.

28. C. Sattler, Reichsfreiherr Dodo zu Innhausen und Knyp-hausen, kgl. schwedischer feldmarschall. seine lebensgeschichte. mit 1 bildn. Norden, Diedrich Soltau 1891. 12 m.
weist in den quellenangaben auf mancherlei Ostfriesisches hin.

30. G. Sello, Saterlands ältere geschichte und verfassung. mit einer nachbildung der karte des Saterlandes von 1588. Oldenburg, Schulze. XII, 64 s. 1,60 m.

ein vortreffliches büchlein. s. 1—7 kritische litteraturübersicht (besonders Hoche, Hettema und Posthumus, Nieberding, Kollmann, Siebs). s. 7—38 geschichte des Saterlandes. s. 39—55 verfassung, s. 55—58 kirchliche verfassung, s. 58—61 abgaben, s. 61 f. westfälisches recht im Saterlande. s. 63 anm. zeugnisse über die fortdauer der friesischen sprache in Jeverland aus dem 16. jahrh. — vgl. abt. 7, 31.

31. Th. Siebs, Saterland. — vgl. jsb. 1893, 18, 12. — dazu vgl. die beurteilung von Sello (oben no. 30), s. VIII, 6, 10, 16, 21 f., 26, 33 f., 39 f., 41 f., 47, 49, 53 f., 59 f. und 62 f.

32. Karl Herquet, Geschichte der insel Norderney in den jahren 1398—1711. (sonderabdruck aus dem Jahrb. d. ges. f. bildende kunst zu Emden. IX, heft 1. — vgl. jsb. 1895, 18, 4). Emden und Borkum, W. Haynel 1891. 1 bl., 58 s. 8⁰.

es werden nur ereignisse von lokalem interesse aus den jahren 1636—1717 behandelt, meist urkundliche nachrichten über strandungen.

33. H. Oncken, Umschau auf dem gebiete oldenburgischer geschichtsforschung. Jahrb. f. d. gesch. d. herzogtums Oldenburg I (1892), s. 5—55. — § X: geschichte Jevers (s. 34—37.)

34. F. W. Riemann, Geschichte des Jeverlandes. 1. bd. Jever, C. L. Mettcker u. söhne. 2 bl., VIII, 412 s. 7 m.

populär gehalten. reicht bis 1511. erstes buch (s. 1—204): geschichte Jeverlands bis zum aufkommen der häuptlinge, zweites buch (s. 207—412): die häuptlingszeit 1355—1511. die 12 kapitel behandeln die entstehung der jeverländischen marschen (mit karte der Wesermündung um Christi geburt und karte der Innen-Jade aus dem jahre 1599 und einer andern nach Joh. Conrad Musculus), die Chaukerbevölkerung, die siedelungen der Sachsen und Friesen, die bedeichung der jeverländischen marschen, die nordseeküste unter der herrschaft Karls des Grossen, geschichte des östlichen Ostfriesland vom 9.—12. jahrh., Rüstringen, Östringen und Wangerland im 13. und 14. jahrh., Edo Wiemken der ältere 1355—1414, Sibet Papinga 1414—1433, Hajo Harles 1433—1441, Tanno Düren und sein bruder Sibet 1441—1468, Edo Wiemken der jüngere 1468—1511.

35. Die Chronica Jeuerensis. geschreuen tho Varel dorch Eilerdt Springer anno 1592. besprochen und herausgegeben von Fr. W. Riemann, Jever, druck von C. L. Mettcker u. söhne.

16 und 82 s. 8⁰. 1,50 m. (Riemann, Kleine aufsätze zur geschichte Jeverlands, 2. heft).

der vf. giebt in der einleitung ein irreführendes bild von den
bestandteilen der chronik; seine vermutung über die beteiligung
des Laurentius Michaelis an ihrer bearbeitung ist irrig. die in
niederdeutscher sprache geschriebene chronik zerfällt in zwei haupt-
teile, deren erster eine kurze, aus excerpten deutlich erkennbarer
verschiedenen quellen lose gefügte zusammenstellung der ostfriesisch-
jeverschen geschichte mitten in der darstellung der vorgänge des
jahres 1521 abbricht. diesen 1. teil allein enthält eine reihe von
handschriften, unter welchen z. b. der vornehmlich beachtenswerte
cod. Werdum., offenbar um einen formell-abgerundeten schluss zu
bieten, schon mit 1520 endet. der zweite teil beginnt 1525 mit
zusammenhangslosen notizen, gestaltet sich allmählich ausführlicher
bis zum anfang der Oldenburgischen herrschaft in Jeverland und
wird dann von den verschiedenen bisher bekannten recensionen
mehr oder weniger weit fortgeführt. mancherlei spuren deuten
darauf hin, dass der erste teil eine von Remmer von Seediek nach
1554 begonnene, durch seinen tod 1557 unterbrochene arbeit ist,
zu der er ausser seinen sogenannten annalen andere teils verlorene, teils handschriftlich vorhandene collectaneen, vielleicht auch
von Johannes Winkel für ihn gefertigten quellenexcerpte benutzte. für die ermittelung des verfasssers des zweiten teiles
fehlt jeder anhalt. L. Michaelis hat damit nichts zu tun. denn
Hamelmann, welchem der gesamte handschriftliche apparat des
L. Michaelis zur benutzung überlassen war, zeigt in der 1595
abgeschlossenen ungedruckten original-recension seiner Oldenburgischen chronik nicht die geringste bekanntschaft mit der zur erörterung stehenden Jeverschen chronik, citiert und excerpiert dagegen mehrmals eine andere, inhaltlich völlig abweichende, anscheinend jetzt verlorene Jeversche chronik. erst der überarbeiter
und herausgeber der Hamelmannschen chronik, Anton Herings, hat,
ohne dies anzuzeigen, ein exemplar der von R. herausgegebenen
chronik ausgiebig benutzt für seine ungedruckte grosse Jeversche
chronik, welche er zum teil in die Oldenburgische chronik Hamelmanns hineingearbeitet hat. sein verzeichnis der für letztere benutzten quellen ist hinsichtlich des lokalgeschichtlichen hand-
schriftenmaterials so gut wie wertlos, da es mechanisch-verständ-
nislos aus den angaben in Hamelmanns ungedruckter vorrede kom-
piliert ·ist.

die abgedruckte Hschr. ist an auslassungen, verstümmelungen,
lese- und schreibfehlern reich, unter allen bekannten recensionen
eine der schlechtesten. nicht einmal die gröbsten fehler in chronologie und namenschreibung sind mit hilfe besserer handschriften zu

bessern versucht worden. der erläuternde und kritische apparat in
den noten ist ganz oberflächlich zusammengeschrieben. — vgl. abt.
7, 130. 17, 40.   [G. Sello.]

36. G. Sello handelt Jahrb. f. d. gesch. d. herzogtums
Oldenburg II (1893) 119—127 über Jeversche chronisten des
16. jahrhs.

37. Magister Braunsdorfs Gesammelte nachrichten zur geographischen beschreibung der herrschaft Jever (1797), hrsg. von
F. W. Riemann. Jever, C. L. Mettcker u. söhne. 176 s. 8⁰.

die benutzte handschrift ist lückenhaft; der vom herausgeber
hier und da beigefügte kritische und erläuternde apparat ist
wertlos.   [G. Sello.]

38. G. Sello, Das Oldenburgische wappen. Jahrb. f. d.
gesch. d. herzogtums Oldenburg I (1892) 56—100. — § IV 2: das
wappen der herrschaft Jever.

39. G. Sello, Wangerooge? Wangeroge? Wangeroog? (Oldenburgischer) General-anzeiger 1896 no. 284.

vf. entscheidet sich für die verwendung der form Wangeroge
in der schriftsprache.

40. G. Sello, Die Friedeburg und das kloster zu Atens in
Butjadingen. 'Niedersachsen' 1895 (heft 5), s. 70—71.

41. Ostenfelder bauerndiele und tracht. s. unter no. 52.

C. Sprachgeschichte.

42. F. Buitenrust Hettema, It Frysk in syn stúdzje, I,
De Gids, jan.

43. W. L. van Helten, Zur lexicologie des altwestfriesischen.
(Verhandelingen der koninklijke akademie van wetenschappen te
Amsterdam, afdeeling letterkunde, deel I, no. 5.) Amsterdam,
Johannes Müller. 74 s. gr. 8⁰.

diese wertvollen lexikalischen beiträge enthalten auch einiges
zur grammatik: s. 9 f. nominalsuffix -st, s. 10 nwfrs. oa aus ō und
gedehntem o, s. 16 anm. adjektivsuffix -ath, s. 20 umgelautetes
$u > e$ und i, s. 27 anm. -ītha > -īa, s. 30 e neben i vor nasal,
s. 30 nominal-dual, s. 32—34 $lv > l$, $rv > r$, s. 34 $hr- > r-$,
s. 35 f. partizipialsuffix e-, s. 37 $e > i$ vor tautosyllabischem assi-
biliertem kons., e erhalten vor heterosyllabischem, s. 52 schwund
des w in swiā- und zwischen vokalen, s. 54 germ. $ai̯ > ay$, ei,
s. 57 -enisse > -ense, s. 64 e neben i vor tautosyllabischem r.

s. 64 f. *err* > *ērr*, *irr* > *ĭrr*, s. 65 anm. *ē* > nwfrs. *ea* und *ie*,
s. 72 *-se* < *-ist*, s. 72 f. *e* vor *l* oder *r* > *o* und weitere fälle von
o- oder *u-*umlaut.

44. Waling Dijkstra en F. Buitenrust Hettema, Friesch
woordenboek (Lexicon Frisicum), benevens Johan Winkler, Lijst
van Friesche eigennamen. afl. 1—3. Leeuwarden, Meijer en
Schaafsma, für Deutschland, Österreich, Frankreich und Schweiz:
Otto Harrassowitz, Leipzig. VIII, 10, 112 und 112 s. gr. 8º.
f. 3,60 — 6 m.

vgl. jsb. 1893, 18, 20. — das wörterbuch reicht bis *bidolkje*,
das namenbuch bis *Fritsma*. das wörterbuch zeichnet sich besonders durch reiche belege aus. leider werden die sprachformen
nicht bis ins Altfries. zurück verfolgt. auch die modernen mundarten kommen nur gelegentlich zum wort. in der hauptsache beschränkt sich das wb. auf den landfries. wortschatz. dankenswert ist die hervorhebung der wenig gebräuchlichen, litterarischen,
veralteten und der wörter der kindersprache durch besondere
zeichen. beigegeben ist ein verzeichnis der benutzten texte. —
angezeigt von —nn—, Lit. cbl. 1896 (48) 1737.

D. Metrik, Litteraturgeschichte und Sprachdenkmäler.

45. C. Kraus handelt Zs. f. d. österr. gymn. 47, 334 f. über
den stabreim in den altfriesischen rechtsdenkmälern und stellt ihn
als nicht beabsichtigt dar.

Gysbert Japiks. 46. Fryske Bybleteek fen dr. F. Buitenrust
Hettema. II. Gysbert Japiks z'n brieven aan Gabbema; z'n
verhouding tot Gabbema. datéring van z'n gedichten. Utrecht,
H. Honig. 2 bl., 80 s.

vf. zeigt durch belege, dass das verhältnis des dichters zu
Gabbema ein kühles war, und glaubt nicht, dass dieser ihn in
seinem stil beinflusst habe, sondern 'de Hertspiegel' (1614). dem
vf. ist die datierung einer grossen zahl von gedichten gelungen,
das ergebnis fasst er in einer tabelle (s. 42—46) zusammen.
s. 47—69 abdruck von 25 friesischen briefen des dichters an
Gabbema. s. 73—79 anmerkungen zu diesen briefen.

47. J. van Loon Jz., Facsimilé van het schrift van Gysbert
Jacobs. Friesche volksalmanak 1895, s. 229 f., mit beigegebenem
facsimileblatt.

E. Nordfriesisch.

Allgemeines.

48. P. Henschel, Die Nordfriesen. Evangel. kirchen-zeitung 1893 (no. 28), s. 472—476.

49. H. Möller, Über die sprachliche stellung des Nordfriesischen s. oben no. 5.

50. Eckermann, Die Eindeichungen südlich von Husum, in Eiderstedt und Stapelholm. mit karte. Zs. d. ges. f. Schlesw.-Holst.-Lauenbg. gesch. XXIII (1893), s. 39—120.

51. R. Hansen, Zur geschichte der zersplitterung Nordstrands. Globus LXIX (no. 18) 290—293.

52. 'Husum'. eine sammlung von kunstwerken nach original-aufnahmen hrsg. von Otto Koch, photographische anstalt in Husum. heliogravüre und kupferdruck von J. B. Obernetter in München. ohne ort und jahr [Husum 1895]. fol.
darin: Ostenfelder bauerndiele, Ostenfelder tracht, Friesisches zimmer, füllungen einer altfriesischen truhe. — beigegeben ist ein kurzer text. — angez. Zs. d. ges. f. Schlesw.-Holst.-Lauenbg. gesch. XXV (1895), s. 348.

53. H. H. von Schwerin, Helgoland. historisk-geografisk undersökning. med 2 kartblad och 1 tafla. Lund, E. Malmströms boktryckeri. 3 bl., 274, XXXVIII s. 4⁰. 10 kr. (Lunds Univ. Årsskrift, tom. XXXII.)
ein gelehrtes und bedeutendes, die bisherige litteratur kritisch erschöpfendes werk. — 1. kenntnis von Helgoland vor Adam von Bremen (s. 1—26); vf. identificiert Fositesland mit Wursten. — 2. Adam von Bremen (s. 27—72); Farria ist weder Helgoland noch Föhr sondern Färöer, wie schlagend nachgewiesen wird; die Nordfriesen waren zu Adams zeit noch nicht in Nordfriesland (s. 51 f.); die gens Saxonum et Fresonum commixta (Transl. S. Alexandri IV) nicht in Nordalbingien sondern an der Wesermündung zu suchen (s. 52 f.); verfehlt ist die etymologische deutung des namens Helgo- (s. 54—58). — 3. Helgolands geschichte: seine internationale stellung (s. 73—128). — 4. Lokalgeschichte und sage von der grösse des landes (s. 129—215). — 5. Helgoland in physisch-geographischer hinsicht (s. 216—274). — Helgolands kartographie (s. I—XXXVIII). — beigebene karten: I. grundriss von Helgoland 1697. II. Joh. Mejers karten.

Sprachdenkmäler.

54. Ferreng an öömreng allemnack för't skreggeljuar 1896 me a Ferreng förian un Hamborreg-Altna sin bihallep ütjdenn fan Otto Bremer an Neggels Jirrins. Halle, Max Niemeyer. 96 s. 8⁰. 1 m.

in amring-föhringischer sprache. enthält u. a. s. 39—54 ein älteres lustspiel 'Det skiwsjitten' von Peter Bakker; s. 55—61 amringische gedichte; s. 62—68 das gleichnis vom verlorenen sohn in parallelübersetzungen in Amringer, Helgolander und Sylter sprache; s. 69—74 das märchen von 'letj Eelki an gratt Eelki' in drei verschiedenen recensionen.

55. Ferreng an öömreng stacken ütjdenn fan Otto Bremer. II. A. J. Arfsten sin düntjis. Halle, Max Niemeyer. 76 s., kl. 8⁰. 1,20 m.   Otto Bremer.

XIX. Niederländisch.

Allgemeines.

1. Leuvensche bijdragen op hed gebied van de germaansche philologie en in't bijzonder van de ndl. dialektkunde onder redaktie van Ph. Colinet, C. Lecoutere, W. Bang en L. Goemans. jaarg. 1. afl. 1—3. Antwerpen, De ndl. boekhandel [Leipzig, Harassowitz]. 2 bl., 308 s. 9 m.

darin ausser litteraturübersichten nur die unten als n. 14 und 52 verzeichneten beiträge. — anz. von J. Vercoullie, Litbl. 18 (6) 189.

2. Noord en zuid. tijdschrift ten dienste van onderwijzers bij de studie der ndl. taal- en letterkunde onder redaktie van T. H. de Beer. jaarg. 19. Culemborg, Blom & Olivierse. XVI, 576 s. 5,50 fr.

darin ausser den besonders verzeichneten aufsätzen: J. A. Poelhekke, Alberdingk Thijm. IV. — J. A. Worp, Arlekijn's en Krispijn's op ons tooneel. — P. H. van Moerkerken, Over den oorsprong der taal. — A. M. Molenaar, Bloemlezing uit het woordenboek der ndl. taal. — J. J. Molhuizen, Professor Moltzer. — C. J. Vierhout, Stylistische overwegingen; Nog het een en ander over -baar. — F. A. Stoett, Het achtervoegsel -baar. — M. K. de Jong, Kantteekeningen bij de ndl. spraakkunst door Terwey. IV. — E. M. van Soest, Over de verdeeling der werk-

woorden. — J. C. Alberdingk Thijm, Nalezing op de nieuwe uitgave van Van Dale's woordenboek. — J. te Winkel, Geschiedenis der
ndl. taal. vervolg. (§ 5. klankverandering.) — ferner didaktische
erörterungen, aufsätze über neundl. litteratur und gut orientierende
litteraturübersichten.

3. Taal en letteren, onder redaktie van Buitenrust
Hettema etc. jaarg. 6. Zwolle, Tjeenk Willink. XX, 336 s. 4,20 fr.

darin ausser den besonders verzeichneten arbeiten: Buitenrust Hettema, Over spelling. beknopte spraakleer van't beschaafde
Nederlands: de spelling. (die etymologie solle für die rechtschreibung nicht mehr ausschlaggebend sein. regeln für die
schreibung werden in 68 paragraphen formuliert.) — H. Logeman, Over etiemologiese spelling. — P. J Cosijn, Aanteekeningen op prof. Logemans 'spiets'. — C. C. Uhlenbeck, Over de
etymologische wetenschap. (bedeutung von Kluges und Francks
etymologischen wörterbüchern.) — ferner aufsätze und beiträge zur
neundl. litteratur und didaktik.

4. Tijdschrift voor ndl. taal- en letterkunde, uitgeg. van-
wege de Maatschappij der ndl. letterkunde te Leiden. deel 15.
Leiden, Brill. 324 s.

sämtliche auf die ndl. sprachkunde und mnl. litteratur bezüglichen beiträge sind besonders verzeichnet.

5. J. Tideman, De vereeniging ter bevordering der oude ndl.
letterkunde (1843—1850). bijdrage tot de geschiedenis van de
ndl. letterkunde in de 19. eeuw. 's Hage, van Langenhuysen. IV,
83 s. 1 fl.

anz. v. Leendertz, Taal en letteren 6, 206 f.

Grammatik.

6. G. Kurth, La frontière linguistique en Belgique et dans
le nord de la France. (Memoires cour. de l'acad. roy. de Belgique
vol. 48.) tom. 1. Brussel, société belge de libr.

mit hilfe der in urkunden überlieferten älteren orts-, strassen-
u. a. namen erweist der vf. dass die grenze seit sechs oder mehr
jahrhunderten im allgemeinen dieselbe geblieben ist, nur wenige
gemeinden (2 im Henegau, 9 in Brabant, 4 in Luik) sind ver-
welscht.

7. A. M. Kollewijn, Geschiedenis van de spellingkwestie
(1891—1896). Amsterdam, Becht. 79 s.

vornehmlich durch Kollewijn selbst ist in Holland eine bewegung ins leben gerufen und eine 'vereniging' gegründet worden,
welche bezweckt durch vereinfachung der rechtschreibung diese
thunlichst in einklang mit der wirklich gesprochenen sprache zu
setzen, vgl. jsb. 1893, 19, 10. der vf. berichtet hierüber sowie
unter einfügung wörtlicher auszüge über die für oder gegen seine
bestrebungen seit 1891 erschienenen zahlreichen aufsätze und streit-
schriften. — vgl. auch oben no. 3.

8. **J. H. Gaarenstroom**, Klemtoon (vervolg). Noord en
zuid 19, 137—150. 228—244. 322—330. 306—419.

9. **J. J. Salverda de Grave**, Bijdragen tot de kennis der
uit het fransch overgenomen woorden in het nederlandsch. Tijdschr.
v. ndl. taalkde. 15, 172—219.

es soll festgestellt werden, wann die ndl. lehnwörter französischen ursprungs und, sofern sie bereits mndl. sind, aus welchem
franz. gebiete sie übernommen sind, ferner soll ihre lautform durch
teils franz., teils ndl. lautregeln erklärt werden. zu diesem zweck
wird zunächst untersucht, wie die franz. e in den einzelnen franz.
mundarten sich unterscheiden und welche vokale ihnen in den ndl.
lehnwörtern entsprechen. das ergebnis ist, dass ein franz. dialekt
die quelle war, der für lat. kurzes e langes è oder ie, für lat. a dagegen ei bot. der vf. schliesst auf den Hennegau.

10. **W. L. van Helten**, Over een westfriesche en nederlandsche *a* uit *e* voor een *r* der volgende syllabe. Tijdschr. d. ndl.
taalkde. 15, 68—72.

wo *a* statt und neben *e* in ndl. (z. b. in *ontbaren, bare, be-
garen*) und altwfr. wörtern erscheint, lassen sich stets alte beugungsformen, in denen einem *r* tonloses *a* folgte, oder ableitungen von
solchen (*barinne* aus *bare*) annehmen. die wörter mit *e* gehen dagegen auf beugungsformen ohne folgendes *a* zurück, z. b. *wereld*
auf **werild*.

11. **W. L. van Helten**, Over de *ss* uit *þþ* in *asem, vessemen*.
Tijdschr. v. ndl. taalkde. 15, 79 f.

zu Franck, mnl. gramm., § 95 anm. 2. die *ss* sind aus formen
entstanden, in denen die wurzelsilbe auf stimmlosen konsonant aus-
ging, dem liquida oder nasal folgte. *aðam* ergab *adem*, *aþþam* (aus
der beugungsform *aþmes*) aber *assem*. derselbe unterschied also,
der die doppelformen *tavel, taffel, teghel, tichel* u. s. w. hervor-
brachte.

Mundarten.

12. Loquela. no. 1. Bloeimaand 1893 [ausgegeben ende 1895] anderer titel: Zantekoorn, dat is, vlaamsche woorden, woorden-gedaanten of woorden beteekenissen, die ongeboekt u. s. w. angez. Noord en zuid 19, 87 f.

13. G. J. Boekenoogen, De Zaansche volkstaal. Bijdrage tot de kennis van den woordenschat in Noord Holland. gedeelte I. Leiden, Sijthoff. VIII, 88 s.

14. Ph. Colinet, Het dialekt van Aalst, eene phonetisch-historische studie. Leuvensche bijdr. 1, 1—59. 99—206. 223—308. s. 5—10 eine übersicht der laute der mundart der stadt Aalst in Ostflandern und der lautbezeichnung. s. 11 ff. eine historische dar-stellung des lautstandes nach dem schema der heutigen mundart, deren einzelne laute mit denen der neuniederländischen sprache verglichen werden. nur gelegentlich sind ältere sprachformen ange-zogen. s. 119 ff. formenlehre. s. 223—243 sprachprobe in phone-tischer schreibung sowohl im normaltext als auch im sandhitext. s. 255 ff. neundl.-aalstsches wörterverzeichnis.

15. W. Draaijer, Woordenboekje van het Deventersch dialekt. (Dialekt-bibliothek II.) s'Gravenhage, M. Nijhoff. XXVI, 51 s. 1,75 fl. die sammlung beschränkt sich auf den stadtdialekt von Deventer, bietet zwar viel weniger ausdrücke als Gallée's woorden-boek, aber doch sehr viele, die diesem fehlen. in der lautbezeich-nung schliesst sich der vf. an Gallée an, in der einleitung stellt er die abweichungen seiner mundart von der durch Gallée be-schriebenen ablautungen der verba und durch inklination der pronomina entstandene wortformen zusammen. s. XIX ff. als probe der mundart ein Andersen'sches märchen. — anz. von A. J. Kronen-berg, Museum 4, 187.

16. J. H. Gallée, Geldersch-Overijsselsch dialekt. — vgl. jsb. 1895, 19, 10. — anz. von H. Jellinghaus, Zs. f. d. phil. 29, 271—273 (einige ergänzungen aus litterarischen quellen, besonders aus der provinz Drenthe); D(raaijer), Taal en letteren 6, 205; de Vries, Museum 4, 12—16. J. Vercoullie, Litbl. 18 (6) 188.

17. A. Opprel, Het dialekt van Oud-Beierland. s'Graven-hage, Nijhoff. VI, 90 s. 2,75 fl.

Afrika. 18. C. Hesseling, Het nederlandsch in Zuid-Afrika. (vortrag in der Maatschappij d. ndl. letterkunde. bericht im Mu-seum, 4, s. 360.)

hervorgehoben wird der einfluss den das maleiisch portu-
giesische, die sprache der am Kap verkehrenden oder wohnenden
seeleute und sklaven. die einführung des hochholl., das für die
Afrikaner eine fremde sprache geworden sei, empfehle sich nicht.

19. Wilh. Jac. Viljoen, Allgemeine einleitung zur geschichte
des Kap-holländischen. diss. Strassburg. IV, 59 s.
überblick über die geschichtlichen thatsachen, welche die entwicklung der fast einheitlichen volkssprache der ndl. bevölkerung
Südafrikas bewirkt haben. diese volkssprache hat erst in den
letzten jahrzehnten litterarische verwendung gefunden, trotzdem sie
schon im vorigen jahrhundert vorhanden war. von der ndl. schriftsprache weicht sie besonders durch den mangel der flexionsendungen
ab. auf den wortschatz war von erheblichem einfluss, dass die ndl.
bibel stets das vielgelesenste buch war. die vokale und konsonanten werden vom vf. eingehend behandelt, der zu dem schluss
kommt, dass der grundstock des lautsystems auf der volkssprache
Nordhollands beruhe. (der vf. ist selbst Kapholländer.)

20. Wilh. Jac. Viljoen, Beiträge zur geschichte der kap-
holländischen sprache. Strassburg, Trübner. 58 s. 1,50 m.
buchausgabe von no. 19.

21. te Winkel, Het nederlandsch in Noord-Amerika en Zuid-
Afrika. Vragen van den dag 1896, heft 6. 7. 8.

Wortkunde.

22. J. Verwijs en J. Verdam, Middelnederlandsch woordenboek. deel IV. afl. 6—11 (s. 673—1410) *list—meren*. s'Gravenhage, Nijhoff. à 1 fl.

23. G. van der Schueren Teuthonista, siehe abt. 17. no. 7.

24. Woordenboek der ndl. taal. deel II. afl. 8 (sp. 1113—
1272) *bed—beck*. bewerkt door A. Kluyver. — III. afl. 5. 6.
(sp. 640—960) *bosch—braaknoot*. bew. d. J. W. Muller met mede-
werking van G. J. Boekenoogen. — V. afl. 9. (sp. 1249—1408)
gulden—haar. bew. d. A. Beets. — XI. afl. 2. (sp. 161—320)
oorlogspantser—op. bew. d. W. L. de Vrese. s'Gravenhage, Nijhoff. Leiden, Sijthoff. à 1,85 fr.

25. Woordenschat. verklaring van woorden en uitdruk-
kingen, onder redactie van Taco H. de Beer en E. Laurillard.
afl. 1—6 (s. 1—384). s'Gravenhage, Haagsche boekhandel. à 0,80 fl.

26. Franck, Etym. woordenboek. — vgl. jsb. 1894, 19, 15. — anz. Jostes, Anz. f. idg. sprachkde. 6 (3).

27. J. H. van Dale, Groot woordenboek der ndl. taal 4 de verm. en verb. druk door H. Kuiper jr. en A. Opprel. afl. 1—7. s'Gravenhage, M. Nijhoff. Leiden, Sijthoff. s. 1—672. (vollständig in 20 lief. à 50 cents). anz. v. Verdam, Ndl. spektator 1896 no. 16; Beets, Museum 4, 119—121.

28. R. K. Kuipers Geillustreerd woordenboek der ndl. taal, bevattende alle gebruikelijke zoowel ndl. als bastardwoorden, opgeheldert door aanhalingen uit ndl. schrijvers en door vermelding von spreekwoorden, zegswijzen en synoniemen. met afbeeldingen tusschen den tekst. afl. 1 (a—adelaar). Amsterdam, Elsevier. bl. 1—48. 4⁰. (kompl. in 27 afl. à 95 c.)

29. K. Robolsky u. J. van Huygen, Neues holländisch-deutsches und deutsch-holländisches taschenwörterbuch. 2 teile. (Nieuw ndl.-hd. etc. zakwoordenboek). Berlin, Steinitz. 380 u. 380 s.

30. F. Paque, De vlaamsche volksnamen der planten van België, Fransch-Vlaanderen en Zuid-Nederland; met aanduiding der toepassingen en der genezende eigenschappen der planten. versierd med 675 fig. in den text. Namur, Wesmael-Charlier. 569 s. 10 fr.

31. K. Poll, Nalezingen op Oudemanns' woordenboek. Noord en zuid 19, 202—205.

32. J. Verdam, Dietsche verscheidenheden. Tijdschrift v. ndl. taalkde. 15, 129—136.

115) *bedlegerig* (zu *bedleger* 'krankenlager'). — 116) *eenkennig* (vgl. mnd. enket, s. jsb. 1895, 17, 14; angezogen werden mnl. eenpussisch, eenwillich u. a composita mit een, neben denen sich gleichbedeutende mit eigen- finden).

33. Einzelnes. *ik heb een appeltje met je te schillen.* Noord 19, 219 (Vierhout).
door de bank. Noord 19, 28 (Stoett).
berooid. Tijdschr. 15, 324 (v. Helten).
de bokkepruik op hebben. Noord 19, 27 f. (Stoett).
bolkvanger. Tijdschr. 15, 67 (Swaen).
vieren bot. Tijdschr. 15, 324 (v. Helten).
in de bus blazen. Noord 19, 29 (Stoett).
fiasco maken. Noord 19, 419 ff. (Stoett).
op de flesch zijn. Noord 19, 425 (Stoett).

flesschentrekker. Noord 19, 422 ff. (Stoett).
gasterij ('garküche'). Tijdschr. 15, 72 (Swaen).
gids. Noord 19, 74 f. (de Beer).
grootheidswaanzin. Noord 19, 151 f. (de Beer).
haagpreek. Tijdschr. 15, 308—315 (Fruin).
het haar van den hond. Tijdschr. 15, 128 (Beets).
het hasenpad kiezen. Noord 19, 206 ff. (Stoett).
heden (aus *hidumum, ahd. hitumum). Tijdschr. 15, 52—67
(Franck).
bij het hek zijn. Noord 19, 29 (Stoett).
bekend als de bonte hond. Noord 19, 23 f. (Stoett).
kaauw jij ze. Tijdschr. 15, 51 (Poll).
krokodillentranen. Noord 19, 215 ff. (de Cock).
de kroon spannen. Noord 19, 211 ff. (Vinckers).
kussen. Tijdschr. 15, 239—442 (Warren).
het liedje van verlangen zingen. Noord 19, 24 ff. (Stoett).
lijftochtenaar. Noord 19, 307 (de Beer).
vor den mast zitten. Taal 6, 238 (Nauta).
de mijl op zeven gaan. Noord 19, 31 ff. (Stoett).
muizenesten in het hoofd hebben. Noord 19, 62—65 (Stoett).
in 't ootje nemen. Noord 19, 168 f. (Stoett).
paternosters. Noord 19, 306 (de Beer).
pluimer ('bordürenwirker'). Museum 4, 66 (Verdam).
poppen oliphant. Taal 6, 239 (Nauta).
schrander. Tijdschr. 15, 323 (Stoett).
signet. Noord 19, 304 f. (de Beer).
slip vangen. Taal 6, 227—230 (Stoett).
speldegeld. Noord 19, 303 f. (de Beer).
tabouret. Noord 19, 305 f. (de Beer).
een uiltje knappen. Noord 19, 165 ff. (Stoett).
varen. Noord 19, 33 f. (Stoett).
iemand vierkant de deur uitgooien. Noord 19, 34. 210 (Stoett).
vlack tot schroomen. Noord 19, 354 (Bake).
het geldt u de wagenhuur. Noord 19, 294 (Poelhekke).
van wanten weten. Taal 6, 230—232 (Stoett).
buiten westen zijn. Taal 6, 232—235 (Stoett).
woon, woonst, woonstede, woonplaats. Noord 19, 201 (v. d. Mate).
om zeep gaan. Tijdschr. 15, 122—127. (Stoett).

34. Edw. Gailliard, Iets over het woord *Gadoot.* (= Verslagen der vlaamsch akad. 1896 s. 342—363). Gand, Siffer. 26 s. 75 c.

35. J. W. Muller, *Ham* en *boterham.* Tijdschr. v. ndl. taalkde. 15, 1—33.

herkunft und verbreitung der ndl. ausdrücke für 'butterbrot' wird untersucht. *botterham* ist in den fränkischen, *stik* in den friesischen, *brugge* in den sächsischen gebieten gebräuchlich. *ham* wird von *hamma-'winkel' abgeleitet.

Litteraturgeschichte.

36. J. ten Brink, Ndl. letterkunde. — vgl. jsb. 1895, 19, 23. afl. 2—9 angez. von Kalff, Museum 4, 187—190; aff. 1 ff. von de Beer; Noord en zuid 19, 186—188. 20, 84—89. — weiter erschienen sind afl. 15—17 (s. 465—560).

37. J. te Winkel, Overzicht der ndl. letterkunde. 5e herziene druk. Haarlem, De erven F. Bohn. 100 s. 0,80 fl.

38. Alb. Bielen, Leiddraad tot de studie van de geschiedenis der ndl. letterkunde. met een voorrede van J. Vercoullie. Antwerpen, Ndl. boekh. 1 fl.

39. E. Pauwels Letterkundige studiën en schetsen. Gand, Siffer. X, 241 s. 3 fr.

40. De lyriek in de middeleeuwen. Noord en zuid 19, 245—260.
im anschluss an Nijlands dissertation wird ein überblick über den entwicklungsgang der altfranz. und mhd. lyrik und das verhältnis der Haagschen liederhs. zur letzteren gegeben.

41. Fl. van Duyse, Het eenstemmig fransch en ndl. wereldijk lied. 2,50 fl. — vgl. abt. 10, 288.

42. Rud. Langenberg, Über das verhältnis meister Eckarts zur nd. mystik. eine litteraturhistorische untersuchung. dissertation. Göttingen 1895. 43 s.
allgemeine bemerkungen über die altdeutschen und mnl. mystiker. hinweis, dass bisher eine einwirkung Eckarts auf die nhd. mystik unbekannt war, und nachweis, dass vier aus kloster Nazareth im Gelderlande stammende hss. (nd. jahrb. 10 s. 7. 16. 26. 34 no. 3136. 3141. 3144. 3156, jetzt in Berlin) traktate, predigten und sprüche Eckarts bieten.

43. Schwering, Ndl. drama in Deutschland. — vgl. abt. 15, 170 und jsb. 1895, 19, 28.

44. Kalff, Literatuur te Amsterdam. — vgl. jsb. 1895, 19, 30. — anz. v. te Winkel, Museum 4, 82—86; R. A. Kollewijn, Gids 1896 no. 3.

Mittelniederländische dichtung.

54. Hennen van Merchtenen's Cornicke van Brabant (1414) uitg.
op last der academie door Guido Gezelle. (uitgave d. k. vlaamsche akademie. III. reeks, no. 22.) Gent, Siffer. 235 s. 3 fr.

reimchronik, die bis 1414 reicht, im selben jahre verfasst, aus
einer hs. des 16. jahrh., 4479 verse, bisher ungedruckt, doch
stimmen stücke der reimchronik wörtlich zu beilagen auf s. 346
bezw. 599 in Willems ausgaben des Jan van Helu und der
Brabantsche Yeesten des Jan de Klerk, deel I. angeführt wird die
'clerasie' (d. i. deklaratien, wie im vorwort zur Excellenste chronijke
van Brabant, Antwerpen 1497, gedruckt ist) des Jacob van Maerlant. Merchtem ist ein dorf unweit Brüssel. beigefügt sind vom
herausgeber ein wörterverzeichnis und ein namenregister.

Jan van Brabant. 55. H. Boerma, De liederen van hertog
Jan van Brabant. Tijdschr. v. ndl. taalkde. 15, 220—238.

von den in der Manessischen hs. überlieferten liedern seien
no. 2, 4, 5, 6 str. 1. 2, 7 ursprünglich in mnl., die übrigen in mhd.
sprache gedichtet. no. 6 str. 3 gehöre zu no. 9. die lieder werden
im rekonstruierten mnd. bezw. mhd. text abgedruckt.

Lied. 56. W. van Helten, Her Danielken. **Tijdschr. v. ndl.**
taalkde. 15, 219.

Daniel im Tannhäuserlied (Kalf, Het lied s. 64) sei vermutlich
durch den ndl. bearbeiter aus hsl. *Danhuſ* seiner vorlage verlesen.

Stoke. 57. te Winkel, Het karakter en de **staatkundige**
denkbeelden van Melis Stoke. in: Historische avonden. **Groningen,**
Wolters 1896.

Weert. 58. E. Martin, Jan de Weert. Allg. d. biographie
41, 420.

Mittelniederländische prosa.

Jason. 59. F. van Veerdeghem, Een en ander over den
roman van Jason. Tijdschr. v. ndl. taalkde. 15, 100—107.

betr. das aus dem französischen des Raoul Lefèvre vermutlich
durch einen Westvlamen übersetzte um 1895 gedruckte volksbuch.
beschreibung der hs. des British museum. hinweis auf einen druck
von 1556.

Leben Jesu. 60. De levens van Jezus in het middelnederlandsch. uitg. med aanteekeningen door J. Bergsma. **stuk 1**

[bl. 1—96]. (Bibliotkeek van mnl. letterkunde, afl. 54). Groningen, Wolters. 1,50 fl.

anz. von de Beer, Noord en zuid 19, 184.

Predigten. 61. Kern, Limburgsche sermoenen. — vgl. jsb. 1895, 19, 52. — anz. von B(uitenrust) H(ettema), Taal en letteren 6, 263—269. 311—324; J. W. Muller, Museum 5, 11—15.

Ruusbroec. 62. W. L. de Vreese, Bijdragen tot de kennis van het leven en de werken van Jan van Ruusbroec. Gent, Siffer 1895.

nach der anzeige von Kuiper, Museum 4, 217—219, eine sammlung von mitteilungen aus der zs. Het Belfort, enthaltend im abdruck die Prologe van Gerardus, einen etwas späteren Tractaat über werken en leer van R., ferner brieffragmente R.'s und die lobreden auf R. von Jan van Leeuwen. vgl. Katholiek 1896, heft 11.

Seelmann.

XX. Latein.

1. C. Weymann, Jahresbericht über die christlich-lateinische litteratur von 1886/87 bis ende 1894. Jsb. über die fortschr. d. klass. altertumsw. 84 bd., 2. abt. s. 259—318.

Traube, Die lateinische sprache. — vgl. abt. 21, 68.

Hymnologie.

2. Ulysse Chevalier, Poésie liturgique traditionelle de l'église catholique en occident ou recueil d'hymnes et de proses usitées au moyen âge et distribuées suivant l'ordre du Bréviaire et du Missel. LXVIII, 288 s. 5 m. Tournai, Desclée, Lefebvre et cie. 1894.

angez. v. J. Werner, Anz. f. d. altert. 22, 22—27.

3. N. Spiegel, Untersuchungen über die ältere christliche hymnenpoesie. 1. teil: reimverwendung und taktwechsel. progr. d. kgl. alt. gymn. zu Würzburg. 64 s.

. vfs. giebt eine sehr genaue und resultatreiche statistik über elision, hiatus, reimverwendung und taktwechsel in 514 hymnen des 4.—13. jahrhs.

Dichter bis zur Humanistenzeit.

4. Paulus de Winterfeld, Schedae criticae in scriptores et poetas romanos. Berlin, Weidmann 1895. 62 s. 1,50 m.

enthält auch bemerkungen zu lat. schriftstellern des ma. —
angez. v. F. Skutsch, Litztg. 1896, s. 714—715. Lit. cbl. 1896,
s. 782—783. Revue crit. 1896 (1), s. 210—211. O. Rossbach,
Berl. phil. woch. 1896, s. 975—978.

5. H. Althof, Das Waltharilied übersetzt und erläutert.
Leipzig, Göschen. 152 s. 0,80 m.

der vf. bietet in der bekannten Göschenschen sammlung eine
übersetzung des Waltharius in hexametern; ihrem ausdruck ist,
wie die ankündigung der verlagsbuchhandlung sagt, 'etwas von der
urwüchsigen rauheit der sprache des St. Galler mönches Ekke-
hard I. geblieben'. seltsam ist bei dem streben des vf., die gestalt des alten gedichtes in der übersetzung zu wahren, die einteilung in zwölf abenteuer. die etwas breit gehaltenen erläuterungen passen für eine schulausgabe; an welches publikum denkt
der vf. bei seiner beabsichtigten lat. ausgabe, aus deren ausführ-
lichem kommentar diese anmerkungen nur ein auszug sind?

6. L. Willems, Etude sur l'Ysengrimus. Gent, Engelcke
1895. VII, 167 s.

angez Lit. cbl. 1896, s. 1316—1317.

7. L. Hervieux, Les fabulistes latins depuis le siècle
d'Auguste jusqu'à la fin du moyen âge. 3 vol.

vgl. jsb. 1895, 20, 10. — angez. von E. Voigt, Litztg. 1896,
s. 1258—1259. Revue crit. 1896 (1), s. 450—451.

8. L. Hervieux, Les fabulistes latins. Eudes de Cherition
et ses dérivés. Paris, Firmin, Didot et co. VIII, 482 s.

angez. Lit. cbl. 1896, s. 387—388.

9. M. Manitius, Handschriftliches zur anthologia latina.
Rh. mus. n. f. 51. bd. (1896), s. 160—162.

10. M. Ihm, Anthologiae latinae supplementa. vol. I.
Damasi epigrammata, accedunt Pseudodamasiana aliaque ad Dama-
siana inlustranda idonea. Leipzig, Teubner 1895. LIII, 147 s.
2,40 m.

vgl. jsb. 1895, 20, 11. — angez. von L. Traube, Berl. phil.
woch. 1896, s. 78—80.

11. M. Amend, Studien zu den gedichten des papstes Damasus.
— vgl. jsb. 1894, 20, 6. — angez. und abgelehnt von M. Ihm,
Arch. f. lat. lexikogr. 1896, s. 474—475.

12. W. Brandes, Beiträge zu Ausonius. 1895 progr. no. 723.
angez. von R. Peiper, Berl. phil. woch. 1896, s. 1419—1426.

13. S. Pontii Meropii Paulini Nolani opera. pars I: epistulae. pars II: carmina. indices. rec. et commentario critico instr. W. v. Hartel. Wien, Tempsky 1894. XXVIII, 462; XLIII, 454 s. 30,50 m.

angez. v. G. Scheps, Litztg. 1896, s. 363—365. Arch. f. lat. lexikogr. 1896, s. 324—325.

14. J. Koch, Claudii Claudiani carm. — vgl. jsb. 1895, 20, 16. Revue crit. 1896, 1, s. 37—39.

15. Arens, Quaestiones Claudianeae. Münster 1894. — vgl. jsb. 1895, 20, 17. J. Koch, Berl. phil. woch. 1896, s. 299—302.

16. E. Arens, Claudianea. Neue jahrb. f. phil. u. päd. 1896, s. 430—432.

17. Th. Birt, Claudii Claudiani carm. — vgl. jsb. 1893, 20, 12. Revue crit. 1896, 1, s. 37—39.

18. C. Hosius, Die textgeschichte des Rutilius. Rh. mus. n. f. 51. bd. (1896), s. 197—210.

19. C. Sollius Apollinaris Sidonius rec. Paulus Mohr. Leipzig, Teubner 1895. XLVIII u. 394 s. 4 m.

angez. von A. Engelbrecht, Litztg. 1896, s. 203—206. Revue crit. 1896 (1), s. 229—230.

20. W. Singer, Apollonius von Tyrus. — vgl. jsb. 1895, 10, 70. A. Riese, Berl. phil. woch. 1896, s. 270—272.

21. Schreiber, Die vagantenstrophe. — vgl. abt. 14, 154. K. Marold, Anz. f. d. altert. 22, 27—33. erkennt das resultat als richtig an, 'dass sowohl die lateinische lyrik als der minnesang ihre eigene entwicklung gehabt, aber gegenseitige beeinflussung erfahren haben'.

22. E. Dümmler, Versus de Jacob et Joseph. Zs. f. d. altert. 40, 375—384.

23. R. Helm, Ein mittelalterliches liebesgedicht. Neue jahrb. f. phil. u. päd. 1896, s. 78—80.

24. E. Bernheim, Die sagenhafte sächsische kaiserchronik aus dem 12. jahrh. N. arch. f. ält. d. geschk. 20 (1).

25. W. Gundlach, Heldenlieder der deutschen kaiserzeit. 2. bd. Der sang vom Sachsenkrieg. mit einem exkurse: Über stilvergleichung als mittel des histor. beweisverfahrens. Innsbruck, Wagner. XIX, 818 s. 8,40 m.

vgl. jsb. 1895, 20, 20. F. Kurze, Litztg. 1896, s. 1236—1238. 1. bd. angez. von Volkmar, Mitt. a. d. hist. litt. 23 (1).

26. J. Huemer, Historische gedichte aus dem 15. jahrh. Mitt. d. instit. f. österr. gesch.-forsch. 16 (4), s. 633—652.

Prosaiker bis zur Humanistenzeit.

27. O. Seebass, Fragment einer nonnenregel d. 7. jahrhs. Zs. f. kirchengesch. 1896, s. 465—470.

28. W. Barkhausen, Einhart und die vita Karoli. 1896. progr. no. 357.

29. P. Albert, Zur erklärung des Radolfzeller marktprivilegs vom jahr 1100. Alemannia 24 (1896) s. 87—90.

30. Grillenberger, Totenbücher des cistercienserstiftes Wilhering. — vgl. abt. 8, 56.

Humanistenzeit.

31. Krampe, Die italienischen humanisten. — vgl. abt. 8, 113. — angez. Litztg. 1896, s. 405—406. Lit. cbl. 1896, s. 1742.

32. G. Bauch, Beiträge zur litteraturgeschichte des schlesischen humanismus II. Zs. d. ver. f. gesch. Schlesiens 30.

33. P. Joachimsohn, Frühhumanismus in Schwaben. Württemb. vierteljahrsh. f. landesgesch. n. f. 5, 63—126.

mitteilungen aus Münchener briefsammlungen über Ludwig Rad, Niklas von Wyle, Theobald Seidener, Albrecht von Bonstetten, Michael Christan, Walther von Hirnkoken, Heinrich Steinhöwel u. a.

34. K. von Reinhardstöttner, Zur geschichte des humanismus in Bayern. Forsch. zur kulturgesch. Bayerns 3, s. 240 f.

35. Nicolaus Bourbon, Der eisenhammer. ein technologisches gedicht des 16. jahrs. übersetzt und erläutert mit einem leben des dichters und dem lateinischen original herausgegeben von L. H. Schütz. Göttingen, Dieterich 1895. 40 s. 1 m. angez. Lit. cbl. 1896, s. 93—94.

36. F. W. E. Roth, Leonhard Brunner. ein theol. schriftsteller des 16. jahrhs. Theol. stud. u. krit. 1896, s. 74—80.

37. G. Buchwald, Ein ungedruckter brief Bugenhagens. Theol. stud. u. krit. 1896, s. 349—350.

38. Beati Petri Canisii, S. J., Epistolae et acta. collegit et adnotationibus illustravit O. Braunsberger, S. J. vol. I 1541—1556. Freiburg, Herder. LXIV, 816 s. 14 m.

nach der anzeige im Lit. cbl. 1896, s. 1600 'für kirchen-politische, kultur- und litteraturgeschichte gleich wichtig'.

39. M. Reich, Erasmus von Rotterdam. untersuchungen zu seinem briefwechsel und leben in den jahren 1509—1519. Er-gänzungsheft 9 zur Westdeutschen zs. s. 121—279.

40. H. Pieper, Der märkische chronist Zacharias Garcaeus. I. teil: Leben des Garcaeus. 1896, progr. no. 116. — enthält ausser einem lebensabriss des historikers (geb. 1544) ein hochzeits-carmen in lat. und eine historische notiz in deutscher sprache.

41. E. Tatarinoff, Glareans briefe an Johannes Aal, stifts-propst in Solothurn, aus den jahren 1538—1550. Solothurn, Jent. 1,50 m.

42. K. Wotke, Lilius Gregorius Gyraldus, De poetis nostro-rum temporum. [Lat. litteraturdenkm. des 15. und 16. jahrh. heft 10.] Berlin, Weidmann 1894. XXV, 104 s. 2,50 m.

vgl. jsb. 1895, 20, 59. H. Holstein, Zs. f. d. phil. 29 (1896), s. 282—283. F. Eichler, Litztg. 1896, s. 1102—1103.

43. Eobanus Hessus, Noriberga illustrata und andere städte-gedichte. hrsg. v. Jos. Neff. mit illustrationen des 16. jahrhs. und kunsthistor. erläut. von Valer v. Loga. LIV, 91 s. 3 m. [Lat. litteraturdenkm. des 15. u. 16. jahrhs. heft 12.]

44. P. Joachimsohn, Zu Gregor Heimburg. Histor. jahrb. 17, s. 554—559.

45. N. Paulus, Conrad Köllin, ein theologe des 16. jahrh. Zs. f. kathol. theol. 20 (1), s. 47—72.

46. Th. Gottlieb, Ein unbekannter brief Lochers an Celtis 1501. Serta Harteliana (Wien, Tempsky).

47. F. W. E. Roth, Nikolaus Maurus. Theol. stud. u. krit. 1896, s. 69—74.

48. P. Drews, Bemerkungen zu den akademischen dispu-tationen Melanchthons. Theol. stud. u. krit. 1896, s. 325—348.

49. Thomas Morus, Utopia. hrsg. v. V. Michels und Theob. Ziegler. mit 2 phototyp. nachbildungen. LXX, 115 s.

3,60 m.   [Lat. litteraturdenkm. des 15. u. 16. jahrhs. 11. heft.] —
vgl. abt. 16, 276.

50.   Morus, The Utopia. — vgl. abt. 16, 275.

51.   Joh. Murmellius, Pappa puerorum, hrsg. v. A. Bömer.
vgl. jsb. 1895, 20, 36.   Lit. cbl. 1896, s. 547—548.

52.   Joh. Murmellius, Scoparius etc. hrsg. v. A. Bömer. —
vgl. jsb. 1895, 20, 37.   Lit. cbl. 1896, s. 547—548.   K. Wotke,
Berl. phil. woch. 1896, s. 1625—1626.

53.   v. Funk, Reuchlins aufenthalt im kloster Denkendorf.
Histor. jahrb. 17, s. 559 f.

54.   Jos. Dévay, Aeneas Sylvius entlehnungen in der novelle
Euryalus und Lucretia und ihre ungarischen bearbeitungen. Zs. f.
vgl. litt. n. f. 9, 491—503.
stellt in dem 'tractatus de Euryalo et Lucretia duobus se
invicem amantibus per Aeneam Sylvium poetam imperialemque
secretarium' (1444) entlehnungen aus römischen dichtern und
prosaikern fest.

55.   P. Bahlmann, Des Petrus Tritonius versus memoriales.
Zs. f. vgl. litt. n. f. 8, 116—119.

56.   W. Rüdiger, Petrus Victorius aus Florenz. studien zu
seinem lebensbilde.   Halle, Niemeyer.   VIII, 150 s.   3 m.
angez. Lit. cbl. 1896, s. 1770—1771.

57.   J. Bolte, Michael Virdung.   Allg. d. biogr. 40, 10 f.

58.   J. Bolte, Jakob Vivarius.   ebd. 40, 84 f.

59.   J. C. van Slee, Gerhard van Vliederhoven.   ebd. 40, 89 f.

60.   Günther, Johannes Voegelin (astronom).   ebd. 40, 142 f.

61.   Th. Schott, Melchior Rufus Volmar.   ebd. 40, 270—272.

62.   G. Knod, Paul Volz.   ebd. 40, 284 f.

63.   A. Döring, Cyprianus Vömel.   ebd. 40, 287 f.

64.   P. Bahlmann, Heinrich Vruchter.   ebd. 40, 374 f.

65.   J. Pistor, Justus Vultejus.   ebd. 40, 391 f.

66.   Grünhagen, J. M. Wacker von Wackerfels. ebd. 40, 448 f.

67.   F. Teutsch, Valentin Wagner.   ebd. 40, 584.

68.   Wattenbach, Walahfrid Strabo.   ebd. 40, 639 f.

69.   Rensch, Konrad Waldhauser.   ebd. 40, 700.

70. J. Bolte, Wolfgang Waldung. Allg. d. biogr. 40, 724 f.

71. H., Walther von Speier. ebd. 41, 34 f.

72. Wattenbach, Wandalbert. ebd. 41, 138 f.

73. J. Girgensohn, Hermann von Wartberge (chronist). ebd. 41, 185.

74. P. Bahlmann, Sebastian Weinmann. ebd. 41, 511 f.

75. C. Varrentrapp, Zwei briefe Wimpfelings. Zs. f. kirchengesch. 1896, s. 286—293.

76. Friedensburg, Briefwechsel der katholischen gelehrten. — vgl. abt. 15, 6.

77. E. Weber, Virorum clarorum saec. XVI et XVII epistolae selectae. e codicibus manuscriptis Gottingensibus ed. et adnot. instr. E. W. Leipzig, Teubner 1894. X, 195 s. 2,40 m.
enthält briefe des Georg Agricola, G. Fabricius, Rudingerus, Adam Siberus, Eobanus Hessus, Paulus Melissus, Janus Gruterus, Th. Thederingus von 1544—1633. s. 135—187 anmerkungen. angez. v. K. Wotke, Berl. phil. woch. 1896, s. 24.

78. P. Bahlmann, Jesuitendramen der niederrheinischen ordensprovinz. Leipzig, Harrassowitz. IV, 351 s. 15 m.
angez. v. Holstein, Zs. f. d. phil. 29 (1896), s. 281—282. J. Zeidler, Litztg. 1896, s. 1233—1236. Lit. cbl. 1896, s. 1359.

79. J. Zeidler, Beiträge zur geschichte des klosterdramas. Zs. f. vgl. litt. n. f. 9, 88—132.   Kaiser.

XXI. Geschichte der germanischen philologie.

1. Herm. Schoenfeld, Die bedeutung der universität von Pennsylvanien für deutsche kultur und geschichte. Sep.-abdr. a. d. Pädag. archiv 38 (1896) no. 10.

2. K. Knortz, Parzival. — vgl. abt. 14, 139.

Biographie. (vgl. auch abt. 12, 251—254.)

Benecke. 3. Al. Reifferscheid, Beiträge zur biographie und charakteristik George Friedrich Beneckes. Anz. f. d. altert. 22, 117—128.

teilt eine kurze autobiographie Beneckes ungefähr aus dem jahre 1830 mit, die ohne zweifel dem artikel im konversations-lexikon 1832 zu grunde liegt, aus dem Raumer einiges schöpft und giebt sodann aus dem litterarischen nachlass Beneckes, der sich im besitz seines verwandten Braun in Frankfurt a. M. befindet, notizen über Beneckes universitätsstudien, vorzüglich aus noch erhaltenen fleisszeugnissen, und teilt briefe von und an G. C. Lichtenberg sowie von Wilh. und Jac. Grimm an Benecke mit. der ganze nachlass, vorzüglich die briefe an seine töchter, zeigen 'dass B. ebenso gross als mensch, wie als gelehrter war'.

Bopp. 4. S. Lefmann, Franz Bopp, sein leben und seine wissenschaft. 2. hälfte. mit einem anhang: aus briefen und anderen schriften. Berlin, G. Reimer. VI, s. 177—381; VII, s. 171—284. 8 m.

angez. W. Streitberg, Idg. forsch. 6 (anz. 3).

O. Erdmann († 15. 6. 95). 5. A. Ludwich, Erinnerungen an Oskar Erdmann. Festschrift zum 70. geburtstage Oskar Schade dargebracht. s. 153—176. (vgl. abt. 21, 41.)

G. Freytag. 6. Nekrolog. Jahrb. der deutschen Shakespeare-gesellschaft 32.

7. Edwin Lepp, Die deutsche art und der protestantische geist in Gustav Freytags werken. progr. gymn. Pforzheim. 32 s. 4⁰.

8. Alfons Fritz, Gustav Freytag in den 'Grenzboten'. 2. teil. (forts. d. progr.-beil. 1895). Aachen, Kaiser-Karls-gymn. 3—22 s. 4⁰. progr. no. [430].

9. Neubauer, Zur erinnerung an Gustav Freytag. Jahr-bücher d. kgl. akad. zu Erfurt. n. f. 1896 (22).

10. E. Schmidt, Gustav Freytag als privatdocent. Eupho-rion 4 (1).

11. E. Elster, Gustav Freytag. Biograph. bll. 2 (2).

Furness. 12. Nekrolog. Jahrb. der deutschen Shakespeare-gesellschaft 32.

Görres. 13. J. N. Sepp, Görres. (Geisteshelden. — Führende geister hrsg. v. A. Bettelheim. 23. bd.) Berlin, Hofmann u. co. 208 s. 2,60 m.

angez. R. Steig, Litztg. 1896 (52) 1644 – 1645.

Grimm. 14. Hübner, Jacob Grimm und das deutsche recht. — vgl. abt. 9, 6. St[einmeyer], Anz. f. d. altert. 22, 232—233. (bringt nicht wesentlich neues, allgemeines interesse beanspruchen

die im anhange veröffentlichten briefe, besonders die zuschriften
von Lassberg und Stein.) Th. Siebs. Arch. f. öffentl. recht 1896,
s. 294—295 (die schrift ist vorbote der neuen ausgabe der
'rechtsaltertümer'; S. wünscht an einzelnen stellen schärfere beurteilung und weist auf ein register als durchaus notwendig hin.)
A. E. Schönbach, Österr. litbl. 1896 (13) 397—398. (anerkennend.) Andreae Fockema, Museum 3 (10). H. Schuster,
Euphorion 3 (2. 3).

15. R. Steig, Zu den kleineren schriften der brüder Grimm.
Zs. f. d. phil. 29, 195—218.
behandelt im anschluss an Zs. f. d. phil. 24, 562—567
1. die ankündigung der altdänischen heldenlieder. 2. eine neue
benachrichtigung in sachen der altdänischen heldenlieder. 3. die
Leipziger recension der schottischen lieder von Henriette Schubart.
4. beziehungen zu frau Henriette Hendel-Schütz. 5. beziehungen
zu Ernst Wagner. 6. W. Grimm an Zimmer und eine voranzeige
der altdänischen heldenlieder von Fr. Schlegel.

16. St[einmeyer], Zwei briefe der brüder Grimm an Frommann. Anz. f. d. altert. 22, 398—399.
vom 29. aug. 1839 und poststempel 29. aug. und 1. sept. 1839.

17. A. Pick, Ein brief Jacob Grimms. Zs. f. d. phil. 29,
122—123.
an den Coblenzer archivar H. Beyer vom 2. april 1840. bemerkenswerte phrase: . . nachträge, die sich hinter den dritten
band eignen . .

18. Stieler, Lebensbilder deutscher männer und frauen.
2. aufl. — angez. Österr. litbl. 1896 (10) 300.

19. K. Franke, Entstehung und wirkung der Grimmschen
grammatik. Süddeutsche bll. f. höhere unterrichtsanstalten 4 (1).

20. W. Rippmann, Twenty stories from Grimm. Cambridge, University Press. 1896. VII, 246 s.

Herder. 21. E. Grosse, Zusätze zu Herders Nemesis, ein
lehrendes sinnbild, aus Lehrs populären aufsätzen und Bunsen:
Gott in der geschichte . . . . Königsberg i. Pr., kgl. Wilhelms-
gymn. progr. [no. 7]. 22 s.

22. Arth. Jonetz, Herders deutschtum. (umschlagtitel: über
Herders nationale gesinnung. 2. teil. forts. d. progr.-beil. 1895.)
Brieg, Kgl. gymn. 3—25 s. 4°. progr. no. [183].

v. Heydendorff. 23. Fr. W. Seraphin, Aus den briefen der

familie v. Heydendorff (1737—1853). (schluss). Arch. d. ver. f.
siebenbürg. landesk. n. f. 25 (3) 569—750.

briefe und ausführlicher index.

Rudolf Hildebrand. 24. O. Lyon, Festschrift. — vgl. jsb. 1895,
21, 18. rec. J. Minor, Zs. f. österr. gymn. 47 (6) 503—509.

M. stimmt den ausführungen Brenners (Griechische hilfe im mhd.
unterrichte) nicht bei; er äussert sich abfällig über Schnedermann
(Biblische anklänge bei Schiller) und Fränkel (Eberhard Tappe,
ein deutscher schulmeister und germanist älterer zeit); warnt vor
Koch (Der lehrling der Griechen) und vor Unbescheid (Goethes
Faust [1. teil] als schullektüre). die übrigen aufsätze sind günstig
recensiert. — ferner bespr. von Bohnenberger, Alemannia 24 (2)
186—189'

25. K. Burdach, Rudolf Hildebrand. Worte der erinnerung,
gesprochen bei der einweihung seines denkmals auf dem Johannis-
friedhof in Leipzig am 13. okt. 1895. Euphorion 3 (1) 1—7 [auch
separat erschienen].

26. Berlit, Rudolf Hildebrand. — vgl. jsb. 1895, 21, 20.
v. Bahder, Alemannia 24 (2) 185 f.

27. R. Hildebrand, Tagebuchblätter eines sonntagsphilo-
sophen. gesammelte Grenzboten-aufsätze. Leipzig, Grunow. VIII,
383 s. 4 m.

angez. Österr. litbl. 1896 (22) 678: behagliche plaudereien in
sonntagsstimmung; weniger philosophie. wir lernen den bekannten
philologen als Leibnizverehrer, als gegner des übertriebenen
Schneiderrealismus in der kunst, als satiriker der ausschweifenden
Goethomanie, sogar als musiker kennen.

Wilhelm v. Humboldt. 28. Sechs ungedruckte aufsätze über das
klassische altertum, hrsg. von A. Leitzmann. Leipzig, Göschen.
(Deutsche litteraturdenkmale hrsg. von A. Sauer no. 58—62, n. f.
no. 8—12.) LIV, 214 s. je 0,60 m.

vgl. auch Euphorion 3 (1).

29. Br. Gebhardt, Wilhelm von Humboldt als staatsmann
1. bd. bis zum ausgange des Prager kongresses. Stuttgart, Cotta.
VII, 487 s. 10 m. — angez. Lit. cbl. 1896 (20) 734.

30. Tagebuch Wilhelm von Humboldts. hrsg. von Leitzmann. — vgl. jsb. 1895, 21, 30. F. Jonas, Anz. f. d. altert.
22, 208—212.

31. A. Leitzmann, Zu Wilhelm von Humboldt. 1. Zum
briefwechsel mit Schiller. Euphorion 3 (1).

32. Briefe von und an Wilhelm von Humboldt, hrsg. von
A. Harnack. Biogr. bll. 2 (1).

Jahn. 33. Johannes Friedrich, Jahn als erzieher. sein leben,
seine pädagogische bedeutung und seine lehren. München, E. Pohl
1895. III, 192 s. 2,50 m.

angez. Fr. G. Schultheiss, Litztg. 1896 (31) 965—966.
Lit. cbl. 1896 (41) 1517 (auszüge ohne angabe der fundorte, unwissenschaftlich).

Gustav Adolf Klix (geb. 5. 10. 1822. gest. 5. 2. 1894).

34. M. C. P. Schmidt, Gustav Adolf Klix. Sep.-abdr. a. d.
jsb. über die fortschritte der klass. altertumswiss. 1896, 81—91.

35. C. Th. Michaelis, Gustav Adolf Klix. Breslau, F. Hirt.
72 s. 1,25 m.

der mann, welcher mehr als 25 jahre die staatsprüfung im
Deutschen in Berlin abnahm, war nicht fachgermanist, ist auch
litterarisch nie auf diesem gebiete hervorgetreten. von wissenschaftlichen bestrebungen, die hierher gehören, sind nur seine be-
mühungen um die einheit der rechtschreibung zu erwähnen (s. 67 f.).
dagegen hat er einen ausserordentlich grossen und meist heilsamen
einfluss auf die kandidaten des höheren schulamtes ausgeübt, besonders auf solche, die aus Müllenhoffs schule genug mitgebracht
zu haben glaubten, wenn sie Lachmanns Nibelungentheorie als
glaubenssatz bekannten, ohne sie zu kennen, und über die Bartschs
aburteilten, wiederum ohne sie zu kennen; echte Lachmannianer
oder Müllenhoffianer hat er nie anders als gerecht behandelt, denn
er forderte in der wissenschaft das wissen nicht den glauben.
wenn ihm ein vorwurf zu machen war, so ist es der einer zu
grossen milde: mancher sehr mässige kopf erwarb die lehr-
befähigung zum grossen verwundern derjenigen, die ihn kannten.
scheiterte aber dennoch mancher, so rühmte er sich, er wäre ein
märtyrer seines glaubens an Lachmann. [Henrici.]

Klopstock. 36. R. Batka, Altnordische stoffe und studien in
Deutschland. 1. Von Gottfried Schütze bis Klopstock — mit anhang. Ergänzungsheft 2 zum Euphorion.

Konrad Maurer. vgl. abt. 12, 253.

Wilhelm Mielck (geb. 17. 10. 1840. gest. 16. 3. 1896).

37. C. Walther, Erinnerung an Wilhelm Mielck. vortrag,
gehalten in der gemeinsamen versammlung des Hansischen geschichtsvereins und des vereins für niederdeutsche sprachforschung
zu Bremen am 26. mai 1896. Jahrb. d. ver. f. niederdeutsche
sprachf. 21 (1896) 1—12.

zum gedächtnis an das langjährige, hochverdiente vorstands-
mitglied des vereins für niederdeutsche sprachforschung.

Möser. 38. Karl Mollenhauer, Justus Mösers anteil an der
wiederbelebung des deutschen geistes. progr. des gymn. Martino-
Katharineum Braunschweig. 21 s.

Müllenhoff. 39. W. Scherer, Karl Müllenhoff. ein lebensbild. Berlin, Weidmann. VII, 173 s. 4 m.

das bereits vor zehn jahren abgeschlossene buch besteht aus der
1884 verfassten lebensbeschreibung und der gedächtnisrede, gehalten am 3. 7. 84 in der Berliner akademie; das von dem vf. vor-
gesehene letzte kapitel, die würdigung der altertumskunde, fehlt.
dass die beschreibung eines verhältnismässig einfachen lebens-
ganges, wie der K. Müllenhoffs war, elf druckbogen füllen kann
und dennoch unvollständig ist, beruht auf dem genügend hervor-
gehobenen bemerkenswerten umstande, dass für M. jede wissenschaftliche erörterung eine persönliche frage wurde: der wissenschaftliche gegner wurde sein privatfeind, wenn er sich nicht über-
zeugen liess.

dennoch ist diese biographie auch nach dieser richtung unvollständig, oft, so scheint es, absichtlich. so ist von dem einflusse
M. Haupts wohl (124 fg.) die rede, aber dass dieser der auf
den ton in der Berliner philologie jahrzehnte lang schädlich ein-
wirkte, auch Müllenhoff oft zu seiner schlimmen meinung bekehrte,
der gegner sei unehrlich, davon liest man hier nichts. auch nicht
davon, dass M.'s wesen sich änderte, seit er mit Haupt zerfallen
war: von diesem bruche, der 1872 bereits eingetreten war, ist
wieder nichts zu finden.

'Haupts gewaltige persönlichkeit hat nicht selten auf ihn ge-
drückt', so lautet die schlussbemerkung s. 125; es war doch etwas
anders: M. dachte langsam und liess sich von beweglichen schnell-
denkern leicht ins schlepptau nehmen, aber nur vorübergehend.
dies zeigt sich auch bei M.'s verhältnis zu Scherer, von dem die
schrift überhaupt nicht handelt, vielleicht nicht handeln konnte.
auch diese freundschaft hat nicht mehr lange gehalten, nachdem
Sch. 1877 nach Berlin gekommen war. äusserlich hat M. nie mit
ihm gebrochen, weil er die kraft dazu nicht mehr hatte; aber desto
mehr war er innerlich ergrimmt, dass er sich mit Sch. auch dessen
gesamten journalistischen anhang auf- und einladen musste. Sch.
hat M.'s Preussenhass mehr als nötig hervorgehoben, dagegen vollständig verschwiegen, wie M. über das fremde volk dachte, das
in Scherers gefolge in die theeabende (s. 128) kam. — hier ist
noch eine lücke, die keiner begreifen wird, der diese theegesell-
schaft gekannt hat: nicht ein wort über den alten Hoppe, den

mathematiker an der Berliner universität, der kürzlich seinen 80. geburtstag feierte.

die anzeige Lit. cbl. 1896 (30) 1074—1077 erhebt manche begründeten einwände gegen Scherers darlegungen, fällt jedoch auch urteile über M., die nicht diesen, sondern Scherers auffassung treffen. angez. ferner von E. Martin, Litztg. 1896 (4) 110—111. G. Heinrich, Egyetemes philologiai közlöny 20 (2) 154—157. Symons, Museum 4 (1).   [Henrici.]

St. L. Roth, geb. 20. 9. 1796.

40. [A. Schullerus], Das volksturnfest zur feier des 100. geburtstages St. L. Roths, abgehalten in Hermannstadt am 20. september 1896 (= Jsb. des Hermannstädter Männerturnvereins über das vereinsjahr 1895/96. Hermannstadt, W. Krafft 1896. s. 1—25).

Oskar Schade. 41. Festschrift, zum 70. geburtstage Oskar Schade dargebracht von seinen schülern und verehrern. Königsberg, Hartung. III, 415 s. 10 m.

enthält u. a. H. Becker, Zur Alexandersage. der brief über die wunder Indiens bei Johannes Hartlieb und Sebastian Münster. s. 1—26. L. Goldstein, Beiträge zu lexikalischen studien über die schriftsprache der Lessingperiode s. 51—66 (vgl. abt. 1, 10). F. Graz, Beiträge zur textkritik der sogenannten Caedmonschen Genesis s. 67—78 (vgl. abt. 16, 154). M. Kaluza, Zur betonungs- und verslehre des altenglischen s. 101—134 (vgl. abt. 16, 119). E. Lagenpusch, Wallhallklänge im Heliand s. 135—152 (vgl. abt. 17, 24). A. Ludwich, Erinnerungen an Oskar Erdmann s. 153—176 (vgl. abt. 21, 5). K. Marold, Zur handschriftlichen überlieferung des Tristan Gottfrieds von Strassburg s. 177—186 (vgl. abt. 14, 43). R. Nadrowski, Über die entstehung des Nibelungenliedes s. 229—232 (vgl. abt. 14, 81). F. Schulz, Jagdallegorie s. 233—238 (vgl. abt. 14, 67 und Zs. f. d. altert. 24, 254—268). W. Uhl, Der Waise s. 297—308 (vgl. abt. 14, 66). A. Zimmermann, Etymologisches aus dem bereiche der grammatik s. 309—312 (vgl. abt. 3, 138). L. Fischer, Die charakteristischen unterschiede zwischen dem plattdeutschen und hochdeutschen dialekt in den lauten und der formenbildung der substantiva s. 355—364 (vgl. abt. 17, 6). U. Friedländer, Metrisches zum Iwein Hartmanns von Aue s. 365—374 (vgl. abt. 14, 54).

Ed. Sievers. 42. Philologische studien. festgabe für E. Sievers zum 1. oktober 1896. Halle, Niemeyer. VI, 441 s. 12 m.

daraus hier zu nennen: O. Schrader, Etymologisch-kulturhistorisches s. 1 (abt. 3, 135). G. Hempl, Wimmers runenlehre

s. 12 (abt. 12, 100). Alb. S. Cook, Bemerkungen zu Cynewulfs
Crist s. 21. F. Holthausen, Zur textkritik der York Plays s. 30;
Edw. E. Hale, Über eine zweifelhafte ausnahme der frühme.
dehnung von *a, e, o* in offenen silben s. 38. C. Voretzsch, Das
Merowingerepos und die fränkische heldensage s. 53 (abt. 10, 43).
G. Burchardi, Der nomin. plur. der *a*-deklination im ahd. s. 112.
Fr. Kauffmann, Das Hildebrandslied s. 124 (abt. 10, 36a).
F. Saran, Zur metrik Otfrids von Weissenburg s. 179 (abt. 13,
21). Fr. Panzer, Personennamen aus dem höfischen epos in Bayern
s. 205 (abt. 14, 1). J. H Kern, Zur sprache Veldekes s. 221
(abt. 14, 60). G. Rosenhagen, Die episode vom raube der königin
in Hartmanns Iwein s. 231 (abt. 14, 57). E. Wechssler, Zur
beantwortung der frage nach den quellen von Wolframs Parzival
s. 237 (abt. 14, 134). E. Elster, Das verhältnis des Lorengel zum
Lohengrin s. 252 (abt. 14, 75). W. Mettin, Die ältesten deutschen
pilgerlieder s. 277 (abt. 14, 173). R. Kautzsch, Notiz über einige
elsässische bilderhss. aus dem ersten viertel des 15. jahrhs s. 287
(abt. 14, 24). H. Stickelberger, Die deminutiva in der Berner
mundart s. 319 (abt. 5, 17). A. Scheiner, Die siebenbürgische
vokalkürzung s. 336 (abt. 5, 46). O. Wittstock, Über den schwerttanz der Siebenbürger Sachsen s. 349 (abt. 10, 164). K. Bohnenberger, Zu den flurnamen s. 359 (abt. 2, 21). K. Kehrbach,
Deutsche sprache und litteratur am Philanthropin zu Dessau
(1775—1793) s. 374. J. Meier, Eine populäre synonymik des
16. jahrhs. s 401 (abt. 1, 9. 4, 48. 15, 17).

E. W. Sievers. 43. Nekrolog. Jahrb. d. deutsch. Shakespeare-
gesellschaft 32.

K. Simrock. 44. L. Fränkel, Ein neudeutsches heldenepos
altdeutschen stoffs. Zs. f. d. unterr. 10, 332—361.

enthält im anschluss an K. Landmanns aufsatz 'Zur deutschen
heldensage' in der festschrift für Hildebrand (vgl. jsb. 1894, 21, 26;
1895, 21, 18 und oben no. 24) bemerkungen über K. Simrocks
Amelungenlied und seine würdigung.

Ludwig Tobler. geb. 1. 6. 27. gest. 19. 8. 95 in Zürich.

45. K. Weinhold, Ludwig Tobler †. Zs. d. vereins f.
volkskunde 5 (4).

Ph. Wackernagel. 46. [E. Bertheau], Allg. d. biogr. 40,
452—459.

W. Wackernagel. 47. E. Schröder, ebd. 40, 460—464.

J. C. Wagenseil. 48. E. Schröder, ebd. 40, 481—483.

J. M. Wagner. 49. K. Glossy, ebd. 40, 522—524.

K. F. Chr. Wagner. 50. C. Häberlin, ebd. 40, 525—528.

G. Waitz. 51. F. Frensdorff, ebd. 40, 602—629.

K. F. W. Wander. 52. L. Fränkel, ebd. 41, 139—143.

Beda Weber. 53. W. Bäumker, ebd. 41, 283—285.

K. Weinhold. 54. Glückwunsch für Karl Weinhold zu seinem fünfzigjährigen doktorjubiläum am 14. jan. 1896 im namen der philos. fakultät der univ. Halle dargebr. von Konr. Burdach. Halle, Waisenhaus. 6 s.

55. Abhandlungen, germanistische, begr. v. K. Weinhold, hrsg. v. Fr. Vogt. heft 12: Beiträge zur volkskunde. festschrift, Karl Weinhold zum 50jährigen doktorjubiläum am 14. januar 1896 dargebracht im namen der schlesischen gesellsch. für volkskunde. Breslau, H. Köbner. 8 m.

enthält: W. Creizenach, Zur geschichte der weihnachtsspiele und des weihnachtsfestes. P. Drechsler, Handwerkssprache und -brauch. S. Fränkel, Die tugendhafte und kluge witwe. A. Hillebrandt, Brahmanen und Çudras. O. L. Jiriczek, Die Amlethsage auf Island (vgl. abt. 12, 179). E. Mogk, Segen- und bannsprüche aus einem alten arzneibuche K. Olbrich, Der jungfernsee bei Breslau. P. Regell, Etymologische sagen aus dem Riesengebirge. F. Schroller, Zur charakteristik der schlesischen bauern. Th. Siebs, Flurnamen (vgl. abt. 2, 22). Fr. Vogt, Dornröschen-Thalia. O. Warnatsch, Sif (abt. 12, 176). — angez. Lit. cbl. 1896 (20) 748—750; Zs. d. ver. f. volkskunde 6 (1).

56. Festgabe an Karl Weinhold. ihrem ehrenmitgliede zu seinem 50jährigen doktorjubiläum dargebracht von der gesellschaft für deutsche philologie in Berlin. Leipzig, Reisland. VI, 135 s. 2,40 m.

enthält: R. Bethge, Die altgermanische hundertschaft s. 1—19 (abt. 7, 94). W. Luft, 1. Zur handschrift des Hildebrandsliedes (abt. 13, 11). 2. Zum dialekt des Hildebrandsliedes s. 20—30 (abt. 13, 14). W. Scheel, Die Berliner sammelmappe deutscher fragmente s. 31—90 (abt. 14, 33). J. Bolte, In dulci jubilo s. 91—129 (abt. 10, 297). P. Kaiser, Schillers schrift vom ästhetischen umgang s. 130—135. — angez. Zs. d. ver. f. volksk. 6 (1).

57. Festschrift zur 50jährigen doktorjubelfeier Karl Weinholds. am 14. januar 1896. Strassburg, Trübner. VIII, 170 s. 4.50 m.

hier zu erwähnen sind: O. Brenner, Zum versbau der Schnaderhüpfel s. 1 (abt. 10, 238). F. Jónsson, Hǫrgr s. 13. F. Kluge, Deutsche suffixstudien s. 21 (abt. 3, 113). E. H. Meyer, Toten-

bretter im Schwarzwald s. 55 (abt. 10, 359). F. Pfaff, Märchen
aus Lobenfeld s. 62 (abt. 10, 106). P. Pietsch, Zur behandlung
des nachvokalischen -n einsilbiger wörter in der schlesischen mundart s. 84 (abt. 5, 52). R. Schröder, Marktkreuz und Rolandsbild s. 118 (abt. 9, 75). H. Wunderlich, Die deutschen mundarten in der Frankfurter nationalversammlung s. 134 (abt. 5, 12).
O. v. Zingerle, Etzels burg in den Nibelungen s. 157—170
(abt. 14, 90). — angez. Lit. cbl. 1896 (40) 1475; Zs. d. ver. f.
volkskunde 6 (1).

Friedr. Aug. Wolf. 58. W. Scheel, Fr. Aug. Wolfs collek-
taneen zur deutschen sprache. ein beitrag zur kenntnis nhd.
schriftsprache und deutschen unterrichts am anfang des 19. jahrhs.
Neue jahrb. f. philol. u. pädag. 2. abt. 1896 (11) s 497—505.

sammlungen und zettel aus Wolfs hs.lichem nachlasse auf der
kgl. bibliothek zu Berlin, die von den biographen W.'s noch nicht
benutzt sind. behandeln neben grammatischen auch stilistische
fragen, die einen an Wustmann erinnernden standpunkt W.'s erkennen lassen

Friedr. Zarncke. 59. Vgl. jsb. 1893, 21, 31—45. 1895, 45.
A. E. Schönbach, Biogr. blätt. 2 (6).

60. Ed. Zarncke, Friedrich Zarncke. — vgl. jsb. 1895,
21, 45. Weissenfels, Wochenschr. f. klass. phil. 13 (28).

Jul. Zupitza († 6. 7. 95).

61. Nekrolog. Jahrb. der deutschen Shakespeare-gesellsch. 32.

Bibliographie. (vgl. abt. 3, 14. 12, 1. 16, 1.)

62. Jahresbericht über die erscheinungen auf dem gebiete der
germanischen philologie, hrsg. von der gesellschaft für deutsche
philologie in Berlin. 17. jahrg. 1895. Dresden u. Leipzig, Reissner.
391 s. 9 m.

empfehlend angez. Österr. litbl. 1896 (6).

63. Vierteljahrs-katalog der neuigkeiten des deutschen buchhandels. 51. jahrg. 4 hefte. Leipzig, J. C. Hinrichs'sche buchhandlung 1896.

64. Bibliotheca philologica oder vierteljährliche systematische
bibliographie der auf dem gebiete der klassischen philologie und
altertumswissenschaft, sowie der neuphilologie in Deutschland und
dem auslande neu erschienenen schriften und zeitschriften-aufsätze.
unter mitwirkung von Fr. Kuhn, hrsg. von Aug. Blau. 48. jahrg.

n. f. 10. jahrg. 4 hefte. 1895. Göttingen, Vandenhoeck und Ruprecht.

65. Jahresverzeichnis der an den deutschen universitäten erschienenen schriften. XI. (15. aug. 1895 bis 14. aug. 1896). Berlin, Asher. 344 s.

66. Jahresverzeichnis der an den deutschen schulanstalten erschienenen abhandlungen VIII. 1896. Berlin, Asher 1897. 78 s.

67. Jahresberichte für neuere deutsche litteraturgeschichte mit besonderer unterstützung von E. Schmidt, hrsg. von J. Elias und M. Osborn. 5. bd. (J. 1894). Leipzig, Göschen. 1. abt. 152 s. 6 m.; 2. abt. 192 s. 9 m.

68. Kritischer jahresbericht über die fortschritte der roman. philologie, hrsg. von K. Vollmöller. 2. bd. 1891—1894. Leipzig, Renger. 18 m.

daraus hier zu nennen: L. Sütterlin, Die allgemeine und die indogermanische sprachwissenschaft 1889—1894 (abt. 3, 16. vgl. dazu Allg. ztg. beil. 66). L. Traube, Die lateinische sprache im mittelalter u. a.

69. Leuvensche bijdragen op het gebied van de germaansche philologie en in't bijzonder van de Nederlandsche dialectkunde onder redactie van Ph. Colinet, C. Lecoutere, W. Bang en L. Goemans.

daraus hier: C. Lecoutere, Overzicht van tijdschriften I. Nederlandsche philologie.

70. W. Richter, Handschriften-verzeichnis der Theodorianischen bibliothek zu Paderborn. progr. d. gymn. Theodorianum zu Paderborn. 1896. 36 s.

71. Jahresbericht des vereins für siebenbürgische landeskunde für das vereinsjahr 1896/97. Hermannstadt, W. Kraft 1897. 48 s.

72. Verhandlungen der 43. versammlung deutscher philologen und schulmänner in Köln vom 24.—28. sept. 1895. im auftrage des präsidiums red. v. E. Oehley-Köln. Leipzig, Teubner. 248 s. 6 m.

Bericht über die verhandlungen der germanistischen sektion. Zs. f. d. phil. 28, 530—534. vgl. auch Die neueren spr. 3 (7).

hier sind zu nennen: Wenker, Über den sprachatlas des deutschen reiches (vgl. abt. 5, 3). Stengel, Über die Oxforder balladensammlung. Morsbach, Über das verhältnis von verleger und drucker zum autor in Elisabethanischer zeit. Kossinna, Über die deutsche altertumskunde und die vorgeschichtliche archäologie. E. Schroeder, Über die im 1. bande der 'Deutschen sagen' enthaltene geschichte von den verfluchten tänzern von Kölbigk (vgl. abt. 10, 117). Wrede, Eine karte des deutschen sprachatlas (vgl. abt. 5, 3). K. Burdach, Zum nachleben antiker dichtung und kunst im mittelalter (vgl. abt. 14, 8). Jostes, Die heimat der as. denkmale (vgl. abt. 17, 15).

73. M. Friedwagner, Der VII. allgemeine deutsche Neuphilologentag zu Hamburg. Zs. f. d. österr. gymn. 47, 1125—1134·

bericht über den verlauf des VII Neuphilologentages. von den vorträgen, deren inhalt angeführt wird, sind zu nennen: Münch, Welche ausrüstung für das neusprachliche lehramt ist vom standpunkte der schule aus wünschenswert? Hengesbach, Die reform im lichte der preussischen direktorenkonferenzen. Müller, Über den neusprachlichen lektüre-canon. Scheffler, Technische hochschule und neuere philologie. Mühlefeld, Die lehre von der bedeutungsverwandtschaft in ihrem verhältnisse zur rhetorik, semasiologie, wortbildungslehre, stilistik und synonymik. Vietor, Was ist im auslande zur praktischen förderung der (dortigen) neuphilologen in letzter zeit geschehen? Aronstein, Die entwicklung des höheren schulwesens in England. — schliesslich werden die in der letzten sitzung aufgestellten 15 thesen erwähnt.

74. O. Reissert, Otto mit dem barte. eine deutsche sage zur aufführung in der schule bearbeitet. Hannover 1891. 21 s. ang. C. Franke, Zs. f. d. unterr. 10, 86—87.

75. Josef Orel, Ariogais. erzählung aus der Quaden heldenzeit. Brünn, Deutsches Haus. 138 s.

historischer roman aus den kriegen Mark Aurels; gesuchte altertümlichkeit trotz des geforderten kolorites oft störend; mythologie!

76. Eine fast kurzweilige histori von der schönen Elisa, eines königs tochter aus Portugal und grave Albrechten von Werdenberg . . . [Strassburg, Heitz u. Mündel 1896]. 96 s. 3 m.

nachahmung der alten volksbücher; der stoff stammt aus der Zimmerischen chronik 3, 103—115. angez. E. Martin, Anz. f. d. altert. 22, 90.

Bottermann, Die beziehungen des dramatikers Achim v. Arnim zur altdeutschen litteratur. — vgl. abt. 6, 10. 15, 174.

W. Scheel.

Autorenregister.

Grunzel. Stadtrechte 9, 93.
Grupp. Kulturgesch. 8, 6.
Gummere. Ballads 16, 259.
Guldberg. Nord. tidskr. 12, 18.
Gumplowicz. Reichsgeschichte 9, 105. Rec. 9, 106. 108. 109.
Gundlach. Heldenlieder 20, 25.
Günter. Urkundenbuch 7, 120.
Günther, L. Rec. 9, 68.
Günther, S. Virdung 15, 187. Vögelin 20, 60.
Gurteen, S. H. Arthurian epic 16, 143. Fall of men 16, 155.
Gutsche. Deutsche gesch. 7, 91.
Gutzmann. Sprachheilkunde 8, 13.

Haagsma. Harlinger fregat 18, 2a.
Haas, A. Rügensche sagen 10, 52. Bl. f. volksk. 10, 126. Brot 10, 189. Diebsglaube 10, 190. Teufel im sprichwort 10, 220. Hexenprozessakte 10, 223.
Haas, G. E. Rec. 7, 114.
Haas, W. Bibliographie 7, 9.
Haase. Bastlösereime 10, 323.
Habben. Street names 16, 64.
Haberland. Krieg im Frieden 1, 18b.
Haberlandt. Zs. f. österr. volksk. 10, 129. Rec. 10, 163a.
Häberlin. Wagner 21, 50.
Haberstock. Orthogr. wörterb. 4, 43.
Häbler, A. Rec. 7, 77.
Häbler, K. Presilgland 15, 58.
Haggenmacher. Weltlitteratur 16, 139.
Hahn, A. Demeter und Baubo 10, 8a.
Hahn, H. Rec. 7, 97. 9, 42.
Hale. Dehnung 21, 42.

Hales. Chaucer 16, 233.
Halvorsen. Norsk forfatter lexicon 12, 251.
Hammerich. Blasehörner 7, 70.
Hampe. Bezolds gedenkbuch 10, 279. Dürer 15, 34a. Ratsbibl. zu Rothenburg 15, 57 Foltz von der pestilentz 15, 62. Meisterlieder 15, 125. Örtels reisetagebuch 15, 137. Watt 15, 216. Rec. 15, 146.
Hampel. Kupferzeit 7, 27.
Handke. Westsächs. evangelien 16, 174.
Hänselmann. Braunschweig 7, 157. Brandis' diarium 8, 16. Stadtrechte 9, 88.
Hansen, P. Dansk litteraturhistorie 12, 160. Den danske skueplads 12, 161.
Hansen, R. Nordstrand 18, 51. Rec. 7, 83.
Hansen, S. Bronzealtervolk 7, 70.
Hantzsch. Deutsche reisende 15, 16.
Harder. Werden und wandern 1, 18
Harlez. Affinités linguistiques 3, 53.
Harnack. Humboldt 21, 32.
Harou. Spotnamen 10, 133.
Hart, J. Weltlitteratur 16, 137.
Hart, J. M. eisel 16, 47.
Hartel. Paulinus Nolanus 20, 13.
Hartland. Perseus 10, 14.
Hartmann, A. Meisterliederhss. 15, 127.
Hartmann, J. Besiedelung 7, 183.
Hartmann, M. Blut ist dicker als wasser 10, 375.
Hartmann, R. Infinitiv 4, 11a.
Hartung. Ackerbauliche altert. 10, 59. Volkskunde aus Anhalt 10, 183. 210. Hirtensegen 10, 193. Bast-

lösereime 10, 320. Altertümer 14, 89.
Harvey. Misyn 16, 267.
Harward. Hereward 16, 197.
Harz. Seidenzucht 8, 51.
Harzen-Müller. Störtebecker 10, 278.
Hauber. Wesen des satœs 3, 45.
Hauffen. Böhm. volksk. 10, 140. Dritter bericht 10, 141 Gottschee 10, 242. Hexenwahn 10, 228a. Arme und reiche braut 10, 261. Volksgesang 10, 295. Epos 15, 1. Fischart 15, 46. Glückhaft schiff 15, 47. Fischartstudien 15, 48. Rec 5, 50. 10, 134. 203a. 236. 237. 254. 256. 336. 15, 51.
Haug. Rec. 7, 33.
Haukenæs. Gammelt fra Voss 12, 189.
Haupt. Kolbengericht 9, 61. Sprichwörter 10, 366.
Hauser. Kärntens Karolingerzeit 7, 125.
Hausknecht. Rec. 16, 18.
Hausrath. Luthers bekehrung 15, 105.
Haussleiter. Rec. 15, 72. 82.
Haverfield. Rec. 7, 164. 165.
Hayen, W. Johanniter 18, 23.
Hazelius. Abbildungen 7, 70. Nord. museet 12, 26. Bilder från Skansen 12, 192.
Heath. Chaucer 16, 215.
Heck. Gerichtsverfassung 9, 30. 18, 6.
Heckmann. Ministerialität 9, 34.
Heeger. Dialekt d. Pfalz. 5, 38.
Hehn. Kulturpflanzen 7, 12.
Heidemann. Rec. 8, 110.
Heidenheimer. Faust 15, 40.
Heigel. Abhandlungen 9, 53.

Kossmann. Chamissos Fortunat 10, 40. Lucifers val 14, 38. Rec. 15, 54.

Köster, A. Geharnischte Venus 10, 302. Rec. 10, 338.

Köster, H. Huchown 16, 195.

Köstler. Ortskunde 7, 96.

Köstlin. Lutherbilder 15, 109.

Koulen. Stabreim 5, 49a.

Krainz. Sitten in Steiermark 10, 180g.

Kralik. Rec. 14, 151. 198. 202. 15. 60. 68.

Krallinger. Ezzoleich 14, 40.

Krampe. Humanisten 8, 113. 20, 31.

Kraus, C. Trierer Silvester 7, 98. 14, 108. Wolfr. Willehalm 14, 142. Afries. stabreim 18, 45. Rec. 14, 63. 99. 115.

Kraus, F. Höhlensagen 10, 97a.

Kraus, F. X. Badische litteratur 7, 4.

Krausbauer. Preuss. volkshymne 10, 287.

Krause, A. Declination 3, 38.

Krause, G. Ortsmundarten 17, 4.

Krauss, Fr. S. Am Urquell 10, 131.

Krauss, R. Jak. Frischlin 15, 63. Rec 5, 28.

Kreiten. Des knaben wunderhorn 10, 234.

Krejči. Heliand u. Tatian 13, 30.

Kremers. Luther 15, 111.

Kretschmer. Einl. in d. gesch. d. griech. spr. 3, 56.

Kristensen, E. T. Danske børnerim 12, 186. Fra bindestue 12, 195.

Kristensen, M. Dentaler 12, 83.

Kroker. Leipzig. 10, 275. Hist. v. E. Braunen 15, 177.

Krones. Rec. 7, 127. 9, 16. 106. 107.

Krönig. Redensarten 10, 365.

Krüger, A. Schwanritter 10, 33.

Krüger, Fr. Rudolf v. Ems 14, 104.

Krüger, G. Luther 15, 93.

Krummacher. Rec. 16, 16. 18. 19.

Kruse, E. Richerzeche 9, 99. Gerichtsverfassung 9, 99.

Kruse, J. Charlotte Nordenflycht 12, 157.

Krüss. Rec. 7, 38.

Kübler. Kissinger ma. 5, 37.

Küchler. Neuisländ. Dichtung 12, 119.

Kück. Judas Nazarei 15, 135.

Kugler. Rec. 7, 107.

Kühnau. Schlesische märchen 10, 88. Pauerhuxt 10, 169.

Kulka. Funde 7, 52.

Kuiper, H. Woordenboek 19, 27.

Kuiper, R. K. Woordenboek 19, 28.

Kurth. Frontière linguistique 19, 5

Kullander. Skogsbyggarelivet 12, 193

Kummer. Gesch. d. d. litt. 4, 15.

Kümmerle. Rec. 10, 299.

Kuntze, F. Verbum substant. 3, 114.

Kuntze, J. E. Städtegründungen 9, 112.

Küntzel. Mass- u. gewichtswesen 9, 74.

Kunze, F. Volkssagen 10, 61. Volkstümliches aus Hohenstein 10, 157. Volkstümliches aus Thüringen 10, 105. Blut ist dicker als wasser 10, 376.

Kunze, K. Urkundenbuch 7, 132.

Künzel. Hessen 7, 183.

Kupfer. Norwegen 7, 183.

Kupke. Rec. 7, 109.

Kurth. Origines 9, 37. Hist. des Mérovingiens 10, 42.

Kurse. Annales Laurissenses 7, 97. Deutsche geschichte 7, 101. Rec. 7, 91. 20, 25.

Lagenpusch. Recht im Heliand 9, 17. Walhallklänge 17, 24.

Laible. Konstanz 8, 21.

Lambel. Mundartl. Forschung in Böhmen 5, 39. Rec. 5. 40. 42.

Lämmerhirt. Rüdeger 10, 29.

Lampel. Rec. 7, 103.

Lamprecht. Deutsche gesch. 7, 87. Richtungen 7, 87. Kulturgesch. 7, 87.

Landau. Deminutiv; ein drei 5, 2.

Landau, M. Heinz der kellner 14, 62. Hans Sachs 15, 155.

Landmann. Rec. 10, 1.

Lange, A. Vom sprechen 3, 9a.

Lange, J. Nord. tidskr. f. vetenskap 12, 18.

Lange, K. Dürer 15, 34.

Lange, P. Engl. bibliogr. 16, 4.

Langenberg. Meister Eckart 19, 42.

Langwerth v. Simmern. Kreisverfassung 9, 62.

Lappenberg. Vorwort 7, 93.

Larsen, A. B. Norske dialekter 12, 69.

Larsen, K. Soldatensprog 12, 94. Dansk argot 12, 95.

Larsson, L. Rec. 12, 130.

Larsson, K. Nyf. fragm. af Södermannalagen 12, 88b.

Lau. Verfassungsgesch. 9, 78. Rec. 9, 81.

Laub. Donaustädte 7, 148.

Laube. Teplitz 10, 142.

120. Rec. 16, 16. 17.
85. 88. 100.

Lumtzer. Leibitzer ma.
5, 47.

Lundell. Nyare bidrag
12, 22.

Lundgren. Personnamn
12, 49.

Lundstedt. Sveriges litteratur 12, 150.

Lupton. Morus 10, 275.

Luschin v. Ebengreuth.
Rec. 9, 6. 16. 74. 108.

Luther. Wettiner lande
9, 103.

Lybecker. Nord. bokhandlertidende 12, 2.

Lyon. Eberhards handwb.
1, 7. 4, 47. Festschrift
21. 24. Rec. 1, 2. 4, 29.
41. 52. 6, 15.

Maass, J. Fischerkrugtag
10, 160.

Maass, W. Kyffhäuser 10,
44.

Mackel. e- und o-laute
3, 104. Rec. 5, 4.

Madsen s. Neergard 7, 70.

Maitland. Rec. 9, 57.

Malzacher. Alamanniens
heldensaal 7, 183.

Magnússon Olsen, Björn.
Um kaffi 12, 20. Minningarit 12, 254.

Magnússon, Eirikr. Edda
12, 58. Cod. Lindesianus
12, 107. Heimskringla
12, 139. Odins horse 12,
175.

Malo. Rec. 15. 97.

Manitius. Anthologia
20, 9.

Manly. Chaucer 16, 232.

Mann. Rec. 16, 25.

Mannhardt. Zauberglaube
10, 186.

Manzeck. Blasen am weihnachtsabend 10, 179.

March. Time and space
3, 34.

Marchot. Les gloses de
Cassel 13, 5. Les gloses
de Vienne 13, 6.

Marcks. Germania 7, 182.

Marina. Germania 7, 183.

Markgraf. Strassen Breslaus 8, 23.

Markhauser. Rec. 7, 183.

Marold, K. Tristan 14,
43. Rec. 20, 21.

Marold,M. Kärntner volkslied 10, 239.

Martin. Elsass. mundart 5, 18. Wulfilas todesjahr 11, 14. Strassburger
hss. 14, 23. 203. Bruchstücke 14, 32. De Weert
19, 58. Rec. 10, 21. 14,
27. 39. 46. 70. 15, 230.
21, 39. 76.

Marty. Subjektlose sätze
8, 47.

Masner. Rec. 7, 49.

Mather. Chaucer 16, 211.

Mathiesen. Throndhjem
12, 244.

Matthias, A. Engl. wörterbuch 16. 20.

Matthias, Th. Sprachreinig. jurist 4, 1. Wegweiser 4, 52. Mundart u.
schriftspr. 5, 9. Rec. 4,
11. 16. 17.

Mátyás. Schwäb. kinderspiele 10, 325.

Matzen. Dansk retshistorie 12, 234.

Maurer, G. L. v. Einleitung 7, 21.

Maurer, H. s. Naeher 8,
70.

Maurer, K. Rechtsgesch.
9, 32. Königslösung 12,
187. Heilkraft bestimmter
familien 12, 202. Wettkampf des zauberers 12,
203. Zwei rechtsfälle der
Eyrbyggja 12, 229. Rec.
12, 180. 16, 176. 177.

Mayer s.. Meringer 3, 7.

Mayer, A. Stadt Wien 7,
151. Antwort 7, 151.

Mayer, Friedr. Rezept
Faustens 15, 44.

Mayes, F. Arn. Mönch
v. Salzburg 14, 172.

Mayerhofer. Weistümer

9, 112. Hieron. Bock
15, 27.

Mayhew. ceaster 16, 32.
briar, friar, choir 16, 41.
Shottery 16, 62.

Mazegger. Burgtürme 8,
72.

McLintock. dēcan 16, 34.

Mehring. Rec. 7, 7. 120.

Meier, J. Studentensprache
4, 31. Volkslieder 10,
259. Synonymik 15, 17.
Nigrinus 15, 136.

Meiklejohn. Engl. literature 16, 134.

Meillet. Rec. 7, 15.

Meinardus. Oldenburg
18, 22.

Meinecke. Rec. 7, 87.

Meitzen. Siedelung 9, 22.

Menger. German w 3, 111.

Menges. Rec. 5, 20.

Mensing. Rec. 4, 11.

Mentz. Bibliographie 5, 1.

Meringer. Versprechen 3,
7. Rec. 3, 64. 141.

Merkes. Infinitiv 4, 11.

Merrill. Modern English
16, 57.

Mertens. Bauspruch 10,
352.

Mestorf. Eisenalter 7, 30.
Skandinav. litt. 7, 70.

Metcalfe. Legends 16, 206.

Mettig. Gesch. Rigas 7,
160.

Mettin. Pilgerlieder 14,
173.

Meulen. Bolsward 18, 1.

Meurer. Satzzeichen 4, 44.

Meyer, A. G. Rec. 7, 13.

Meyer, E. Schlacht im
Teutoburger walde 7,
166.

Meyer, E. H. Totenbretter
10, 359. Rec. 10, 1. 6.

Meyer, G. Rec. 2, 13.
3, 7. 15. 18. 49. 62.

Meyer v. Knonau, G. Jahrbücher 7, 103. Hans Viol
14, 176. Veit Weber 14,
186. Rec. 7, 85. 123.

Meyer H. Rec. 2, 17.

Meyer, K. Sagen vom
Hohenspiegel 10, 66.

Sutter. Rec. 7, 85.

Sütterlin. Sprachwissenschaft 3, 15. Sagen 10, 77. Sitten 10, 147. Rec. 3, 1.

Svensson. Svenska språkets ställning 12, 66.

Swaen. *callet, minx, gixie* 16, 42. *I dare* 16, 106. Rec. 16, 82.

Sweet. Ae. *dēcan* 16, 34. New Engl. grammar 16, 83. Middle Engl. primer 16, 97. 145.

Swoboda. Fortschritt i. d. sprache 3, 28.

Sylwan. Kellgren 12, 35. Svenska pressens historia 12, 151. Holofernes och Judit 12, 155.

Symons. Rec. 21, 39.

Szombathy. Rec. 7, 37. 50. 53.

Tack. Psalmen 17, 28.

Tait Place names 16, 65. Rec. 7, 87.

Tardel. Zu Chamisso 10, 51. Spielmannspoesie 14, 96.

Tamm. Svensk ordbok 12, 43.

Taranger. *ábúð jarðar heimilar tekju* 12, 230.

Tatarinoff. Glareans briefe 8, 43.

Taylor. Aryans 7, 16.

Tegnér. Brefväxlingar 12, 35. Svenska bilder 12, 190.

Teich. Metallzeit 7, 28.

Teirlinck. Plantenkultur 10, 132.

Tetzner. Wörterbuch 1, 8. Besiedelung 7, 36.

Teutsch. Wagner 20, 67.

Thieme-Preusser. Engl. wörterb. 16, 19.

Thimme. Lied u. märe 10, 99.

Thirring-Waisbecker. Volkskunde 10, 166.

Thomas. Bedeutungswandel 3, 40.

Þorkelsson, J. sen. Suppl. til isl. ordböger 12, 38.

Þorkelsson, Jón. jun. Íslenzkar ártíðaskrár 12, 209.

Thoroddsen. Landfræðissaga Íslands 12, 240.

Thorsen. Rec. 12, 152.

Thouret. Rec. 10, 291.

Thudichum. Sala 9, 34.

Thurneysen. Germanen nach England 7, 84.

Thym. Dales woordenboek 19, 2.

Thyregod. Lovstridigt hedenskab 12, 174. At trække handsker 12, 199.

Tideman. Vereeniging 19, 5.

Tikkanen. Psalterillustrationen 8, 39.

Tille. Jüng. Titurel 14, 111.

Tille. Wirtschaftsverfassung 8, 40. Faustspiele 10, 340. Rec. 10, 230.

Tobler. Kunst- u. baugeschichte 8, 88. Chronik Fischers 15, 53. Rec. 8, 136.

Toischer. Volkslieder 10, 243. Litt. Böhmens 15, 3.

Tolnai. Matrone v. Ephesus 10, 108.

Torp. Ordforklaring 12, 53.

Toynbee. *caroon* 16, 43.

Traube. Lat. sprache 21, 68. Rec. 20, 10.

Trautenberger. Brünn 7, 152.

Trautmann. Schicksale der apostel 16, 149. Crist 16, 156. Orm 16, 185 Rec. 3, 143. 16, 84. 121.

Treichel. Volkslieder 10, 254. Holzkorken 10, 360. Cleges 16, 253.

Triepel. Interregnum 9, 52.

Triggs. Lydgate 16, 242.

Tschackert. Preuss. reformationsgesch. 15, 179.

Tücking. Germania 7, 173. Rec. 7, 173.

Tumbült. Hegau 9, 100. Rec. 7, 118.

Tümpel. Nd. studien 17, 3.

Tupper. Rec. 16, 127.

phil. 16, 9.

Türler. Adelsgeschichte 8, 35. Beerdigungswesen 8, 57. Schopfer 8, 64. Wirtschaftsgesch. 8, 139.

Uhl. Heinr. d. Vogler 14, 61. Herzog Ernst (der waise) 14, 66. Volmar 14, 118. Murner 15, 130.

Uhlenbeck. Etymologisches 3, 136. 16, 28. Gotisches wörterb. 11, 10. Etym. wetenschap 19, 3. Rec. 3, 55. 95.

Uhlirz. Stadt Wien 7, 151. Litteratur 9, 99. Rec. 7, 106. 154. 158. 9, 79. 84. 85. 92. 99.

Uhlmann. Hus 9, 112.

Uldall. Jydske granitkirker 12, 250.

Ullrich. Universität Leipzig 8, 128.

Und et. Norweg.¹ altsachen; Fibeln 7, 70.

Unger, C. R. Diplomatarium norvegicum 12, 207.

Unger, Th. Alt-Steiermark 10, 176.

Unseld. Reimsprüche aus Schwaben 10, 347.

Urban. Kirchweihlied 10, 247.

Usener. Götternamen 10, 4.

Valentin. Rätsel 10, 384.

Varges. Wernigerode 9, 86. Braunschweig 9, 87. 99. Bremen 9, 89. Rec. 7, 140. 9, 85.

Varrentrapp. Brants beschr. von Deutschland 15, 29. Wimpfeling 20, 75.

Vater. Sächsische herrscher 8, 26.

Sachregister.

Lightning Source UK Ltd.
Milton Keynes UK
UKHW010623260119
336090UK00006B/606/P